ANONYMI

GLOSA PSALMORUM
EX TRADITIONE SENIORUM

TEIL I:
PRAEFATIO UND PSALMEN 1–100

HERAUSGEGEBEN
VON
HELMUT BOESE

VERLAG HERDER FREIBURG

HELMUT BOESE

ANONYMI GLOSA PSALMORUM
EX TRADITIONE SENIORUM

VETUS LATINA

DIE RESTE DER ALTLATEINISCHEN BIBEL

NACH PETRUS SABATIER
NEU GESAMMELT UND IN VERBINDUNG
MIT DER HEIDELBERGER AKADEMIE DER WISSENSCHAFTEN
HERAUSGEGEBEN VON DER ERZABTEI BEURON

AUS DER GESCHICHTE
DER LATEINISCHEN BIBEL

BEGRÜNDET VON BONIFATIUS FISCHER
HERAUSGEGEBEN VON HERMANN JOSEF FREDE

22

ISSN 0571-9070

VERLAG HERDER FREIBURG

ANONYMI

GLOSA PSALMORUM
EX TRADITIONE SENIORUM

TEIL I:
PRAEFATIO UND PSALMEN 1–100

HERAUSGEGEBEN
VON
HELMUT BOESE

1992
VERLAG HERDER FREIBURG

VORWORT

Die hier vorgelegte »Glosa psalmorum«, einstmals weit verbreitet, ist
dann jedoch vollständig in Vergessenheit geraten, aus welcher sie erst
kürzlich wieder hervorgezogen werden konnte. In Band 9 dieser selben
Schriftenreihe habe ich 1982 versucht, Interesse für diesen alten Text zu
erwecken und habe neben Untersuchungen über seine Herkunft, seinen
Charakter und die Textüberlieferung auch einige Proben daraus veröffentlicht. Auf Grund dieser Textproben stieß bald danach Hermann Josef
Frede auf die Benutzung dieser Glosa in einer alten Erklärung des
Hebräerbriefes (AN Hbr), die sich als der Psalmenglosse in vieler Beziehung so ähnlich erwies, als könnte sie dem gleichen Umfeld entstammen
(vgl. VL 25/II, Lfg. 3 [1987] S. 1024). Dies führte zu dem dringenden
Wunsch, nun doch eine Ausgabe des vollständigen Textes der Glosa zu
erhalten. Dadurch bewogen, habe ich mich schließlich an die Durchfüh-
rung dieser schwierigen und in mancher Beziehung undankbaren Aufgabe
gemacht. Denn obwohl in der Zwischenzeit noch eine wichtige Handschrift zum Vorschein kam, die mir zuerst entgangen war, halte ich nach
wie vor die bis jetzt vorliegende Überlieferung für durchaus unzurei-
chend, um danach etwas in jeder Hinsicht Brauchbares herstellen zu
können. Es kann sich daher hier keineswegs um eine textkritische oder
abschließende Ausgabe handeln, sondern bestenfalls um einen Studien-
oder Lesetext, der dem Theologen und Historiker einen Eindruck davon
vermitteln kann, was die Menschen der Vorzeit einmal bewegt hat, der
aber von der sprachlichen Seite aus den Philologen weitgehend unbefrie-
digend erscheinen muß. Die Gründe dafür sind aus dem Schluß von
Abschnitt 4 der Einleitung zu ersehen. Ebenso liegt es auch in der Überlieferung begründet, daß der ursprünglich geplante Umfang dieses ersten
Bandes noch bis einschließlich Psalm 100 erweitert wurde. Dafür wird
dann der zweite Band genügend Platz für Nachträge und Ergänzungen
bieten.
Diese Vorbemerkungen möchte ich nicht schließen, ohne allen denen, die
mich in den Jahren der Arbeit mit Rat und Tat unterstützt haben, noch

meinen aufrichtigsten Dank zu sagen. Dieser gilt an erster Stelle dem leider kürzlich verstorbenen Bernhard Bischoff, der die Überlieferung der Glosa noch zuletzt um eine Reihe von Fragmenten bereichern konnte. Er gilt aber vor allem Hermann Josef Frede schon deshalb, weil er nicht nur die Arbeit von Anfang an mit Anteilnahme und Aufmunterung begleitet, sondern ihr auch – trotz der oben gekennzeichneten Unvollkommenheiten – freundlichst die Aufnahme in die von ihm betreute Schriftenreihe gewährt hat. Außer ihm habe ich von seinen Mitarbeitern am Vetus Latina Institut auch Herbert Stanjek für seine Mithilfe bei den Druckkorrekturen zu danken und ebenso wie vormals P. Meinrad Wölfle für die Herstellung der Vorlagen zu den beigegebenen Tafeln.

Möge dieser alte Text aus dem geistigen und geistlichen Weisheitsschatz der einstigen Senioren auch in unserem heutigen Zeitalter der Senioren manchem etwas zu sagen haben!

Stuttgart, in der Osterwoche 1992   Helmut Boese

INHALTSVERZEICHNIS

ABKÜRZUNGSVERZEICHNIS

AN Hbr	Expositio epistolae Pauli ad Hebraeos, gedruckt in: H. Zimmer, Pelagius in Irland, Berlin 1901, S. 420–448
CC	Corpus Christianorum Series Latina. Turnhout 1954 ff.
CLA	E. A. Lowe, Codices Latini Antiquiores. Oxford 1934–1971
CV	Corpus (Vindobonense) scriptorum ecclesiasticorum Latinorum. Wien 1866 ff.
GCS	Griechische christliche Schriftsteller der ersten drei Jahrhunderte. Berlin, Leipzig 1897 ff.
PL	Patrologiae series Latina. Paris 1844 ff.
Prinz	Friedrich Prinz, Frühes Mönchtum im Frankenreich. München ²1988
Psautiers	Robert Weber, Le Psautier Romain et les autres anciens psautiers Latins. 1953 (Collectanea Biblica Latina 10)
Rep. Bibl.	F. Stegmüller, Repertorium Biblicum Medii Aevi. Madrid 1940 ff.
SC	Sources Chrétiennes. Paris 1942 ff.
Unters.	Helmut Boese, Die alte »Glosa psalmorum ex traditione seniorum«. Untersuchungen, Materialien, Texte. Freiburg 1982 (Vetus Latina. Aus der Geschichte der lateinischen Bibel 9)
VL	Vetus Latina. Beuron 1949 ff.
Vulg.	Biblia Sacra iuxta Vulgatam editionem. Stuttgart 1969 (²1975, ³1983)
	Die biblischen Bücher werden zitiert nach den Abkürzungen der Stuttgarter Vulgata (außer I,II Rg statt I,II Sm). Die Psalmen werden angeführt nach Nummern und Einteilung der lateinischen Bibel.

EINLEITUNG

Da die Glosa psalmorum ex traditione seniorum erst seit kurzem wieder
bekannt und noch nicht in die wissenschaftliche Diskussion aufgenommen ist, sind in bezug auf sie noch manche Fragen offen. Doch bietet sie
immerhin selbst genug Anhaltspunkte, um die wichtigsten sie betreffen-
den Fragen mit einiger Sicherheit beantworten zu können. Als Resultat
meiner früher veröffentlichten Untersuchungen[1] hatte sich ergeben, daß
sie aller Wahrscheinlichkeit nach im Anfang des 7. Jahrhunderts innerhalb des Mönchtums im Süden von Gallien, d. h. in der Provence, ent-
stand. Zwar beruhten die damaligen Feststellungen hauptsächlich auf
dem schwankenden Boden der Beobachtungen an dem kommentierten
Psalmentext. Doch hat die jahrelange Weiterbeschäftigung mit der Glosa
und die Einbeziehung weiterer Gesichtspunkte die dabei gefundenen Ergebnisse in allen wesentlichen Punkten so weit bestätigt, daß ich von ihrer
Richtigkeit noch heute überzeugt bin. Deshalb soll hier einleitend noch
einmal in einer erweiterten Form darauf eingegangen werden.

1. Zur Herkunft der Glosa

Verhältnismäßig leicht ist die Entstehungszeit der Glosa einzugrenzen.
Sie ist einerseits bestimmt durch die jüngsten der darin herangezogenen
Quellen: die Schriften Papst Gregors des Großen († 604), die sich seit den
90er Jahren des 6. Jahrhunderts weiter verbreiteten. Den Terminus ante
quem liefert dagegen ein im Schrifttyp von Luxeuil beschriftetes Einzel-
blatt als Rest einer Handschrift aus dem Beginn des 8. Jahrhunderts[2], das
zwar nicht den Text der Glosa enthält, wohl aber das älteste Zeugnis für
Ps-Hieronymus' Breviarium in psalmos darstellt, in welches größere

---

[1] 1982 als Band 9 der Reihe: Vetus Latina. Aus der Geschichte der lateinischen Bibel (im
folgenden zitiert als: Unters.).
[2] Jetzt in Hannover, Kestner Museum, Cul. I 48 (vgl. CLA Suppl. [1971] Nr. 1700).

Teile der Glosa übernommen waren.[3] Da diese Übernahme jedoch erst erfolgt sein dürfte, als die Glosa schon bekannt und verbreitet war, muß diese selbst in jedem Falle innerhalb des 7. Jahrhunderts entstanden sein. Dieser Zeitraum läßt sich aber in mancher Beziehung noch weiter auf die Anfangszeit dieses Jahrhunderts einschränken.

Das Milieu, dem die Glosa ihre Entstehung verdankt, war sicher das Mönchtum. Denn wie in der alten Kirche überhaupt, so hat auch innerhalb des Mönchtums der Psalmengesang von Anfang an eine besondere Rolle gespielt, auch wenn die älteren Mönchsregeln darüber noch keine ins einzelne gehenden Angaben enthalten. Diese Herkunft ist einfach dem Charakter der Glosa zu entnehmen. Termini wie monachus, monasterium oder coenobium kommen allerdings darin nicht vor; nur von fratres ist hin und wieder die Rede. Doch werden an zwei Stellen die Äbte erwähnt: in Ps 54,7: *pontifices uel abbates;* und 106,1: *superspeculator aut abbas,* wo sich aus der Verbindung mit den (nur hier vorkommenden) Bezeichnungen Pontifex und Superspeculator für die kirchlichen Würdenträger, d. h. die Bischöfe, ergibt, daß mit den Abbates doch wohl die Vertreter des Mönchtums gemeint sein müssen. Und die an die erstere Stelle sich anschließende Charakterisierung derselben (54,7,11-12) paßt denn auch viel mehr zu dem Amt des Abtes als zu dem des Bischofs: *Qui regunt animas et propter necessitates fratrum ... non possunt semper cogitare de caelestibus.* Das im Text der Glosa öfter vorkommende »cogitare (auch: contemplari) de caelestibus« geht doch auf das asketische Vollkommenheitsideal, das am Ausgangspunkt des Mönchtums stand. Und der Hinweis auf die »necessitates fratrum«, der mehr die Bürde des Amtes als die damit verbundene Vollmacht berücksichtigt, entspricht ganz der Wesensbestimmung des Abtes, wie sie nach der Aufzählung der dazu nötigen Eigenschaften die alte Regula Orientalis[4] gibt: *qui ⟨est⟩ sustinens monasterii necessitates.* Wenn man jedoch die Unterscheidung von Abt und Bischof in der angeführten Weise nicht zugeben wollte, so ist doch deren gemein-

---

[3] s. dazu Unters. S. 78ff. Da dieses Breviarium, zusammengesetzt aus der Glosa, aus (echten) Hieronymus-Texten und noch weiteren Bestandteilen, im Prinzip und in der Methode eine direkte Parallele darstellt zu den innerhalb des iro-fränkischen Mönchtums ausgebildeten und von Luxeuil aus verbreiteten Mischregeln (aus den Regeln Benedikts, Columbans und anderer [Augustinus, Caesarius]), möchte man es in demselben Umfeld und in derselben Zeit (Mitte 7. Jh.) entstanden denken.

[4] Regula Orientalis 1,5 in: Les règles des saints pères, tome II, ed. par A. DE VOGÜÉ, 1982 (= SC 298), S. 462.

same Nennung immerhin als ein Zeichen dafür anzusehen, daß wir uns dabei in einer Zeit befinden, wo beides noch nicht so streng geschieden war und man daher noch von einer »monastisch-klerikalen Symbiose«[5] sprechen kann. Daß sich damals an den Domkirchen auch Klerikerkollegien bildeten, die ebenfalls den gemeinsamen Psalmengesang pflegten, ist bekannt, und daß deshalb auch für diese die Glosa von Bedeutung sein konnte, ist gut zu verstehen. Daß zu dieser Zeit, also mehr im Anfang des 7. Jahrhunderts, die Differenzierung noch nicht sehr weit fortgeschritten war, deutet im übrigen auch die in der Glosa am meisten gebrauchte Bezeichnung für diejenigen, an die sie sich wandte, an: die Praedicatores. Auch im monastischen Leben hatte damals die Missionstätigkeit noch eine entscheidende Stelle.

Ein weiteres Anzeichen dafür, daß an der Entstehung der Glosa das Mönchtum hauptsächlich beteiligt war, bildet auch der Hinweis auf die Seniores in ihrer Benennung. Denn ein solcher Rang mit unterschiedlichen, oft nicht genauer erfaßbaren Funktionen kommt nicht nur bei Johannes Cassianus, sondern auch in mehreren der alten Mönchsregeln vor und ganz besonders in der gerade erwähnten Regula Orientalis,[6] welche zwei Senioren als Leiter der Tätigkeit des Konvents nach innen und nach außen unmittelbar dem Abt beiordnet. Aber auch sonst sind die Senioren gewöhnlich die Inhaber der im Kloster zu verwaltenden Ämter, und in jedem Falle gehörte die Betreuung und Ausbildung der neu eintretenden oder jüngeren Mönche zu ihren Aufgaben, mit welcher Tätigkeit sicher auch die Einführung in die Welt der Psalmen verbunden war.

Weniger leicht als die bisher behandelten Punkte ist die Frage nach dem Entstehungsort der Glosa zu beantworten. Nach einer eingehenden Prüfung des der Glossierung zugrunde liegenden Psalmentextes hatte ich mich früher[7] für den Süden von Gallien bzw. die Provence entschieden. Handelt es sich dabei doch um einen solchen altlateinischen (Misch-)Text, wie er damals besonders in Gallien verbreitet war. Zwar ist bei einigen noch erhaltenen Psalterien dieser Art auch eine Entstehung in Oberitalien in Erwägung gezogen worden.[8] Dies dürfte jedoch bei dem hier

---

[5] Dieser von R. Schieffer geprägte Ausdruck hier zitiert nach F. PRINZ, Frühes Mönchtum im Frankenreich, [2]1988 (im folgenden = Prinz), S. 642.
[6] Regula Orientalis cap. 2, a.a.O. (s. Anm. 4) S. 464.
[7] Unters. S. 59ff.
[8] So hält z.B. R. WEBER, Psautiers S. XVIII die Entstehung des Psalters von Saint-Germain [γ] = Paris, B. N. lat. 11947, der mit dem der Glosa zugrunde liegenden Text vieles Gemeinsame hat, in Italien für möglich.

vorliegenden Psalmentext nicht gut möglich sein, weil er mehr als alle übrigen ihm verwandten Texte Beziehungen zu dem besonders in Spanien verbreiteten Psalterium Mozarabicum aufweist. Ein solcher Einfluß ließe sich bei einem damals im Frankenreich nördlich der Loire oder erst recht bei einem in Italien entstandenen Text schwer erklären. Hinzukommt, daß andererseits im Text der Glosa nirgends ein Einfluß von irischer oder insularer Bibelexegese zu spüren ist und auch noch keine Einwirkung von seiten der Expositio psalmorum des Cassiodor vorliegt. Daher bleibt die Provence nach wie vor der Ort, der den Gegebenheiten am ehesten entspricht.

Zieht man zu allem bisher Erörterten noch die Ergebnisse in Betracht, die die geschichtliche Erforschung des frühen Mönchtums in den letzten Jahrzehnten erbracht hat, so fällt es nicht schwer, unsere Glosa darin unterzubringen. Sie dürfte mit Sicherheit im Bereich der Strömung entstanden sein, für die F. Prinz die Bezeichnung »Rhonemönchtum« geprägt hat.[9] Darunter ist die Richtung der monastischen Entwicklung zu verstehen, die ihren Ausgangspunkt und ihre Lehrstätte auf der der provençalischen Küste vorgelagerten Klosterinsel Lérins hatte, mit den Klostergründungen Cassians in Marseille in enger Verbindung stand, weitere bedeutende Wirkenszentren in Lyon und den Juraklöstern im Umkreis des Genfer Sees besaß und ihren Einfluß bis nach Agaunum-Saint Maurice im Wallis erstreckte. Daß die Glosa besonders in diesen Entwicklungsstrom hineingehört, zeigen nicht nur die schon angedeuteten Berührungen mit der Regula Orientalis oder die erwähnten engeren Beziehungen zwischen Mönchen und dem Klerus: sind doch zahlreiche Mönche von Lérins später selbst Bischöfe geworden. Es tritt besonders deutlich noch in einem anderen Punkt hervor. Nach der Ansicht mancher Kirchenhistoriker soll es gerade in dieser Gegend bis gegen die Mitte des 7. Jahrhunderts ein romfreies Christentum gegeben haben.[10] Dies ist zwar in neuerer Zeit bestritten worden, und in bezug auf die kirchliche Entwicklung vermutlich mit Recht.[11] Daß diese Ansicht jedoch auf das Mönchtum oder wenigstens Teile davon durchaus zutrifft, dafür ist jedenfalls die Glosa ein gewichtiger Zeuge. Denn in dem von ihr vertretenen Christen-

---

[9] Prinz S. 89 und passim.

[10] Vgl. die in dem Sammelband: Mönchtum und Gesellschaft im Frühmittelalter, hrsg. von F. PRINZ, Darmstadt 1976 (Wege der Forschung 312) in dem Beitrag von KASSIUS HALLINGER S. 40 angeführte Literatur.

[11] Von HALLINGER a.a.O. S. 42ff.

tum kommt Rom überhaupt nicht vor. Wenn hin und wieder einmal die Römer genannt werden, bezieht es sich immer nur auf die durch Titus und Vespasianus repräsentierten Zerstörer des jüdischen Tempels, oder einmal (Ps 78,1) handelt es sich auch um die späteren Kaiser und deren Christenverfolgungen. Der Verfasser der Glosa aber und die Senioren, auf die er sich stützte, wußten nichts davon, daß das Christentum einmal aus Rom zu ihnen gekommen wäre, sondern für sie kam es aus dem Orient, mit dem sie ja ständig in Verbindung standen; und die in der Glosa fortwährend angeführte Ecclesia hat ihr Zentrum nicht in Rom, sondern in Jerusalem und dessen Mittelpunkt Golgatha. Auch von einer besonderen Verehrung des hl. Petrus kann keine Rede sein. Wenn er auch bisweilen als »primus« oder »princeps« apostolorum bezeichnet wird, so wird doch immer betont, daß er auch einer war, der Christus in der Passion verriet. Ihm die Funktion eines Schlüsselträgers oder Himmelspförtners zuzuschreiben, wie es bald danach auch im Frankenreich gebräuchlich wurde,[12] ist daher unserer Glosa noch absolut unbekannt.

Ist damit im allgemeinen der Umkreis, in welchen die Glosa hineingehört, abgesteckt, so kann es hinsichtlich des eigentlichen Entstehungsortes nur Vermutungen geben. In der 1. Hälfte des 7. Jahrhunderts spielte ja Lérins nicht mehr so die führende Rolle wie in den beiden vorhergehenden Jahrhunderten, und so kann nicht ohne weiteres davon ausgegangen werden, daß die Glosa dort ausgearbeitet sein müßte. Um in dieser Hinsicht überhaupt begründete Vermutungen anstellen zu können, wird man noch einen anderen Tatbestand nicht übersehen dürfen. Offenbar blieb die Glosa nicht auf ihr Entstehungsgebiet beschränkt, sondern hat sie doch eine weite Verbreitung gefunden. So bezeugen die erhaltenen und bis jetzt aufgefundenen Reste das Vorhandensein alter Texte in Paris, Reims, Saint-Omer, im Elsaß, in der Schweiz, in Fulda und in Regensburg. Diese Verbreitung könnte nun gut mit einer anderen Einrichtung zusammenhängen, die ebenfalls ihren Ausgangspunkt innerhalb des Rhonemönchtums und zwar speziell in Agaunum hatte: ich meine den ewigen Psalmengesang, die sogenannte Laus perennis.[13] Es ließe sich doch gut vorstellen,

---

[12] S. bei HALLINGER a.a.O. S. 47ff.

[13] Vgl. dazu PRINZ S. 103–108. Die Verbreitungsorte der Laus perennis (s. auch bei PRINZ Karte IV B) sind zwar nicht mit denen der Glosa identisch, aber solange wir über die Wege ihrer Ausbreitung nichts wissen, kann dies kein Gegenargument sein. Jedenfalls wäre das Zusammengehen beider die denkbar beste Möglichkeit für die Glosa gewesen, aus ihrem Ursprungsgebiet hinauszugelangen.

daß mit dieser Einrichtung zugleich auch die Glosa verbreitet wurde, denn irgendwie gehören sie doch zusammen. Dies würde voraussetzen, daß die Glosa zunächst in Agaunum vorhanden war. Sicher mußte ein solches Werk wie die Glosa, das kurz und knapp den christlichen Gehalt der Psalmen herausstellte, für die mit der Ausführung der Laus perennis Betrauten höchst erwünscht sein. Deswegen ist es natürlich nicht unbedingt erforderlich, Agaunum nun als den Entstehungsort zu betrachten, zumal sonst keine Belege für eine derartige Tätigkeit dort vorzuliegen scheinen. Es könnte vielmehr auch anderswo für Agaunum – vielleicht sogar ausdrücklich dafür bestimmt – geschaffen worden sein. Bekanntlich kamen die vier Gruppen(turmae) von Mönchen, die sich laufend beim Psalmengesang ablösten, aus den Klöstern in Grigny, Insula Barbara (Lyon), Condatiscone und Romainmoutier;[14] und so könnte die Glosa vielleicht auch in einem dieser Klöster entstanden sein. Dafür ließe sich sogar ein direktes Vorbild namhaft machen, sofern man an Condat (St. Claude) denken wollte. Dort hatte um 520 – also etwa 100 Jahre früher – ein Anonymus für Agaunum die Vitae sanctorum patrum Romani, Lupicini et Eugendi, d. h. der ersten Äbte der Juraklöster, verfaßt, und er tat dies, wie er gleich im Anfang der Vita Romani mitteilt, auf Grund dessen, was er durch eigene Anschauung oder Überlieferung der Senioren wußte: *quantum ... proprio intuitu uel seniorum traditione percepi.*[15] Genau dasselbe hätte auch der anonyme Verfasser der Glosa sagen können, denn natürlich kam auch bei ihm zu der Traditio seniorum die eigene Einsicht und religiöse Erfahrung hinzu. Ob ihm etwa diese Aussage bekannt war und er deshalb das »ex traditione seniorum« in die Benennung der Glosa aufnahm? Daneben käme möglicherweise auch Lyon als Entstehungsort in Betracht, und von daher würde auch auf die Zuschreibung der Glosa an Eucherius in einem Zweig der Überlieferung, dem unter anderem das einstmals in Fulda befindliche Exemplar angehörte,[16] ein neues Licht fallen. Dies alles sind, wie gesagt, hypothetische Annahmen, um die vorliegenden Tatbestände verständlich zu machen. Wichtig ist aber vor allem festzuhalten, daß wir in bezug auf das Mönchtum, über dessen äußere Lebensgestaltung wir durch die bekannten Regeln schon längst orien-

---

[14] s. bei PRINZ S. 104.
[15] s. Vita S. Romani abbatis 4,1 in: Vies des pères du Jura, ed. par F. MARTINE, 1968 (= SC 142), S. 242.
[16] s. Unters. S. 42.

tiert sind, nun durch die Glosa noch etwas von dem erfahren, was diesem Leben inneren Gehalt oder sogar erst den eigentlichen Inhalt gab.

2. Zu den Quellen der Glosa

Von den Autoren, die der Verfasser der Glosa bei seiner Arbeit heranzog, hat er die hauptsächlich benutzten selbst genannt: Augustinus, Hieronymus, Eusebius, Eucherius, Benedictus und Gregorius. Davon war für ihn zweifellos Augustinus von der größten Bedeutung, dessen Enarrationes in psalmos er offenbar während der Arbeit immer zur Hand hatte.[17] Sie dienten ihm vielfach als Vorbild und lieferten ihm die richtigen Gesichtspunkte für die Erklärung nicht leicht zu verstehender Stellen. Daher finden sich bei ihm häufiger wörtliche Übernahmen von einzelnen Formulierungen und manchmal auch so verkürzte Angaben oder Beispiele, daß man sie als solche gar nicht verstehen kann, ohne selbst auf den Text Augustins zurückzugreifen. Die Abhängigkeit von dieser Quelle geht jedoch keineswegs so weit, daß man die Glosa als eine Kurzfassung der Enarrationes oder als einen bloßen Auszug daraus ansehen könnte. Sie bietet vielmehr so viel Eigenes und verarbeitet auch das von Augustinus Übernommene meist so selbständig, daß es nicht als Fremdkörper erscheint. Im übrigen erweist sich der Verfasser der Glosa auch nicht als ein unbedingter Anhänger Augustins und Vertreter aller seiner besonderen Lehren. Zwar weist auch er häufig genug hin auf das Wirken der göttlichen Gnade ohne alles Vorliegen menschlicher Verdienste (*nullis meritis praecedentibus*) und spricht davon, daß zur wahren Vollkommenheit nur die dafür Praedestinierten gelangen können. Aber das bleiben bei ihm mehr oder weniger doch nur Formeln von theoretischem Wert, neben denen immer wieder hervorgehoben und betont wird, daß es in erster Linie darauf ankomme, das, was man glaubt und erkannt hat, nun auch in die Tat umzusetzen (*opere complere*).

Im Gegensatz zu Augustinus, der für den Verfasser der Glosa eine wirkliche Quelle war, kommen die anderen zitierten Autoren gewöhnlich nur mit einzelnen treffend formulierten Sätzen oder Sentenzen zu Worte. Dies gilt auch für Hieronymus, dessen Ansichten vielfach nur denjenigen Augustins gegenübergestellt werden und oft so wenig faßbar sind, daß

---

[17] s. Unters. S. 49f.

sie sich in dem so umfangreichen Werk des Hieronymus kaum oder gar nicht auffinden lassen. Von dem nur an einer Stelle der Praefatio (Zeile 49) angeführten Eusebius von Caesarea war dem Glossator wohl nur das Chronicon in der Bearbeitung des Hieronymus bekannt, aus dem unter der Bezeichnung »Historiarum libri« ohne Verfasserangabe auch die zu Ps 78,1 gebrachten Zitate stammen. Daß Eucherius, einst in Lérins und später Bischof von Lyon, in einem Werk, das aller Wahrscheinlichkeit nach aus dem Rhonemönchtum hervorgegangen ist, herangezogen wird, ist nicht verwunderlich. Dagegen sind die Zitate aus der Regula sancti Benedicti gewiß für diese Zeit bemerkenswert. Aber mit dem Brief des Klosterbegründers von Altaripa Venerandus, mit welchem er die Regula dem Bischof Constantius von Albi übersandte, lag schon länger ein Zeugnis dafür vor, daß es im 1. Drittel des 7. Jahrhunderts in Südgallien Exemplare der Regula gab.[18] Und angesichts des Ansehens, das Lérins innerhalb der monastischen Bewegung im 6. Jahrhundert noch besaß, ist die Annahme, daß die Regel auch dort bekannt war, sicher nicht abwegig, wo doch sogar ernsthaft die Vermutung aufgestellt wurde, Benedikt könnte möglicherweise die Verhältnisse, die er in seiner Regel beschreibt, in Lérins kennengelernt haben.[19] Was schließlich die Schriften Gregors des Großen betrifft, so werden daraus zwar auch nur einzelne Sätze angeführt, doch dürften sie aufs Ganze gesehen dem Verfasser der Glosa als einem Zeitgenossen viel bedeutet haben, da die darin zum Ausdruck kommenden Anschauungen Papst Gregors den seinigen, aus denen auch die Glosa hervorgegangen ist, so nahestanden.

Neben diesen Zeugnissen für seine Belesenheit, die der Verfasser nennt und aus denen er auch noch weiteres entnommen hat, wo er sie nicht nennt, hat er sicher noch andere Werke zum mindesten so weit gekannt, daß er daraus nach dem Gedächtnis das eine oder andere anführen konnte. Zudem ist ihm auch eine ziemlich ausgebreitete Bibelkenntnis zu bescheinigen, die auch die Kenntnis verschiedener Fassungen des Psalters einschloß. Außerdem scheint er auch griechische Überlieferung oder Quellen, die etwas daraus mitteilten, benutzt zu haben, wie wenigstens eine Stelle aus dem Anfang von Ps 16 vermuten läßt. Dort sagt er zu dem:

---

[18] Veröffentlicht von L. Traube nach der Handschrift 917 von St. Gallen, in 2. Aufl. hrsg. von H. Plenkers, Abh. Akad. München, phil.-hist. Klasse 25,2(1910) S. 35 und 88.
[19] Vgl. P. Basilius Steidle, Das Inselkloster Lerin und die Regel St. Benedikts. Benediktin. Monatsschrift 27(1951) 376ff.

Exaudi domine iustitiam meam richtig, daß Augustinus statt *domine* hier *deus* habe, aber er fügt hinzu: *iuxta Septuaginta.* Davon steht jedoch bei Augustinus nichts; er muß es also anderswoher haben. Dann zieht er weiterhin, vielleicht nach derselben Quelle, statt *iustitiam meam* auch ein: *iustitiae meae* in Erwägung[20] und gibt zu »deus iustitiae« die merkwürdige Erläuterung: *uel deus iustus diues.* Offenbar hatte ein des Griechischen Kundiger das Wort δικαιοσύνης am Rand notiert und angemerkt, daß es sowohl als Objekt zu εἰσάκουσον oder als von θεός abhängend aufgefaßt werden kann. Und entweder war unserem Glossator δίκαιος = iustus bekannt oder er fand es als Glosse übergeschrieben vor, und das an dieser Stelle ganz sinnlose: *diues* ist nichts anderes als eine versuchte Transkription des restlichen -σύνης, für das ich sonst keine andere Erklärung sehe.

Die wichtigste Quelle jedoch, die sich uns nur durch die Glosa insgesamt erschließen kann, dürfte die mündliche Belehrung gewesen sein, die dem Verfasser während seiner Ausbildung im Kloster zuteil wurde und die ihn in den Stand setzte, sie in dieser Form künftigen Generationen weiterzugeben.

3. Die Handschriften

Die bis jetzt ermittelten Handschriften der Glosa sind (a) alle teilweise (besonders am Anfang und Ende) verstümmelt oder lückenhaft oder überhaupt nur in Form von Fragmenten erhalten; oder (b) sie enthalten nur einzelne ausgewählte Psalmen, oder (c) nur Auszüge oder einen mehr oder weniger bearbeiteten Text. Die meisten von ihnen sind Unters. S. 25–34 ausführlich beschrieben, so daß ich mich hier für die Gruppen b und c auf kurze Angaben beschränken kann und nur die Texte der Gruppe a, die der hier vorliegenden Ausgabe zugrunde liegen, eingehender behandle.

a) Handschriften mit größeren zusammenhängenden Teilen des Textes:

L = Leipzig, Universitätsbibl., Ms. Rep.II fol.56
Perg. 104 Bl., 37:24 cm. 9. Jh. (1. und 3./4. Viertel), Nordostfrankreich (?)[21]

---

[20] Oder entnahm er es der etwa parallelen Stelle in Ps 4,2?
[21] Vgl. A. G. R. NAUMANN, Catalogus librorum mss. qui in Bibliotheca Senatoria ciuitatis Lipsiensis asservantur (1838) 55 Nr. CLXXXI. – Rep. Bibl. 6 (1958) 251f. Nr. 9165. – Unters. S. 28.

2 Spalten, 32 Zeilen. Überschriften und teilweise Anfangszeilen in Majuskeln, mit der Feder gezeichnete Initialen mit kleinen Verzierungen (Abbildung aus Bl.64r s. Unters. Tafel I). Der 2. Teil (Bl. 73–104) in ganz gleichmäßiger Minuskel, 2. Hälfte 9. Jh. – Herkunft unbekannt. Seit dem 18. Jh. in der Leipziger Stadtbibliothek, jetzt (unter der alten Signatur) ebendort in der Universitätsbibliothek.

Enthält den Text der Glosa von Ps 4,7,3 bis 68,24,3.

M = München, Bayerische Staatsbibl., Cod. lat. 3747
Perg. I,284 Bl., 28,5:19 cm. 9. Jh.[1] Süddeutschland (Regensburg)[22]

Quaterne, außer Bl. 105–107, davon I–III verloren. Von mehreren ganz ähnlichen Händen nach Feststellung von B. Bischoff in St. Emmeram in Regensburg geschrieben (Abbildung von Bl. 119r s. hier Tafel I). Überschriften rot in Majuskeln; mit der Feder gezeichnete Initialen mit kleinen Verzierungen. Mindestens seit dem 15. Jh. in der Augsburger Dombibliothek.

Enthält den Text der Glosa von Ps 7,9,8 bis 100,5,1, die einzelnen Psalmen immer am Anfang mit Kap. + Zählung bezeichnet.

N = Metz, Bibl. Municipale, Ms. 1178
Perg. 168 Bl., 30:18 cm. 9. Jh.[1], wahrscheinlich Nordostfrankreich.[23]

20 Quaterne, am Schluß gezählt I–XV und XXI–XXV, vom 1. das zweite Blatt und hinter Bl.119v 5 Lagen verloren. Schriftraum etwa 22,5:14 cm., zuerst 30, ab Bl.40r 29 Langzeilen. Überschriften (rot) und 54r, 81v, 110r, 145v die Anfangszeilen in Majuskeln; die Schrift zum Teil insular beeinflußt (immer insulares Minuskel-g, 113v die insulare Abkürzung für autem, 51r Initiale und 54r Anfangszeile umpunktet). 72r gezeichnete Initiale mit Flechtwerk und Vogelkopf. Bl.1v (ziemlich abgerieben) Überschrift in Ziermajuskeln und große verzierte Initiale (Abbildungen von 1v und 87r s. hier auf Tafel II und III). Ursprüngliche Herkunft unbekannt. 1880 aus dem Nachlaß des Barons de Salis an die Metzer Stadtbibliothek.

Bl.1v mit Überschrift: *In nomine sanctae trinitatis incipiunt Glosae ex traditione seniorum: Psalterium inquirendum est Psalterium in cuius lingua dicitur* (soweit in Majuskeln) beg. die Praefatio: *Psalterium graecum est ...*, am Ende der Seite mit: *miserere mei deus* (= Z.16) abbrechend; Bl.2r beg.:

[22] Vgl. Catalogus codicum Latinorum Bibl. Regiae Monacensis Bd. 1,2(1871)112 bzw. (²1894)131. – B. BISCHOFF, Die Südostdeutschen Schreibschulen Bd. 1(²1960)211. – Rep. Bibl. 6(1958)428f. Nr. 9900. – Unters. S. 28–29.
[23] Vgl. Catalogue générale des mss. ... Départements Bd. 48(1933)401–2. – Unters. S. 29 war die Sigle N an den Münchener Cod. lat. 14335 vergeben worden. Aber da diese Hs. nur Ps 53 enthält und für die Edition nicht weiter in Betracht kommt, habe ich N (wegen der Nähe zu M) hier neu vergeben.

aut in persona ecclesiae (Z.66). Anschl. ohne Überschr. der Textbeginn. Enthält vom Text der Glosa Ps 1,1 bis 57,2,1; 72,1–79,12,3; 79,17,8–88,14,1. Die Lücke in Ps 79 (Bl.144r mitten in der Zeile) ist durch Verlust oder Überschlagen eines Blattes in der Vorlage verursacht.

S = Stuttgart, Württembergische Landesbibl., Cod. Bibl. 2° 73
Perg. 196 Bl., 29:29 cm. Mittleres 9. Jh., Frankreich (Reims)[24]

Quaterne, am Schluß gezählt, davon Qu. II–IV verloren, desgl. von I Anfangs- und Schluß-blatt, von XVIII das innere Doppelblatt und am Schluß weitere Blätter. Schriftraum 22:22,5 cm., 2 Spalten, 30 Zeilen. Von mehreren ganz ähnlichen Händen nach Feststellung von B. Bischoff sicher in Reims geschrieben. Überschriften und Anfangszeilen in Majuskeln. Grö-ßere mit der Feder gezeichnete, mit Flechtwerk und Blattmotiven verzierte Initialen 1va, 15ra, 33vb, 52rb, 53ra, 101va, 154ra, dazu die Anfangsworte in Monumentalkapitalis (Abbil-dung aus Bl.52r s. Unters. Tafel II). Im 17. Jh. im Kloster Zwiefalten neu gebunden; zuletzt dort als Perg.-Hs. 22.

Enthält vom Text der Glosa: Schluß (= Z.58–79) der Praefatio, Ps 1,1–4,10,5; 19,7,5–86,3,3; 87,12,5–138,5.

B = Boulogne-sur-Mer, Bibl. Municipale, Ms. 21
Perg. II,136 Bl. in folio. 9. Jh. (3. Viertel), Frankreich (Reims)[25]

Vermutlich in Reims in dem gleichen Scriptorium und nach der gleichen (inzwischen etwas korrigierten) Vorlage geschrieben wie **S**. Provenienz: S. Bertin in Saint-Omer.

Enthält den Text der Glosa von Ps 77,1–150,6. Hier nur benutzt als Vertre-ter von S in dessen Lücke von Ps 86,3–87,12.

V = Città del Vaticano, Bibl. Apostolica, Cod. Regin.Lat. 319
Perg. I,123 Bl., 29:22 cm. 10. Jh.[1](?), Frankreich[26]

Quaterne, am Schluß mit Buchstabenbezeichnung (H–Y), teilweise verstümmelt und lük-kenhaft. Schriftraum 21,5–24:18,5 cm., 28–30 Langzeilen. Datierung (9./10. Jh. oder 1. Hälfte 10. Jh.) und Lokalisierung (Nordostfrankreich?) schwierig, da der Schreiber offen-sichtlich Eigentümlichkeiten aus einer älteren Vorlage übernahm oder nachzuahmen suchte. Ursprüngliche Herkunft unbekannt. Mit der Bibliothek der Königin Christina von Schweden im 17. Jh. in die Vaticana gelangt.

---

[24] Vgl. K. LÖFFLER, Die Handschriften des Klosters Zwiefalten (1931) 24f.
[25] Vgl. Catalogue général des mss. … Départements (Quart Serie) Bd. 4(1872)586. – Unters. S. 25–26.
[26] Vgl. A. WILMART, Codices Reginenses Latini Bd. 2(1945)215–217. – Unters. S. 33–34.

Enthält vom Text der Glosa: Ps 7,1,23–9,1; Ps 9,18,1–31,3; Ps 17,5,5–32,2,8; 34,23,3–83,4,12; 89,3,3–118,11; 135,1–141,1.

Dazu kommen Fragmente von zwei ursprünglich vollständigen Handschriften:

H = Marburg/Lahn, Hessisches Staatsarchiv, Hr 3,4 und 4,21a–d Perg. 9 Bl. (teilweise beschnitten). 9 Jh.[1], Westdeutschland (?)[27]

Von mehreren Händen geschrieben, Schriftraum etwa 25,5–26:19,5 cm., 31 Langzeilen. Vermutlich in Westdeutschland (Rhein-Mosel-Gebiet?) entstanden; später sehr wahrscheinlich in der Bibliothek des Klosters Fulda, in deren Verzeichnissen (15. und 16. Jh.) der Text unter Eucherius als Verfasser angeführt wird (s. Unters. S. 42). Im 17. Jh. als Makulatur verkauft, dienten die vorliegenden Blätter als Umschläge zu Rechnungsbüchern der Vogtei und des Spitals in Homberg an der Efze (Reg.-bez. Kassel). Seit 1910 unter den Handschriftenresten (Hr) im Marburger Staatsarchiv.

Vom Text der Glosa, eng zusammengehend mit demjenigen von V, sind erhalten: Ps 73,4–18; 81,1–7; 84,14–85,13; 94,10–95,1; 95,4–10; 98,1–8; 101,8–21; 103,4–11; 118,154–170; 125,1–126,1.

F = Verstreute Fragmente einer wohl in Südwestdeutschland entstandenen Pergament-Handschrift, um 800 oder bald danach, von B. Bischoff aufgefunden und als zusammengehörend erkannt (nach von ihm zur Verfügung gestellten Kopien kollationiert).

Schriftraum etwa 21,5:17,5 cm., 27 Langzeilen, von Einbänden abgelöst und an einer Seite gewöhnlich etwas beschnitten. Textlich eng mit M und N verwandt.

1) W o l f e n b ü t t e l, Herzog August Bibl., Ms. Nov. 404,1 n.8[28]
   1 Doppelblatt mit Text von Ps 16,4–9 und 17,14–23.
2) W e i m a r, Staatsarchiv, Hardenberg-Sammlung Nr. 3
   1 Blatt mit Text von Ps 49,13–50,1.
3) M ü n c h e n, in Privatbesitz (heute verschollen)
   1 Blatt mit Text von Ps 64,13,5–65,3,2 mit Initiale in Federzeichnung.
4) D i l l i n g e n, Kreis- und Studienbibl. Fragment IV(?)
   1 Blatt mit Text von Ps 79,3,9–6,9.

---

[27] Vgl. Unters. S. 27 und 41–46.
[28] Vgl. Kataloge der Herzog August Bibl. Wolfenbüttel Bd. 15: Die mittelalterlichen Handschriften der Gruppen Extravagantes, Novi und Novissimi, beschr. von H. BUTZMANN (1972) 200.

b) Handschriften, die nur einzelne Psalmen enthalten:

Einsiedeln, Stiftsbibl., Ms. 281 Teil III (= S. 179–238)
Perg. 30 Bl., 20:12,5 cm. 9. Jh.[1], Schweiz (?)[29]

3 Quaterne (II–IIII), der erste (I) verloren. 22 Zeilen, Schriftprobe von S. 203 s. bei A. Bruckner, Scriptoria medii aevi Helvetica Bd. 1 (1935) Tafel IX. Mit der Feder gezeichnete Initialen. Am Anfang oben durch Feuchtigkeit beschädigt (mit Textverlust).

Am Anfang verstümmelt, enthält von der Glosa Ps 2 (von 4,6 *desideria cordis* an), 3,14,20,33,50,66 und 136.

München, Bayerische Staatsbibl., Cod. lat. 14470
Perg. I,157 Bl., 23,5:14,5 cm. Anfang 9. Jh., Süddeutschland (?)[30]

22–23 Langzeilen. Überschriften, Anfangsbuchstaben und Initialen zum Teil farbig ausgemalt. Provenienz: St. Emmeram in Regensburg, die Entstehung in Regensburg aber nicht völlig gesichert.

Sammelband, darin von der Glosa Bl.75r–94r Ps 57,85,64,82; Bl.113r–118r Ps 48 und 51.

München, Bayerische Staatsbibl., Cod. lat. 14335
Perg. I,103 Bl., 29:18 cm. 9. Jh. (1. Viertel), Süddeutschland (Regensburg)[31]

Wohl nach der gleichen Vorlage wie M (also in St. Emmeram?) geschrieben, 23 Langzeilen.

Enthält aus der Glosa Bl.1r–2v nur Ps 53 ebenfalls wie in M mit: Kap. LIII. überschrieben; Bl.2v–61r fortgesetzt (von and. Hand) mit Ps-Hieronymus, Breviarium in psalmos 116,117,118,101,102,107,108.

---

[29] Vgl. GABRIEL MEIER, Catalogus codicum mss. qui in Bibl. Monasterii Einsidlensis O.S.B. servantur Bd. 1(1899)258. – Rep. Bibl. 6(1958)251f. Nr. 9165. – Unters. S. 26.
[30] Vgl. Catalogus cod. Latinorum Bibl. Regiae Monacensis Bd. 2,2(1876) 177–78. – B. BISCHOFF, Die Südostdeutschen Schreibschulen Bd. 1(²1960)246. Während Bischoff dort eine Entstehung in Bayern noch für möglich hielt, teilte er mir (etwa 1987) brieflich mit, daß er diese Hs. nirgends sicher unterbringen könnte. – Unters. S. 30–31.
[31] Vgl. ebendort (wie Anm. 30) S. 159. – BISCHOFF a.a.O. S. 238. – Unters. S. 29 (s. auch oben Anm. 23).

c) Auszüge mit bearbeitetem Text:

Paris, Bibl. Nat., Ms. lat. 13189
Perg. 85 Bl., 17:11,5 cm. 10. Jh., Frankreich (Paris)[32]

Am Anfang und Schluß verstümmelt. Meist 14 Zeilen, Überschriften in Unziale.
Provenienz: Saint-Germain-des-Prés, wo der Band auch geschrieben sein dürfte.

Enthält von der Glosa nur Auszüge aus Ps 1,2,3 (durch Blattverluste lük-
kenhaft), 4–8,50,51,54,55,57–59,61,62,64,67–71. Nur von Ps 50,69 und 71
(bis Vers 16) der vollständige Text, sonst nur Teile oder einzelne Verse
oder auch nur Teile davon. Der Text selbst, bearbeitet und mit Zusätzen,
ist Unters. S. 142–171 soweit vorhanden verglichen und seine Abweichungen sind dort im Apparat verzeichnet.

Die weiteren Texte, zu denen die Glosa herangezogen wurde und die in
den früheren Untersuchungen ausführlich dargestellt wurden, also:
1. das Breviarium in psalmos (Unters. S. 76–82),
2. das Gebetbuch des Wormser Bischofs Erembertus = Cod.Vat.Pal.
   lat.67 (ebd. S. 82–87), und
3. die Randglosse zu dem Psalterium in Tortosa, Kathedralbibl. Cod. 51
   (aus Avignon, s. Unters. s. 32/33) und zu Ps 1–16 im Stuttgarter Bil-
   derpsalter Cod.Bibl. 2° 23 (ebd. S. 87–92)
sind hier nicht weiter zu behandeln, da sie für den hier edierten Textteil
der Glosa nichts ergeben und deshalb nicht berücksichtigt worden sind. In
dem 2. Band (mit Ps 101–150) wird jedoch darauf zurückzukommen sein.

4. Zur handschriftlichen Überlieferung

Von den im Vorangehenden angeführten Handschriften beschränke ich
mich hier auf diejenigen, die größere zusammenhängende Teile des Textes enthalten. Auch sie sind alle entweder im Anfang und/oder am Schluß
verstümmelt oder lückenhaft. Deshalb folge hier zunächst eine Übersicht,
welche anzeigt, welche Handschriften jeweils zu welchen Textteilen zur
Verfügung stehen:

---

[32] Vgl. L. DELISLE, Inventaire des mss. lat. de Saint-Germain-des-Prés. Bibliothèque de l'É-
cole des chartes 29(1868)221. – Rep. Bibl. 6(1958)251f. Nr. 9165. – Unters. S. 30.

1,1,1-4,7,3	NS	**17,5,5-19,7,5**	LMNV	**79,12,3-17,8**	MSV
4,7,3-4,10,5	LNS	**19,7,5-32,2,8**	LMNSV	**79,17,8-83,4,12**	MNSV
4,10,5-7,1,23	LN	**32,2,8-34,23,3**	LMNS	**83,4,12-86,3,3**	MNS
7,1,23-9,1	LNV	**34,23,3-57,2,1**	LMNSV	**86,3,3-87,12,5**	BMN
7,9,1-9,17,5	LMN	**57,2,1-68,24,3**	LMSV	**87,12,5-88,14,1**	MNS
9,18,1-31,3	LMNV	**68,24,3-72,1,1**	MSV	**88,14,1-89,3,3**	MS
9,31,3-17,5,5	LMN	**72,1,1-79,12,3**	MNSV	**89,3,3-100,5,2**	MSV
				100,5,2-8,6	SV

Daraus wird ersichtlich, das **M** und **S** die Handschriften sind, die die größten Anteile an dem hier edierten Text erhalten haben.[33] Sie sind zugleich die führenden Handschriften der beiden schon früher (Unters. S. 36f.) festgestellten unterschiedlichen Redaktionen des Textes. Dadurch, daß hier die Handschrift N neu hinzutritt, die damals noch nicht herangezogen werden konnte, ergeben sich in bezug auf die Einordnung und Bewertung der einzelnen Zeugen gewisse Änderungen an den bisherigen Feststellungen. N ist zunächst von besonderer Bedeutung, weil es bis jetzt der einzige Text ist, der wirklich mit dem Anfang anfängt. Dadurch wird klargestellt, daß zur Glosa nur diese eine Praefatio gehört, was sich vorher nur auf Grund verschiedener Überlegungen erschließen ließ,[34] und daß sie von Anfang an die Bezeichnung: *ex traditione seniorum* trug, was, solange nur S und V bekannt waren, bestenfalls zu vermuten war, während L und M durch die Subscriptio von Psalm 40 schon eher Gewißheit gaben. Sodann gehört der Text von N zu demselben Überlieferungszweig wie M und bringt zu diesem die Kenntnis von Ps 1-7,9 hinzu, die bisher fehlte, wodurch er nun von Ps 1-100 durchgehend belegt ist. In dem anderen Überlieferungszweig besteht in S die große Lücke von Ps 4,10-19,7, die von der neben S wichtigsten Handschrift V nur teilweise (7,1-9; 9,18-31; 17,5ff.) ausgefüllt wird. Dagegen lassen sich die in S ausgefallenen Seiten mit Ps 86,3-87,12 mit Hilfe des ihm nahe verwandten Textes **B** ergänzen. Schwieriger gestaltete sich die Einordnung von L. Ehe N bekannt war, konnte L für den Abschnitt von Ps 4,10-7,9 als ein Vertreter von M angesehen werden, was jedoch von N nicht bestätigt wird. Und in dem kurzen Abschnitt von 7,1-9, wo V hinzutritt, ist die Beziehung von L zu V ja auch eine deut-

---

[33] Um einen Vergleich zu ermöglichen, wurde der Anteil der Handschriften an der hier vorliegenden Ausgabe entsprechend deren Seiten berechnet. Danach macht der Anteil von M 424 Seiten aus, der von S. 376, von V 342, von N 314 und von L 281 Seiten.

[34] Vgl. Unters. S. 23-25.

lich engere als zu N. Dasselbe gilt auch für die folgenden Abschnitte (9,19–31; 17,5–19,7), wo L ebenfalls stärker mit V zusammengeht als mit MN. Auf der anderen Seite hat L aber durchaus auch Gemeinsamkeiten mit MN und schwankt so gewissermaßen zwischen beiden Seiten hin und her, und erst etwa von Ps 29 ab wird seine Verbindung mit M oder MN dann vorherrschend gegenüber der zu SV. Dies legt es nahe anzunehmen, daß ein Vorgänger von L zunächst auch zu dem 1. Überlieferungszweig gehörte, dann aber nach einem Text aus der Verwandtschaft von SV überarbeitet wurde von einem Bearbeiter, dessen Energie im Laufe der Arbeit allmählich nachließ und sich schließlich nur noch auf wenige Eingriffe beschränkte. In dem 2. Überlieferungszweig ist der Einfluß eines gemeinsamen Vorgängers, der mit **Z** bezeichnet werden soll,[35] zwar noch über Ps 70 hinaus wirksam; doch werden dann eigene Lesarten in S und in V immer häufiger, darunter auch solche, die mit M oder – soweit vorhanden – N übereinstimmen. Dagegen werden Erweiterungen oder Neuformulierungen von der Art, wie sie vorher die eigentlichen Unterscheidungsmerkmale zwischen den beiden Zweigen bilden, immer seltener und hören dann so gut wie ganz auf. Die Überlieferung wird dadurch zwar einheitlicher, aber da sie sich damit auch als weniger durchgearbeitet erweist, nehmen gleichzeitig singuläre Abweichungen und Verderbnisse immer stärker zu, was aber erst nach dem Ende von M in Ps 100 zu größeren Problemen führt.[36]

Das Hinzukommen von N bedingt jedoch auch eine Neubewertung der beiden Überlieferungszweige. Bei den früheren Untersuchungen wurde, zum Teil wahrscheinlich dadurch mitbestimmt, daß S überhaupt den Ausgangspunkt der Arbeit bildete, die sich daran anschließende Überlieferung in gewisser Weise bevorzugt. Dafür schienen auch sachliche Gründe zu sprechen. War doch der Text von SV öfter vollständiger und sich in der Wiedergabe von Zitaten den Quellen mit größerer Treue anschließend.[37] Die seither erfolgte Durcharbeitung des Textes hat nun die Geltung dieser

---

[35] Für M + N erübrigte sich die Einführung einer besonderen Sigle, da sich der Text auf diese Hss. stützt und der Apparat nur deren Abweichungen bringt, während er von Z = S + V auch positiv die ganzen Besonderheiten des 2. Überlieferungszweiges enthält.

[36] Auch vorher treten schon gelegentlich Probleme auf, dadurch daß Satzteile oder Worte in den Text gemischt sind, die mit dem übrigen gar keinen Zusammenhang haben und für die sich auch in der näheren Umgebung keine richtige Stelle finden ließ. Ich habe diese Dinge meistens unerwähnt gelassen.

[37] Vgl. Unters. S. 36f.

Argumente zum mindesten fraglich gemacht. Mehrfach erwies sich nämlich die kürzere Fassung von MN als die bessere und völlig ausreichende, die die Erweiterungen in SV teils als nicht unbedingt erforderliche Zusätze, teils als nachträgliche Einschübe erscheinen läßt. Auch daß Zitate in einer Form erscheinen, die den Quellen mehr entspricht, ist nicht unbedingt als ein Zeichen für größere Ursprünglichkeit zu werten. Denn bei genauerem Zusehen kann man sich des Eindrucks nicht erwehren, daß der Autor doch vielfach aus dem Gedächtnis zitierte und daß er offenbar keinen besonderen Wert auf absolute Wörtlichkeit legte.[38] Deshalb konnte ein Bearbeiter, der die angeführten Textstellen besser kannte oder auch sich die Mühe machte, sie nachzuschlagen, eher den Eindruck größerer Quellentreue erwecken, während man umgekehrt bei einem Bearbeiter, dem es bei eigener Arbeit nicht auf besondere Genauigkeit ankommt, doch nicht ohne weiteres voraussetzen kann, daß er an einem ihm vorliegenden guten Text willkürlich Veränderungen vornehmen würde. So betrachtet, wird man dem von MN gebotenen Text größere Nähe zu der Ursprungsgestalt zuerkennen müssen. Zugleich ist dieser Text auch der besser bezeugte. Denn neben M und N gehören auch die Münchener Codices latini 14335 und 14470 ebenso zur Überlieferung dieser Textgestalt wie die oben unter F genannten neugefundenen Fragmente; und auch der Bearbeiter des Breviarium in psalmos verwendete einen Text, der diesem Überlieferungszweig angehörte. Dabei bleibt immer zu bedenken, daß wir bisher aus dem hauptsächlichen Verbreitungsgebiet der Glosa keinen einzigen Text haben, sondern nur solche aus den Randzonen der Überlieferung, ferner daß diese nur einen ganz kleinen Rest von einem sicher einmal sehr ausgebreiteten Bestand darstellen, und daß diese Reste alle durch mehr oder weniger zahlreiche Zwischenstufen von dem Ursprung entfernt sind. Daher ist es in mancher Beziehung fast ein Wunder, daß sich der Überlieferung doch noch so viel abgewinnen läßt, daß wir uns eine genügende Vorstellung von dem ursprünglich Gewollten machen können.

Ist die Überlieferung so weit geklärt, bleibt schließlich der Text selbst noch zu betrachten. Nach dem gerade Geschilderten dürfte klar sein, daß irgendwelche Anhaltspunkte dafür, wie der Verfasser seinen Text schrieb oder wie er ihn geschrieben haben wollte, aus den erhaltenen Handschrif-

---

[38] Dafür sprechen auch die Zitate eines *Auctor qui (super) hoc exposuit* (s. Unters. S. 82), die sich wenigstens zum Teil auf Augustinus beziehen lassen. Es wäre deshalb möglich, daß der Verfasser sie notiert oder im Gedächtnis behalten hatte ohne die Quelle zu merken.

ten nicht zu gewinnen sind. Aber im Grundbestand weisen sie doch so
übereinstimmend die gleichen sprachlichen Erscheinungen auf, daß diese
im wesentlichen wohl auf das Urexemplar zurückgehen könnten. Es
handelt sich dabei ganz um ein Latein, wie es sich nach dem Erlöschen der
römischen Bildungstradition im Merowingerreich herausgebildet hatte
und wie es auch andere Schriftwerke des 7. Jahrhunderts aufweisen.[39] Da
aber schon die Leser des 8./9. Jahrhunderts, aus welcher Zeit ja unsere
Handschriften stammen, daran Anstoß nahmen oder auch Verständnis-
schwierigkeiten damit hatten, haben sie an den Texten so vielfach herum-
gebessert, um das ihnen mangelhaft Erscheinende zu berichtigen. Dabei
waren die hauptsächlichsten Punkte, an denen die Korrektoren ansetzten,
die folgenden: (a) die stark hervortretende Reduzierung des Relativprono-
mens auf die Formen *quod* und *qui*; (b) die fast zur Gewohnheit gewor-
dene Verbindung der Praepositionen *a (b), cum, de, pro* mit dem Akkusativ, während nach *in* und *super* der Akkusativ oder Ablativ auch da, wo sie
nicht im Sinne der älteren Grammatiker angewandt waren, seltener korri-
giert wurden; (c) Vertauschungen der Vokale, besonders in den Endungen
-is/es und *-us/os* und (d) fehlendes *m* am Wortende; weniger bemängelt
wurden dagegen Schreibungen mit qu statt c, wechselnde Anwendung des
h, und der ständige Wechsel von e, ę und ae.[40] Da nun keine Handschrift
der Glosa so gut oder geeignet ist, daß man sie zur Grundlage der Ausgabe
nehmen und ihr auch in der Schreibweise folgen könnte, habe ich mich in
den gerade bezeichneten Punkten dem Verfahren der Vorgänger aus dem
9. Jahrhundert angeschlossen und in diesen Punkten ihre Korrekturen
weitgehend übernommen, um so den Text für heutige Leser, die in dem
Latein des 7. Jahrhunderts nicht besonders bewandert sind, verständlicher
zu machen. Doch bleibt trotzdem von dem Ursprünglichen noch genug
erhalten, so daß man gewiß nicht von einem modernisierten Text sprechen kann. Nur wird er dem Philologen, der völlig unverändert die Phäno-
mene des 7.-Jahrhundert-Lateins studieren will, nicht genügen; er muß
sich dann an die Handschriften selbst halten. Aber beides: Verständlich-
keit und Ursprünglichkeit gleichzeitig ließ sich auf Grund des hier vorliegenden Materials nicht verwirklichen. In jedem Falle habe ich jedoch

---

[39] Besonders gut ist diese Sprachstufe an Hand der Schriften Gregors von Tours durchgearbeitet, vgl. die Einleitung von R. BUCHNER zur deutschen Übersetzung von Gregors Historiarum libri X (= Ausgewählte Quellen zur deutschen Geschichte des Mittelalters Bd. 2,
1955) S. XXXVI–XLIII.
[40] Nähere Angaben und Beispiele zu Sprache und Orthographie s. auch Unters. S. 73ff.

sprachliche und inhaltliche Änderungen, wie sie sich von etwas späteren Händen in M und besonders in V finden, unberücksichtigt gelassen.

5. Zur vorliegenden Ausgabe

Aus dem im vorigen Abschnitt Dargestellten ergibt sich, daß der Text sich so weit wie möglich an M und N halten muß. Da diese aber keineswegs fehlerfrei,[41] sondern auch mit vielerlei Mängeln behaftet sind, waren laufend auch L und Z heranzuziehen, soweit sie dazu beitragen können, diese Fehler und Mängel zu beheben. Doch ging das Bestreben dahin, keinen Mischtext zu liefern,[42] sondern die Besonderheiten, das sind die Textumformungen und Zusätze, des 2. Überlieferungszweiges, soweit sie als solche erkennbar sind, von dem Text fernzuhalten und sie in den 1. Apparat zu verweisen, auch wenn dieser dadurch zum Teil über einen einfachen Variantenapparat hinausgeht und längere Textabschnitte mit eigenen Quellenzitaten aufnehmen mußte. Der Text selbst ist entsprechend den einzelnen Versen, die am Rand gezählt werden, eingeteilt. Der kommentierte Psalmentext erscheint in Kapitälchen, die wörtlichen Bibelzitate in Kursive, die Autorennamen sind gesperrt, einzelne wörtliche Autorenzitate (von Benedictus, Gregorius) auch in besondere Anführungszeichen gesetzt. Gelegentliche kleine Ergänzungen sind, wo sie mir notwendig erschienen, in spitze Klammern ⟨...⟩ eingeschlossen. Die Schreibweise hält sich im allgemeinen an die der Handschriften, allerdings unter Berücksichtigung der oben angeführten Korrekturen, und hat auch dort, wo ihr Gebrauch schwankend ist, eine gewisse Vereinheitlichung erfahren.

Dem Text sind zwei Apparate beigegeben: 1. der Variantenapparat, über welchem jeweils die gerade verfügbaren Handschriften notiert sind,

[41] Dabei ist von ständigen Fehlern natürlich ganz abzusehen, wie z. B. in N von der Schreibung: *idem* fast durchweg für: *id est*, sogar in dem in Majuskeln geschriebenen Anfang von Ps 38,2, oder von der dauernden Verwendung von *hac* statt *ac* in der Formel: *ac si dicat*. In M dagegen ist vielfach das Fragewort: *Numquid*, zum Teil erst durch Korrektur, ersetzt durch: *Non quod*.

[42] Auch beim Psalmentext habe ich mich möglichst an das von M, N oder L Gebotene oder das der Glossierung Entsprechende gehalten und nicht versucht, durch die abwechselnd in allen Texten einmal vorkommenden Varianten aus dem Psalterium Romanum oder Mozarabicum einen einheitlichen Text dieser Fassungen herzustellen. An einigen Stellen, wo Formen des Gallicanum sicher später eingedrungen waren, habe ich jedoch aus der Glosse das Ursprüngliche wieder hergestellt, vgl. z. B. Ps 72,7,6(p. 319); 74,10,1(331); 79,16,1(362); 94,9,1(436).

von denen die Siglen derjenigen, die nur teilweise zur Verfügung stehen
und deren Beginn oder Fehlen im Apparat selbst angemerkt ist, in Klammern gesetzt sind. Wegen der großen Masse der Abweichungen kam eine
Vollständigkeit bei deren Verzeichnung nicht in Betracht. Grundsätzlich
verzichtet wurde auf Unwesentliches wie z. B. *hoc est* statt *id est* und noch
weitere Einschübe von *id est* oder Verdoppelungen der Lemmata des Psalmentextes, indem erst Teil a + b angeführt wird, dann noch einmal a +
Glossierung und b ebenso folgt. Aufgenommen wurde dagegen alles, was
zur Kennzeichnung der unterschiedlichen Überlieferungszweige dienlich
sein kann und alles, was für die Beurteilung der Überlieferung überhaupt
wichtig schien, also insbesondere was sich auf solche Stellen bezieht, wo
der Text nur von einem Zeugen gestützt wird. Dabei war es vielfach notwendig, zwischen ursprünglicher (*) und Korrektoren-Lesart (^{2}) zu unter-
scheiden.[43] Wenn nur eine Form davon angegeben wird (* oder ^{2}), ist davon auszugehen, daß die nicht angeführte der im Text stehenden entspricht. Dies ist besonders zu beachten, wenn einer Variante wie z. B. M^*
oder V^2 die übrigen als *ceteri* gegenübergestellt werden, weil dann diese
ceteri auch M^2 bzw. V^* einschließen. Außerdem ist in diesem Apparat alles
das zu finden, wo ich gegen die Handschriften etwas geändert habe.
Orthographica sind im allgemeinen nicht berücksichtigt, doch bildet der
Psalmentext dabei eine Ausnahme, wenn in ihm Lesarten auftreten, die
auch in anderen altlateinischen Psalterien belegt sind.
Der 2. Apparat gibt die Nachweise zu den Zitaten, die im Text oder auch
innerhalb des 1. Apparates angeführt sind. Im letzteren Falle ist der Nachweis in Klammern gesetzt. Nicht wörtlichen Zitaten oder nur Hinweisen
und Anklängen ist ein *cf* vorangestellt. Wenn zu im Text zitierten Autoren
(Augustinus, Hieronymus) sich hier kein Nachweis findet, bedeutet dies,
daß ich eine entsprechende Stelle nicht habe finden können und nicht je-
des Mal ein »non inveni« dafür habe setzen wollen. Verzichtet habe ich
von vornherein auf Nachweise (a) zu den im Psalmtext selbst enthaltenen
Bezugnahmen auf alttestamentliche Vorgänge oder Berichte, die man in
jeder Vulgata-Ausgabe finden kann; (b) zu den Interpretationes hebräi-
scher oder griechischer Ausdrücke, da dieselben meist auch bei Augustinus erscheinen oder, wenn nicht von dorther übernommen, aus Hieronymus stammen oder auch sonst bekannt sind. Ebenso habe ich hier wie

---

[43] Da die Kollation hauptsächlich an Hand von Filmen erfolgte, mußte auf die weitere Unterscheidung von einzelnen Korrektorenhänden verzichtet werden.

auch früher (vgl. Unters. S. 137) darauf verzichten müssen, die vielfachen Übernahmen von einzelnen Formulierungen aus Augustinus' Enarrationes in irgendeiner Weise kenntlich zu machen oder nachzuweisen. Eine Übersicht über die in diesem Apparat herangezogenen Textausgaben bringt die (in Abs. 6) nachfolgende Zusammenstellung.

Eine besondere Behandlung erfordert noch die Praefatio, von welcher nur zwei Handschriften der Glosa Bruchstücke bewahrt haben: N Zeile 1–14 und nach Verlust eines Blattes Zeile 66ff., S den Schlußteil von Z. 58 ab. So bleibt der fehlende Mittelteil erst noch zu rekonstruieren. Dies erweist sich als nicht allzu schwierig, weil diese Praefatio sich schon früh verselbständigte und unabhängig von der Glosa Aufnahme in verschiedene Sammlungen von Psalmenprologen in Bibeln, Psalterien und Psalmenkommentaren gefunden hat. Dadurch sind bisher noch 28 weitere Texte der vollständigen Praefatio bekannt geworden,[44] die in verschiedenen Gruppierungen auftreten und innerhalb dieser eine große Fülle von Abweichungen und Varianten aufweisen. Hier kann es nun nicht darum gehen, die Überlieferung im einzelnen zu untersuchen, sondern es stellt sich nur die Aufgabe, den ursprünglichen Wortlaut so gut wie möglich herzustellen. Dazu scheinen 3 Handschriften besonders geeignet zu sein, welche sich vor allen übrigen dadurch auszeichnen, daß sie kurz vor dem Schluß auch da den Text unversehrt erhalten haben, wo er in den anderen infolge von Homoteleuton lückenhaft geworden ist,[45] und die auch sonst mehrfach allein das Richtige zu bieten scheinen. Es sind dies: die Bibel von Ripoll = Cod. Vat. lat. 5729, wo der Prolog auch in der Überschrift als »ex traditione seniorum« bezeichnet ist; die kleine Bibel oberitalienischer Provenienz in Berlin, Ms.Ham.84, und ein Psalterium glossatum in Paris, Bibl. Nat., Ms. 11550. Zwar weisen auch diese Handschriften eine beträchtliche Anzahl von Varianten auf, doch sind die Übereinstimmungen im ganzen doch so groß, daß sie einen brauchbaren Text ergeben. Den Text im Ms.3 der Stadtbibliothek in Neufchâtel-en-Bray lasse ich dagegen, obwohl er die Überschrift: *Incipit Glosa ex traditionibus seniorum* trägt, unberücksichtigt, weil er nur die 7 Anfangszeilen enthält und darin keine Besonderheiten aufweist.

---

[44] Zu den Unters. S. 18–22 und 272 angeführten Texten der Praefatio kommen noch, von P.-M. Bogaert, Revue Benedictine 93(1983), Bulletin de la Bible Latine S. 147 aus den Aufzeichnungen Dom De Bruynes mitgeteilt, hinzu: Bruxelles 9188–9189; Rom, B. N. Sessorianus 71(1349), B. Casanat. 720 und 722; Subiaco 249 und Troyes 28.

[45] Die Mehrzahl der Texte läßt in der Praefatio Z. 77 *incipit – beatitudine²* aus.

6. Nachweise zu den Apparaten und Siglen

A. Die im 2. Apparat herangezogenen Textausgaben

Actus Petri cum Simone, in: Acta apostolorum apocrypha pars I,
ed. R. A. Lipsius (1891) 45-103 — S. 46

AM Lc	AMBROSIUS, Expositio Evangelii secundum Lucam. CC 14 (1957)	S. 173
AU	AUGUSTINUS	
doct.christ.	De doctrina christiana. CC 32 (1962) 1-167	S. 4
ohne Buchtitel	Enarrationes in psalmos. CC 38-40 (1956)	passim
BEN-N reg.	BENEDICTUS von Nursia, Regula. CV 75 (^{2}1977)	S. 164, 199
EUCH int.	EUCHERIUS, Formulae spiritalis intellegentiae. CV 31 (1894)	S. 70, 145, 187
EUS-Caes. Chron.	EUSEBIUS von Caesarea Werke Bd. 7: Hieronymi Chronicon, hrsg. von R. Helm (^{2}1956) = GCS 47	S. 5, 325, 351
GR-M dial.	GREGORIUS MAGNUS Dialogorum libri 1-3 = SC 260 (1979), 4 = SC 265 (1980)	S. 5, 450
Ev	Homiliae in Evangelia 40. PL 76,1075-1312	S. 9, 10, 51, 85, 101, 110, 146, 208, 242, 277, 304, 370, 377
Ez	Homiliae in Hiezechielem prophetam. CC 142 (1971) 5-398	S. 217
Jb	Moralium libri sive Expositio in librum Iob. Buch 1-10: CC 143 (1979)	S. 39, 56
HI	HIERONYMUS	
Prol.Pent.	Prologus in Pentateucho. Vulg. S. 3-4	S. 4, 5
Ps	Commentarioli in Psalmos. CC 72 (1959) 163-245	S. 7, 9, 12, 23, 27, 28, 30, 32, 282, 287, 299
Ps h	In Psalmos homiliae 73. CC 78 (1958) 1-447	S. 9, 28, 287
Qu. in Gn	Hebraicae quaestiones in libro Geneseos. CC 72 (1959) 1-56	S. 251
So	Commentariorum in Sophoniam prophetam liber. CC 76 A (1970) 655-711	S. 290
HIL Ps	HILARIUS Pictaviensis, Tractatus super psalmos. CV 22 (1891) 19-872	S. 291
Ps(G)	Psalterium Gallicanum. Vulg. Bd. I, S. 770-954	S. 153, 182, 309

Ps(H)	Psalterium iuxta Hebraeos. Vulg. Bd. I, S. 771–955	S. 93, 99, 133, 271
Ps(Ro)	Psalterium Romanum. Psautiers (1953)	S. 93, 130, 135, 204, 240, 257, 272, 448
Tit. Ps	P. Salmon, Les »Tituli psalmorum« des manuscrits latins. 1959 (Collectanea Biblica Latina 12)	S. 7, 291

B. Abkürzungen

add.	addidit, -derunt	om.	omisit
al.	alias, alibi	praem.	praemisit
canc.	cancellavit	ras.	rasura
cett.	ceteri	rlq.	reliqua
cf	confer	sec.	secundum
codd.	codices	sqq.	sequentia
corr.	correctio, -rexit	sscr.	suprascripsit
eras.	erasit	trsp.	transposuit
etc.	et cetera	+	addidit, -derunt
exp.	expunxit	⟨...⟩	suppletum ab editore
ib.	ibidem	AU	Augustinus
iter.	iteravit	HI	Hieronymus
l.	linea	Gl.	Glosa hic edita
leg.	legendum	GR-M	Gregorius Magnus
mg.	in margine	Ps	Psalmus

C. SIGLA CODICUM

a) ad Praefationem

a   Metz, Ms. 1178
b   Vaticano, Cod.Vat.lat. 5729
c   Paris, B. Nat., Ms. lat. 11550
d   Berlin, Ms. Ham. 84
e   Stuttgart, L. B., Ms. Bibl. 2° 73

b) ad Glosam psalmorum

B   Boulogne-sur-mer, B. Mun., Ms 21
L   Leipzig, U. B., Msc. Rep. II. 56
M   München, S. B., Cod. lat. 3747
N   Metz, B. Mun., Ms. 1178
S   Stuttgart, L. B., Ms. Bibl. 2° 73
V   Vaticano, Cod. Regin. lat. 319

L*, M*, N* ... manus scribentis in L, M, N ...
L², M², N²   ... manus correctorum in L, M, N ...

semel afferuntur:

Tort.   Glosa marginalis in Tortosa, Ms. 51
                    (p.21 ad Ps 5,1,3/4)
Brev.   Ps-Hieronymi Breviarium in psalmos
                    (p. 53, ad Ps 11,6,7)

Et tu cum oleaster esses. inserturis in bonam oliuam .

Idest in fide patriarcharu & prophetaru. Speraui

In misericordia mei in eternu & in seclm scli. Do peh

dñauit. dauid coronauit .

IN FINEM PRO MALECH INTELLECTVS IPSI DD

A malech interpretatur dolens siue parturiens. cor
pus xpi intellegitur. Et dñs doluit ppeccatis nris
quia uer corpus suit & parturiunt filios & eccta
corpus xpi dol& propeccatis suis & alioru. Et par
turit filios p uerbu p dicationis. Vt ait paulus p
euangeliu ego uos genui. Et item filioli mei quos
iteru parturio. Kap. LII.

Dixit insipiens in corde suo non est dr. Dixit insipi
ens populus iudaicus siue diebulus. Non e dr.
ac si dicat non est xps filius di. Corrupti sunt.
de lege bone nature. Abhominabiles idest odibiles.
facti sunt in uoluntatibus suis hoc e in desideriis
suis. Non est qui faciat bonu non e usque ad unu .
Quomodo dicit non est usque ad unu. Nu quid non
fuerunt antea qui facerent bonu patriarchae
& prophete. & reliquis ei. & ubi est amalech

HO... MINE SCIBIHI

...ISMPLE GLOSAE

...RADITIONE SENIO

RŪ PSALERIŪ IETIUR

✝ DUM E PSALTERIŪ ...CTUS LINGUA ...

P saltenum gracum est... inlatins...
...num dicitur quem obrae... nablez docin...
...pralitur aquo dictur... ipraltenum...
...uon... uel aprallendo... monoganedum...
...alm adauiderrenorcuntur...
...ommer pralmi adauiderrenor cu...
...pralim adauiderrenorcuntur...
...maliorum nomina sicut...
miomun... corae aeman. Idichun moy...
...nistorum nomina sine per...
...aenom... ubi procar...
...figura procedentur... tam...
ner pralmi... adauiderrenor cultur. Ethoe...
quenendum est qualir pralmi fuerprimi cantatur...
...dicam... eomiserionemes dr.

suã misericordiã nã nontcarum· propt innocen
ciã· Et confirmasti me· in cons peccator in etternũ
or pater filiũ suum· imppccuum· ut xpr eclesi
am suam· Benedictus dñr dr isrlt benedicti cui be
nedicõ omr creatura isrlt animadens dñ fiat fiat
sentenciam· confirmet fine· xl xl·
Explecit psalmorum LIBER· Prim; do
gratias semper amen· incipiunt glose psalmorũ
ex traditione seniorum· IN FINEM INTELLECTUS
FILIIS CORE IN FINEM· In xpo intellectur hoc
est· intellectur spiritalis· filiicore·dem filii xpi
quod sunt credentes·

Sicut ceruus desiderat· adfontes aquarum·
Ita desiderat· anima mea adtedñ· Propheta
p similitudinem· loquitur quia ceruus Si inuenit
serpentem· in illa loca ubihabitat· inter facit
et comedit et postea propter for titudinem· ue
nem ad aquas purissimas currit· ut bibat· et uene
na euomit· et p ipsa uenena pilus mit tat· et cor
nua pdit· et opar et suos pro iecit ur usquidum ite
rum· reuertitur Iste ceruus figuram penitentũ
tenet quia penitentes stringuntur interins et cur a
conscientie· peccati et ucidunt adfontes·demdoc
trina scripturarum· ut bibant et uenena euomant·
foris piciuntur quia segregant semp penitentiã
a corpus et sanguinem xpi usqui dum recipiantur
p reconciliationem· sacerdotis· Alter sicut ceruus
desiderat adfontes aquarum hicduo sensus ha
bet idem decaticuminis et anima eclesiae· caticumini·

ANONYMI
GLOSA PSALMORUM
EX TRADITIONE SENIORUM

IN NOMINE SANCTAE TRINITATIS
INCIPIUNT GLOSAE
EX TRADITIONE SENIORUM

⟨PRAEFATIO⟩

Psalterium inquirendum est in cuius lingua dicitur. Psalterium Graecum est et in Latino organum dicitur, quem Hebraei nablat uocant. Psalmus a quo dicitur? Eo quod a psalterio nomen accepit uel a psallendo.

5 Interrogandum est, si omnes psalmi a Dauid esse noscuntur an non. Rectissime omnes psalmi a Dauid esse noscuntur. Et si omnes psalmi a Dauid esse noscuntur, cur ergo praetitulantur in aliorum nomina, sicut legimus in nomine Asaph, Core, Eman, Aethan, Idithun, Moysi uel ceterorum? Licet in istorum nomina sint praetitulati, tamen quamuis in

10 aliorum persona ac nominibus pro causa interpretationis uel figurae praetitulentur, tamen omnes psalmi, ut diximus, a Dauid esse noscuntur.

Et hoc inquirendum est, qualis psalmus fuit primus cantatus. Uolunt aliqui dicere quod: *Miserere mei deus;* alii: *Domine quid multiplicati*

15 *sunt;* alii: *Benedictus dominus deus meus;* aut: *Benedicam dominum.* Si secundum infantiam, potest fieri quod: *Benedictus dominus deus meus,*

---

1 - 30 *deest d*: 1 - 58 *deest e*   1 est + psalterium *ac*   in *om. b*   dicitur] est *c*
Psalterium² *om. c*   1/2 Graecum + nomen *b*   2 et *om. b*   Latinum *b*   5 a *om. b*
an - 7 noscuntur *om. c*   6 omnes psalmi¹ *om. b*   7 aliorum + persona uel *b*
8 nomine *om. c*   Core, Eman *om. c*   Aethan *om. ab*   8/9 uel ceterorum *om. c*
9 in *om. c*   sint *om. c*   praetitulata *c*   tamen] sed *c*   10 aliquorum *b*
ac] his *c*   nomina *b*   figura *a*   11 omnis psalmus *c*   a *om. b*   13 fuerit *c*
14 *ab alii* - 66 Christi *deest a (uno folio exciso)*   15 dominum] -no *b*   Si *om. c*
16 infantiam] faciem *c*

---

14 Ps 50,3; 55,2; 56,2   14/15 Ps 3,2   15 Ps 143,1   Ps 33,2   16 Ps 143,1

quia iuxta Regum cum Goliath tunc pugnauit; et si secundum paenitentiam: *Miserere mei deus,* quando cum Bersabee peccauit; et si secundum persecutionem, potest fieri ut: *Domine quid multiplicati sunt,* quia
20 postquam in regnum intrauit postea a filio suo Absalon persecutus
fuit. Sed sicut dixit sanctus Hieronimus, quod a plurimis incertum
est, qualis psalmus fuisset primus cantatus, quia hoc non narrat historia.

Quaeritur, si omnes psalmi insimul fuerint cantati an non. Non insi-
25 mul, sed per spatia annorum uel temporum iuxta consuetudinem regum, quia sic mos erat, ut quicquid sub tempore uel in anno uniuscuiusque regis agebatur, scriberetur. Nam psalmi huc illucque dispersi
erant, sicut legimus in Regum: *Diligam te domine,* uel: *Benedicam
dominum;* et in Paralipomenon: *Cantate domino,* uel: *Dominus reg-*
30 *nauit.*

Interrogandum est, si psalmi fuerunt antea sic praetitulati sicut nunc
sunt an non. Non fuerunt, sed a septuaginta interpretibus prius coniuncti sunt et deinceps post transmigrationem Hierusalem ciuitatis ab
Esdra propheta spiritu sancto inspirante dictati et in isto ordine positi,
35 quo nunc sunt, atque praetitulati sunt. Et hi LXX interpretes, iubente
Ptolomeo rege Aegyptiorum, qui etiam Iudaeis et Graecis tunc dominabatur tempore, in una domo reclusi de Hebraeo in Graeco ediderunt
sermone. Et quamuis sanctus Agustinus uoluisset adfirmare quod hi
LXX interpretes in singulis cellulis fuissent reclusi et sic interpretas-
40 sent, sed hoc sanctus Hieronimus minime permittit. Quare? quia sic

---

17 iuxta Regum *om. c*   tunc *post* quia *trsp. b*   18 cum] in *c*   21 pluribus *b*
22 fuit *b*   24 insimul] simul *c*   fuerunt *b*   Non insimul *om. c*   26 sub] super *b*
uel *om. c*   27 scriberetur *om. c*   huc illucque] hoc est illi qui *c*   31 *hic incipit d*
psalmi si fuerint *d*   ante *bd*   sic *om. d*   32 sunt *om. c*   33 sunt *om. cd*
34 sancto *om. c*   ordine isto *d*   35 quo] quod *b*   sunt[2] *om. d*   hi] in his *c*: hii
hoc *d*   36 qui] quia *b*   37 unam domum *b*   addiderunt *c*   38 sermonem *d*
Et *om. c*   adfirmari *c*   hi] in his *b*   39 inclusi *d*   40 sed – 42 interpretes] cum
non interpretantes *c*   40 permisit *d*   Quare + sic *d*

---

18 Ps 50,3   19 Ps 3,2   21 HI *in loco quem non inveni*   28 *cf* II Rg 22,2, *ubi tamen
haec verba (= Ps 17,2) non afferuntur*   28/29 *hoc initium psalmi in libris Regum non
invenitur*   29 I Par 16,23   29/30 I Par 16,31   34 *cf* IV Esr 14,38sqq.   38 – 40
AU doct. christ. 2,15,22 (CC 32 p. 47sq.)   40 – 42 *cf* HI prol. Pent. (ed. p. 3,28sqq.)

dixit: Si ita fuisset, ut unusquisque eorum in singulis cellulis reclusi fuissent, non interpretes, sed magis prophetae dicti fuissent. Nam isti interpretes non illorum uoluntate interpretauerunt, sed coacti hoc fecerunt. Et hoc cognitum est quod coacti fecerunt, quia ubicumque
45 testimonia de filio dei inuenerunt, praetermiserunt, ut est illud: *Ex Aegypto uocaui filium meum;* et: *De uentre eius flumina fluent aquae uiuae;* et: *Quoniam Nazaraeus uocabitur.* Sed tamen inquirendum est, quali consilio hoc opus iste rex gentium fieri rogauit; sed quis plenius uult nosse, in libris Eusebii inueniet. Tamen uolunt dicere auctores quod
50 ipse rex unum deum caeli colebat sicut Hebraei et ideo pro amore illius Hebraeorum scripturas in suum iussit transferre eloquium. Testimonia interpretes de Christo filio dei tacuerunt, ut ipsa ipse rex non intellegeret et postea inuiti ipsi Hebraei ab ipso rege coacti filium dei adorarent, quia nec tunc nec modo hoc facere uolunt. Et quicquid ab his
55 interpretibus de testimoniis sacrae scripturae de Christo dimissum est, ab Esdra propheta, spiritu sancto inspirante, quando uidit illum globum igneum in se ingredientem, uel Hieronimo presbytero postea inquirente, qui et de Graeco in Latinum hoc transtulit, restauratum est.
60 Et quamuis Dauid omnes psalmos cantasset, tamen omnes psalmi in persona Christi pertinent; et qui titulati esse non uidentur, apud Hebraeos pro uno psalmo habentur. Nam per titulum intellegitur unius-

41 ita – ut *om. d*   41/42 fuissent inclusi *d*   42 non – fuissent²] et sic interpretassent, sed magis prophetae esse putarentur *d*   prophetantes dictati *c*   43 hoc] in hoc *d*   44 Et – fecerunt *om. bd*   45 ut – illud] illud ut *c*   46 flumina *om. bd*   47 Quoniam – uocabitur] reliqua *c*   uocabitur + et reliqua *d*   47/48 quale consilium *c*   48 iste] ipse *bd*   sed] si *b*   quis] qui *d*   48/49 noscere uult *d*   49 dicere uolunt *d*   50 illorum *c*   51 scripturas] naturas *c*   in] ad *b*   52 Christo *om. d*   ipsa *om. bc*   53 et] ut *b*   apud ipsum regem *b*   54 quia] qui *c*   uolunt facere *b*   55 interpretibus + sacrae scripturae *d*   56 illum *scripsi:* illo *b:* illud *c: om. d*   57 globo *b: om. c* igneum] -neo *b: om. d*   in – ingredientem *om. c*   egrediente *b*   58 et *om. bd* ab in *incipit e*   Latino *cde*   60 Dauid *om. c*   60/61 ad personam *d*   61 praetitulati *d*   62 psalmo *om. c*   pro(per *e*) titulo *ce*   62/63 uniuscuiusque intellegitur *b*

45 – 47 Mt 2,15(Os 11,1); Io 7,38; Mt 2,23(Is 11,1), *quae* HI prol. Pent (p. 3,12–14) *et alibi saepius exempli gratia affert*   49 *cf* EUS–Caes. Chron. ed. R. Helm (²1956) p. 129 cum adnot. p. 370/71   56 – 57 *cf* supra lin. 34; *ad* 'globum igneum' *cf* GR-M dial. 2,35,6 (ed. p. 240,60sqq.)

cuiusque psalmi intellectus. Quid est titulus nisi clauis? uerbi gratia: in domum non ingreditur nisi per clauem, ita et uniuscuiusque psalmi
65 intellectus per clauem hoc est per titulum intellegitur, in cuius persona cantatur: aut in persona Christi aut in persona ecclesiae aut in persona prophetae secundum ordinem huius psalmi.

Beatus uir primus in ordine ponitur et absque titulo uidetur esse, et ideo sine titulo dicitur, quia ipse est titulus psalmorum et totus in
70 persona Christi cantatur. Ideo ergo non uoluit Christus, ut iste liber de pugna aut de paenitentia uel de persecutione inciperet nisi de semet ipso, quia dictum est: *In capite libri scriptum est de me,* quia ipse est caput omnium patriarcharum et omnium prophetarum et omnium scripturarum, et sic erat dignum, ut iste liber hoc est psalterium de
75 capite inciperetur. Nam Hebraei *'Beatus uir'* et *'Quare fremuerunt gentes'* pro uno psalmo esse uoluerunt, eo quod titulum non uidentur habere et unus a beatitudine incipit et alter in beatitudine terminatur. Nam et ad numerum psalmorum conplendum Hebraei illum psalmum addiderunt, de quo dicitur: *Pusillus eram inter fratres meos.*

64 domo *d*   ingredietur *c*   et] ut *c*   64/65 intellectus – titulum *om. b*   66 ecclesiae uel Christi (*om.* in persona[2]) *d*   ab aut[2] *iterum adest a*   ecclesiae – persona[3] *om. c*   67 propheta *c*   huius] unius *b*   68 ordinem *a*   uideatur *c*   esse uidetur *d*   69 dicitur] uidetur *d*   70 cantatus *c*   non *post* liber *trsp. d*   71/72 se ipso *d*   73 omnium[1] *om. d*   et[1] *om. e*   74 hoc] hic *d*   75 inciperet *c*   Nam] Unde *d*   Hebraei *om. c*   76 tit. – 77 habere] esse in uno titulo uideantur *d*   77 beatitudine[2]] -nem *e*   78 et *om. ad*   complendo *de*   Hebraeum *c*   79 addunt *de*

68 Ps 1,1   72 Ps 39,8   75 Ps 1,1 Ps 2,1   79 Ps 151,1

⟨INCIPIUNT GLOSAE PSALMORUM⟩

1. BEATUS UIR. Contra beatitudinem miseria obponitur, quia nos cum essemus miseri uel peccatores, ab ipso beatitudinem accipimus, hoc est a Christo, quasi lumen de lumine. Beatus Graecum est et in Latino dicitur inmortalis, laudabilis, gloriosus siue bene uadens et rlq.; uir a
⁵ uirtute dicitur sicut mulier a mollitia. Interrogandum est, iste psalmus in cuius persona cantatur aut quis est iste 'beatus uir'. Alii uolunt dicere quod in persona Ioseph fuisset cantatus qui corpus Christi sepeliuit; alii in persona sancti Petri aut in persona uniuscuiusque sancti. Sed est uerbum in eodem psalmo quod hoc non permittit, ut est illud:
¹⁰ *Et omnia quaecumque fecerit prosperabuntur,* quia hoc ad nullum alium pertinet nisi ad Christum, quia neque sancta Maria quae dominum in utero portauit semper prospera habuit, neque sanctus Petrus qui caput apostolorum fuit neque ipse semper prospera habuit, quia etsi habuerunt isti uel alii prospera, tamen habuerunt et aduersa. Nam Christus
¹⁵ semper prospera habuit, quia omnia quaecumque uoluit fecit. Sed tamen quod intellegis in capite potes intellegere et de membris. Hic ergo beatus uir Christus est. Dum dicit 'beatus', ergo fuit alius non beatus, quaestio oritur: fuit non beatus Adam? Secundus Adam beatus, quia

---

Codices: NS
Ps 1,1,1 misericordia *N*   ponitur *S*   2 accepimus *S*   4 laudabilis + siue *S*
siue – uadens *om. S*   5 dicitur sicut *om. S*   mollitie *S*   6/7 dicere *om. S*
7 corpus Christi] *trsp. S*   8 alii + autem *S*   sancti¹ – persona² *om. S*
10 Et *om. S*   18 Adam¹ *om. N*   quia] qui *S*

Ps 1,1,7 *cf* Tit. ps. ser. I *et* III; HI Ps 1,11-13(p. 179)   10 Ps 1,3   15 Ps 113,11; 134,6

de morte ad inmortalitatem transiuit; unde dixit sanctus Paulus: *Iam*
20 *non moritur, mors ei ultra non dominabitur.* Sed primus, ut diximus, non
beatus, quia de inmortalitate ad mortem transiuit.

QUI NON ABIIT. Dum dicit 'non abiit', ergo alius abiit? Secundus Adam
non abiit neque stetit neque sedit; sed alius, ut dixi, abiit et stetit et sedit. Primus Adam et abiit et stetit et sedit: abiit in consilio hoc est in
25 suggestione serpentis, stetit quando delectauit, sedit quando in tu-
more superbiae perseuerauit, quia paenitere noluit. Aliter: abiit
quando a deo recessit hoc est quando mandatum transgressus est; stetit quando delectauit in apertione oculorum uel quasi deus esset, ut dixit serpens: *Eritis sicut dii, scientes bonum et malum;* sedit quando
30 opere conpleuit. Et modo ab his tribus causis omnis homo temptatur,
id est cogitatione, uerbo et opere. Iterum: suggessit diabolus, consensit Eua, delectatus est Adam. Aliter modo: suggerit diabolus, consentit
caro, delectatur anima, hic ad sensum moralem requirendum. 'Qui
non abiit' IN CONSILIO IMPIORUM ET IN UIA PECCATORUM NON STETIT ET
35 IN CATHEDRA PESTILENTIAE NON SEDIT, hoc est in doctrina pestifera ut
heretici uel pharisei docuerunt, de quibus dicitur: *Super cathedram
Moysi sederunt scribae et pharisei.* Agustinus dicit: sederunt et non sederunt. Quare? quia superstitionem legis docuerunt, ut suam legem
statuerent, legi autem dei non sunt subiecti. Christus ergo non abiit in
40 consilio impiorum hoc est in suggestione daemonum, et in uia peccatorum non stetit hoc est in conuersatione malorum non fuit; ⟨et⟩ in cathedra pestilentiae non sedit, quia sua doctrina pestifera non fuit.

2. ⟨SED⟩ IN LEGE DOMINI FUIT UOLUNTAS EIUS. Lex ipse est, nam hic pro
parte carnis dicit. ET IN LEGE EIUS id est dei patris DIE AC NOCTE, omni
tempore dicit uel prosperitas et aduersitas hic demonstratur die ac
nocte, MEDITABITUR, id est in corpore suo hoc est in ecclesia meditabi-
5 tur id est tractabitur.

Codices: NS

20 mors] *praem.* et *S*   primus + Adam *S*   23 alius] primus *S*   27 mandatum] praeceptum *S*   28 quasi] si *S*   30 modo *om. N*   32 consensit *N*   33 delectat *NS**
hic] et item *S*   35 in² *om. N*   37 Agustinus dicit] ac si dixisset *S*   39 legi] lege *NS**
40 in suggestionem daemoniorum *S*   2,1 fuit *om. N*   2 Et – patris *om. S*   3 uel *eras. N*
et *corr. in*: uel *N*   5 tractabit *S*

19/20 Rm 6,9   29 Gn 3,5   36/37 Mt 23,2   38/39 Rm 10,3

3. ET ERIT TAMQUAM LIGNUM. Uox prophetae per similitudinem, ac si dixisset: erit homo sicut deus; unde sanctus Gregorius dixit: »Deus ante saecula et homo in fine saeculorum«. SECUS DECURSUS AQUARUM. Multa ligna sunt quae non fructificant nisi secus decursus aquarum.
5 Sed hic 'lignum' intellegitur Christus, 'secus decursus aquarum' id est secundum consuetudinem humani generis natus, quia sic est decursus hominum sicut fluminum. Unde scriptum est: *Aquae* multae *populi* multi. Aliter 'secus decursus aquarum' iuxta quod prophetae prophetauerunt sic impleuit. ⟨QUOD FRUCTUM DABIT⟩ IN TEMPORE SUO, id est
10 quando hominem induit, uel in tempore quando crucem ascendit, ut salutem tribueret gentibus, ut illud: *Ecce nunc tempus acceptabile* et rlq. Uel fructum dedit mundo id est sanctos apostolos, quia spatium anni XII menses sunt uel spatium diei XII horae; ergo ipse et annus et dies potest intellegi; similiter et apostoli per XII menses et XII horas intel-
15 leguntur. ET FOLIUM EIUS NON DECIDET. 'Folium' id est doctrina euangelii, 'non decidet' id est non praeterit; uel 'folium' hic intellegitur Paulus, ut ait Esaias: *Et erit folium ligni ad salutem gentium.* Aliter: non similis huic illa ficulnea, ubi folia tantum absque fructu inuenta sunt. ET OMNIA QUAECUMQUE FECERIT PROSPERABUNTUR: pleniter hic de Chri-
20 sto intellegitur, non de ullo alio sancto. Quamuis sancta Maria quae dominum portauit bona fuisset uel Petrus princeps apostolorum, tamen aduersitates habuerunt.

4. NON SIC IMPII, NON SIC: unum pro re, aliud pro adfirmatione. 'Non sic impii' hoc est non erunt impii sicut istud lignum supradictum, quia pii partem habent in ligno, impii autem non. Et impii dicuntur qui non credunt in unum deum. 'Non sic impii, non sic': apud Hebraeos unum
5 ⟨non⟩ sic non habetur. SED TAMQUAM PULUIS QUEM PROICIT UENTUS.

Codices: NS
3,2 inde *N*   3 finem *N*   4 Multa – aquarum *om. N*   6 secundum] secus *N*   natus + absque coitu uiri *S*   7 scriptum] dictum *N*   8 multi + et illud: De torrente in uia bibet *S*   10 hominem induit] humanum induit corpus *S*   18 huic. *om. N*   illae ficulneae *N²*   inuenti *N*: -te *N²S**   21 princeps] primus *N*   22 aduersitatem *N*
4,1 alium *NS**   4 in *om. S**   unigenitum dei *S*   5 proiciet *N**

3,2/3 GR-M Ev 22,8(ed. 1179 D 7-8) *vel* 25,3(1191 B 8-9)   7 Apc 17,15   8 (Ps 109,7)
11 II Cor 6,2   17 Esaias: *leg.* Iohannes? *cuius verba* (= Apc 22,2) *etiam* HI Ps h
1,174sqq.(p. 8) *tractat*   18 *cf* Mt 21,19   4,4/5 *cf* HI Ps 1,43-45(p. 180)

'Puluis' hic omnes leues uel infructuosi intelleguntur, 'uentus' persecutio tempestatis in die iudicii, ut ait propheta: *Et in circuitu eius tempe-*
stas ualida; et alibi: »Quos ignis exurit tempestas inuoluit«. Et hic
modo a uento paleae proiciuntur, sic in examinatione iudicii paleae
10 quod sunt peccatores proiciuntur in tenebras et grana quae sunt sancti
eliguntur in horreum id est in mansiones caelestes, quando uentilabro
purgabit aream suam. A FACIE TERRAE a conspectu ecclesiae.

5. IDEO NON RESURGUNT IMPII IN IUDICIO. Propterea non resurgunt, quia
qui non credit iam iudicatus est. Impii dicuntur – ut supra diximus – qui
non credunt in unigenitum dei. Tres turmae sunt resurrectionis: est resurrectio impiorum, peccatorum atque iustorum. Peccatores qui sunt
5 omnes christiani siue Iudaei qui post mandatum acceptum in culpa ceciderunt. Sicut ergo impii in iudicio non resurgunt id est ad iudicium
percipiendum, sic NEC PECCATORES IN CONSILIO IUSTORUM id est in consortio sanctorum. Iusti qui sunt nisi sancti apostoli et consimiles eorum, qui nos iudicaturi sunt in die iudicii? de quibus legimus: *Cum se-*
10 *derit filius hominis, sedebitis et uos super sedes XII iudicantes XII tribus*
Israhel.

6. QUONIAM NOUIT DOMINUS UIAM IUSTORUM. Uia iustorum Christus est,
ut ipse ait: *Ego sum uia.* Sicut sanctus Agustinus dixit: Deum nouere
est in ipso manere et nescire ab eo discedere; unde alibi dixit: *Nouit do-*
minus qui sunt eius. Index est enim medicinae: medicus nouit curare
5 uulnera, uulnus autem nescit sanitatem doloris sui. ET ITER IMPIORUM
PERIBIT. Iter impiorum diabolus est uel iniquitas, peribit hoc est in infernum, quia alligatus est in aduentu saluatoris. Aliter: iniquitas perit

Codices: NS
6 hic omnes] homines *S*   leui *NS**   uel] et *N*   intelleg.] sunt *S*   7 ait propheta]
illud *S*   8 alibi] iterum *S*   9 modo a uento] autem *S*   10 quod sunt] id est *S*
11 horrea *S*   quando + a *S*   12 purgauit *NS**   5,1 Propterea – resurgunt²] Quare *S*
2 Impii + autem *S*   3 credit *N*   deum *N*   turmas *NS**   4 atque] et *N*
6 in iudicio *om. S*   7 id – 8 sanctorum *om. N*   8 sancti *om. S*   6,3 est *om. N*
eo] ipso *N*   4 est *om. N*   6 peribit²] perit *S*   7 quia] uel *S*   aduentum *NS**

7/8 Ps 49,3   8 *saepius* GR-M *asscribitur, cf infra ad Ps* **10**,7,9/10   9 – 12 *cf* Mt 3,12; Lc
3,17   **5**,2 Io 3,18   9 – 11 Mt 19,28   **6**,2 Io 14,6   2-3 AU 1,6,9-10(p. 3)
3/4 II Tim 2,19

quando peccatores conuertuntur. Et non dixit peccatores peribunt,
quia de illo malo itinere reuertuntur in bonum, sed iter, quia omnes
[10] nos in ipso iter fuimus.

2. QUARE FREMUERUNT GENTES. Hic uox prophetae dicit 'quare', ac si dicat: sine causa; quia non potuerunt Christum extinguere sicut uoluerunt, fremuerunt. ⟨ET POPULI MEDITATI SUNT INANIA⟩. Inter fremere et
meditari differentia est, quia fremere canum est, meditari populis, ut il-
[5] lud: *Nolite dare sanctum canibus* et rlq.; quia populi id est Iudaei meditati sunt: debuerunt meditari per legem de aduentu Christi, meditaue-
runt de eius occisione, sicut dixerunt: *Hic est heres, uenite occidamus
eum, et nostra erit hereditas*. 'Inania' dicit id est uacua consilia, quia non
adimpleuerunt sicut uoluerunt.

2. ADSTITERUNT REGES TERRAE, Herodes et Pilatus, ET PRINCIPES CONUE-
NERUNT, Anna et Caiphas, IN UNUM hoc est in uno consilio ADUERSUS
DOMINUM ET ADUERSUS CHRISTUM EIUS, 'aduersus dominum' id est
deum patrem, 'et aduersus Christum eius' filium eius, ut ait in euange-
[5] lio: *Qui non habet patrem nec filium habet, sed ira dei manet super
eum*.

3. DISRUMPAMUS UINCULA EORUM. Hic tres uoces sonant: apostolorum,
angelorum et Iudaeorum. Apostoli disruperunt uincula hoc est legalia
legis, quando dixerunt: *Quid uultis imponere iugum super animas discipulorum, quod neque nos neque patres nostri portare potuerunt?* Angeli
[5] disruperunt uincula id est septem sigilla sepulchri dominici; Iudaei

Codices: NS
8 Et *om. S*   10 fuimus + mortificantur uitia et uiuificantur uirtutes *S*

Ps 2,1,3 fremuerunt *om. S*   4 meditare *NS* (etiam in sqq.)*   differentia est] hoc
interest *S*   4 meditari populis *post* 5 rlq. *trsp. S*   5 quia populi *om. S*   5/6 meditati
sunt *om. S*   6 debuerunt meditari] *trsp. S*   meditauerunt] meditati sunt *S*   8 dicit
om. S   uacua] inania *S*   consilia + hoc sunt uacua *S*   2,1 et² *om. S*   1/2 conuenerunt + in unum *S*   2 unum consilium *S*   4 eius¹ *om. S*   ait in euangelio] illud *S*
5 habet¹ – filium] credit filium nec patrem *S*   3,2 Iudaeorum + Disrumpamus uincula id
est *S*   uincula + legis *S*

Ps 2,1,5 Mt 7,6   7/8 Mc 12,7   2,5 *cf* I Io 2,23 + Io 3,36   3,3/4 Act 15,10

disruperunt uincula, qui iugum legis Noui Testamenti portare noluerunt. Iugum dicitur sicut dominus dicit: *Iugum enim meum suaue est et onus meum leue,* hoc per iugum quod et per onus.

4. QUI HABITAT IN CAELIS INRIDEBIT EOS. Quomodo dicit inridere, quia deus neminem inridet? Potens homo si aliquem inridere uelit, ab alio reprehenditur; et si bonus homo alium non inridet, quanto magis deus neminem inridet, ut illud: Homo se non fallat, deus neminem fallit,
5 sed inridebit hoc est dimisit eos opera digna risui agere, ut illud: *Et dimisi eos secundum desideria cordis eorum;* et alibi: *Tradidit eos deus in reprobum sensum,* id est permisit. 'Qui habitat in caelis' hoc est deus in apostolis 'inridebit eos' id est Iudaeos per doctrinam apostolorum; ET DOMINUS SUBSANNABIT EOS. Subsannare dicit hoc est fugare. Sicut
10 sanctus Agustinus dicit, naso retracto et fronte rugata sic fugat homo alium. More humano loquitur propheta, tamen subsannare id est fugare et inridere unum est.

5. TUNC LOQUETUR AD EOS. 'Tunc' tempus ostendit id est in uindicta crucis uel in diem iudicii. IN IRA SUA: numquid ira in deo? Non, sed ira dei iusta uindicta dei est; ET IN FURORE SUO CONTURBAUIT EOS. Ira dicitur quod longe antea praemeditatur in corde, et furor quod in excessu hoc
5 est subito excedit.

6. EGO AUTEM: uox Christi, CONSTITUTUS SUM REX, pro parte carnis dicit; constitutus AB EO, a deo patre, SUPER SION id est sancta ecclesia (Sion specula uitae interpretatur), MONTE SANCTO EIUS: mons ecclesia uel ipse Christus, ut illud: *Et erit in nouissimis diebus praeparatus mons domus domini* et rlq., PRAEDICANS PRAECEPTUM DOMINI hoc est doctrina
5 euangelii.

Codices: NS
6 qui] id est *S*   Testamenti + quod *S*   7 dixit *S*   **4,**3 et – inridet *om. S*   4 se] si *S*
deus – fallit *om. S*   5/6 dimisit *S*   6 Tradidit] *praem.* Et *N*   7 permisit + eos *S*
8 apostolorum + Noui Testamenti *S*   9 hoc – Sicut *om. S*   10 dicit] fit *S*   et *om. N*
sic] et sic *S*   11 alium] hominem *S*   tamen] quia *S*   11/12 fugare + tamen subsannare *S*   **5,**1 loquitur *N*   2 uel + tunc *S*   3 dei est] *trsp. S*   et – eos *om. S*
4 antea *om. S*   5 excidit *N*S*   **6,**2 constitutus *om. S*   3 specula uitae] speculatio *S*
4 Christus + intellegitur *S*   4/5 domus domini *om. S*

7/8 Mt 11,30   4,5/6 Ps 80,13   6/7 Rm 1,28   10 HI Ps 2,17-18(p. 182)
6,4 Is 2,2

7. DOMINUS DIXIT AD ME: FILIUS MEUS ES TU. Uox Christi ad patrem. 'Dominus' deus pater, 'dixit' filius intellegitur, quia 'dixit' uerbum est de quo dicitur: *In principio erat uerbum et uerbum erat apud deum et deus erat uerbum.* EGO HODIE GENUI TE: uox paterna ad filium. Hodie pro
⁵ sempiterno ponitur, et iste psalmus pro 'hodie' constituitur in die Natiuitatis domini.

8. POSTULA A ME: uox patris ad filium. DABO TIBI GENTES, ac si dicat: dum Iudaei te noluerunt recipere, omnes gentes tibi ueniunt IN HEREDITATEM, quia antea in Iudaea tantummodo notus, sed modo non solum in Iudaea, sed et in uniuerso mundo, ut illud: *A finibus terrae ad te cla-*
⁵ *maui,* domine. ET POSSESSIONEM TUAM, hereditas in terra, possessio in caelo.

9. REGES EOS IN UIRGA FERREA, in dura disciplina Romanorum, uel per uirgam ferream disciplina inflexibilis potest intellegi, quia corda illorum tortuosa erant. TAMQUAM UAS FIGULI CONFRINGES EOS: figulus Christus, ut illud: *Uade ad domum figuli;* 'uas' homo, confringitur hoc
⁵ est aut hic per paenitentiam aut in diem iudicii in igne.

10. ET NUNC REGES INTELLEGITE, reges saeculi huius, uel 'reges' sancti apostoli, intellegite ista supradicta. ERUDIMINI hoc est uosmet ipsos uel alios, QUI IUDICATIS TERRAM, sanctam ecclesiam uel ista terrena.

11. SERUITE DOMINO IN TIMORE: 'in timore' dixit, ut elationem eis tolleret, quia reges eos appellauerat; ET EXULTATE EI CUM TREMORE: 'exultate ei' dicit, ut eos iterum confortet, ut illud: *Gaudete et exultate.* 'Cum tremore' id est ut cum tremore facerent, scilicet tremor est corporis et
⁵ timor animae.

12. ADPREHENDITE DISCIPLINAM hoc est defensionem quasi scutum protectionis, hoc est ut et se corrigant et alios, NEQUANDO IRASCATUR DOMINUS: ira dei – ut diximus – iusta uindicta dei intellegitur; ET PEREATIS A UIA IUSTA: uia iusta Christus est. In uia sumus, quando mandata dei
⁵ implemus; de uia perimus, quando ab eis declinamus.

Codices: NS

8,4 et *om. S*   5 et possessionem *scripsi*: hereditatem *NS*   **9,2** potest intellegi] intellegitur *S*   5 in paenitentia *S*   **10,1** Et *om. N*   3 sancta ecclesia *N*   uel – terrena *om. S*   **11,1** in timore² *N*²: timor *N**: timorem *S*   tollat *N*   2/3 exultate ei dicit *om. S*   3 eos iterum] *trsp. S*   4 scilicet – est²] id est tremore *S*   5 timore *S*   **12,2** et¹ *om. N*   3 dei² intellegitur *om. S*   4 a] de *N*

7,3 Io 1,1   **8,3** *cf* Ps 75,2   4 Ps 60,3   **9,4** Ier 18,2   **11,3** Mt 5,12

13. IN BREUI IRA EIUS, hoc est in exitu uniuscuiusque hominis, uel breui ira
in diem iudicii, ut illud: *Cum enim dixerint* homines: *pax et securitas*
etc. BEATI OMNES QUI CONFIDUNT IN EUM, id est non in hominibus neque in semet ipsis, sed 'in eum' id est in deum. Iste psalmus, ut praefati
5 sumus, in beatitudine terminatur unde superior incipit, et ideo apud
Hebraeos pro uno habentur.

3. PSALMUS DAUID CUM FUGERET A FACIE ABSALON FILII SUI. Hic apparet,
quia non fuit prius sic ordo historiae psalmorum sicut nunc est. Quare?
quia legimus XX uel XXX psalmos de sua persecutione cantatos
fuisse, antequam in regnum intrasset; sed hic iste psalmus postea fuit
5 cantatus. Absalon pax patris interpretatur, et pax patris dicitur, eo
quod pacem habuit pater suus in eum, quando rogauit, ut filio suo par-
cerent, dicens omnibus ducibus: Parcite filio meo, parcite filio meo
Absalon. Dauid figuram Christi tenet, Absalon figuram Iudae. Christus pax nostra est et pacem habuit in Iudam quando ipsum elegit, cum
10 sciret quid futurum esset, ut illud: *Sciebat namque Iesus ab initio quis*
traderet eum; et apud ipsum comedebat, quando dixit: *Qui intingit me-*
cum manum in parapsidem ipse me traditurus est; et item: *Iuda, osculo*
filium hominis tradis? et cetera.
2. DOMINE, QUID MULTIPLICATI SUNT QUI TRIBULANT ME: uox Dauid et
uox Christi et uox ecclesiae et uniuscuiusque sancti. Contra Dauid filius suus cum sua plebe, contra Christum Iudas uel Iudaei, contra
ecclesiam persecutores uel heretici, contra sanctos uitia uel peccata
5 seu daemones. 'Multiplicati sunt' contra Dauid qui apud se paucos habebat, contra Christum similiter multiplicati sunt, quia toti Iudaei et de

Codices: NS
13,1 eius *om. N* breui²] breuis *S*: breue *N** 3 hominibus] omnibus *S* 4 in² - est
om. N 5 beatitudinem *S* superius *N*

Ps 3,1,1 fugiret *N* 2 primus *N* 4 hic *om. S* 9/10 cum sciret] quia sciebat *S*
10 ut - 11 eum *om. S* 11 dixit + ei *S* Qui - 12 item *om. S* 13 trades *S* 2,4 uel
heretici *om. S* 6 multiplicati - quia *om. S* tot *S*

13,2 I Th 5,3 4/5 praefati sumus: *cf* Praef. 75-77

Ps 3,1,7/8 *cf* II Rg 18,5.12 10 Io 6,65 11/12 Mt 26,23 12/13 Lc 22,48 ipsis paucis quos habuit id est apostolis unus ex ipsis Iudas cum turba Iudaeorum contra ipsum uenit. MULTI INSURGUNT ADUERSUM ME: repetitio est.

3. MULTI DICUNT ANIMAE MEAE: NON EST SALUS ILLI IN DEO EIUS, sicut Semei quando clamabat contra Dauid de monte, quando illum appellauit uirum sanguinarium et dicebat: eia, eia, quid alii facturi erunt quando ipse filius tuus qui egressus est de lumbis tuis te persequitur? ac si di-
⁵ xisset: non habet deus curam de te. Aliter ad Christum Iudaei, quando dixerunt: *Si filius dei es, descende de cruce* et rlq. Contra ecclesiam diabolus cum satellitibus suis et persecutores, membra ipsius, dicunt: ueniat deus uester et liberet uos de manibus nostris.

4. TU AUTEM DOMINE SUSCEPTOR MEUS ES. Isti sic dicunt, sed tu susceptor meus es. Suscepit Dauid in regnum, et Christum secundum humanitatem diuinitas, et ecclesiam suscipit in fidem uel postea in requiem. GLORIA MEA: 'gloria' Dauid suum regnum, gloria Christi resurrectio
⁵ eius. EXALTANS CAPUT MEUM: principalis animae Christi in diuinitate.

5. UOCE MEA AD DOMINUM CLAMAUI, hoc est in corde ubi deus audit, quia cogitatio sanctorum clamor est ante deum, ut illud Moysi: *Quid clamas ad me?* EXAUDIUIT ME DE MONTE SANCTO SUO: uox ecclesiae. ⟨De monte⟩ hoc est de semet ipso. Mons sanctus corpus Christi. 'Exaudiuit me'
⁵ id est anima Christi liberata a diuinitate, et Christus liberat suam ecclesiam.

6. EGO DORMIUI: dormiuit Christus in morte uoluntarie. SOMNUM CEPI (nam alibi dicit: SOPORATUS SUM) ⟨ET EXSURREXI⟩ quia subito surrexit. QUONIAM DOMINUS SUSCEPIT ME, diuinitas humanitatem, uel suscepit ecclesiam Christus in aeternitate.

Codices: NS
3,1 sicut – 2 Dauid] id est contra Dauid quando exprobrabatur et quando clamabat Semei contra ipsum *S*   3 eia, eia *om. N*   erunt] sunt *N*   4 ipse *om. S*   5 Aliter] Et *S* Christum + pertinet *S*   Iudaei quando] *trsp. S*   4,1 susceptor¹ – es *om. N*   sic *om. S* sed] si *S*   2 secundum + suam *S*   2/3 humanitatem + suscepit *S*   3 et *om. S* suscepit *N*S*   fide *S*   4 Dauid – gloria³ *om. N*   5 eius] ipsius *S*   anima *N* 5,1 audit + et uidet *S*   2 ut – 3 me¹ *om. N*   4 hoc – ipso om. *S*   6,1 coepi *S* 2 nam – dicit] aliqui dicunt *S*   2 resurrexit *S*   3 dominus] deus *S*

3,1 – 4 *cf* II Rg 16,5-12   6 Mt 27,40   5,2/3 Ex 14,15

7. NON TIMEBO MILIA POPULI CIRCUMDANTIS ME. Dauid de populo contra
se ueniente dicit: 'non timebo', quia sciebat quod deus apud ipsos non
erat qui contra ipsum ueniebant; neque Christus secundum diuinitatem timuit populum Iudaeorum, neque ecclesia timet impetus perse-
5 cutorum, quia fortis est in fide. EXSURGE DOMINE, SALUUM ME FAC, id
est exsurgere me fac, DEUS MEUS, qui me creasti.

8. QUONIAM TU PERCUSSISTI OMNES ADUERSANTES MIHI, hoc est inimicos
Dauid percussit et Iudaeos in uindicta crucis et aduersarios ecclesiae,
et si non hic per paenitentiam, in futuro iudicio in uindicta. SINE
CAUSA, hoc est Dauid et sine causa et ob causam: cum causa, quia
5 peccatum habuit de illa muliere Uriae, pro quo ei ista persecutio accessit; sine causa, quia non peccauit tunc in suo filio. Christus uero sine
causa, quia non habuit peccatum, ut illud: *Qui peccatum non fecit nec
est inuentus dolus in ore eius.* Ecclesia cum causa et sine causa sicut et
Dauid. DENTES PECCATORUM CONTERUISTI: principes Iudaeorum uel
10 'dentes' doctores hereticorum et uerba ipsorum.

9. DOMINI EST SALUS, hoc est non ab homine, sed a deo; SUPER POPULUM
TUUM hoc est populum christianum, BENEDICTIO TUA in futuro,
quando dicturus erit: *Uenite benedicti patris mei, percipite regnum quod
uobis paratum est ab origine mundi.*

4. IN FINEM IN CARMINIBUS PSALMUS DAUID. 'In finem' in Christo: *Finis
enim legis Christus ad iustitiam omni credenti.* 'In carminibus' hoc est in
laudibus, 'psalmus David' laus Christi.

Codices: NS
7,2 uenientem *S*   non timebo *om. N*   5 saluum me fac *om. N*   8,1 est + et *S*
2 percussit *om. S*   et² – 3 uindicta *om. N*   5 de – Uriae *post* accessit *trsp. N*
6 suo filio] *trsp. S*   uero *om. S*   7 ut – 8 eius] Nam *S*   8 ecclesia + et *S*   8/9 sicut
et Dauid *om. S*   9 contriuisti *S*   Iudaeorum + uel uerba ipsorum, quando temptantes
dixerunt: Magister scimus quia a deo uenisti et in ueritate uiam dei doces: licet censum dare
Caesari an non? Cognita Iesus nequitia eorum dixit: Quid me temptatis, hypocritae? ostendite mihi numisma census. At illi ostenderunt ei denarium; et ipse dixit: Cuius est imago
haec et inscriptio? At illi dicunt: Caesaris. Ipse dixit: Reddite ergo quae sunt Caesaris Caesari et quae dei deo *S*   10 doctores hereticorum] *trsp. S*   et *om. N**: et uerba *om. S*
9,2 populo christiano *S*

8,7/8 I Pt 2,22   9 (Io 3,2 + Mt 22,16-21)   9,3/4 Mt 25,34

Ps 4,1,1/2 Rm 10,4

2. CUM INUOCAREM TE: hic uox Christi et uox ecclesiae. EXAUDISTI ME
   DEUS IUSTITIAE MEAE. Non conuenit hic ad Dauid, quod in sua iustitia
   se debeat confidere, quia adhuc de illo peccato Uriae uel uxore sua integre non paenituerat, unde et suus filius eum in supradicto psalmo
5 persecutus est; sed ad Christum et ecclesiam maxime pertinet. Orauit
   Christus in sua passione propter Iudaeos et discipulos suos uel pro genere humano seu ut non destrueretur mundus in sua passione, eo
   quod sua creatura ipsum in passione condemnauerat. Fuit exauditus
   an non? et exauditus et non exauditus. Uel ecclesia dicit 'exauditi me,
10 deus iustitiae meae', unde dicit aliquis auctor: Deus iustitiae, deus misericordiae, deus inenarrabilis, deus inuisibilis et rlq. 'Iustitiae meae'
   dicit ecclesia: sua iustitia et non sua, sua si implet mandata in opere,
   non sua quia non est ex se, sed a deo data. IN TRIBULATIONE DILATASTI
   ME: uox Christi. ⟨In tribulatione⟩, quia apostolus dicit: Tribulatio et an-
15 gustia et rlq.; sed tamen 'dilatasti' dicit, quia anima Christi gaudet
   propter illud quod in superiore psalmo dicit: Dabo tibi gentes in hereditatem tuam etc. Uel ecclesia dilatatur pro spe uitae aeternae quam promisit. MISERERE MEI DOMINE. Uox ecclesiae: 'miserere mei', quia miser
   sum. Si te confiteris miserum, miserebitur tibi; si te exaltaberis, non
20 mereberis misericordiam, sed uindictam. EXAUDI ORATIONEM MEAM in
   hoc quod te rogo.
3. FILII HOMINUM USQUEQUO GRAUI CORDE? Uox ecclesiae ad Iudaeos in-
   crepando loquitur. 'Filii hominum' filii Adam, filii transgressoris, filii
   carnalium, quare graui estis corde? non sufficit quod prius crucifixistis
   et postea uirtutes uidistis, sed non credidistis? Propterea graues, ut il-
5 lud: Uos incircumcisi corde et dura ceruice, uos semper restitistis spiritui
   sancto. Alio modo uox praedicantium qui corripiunt homines duros et

Codices: NS
Ps 4,2,1 Exaudiuit N   2 hoc S   ad exp. S²   3 se debeat] sedebat N*S   4 paenituit S   5 et – pertinet om. N   6 propter] pro N   10 dicit aliquis auctor] dicitur S²
11 deus² – rlq.] etc. S   12 sua³ om. N   si om. S   13 a] ex S   14 quia om. N
15 et rlq.] in omnem animam hominis operantis malum S   tamen om. S   dicit – gau-
det] ualde N   16 illud + dicit N   19 exaltaueris S   20 misereberis misericordia ..
uindicta S   3,1 grauis N²S*   3 graue NS*   4 et] sed S   sed] et S   graues +
dicit S   6 praedicatorum S

2,14/15 Rm 2,9   16/17 Ps 2,8   3,5 Act 7,51

increpant impios siue hereticos, quare non recipiunt uerbum praedicationis. UTQUID DILIGITIS UANITATEM? Ad omnes homines dicit, quia
uanitas uita praesens est; unde Salomon dicit: *Uanitates uanitantium et*
10 *omnia uanitas.* QUAERITIS MENDACIUM, quia mentitur ipsa uanitas
quicquid promittit praesens tempus, quia defecit. Aliter: 'utquid diligitis uanitatem' Iudaeos increpat qui dicebant: *Patrem habemus Abra-*
ham et nemini seruiuimus umquam; et dominus: *Si uos,* inquit, *filii*
Abrahae essetis, opera Abrahae faceretis. 'Quaeritis mendacium',
15 quando dicebant: *Quinquaginta annos nondum habes et Abraham*
uidisti?
4. SCITOTE QUONIAM MAGNIFICAUIT DOMINUS SANCTUM SUUM. Uox ecclesiae ad Iudaeos: hoc scitote uos Iudaei: Christum quem interemistis
dominus hoc est deus pater magnificauit in resurrectione et ascensione. Aliter uox ecclesiae contra peccatores, ac si dicat: scitote uos
5 peccatores uel persecutores quod magnificauit dominus Christus sanctos martyres suos, quando dat eis fidem in angustia et in futuro coronat. DOMINUS EXAUDIUIT ME CUM CLAMAREM AD EUM: uox Christi ad
patrem. Dicit sanctus Agustinus: Exaudiuit et non exaudiuit. Exaudiuit in praedistinatis siue in illis qui ex ipsis crediderunt id est octo mi-
10 lia et in sanctis apostolis; et non exaudiuit, non quia non potuerat
exaudire, sed pro illis dicit qui non sunt praedistinati ad uitam nisi ad
poenam. Pro quo ergo orauit? ut nobis exemplum daret pro inimicis
orare, quia et si non exaudimur, opus est nobis orare pro illis, quia
mandatum implemus et ecclesia exauditur in tribulatione.
5. IRASCIMINI ET NOLITE PECCARE. Uox ecclesiae ad Iudaeos: irascimini
uobismet ipsis pro eo quod sanguinem prophetarum et ipsius Christi
effudistis. Uel irascimini peccatis uestris et nolite peccare, hoc est ut

Codices: NS
7 quare] qui S^2 11 deficit S^2 13 et dominus *om.* S   14 estis S   facite S
Quaerite S   **4,3** magnificauit + eum id est S   4 peccatores – 5 uel *om.* S   5 magnificat S   7 exaudiet S^2 clamauero S   8 exaudiuit² + unde superius dixit interrogando: fuit exauditus an non S   8/9 Exaudiuit] -ditus fuit S   9 siue – crediderunt
om. S   10 et¹] siue S   fuit exauditus S   10/11 potuit exaudiri S   12 quo] quid N
13 exaudiamur S   est nobis] *trsp.* S   pro illis *om.* N   **5,2** ad uosmet ipsos S*

9/10 Ecl 1,2   12/13 Mt 3,9 + Io 8,33   13/14 Io 8,39   15 Io 8,57   **4,9/10** octo milia: *secundum* Act 2,41(3000) *et* 4,4(5000) *saepe sic allatum*

iterum non faciatis tanta mala neque idola adoretis, subauditur: sicut
5 fecistis. Aliter: 'irascimini' ad peccatores dicit, ut irascantur et sibi et
aliorum peccatis et non peccent, id est dum uitium uindicant, ad
odium non trahantur. QUAE DICITIS IN CORDIBUS UESTRIS: ad Iudaeos
pertinet quia dicebant in cordibus illorum: *In Beelzebub eiecit daemo-*
nia; publicanorum et peccatorum amicus. ET ⟨IN CUBILIBUS UESTRIS CON-
10 PUNGIMINI⟩: qui talia dixerunt in cubilibus suis id est in conscientiis
conpungantur in lacrimis. Aliter: 'qui dicitis in cordibus uestris et in
cubilibus uestris: conpungimini' hoc est ut quicquid in die uel nocte
suggeritur, hoc per confessionem conteratur.

6. ⟨SACRIFICATE SACRIFICIUM IUSTITIAE⟩: qui haec fecerit, sacrificare
sacrificium iustitiae se cognoscat, quia scriptum est: *Cor contritum*
sacrificium deo est. SPERATE IN DOMINO id est remissionem peccatorum. MULTI DICUNT: QUIS OSTENDIT NOBIS BONA? Uox infidelium.
5 Quando praedicatores illis praedicant, ut se emendent et bona desiderent spiritaliter quae promittuntur eis a domino, bona qui bona faciunt
et mala similiter qui mala faciunt, illi respondent: 'quis ostendit nobis
bona', ac si dicant: quis uenit nobis de caelis aut quid illuc agitur aut
quis resurrexit de hominibus? Hic tantummodo habeamus sufficien-
10 ter; nam illa quae non uidimus nec requiremus. Et praedicatores illis
respondent: si uos non uultis credere propter infidelitatem uestram
quae uobis praedicamus, nos et credimus et ueneramur, quia lumine
uultus dei inluminati sumus.

7. SIGNATUM EST SUPER NOS LUMEN UULTUS TUI DOMINE. Dixit sanctus
Agustinus: quod signatur diligenter custoditur. Quid est lumen dei
signatum nisi crucem fidei in mente nostra habere? quod monstratum
est in illis qui Thau littera signati fuerunt in frontibus suis, quos uasta-

---

Codices: (L) NS
4 tanta mala] mala scelera *S*   5 ut *om. N*   et[1] *om. N*   6 dum] ut *S*   uindicant]
non hominem *S*   7 non *exp. S*   trahantur *scripsi*: -hant *NS*   8 illorum] suis *S*
eicit *S*   11 qui – 12 est *om. S*   12 uel nocte *om. S*   13 suggerit *N*: suggeretur *S*
hoc + in nocte *S*   conteretur *S*   6,1 haec + omnia *S*   2 conteritum *S*   3 est[2] +
in *N*   5 illos *N*S*   desiderant *S*   8 caelo *S*   agatur *S*   10 requirimus *S*
12 praedicemus *N*S*   quia] qui *N*   7,3 *a* quod *incipit L*   4 est] fuit *S*   Thau lit-
tera] taliter *LN*   fuerint *L*

5,8/9 Lc 11,15 + Mt 11,19   6,2/3 Ps 50,19   7,4 *cf* Ez 9,4

⁵ tor angelus non percussit. Quod signum nos in animabus nostris deo donante habemus. DEDISTI LAETITIAM IN CORDE MEO. Hic uox animae Christi de resurrectione mundi dicit, et uox ecclesiae, quod promittitur illi aeterna uita.

8. A TEMPORE FRUMENTI, id est praedicationem euangelii, UINI, passionem Christi, OLEI, unctionem spiritus sancti, MULTIPLICATI SUNT: exinde multiplicantur in ecclesia in Christo. Et iterum 'multiplicati sunt' superius pertinet ad illos impios qui dixerunt: *quis ostendit nobis* ⁵ *bona?*

9. IN PACE IN IDIPSUM OBDORMIAM ET REQUIESCAM. 'In pace' in Christo 'obdormiam', quia dormire se dicit anima Christi conroborata a diuinitate. Diuinitas non sentiebat poenam: carnem caedebant, sed diuinitatem non nocebant. Quid dicit 'in idipsum'? hoc est in eum qui semper ⁵ est, ut illud: *Ego sum qui sum.* Dormire in pace fuit, requiescere in sepulchro; et sancti requiescunt in sepulchro et dormiunt in pace quod est Christus.

10. ⟨QUONIAM TU DOMINE SINGULARITER IN SPE CONSTITUISTI ME⟩. 'Singulariter' ad Christum pertinet, qui fuit singularis sine peccato; et singularis dicitur, quia primus resurrexit inmortalis. 'In spe constituisti me' id est in spe uitae aeternae, ac si dicat: fecisti corpus meum habere spem ⁵ de resurrectione,⟨ut⟩ quo ego caput eius praecessi, illuc et membra mea se ascendere credant.

Codices: LN (S)
5 animabus] manibus *LS*   8 uita + De laetitia ecclesiae sequitur *S*   **8**,1 praedicatione *LS*²   uinum *LN*   2 oleo *N**: -um *LN*²   3 ecclesia + et *S*   **9**,2 obdormiam] om. *S*: + et requiescam *L*   quia] quasi *S*   a] e *L*: in *S*   4 idipsum] ipsum *L*   in²] per *L*   eum] eo *S*   4/5 qui (quod *S*) semper est] quid per eum *N*   5 ut – sum² om. *N* pace] cruce *S*   **10**,2 qui] quod *LS*   singularis + qui *S*   peccato + solus *LS* 3 inmortalis] a mortuis *LS*   4 spe] spem *L**N   5 *a de deest S (usque ad Ps 19,7)* 6 credunt *N*

8,4/5 Ps 4,6   **9**,5 Ex 3,14

5. IN FINEM PRO EA QUAE HEREDITATEM CONSEQUITUR PSALMUS DAUID.
'Pro ea' pro ecclesia, 'quae hereditatem consequitur': Christus est hereditas nostra et nos illius, ille nostra, ut dicitur: *Portio mea dominus;* et
alibi: *Dominus pars hereditatis meae;* et nos sua, quia sicut cultor qui
⁵ colit agrum suum et colligit fructus suos, sic nos et colit et colligit dominus noster.

2. UERBA MEA: uox ecclesiae, AURIBUS PERCIPE, ubi deus auditur in
mente, unde dicitur: *Audiam quid loquatur in me dominus deus.* INTEL-
LEGE CLAMOREM MEUM, hoc est in corde ubi deus audit, sicut *dixit ad
Moysen: Quid clamas ad me?* et Anna in templo.

3. INTENDE UOCI ORATIONIS MEAE, ut me salues et liberes, REX MEUS qui
me regis et pro me pugnas, DEUS MEUS qui me creasti.

4. AD TE ORABO DOMINE MANE ET EXAUDIES UOCEM MEAM, id est de ista
nocte praesentis uitae in resurrectione.

5. MANE ADSTABO TIBI ET UIDEBO TE: modo in nocte quia hic titubantur
sancti et casus est, quia *septies cadit iustus et resurgit.* 'Mane adstabo
tibi', quia illuc iam non potest cadere neque opere neque qualibet cogitatione peccati. 'Et uidebo te' secundum illud Iohannis apostoli: *Uide-
⁵ bimus eum sicuti est.* QUONIAM TU ES DEUS NOLENS INIQUITATEM: qualem iniquitatem? nisi qui in peccatis permanet iniquitatem facit; ista
deus non uult.

6. NON HABITABIT IUXTA TE MALIGNUS. Non dixit: non est iuxta te malignus, quia modo habitat in ecclesia, sed in futurum tecum non habitabit malignus. NEQUE PERMANEBUNT INIUSTI ANTE OCULOS TUOS: non
dixit: non manent, quia modo sunt, sed non permanebunt. Quare non
⁵ permanebunt? propter hoc quod dicit: *Tollatur impius nec uideat gloriam dei;* et item dicit: *Uideant et confundantur.*

Codices: LN
Ps 5,1,1(*et* 2) hereditate *L*   2 pro² *om. N*   3/4 et alibi *scripsi* (c. Tort): nos sua ut
dicitur *LN*   4 et nos sua *hic om. LN*   sicut *om. N**   **2,3** audit + et uidet *L*
4,2 resurrectionem *L*   **5,1** te *om. L*   2 cadet ... resurget *L**N*   iustus + in die *L*
3 iam *om. N*   potest] oporterit *L*   opere *scripsi*: cogitatione *LN*   4/5 Uidebimus]
praem. Et *N*: Uidimus *L*   5 nolens] qui non uolens *L*   5/6 quale iniquitate *N*
6,1 habitat *N**   2/3 habitabunt maligni *L*   5 dixit *L*   nec] ne *L*   6 item dicit]
non *L*   confundantur + et: Uidebunt in quem conpunxerunt *L*

Ps 5,1,3 Ps 118,57   4 Ps 15,5   **2,2** Ps 84,9   3/4 Ex 14,15   4 *cf* I Rg 1,13
5,2 Prv 24,16   4/5 I Io 3,2   **6,5** – 6 Is 26,10.11   6 (Io 19,37 [Za 12,10])

7. ODISTI DOMINE OMNES QUI OPERANTUR INIQUITATEM. Non dixit: qui
operati estis, sed: qui operantur, ut spes ultra peccatoribus non esset.
Quomodo dicit 'odisti'? Numquid odium in deo? Non, sed uitium odit
quod non creauit. Et nobis licet odire ea quae deus odit; et ea odit deus,
5 ut diximus, quae non creauit. PERDES EOS QUI LOQUUNTUR MENDA-
CIUM. Ergo omnis homo perit, quia *omnis homo mendax?* Dicit sanctus
Agustinus per similitudinem, quomodo ⟨quando⟩ quis dicat: indica
mihi inimicum meum, ut illum interficiam, ille qui hoc audit se nescire
respondet, tamen mendacium profert. Et de gladio similiter. Pro tali-
10 bus culpis ignis purgatorius expectatur. Ergo de talibus culpis non dixit, sed de hereticis qui mendacium proferunt contra ueritatem; illi in
futuro peribunt. UIRUM SANGUINUM ET DOLOSUM ABOMINABITUR DOMI-
NUS, id est et qui carnalem et qui spiritalem sanguinem effundunt dominus iudicabit.

8. EGO AUTEM IN MULTITUDINE MISERICORDIAE TUAE SPERO, uox ecclesiae: non in his malis quae superius dixit nec in me, sed in multitudine
misericordiae tuae spero. INTROIBO IN DOMUM TUAM, 'introibo' de
futuro dicit ecclesia praesens, ET ADORABO AD TEMPLUM SANCTUM
5 TUUM, id est in unitate ecclesiae; ipsud est templum quod et domum;
qui orat tam pro se dum hic est quam et pro his qui uenturi sunt.

9. DOMINE DEDUC ME IN TUA IUSTITIA: ecclesia est quae hoc rogat. 'In tua
iustitia' hoc est in Christo, quia ipse est iustitia. PROPTER INIMICOS
MEOS DIRIGE IN CONSPECTU TUO UIAM MEAM. Propter illos qui me
aduersantur dirige in conspectu tuo uiam meam: uox ecclesiae ad
5 Christum, quia ipse est *uia et ueritas.*

10. QUONIAM NON EST IN ORE EORUM UERITAS, hoc est in ore hereticorum
non est ueritas quod est Christus. COR EORUM UANUM EST id est hereticorum, qui in se ueritatem non habent hoc est Christum, sed habent
uanitatem, quia dictum est: *Ex habundantia enim cordis os loquitur.*

Codices: LN
7,1 domine *om. L*   2 operantur] -ratis *N*   5 ut] quae *L*   creauit + id est uitium *L*
7 per similitudinem] Multi sunt modo mendacium *L*   8,2 dixi *L*   5 domus *L*
6 qui¹] quid *L**   9,1 qui *N*   3 Propter - 4 ad] id est *N*   10,3 Christum + de hereticis
dicit *L*

7,6 Ps 115,11   7 - 9 *cf* AU 5,7,34sqq.(p. 22/23)   9,5 Io 14,6   10,4 Mt 12,34

11. Sᴇᴘᴜʟᴄʜʀᴜᴍ ᴘᴀᴛᴇɴs ᴇsᴛ ɢᴜᴛᴛᴜʀ ᴇᴏʀᴜᴍ. Sepulchrum hereticos demonstrat qui in peccatis suis perseuerant et per malam doctrinam foetorem faciunt, quia multi sunt. Et patens est guttur mentis eorum, quia
alios capere uolunt, ut secum in mortem quasi sepeliendo pertrahant.
⁵ Unde dictum est: *Foris parent mundi, sed intus pleni sunt ossibus mor-*
tuorum. Lɪɴɢᴜɪs sᴜɪs ᴅᴏʟᴏsᴇ ᴀɢᴇʙᴀɴᴛ. Quali dolositate agebant? eo
quod blanda adulatione uenenum mortiferum effundunt. Iᴜᴅɪᴄᴀ ɪʟʟᴏs ᴅᴇᴜs: uox prophetae. Hoc dicit quod futurum est: ᴅᴇᴄɪᴅᴀɴᴛ ᴀ ᴄᴏ-
ɢɪᴛᴀᴛɪᴏɴɪʙᴜs sᴜɪs. Hieronimus dicit: ipsi conuertantur et a uana co-
¹⁰ gitatione decidant. Et Agustinus dicit, quod hic discedant a cogitationibus et in iudicio in condemnatione. Sᴇᴄᴜɴᴅᴜᴍ ᴍᴜʟᴛɪᴛᴜᴅɪɴᴇᴍ ɪᴍᴘɪ-
ᴇᴛᴀᴛᴜᴍ ᴇᴏʀᴜᴍ ᴇxᴘᴇʟʟᴇ ᴇᴏs. Hieronimus: Expelle de malo, ut ueniant in bono. Et Agustinus 'expelle eos' dixit, quia non ad bonam partem pertinet propter hoc quod subsequitur: ǫᴜᴏɴɪᴀᴍ ɪɴʀɪᴛᴀᴜᴇʀᴜɴᴛ
¹⁵ ᴛᴇ ᴅᴏᴍɪɴᴇ.
12. Lᴀᴇᴛᴇɴᴛᴜʀ ᴏᴍɴᴇs ǫᴜɪ sᴘᴇʀᴀɴᴛ ɪɴ ᴛᴇ, id est non in se, sed in te. Iɴ
ᴀᴇᴛᴇʀɴᴜᴍ ᴇxᴜʟᴛᴀʙᴜɴᴛ id est gaudebunt qui te timore sancto timent,
ᴇᴛ ɪɴʜᴀʙɪᴛᴀʙɪs ɪɴ ᴇɪs. Licet et modo inhabitet, sed tunc pleniter,
quando erit *deus omnia in omnibus.* Gʟᴏʀɪᴀʙᴜɴᴛᴜʀ ɪɴ ᴛᴇ ᴏᴍɴᴇs ǫᴜɪ
⁵ ᴅɪʟɪɢᴜɴᴛ ɴᴏᴍᴇɴ ᴛᴜᴜᴍ. Gloriabuntur id est laetabuntur omnes qui
diligunt nomen tuum, id est laetabuntur omnes qui diligunt filium
tuum.
13. ǫᴜᴏɴɪᴀᴍ ᴛᴜ ᴅᴏᴍɪɴᴇ ʙᴇɴᴇᴅɪᴄᴇs ɪᴜsᴛᴜᴍ, si iustus est. Ad quid benedicturus erit eum? ut iustificetur adhuc; uel tunc pleniter benedicturus
erit et tunc pleniter ac ueraciter iusti benedicentur, quando ista percep-
turi sunt quae dicturus est: *Uenite benedicti patris mei, percipite para-*

Codices: LN
11,1 Sepulchrum²] -chra *L²N*   1/2 demonstrant *N²*   3 multi] mortui *L*   quia²] qui *L²*
4 morte *L*   5 munda *N*   plena *N*   6 Quale *LN**   7 uenena mortifera *L*
effundunt] miscent *L*   9 et *om. L*   10 quod hic *om. L**: quod hinc *L²mg.*   a – 13
quia *om. N*   12 ut] et *L**   13 expelle eos *scripsi*: expellere *L*   13/14 in bona parte *N*
12,3 et² *om. L*   inhabitet] -tat *LN**   5 Gloriabuntur *om. N*   6 id – diligunt² *om. L*
13,1 domine *om. L**   benedicis *L²*   iustum] -to + populo sancto *L*   3 benedicentur
N²: *om. LN**   4 quae – est] sicut dictum est *L*   4/5 paratum – regnum] regnum quod
uobis paratum est a constitutione mundi *L*

11,5 Mt 23,27   9(*et* 12) HI Ps 5,32-34sqq.(p. 186)   10/11(*et* 13/14) AU 5,13,10sqq.(p. 25)
12,4 I Cor 15,28   **13,**4/5 Mt 25,34

⁵ *tum uobis regnum.* UT SCUTO BONAE UOLUNTATIS TUAE CORONASTI NOS.
Bona uoluntas dei scutum dicitur, quia protegit nos modo per fidem
maxime et in futuro ipse coronat.

6. IN FINEM PRO OCTAUA PSALMUS DAUID. Multi putant quia dixit 'octaua'
de resurrectione pertinere uel pro octaua die circumcisionis siue octo
beatitudines. Dominus noster quando fecit caelum et terram ab octauo
quod est dies dominicus usque ad secundum sabbatum octo dies fecit.
⁵ Iterum Agustinus uoluit dicere quod septem milia annorum debuisset intellegi uita praesens propter septem dies quibus uoluitur mundus
et octaua in resurrectione terminare. Alii uoluerunt sex milia annorum
spatium conputare et septimum quo fit requies sanctorum. Et ecclesia
credit quod sexto miliario finiente et septimo incipiente sic debeat esse
¹⁰ resurrectio uel requies sanctorum, maxime propter hoc quod apostolus Paulus ad Hebraeos scribit: *Et quidem de operibus ab institutione
mundi factis dixit quodam loco de die septima sic: Et requieuit deus die
septimo ab omnibus operibus suis.* Et item in antea dicit: *Itaque relinqui-
tur sabbatismus populo dei. Qui enim ingressus est in requiem eius, etiam
¹⁵ ipse requieuit ab operibus suis sicut a suis deus.* Tamen et si credit, non
adfirmat. Et quomodo potest fieri, ut humana fragilitas diem iudicii pe-
netrare possit? quia quamuis conputemus ab Adam usque nunc quot
annos habeat, numquam possumus inuenire diem iudicii, dum dominus dicit discipulis suis: *Non est uestrum nosse tempora uel momenta
²⁰ quae pater posuit in sua potestate.* Et idcirco dicit: *De die illo et hora
nemo scit nisi pater solus.* Ergo praesumptiose agit qui hoc se scire dicit
quod dominus se nescire testatur.
Sed 'octaua' quod dicit ad unumquemque hominem pertinet. Et haec
est ratio huius octaui: mundus iste propter hominem factus creditur et

Codices: LN
5 scutum *N*   7 et *om. N*

Ps 6,1,7 terminetur *L*   uoluerunt + per *L*   8 quo] quod *LN**   sit *L*   11 scripsit *L*
13/14 relinquetur *LN²*   14 sabbatissimus *LN**   15 sicut + et *L*   17 quot *scripsi:*
quod *LN*

Ps 6,1,5 – 7 AU 6,2,6-8(p. 28)   11 – 15 Hbr 4,3.4.9.10   19 – 20 Act 1,7
20/21 Mt 24,36

²⁵ non homo propter mundum. Quaeramus ergo quomodo sine quae-
stione solui possit haec inquisitio. Ergo si mundus propter hominem
factus est et non homo propter mundum, et homo ex duobus substan-
tiis constat id est anima et corpus, corpus uero quattuor elementis constat id est humidum, siccum, calidum et frigidum: habes quattuor.
³⁰ Anima namque tria habere dinoscitur id est dilectionem dei, ut dictum
est: *Diliges dominum deum tuum ex toto corde tuo* – habes unum –, *ex
tota anima tua* – habes duo – *et ex totis uiribus tuis* – habes tres. Quattuor et tres septem sunt. Quomodo inueniemus octauum? Putant aliqui fidem et opera. Sed postquam habet homo fidem et opera, dilectio-
³⁵ nem dei et proximi, homo perfectus dicitur. Sed postea quam ista habet octauum in resurrectione uel requiem. His octo rebus homo perfectus dicitur. Sed sicut exterior homo quattuor elementis constat, ita
dedit illi deus quattuor tempora quae illi seruire debeant, quae in uno
anno habere noscuntur, quae sunt uer et aestas, autumnus et hiemps.
⁴⁰ Ista quattuor, sicut diximus, tempora hominibus necessaria ministran-
tur. Bene ergo conuenit, ut iste psalmus totus de paenitentia cantetur
pro eo quod primus homo praeuaricatus est pactum. Unde usque nunc
omnis posteritas eius obnoxii in captiuitate ista habitare uidentur, et
omnibus paenitentibus congruit, et pro humano genere, ut diximus,
⁴⁵ quod captiuatum est per Adam, cantare potest ipse qui illuc in sua pa-
tria reuertere desiderat, unde prius cecidit.
2. Domine ne in furore tuo arguas me neque in ira tua corripias me.
Uox paenitentium, ac si dicat: non solum in futurum, sed modo me
praecipe emendare. Legimus saepius primitus iram et postea furorem,
et aliquando prius furorem et postea iram; sed maxime unum est. Ta-
⁵ men furor in praesenti, ira in futuro.
3. Miserere mei domine. Uox ecclesiae: miserere mei quia miser sum, et
ipse misericordiam dei inuenit qui se miserum confitetur. Quoniam
infirmus sum, sana me domine, ac si dicat: infirmus sum per pecca-

---

Codices: LN
27/28 substantiis] lineis *N*   28 animae *N*   elementis *scripsi (cf lin. 37)*: lineis *LN*
31 Diligis *LN**   32 et *om. L*   33 inuenimus *L*   Putant aliqui] nisi addamus *L*
36 octaua *L*: -uo *N**   resurrectionem *L*   His – 37 dicitur *om. N*   43 obnoxia *L*²
uidetur *L*²   44 et] ut *L*   46 prius] superius *L*   **2**,2 paenitentum *L*   4 est *om. N*
3,2 misericordia ...inuenitur *L*

31 – 32 Lc 10,27

tum, sana me quia medicus es. Ego sum aegrotus, tu es medicus; ego
5 habeo infirmitatem, tu habes sanitatem: ego sum infirmus per peccatum, tu sana per misericordiam. QUONIAM CONTURBATA SUNT OMNIA
OSSA MEA, ac si dicat: omnes uirtutes quae ossa appellauit in primo homine transgressi siue perdidi.

4. ANIMA MEA exinde TURBATA EST per paenitentiam, ut emendetur. ET
   TU DOMINE USQUEQUO, ac si dicat: non longo tempore uolo protrahere,
   sed hic prius me emendare praecipe.

5. CONUERTERE ET ERIPE ANIMAM MEAM. Pro quid rogamus dominum
   conuertere? Numquid dorsum habeat? Non, sed hoc petimus, ut nos
   faciat conuertere ad se, sicut dixit: *Conuertimini ad me et ego conuertar
   ad uos;* et alibi: *Conuerte nos ad te, et conuertemur.* SALUUM ME FAC
   5 PROPTER MISERICORDIAM TUAM, ac si dicat: non propter mea merita, sed
   propter tuam misericordiam.

6. QUONIAM NON EST IN MORTE QUI MEMOR SIT TUI. Quid est in morte esse
   nisi in peccato? quia homo quamdiu in peccato est, non potest laudare
   deum, quia *non est pulchra laus ex ore peccatoris.* IN INFERNUM AUTEM
   QUIS CONFITEBITUR TIBI? Duobus modis hic intellegitur, raritas et diffi-
   5 cultas. Et legimus in infernum quis sit confessus, id est ille diues qui
   eleuauit oculos, uidit Abraham a longe. Et iste diues tria uidetur quod
   habuisset in se, id est caritatem, confessionem et seram paenitentiam.
   Confessio fuit quando dixit: *Pater Abraham miserere mei;* et caritas
   quando dixit: *Habeo enim quinque fratres, et mitte Lazarum, ut testetur
   10 illis, ne et ipsi ueniant huc;* paenitentia sera quando non potuit reuerti et
   emendare. Raritas dicitur pro isto solo de quo diximus. Difficultas post
   iudicium intellegitur, quia nullus creditur in infernum positus deum
   confiteri posse.

7. LABORAUI IN GEMITU MEO. Gemit in peccatis suis in paenitentia. LAUA-
   BO PER SINGULAS NOCTES LECTUM MEUM, lectus uoluptas carnis, LACRI-

Codices: LN
5/6 per peccatum] peccato *N*   7 omnis uirtus + animae meae *L*   8 perdidi *scripsi*:
-diti *LN*   5,1 Conuerte *N*   domino *L*N*   2 habet *L²N²*   4 te + deus *L*
conuertimur *L*   6,1 qui] quis *LN**   3 inferno *L²*   5 inferno *L*   6 quod *eras. N*
7 ueram *N*   9 et - Lazarum *om. L*   10 paenitentiam ueram *N*   possit *N*
7,1 paenitentia + intellectus animae *L*   2 lectus] -um *N*: + animae *L*   carnalis *L*

5,3 Za 1,3   4 Lam 5,21   6,3 Sir 15,9   5 - 10 *cf* Lc 16,23.24.28

MIS STRATUM MEUM RIGABO. Lectum et stratum unum sunt. Magis est
rigare quam lauare: lauare quasi minora, rigare quasi maiora, quia
5 quanto magis quisque confringit, tanto magis deflere debet.

8. TURBATUS EST PRAE IRA OCULUS MEUS. Non dixit tua ira uel mea. Hic
ostendit quod ipse sibimet ipsi pro peccatis suis irascitur. In hoc est iratus, dum turbat semet ipsum, ut emendari debeat. Et alio modo turbatur, ne in futurum in illam iram peruéniat quae est uindicta dei. INUE-
5 TERAUI INTER OMNES INIMICOS MEOS. Ecclesia dicit, quod ab Adam
semper antiqui aduersarii durantur et usque in finem permanebunt,
quia morientibus et nascentibus ecclesiae filiis illi inimici nostri semper manent.

9. DISCEDITE A ME OMNES. Ecclesia optat, ut discedant contrarii. Et alio
modo: agere paenitentiam rectam non potest qui se a peccatoribus non
segregat. 'Discedite a me' QUI OPERAMINI INIQUITATEM. Non dixit: qui
operati estis, ne forte spes nostra perisset, sed: qui operamini id est qui
5 in peccatis uestris permanetis. QUONIAM EXAUDIUIT DOMINUS UOCEM
FLETUS MEI, propterea discedite inimici mei, ut illud: *Quiescat uox tua a
fletu et oculi tui a lacrimis, quia est merces operi tuo.*

10. EXAUDIUIT DOMINUS DEPRECATIONEM MEAM, deprecatio pro peccatis,
DOMINUS ORATIONEM MEAM ADSUMPSIT, quia ecclesia postquam orauit
et egit paenitudinem exaudiri meruit.

11. ERUBESCANT ET CONTURBENTUR OMNES INIMICI MEI. Hieronimus dicit: erubescant de illorum peccatis et reuertantur et deum timeant, qui
ipsum prius audire noluerunt. Et Agustinus dicit: 'erubescant et conturbentur omnes inimici mei' ad futurum iudicium tendit, maxime
5 propter hoc quod ⟨dominus⟩ dicit: *Qui me erubuerit et meos sermones,
hunc filius hominis erubescet, cum uenerit in maiestate sua et patris et
sanctorum angelorum.* AUERTANTUR ET CONFUNDANTUR. Hieronimus
dicit: auertantur de illo malo cursu quod prius habuerunt retrorsum, ut
sequantur dominum. Et Agustinus dicit: auertantur retrorsum qui

Codices: LN
4 minora] -nuta L* + peccata L   8,3 emendare LN*   4 illam iram *scripsi*: illa ira LN
10,2 adsumpsit] suscepit L*   3 paenitentiam L   exaudire L   11,1 Erubescent L
6 erubescet] -cit LN*   8 cursu - retrorsum *om.* N   9 Et *om.* N

9,6 - 7 Ier 31,16   11,2 HI Ps 6,55-56(p. 188)   3 sqq. AU 6,12,3sqq.(p. 34)   5 - 7 Lc
9,26

¹⁰ retro cadent id est qui in praeteritis respiciunt et qui de illorum miseriis
recordantur, quomodo si dicat quisquam: *Bene nobis erat in Aegypto*
(Aegyptus obscuritas siue tenebrae interpretatur). Iustus ante in faciem cadit, impius autem in retro, quia de praeteritis recordatur.
UALDE UELOCITER. Hieronimus dicit ualde cito; 'uelociter' id est ante
¹⁵ diem mortis uel ante diem iudicii ueniant ad emendationem. Et Agustinus dicit: uelociter ueniet eis *repentina calamitas* uel uindicta.

7. PSALMUS DAUID QUEM CANTAUIT DOMINO PRO UERBIS CHUSI FILII GE-
MINI. Sicut enim in domo sine claue intrare non potest, etiam si alteram pro altera habeas clauem, sic in nullo psalmo bene intrare aut intellegere potest quisquam, nisi habeat in fronte titulum interpretatio-
⁵ nis. Unde mos est apud Romanos in frontibus domorum ad quicquid
pertineat unaquaeque domus signare. Hieronimus et Agustinus de
isto Chusi maxime opinantur. Agustinus dicit quod Chusi filius Gemini sit. Hieronimus dicit quod sic legitur in Regum, quod iste Chusi
filius sit Arachi carnalis. Iste Chusi, dicit sanctus Hieronimus, pro in-
¹⁰ terpretatione nominis Saul regis hic ponatur. Chusi, ut dixit ipse pres-
byter, interpretatur Ethiops quod est niger, eo quod Saulis opera tetra
erant siue sanguinea. Quando dixit filius Gemini, ostendit quod de
ipsa tribu Beniamin esset, unde et Saul et ipse sit Cis pater Saulis. A patre Saul in retro si conputas, in sexto loco reperies Gemini, quia de ipsa
¹⁵ tribu est Beniamin unde et Saul. Secundum historiam Chusi amicus
fuit Dauid, qui se finxit quasi per fugam iret ad Absalon per consilium
Dauid, ideo ut ea quae filius suus contra patrem tractasset, per inter-
nuntios remandasset, quod ita et fecit. Iste Chusi mutauit consilium
Absalon, quod dedit ei Achitofel, qui prius et ipse amicus Dauid fue-
²⁰ rat. Achitofel interpretatur ruina fratris. Et sicut Achitofel, postquam

Codices: LN
12 ante *om. N* 13 in *om. L*

Ps 7,1,4 fronte + sua *L* 7 maxime: *add.* ⟨diuersa⟩? *vel leg.* opponuntur? 10 positus sit *L*
16 ire *L* 17 ideo *om. N*   20 fratris] patris *L*

11 Nm 11,18 14 HI Ps 6,57(p. 188) 16 AU 6,13,4-6(p. 34) Prv 1,27

Ps 7,1,7 AU 7,1,54/55(p. 36) 8 – 29 *cf* HI Ps 7,15sqq.(p. 189); Ps h 3,39sqq.(p. 20-22)

mutauit Chusi consilium eius, morte se obruit, sic Iudas cuius typum
gessit iste Achitofel. Mutauit dominus consilium Iudae, quia resurrexit Christus, quod Iudas non sperauit, sic et Iudas laqueo se suspendit
sicut et Achitofel. Sed quid per ruinam fratris? Iudas et dominus quasi
25 fratres, unde dixit: *Nuntiabo nomen tuum fratribus meis.* Iudas quando
tradidit dominum in passione quasi ruina fratris fuit, ut ipse in cruce
ascenderet et ipse suam ipsius ruinam sibi temperauit, quia semet ipsum laqueo suspendit. Et Achitofel qui Dauid praeparauit ruinam et
ipse ruit. Usque hic sanctus Hieronimus locutus fuit. Agustinus di-
30 cit quod Chusi interpretatur silentium. Quid est silentium nisi secretum? Cuius est istud secretum nisi Christi? Iemini interpretatur dexter. Quid est dexter nisi Christus? quia dextera patris filius est. Quare
secretum? quia quod ipse in carne passurus esset, nullus angelorum
neque hominum scire potuit nisi ipse solus. Et hoc est secretum,
35 quando de primo aduentu suo mundo innotuit, in paucis uerbis prophetis suis inspirauit, qui illum uenturum nuntiauerunt. Et hoc apud
deum totum secretum fuit. Sic et resurrectionem eius nullus hominum neque angelorum neque sancti scire potuerunt, nisi postquam in
facto manifestauit. Et hoc secretum fuit tunc quando apparuit quin-
40 gentis fratribus simul, et ascensio eius in secreto fuit, quia apostoli hoc
soli uidere potuerunt.

2. DOMINE DEUS MEUS, IN TE SPERAUI. Uox prophetae in persona primi hominis qui quod praeuaricatus fuerat paenitentia emendauit. Uel in
baptismo unusquisque post ablutis peccatis fideliter clamat: Domine
deus meus, in te speraui. SALUUM ME FAC EX OMNIBUS PERSEQUENTIBUS

Codices: LN (V)
21 mortem *L*   cuius *om. N*   23 laqueo] in laqueum *V, qui his verbis incipit*
25 unde dixit] se (+ ipso *V²*) docente *V*   Nuntiabo] Narrabo *V*   26 ipse] Christus *V²*
27 ascendat *L*   temperauit] praeparauit *V*   28 praeparauit] temperauit *N*   29 hic]
adhuc *L*   29/30 dicit] uult *V*   30 interpretetur *V*   31 Cui *LN*   Gemini *L*
33 in carnem *L: om. V*   passurus] uenturus *LV*   nullus] nemo *LN*   34 ipse *om. L*
35 quando de] quod *V*   36/37 totum apud deum *V*   38 neque¹] nullusque *V*
38/39 in facto] factum *V*   39 monstrauit *V*   tunc *om. N*   40 simul *om. N*
eius *om. V*   40/41 hoc soli] *trsp. V*   2,3 baptismum *LNV**   4 Saluum – ex] Libera
me ab *V*

---

25 Hbr 2,12(Ps 21,23)   29sqq. *cf* AU 7,1,16sqq.(p. 35-36)   39/40 *cf* I Cor 15,6
40/41 Act 1,9

⁵ ME. Hic persona Christi pro parte carnis intellegitur, et uox Dauid pro
parte Saul, et ecclesia pro aduersitate tribulationum domino deprecantur; ut liberentur rogant.

3. NEQUANDO RAPIAT UT LEO ANIMAM MEAM. Hic Christi anima secundum humanitatem rogat, ne rapiatur ab illo de quo dixit: *Uenit enim
princeps mundi huius et in me non inuenit quicquam.* Rogat et Dauid liberari a leone, non tantum a filio suo Absalon, quia dixit: *Parcite filio*
⁵ *meo Absalon,* sed a Saul rege. Optat et ecclesia liberari a leone id est a
diabolo uel membris illius in persecutione, de quo Petrus dixit: *Aduer-*
sarius uester diabolus rugiens quasi leo circuit quaerens quem deuoret.
DUM NON EST QUI REDIMAT, ac si dicat: nisi tu. 'Dum non est qui redimat' id est a peccatis, NEQUE QUI SALUUM FACIAT: maxime repetitio est,
¹⁰ eo quod non sit alius qui saluet a peccatis nisi deus.

4. DOMINE DEUS MEUS, SI FECI ISTUD. Quasi generaliter dicitur, et non dicit quid sit 'istud', nisi subauditur quod ego non pro meis peccatis ut
ista patiar, ueni. Et cum dicit: si feci istud, ac si dicat: non feci istud. SI
EST INIQUITAS IN MANIBUS MEIS, quasi dicat: non est iniquitas in mani-
⁵ bus meis hoc est in operibus meis.

5. SI REDDIDI RETRIBUENTIBUS MIHI MALA, DECIDAM MERITO AB INIMICIS
MEIS INANIS. Non dixit tribuentibus, sed retribuentibus. Nos peccauimus in primo homine Adam et dominus reddidit nobis bona; pro suis
bonis nos illi retribuimus mala, quando in passione eum humiliaue-
⁵ runt. ⟨Decidam merito ab inimicis meis⟩: hoc Dauid optat qui filio suo
non peccauit neque Sauli cui fidelis fuit, et ecclesia in persecutoribus
suis non peccat. Istae personae insimul iunctae ac si dicant: si reddidi-
mus mala inimicis nostris, tunc persecutoribus nostris dimitte peccata
id est ut sine uindicta sint. 'Inanis' id est racha: Hebraeus sermo est,
¹⁰ Latine inanis id est uacuus interpretatur.

Codices: LNV
6 aduersariis (*om.* tribulationum) *V*   deum *V*   deprecant *LN*: -catur *V*   7 liberetur
rogat *LV*   3,4 quia] qui *N*   5 sed + quasi *LV*   9 maxime – 10 peccatis] a persecutoribus uel periculis *V*   4,3 ueni] uim *L*   5 meis¹ *om. N*   5,3 reddit *N*   4/5 humi-
liauimus *LV*   5 qui + in *V*   7 iunctae + id est Augustinus uel Hieronimus *V*
7/8 reddimus *V*   8 inimicis nostris] illis *N*   tunc + ille *V*   tunc – 9 est¹ *post* 4,3 dicit
in L: om. N   8 dimittet *V*   9 ut *om. LN*   sunt *L*

3,2 – 3 Io 14,30   4/5 II Rg 18,5.12   6 – 7 I Pt 5,8   5,9/10 *cf* HI Ps 7,42-43(p. 190)

6. Persequatur inimicus animam meam et conprehendat eam et conculcet in terram uitam meam et gloriam meam in puluerem deducat. Numquid uita animae conculcetur? Non, quia non moritur; sed propter illam gloriam Dauid et propter prosperitatem Christi uel ecclesiae dicit. Sanctus Agustinus dicit: haec et haec nobis contingat, si miserimus imimicis nostris mala, aut Dauid Saul, aut Christus Iudaeis uel Iudae, aut ecclesia inimicis uel aduersariis. Post haec sequitur:

7. Exsurge domine. Mutauit sensum propheta. Exsurge domine in ira tua, ac si dicat: fac me exsurgere, quia per me non possum. Aliter 'in ira tua' hoc est in tua iusta uindicta, ut *reddas unicuique iuxta opera sua,* quia in primo aduentu monstrasti infirmitatem, modo ueni et ostende maiestatem. Exaltare in finibus inimicorum tuorum. Quid est 'in finibus inimicorum' nisi corda infidelium, quibus diabolus praesidet et fecit sibi domum? Tu 'exaltare' id est eice regnum diaboli de infidelium cordibus et ibi exaltare, ut tu magnificatus sis in illis. Exsurge domine deus meus in praecepto quod mandasti, ac si dicat: fac me exsurgere, ut possim implere quod in praecepto mandasti. Quali praecepto? *Discite a me, quia mitis sum et humilis corde.*

8. Synagoga populorum circumdabit te. Duobus modis hic intellegitur id est synagoga Iudaeorum: in passione quando crucifixus est et in resurrectione ad credendum. Propter hanc, hoc est synagogam, in altum regredere et ascende in crucem, ut eos redimas. Alio modo synagoga populorum circumdabit te ad credendum, ut diximus, sed propter ipsam synagogam in altum regredere hoc est ascende in caelum, ut spes non sit in homine puro, sed in deum. Si secundum hominem semper inter homines habitare uoluisses, aput homines tantummodo purus homo aestimandus fuisses. Sed postquam ascendisti:

Codices: LNV

6,1 et[1] *om. LV*   2 terra *LV*   3 conculcare possit *LV*   6 miserimus *N*: meremus *L*: merimus *V**: memorimus *V²*   mala *V*: *om. LN*   7,2 possum + aliquid *LV*   Aliter + exsurge domine *LV*   3 in tua *om. N*   iuxta] secundum *V*   6 nisi + in *V*   7 facit *V* 8 tu *om. LV*   8,2 synagoga Iudaeorum *om. N*   passionem *LN*   et] uel *LV* 3 resurrectionem *LN*   4 et *om. LV*   5 ut diximus] sicut octo milia *LV*   sed] et *LV* 6 egredere *LV*   7 deum + Sed *LV*   8 semper + hic *LV*

6,5 – 6 *cf* AU 7,3,44sqq.(p. 38)   7,3 Ps 61,13   11 Mt 11,29

9. IUDICA POPULOS, ac si dicat: facturus eris hoc ad iudicium. IUDICA ME DOMINE SECUNDUM IUSTITIAM MEAM. Permagnae conscientiae securitatis fiducia est dicere 'secundum iustitiam meam'. Et aliter 'iudica me secundum iustitiam meam': uox ecclesiae fiducialiter in baptismum
⁵ uel uniuscuiusque anima sancti liberata, dum dicit 'secundum iustitiam meam' ET SECUNDUM INNOCENTIAM MANUUM MEARUM SUPER ME: istae duae res a deo datae sunt id est iustitia et innocentia, quia de supernis ueniunt, quia: *Omne datum optimum et omne donum perfectum desursum est descendens a patre luminum.*

10. CONSUMETUR NEQUITIA PECCATORUM aut hic in praesenti aut in futuro, in praesenti ut emendent illorum iniquitatem, aut in futuro in uindicta. ET TU DIRIGES IUSTUM. Quomodo dicit 'diriges iustum', dum alibi dicit: *Non ueni uocare iustos, sed peccatores?* Quid est dirigere iustum nisi
⁵ quia per se tortuosus esset, si cum eo deus non esset? Unde et propheta dicit: *Si non adnuntiaueris iniquo* iniquitatem suam et rlq. Ergo dominus tunc dirigit iustum, quando praestat ei in sua iustitia permanere. SCRUTANS CORDA ET RENES DEUS. Per cor anima, per renes delectationes. Scrutauit dominus cor Petri, quia praeuidit plus quam ipse Petrus,
¹⁰ quando dicebat: *Non te negabo.* Aliter 'scrutans corda et renes', quia ipse scit qualis dilectio in corde nostro sit aut cogitatio.

11. IUSTUM ADIUTORIUM MEUM A DOMINO: et Dauid qui iustus fuit contra Saul, et ecclesia quae innocens est contra peccatores, quia cum fiducia petiit a domino iustum adiutorium. QUI SALUOS FACIT RECTOS CORDE: recto corde sunt quibus omnia iudicia dei placent.

12. ⟨DEUS IUDEX IUSTUS, FORTIS ET PATIENS⟩: deus iudex uiuorum et mortuorum, iustus quia *reddit unicuique secundum opera sua,* fortis quia calcauit fortem diabolum, patiens quia sustinet et expectat. Istas quat-

---

Codices: L (M) N (V)
9,1 ac - eris] hoc dicit quod facturus erit *V*   *a* Iudica² *deest V (usque ad* Ps 9,18)
2 permagnae – 4 meam *om. N*   4 baptismum + redempta *L*   5 secundum – 6 mearum]
iustitia et innocentia mea *N*   8 *ab* et *incipit M*   **10,2** futurum *LN*   3 dirigis *N (bis)*
4 est + necesse *L*   nisi] id est *L*   5 et + in *LM*   8/9 delectationes + carnales *L*
9 Scrutatus est *L*   11 dilectio] delectatio *L*   **11,2** quae] quia *N*   3 petit *M*
4 placent + siue in prosperis siue in aduersis semper deum laudant *L*

9,8 – 9 Iac 1,17   **10,4** Mt 9,13   6 Ez 3,18   10 Mt 26,35   **12,2** Mt 16,27; Rm 2,6

tuor deus habet, homo habere non potest, quia et si inuenis fortem iu-
5 dicem, tamen non iustum; et si inuenitur iustus, non est fortis; aut
etiam si inuenitur fortis, non iustus et patiens. NUMQUID IRASCITUR
PER SINGULOS DIES? Non est necesse, quia unum diem habet constitu-
tum, ut iudicet. Aliter 'numquid irascitur per singulos dies' id est per
singulas culpas, quia insimul puniturus est? Uel per singulas non iras-
10 citur, si emendauerint? Quare non irascitur per singulas? propter hoc
quod sequitur:

13. NISI CONUERTAMINI id est nisi conuersi fueritis, GLADIUM SUUM UI-
BRAUIT hoc est acuit. Uibrat, quia unusquisque quanto magis peccat,
tanto magis gladium dei contra se acuit. ARCUM SUUM TETENDIT, corpus suum in passione; et postquam illum tetendit, sagittas misit, id est
5 praedicatores in uniuerso mundo sparsit, ET PARAUIT ILLUM id est ad
iudicium, ut iudicet.

14. ET IN EO PARAUIT UASA MORTIS, duobus modis: alia uasa in honore et
alia in contumelia. Uasa in honore sancti martyres, qui suum exemplum secuti sunt et sua corpora posuerunt pro Christo in martyrium; et
alia uasa in contumelia quae iudicaturus erit in uindicta. SAGITTAS
5 SUAS ARDENTIBUS EFFECIT. Quae sunt istae sagittae nisi uerba sua
sancta? Ardentes dicuntur, quia accendunt sanctos in amore caritatis
et ardent in ipsis. 'Sagittas suas' quae sunt uerba sua 'efficit' hoc est facit illos esse accensos in amorem spiritus sancti.

15. ECCE PARTURIT INIUSTITIA, ⟨CONCEPIT DOLOREM ET PEPERIT INIQUITA-
TEM⟩. De illis dicit quos in titulo commemorauit hoc est Achitofel
quando consilium cogitauit contra Dauid et Iudas contra Christum; et
conceperunt dolorem quando exposuerunt contra eos mortem, iniqui-

Codices: LMN
12,6 et + non *L*   irascetur *M*   9 culpas + Non facit: quare? *L*   simul *M*
10 emendauerit *N*   **13,1** conuertimini *N*   2 Uibrat + illud, ut percutiat *L*   quanto
(-tum *M*N*) – 3 acuit] pro suis iniquitatibus ipsum acuit, ut plus eum percutiat qui plus
peccat *L*   4 passionem *L*   **14,1** modis + hic intellegitur id est *L*   1/2 honorem ...
contumeliam *M*   4 quae] qui *M*N**: quia *N²*   5 ardentibus + id est desiderantibus *L*
effecit (-ficit *N²*) + perfecit *L*   7 et ardent] ardentes dicuntur in caritate, quia incendium
caritatis praebent *L*   in ipsis(-os *M*): ad ipsos *L*   efficit *N²*: -fecit *cett.*   hoc – 8 ac-
censos] ut magis inde ardeant *L*   8 amore *LM²*   **15,1** iniustitiam *M*   4 expos.]
disposuerunt *L*   mortem + et *N²*

14,1/2 *cf* II Tim 2,20

5 tatem pepererunt quando disposuerunt in facto. Aliter: 'ecce parturit' prius in semen parturit, 'concepit dolorem' quando coniacuit in carne, 'peperit iniquitatem' quando apparuit in specie. Iterum: parturit suggestione, concipit delectatione, peperit operatione.

16. LACUM APERUIT: Achitofel contra Dauid, Iudas uel Iudaei contra Christum, persecutores contra ecclesiam, ET EFFODERUNT EUM, quia singuli in mortem descenderunt. ET ⟨INCIDIT IN FOUEAM QUAM FECIT⟩: nullus facit lacum proximo suo quod prius non cadat in eum, quia
5 fouea quam praeparabis fratri tuo in eam cadebis, et si non corporaliter, tamen in anima se prius interficit, quia si uoluntas bona in opere reputatur, quanto magis uoluntas mala in facto.

17. CONUERTETUR DOLOR EIUS IN CAPUT EIUS, ipsis de quibus superius diximus. INIQUITAS EORUM IN UERTICE EORUM DESCENDIT. Per uerticem summitas iustitiae intellegitur in alio loco; sed hic uertex superbia eorum designatur.

18. CONFITEBOR DOMINO. Duobus modis intellegitur confessio, sed hic confessio non confessio peccati, sed confessio gratiarum actio est. SECUNDUM IUSTITIAM EIUS, quod nihil peccauimus contra aduersitatem, PSALLAM NOMINI ALTISSIMI id est laudabo et operabo.

8. IN FINEM PRO TORCULARIBUS PSALMUS DAUID. In toto psalterio tres psalmi sunt qui de torcularibus mentionem faciunt: iste octauus de nomine Dauid et octuagesimus de nomine Asaph et octuagesimus tertius de nomine Core. Cur de torcularibus uel de reliquis quae ad torcularia
5 pertinent propheta uoluit narrare, dum in historia alibi non tantum inuenitur nisi in historia psalmorum referre uideatur? Sed ⟨quod⟩ in historia non adest, spiritaliter inuenire quid sit non potest. Torcular tria in se continet; et sicut area significat ecclesiam, sic et torcular eodem modo significat ecclesiam. Quae sunt illa tria quae torculari conueni-
10 unt? id est praelum, uua et uinum. Per praelum significantur martyres

Codices: LMN

6 semine L   coniacuit] conformatur L   7/8 suggestionem ... dilectionem ...
operationem M   8 concepit L*N*   16,4 facit] fodit LM   quod] ut M: + ille L
eum] eo M   5 eam] ea LN   cades LM²   17,1 capite LM   ipsis] id est eorum L
2 discendet N²   3 in om. MN   18,1 modis + hic L   2 confessio¹ om. L
actionum L   3 peccauerat L   aduersarios L   4 operabor L²M*

Ps 8,1,2 iste] id est M   7 potes LN*   9 torcular LN   9/10 conuenit N: continet L

ecclesiae, per uuas quae tunduntur corpora martyrum, per uinum ipsorum animae. Sicut enim uinum per canales currit in uascula, ita et
sanctorum animae id est martyrum per conculcationem ad caelos uadunt. Quid per uuas pressas quae in torcularibus remanent nisi corpora
15 ipsorum quae capulantur gladiis, conculcantur pedibus, dantur canibus, proiciuntur in plateis? Quid est uinum nisi uerbum dei? quia quomodo uinum, si non sit in uasculo, non stat, non tenetur nec uidetur,
sic uerbum de quo diximus per uinum intellegi, hoc est de illo uerbo
unde dixit: *In principio erat uerbum,* contineri non potest, uadit in ae-
20 rem, sonat in auribus, si non scribatur in libris. Et quomodo uinum de
troculari exprimitur et uuae remanent, sic sermo dei per uocem praedicatorum, per litteras et per syllabas continetur, peruenit ad aures nostras, et solus ad nos intrat intellectus spiritalis. Foris uero sonus praedicat, et syllabae et litterae uelut uuae in torculari remanent. Uinum si
25 in bono uasculo mittitur, melius custoditur; si in malo, acetum facit,
sicut Iudaei qui de uino legis fecerunt acetum, unde et domino propi-
nare uoluerunt; quod ille bibere noluit, quia non talis erat qualem eis
ipse dederat, quia lex sancta quam ipsi acceperant per Moysen praeua-
ricata fuerat ab eis.

2. DOMINE DEUS NOSTER: uox ecclesiae in persona martyrum, QUAM AD-
MIRABILE EST NOMEN TUUM IN UNIUERSA TERRA. Quare in uniuersa
terra? quia prius in Iudaea tantummodo deus magnificandus erat, ut
ait propheta: *Notus in Iudaea deus in Israhel magnum nomen eius,* quia
5 illa una gens deum colebat et legem habebat; et hoc mirabile erat. Sed
modo non solum in Iudaea, sed in omni orbe terrarum mirabile est nomen dei, quia post resurrectionem de omnibus gentibus ad ecclesiam
magnus concursus est factus. Inquirendum est, deus in cuius lingua dicitur: Adonai in Hebraeo, Tetragrammathon in Graeco, Admirabilis in
10 Latino, unde dicitur: *Cur quaeris nomen meum quod est mirabile?* Et

Codices: LMN
11 uuam quae tunditur *M*   12 enim] ergo *LM*   14 uuas pressas] uuam *MN*
15 quae] qui *L*N*   17 fit *LM*   19 uerbum *iter. codd.*   continere *LN*   potes *LN*
19/20 aere *N*   21 sermo] uerbum *L*   uoces *L*   24 et[1] *scripsi:* per *MN: om. L*
syllabas et litteras *MN²*   25 bonum uas *L*   malum *L²*   26 dominum *LN²*
27 talis *om. M*   2,4 propheta *om. MN*   8 Inquirendum est *om. MN*
9 Hebrea...Greca *M*   10 Et - 14 fit *in codd. post* 3,6 possumus *inuenitur*

Ps 8,1,19 Io 1,1   2,4 Ps 75,2   10 Idc 13,18

ideo mirabile dicitur nomen dei, quia non solum credit in eum ecclesia, sed etiam martyres suos pro nomine suo offert, qui et corpora simul cum animabus pro nomine ipsius tradunt in martyrium. Et hoc in
toto mundo fit. Interrogandum est, quid est nomen dei proprie, et tu
15 respondes: deus; et ego tibi dico quod non est hoc deus; et tu dicis:
quomodo non est hoc deus? et ego tibi respondeo: nomen est non proprium, sed alicui rei, nec hoc quod dicitur Christus neque ianua neque
dextera neque columba neque leo uel reliqua: neque de his nomen dei
inuenire non potes, quia nomina sunt haec, non proprietas dei, sed ali-
20 cui rei. Sed neque in terra ista mortalis uita uidebitur nisi exierit de corpore, sic nec nomen dei potes intellegere qualis est. Uno seruo suo uoluit dominus modice insinuare; cum quaereretur a Moysen: *Quid di-*
cam eis ad quos me misisti, si dixerit mihi populus: quis est qui misit
te? respondit dominus: Et tu dices eis: *Ego sum qui sum;* et: *Qui est*
25 *misit me.* QUONIAM ELEUATA EST MAGNIFICENTIA TUA SUPER CAELOS:
uox prophetae. Caro Christi quando ascendit in caelum, eleuata est
magnificentia dei, quia credit ecclesia super angelos et archangelos
eleuatum esse Christum. Aliter 'super caelos' id est apostolos 'eleuata
est magnificentia' dei, quia illi magnifice praedicauerunt, unde dicitur:
30 *Caeli enarrant gloriam dei.*
3. EX ORE INFANTIUM ET LACTANTIUM PERFECISTI LAUDEM. Inter facere et
perficere differentia est. Iudaei coeperunt quasi infantes laudare, et
nos infantes sumus quando initium fundamenti fide et opere deum
laudamus. Sed tunc cum ad intellectum et aetatem perfectam ueni-
5 mus, dei laudem perficimus, id est cum et ipsum praedicamus et pro
nomine eius pati possumus. Quid est quod infantes paruuli necdum
aetate perfecti, sed repleti de spiritu sancto dominum ingredientem
Hierusalem laudauerunt, nisi ut inimici sui barbati et robusti confun-

Codices: LMN
12 etiam + et *LM*   qui] quia *L*   14 proprium *L*   17(*et* 19/20) alicuius *M*
17 Christus + nec Iesus *L*   19 non¹ *om. LM*   potest *L*   20 inmortalis N^2 uita +
non N^2 21 potest *N*   quale *M*   Uni *M*   25 me + ad uos *L*   caelos + deus *M*
27 dei] dicitur *LM*   3,2 inciperunt $L*N*$ 3 initia L^2M fidem *LN*   et] cum *N*
opera $L*N$ 4/5 uenerimus *L*   5 ipsum] ipsi *LM*   7 perfecta *L*   domino ingre-
diente *LN*   8 Hierosolymam *L*   et] aut *N*

22 – 25 Ex 3,13.14   30 Ps 18,2

derentur, qui illum laudare nolebant, dum dicunt: *Audis quid isti di-*
10 *cunt?* et dominus: *Utique. Amen dico uobis quia si isti tacuerint, lapides*
clamabunt; et addidit: *Numquam legistis* – ac si diceret: et si legistis,
non intellexistis –: *Ex ore infantium et lactantium perfecisti laudem?* Et
tunc fuit ista prophetia impleta. Et ad hoc factum est, unde in antea dicit: UT DISTRUAS INIMICUM ET DEFENSOREM. Qualem inimicum nisi dia-
15 bolum qui tenebat eorum corda, ne laudarent dominum? Ipsi erant defensores, dum nec ipsi laudabant nec alios permittebant laudare. Aliter
inimicus et defensor heretici designantur, qui contra ecclesiam pugnant; et ideo appellantur defensores, eo quod ea quae male praedicant
magis defendunt quam se corrigant.

4. QUONIAM UIDEBO CAELOS. Uox prophetae, ac si dicat: uidebo apostolos
sublimatos. Praeuidit hoc in spiritu et uenturos eos et passuros et per-
seueraturos, quamuis prius timerent hominem infirmati, postea spiritu sancto roborati sunt. Et item 'uidebo caelos' id est utriusque Testa-
5 menti patres. Quare caeli? quia eorum doctrina usque ad caelum per-
uenitur. OPERA DIGITORUM TUORUM. Digiti dei prophetae et patriarchae qui eos scripserunt intelleguntur. Aliter 'opera digitorum' opera
trinitatis, ut illud: *Digitus dei est hic.* LUNAM ET STELLAS QUAS TU FUN-
DASTI. Lunam et stellas dicit et tacet de sole. Non ei opus erat dicere so-
10 lem, quia cum ipso loquebatur, quia sol iustitiae Christus est; unde dixit propheta: *Orietur uobis sol iustitiae.* Luna ecclesiam figurat; quae
pro defectu carnis ponitur in eloquio sacro id est nascendo et moriendo. Stellae uero minores sancti intelleguntur, 'quas tu fundasti' id
est sanctos in temet ipsum per fidem.

5. QUID EST HOMO QUOD MEMOR ES EIUS AUT FILIUS HOMINIS? Aliud est
homo et aliud filius hominis, ut illud: Non omnis homo filius hominis,
sed omnis filius hominis homo. Adam filius dei, Christus filius homi-

---

Codices: LMN
9 dicant *L*N*   10 tacebant *N**: -bunt *LN²*   12 intellegistis *L*   15 qui] quia *N**
17 inimicos et defensores *L*   quia *N*   18 ideo] de hoc + inimici *L*   appellantur + et *L*
quae] quod *M*   4,1 caelos + tuos *L*   2 hoc + propheta *L*   et¹] sancto *L*
3 infirmati *om. MN*   4 iterum *L*   id est] qui sunt caeli nisi *L*   5 partes *LM*
9 de sole] sol *N**: solem *N²*   10 cum] de *M*   quia² *om. MN*   10/11 dixit + in *L*M*
5,3 omnis filius hominis homo *L²*: omnis homo filius hominis *L*MN*

3,9 – 12 Mt 21,16 + Lc 19,40   4,8 Ex 8,19   11 Mal 4,2

nis quia de homine sumpsit carnem. Adam non est genitus neque ab
5 homine factus uel ex homine, sed de terra plasmatus, Christus uero de
uirgine secundum carnem natus. Possunt homines ante baptismum
uocari hominis filii id est ecclesia, et post baptismum filii homines.
Unde scriptum est: *Nisi quis renatus fuerit ex aqua et spiritu sancto, non
potest introire in regnum dei.* 'Quid est homo quod memor es eius'?
10 Numquid obliuio in deo? Non, sed deo memorare implere est. Quid
est homo quod memor es eius? ac si dicat: magnum est homini quod
suscepisti carnem de homine. Sed tunc UISITASTI ⟨EUM⟩, quando accepisti carnem et resuscitasti, ut illud: *Post biduum uiuificabit nos et in die
tertio resuscitabit nos.*

6. MINUISTI EUM PAULO MINUS AB ANGELIS: pro parte carnis dicit. Minuisti
eum paulo minus id est modice minus, quia angeli nec ex hominibus
nati sunt nec carnem habuerunt. Sed Christus minor pro illa spissitu-
dine carnis, quia angelica natura alio modo est. GLORIA ET HONORE CO-
5 RONASTI EUM: gloria resurrectio, honor ascensio.

7. CONSTITUISTI EUM SUPER OMNIA OPERA MANUUM TUARUM, quae in
caelo sunt et quae in terra, angelos et homines.

8. OMNIA SUBIECISTI SUB PEDIBUS EIUS hoc est sub potestate ecclesiae,
quia pedes domini hic ecclesia intellegitur. Ergo dum dicit 'omnia', nihil dimisit non subiectum ei. Et quomodo dicit 'omnia', quia necdum
uidimus ei omnia subiecta? Sed cum fuerit *deus omnia in omnibus,*
5 tunc *ei omnia subiecta erunt, praeter eum qui subiecit ei omnia* id est
deus. OUES ET BOUES, angelos et praedicatores. Per oues terrenas intelleguntur innocentes uel mansueti, unde dixit: *Nonne dimittit nonaginta
nouem* oues *in montibus et uadit ad illam quae errauerat?* 'Boues' apostoli uel praedicatores, unde dixit Paulus: *Non alligabis os boui tritu-*
10 *ranti;* et item: *Numquid de bubus cura est deo, an propter nos haec utique
dicit?* INSUPER ET PECORA CAMPI. Quid per pecora nisi gentes significat

Codices: LMN
5 homine² + natus L   de¹] e M   7 uocare L*N   ecclesiam L: Adam N
homines *scripsi*: -nis *codd.*: dei *sscr.* L²   9 Quid] *praem.* Ergo L   10 adimplere est +
quod promisit L   13 uiuificauit L²M   14 resuscitabit *scripsi*: -tauit *codd.*
6,3/4 spissitudine] uicissitudine N   8,6 deum N² *in ras.*   terreni L   10 haec
om. LN   11 pecora² + campi L   significatur M*: -cantur M²

5,8-9 Io 3,5   13-14 Os 6,3   8,4-5 I Cor 15,28.29   7-8 Mt 18,12; Lc 15,4   9-
11 I Cor 9,9.10

quae sine lege per latas uoluntates discurrebant? Iterum 'pecora campi' qui in carnalibus desideriis dediti sunt intelleguntur, ut dicit propheta: *Nolite fieri sicut equus et mulus quibus non est intellectus.*

9. UOLUCRES CAELI, qui in superbia ascendunt, PISCES MARIS: quid per pisces maris nisi rimatores istius saeculi, qui curiose inquirunt mundi sapientiam peragrare, ut ista quae in imo sunt intellegant, et huc illuc-que discurrunt? Sed in alio sensu per pisces maris possunt martyres in-
5 tellegi, quia martyres istud mare saeculum transnatantes ad altiora pe-tunt, unde Gregorius ait: »Mare omnia corpora in se uiua retinet, mortua uero ad litus mittit.« Sic et mundus iste illos homines retinet qui in carnalibus desideriis uiuunt et qui in peccatis permanent. Nam qui propter deum se mortificant ad litus id est ad deum transmit-
10 tit.

10. DOMINE DOMINUS NOSTER QUAM ADMIRABILE EST NOMEN TUUM IN UNI-UERSA TERRA. De beatitudine incipit hoc est de laude et in laudem ter-minatur. Hoc admirat ecclesia, quomodo sancti uiri pro nomine Chri-sti patiuntur uel quomodo sunt omnes creaturae iunctae ad creatorem.

9. IN FINEM PRO OCCULTIS FILII PSALMUS DAUID. Hic de isto filio quod di-cit, non de illo filio secundum historiam Dauid id est Absalon dicit, cuius opera non occulta sed manifesta et mala fuerunt contra patrem; sed hoc de unigenito dei patris intellegitur. Quaeritur quibus modis de
5 istis occultis inueniatur quod ad Christum pertinet. Scimus duos aduentus, primum et secundum. In primo aduentu et manifestus et oc-cultus uenit: manifestus carne, occultus diuinitate. Et in secundo aduentu et occultus et manifestus ueniet: occultus quia *nescimus diem*

Codices: LMN
12 quae] qui L*N   discurrunt L   13 campi + illi L   in canc. M   9,2 rim.] amato-res M   3 et om. LN   4 discurrant M   5 transnauigantes L   6 ait + quod L
Maris N   8 peccatis + suis L   10,2 laudem] -de MN   3 admiratur L²   4 sunt + sicut superius diximus L   iunctae scripsi: mundae M: mundi LN + subiectae L   ad] a N²

Ps 9,1,1 filii] filiis N   de om. L*N   isto eras. M   4 hoc om. M

14 Ps 31,9   9,6 – 7 GR-M Jb 5,3,53-54(p. 221)

Ps 9,1,8/9 Mt 25,13

neque horam, et manifestus quia *uidebit eum omnis oculus.* Et alio
10 modo: occultus quia scimus occultum iudicium dei hoc est quia reprobati sunt Iudaei et electae sunt gentes. Et aliter occulte: uidemus sanctos tribulari et nescimus aut ad probationem aut pro emendatione, ut
ad melius crescat illorum gloria; uidemus alios tribulari, quorum
poena hic incipit et in futurum cum ipsis permanet; uidemus alios nec
15 tribulari nec iniuriam pati, sed sano corpore laetitia temporali omnibus
abundare. Isti tales periculosi sunt, quia credimus quod ipsos deus non
uisitat, quia non sunt digni uisitari, ut postmodum sine fine in iudicium puniantur. Iste psalmus totus in persona ecclesiae per prophetam
de antichristo cantatur.

2. CONFITEBOR TIBI DOMINE. Uox ecclesiae. Trina confessio hic sonat id
est peccatorum, martyrum et gratiarum actio siue laus, ut in euangelio
ait: *Confitebor tibi pater, domine caeli et terrae.* Et hic trina dilectio intellegitur: *Diliges dominum deum tuum ex toto corde tuo,* diliges *et ex tota*
5 *anima tua,* diliges *et ex totis uiribus tuis.* NARRABO OMNIA MIRABILIA
TUA. Quomodo dicit se omnia mirabilia dei narrare? Quia nullus homo
nec uidere potest nec conprehendere deum, non dicas quod omnia mirabilia dei narret. Cur non, dum alio loco dicit: *Pronuntiabo omnia iudicia,* nec ipsud non potest facere homo? Quomodo non potest? dum do-
10 minus dicit: *Omnia quaecumque audiui a patre meo nota feci uobis.* Ergo
dum sic dicit, quare non narrauit diem iudicii, sed dixit: *Non est uestrum nosse tempora uel momenta?* Sed in hoc soluitur haec quaestio:
cum dixit 'omnia iudicia', postea adiunxit: *oris tui,* ac si dicat propheta
uel unusquisque sanctus: quantum me docuisti tantum narrabo, quia
15 si tantum narras quantum intellegis, omnia mirabilia dei narras,
quamuis in semet ipsa plura sint.

3. LAETABOR ET EXULTABO IN TE: laetabor in spe et exultabo in re; PSAL-
LAM NOMINI TUO, ALTISSIME: 'psallam' opere conpleam, 'nomini tuo':

Codices: LMN
10 scimus] nescimus *L*   11 occultum *LN*   11(*et* 13 *et* 14) uidimus *L*   17 uisitet *L*
2,1 Tres confessiones *L*   sonant *L*   1/2 id est] est autem confessio fidei *L*   2 peccatorum + et *L*   et] quartum *L*   3 domine *om. L*   terrae + in toto corde meo *L*
6 dixit *N*   se *M²: om. cett.*   dei *om. M*   11 sed + sic *N*   13 dixit ...adiunxit
scripsi: trsp. codd.   **3,1** et² *om. LM*   1/2 psallam] *praem.* et *L*

9 Apc 1,7   **2,3** Mt 11,25   4 – 5 Lc 10,27   8/9 *et* 13 Ps 118,13   10 Io 15,15
11/12 Act 1,7

nomen patris filius est; altissimus ipse est deus. Uel 'psallam nomini tuo' hic laus cum opere. Pro quid ista dicit? hoc est

4. IN CONUERTENDO INIMICUM MEUM RETRORSUM. Qualem inimicum? id est diabolum, quia dominus dixit: *Uade retro satanas.* Ante aduentum Christi diabolus dux itineris mortis fuit; sed postea retro ecclesiam sequens quasi canis. Unde alibi dicit: Tu conteris caput illius, et ille cal-
⁵ caneum tuum obseruabit hoc est finem uniuscuiusque; mulier ecclesia, serpens diabolus. INFIRMABUNTUR ET PERIENT A FACIE TUA. Superius dixit singulariter, hic pluraliter, id est omnes satellites suos insimul conprehendit, qui perditi sunt in die iudicii. Quare infirmabuntur? quia prius fortes erant de nostra peccata, sed modo infirmitas dei nos
¹⁰ fecit fortes et illos infirmos, ut ait Paulus: *Quia quod infirmum est dei fortius est hominibus.*

5. QUONIAM FECISTI IUDICIUM MEUM. Uox ecclesiae, ac si dicat: aperte gentes elegisti et reprobasti Iudaeos. Quando dicit 'iudicium meum' hic apparet, quia ecclesia ex gentibus uenit. ET CAUSAM MEAM: uox ecclesiae, ac si dicat: causasti pro me contra aduersarios id est excausa-
⁵ sti me contra illos, et expugnasti ⟨pro⟩ me et fecisti causam meam bonam. SEDES SUPER THRONUM. 'Thronum' Graecum est, Latine sedes dicitur, quia unusquisque sanctus sedes dei est, ut ipse ait: *Caelum mihi sedes est;* et alibi: *Anima iusti sedes sapientiae.* Dicit unus thronus ex ipsis id est Paulus: *An experimentum eius quaeritis qui in me loquitur Chri-*
¹⁰ *stus?* QUI IUDICAS AEQUITATEM hoc est iustitiam.

6. INCREPASTI GENTES per tuos praedicatores, 'gentes' id est qui idola adorabant, ligna et lapides. ET PERIT IMPIUS hoc est diabolus, qui in ipsis lignis uel lapidibus adorabatur. NOMEN EORUM DELESTI IN AETERNUM id est memoriam eorum.

7. INIMICI DEFECERUNT FRAMEA, quasi dicat: arma diaboli quae erant peccatores, membra sua, per quos diabolus persequebatur alios, defece-

Codices: LMN
4,3/4 sequitur *L*   4 Tu – 5 obseruabit] ipsa tuum seruabit caput, et tu illius obseruabis calcaneum *L*   5 finem + uitae *L*   unicuique *LN**   6 peribunt *M*²   7 hic] et hic *L*
8 perdituri *L*²   9 de] propter *L*   5,3 apparuit *M*   4 dicat + quia *L*   10 Qui om. *MN*   6,2 periit *N*²   3 delisti *N**   7,1 quae] quia *MN*

4,2 Mt 4,10   3 *cf* Ps 79,10   4 – 6 *cf* Gn 3,15   10/11 I Cor 1,25   5,7/8 Act 7,49
(Is 66,1)   8 Prv 12,23 sec. LXX   9 II Cor 13,3

runt. Aliter 'inimici defecerunt': quasi de framea quod est uerbum dei
in futuro iudicio deficient, quando per ipsum uerbum iudicaturi erunt.

5   CIUITATES EORUM DESTRUXISTI id est peccatores. Quot sunt uitia peccatorum, tantas et 'ciuitates' hoc est munitiones in quibus diabolus regnabat, ac si dicat: defecerunt per tuos praedicatores. PERIIT MEMORIA
EORUM CUM SONITU. Sonus illorum uel hereticorum male cum ipsis
periit, uel 'cum sonitu' a praedicatione euangelii.

8. ET DOMINUS IN AETERNUM PERMANET, et ipse et sui sancti. PARAUIT IN
IUDICIO SEDEM SUAM id est ecclesiam, de qua

9. IPSE IUDICABIT ORBEM TERRAE quod sunt omnes gentes, IN AEQUITATE
IUDICABIT POPULOS CUM IUSTITIA: quod est aequitas hoc est et iustitia
id est Christus.

10. FACTUS EST DOMINUS REFUGIUM PAUPERUM. Inter pauperem et aduer-
sarium iudex aderit Christus, qui iudicabit inter ecclesiam et aduersa-
rium hoc est diabolum, unde in Apocalipsi dicitur: Qui *est accusator
fratrum nostrorum*. ADIUTOR IN OPORTUNITATIBUS: adiutor est ecclesiae

5   suae IN TRIBULATIONE, quando oportunum est, ut ait apostolus: *Fidelis
deus qui non patietur uos temptari super id quod potestis* portare.

11. SPERENT IN TE, id est non in se, sed in te, QUI NOUERUNT NOMEN TUUM,
filium tuum. Quare? Propter hoc quod subsequitur: QUIA NON DERE-
LINQUIS QUAERENTES TE, DOMINE, ideo sperent in te, ut illud: *Si corpus
occidunt, animam autem non possunt occidere*. Et tamen permittis illos

5   temptari, sed non usquequaque.

12. PSALLITE DOMINO id est cantate domino, praedicate, opere implete, QUI
HABITAT IN SION. Sion specula id est Hierusalem, hoc est uisio pacis;
modo ecclesia hic specula, quia speculatur de iudicio dei. Sed cum uenerit ad Hierusalem caelestem, non erit tunc speculatio, sed uisio,

5   unde dicit Paulus: *Uidemus nunc per speculum in aenigmate, tunc autem
facie ad faciem*. ADNUNTIATE INTER GENTES STUDIA EIUS. Propheta ad-

---

Codices: LMN
3 defecerunt + framea *L*   4 iudicandi *L²*   5 Quot] quod *LN*   6 quibus] quo *LN**
7 Periit *N²*: -it *cett.*   8 Sonus + doctrina *L*   mala *L*   9 perit *L*   8,2 ecclesia *L*
9,1(*et* 2) iudicauit *M*   aequitate *M²*: -tem *cett.*   2 iustitia¹ + in semet ipsum *L*
10,3 dicit *LN*   6 temptari *L²*: -re *cett.*   11,2/3 derelinques *LM*   3 sperant *M²*
4 permittit *L*   5 temptare *L*M*N*   12,2 specula + uitae *L*   4 ad + rem id est ad *L*
6 Propheta] Uox prophetae *L*

10,3/4 Apc 12,10   5/6 I Cor 10,13   11,3/4 Mt 10,28   12,5 I Cor 13,12

monet praedicatores: adnuntiate studia eius hoc est praedicate mandata eius. Forsitan illi dicent: moriemur, si inter gentes ambulamus.
Adiungit propheta:

13. QUONIAM REQUIRET SANGUINEM EORUM, et dominus: *Nolite timere,*
quia si occidunt corpus, animam autem non possunt occidere. MEMORA-
TUS EST DOMINUS ET NON EST OBLITUS ORATIONEM PAUPERIS, ac si dicat
propheta: non obliuiscetur deus uindicare sanguinem uestrum. Unde
⁵ ipse dominus dixit: *Deus autem non faciet uindictam electorum suorum,*
clamantium ad se die ac nocte?

14. MISERERE MEI DOMINE, quia miser sum. Uox ecclesiae: UIDE HUMILI-
TATEM MEAM DE INIMICIS MEIS,

15. QUI EXALTAS ME DE PORTIS MORTIS, ⟨UT ADNUNTIEM OMNES LAUDES TUAS
IN PORTIS FILIAE SION⟩. Portae mortis sunt studia parentum, qui cole-
bant diuersos deos daemoniorum. Ipsi erant portae mortis, per quorum doctrinam ad mortem declinabant. Aliter portae mortis doctrina
⁵ hereticorum, de quibus portis exaltata est ecclesia et missa est in portas
filiae Sion, quae sunt portae uitae. Sicut per malam doctrinam quos
portas mortis intellegimus, qui nos ad interitum ducunt, ita et portas
uitae intellegimus bonos praedicatores, qui nos per illorum doctrinam
ad uitam aeternam ducunt.

16. EXULTABO IN SALUTARI TUO, id est gaudebo in Christo tuo. INFIXAE
SUNT GENTES IN INTERITUM QUEM FECERUNT, id est in malis operibus
quae fecerunt ibi infixae sunt, de quibus iudicaturi sunt. IN LAQUEO
ISTO QUEM OCCULTAUERUNT, quia unusquisque laqueum quem alteri
⁵ parat ad nocendum, ipse prius in eum cadit, sicut dicit in antea: CON-
PREHENSUS EST PES EORUM.

17. COGNOSCITUR DOMINUS IUDICIUM FACIENS: cognoscitur hoc est ad iudicium. IN OPERIBUS MANUUM SUARUM CONPREHENSUS EST PECCATOR,
quia unusquisque peccator et funes sibi ipse portat et uincula et tor-

Codices: LMN
13,1 eorum + unde *L*   dominus + dicit *L*   timere + eos *L*   2 qui *N*   autem
om. LN   occidere *om. MN*   3 pauperum *L*   4 obliuiscitur *LM*   5 non *om. N*
14,1 domine *om. L*   **15,**4 declin.] clamabant *L*   5 portas] -tis *M*   6 Sicut] Mors *MN*
quos] quas *MN*   **16,**1 salutare *LN**   2 interitu *LM*   3 iudicandi L^2 5 in eo cadet *L*
17,1 Cognoscitur¹] -cetur L^2N^2 cognoscitur²] -cetur N^2 3 ipsi *N: om. L*   parat *L*

13,1 – 2 Mt 10,28   5 – 6 Lc 18,7

menta, unde sustineat mala. Nam aliis non est necesse praeparare
5 unde torqueantur, cum ipsi sibi praeparent quae ad poenam pertinent.

18. CONUERTANTUR PECCATORES IN INFERNUM, id est qui ultra fines saeculi
uiuere uolunt conuertantur in infernum. OMNES GENTES QUAE OBLIUIS-
CUNTUR DEUM, hoc est illi qui dicunt quod deus obliuiscatur et non
habeat curam de rebus suis. Ipsi obliuiscantur a domino, quia non
5 dicunt uerum, quod deus obliuiscatur creaturas suas; quia dicit in
antea:

19. QUONIAM NON IN FINEM OBLIUIO ERIT PAUPERUM, PATIENTIA PAUPERUM
NON PERIBIT IN FINEM, quia si differtur, non aufertur suum auxilium a
sanctis suis.

20. EXSURGE DOMINE, NON PRAEUALEAT HOMO. Uox ecclesiae sonat contra
antichristum: 'exsurge' ad iudicium ueni, 'non praeualeat homo' *homo
peccati* id est antichristus. Aliter 'non praeualeat homo' caro et diabolus, caro contra animam, diabolus contra ecclesiam. IUDICENTUR GEN-
5 TES IN CONSPECTU TUO: duobus modis, primum iam in praescientia dei
iudicati sunt. Quare? quia ad ecclesiam non pertinent, sed ad antichristum, quia dictum est: *Qui autem non crediderit iam iudicatus est.* Et in
secundo iudicio iudicaturi erunt hoc est puniendi.

21. CONSTITUE DOMINE LEGISLATOREM SUPER EOS, id est antichristum qui
lator legis malae doctrinae est. Ad quid ab antichristo accipiunt legem?
quia ad antichristum pertinent, ut ait Paulus: Noluerunt recipere ueritatem, *sed consenserunt iniquitati.* UT SCIANT GENTES, QUONIAM HOMI-
5 NES SUNT. Cum uiderint caracteres in frontibus eorum et in manibus
eorum, scient tunc, quia de homine ueteri sunt id est ueterem hominem traxerunt.

Codices: LMN (V)
4 aliis] ad alios *LN**   **18,1** *abhinc iterum adest V*   peccatores + optat propheta, ut ueniant ad emendationem ante exitus uitae; sin autem *LV*   infernum + conuertuntur *LV*
2 quae] qui *LN**   3 deum] dominum *V*   deus] dominus *MN*   4 obliuiscuntur *V*
5 quia] dum *V*   5/6 in antea *om. V*   **19,1** Quia *V*   pauperum[1] -ris N^2V 2 differtur *V*: defertur *cett.*   **20,2** exsurge] *praem.* primo *M*   ueni *om. V*   3 id est + filius
perdicionis *V*   5 praescientia N^2: praesentia *cett.*   7 credit N^2 8 iudicandi L^2
hoc – puniendi] sicut dixit: Ite maledicti in ignem aeternum *V*   **21,4** iniquitatem *L*N*
5 caracterem *L*   eorum *om. LV*   6 eorum + designare (-ri V^2) *LV*   sciant *V*
ueterem – 7 traxerunt] de Adam *V*

20,2/3 II Th 2,3   7 Io 3,18   8 (Mt 25,41)   **21,4** II Th 2,11   5 *cf* Apc 13,16; 20,4

22. Utquid domine recessisti longe? Uox ecclesiae ad Christum loquitur in tribulatione, quasi dicat: cur tam longe sustineo, cur differtur
uita mea? Unde dixit dominus in euangelio: *Nisi breuiati fuissent dies
illi, non fieret salua omnis caro.* Dispicis in oportunitatibus in tribu-
⁵ latione: tunc uidetur dispicere, quando oportunum tempus est ecclesiae ut adiuuet et non statim occurrit illi in tribulatione carnali. Quare?
ut illam exerceat secundum suam uoluntatem, quia quanto magis dif-
fert, tanto magis ecclesia dilatatur in desiderio.

23. Dum superbit impius hoc est antichristus, incenditur pauper: ecclesia in tribulatione a superbia ipsius antichristi. Conprehenduntur a
cogitationibus suis quibus cogitant, ac si dicat: iniqua sunt quae
cogitauerunt, ipsi iudicandi sunt exinde apud deum.

24. Quoniam laudatur peccator in desideriis animae suae. Laudatur
peccator in desideriis suis: tunc, quando peccator peccatorem laudat,
alius alium sepelit; dum se inuicem laudant, inuicem se occidunt,
quasi post laudem accipiant correptionem emendationis suae, sed non
⁵ accipiunt emendationem, sed damnationem. Et qui iniqua gerit
benedicitur, hoc est ab aliis talibus qualis ipse est laudatur.

25. Inritauit dominum peccator: antichristus, homo peccati, ad iracundiam prouocat dominum. Secundum multitudinem irae suae hoc
est secundum multitudinem uindictae dei: ut fuit multitudo malitiae
suae, sic erit multitudo uindictae. Non quaerit, id est non est dignus
⁵ ut requiratur, sed ut puniatur.

26. Non est deus in conspectu eius. Non cogitat antichristus deum, quia
si cogitaret, forsitan non peccaret, ut peccator quando peccat, si de deo
cogitaret, timeret. Polluantur uiae eius in omni tempore. Polluta

Codices: LMNV
22,1 longe *om. LMN*   2 quasi] ac si *V*   defertur *LN*   3 mea + quam expecto *V*
4 fieret] fuerit *MN*   Dispicis] -cit *M*: Despicis *L²V²*   7 exerceas *V*   quia] quae *N*
7/8 differs *V*: deferet *L*   desiderio] + suo *V*: + tuo *L*   23,1 pauper + tribulabitur pauper de *V*   2 a²] in *V*   3 suis *om. M*   4 ipsi iudicandi] iam iudicati *V*   24,1 animae
suae] animi sui *L²*: suis *MN*   2 laudat + id est malus a suis similibus laudatur in desideriis
animae suae, hoc est ea quae sibi inuicem placent hoc agunt et in his laudantur ab inuicem,
quasi *LV*   6 benedicetur *N*V*   qualis] sicut *V*   25,2 suae + non quaerit(-ret *V*) *LV*
4 quaeret *V*   5 sed] nisi *V*   26,2 ut] sicut *LV*   3 Polluuntur *L*   in - tempore
om. MN   Polluta + et inquinata *LV*

22,3 - 4 Mt 24,22

est omnis uia peccatoris, 'omni tempore' id est semper, quia *peccator*
5 *cum uenerit in profundum malorum suorum contemnit* id est desperat.
AUFERUNTUR IUDICIA TUA A FACIE EIUS, quia non datur illi scire futura
mors, sed a facie eius aufertur. OMNIUM INIMICORUM SUORUM DOMINA-
BITUR. Inimici antichristi appellantur qui ei in primordio aduentus sui
resistere uoluerunt. Sed dominatur eis tam in potestate quam muneri-
10 bus, ut per ipsos potentiores postea persequatur pauperiores.

27. DIXIT ENIM IN CORDE SUO. Mos est scripturae praeterita pro futuro et
futura pro praeteritis ponere. 'Dixit enim' hoc est antichristus. Quid dixit? NON MOUEBOR A GENERATIONE IN GENERATIONEM SINE MALO, id est
tanta mala faciam in una gente, ut antequam ueniam ad alteram gen-
5 tem, antea mea fama timeatur. Aliter: non mouebor a generatione carnali in generationem spiritalem, id est de terra cum corpore caelum
conscendam; 'sine malo' ac si dicat: sine ulla iniuria. Sed cum uoluerit
ascendere ad montem Oliueti, *dominus eum interficiet spiritu oris sui.*
Uoluit unus de membris suis Simon Magus caelum conscendere, sed
10 interiit.

28. CUIUS OS MALEDICTIONE ET AMARITUDINE PLENUM EST, ac si dicat: qui
se sua iustitia faceret ut sit deus, sed apud deum maledictus est. SUB
LINGUA EIUS sub corde eius LABOR ET DOLOR: sibi dolor, et aliorum
temperat laborem et dolorem; uel laborem dicit, quia laborat in sub-
5 plantando et dolet, dum non potest tantum quantum uult.

29. SEDET IN INSIDIIS CUM DIUITIBUS IN OCCULTIS, id est diabolus insidiatur
per membra sua in quibus praesidet et aliis nocet, UT INTERFICIAT IN-
NOCENTEM, id est ut de innocentibus nocentes faciat et sibi primum noceat.

Codices: LMNV
4 id – 5 desperat *om. MN*   6 a – eius *om. MN*   7 auferetur *M*   9 in *om. V*   quam
+ in *LN*^{2} 10 ipsum *N*   27,3 generationem] -ne *N*   5 fama me timeant *V*
6 in generatione spiritali *N*   terris *V*   cum] in *V*   8 ad] in *V*   interficit *N*: -ciat *M*
9 unum *L*   Magus + ad *LV*   28,1/2 qui se *V*: quasi *cett.*   2 fecerit *L*: iactat *V*
sed *om. V*   dominum *M*   3 sibi dolor^2 (-rem *N*^{2})] *trsp. M*: id est sibi *LV*   4 uel –
5 uult *om. V*   29,1 Sedit *MN**   in occultis *om. MN*   2 in *om. MV*   alios *LM*
interficiet *N*   3/4 noceat] -cet *LNV**

26,4 – 5 Prv 18,3   27,8 II Th 2,8   9 *cf* Actus Petri cum Simone c.32(ed. Lipsius 1891,
p. 83)

30. OCULI EIUS, id est oculi antichristi, IN PAUPEREM RESPICIUNT hoc est in
ecclesiam quae est corpus Christi, ad nocendum respicit, non ad adiuuandum. INSIDIATUR IN OCCULTO SICUT LEO IN CUBILI SUO. Diabolus et
leo et draco dicitur, draco quando occulte nocet, leo quando aperte
5 persequitur, UT RAPIAT PAUPEREM id est christianum. RAPERE PAUPE-
REM DUM ADTRAHIT EUM.

31. IN LAQUEO SUO HUMILIAUIT EUM, INCLINAUIT SE ET CADIT. Uidetur in-
clinare se quasi ad humilitatem, ut uideatur quasi mitis et sanctus. Et
cum se inclinauerit, tunc casurus est; et dum sperat se longaeuum esse,
tunc repentinus ei superueniet interitus.

32. DIXIT ENIM IN CORDE SUO: OBLITUS EST DEUS, AUERTIT FACIEM SUAM, NE
UIDEAT USQUE IN FINEM. 'Oblitus est', ac si dicat: mea sunt omnia
quamdiu saeculum fuerit, et in obliuione tradidit illa deus et numquam uisus est illa; sed mea sunt, quia ego deus sum.

33. EXSURGE DOMINE, hoc est ad iudicium. Ecclesia dicit contra antichristum. ET EXALTETUR MANUS TUA id est potestas tua. Dum antichristus se
taliter iactat omnia se possidere sine fine, exaltetur tua potestas ad iudicium faciendum. NE OBLIUISCARIS PAUPERUM IN FINEM, dum ille sic
5 dicit regnare se sine fine.

34. PROPTER ISTAM CAUSAM, dicit superius, INRITAUIT IMPIUS DEUM id est
antichristus. DIXIT ENIM IN CORDE SUO: NON REQUIRET DEUS. Dixit antichristus: non curat deus de ista praesenti.

35. UIDES QUONIAM TU LABOREM ET DOLOREM CONSIDERAS. Propheta loquitur ad deum: quia antichristus meditatur ut noceat, tu considera, UT
TRADAS EOS IN MANUS TUAS. Manus dei illi dicuntur qui iustam uindictam dei exercent super peccatores. Propter hoc manus dei, quia per
5 illos uindicatur deus. Aliter: ut tradas eos in manus suas, id est in operibus suis, ut digni sint tradi qui indigne gesserunt, quia ipsi se suis mise-

Codices: LMN (V)
30,2 respicit + et *LV*   3 sicut] quasi *LM*   cubiculo *L*   4 dicitur] potest dici *V*
5 est + populum *LV*   **31,1** cadet *V*   1/2 Uidetur inclin.] Inclinauit *LV*   2 se *om. MN*
3 *a* tunc *deest V (usque ad* Ps **17,5**)   et] quia *L*   longitiuum *N*   **32,2** usque *eras. N*
est + deus *L*   3/4 numquam + amplius *L*   4 uisurus *L²*   **33,2** Et *om. LM*
tua² + ac si dicat *L*   3 iactat] facit *MN*   4 pauperem *LN*   5 dicit + et *L*   se – fine]
usque in finem *L*   **34,2** Dixit²] dicit *L*   3 praesentia *L*   **35,5** suas] tuas *M*
6 sunt *MN*   se] sibi *LN*(?): + sibi *M*

31,4 I Th 5,3   **34,1** superius: *cf* v. 25

riis tradiderunt et dimisit illos in omnes uoluntates suas. Tibi enim
derelictus est pauper id est ecclesia, quasi dicat: tua est ad saluan-
dum. Pupillo tu eris adiutor. Pupillus dicitur qui non habet patrem,
10 orfanus qui nec patrem nec matrem habet. Pupillus dicitur qui patrem
diabolum non habet, ut illud: *Nolite uobis uocare patrem super terram;*
et qui non habet matrem id est gentilitatem, ac si dicat: isto eris adiutor.

36. Conteris brachium peccatoris. Ista ad antichristum pertinent, quia
confringit dominus fortitudinem illorum; et maligni: ipse est malignus. Quaeritur delictum eius nec inuenietur, id est ad emendationem non est dignus uenire; et aliter: non inuenietur ut habeat pecca-
5 tum, sed sit sicut deus qui peccatum non habet, quantum apud ipsum.

37. Dominus regnauit in aeternum id est Christus sine fine, quia tunc
erit regnum Christi, ut Paulus ait: *Cum tradiderit regnum deo et patri,*
quando erit *deus omnia in omnibus.* Peribitis gentes de terra eius:
qui antichristum receperunt peribunt ab ecclesia id est de ecclesia.

38. Desiderium pauperum exaudiuit dominus, id est ecclesiam exaudiuit, ut uindicetur. Praeparationes cordis eorum, alii dicunt: Con-
cupiscentiam cordis eorum, sed ualde unum est praeparatio et concupiscentia cordis id est desiderium animae, exaudiuit auris tua, cle-
5 mentia tua. Aures domini dicuntur, cum exaudire dignatur; hoc est
aeterna uita quam ecclesia desiderat: cum ei eam dederit, tunc pleniter
exaudiuit.

39. Iudicare pupillum et humilem. Apud grammaticos accusatiuus
casus est, ac si dicat: interfice illum. Aliter 'iudicare pupillum' id est
permane hoc est causa pro illo, defende illum, ut non adponat ultra
magnificare se homo super terram: antichristus non se aestimet
5 amplius deum esse super terram id est super sanctam ecclesiam.

Codices: LMN
9 Pupillo] -lum *LN* patrem + in terra *L* 10 habet + Aliter *L* 11 illud] ait in euangelio *L* 12 istius *M* 36,1 Contere *N*: -rens *L* pertinent *om. N* 2 illius *N²*
3 inuenitur *M* 4 aliter + quaeritur delictum eius nec inuenietur *L* 37,1 tunc] aeternum *M* 38,2 Praeparationes *L²M²*: -nem *N²*: -nis *cett.* 2/3 Concupiscentia *LM*
3 ualde *eras. N* 4 exaudiet *L** 6 quam] quae *L*M*N* eam] ea *LN* 7 exaudit
L: -diet *M* 39,2 est¹ + pupillum *L* 3 permane *N*: perime *L*: per me *M* 4 aestimet
+ uel praesumat *L* 5 esse pro deo *L*

35,11 Mt 23,9 **37,**2 – 3 I Cor 15,24.28

10.

2. IN DOMINO CONFIDO: uox ecclesiae contra hereticos siue Christus contra daemones. Sanctus Agustinus dicit quod ecclesia respondet contra hereticos qui illam rogant, ut transeat ad doctrinam hereticorum quasi 'ad montes' sicut fuit Donatus uel reliqui doctores hereticorum.
5 Illi dicunt: TRANSMIGRA AD MONTES SICUT PASSER. Nolo, dicit ecclesia, ad alios montes ire, quia habeo montem sanctum unum de quo ascensura sum: Christum. Et Hieronimus dicit quod daemones dicunt Christo, ut eat ad caelos, sicut ait in euangelio: *Quid nobis et tibi, fili dei?* ac si dicant: ascende ad angelos unde nos cecidimus et ista relin-
10 que nobis in nostra potestate, nec non et Iudaei uolunt te occidere, si non feceris istud. Dominus dicit 'in domino confido': uox Christi pro parte carnis. Aliter 'transmigra in montem sicut passer': cur non dixit sicut columba aut turtur, sed passer? Propter hoc quia auis garrula est et impatiens coniugii, post fetum non seruat castitatem. Sic et heretici
15 promittunt in baptismo quod non obseruant, hoc est diabolo renuntiare. Habet hic adhuc et sensum moralem.

3. QUONIAM ECCE PECCATORES TETENDERUNT ARCUM, heretici ora illorum contra ecclesiam, PARAUERUNT SAGITTAS SUAS hoc sunt uerba illorum, IN PHARETRA in semet ipsis, quia ipsi sunt pharetra; ad quid? UT SAGITTENT IN OCCULTO RECTOS CORDE. Heretici illos innocentes et simplices
5 sagittant qui non sunt fortes uel firmi in fide. Alii dicunt: IN OBSCURO. Obscuratur luna id est ecclesia sicut diximus illi qui non sunt fortes. Per similitudinem: sicut homo in obscuro sagitta alios uulnerat, sic et heretici illos simplices qui in ecclesia dei commorari uidentur uulnerant sagittis, hoc est de illorum mala doctrina. Uel ad Christum perti-
10 net, quia Iudaei de illorum mala doctrina sagittauerunt. Sagittauerunt

---

Codices: LMN
Ps 10,1 Titulus *deest*   2,1 siue – 2 daemones] in domino confido *L*   4 Donatus + et Arrius *L*   doctores hereticorum] qui *L*   5 Illa dicit + Quomodo dicis animae meae *L*   6 quo + firmata uel *L*   7 Christum + ut ait propheta: Erit praeparatus mons et rlq. *L*   8 eas *M*   14/15 hereticus procurat *L*   15 in – obseruant] qui post baptismum non seruant quod promittunt *L*   **3,1** detenderunt *N* (*idem etiam* 1.22)   arcum + suum id est *L*   2 haec *L*   5 qui] quare *L*   obscuro + id est in occulto *L*   7 sagitta] *praem.* de *M*N*   8/9 uulnerant + de *L*N*   9 Uel + aliter *L*

Ps 10,2,2 cf AU 10,1,4sqq.(p. 74)   7 (Is 2,2)   7 – 11 HI: *ubi?*   8 Mt 8,29

apostoli quando negauerunt sicut Petrus quando ad uocem mulieris
negauit, quia sancti apostoli titubabant, quia de spiritu sancto adhuc
pleniter confortati non erant. Aliter 'ut sagittent in obscuro' id est in
ecclesia, quia obscura est in carnalibus et lucida in spiritalibus.

15 Aliter: IN DOMINO CONFIDO. Magistri maxime ad sensum moralem hoc
uolunt intellegere: 'in domino confido' quasi uox interrogantis uel
subiectorum sit ad seniores: QUOMODO DICITIS ANIMAE MEAE, ac si
dicant illi subiecti: dum nos in domino confidimus et spem ipsius
habemus, quomodo dicitis: TRANSMIGRA IN MONTEM SICUT PASSER? Illi

20 seniores dicunt: ascendite ad altitudinem meritorum uel exempla
sanctorum propter hoc quod sequitur: QUONIAM ECCE PECCATORES
TETENDERUNT ARCUM SUUM. Hic passer in bona parte intellegitur, ut ait
propheta: *Et enim passer inuenit sibi domum* id est anima in caelo.

4. QUONIAM QUEM TU PERFECISTI id est Adam DESTRUXERUNT hoc sunt
daemones. Aliter 'quoniam quem tu perfecisti destruxerunt': quid est
quod perfecisti? ecclesiam tuam in unitatem; unde dicit: *Ex ore infan-*
tium et lactantium perfecisti laudem. Heretici hoc destruere uoluerunt

5 et in se et in aliis, quia unitatem scindunt. Aliter 'quem tu perfecisti'
Christum de spiritu sancto conceptum Iudaei occiderunt. IUSTUS AU-
TEM QUID FECIT? Cum calumniantur heretici et discordantur inter se,
hoc respondet propheta in persona ecclesiae: inter uos discordamini;
sed de uobis Christus non tacuit, quia dixit: *Pacem meam do uobis; non*

10 *quomodo mundus dat* et rlq. Aliter 'quid fecit iustus' hoc est Christus?
redemit mundum et semet ipsum dedit pro mundo.

5. DOMINUS IN TEMPLO SANCTO SUO, ac si dicat propheta: quamuis uos heretici aduersamini ecclesiae, tamen dominus in templo sancto suo sedet et in templo erit hoc est in ecclesia; unde dicit apostolus: *Uos estis*
templum dei uiui. DOMINUS IN CAELO SEDES EIUS hoc est in sanctis ange-

5 lis uel in praedicatoribus; unde dixit: *Caelum mihi sedes est;* et: *Anima*

Codices: LMN
16 intellegi *L*   18 confidamus *N*   4,1 quem] quae *LM*   perfecisti] percussisti *L*N*
(*idem etiam* 1.2 *et* 5)   est + anima *L*   3 perfecisti *scripsi*: fecisti *codd.*   4 uolunt *M*
5 quia] qui ad *L*   scindunt *scripsi* (-derunt *N*²): ascendunt *LM*(-derunt *N**)   7 discordantur *L*²: -dant *cett.*   inter se *om. MN*   10 Christus + nisi *L*   11 et] quia *L*
5,2 ecclesia *LN**: -siam *N*²   4 sedis *L*N*

3,23 Ps 83,4   4,3/4 Ps 8,3   9 – 10 Io 14,27   5,3/4 II Cor 6,16   5 Act 7,49 (Is 66,1)
5/6 Prv 12,23 sec. LXX

iusti sedes sapientiae. OCULI EIUS IN PAUPEREM RESPICIUNT. Oculi Christi aspectus diuinitatis, in pauperem respiciunt id est in populum christianum respiciunt. Ad quid respiciunt? ad adiuuandum. PALPEBRAE EIUS INTERROGANT FILIOS HOMINUM. Palpebrae subtilitas diuinitatis id
10 est iudicia dei occulta in quibus nos interrogat, quia per hoc cognoscit quid habet unusquisque in se, quia iudicia dei occulta sunt, sicut et scriptura aliquando intellegentibus lucet, aliquando obscuratur, ut nos infirmitatem nostram cognoscamus, iterum inluminamur, ne desperemus. Et alio modo per prospera et aduersa interrogat, quia per hoc pro-
15 bat deus qualis quisque fuerit. Alio modo: uidemus unam gentem flagellari et scimus fortasse pro qua causa flagellatur; hic manifesta iudicia sunt. Et iterum uidemus flagellari et nescimus pro qua causa, et hic occulta iudicia sunt per haec superius conprehensa.

6. IUSTUM ET IMPIUM INTERROGAT DOMINUS id est probat. QUI AUTEM DILIGIT INIQUITATEM ODIT ANIMAM SUAM hoc est perdit illam.

7. PLUIT SUPER PECCATORES LAQUEOS IGNIS. Hoc secundum historiam factum fuit, quando dominus pluit sulphur et ignem super Sodomam et Gomorram, ut ait apostolus Iudas, in *exemplum ignis aeterni.* Pluit super peccatores duobus modis; et heretici pluunt malam doctrinam.
5 Et sicut una pluuia inrigat terram fecundam et infructuosam, sic et una praedicatio est a deo quae infundit terram bonam id sunt sancti et terram malam quod sunt peccatores, quibus pertinent ista quae sequuntur: IGNIS cupiditas, SULPHUR putredo peccatorum, SPIRITUS PROCELLARUM spiritus tempestatis, ut ait Gregorius: »Quos ignis exurit tempe-
10 stas inuoluit«; et propheta dicit: *In circuitu eius tempestas ualida.* PARS CALICIS EORUM. Quare dixit partem? quia unusquisque pro parte sua quasi de calice iustam uindictam recipiet prout gessit, hoc est mensuram, ut ait propheta: *Reddet deus unicuique secundum opera sua.*

Codices: LMN
7(*et* 9) diuinitatis + intellegitur *L*   8 respiciunt[2] + nisi *L*   11 se] corde + aut quid dilectet *L*   sunt + et omnia penetrant *L*   14 interrogamur *L*   **6,**2 perdet *L*
7,1(*et* 3) Pluet *L*   laqueus *M*   3 ignem *L*   aeterni + iudicii dei *L*   4 mala doctrina *L*N*   6 quae] qui *N*   influit *M*   7/8 sequuntur + laqueos ignis *L*
9 exuret *N*   11 unicuique *MN*   12 recipiat *L**   hoc est] hanc *M*   13 reddit *N*

7,3 Iud 7   9/10 *cf* GR-M Ev 1,6(ed. 1081 B 4)   10 Ps 49,3   13 Mt 16,27; Rm 2,6

8. QUONIAM IUSTUS DOMINUS IUSTITIAM DILEXIT, AEQUITATEM UIDIT UUL-
TUS EIUS, quia unusquisque quasi in speculum, cum uenerit in conspectu eius, uidebit iniquitatem suam, et ipse praeuidit iniquitates illorum; uel praesentia dei uidet sanctos ad remunerandum.

11. IN FINEM PRO OCTAUA PSALMUS DAUID. 'Pro octaua' sicut superius dixit.
Iste psalmus de passione Christi cantatur.

2. SALUUM ME FAC DOMINE, QUONIAM DEFECIT SANCTUS. 'Saluum me fac
domine': uox Christi ad patrem pro parte carnis in passione. 'Quoniam
defecit sanctus': defecerant sancti, quando Christus uenit in mundum,
quia nullus bonus, ut in antea dicit: *Non est qui faciat bonum, non est us-*
5 *que ad unum.* Defecit sanctus, quia et ipse Petrus negauit. QUONIAM DI-
MINUTAE SUNT UERITATES A FILIIS HOMINUM. Quare dixit 'ueritates',
dum unum scimus qui est ueritas, ut ait: *Ego sum uia et ueritas?* Sicut
multae ecclesiae et una ecclesia, sic multae ueritates, quia multa sunt
iustorum opera et multi iusti qui faciunt bona. Sed quare diminutae?
10 quia ante aduentum Christi siue prophetae siue patriarchae, quamuis
bonae naturae, quam ex parte de praeceptis uidebantur seruare, in istis
modis diminuti erant, quia caput id est ueritas nondum uenerat, membra diminuta erant usquequo caput eorum quod est Christus aduenit.

3. UANA LOCUTI SUNT UNUSQUISQUE AD PROXIMUM SUUM, primum Petrus,
quando dixit: *Et si oportuerit me mori tecum, non te negabo. Similiter et
omnes discipuli dixerunt.* Sed hii omnes uana locuti sunt, dum adimplere quod praeposuerunt non potuerunt. Et heretici, mali doctores,

---

Codices: LMN
8,1 iustitias *N*   3 ipse + id est Christus *L*   iniquitatem *L*   4 uidit *N**   sanctos +
suos *L*

Ps 11,1,1 - **2,**5 *ordinem propositionum mutavi: in codd. sequuntur* (2,1) Saluum[1] - sanctus;
(1,2) Iste - cantatur; (1,1) In finem - dixit; (2,2-5) Quoniam - ad unum; (2,1-2) Saluum[2] -
passione; (2,5) Defecit ...   **2,**3 sancti] boni *MN*   4 in *om. L*   5/6 deminutae
L*M*N*, *sed hic et in sqq. saepius corr. in*: dimin-   7 ut + ipse *M*   9 deminuti *L*
11 boni *L*   naturae + gratiae quod habebant *L*   quam + qui *N**: + que *MN*[2]: quamque *L*
12 deminutae *MN*   ueritas + quod est Christus *L*   **3,**2 Et *om. MN*   3 hii *om. MN*
4 quod praeposuerunt *om. MN*

Ps 11,1,1 superius: *cf* Ps 6,1   **2,**4 - 5 Ps 13,1.3   7 Io 14,6   **3,**2 - 3 Mt 26,35

⁵ qui doctrinam peruersam docent, uana est locutio eorum. Sic male parentes et gentiles docent filios suos, ut adorent daemonia; sed haec omnia quaecumque loquuntur uana erunt. LABIA DOLOSA: bilingues dicimus qui duabus linguis loquuntur, quia aliud dicunt et aliud retinent; sic labia dolosa, qui DE CORDE IN CORDE LOCUTI SUNT MALA, hoc ¹⁰ est quod superius diximus duplex.

4. DISPERDAT DOMINUS UNIUERSA LABIA DOLOSA. Numquid maledicendo dicat? Non, quia non est mos sanctorum maledicere, sed pronuntiando quod futurum est eis, non optando sed prophetando. Qui sunt labia dolosa nisi heretici et mali praedicatores? ET LINGUAM MAGNILOQUAM ⁵ id est qui superbia loquuntur.

5. QUI DIXERUNT LINGUA NOSTRA MAGNIFICABIMUS, hoc est quod semet ipsos in inuicem laudant et opera sua magnificant. LABIA NOSTRA A NOBIS SUNT, ac si dicant: doctores nostros ex nobis ipsis habemus, non aliunde. QUIS NOSTER EST DOMINUS? ac si dicant: nullum habemus dominum, ⁵ quia omnia scimus.

6. PROPTER MISERIAS INOPUM ET GEMITUS PAUPERUM NUNC EXSURGAM, DICIT DOMINUS. Uox patris est. Quis erat miser nisi humanum genus in saeculo, quod in istam miseriam uenit, in qua gemit in peccatis, et gemitus erat in inferno in illis qui in poenis habitabant? 'Nunc exsurgam' ⁵ ait, hoc est mittam filium meum qui eos redimat et illos qui in miseria erant in mundo uel eos qui in inferno commorabantur; quod ita factum est. Misit deus pater filium suum ad nos miseros, ut nos illius paupertate diuites essemus. PONAM IN SALUTARI MEO. Dixit salutare et non dixit quid 'ponam', subauditur salutem gentium. Et adhuc quid po- ¹⁰ nam? contra gemitum laetitiam et contra paupertatem diuitias spiritales. FIDUCIALITER AGAM IN EO: uox patris ad filium, ac si dixisset: cum

Codices: LMN

5 male L*N*: -li cett.   7 erunt] sunt L   8/9 dicunt ...retinent N²: dicit ...retinet cett. 10 dixit LM: dicimus N   4,1 Disperdit L   2 dicit L²N²   3 eis + dicit L   4 Et om. MN   maliloquam N   5 quia L   superba M   5,1 linguam nostram LM 2 laudent L   3 nobis ipsis scripsi: trsp. codd.   6,1 gemitum M   2 Quis M²: Qui cett. erant miseri L   4 habitant MN*   7 post nos²: liberaret et suppleuit Brev.   8 Dixit] dicitur M   salutare] -ri L

6,7/8 cf II Cor 8,9

fiducia omnia facio per eum, quia diuinitas roborauit humanitatem, ut scriptum est, *libere egit.*

7. ELOQUIA DOMINI ELOQUIA CASTA, utrumque Testamentum et doctrinam insimul conprehendit. Tunc casta sunt, si a bonis praedicatoribus puriter et sine corruptione praedicentur. Tunc erit istud, si quando praedicant non parentibus parcunt, non potentibus, non propter dona
5 praesentia nec pro honore uano, sed recte praedicant. Aliter 'eloquia domini eloquia casta', quia nec addere amplius nec minuere tam in Ueteri quam in Nouo Testamento non debent nisi aequaliter praedicent. ARGENTUM IGNE EXAMINATUM, hoc est spiritu sancto probatum. Non illa eloquia diuina probantur, sed spiritus sanctus illos inluminat qui
10 ipsa praedicant, sicut ad Esaiam ille angelus, quando accepit calculum ab altari et tetigit labia eius dicens: *Ecce tetigi hoc labia tua, et auferetur iniquitas tua et peccatum tuum mundabitur.* Per argentum Uetus Testamentum, per aurum Nouum. Sic est littera et spiritalis intellectus, quasi per argentum producatur aurum. PROBATUM TERRAE id est eccle-
15 siae. Illa eloquia diuina probata sunt id est per spiritum sanctum, quod accepit ecclesia. Aliter 'probatum terrae' id est spiritus sanctus qui uenit in humanitatem illam pro parte carnis, quam ex Maria accepit, quasi terram dominus suscepit. PURGATUM SEPTUPLUM. Septem sunt dona quae in Christo fuerunt, non ut ille purificetur, sed qui ipsum do-
20 num accepturi erant purificentur.

8. TU DOMINE SERUABIS NOS, hoc est in fide; ecclesia rogat, ET CUSTODIES NOS A GENERATIONE HAC, id est omnium malorum turbam insimul conprehendit, hereticorum, dialecticorum et reliquorum. Ab istorum generatione dominus separauit ecclesiam suam. Unde et in euangelio
5 dicit: *Haec omnia ueniant* uniuersae *generationi illi a sanguine Abel iusti qui effusus est usque ad sanguinem Zachariae filii Barachiae quem occiderunt inter templum et altare.*

Codices: LMN
13 liber *MN**   7,3 pariter *M*   5 nec] non *LN*   uanum *L*N*   sed – praedicant *om. MN*   7 non *exp. L*   praedicent *L²N²*: -cant *cett.*   15 probati *L²M²N²*   quod] quem *M²*   20 erant + praedicatores *L*   **8**,4 separabit *M(²?)*   5 uenient *L*: -unt *M* 6 filium *LN*

13 Ps 93,1   7,10 – 12 Is 6,6.7   **8**,5 – 7 Mt 23,36.35

9. IN CIRCUITU IMPII AMBULANT. ⟨Auctor⟩ qui hoc exposuit dixit: impii quasi mola in circuitu currunt id est per septem dies, in quibus uoluitur mundus, et numquam in octauo in antea extendunt, quia ad aeternam uitam non perueniunt. Et aliter: cum electi recepti fuerint, isti extra ia-
5 nuam clamabunt: *Domine, domine, aperi nobis,* et in circuitu currunt, et dicitur eis: *Nescio uos.* SECUNDUM ALTITUDINEM TUAM MULTIPLICASTI FILIOS HOMINUM, filios dei in ecclesia. 'Secundum multitudinem' iuxta habundantiam misericordiae suae, qua multiplicatur ecclesia, hoc est de pietate et misericordia ipsius.

12. USQUEQUO DOMINE OBLIUISCERIS ME IN FINEM. Uox ecclesiae, ac si dicat: quamdiu? Inquirendum est, quare 'in finem' dicit. Quattuor elementis constat homo, igne et aere, aqua et terra. Terra inferior est ab istis creaturis, et ideo, quia finis creaturarum terra est, dicit ecclesia: et
5 si uilior sum et ultima quasi terra, non propterea quia infima sum et finis aliarum creaturarum, non propter hoc me obliuiscere in finem. QUOUSQUE AUERTIS FACIEM TUAM A ME? quasi dicat: quamdiu? et subauditur:

2. QUAMDIU PONAM CONSILIUM IN ANIMA MEA? Homo multa habet consilia de una causa, usque dum perueniat ad unum consilium necessarium. Sic et ecclesia diuersa se fatetur habere consilia, sed ad unum tunc perueniet, cum dei professa est adimplere mandata. DOLOREM IN
5 CORDE MEO PER DIEM: tempus praesens intellegitur. Quamdiu ponam dolorem respondit quamdiu ponam consilium.

3. USQUEQUO EXALTABITUR INIMICUS MEUS SUPER ME? quasi dicat: quamdiu habebit aduersarius dominationem ecclesiae? ac si dicat: usque in finem.

4. RESPICE ET EXAUDI ME, DOMINE DEUS MEUS. Oratio ecclesiae est, quae a tribus personis potest intellegi. Respice in tribulatione uel in auxilio, et

---

Codices: LMN
9,1 impii² *om. MN*   5 et¹] tunc *L*   6 dicetur *L*²   8 quia *MN*   hoc est(enim *L*)
om. MN

Ps 12,1,5 non *om. L*   7 auertas *M*   2,1 consilium] -lia *M*   2 peruenit *N*
3 et] sancta *L*   unum + consilium *L*   4 dei *post* mandata *trsp. L*   6 consilia *LN*
4,2 intellegere *LM*

9,1 - 4 *cf* AU 11,9,2-4(p. 84)   5 - 6 Mt 25,11.12

exaudi in hoc quod deprecor. INLUMINA OCULOS MEOS, id est oculos
cordis, NE UMQUAM OBDORMIAM IN MORTE. Scimus quia non potest
5 homo dormire quando in tormentis est. Sed dormire pro nocte illa tenebrosa ponitur, unde Gregorius ait: »Mors sine morte, defectus sine
defectu«. Et dominus dormiuit in naui, cum suscitaretur a discipulis.
Non tantum dominus dormiebat quantum fides apostolorum trepida-
bat; et unicuique dominus pro fide sua uigilat et per fidem excitatur, et
10 si non habet fidem, quasi dormire uidetur. Unde dicitur: Excita fidem
tuam et tunc suscitas Christum.

5. NEQUANDO DICAT INIMICUS MEUS: PRAEUALUI ADUERSUS EUM, ac si dicat: si nos potuerit aduersarius in somno infidelitatis inuenire, tunc
praeualet super nos. ⟨QUI TRIBULANT ME⟩ EXULTABUNT, SI MOTUS
FUERO. Ipsi quorum pedes moti sunt, quia in ueritate dei non steterunt,
5 si meos pedes hoc est sensus de fide catholica potuerint elongare, tunc
exultabunt id est gaudebunt, ut ait propheta: *Mei autem pedes paene
moti sunt.*

6. SED EGO IN TUA MISERICORDIA SPERO: uox ecclesiae. EXULTABIT COR
MEUM IN SALUTARI TUO, id est in Christo tuo. CANTABO DOMINO, laudabo, praedicabo, QUI BONA TRIBUIT MIHI, hoc est ista uitae praesentis
subsidia quibus subsistimus. Aliter uirtutes ecclesiae, id est fidem,
5 spem et caritatem, et in futurum uitam aeternam. PSALLAM NOMINI
TUO, ALTISSIME, id est quod canto et praedico opere impleam.

13. DIXIT INSIPIENS. Iste psalmus de passione Christi cantatur.
DIXIT INSIPIENS IN CORDE SUO. Tria genera hic intellegimus: Iudaeorum, hereticorum, philosophorum, qui dixerunt in corde suo: NON
EST DEUS. In corde dixerunt, non in ore: quare? quia non ausi sunt, ne
5 forte deorum suorum nomina uituperarent, quia dii eorum deriuatiuum nomen a deo accipiunt. Et ideo se cogitant confiteri et non ausi

Codices: LMN
3 exaudi + me *L*   4 mortem *L*   5 per noctem *L*   5/6 tenebrosa *om. MN*
6 posuit *L*   unde + sanctus *L*   7 suscitatur *L*   10 dicit *LN*   5,3 praeualebit *M*
6,1 Exultauit *M*   2 salutare *L*   3 istius *M*²   5 futuro *L*   6 et praedico *om. N*
impleam opere *M* + dicunt adhuc seniores super istum psalmum sensum moralem *L*

Ps 12,4,6 GR-M Jb 9,66,25(p. 528)   7 *cf* Mt 8,24sqq.   5,6/7 Ps 72,2

sunt. Aliter 'dixit insipiens' populus Iudaicus, qui dicunt in corde: non
est deus, ac si dicant: non est Christus filius dei. Unus ex eis non solum
pro deo eum non habuit, sed nec prophetam credidit, dum dixit: *Hic si*
10 *esset propheta, sciret utique quae et qualis est mulier quae tangit eum,*
quia peccatrix est. Et aliter: *Si filius dei est, descendat de cruce et credi-*
mus ei. CORRUPTI SUNT ab illa integritate bonae naturae gratiae, ET AB-
HOMINABILES FACTI SUNT id est odibiles IN UOLUNTATIBUS SUIS, in factis
suis. NON EST QUI FACIAT BONUM, NON EST USQUE AD UNUM. Hic apparet
15 quod iste psalmus ad passionem pertinet, quia nullus de discipulis, neque Petrus qui caput ecclesiae est, quia et ipse eum negauit, neque de
hominibus ⟨est qui faciat bonum⟩, quia totus mundus ad inferiorem
partem declinauerat praeter unum hominem qui est Christus.
2. DOMINUS DE CAELO PROSPEXIT: ad quid? ut salutem generi humano
daret; uel 'de caelo' id est de sanctis suis. SUPER FILIOS HOMINUM, super
genus humanum, UT UIDEAT, uidere sanctos suos facit, per quos respicit et in quibus habitat; SI EST INTELLEGENS: quid est intellegens nisi per
5 fidem? AUT REQUIRENS per operationem.
3. OMNES DECLINAUERUNT SIMUL: declinauerat totum genus humanum
ad inferiorem partem; INUTILES FACTI SUNT, et sibi et aliis, IN UOLUNTA-
TIBUS SUIS, in desideriis suis. NON EST QUI FACIAT BONUM, NON EST US-
QUE AD UNUM: repetitio est. SEPULCHRUM PATENS EST GUTTUR EORUM.
5 Hereticos designat, quorum doctrina quando aperto ore praedicant
foetorem magnum emittunt, quia iam mortui sunt in peccatis. Et sicut
ipsi mortui sunt et sepulti in peccatis suis, sic et alios de ecclesia secum
sepelire quaerunt. Et sicut homo in sepulchro iacet mortuus, sic eorum
animae in corpore ipsorum. Et sicut ecclesia de uniuersis partibus
10 mundi credentes in corpore Christi adtrahere uult, sic et heretici ad
hoc laborant, ut de electis corpus diaboli per ipsos crescat. 'Guttur eorum': quid per guttur nisi ipsos hereticos nominat? Uel guttur mentes
ipsorum qui suo uentri seruiunt et non deo, ut ait apostolus: *Quorum*

Codices: LMN
Ps 13,1,7 dicunt] dicit *M**   8 dicat *M*²   11 descendat + nunc *L*²   11/12 credemus *L*²
15 ad *N*²: de *cett.*   passione *LM**   16 quia] qui *M*²   18 praeter] propter *L*
2,1 quid + respexit *L*   2 caelo + prospexit *L*   suis + ut ait: Caeli enarrant gloriam dei *L*
3 uideat + ut *L*   faciat *L*   **3,**1 declinauerat] -uit *L*   6 peccatis + suis *L*
10 credentibus *L*   12 nominauit *M*   mentes *L²N²*: -tis *cett.*

Ps 13,1,9 – 11 Lc 7,39   11 – 12 Mt 27,40.42   **2,**2 (Ps 18,2)   **3,**13/14 Phil 3,19

deus uenter est. Qui gulosi sunt erunt et uerbosi, et qui sunt uerbosi
15 erunt adulatores, ut laudibus suis se pascant quando alios laudant. LIN-
GUIS SUIS DOLOSE AGEBANT, qui aliud praedicant et aliud retinent. UE-
NENUM ASPIDUM SUB LABIIS EORUM. Sic est praedicatio eorum sicut uenenum aspidum, quia serpens sub lingua uenena miscit. Aspides heretici dicti sunt, quia dum obturati sunt sicut serpens qui non audit uo-
20 cem incantantis et obturat aures, ita et isti nec ipsi recipiunt correptionem ab ecclesia nec aliis permittunt. QUORUM OS MALEDICTIONE ET
AMARITUDINE PLENUM EST, quia et sibi et aliis nocet eorum doctrina et
in futurum condemnat. UELOCES PEDES EORUM AD EFFUNDENDUM SAN-
GUINEM: et corporaliter et spiritaliter occidunt, dum Christum qui uita
25 est animae ab ipsa auferre desiderant. CONTRITIO ET INFELICITAS, contritio corporis et infelicitas animae, IN UIIS EORUM, in operibus eorum.
ET UIAM PACIS NON COGNOUERUNT, hoc est Christum, nec per fidem
nec per operationem. Quare non cognouerunt? propter hoc quod subsequitur: QUIA NON EST TIMOR DEI ANTE OCULOS EORUM. Non propo-
30 suerunt deum ante sensus suos in memoria sancto timore.

4. NONNE COGNOSCENT OMNES QUI OPERANTUR INIQUITATEM? Uox prophetae interrogando, ac si dicat: si modo non cognoscunt, cognoscent
in iudicio quando iudicaturus erit. QUI DEUORANT PLEBEM MEAM SICUT
CIBUM PANIS: heretici populum christianum. Sicut panis qui cum omni
5 cibo currit et sine ipso satiari non possumus, sed cum omnibus cibis
sumitur, sic et heretici numquam satiantur iniquitatum suarum nisi de
plebe dei: de ecclesia quos possunt abstrahere, inde satiantur.

5. DEUM NON INUOCAUERUNT: quare? Quia multi inuocant non deum, sed
illam rem quam desiderant habere per deum, nam non ipsum deum.
Sciunt heretici quod eorum dii non possunt nec filios nec res nec reliqua praesentis uitae dare nisi deus; propterea deum orant, ut ista illis
5 tribuat. ILLIC TREPIDAUERUNT TIMORE UBI NON ERAT TIMOR: et gentes
suos deos timent, ligna et lapides, et Iudaei quando de Christo dixe-

Codices: LMN
19 obturati *LN*   qui] quia *L*   20 obdurat *L*N*   aures + suas *L*   25 animarum *M²*
ipsis *L*   30 sancti timoris *M*   4,2 cognoscent + postea *L*   3 iudicio *M²*: -cium *cett.*
4/5(*et* 5) omni cibo *M²*: omnes cibos *L*N*: omnibus cibis *L²*   5 satiare *LM**   7 dei +
uel *L*   5,1 Deum¹] dominum *N*   inuocant + sed *L*   3 possunt + eis *L*   6 suos
deos] sine causa *L*   lapides + cum sit creatura insensibilis *L*

runt timebant: *Si dimittimus eum uiuere, uenient Romani et tollent nostrum locum et gentem.*

6. QUONIAM DOMINUS IN GENERATIONE IUSTA EST, in populo christiano et
Iudaeorum fuit, quia ex ipsis carnem sumpsit. CONSILIUM INOPIS CON-
FUDISTIS, Iudaei consilium Christi, quia de aduentu mysterium incar-
nationis eius credere noluerunt. Inops dicitur Christus, ut ait Paulus:
5 Quia *cum diues esset inops factus est, ut illius inopia nos diuites essemus.*
QUONIAM DOMINUS SPES EIUS EST, quia humanitas confortata est a diuinitate.

7. QUIS DABIT EX SION SALUTARE ISRAHEL? quis nisi deus, qui est in Sion?
Ille dedit salutare ipsum Christum in ecclesia sancta. DUM AUERTIT DO-
MINUS CAPTIUITATEM PLEBIS SUAE. Iam redempti sumus de illa captiuitate transgressionis Adae, sed adhuc in captiuitate uitae istius sumus.
5 Et aliter de parte Iudaeorum intellegitur, quod ipsa plebs auertetur de
captiuitate tempore Heliae et Enoch, ut Paulus dixit: *Cum plenitudo
gentium subintrauerit, et sic omnis Israhel saluus fiet.* LAETETUR IACOB
ET EXULTET ISRAHEL. Ipse est Iacob qui et Israhel; sed hic Iacob et illuc
Israhel, hic subplantator uitiorum et illuc uidens deum facie ad faciem,
10 quando erit *deus omnia in omnibus.*

14. IN FINEM PSALMUS IPSI DAUID.
DOMINE, QUIS HABITABIT IN TABERNACULO TUO? Dum dicit 'quis habitabit' de futuro interrogat. Tabernaculum hic pro aeternitate accipimus. Quamuis in aliis locis rare legatur, tamen hic pro aeternitate poni-
5 tur. Tria in tabernaculo genera sunt: peregrinantium, militantium et
pugnantium, unde et milites contabernaculi appellantur. Ista tria ecclesia continet in se, quia hic in tabernaculo praesenti quod est ecclesia
multi habitant corpore et non fide, quia hic dum in itinere sumus quasi
in tabernaculo consistimus, usquequo post uictoriam in domo perue-

Codices: LMN
7 tollant *N*   6,3 qui *M*   7,1 deus *iter. L*   2 det *MN*   4 captiuitate + peregrinatio-
nis *L*

Ps 14,1,1 In finem *om. N*   ipsi *om. N*   5 in *om. L*   tabernacula *L**: -lis *L²*
8 et *om. LM*   in itinere] in inferiora *N*: in inferiores *M*   9/10 perueniatur]
promuniamus *L*

5,7 – 8 Io 11,48   6,5 II Cor 8,9   7,6 – 7 Rm 11,25.26   10 I Cor 15,28

^{10} niatur. AUT QUIS REQUIESCET IN MONTE SANCTO TUO? Hic mons pro uita
aeterna ponitur.

2. QUI INGREDITUR SINE MACULA. Ipse exposuit qui interrogat: qui ingreditur sine macula? Quid est sine macula nisi sine mortalia peccata, quia
sine minuta esse non possumus? Unde dicitur: *Si dixerimus quia peccatum non habemus, ipsi nos seducimus, et ueritas in nobis non est.* ET OPE-
^{5} RATUR IUSTITIAM, custodit mandata, ut illud: *Si uis ad uitam ingredi,
serua mandata.*

3. QUI LOQUITUR UERITATEM IN CORDE SUO, id est qui non aliud dicit in
ore corporis nisi quod est in ore cordis; unde et Paulus dicit: *Corde creditur ad iustitiam, ore autem confessio fit ad salutem.* Bonum est credere
prius fidem trinitatis et postea aliis praedicare. ET NON EGIT DOLUM IN
^{5} LINGUA SUA. Ille dolose agit qui aliud cogitat et aliud dicit, sicut propheta ait: *Prohibe linguam tuam a malo, et labia tua ne loquantur dolum.*
NEC FECIT PROXIMO SUO MALUM. Proximus noster omnis homo christianus est: Quod tibi non uis fieri alio ne feceris; et alibi: *Diliges proximum tuum sicut te ipsum;* et iterum dicit: *Declina a malo et fac bonum,*
^{10} quia nullum bonum fuit quod nullum malum non destruxit. ET OBPRO-
BRIUM ADUERSUS PROXIMUM SUUM NON ACCEPIT. Obprobrium detrac-
tiones de fratre. Tunc illud non accipis, si primitus non credis illa antequam probes, ac si dicat: qui ista custodit quae superius dixit, ille est
sine macula et operatur iustitiam, custodit mandata: iste habitat in ta-
^{15} bernaculo et requiescit in monte sancto hoc est in uita aeterna.

4. AD NIHILUM DEDUCTUS EST IN CONSPECTU EIUS MALIGNUS. In illius iusti
conspectu, cuius mentionem superius fecimus, diabolus ad nihilum
deductus est, quia apud talem sanctum pro nihilo habetur, dum angelus fuit et refuga factus est. Et sicut fuit factus ex nihilo, postea quam
^{5} bona perdidit redactus est ad nihilum. Et dum nihil est, fortissimi
sancti non eum timent. TIMENTES AUTEM DOMINUM MAGNIFICAT: UOX

Codices: LMN
10 requiescet M^2N^2: -cit *cett.*   **2,2** nisi] hoc est L   mortali peccato M^2: mortalibus
peccatis L^2 3 minuto M^2: -tis L^2 5 custodit L^2: -di *cett.*   **3,2** Corde + enim L
4 aliis N^2: alios *cett.*   5 egit N   8 alio] alii M   alibi + dicit L   Diligis LN
14 iustitiam + qui LN^2 **4,6** dominus L

Ps 14,2,3 – 4 I Io 1,8   5/6 Mt 19,17   **3,**2 – 3 Rm 10,10   6 Ps 33,14
8 *cf* Tb 4,16   8/9 Mt 19,19; 22,39 etc.   9 Ps 33,15; 36,27

ecclesiae. Qui timent dominum timore sancto, dominus eos magnificat. Aliter ad sensum moralem: 'timentes autem dominum magnificat', illos qui timent dominum timore sancto iste iustus, unde superius
10 diximus, magnificat hoc est laudat. Usque hic persona omnium perfectorum continetur. QUI IURAT PROXIMO SUO ET NON DECIPIT, iste iam minor est a perfectione. Et si bona facit, quia per iuramentum non decipit, tamen uituperatur pro illo praecepto quod dicitur: *Non iurare omnino neque per caelum neque per terram. Sit autem sermo uester: est, est, non*
15 *non,* quia ista sententia perfectorum est non iurare. Et ad moralem sensum: anima quando promittit dei praecepta custodire, cuius proximus corpus est, tunc illum decipit, si hoc quod promittit non obseruat.
5. QUI PECUNIAM SUAM NON DEDIT AD USURAM, et si non peccet quis in eo quod quantum dat tantum recipit, tamen perfectio non est, quia dictum est: *Frange esurienti panem tuum;* et: *Beatius est magis dare quam accipere.* Usquequo ad ista peruenit, minor est a perfectione. Aliter: pe-
5 cunia domini est praedicatio. Multi uolunt illam dare gratanter. Si exinde pretium non recipiunt, tamen licet uictum et uestitum de ipsa praedicatione accipere, sicut sanctus Paulus dicit: *Qui euangelium praedicant de euangelio uiuere;* et dominus ait: *Dignus est operarius cibo suo.* Sed qui plus requirere uoluerit, in usura ei reputatur. Unde et Paulus
10 dixit: *Si nos uobis spiritalia seminamus, magnum est ut uestra carnalia metamus?* ac si dicat: non est magnum aduersus illa spiritalia quae uobis adnuntiamus. *Habentes* autem *uictum et uestitum his contenti sumus,* quia sanctus Paulus licentiam habebat et a ⟨non⟩ licitis se cauebat, ut exinde nihil acciperet. Quare? ut gentes eum non uituperarent. For-
15 sitan dicerent quod pro cupiditate aut commodo terreno praedicaret. Sed tamen, ut diximus, licet de ipsa praedicatione secundum domini

---

Codices: LMN
10 dixit *MN*   11(*et* 12) decipit L^2N^2: -cepit *cett.*   12 per iuramentum L^2: pro iuramento *cett.*   16 sensum + qui iurat proximo suo et non decipit id est *L*   16/17 proximum *L*   5,5 illa *LN*   gratis N^2 7 sicut] prohibiti non sunt *M*   dicit + Habentes autem uictum et uestitum his contenti sumus. Amplius exinde nihil habent, sicut dicit *L*   8 et] unde et *L*   12 adnuntiamus + et ut diximus *L*   autem *eras.* M^2: *om. L*   13 cauebat] continebat *L*   15 quod + ipse *L*

4,13 – 15 Mt 5,34.37   5,3 Is 58,7   3/4 Act 20,35   7 (I Tim 6,8)   7 – 8 I Cor 9,14   8 Mt 10,10   10 I Cor 9,11   12 I Tim 6,8

praeceptum uictum et uestitum habere, postquam ille homo ad conuersationem uenit, non ad pretium nec in cupiditate, sed tantum pro
necessitate corporis, quia qui amplius acceperit, talenti se donis priuat.
20 ET MUNERA SUPER INNOCENTES NON ACCEPIT, hoc est contra innocentem tunc perfecte agit, sicut propheta ait: *Qui excutit manus suas ab*
omni munere, iste in excelsis habitabit. Qui haec facere potuerit, ad id
quod superius diximus pertinet. QUI FACIT HAEC NON COMMOUEBITUR
IN AETERNUM: iste supradictus non commouebitur in aeternum id est
25 de aeternitate non tollitur.

15. TITULI INSCRIPTIONE IPSI DAUID id est ipsi Christi. Iste psalmus ad passionem pertinet. Tres sunt tituli qui scribuntur, unus super tumulos
mortuorum, alter in liminibus ciuitatis uel domorum, tertius in uictoria regis. Sed hic de titulo uictoriae regis dicit, sicut ipse rex est id est
5 Christus, et fuit scriptum et positum super caput eius in cruce post uictoriam, id est post uictum diabolum redempto humano genere, tribus
linguis: Graece, Hebraice et Latine. Unde et Pilatus dixit: *Quod scripsi*
scripsi, et posuit *super caput ipsius* Christi: *Hic est rex Iudaeorum.*
CONSERUA ME DOMINE, QUONIAM IN TE SPERAUI. Uox Christi ad patrem
10 in passione in persona hominis adsumpti: in te speraui, quia tu es spes
mea.
2. DIXI DOMINO: DEUS MEUS ES TU. Quare non dixit: dominus meus es tu,
sed deus meus? Quia si dixisset: dominus meus es tu, filium minorem
demonstrasset, patrem maiorem. Propterea dixit: Dixi domino, deus
meus es tu, quia in diuinitate aequales sunt. QUONIAM BONORUM ME-
5 ORUM NON EGES: uox Christi. Quae sunt bona Christi? hoc est incarnatio, passio, resurrectio et redemptio nostra. Aliter: boni sunt caeli et

---

Codices: LMN
17 habere M^2: *om. cett.*   17/18 conuersionem *L*   19 talenti N^2: in talentis (terrenis *L*)
cett.   20 accepit N^*: -cipit *cett.*   24 ista supradicta *LN*   commouebuntur L^2
25 aeternitate + uitae *L*   tolluntur L^2

Ps 15,1,1 inscriptionis LM^* ipsi] ipse N^*: ipsius M^2 *(bis)* $ipsi^2$ *om. L*   1/2 de
passione *L*

21 - 22 Is 33,15.16

Ps 15,1,7/8 Io 19,20.22   8 Mt 27,37

quae in eis sunt, et terra bona et quae in ea sunt, quae deus creauit. His
pater nec postquam facta sunt indiget nec ante tempora indiguit: ista
patri non sunt opus nec necessaria. Sed cui?

3. SANCTIS QUI IN TERRA SUNT EIUS: istis haec omnia necessaria sunt. 'In
terra sunt eius' id est in ecclesia. MIRIFICAUIT OMNES UOLUNTATES SUAS
INTER ILLOS: Christus per sanctos suos mysteria sua mirificauit hoc est
magnificauit.

4. MULTIPLICATAE SUNT ENIM INFIRMITATES EORUM, hoc est apostolorum
sicut Matheus et Paulus persecutores. Sed dominus qui est medicus citius sanauit eos, sicut dixit: POSTEA uero ADCELERAUERUNT. Et aliter
'adcelerauerunt' quia ad unum sermonem domini reliquerunt omnia
5 sua. Propterea dixit adcelerauerunt, quia nullam moram fecerunt. Uel
aliter 'infirmitates eorum' hoc est sanctorum apostolorum, quando in
passione negauerunt; postea adcelerauerunt, quia confortati fuerunt a
subito. NON CONGREGABO CONUENTICULA EORUM DE SANGUINIBUS, id
est non congregabo conuentus ecclesiae de multis sanguinibus ut Iu-
10 daei congregauerunt, quando hircos et tauros occidebant; sed uno sanguine Christi omnes redempti sumus. NEC MEMOR ERO NOMINA ILLO-
RUM PER LABIA MEA. Uox Christi: nec memor ero istorum apostolorum
nomina quae prius ante fidem habuerunt, quando infidelitatem habebant. Illa non recordabor, quia crescentibus meritis sanctorum nomina
15 addita sunt noua sicut Abraham, sicut Sara, sicut Petro et reliquis, quia
antea serui peccati, sed postea amici, sicut dominus dixit: *Iam non dico
uos seruos,* sed *amicos.* Et sanctus Paulus dicit: *Fuimus et nos aliquando
infideles et increduli* sicut ceteri, *sed misericordiam dei consecuti sumus;*
et iterum dicit: *Sed abluti estis, sed sanctificati estis.*

5. DOMINUS PARS HEREDITATIS MEAE. Uox Christi ad patrem. Hereditas
Christi ecclesia est, et dominus est pars corporis sui. Pro parte hominis
adsumpti dicit, quia ille accepit de nostro et nos de suo: ille accepit de
nostro humanitatem, et nos de suo inmortalitatem. ET CALICIS MEI:

Codices: LMN
2,7 quae[1] N^2: qui *cett.* ·   quae[2]] qui N 3,3 per] super N 4,1 multiplicati LN^*
5 fecerunt + in relinquendo L 7 a *om. M*   9 non *om. M*   10/11 unum sanguinem L
11 nominum M 14 recordabo MN 15 Sarrae M reliqua L 16 dico] -cam M
17 dixit L

4,16/17 Io 15,15   17 – 18 Tit 3,3 + I Tim 1,13   19 I Cor 6,11

⁵ quare dixit calicem? quia per calicem accipit unusquisque iustam mensuram, sed Christus plus quam membra sua, ut ait Paulus: Qui est *primogenitus in multis fratribus.* TU ES QUI RESTITUISTI MIHI HEREDITATEM
MEAM. Secundum historiam hereditas Christi Iudaei fuerunt, ad quos
Christus uenit. Sed tunc destructa est, quando eum crucifixerunt. Sed
¹⁰ restituetur in futuro tempore, *cum plenitudo gentium subintrauerit.* Aliter: Restituet deus pater hereditatem Christi, quando electos suos, corpus sanctae ecclesiae, ad illam integritatem adtraxerit, ut post resurrectionem acceptis corporibus suis, incorrupti et inmortales uiuant, qui illam inmortalitatem in Adam perdiderunt.

6. FUNES CECIDERUNT MIHI IN PRAECLARIS. Funes in hereditatem dantur,
quia quod dixit 'ceciderunt mihi in praeclaris' ⟨idem est⟩ ac si dicat: in
patriarchis et prophetis atque apostolis uel quoscumque meliores
inuenit Christus secum recepit, propterea dixit 'in praeclaris' id est
⁵ sanctis uel acceptis his sanctis. Unde sequitur, cum dicit: HEREDITAS
MEA PRAECLARA EST MIHI, ac si dicat: non habeo clarius quam illos electos quos recepi.

7. BENEDICAM DOMINO QUI MIHI TRIBUIT INTELLECTUM. Uox capitis cum
membris. Tribuit intellectum discernendi inter bonum et malum, inter
sensum et litteram, inter deum et proximum, inter lucem et tenebras.
INSUPER ET USQUE AD NOCTEM INCREPAUERUNT ME RENES MEI, super
⁵ hoc increpauerunt me renes mei: delectationes carnis tunc me increpant, quando suggerunt ut peccem, quando delectatur caro; sed nisi tu
fuisses a dextris, forsitan infirmarer.

8. PROUIDEBAM DOMINUM IN CONSPECTU MEO SEMPER: filius patrem et ecclesia Christum, QUONIAM A DEXTRIS EST MIHI, NE COMMOUEAR, ac si dicat: si tu non fuisses a dextris, forsitan commouissem de fide ad infidelitatem, de bono ad malum.

Codices: LMN
5,6 sed – sua *om.* L*   7 restitues N   13 qui *scripsi*: quia *codd.*   **6,**1 in²] ad L
2 quia] et L   dixit *om.* M   4 recipit M   6 clariores N   **7,**2 discernendi *scripsi*:
-dum L*N*: -do *cett.*   4 ad] in N   super – 5 mei] id est L   5 carnales L   6 quan-
do¹ + me L   suggerent L*MN   **8,**1 Praeuidebam L²   domino L   filius + ad M²
2 ecclesia + ad M²   ne *scripsi*: nec *codd.*   3 ad dexteram L

5,6/7 Rm 8,29   10 Rm 11,25

9. PROPTER HOC LAETATUM EST COR MEUM ET EXULTAUIT LINGUA MEA, propter istud quod me adiuuas. Cor meum apostoli, lingua mea praedicatores. INSUPER ET CARO MEA REQUIESCIT IN SPE: uox Christi pro persona corporis. Requiescit in spe, ac si dicat: ecclesia quae est caro mea
5 modo requiescit in spe id est in spe resurrectionis, ut ubi caput praecessit et membra sequantur.

10. QUONIAM NON DERELINQUES ANIMAM MEAM IN INFERNUM: non dereliquit, quia propterea illuc descendit, ut electos suos exinde educeret et diabolum ligaret. Diabolus antea se taliter iactabat, ut omnia regna mundi haberet. Sed modo non solum illum continere non potuit, sed
5 citius ab illo id est Christo ligatus periit. NEC DABIS SANCTO TUO UIDERE CORRUPTIONEM. Quomodo dicit 'non dabis uidere corruptionem', dum alibi dicit: *Quae utilitas in sanguine meo, dum descendo in corruptionem?* Non de corruptione corporis Christi in sepulchro dicit, quia non fuit corruptum, sed de fixuris clauorum. NOTAS MIHI FECISTI UIAS UITAE:
10 uox capitis pro corpore. Uias uitae mandata Christi sunt, ut scriptum est: *Si uis ad uitam ingredi, serua mandata.* ADIMPLEBIS ME LAETITIA CUM UULTU TUO. Tunc erit plenius laetitia, cum adunatum fuerit corpus ecclesiae in regnum dei, id est *cum tradiderit regnum deo et patri suo,* tunc erit *deus omnia in omnibus.* DELECTATIONES IN DEXTERA TUA
15 USQUE IN FINEM. Dextera patris filius est. Delectatio uitae aeternae id est in prosperitate, quae filio datur. Usque in finem, ac si dicat: sine fine, quia *finis legis Christus est ad iustitiam omni credenti,* quia *plenitudo legis dilectio,* et *finis praecepti caritas.*

Codices: LMN
9,3(*et* 5) spem *L*   5 ut] et *M*   **10**,1 derelinquis *N**   inferno *M*   4 tenere *L*
5 citius] potius *L*   periit] -ibit *N*: perhibitur *L*   sanctum tuum *M*   8 quia] qui *N*:
quae *M*   9 corrupta *M*   10 Uia *M*   12 uulto *N*   plenior *M*: plena *L*
15 Delect.] dilectio *N*   aeternae + in dextera *L*   16 quia per filium *L*   18 dilectio
scripsi: caritas *codd.*

10,7 Ps 29,10   11 Mt 19,17   13 - 14 I Cor 15,24.28   17 Rm 10,4   17/18 Rm 13,10
18 I Tim 1,5

16. Oratio ipsius Dauid. Ad tres personas intellegitur. Haec 'oratio' in quattuor psalmis habetur. Iste psalmus cantatur ex persona Christi contra Iudaeos et ex persona ecclesiae contra hereticos. Exposuerunt Hebraei quod, si istum psalmum Dauid cantauit, quia dixit: Domine,
5 iustitia mea, pro ipsa praesumptione, qua se exaudiri pro sua iustitia dixit, cecidisset in crimine.
Exaudi domine iustitiam meam. Dixit sanctus Agustinus iuxta Septuaginta: Deus iustitiae (uel: deus iustus diues). Nam 'exaudi domine iustitiam meam' hic persona Christi datur intellegi. Exaudi deus iusti-
10 tiam meam: uox Christi in passione et uox ecclesiae in tribulatione; uel iustitiae, dicit ecclesia, sua et non sua, sua si implet mandata dei in opere, non sua quia a deo datur, non a semet ipsa. Intende deprecationem meam: repetitio est. Differentia est inter orationem et deprecationem: oratio est pro deuotis ut perseuerent in bonis, deprecatio pro
15 peccatis suis uel aliorum; fortius est deprecatio. Auribus percipe orationem meam in hoc quod rogo: uox ecclesiae est. Non in labiis dolosis, ac si dicat: exaudi orationem meam, quia ex toto corde oro, non sicut illi qui in labiis dolosis orant, quia aliud loquuntur et aliud habent in corde, siue heretici siue Iudaei.

2. De uultu tuo iudicium meum prodeat, non in labiis dolosis. Uox Christi ad patrem, quia qui labia habent dolosa me iudicant in terra. Sed illos tu iudicas in futurum: propheta non optando, sed pronuntiando dicit; hoc ostendit, quod facturus est dominus in iudicium.
5 Oculi mei uideant aequitatem: 'oculi' Christi sancti praedicatores, 'uideant' intellegant, 'aequitatem': aequalitatem et iustitiam quam praedicant opere impleant.

3. Probasti cor meum deus: uox Christi ad patrem. Probasti Christum in passione et ecclesiam in tribulatione; uisitasti nocte in tribulatione,

Codices: LMN
Ps 16,1,4 dixit + Exaudi *L*　　　5 iustitiam meam *L*　　　qua se *N²*: quasi *MN**: quia si *L* exaudiri *scripsi*: -re *codd.*　　7 domine] deus *M*　　iustitiae meae *L*　　8 diues] naturae *L* domine *scripsi*: deus *codd.*　　9 personam *L*　　datur *om. LN*　　intellegi *MN**: -lege *LN²*　　9/10 domine iustitiae meae *L*　　11 ecclesiae *MN*　　sua¹] suae *M*: *om. L*N* sua³ *om. MN*　　15 fortius] *praem.* sed *L²*　　16 quod + te *L*　　18/19 in corde *om. MN* **2,2** iudicauerunt *L*　　3 iudica *LM*　　4 hic *M*　　in *eras. M*: ad *L*　　6 aequitatem + id est *L*　　et] ut *L*　　**3,2** nocte] *praem.* in *LM*

Ps 16,1,2 in quattuor psalmis: *id est* Ps 16, 85, 89, 101　　　7/8 *cf* AU 16,2,1(p. 92), *ubi tamen* LXX *non commemorantur*

IGNE ME EXAMINASTI: per ipsam tribulationem peccata mea confudisti, ET NON EST INUENTA IN ME INIQUITAS: neque in Christo neque in sancta
⁵ ecclesia ubi ipse habitat non est inuenta iniquitas.

4. UT NON LOQUATUR OS MEUM OPERA HOMINUM. Plura sunt hominum opera, id est de uanitate quam ipsi amant, de habundantia rerum uel diuersa negotia: ista sunt hominum opera, sicut in euangelio dominus dicit: *Amen dico uobis quia de omni uerbo otioso quod locuti fuerint ho-*
⁵ *mines reddent rationem de eo in die iudicii.* Et si de uerbo otioso redde-tur ratio, quanto magis de operibus hominum qui studiose ex ipsis lo-quuntur. PROPTER UERBA LABIORUM TUORUM EGO CUSTODIUI UIAS DU-RAS, quod ad Christum pertinet: propter consilium trinitatis uoluisti unum ex nobis personis humanum genus redemere. Aliter 'propter
¹⁰ uerba labiorum tuorum' uox ecclesiae: 'ego custodiui uias duras': propter praedicationem quam praedicant et pro ea quae promittuntur in caelis custodiui uias duras. Quomodo dicit hic 'duras', dum in euan-gelio dicit: *Iugum enim meum suaue est et onus meum leue?* Suaue est uolentibus, durum est nolentibus. Quamuis dura uideantur esse ad
¹⁵ sanctos propter corporalem conditionem, tamen suaue est, quia ha-bent spem de remuneratione uitae aeternae.

5. PERFICE GRESSUS MEOS IN SEMITIS TUIS, sensus meos in mandatis tuis 'perfice': uox ecclesiae, quia a deo est incipere et a deo est finire; gres-sus sensus, UT NON MOUEANTUR UESTIGIA MEA ab his quorum moti sunt pedes id est quicumque male fecerunt.

6. EGO CLAMAUI QUONIAM EXAUDISTI ME DEUS. Quare dixit 'clamaui'? quia credit per fidem, propterea dixit: ego clamaui. INCLINA AUREM TUAM MIHI ET EXAUDI UERBA MEA: Christus aurem inclinat, quando exaudire dignatur. Per similitudinem: infirmus qui in lecto est rogat, ut
⁵ ueniat medicus et sanet infirmitates suas. Sic et genus humanum infir-mum erat quod iacebat in lecto peccati, rogabat ut ueniret uerus medi-cus quod est Christus in carne et sanaret languores suos.

Codices: LMN

4 neque – 5 iniquitas *om. L*   4,3 diuerso negotio M^2: de diuersis negotiis L^2 5 reddant *N* de eo *om. L*M*   7 tuorum L^2M^2: *om. cett.*   14/15 a sanctis *L*   15 quia] qui *LN** 5,1 gressos *L*N**   6,4 rogat *post* infirmus *trsp. codd.*   5/6 infirmus *LN*   6 quod] qui *LN*   7 carnem *LM**

4,4 – 5 Mt 12,36   13 Mt 11,30

7*

7. Mirifica misericordias tuas domine qui saluos facis sperantes in
   te. Numquid antea non fuerunt mirificae? ac si dicat: fuerunt, sed tunc
   mirificauit misericordiam suam, quando per sanctos apostolos et sanctos suos infirmitates curabat infirmantium.

8. A resistentibus dexterae tuae: saluos facis eos a resistentibus dexterae tuae tripliciter: daemones deum, Iudaei Christum, heretici ecclesiam. Custodi me domine ut pupillam oculi: uox ecclesiae. Sanctus
   Agustinus dicit quod oculus intellegitur ecclesiae corpus et pupilla
5 humilitas Christi, per cuius exemplum uiuimus et uidemus. Hoc supplicat ecclesia, ut possit illam humilitatem obseruare quam Christus
   docuit, quia si per pupillam non custoditur, oculus nequaquam uidet.
   Et Hieronimus dicit: Oculi praedicatores intelleguntur, per pupillam
   sensus spiritalis. Hoc rogat corpus Christi quae est ecclesia, ut custo-
10 diatur sensus praedicatorum qui est oculus, ne rapiatur aequalitate hereticorum. Sub umbra alarum tuarum protege me. Umbra duabus
   rebus constat: lumine et corpore. Per lumen diuinitas, per corpus humanitas intellegitur. Unde et Mariae dicitur: *Spiritus sanctus ueniet in
   te et uirtus altissimi obumbrabit te.* Sub ista umbra 'protege me', ut me
15 non rapiat miluus, et sub duabus Testamentorum alis id est ipsorum
   doctrinis quibus uiuificatur et custoditur ac tegitur ecclesia sicut ⟨sub⟩
   gallina, quia per gallinam intellegitur sapientia dei patris. Quia sicut
   gallina sub alis pullos suos abscondit propter miluos, sic et sapientia
   diuina et duae alae quod sunt duo Testamenta protegunt ecclesiam a
20 miluo id est diabolo.

9. A facie impiorum qui me adflixerunt: Iudaei Christum in passione
   et heretici ecclesiam. Inimici mei animam meam circumdederunt:
   Iudaei Christum in passione. 'Animam' dixit, non corpus, quia diabolus in anima intrinsecus non intellegit quid cogitat homo, nisi per exte-
5 riores motus intellexerit; et in quo unumquemque delectare uiderit,
   diuersas suggestiones infert: istud ad ecclesiam pertinet.

Codices: LMN
7,2 mirificae L^2: -ca *MN*: -cas L^* 8,4 dixit *L*   9 corpus + ecclesiae corpus *codd.*
10 qui] quae *MN*   rapiatur] admisceatur *L*   aequalitate] a qualitate M^2: qualitati *L*
13 ad Mariam *L*   superueniet *L*   14 uirtus – te] reliqua *MN*   19 protegunt
M^2: -git *cett.*   20 est + a *L*   9,1 Christum + adflixerunt *L*   3 passione (-nem *L*) +
circumdederunt *L*   4 in anima (-mam *M*N*) *om.* *L*

8,13 – 14 Lc 1,35

10. ADIPEM SUUM CONCLUSERUNT. Quid per adipem nisi malitia Iudaeorum designatur? Quam in Ueteri manducare prohibentur, quia cor eorum incrassatum erat. Inde dixit in cantico Deuteronomii: Propterea recalcitrauit *dilectus,* quia inpinguatus *incrassatus* erat de malitia, *et*
⁵ *recalcitrauit,* quia noluit mandata dei obseruare. Dilectus fuit a deo populus Iudaicus, quia mannam de nubibus pluit illis. Quod ad nos pertinet, quia manducamus Christum, ut ipse ait: *Ego sum panis uiuus;* et item: *Qui manducauerit corpus meum in me manet et ego in eo.* Sed Iudaei 'concluserunt adipem' hoc est obligauerunt se in malitia. Os EO-
¹⁰ RUM LOCUTUM EST SUPERBIA: os impiorum id est Iudaeorum contra Christum et hereticorum contra ecclesiam.

11. PROICIENTES ME NUNC CIRCUMDEDERUNT ME, id est proiecerunt Christum extra ciuitatem et circumdederunt eum Iudaei in passionem. OCULOS SUOS STATUERUNT DECLINARE IN TERRAM. Quando Christus passus est, omnis terra tremuit et sidera obscurata sunt et petrae scis-
⁵ sae sunt. Sed Iudaei oculos in terra statuerunt, quia hominem eum solum aestimauerunt et diuinitatem non intellegebant. Uel oculos suos in terra posuerunt, quia in terrenis actibus cogitabant et de caelestibus non meditabantur.

12. SUSCEPERUNT ME SICUT LEO PARATUS AD PRAEDAM, sic susceperunt Iudaei Christum in passione, ET SICUT CATULUS LEONIS HABITANS IN ABDITIS. Leo, dicit Agustinus, diabolus, catulus leonis filius eius antichristus intellegitur. Et Hieronimus dicit: Leo diabolus, filii eius Iudaei;
⁵ 'habitans in abditis' in eorum cordibus quasi in obscuris. Diabolus uel membra illius in quibus diabolus habitat appellantur loca abdita id est abscondita.

13. EXSURGE DOMINE, PRAEUENI EUM ET SUBPLANTA EUM. Uox Christi loquitur ad diuinitatem, ut praeueniat animae suae, ne rapiatur a principe eorum id est diabolo; quod ita et fecit: praeuenit eum et alligauit et ad infernum duxit. Ueniebat diabolus aliquid de suo requirere in Chri-

Codices: LMN
10,8 eo] eum *LM**   10 superbiam *M*   11 ecclesiam + faciunt *L*   **11,**1 id – 2 passionem *om. MN*   5 statuerunt + hoc est sensus illorum *L*   eum *om. L*   5/6 solum + uidere se *L*   6 et] sed *N*   **12,**2 passionem *LM**   4 diabolus + catuli eius *L*

10,4/5 Dt 32,15   7 Io 6,41.51   8 Io 6,57

⁵ sto, sed in eo nihil inuenit, unde et dominus dixit: *Uenit princeps mundi huius et in me non inuenit quicquam.* 'Et subplanta eum': ecclesia rogat, antequam subplantetur a diaboli insidiis quod sunt heretici, ut ueniat custos noster quod est Christus et subuertat astutias inimici id est subplantet. ERIPE ANIMAM MEAM AB IMPIO. Uox Christi ad deum patrem lo-
¹⁰ quitur: eripe animam meam ab impio hoc est a diabolo; et uox ecclesiae ad Christum: eripe animam meam, hoc rogat, ut liberetur a diabolo uel ab hereticis et ab unoquoque homine malo. FRAMEA TUA

14. AB INIMICIS MANUS TUAE. Framea de Christo et de ecclesia intellegitur. Framea dei patris anima Christi est, de qua facit iustam uindictam. Aliter 'framea', id est diabolus framea eius est, de qua framea uindictam facit in mundo, sicut dixit: 'ab inimicis manus tuae' id est potestas tua,
⁵ quia diabolus sine potestate dei hoc est permisso nihil potest facere, sicut legimus de Iob. DOMINE A PAUCIS A TERRA DIUIDE EOS: ⟨a terra diude eos⟩ dicit, quia uult ecclesia separari a carnalibus et a zizania et paleis ante diem iudicii, sed sine causa, quia a domino accepit responsum, sicut dixit in euangelio: *Sinite utraque crescere usque ad messem,*
¹⁰ hoc est usque ad diem iudicii, quia hic ecclesia conmixta est cum peccatoribus. Et aliter 'diuide eos' rogat pro illis qui praedistinati sunt, ut ueniat et separentur ab illis qui non sunt praedistinati, ut dicitur: *Multi uocati, pauci uero electi.* ET SUBPLANTA EOS, id est illos qui in impietate sunt, ut aut hic emendare debeant aut in futuro subplantentur in uin-
¹⁵ dicta. DE ABSCONDITIS TUIS ADIMPLETUS EST UENTER EORUM. Tripliciter hic intellegendus est uenter (capacitas intellectus intellegitur per uentrem, sicut dixit Eucherius): et impiorum angelorum uenter repletus

---

Codices: LMN

13,7 a *om. N*   insidiis *L²M²*: -dias *cett.*   **14,**1 Framea + et *L*   3 framea¹ + tua *LM*
4 mundo *M²*: -dum *cett.*   5 permissu *N²*   8 accipit *M*: recepit *L**   12 ueniant *L²M²*
16 intellegendus (-dum *MN**) – 19 ecclesiae] intellegitur hic uenter; tamen iuxta Eucherium uenter capacitas intellectus dicitur. 'Adimpletus est uenter' id est capacitas intellegentiae et impiorum angelorum, Iudaeorum, hereticorum. Angelorum adimpletus est uenter id est capacitas intellegentiae antequam caderent; et Iudaeorum uenter id est capacitas intellectus, ut diximus, de scientia legis; et hereticorum uenter de scientia ⟨de⟩ mysteriis ecclesiae, quod ab ipsis in heresi peruersum est *L*   17 dicit *M*   impiorum + et *MN*

13,5 – 6 Io 14,30   **14,**6 *cf* Jb 2,6   9 Mt 13,30   12/13 Mt 20,16; 22,14   16 EUCH
int. 7(ed. 36,16)

fuit de mysteriis dei antequam cecidissent, et Iudaeorum uenter de
mysteriis legis, et hereticorum uenter de mysteriis ecclesiae. SATURATI
20 SUNT FILII: Iudaei satiati sunt, quia multiplicati sunt in procreatione filiorum et in rebus saeculi. Quando dicit: SATURATI SUNT PORCINA Iudaeorum inmunditiam designat. ET DIMISERUNT RELIQUIAS SUAS PAR-
UULIS SUIS, malas reliquias tales, quando dixerunt: *Sanguis eius super*
nos et super filios nostros, hoc est illa iusta uindicta quae illis debetur re-
25 liquerunt filiis suis. Unde et dominus dixit: *Amen dico uobis, ueniet om-*
nis sanguis super generationem hanc. Et hereticorum filii similiter condemnationem habebunt. Qui sunt reliquiae eorum nisi ipsorum discipuli, qui de illa mala doctrina eorum generati sunt?

15. EGO AUTEM CUM IUSTITIA APPAREBO IN CONSPECTU TUO: uox ecclesiae.
'Cum iustitia' hoc est mandata tua adimplere, 'apparebo in conspectu
tuo' hoc est in praesentia tua in futuro. SATIABOR caelesti remuneratione, CUM APPARUERIT GLORIA TUA: filius tuus, qui est salus et uita et
5 sanctorum omnium gloria, quia Christus et salus et gloria dicitur.

17. IN FINEM PUERI DOMINI DAUID QUI LOCUTUS EST DOMINO UERBA CAN-
TICI HUIUS IN DIE QUA ERIPUIT EUM DOMINUS DE MANU INIMICORUM ET
DE MANU SAUL. Dauid Christi typum tenet, qui est manu fortis, de
cuius semine est noster Dauid quod est Christus. 'Pueri domini' hoc
5 est dei patris, sicut ait propheta: *Magnum est tibi uocari puerum meum;*
et item: *Ecce ego et pueri mei mecum, quos dedit mihi deus;* et item: *Puer*
datus est nobis, filius natus est nobis. 'Quae locutus est domino uerba
cantici huius': et Dauid secundum historiam cantauit istum canticum,
cum persequeretur ab inimicis, et Christus qui est caput nostrum ad
10 patrem cantauit in passione, et ecclesia in persecutione. 'Eripuit eum
dominus': tam Dauid a persecutione Saul quam et Christum in pas-

Codices: LMN
27 Quae N^2

Ps 17,1,1 In finem + psalmus M^2 puero M^* quae LM 2 inimicorum + eius L
3 fortis + Dauid L 5 uocare LN 7 datus ...natus] *trsp.* L

23 – 24 Mt 27,25   25 – 26 Mt 23,35.36

Ps 17,1,5 Is 49,6   6 Is 8,18(Hbr 2,13)   6/7 Is 9,6

sione deus pater eripuit 'de manu inimicorum' hoc est Iudaeorum 'et
de manu Saul'. Saul appetitio interpretatur, quia contra uoluntatem
dei expetierunt eum regem. Iste Saul typum diaboli gessit. Isti inimici
15 membra diaboli sunt, id est Iudaei qui persecuti sunt Christum, et daemones uel membra eorum qui persequuntur ecclesiam.

2. DILIGAM TE DOMINE FORTITUDO MEA. Ille auctor qui super hoc exposuit
sic dixit quod 'uirtus mea' deberet dicere; sed unum est uirtus et fortitudo. 'Diligam te uirtus mea': uox Christi. Uirtus mea hoc est diuinitas,
uirtus hominis adsumpti; et ecclesiae uirtus Christus est. Quod dicit
5 'diligam te domine', si uox Christi est, cum sint unum et una substantia
diuinitatis, quia dictum est: una potestas, una uoluntas, una maiestas
patris et filii et spiritus sancti: quomodo dicit: diligam te domine? Pater
dicitur eo quod habeat filium, filius eo quod habeat patrem; spiritus
sanctus nec pater est nec filius, sed dilectio quam habet pater in filium.
10 Unde apostolus Paulus dicit: *Quia caritas dei diffusa est in cordibus nostris per spiritum sanctum qui datus est nobis.*

3. DOMINUS FIRMAMENTUM MEUM: uox Christi et uox ecclesiae. 'Firmamentum' sicut ait propheta: *Turris fortitudinis a facie inimici.* ET REFU-
GIUM MEUM: uox Christi et uox ecclesiae. Refugium Christi in patrem,
et refugium ecclesiae in Christo. ET LIBERATOR MEUS in tribulatione.
5 DEUS MEUS qui me creasti, ADIUTOR MEUS in necessitatibus, SPERABO IN
EUM, PROTECTOR MEUS qui me protegit uel defendit, ET CORNU SALUTIS
MEAE: 'cornu salutis' quia infirmitatem nostram confortauit, quia ante
aduentum Christi ecclesia infirmata erat per peccata, sed postea confortata per Christum, sicut ait propheta: *Erexit nobis cornu salutis* no-
10 strae, ac si dicat: dedit nobis regnum fortitudinis, ut illud: *Et fecit nos
regnum deo patri suo.* SUSCEPTOR MEUS: susceptus est Christus a patre
pro humanitate, et ecclesia suscipitur in fide.

Codices: LMN
14 eum *om. M*   16 ecclesiam + Iste Prologus finit *MN*   2,1 fortitudo] uirtus *L*
4 adsumpti *om. MN*   ecclesia *L*   Christi *L*   9 sanctus + ab utrisque procedens, sed
proprie nolo scire quod sit spiritus sanctus *L*   quam] quod *L*N*   filium + et filius in
patrem *L*   3,3 meum *om. L*   patre *L*   5 spero *M*   6(*et* 7) cornum *L*N*
7 nostram] meam *M*   8 pro peccato *M*   10 fortitudinis *om. L*   11 deo + et *N²*

2,10 – 11 Rm 5,5   3,2 Ps 60,4   9 Lc 1,69   10/11 Apc 1,6

4. Laudans inuocabo dominum: iusti laudant, quia de omnibus malis liberauit eos pro eo quod subsequitur: et ab inimicis meis saluus ero.
Aliter 'inuocaui dominum' Christus deum patrem et ecclesia Christum; 'et ab inimicis meis saluus ero' et Christus a Iudaeis et ecclesia ab
5 hereticis.

5. Circumdederunt me gemitus mortis: uox Christi et uox ecclesiae.
Circumdederunt Christum illi qui in infernum gemebant, et ecclesia
similiter, quia gemit in tribulationibus. Et torrentes iniquitatis
conturbauerunt me. 'Torrentes' aquas dicit quae pertranseunt. Tor-
5 rens dicitur qui non de fonte neque de uiua aqua, sed a pluuiis uel de
montibus in ualles descendit et in mare uadit. Quid per torrentes nisi
uniuersas gentes significat, quae per mortem carnis in mare istud descendunt, hoc est in mortem, unde scriptum est: *Generatio uadit et
generatio uenit?*

6. Dolores inferni circumdederunt me: repetitio est. Praeuenerunt
me laquei mortis. Praeuenerunt Christum inimici in passione ante
uindictam crucis.

7. In tribulatione mea inuocaui dominum. Humanitas inuocauit diuinitatem, quando dixit: *Eloi, Eloi;* et ecclesia Christum. Et ad deum
meum clamaui, et exaudiuit de templo sancto suo uocem meam.
Templum corpus dominicum; ibi exaudita est humanitas a diuinitate.
5 Et ecclesia similiter exauditur a Christo; in templo in sancta ecclesia.
Et clamor meus in conspectu eius introibit in aures eius hoc est
uim auditionis. Uim fortitudo est, quia sancti fortiter deprecantur,
unde dictum est: *Regnum caelorum uim patitur et uiolenti rapiunt illud.*

8. Commota est et contremuit terra. Secundum historiam factum fuit
hoc, quando Moyses accepit legem in monte Sinai. Terra tremuit,
quod praefigurauit passionem Christi, quia in passione Christi omnis

Codices: LMN (V)
4,1 inuocaui *LM*   iusti *om. M*   laudent *L*MN**   3 Christus] -tum *L*   deum] id
est inuocaui dominum *L*   5,2 inferno *M*   gemebant + quia in infernum erant *L*
3 iniquitates *L**   4/5 Torrentes *LN* et V, qui abhinc iterum adest*   5 dicuntur *LV*
quia *LV*   6 torrentem *MN*   7 qui *NV**   mortem + communem *LV*   8 hoc -
mortem *om. V*   7,2 quando - Eloi[2] (Eli *LM) om. V*   dominum *M*   3 exaudiuit
+ me *LNV**   6 introiuit *L*   hoc est] aures dei *LV*   7 deprecantur *L[2]M*: -cant *cett.*

5,8/9 Ecl 1,4   7,2 Mt 27,46; Mc 15,34   8 Mt 11,12

terra tremuit, quando noua lex data est populo christiano. Aliter 'com-
5 mota est terra' quando de infidelitate ad fidem uenerunt et ⟨ex⟩ credentibus terrenis factum est caelum. FUNDAMENTA MONTIUM CONTURBATA
SUNT ET COMMOTA SUNT. Montes hic superbi intelleguntur. Fundamenta eorum daemones sunt, sicut et fundamenta sanctorum prophetae et apostoli sunt. Unde dicit sanctus Paulus. *Aedificati supra funda-*
10 *menta prophetarum et apostolorum.* QUONIAM IRATUS EST EIS DEUS, hoc
est eis montibus uel persecutoribus.

9. ASCENDIT FUMUS IN IRA EIUS ET IGNIS A FACIE EIUS EXARDESCIT. Fumus
ex duabus rebus fit, ex igne et aqua. Per fumum lacrimae excitantur; et
per ignem conpunctio cordis intellegitur et per lacrimas aqua. CARBO-
NES SUCCENSI SUNT AB EO. Quid per carbones nisi bonae naturae gra-
5 tiae, extinctae per Adam et inluminatae per Christum, per baptismum
siue per paenitentiam? Extinguuntur carbones ab aqua quae est cupiditas, et inluminantur per gratiam quae est spiritus sanctus.

10. INCLINAUIT CAELOS ET DESCENDIT. Caeli angeli inclinati sunt, quando
Gabrihel ad Mariam uenit, 'et descendit' Christus uenit in carnem. Aliter 'caeli' sancti apostoli uel imitatores eorum, inclinant ab altitudine
id est de contemplatione, ut doceant brutos et infirmos in ecclesia
5 propter conpassionem proximorum. Uel ad coniugatos pertinet, ut
Paulus ait: *Uir reddat debitum uxori et uxor similiter uiro.* ET CALIGO SUB
PEDIBUS EIUS: 'caligo' profunditas scripturarum, quam dedit deus pedibus suis id est sanctis in ecclesia, quia in sensu sanctorum ibi est profunditas scripturarum, et Christus super illos praesidet.

11. ET ASCENDIT SUPER CHERUBIN hoc est super plenitudinem scientiae.
Christus ascendit cum corpore suo super omnes angelos et archangelos. Et aliter: cherubin interpretatur plenitudo scientiae quod est caritas, quia *plenitudo legis est dilectio* hoc est caritas. Christus super hoc
5 ascendit, sicut in euangelio ipse dicit: *Maiorem caritatem nemo habet*
quam ut animam suam ponat quis pro amicis suis. Quod ita Christus fe-

Codices: LMNV
8,6 caeleste *M*   7 hic *om. MN*   8 sic *V*   9 dixit *L*   super *LV*   **9,5** extincti *LV*
inluminati *LV*²   **10,1** descendit *V*: discendit *cett.*   2 et] cum dicit *LV*   2/3 Aliter]
praem. Et *LV*   4 brutos + siue rudes *V*   7 quam *L*²*V*²: quae *cett.*   deus + sub *M*²*V*²
8 id est sanctis] quod sunt sancti sui id est *LV*   in eccl.] ecclesiae *N*   **11,5** ipse +
dominus *LV*

8,9 - 10 Eph 2,20   **10,6** I Cor 7,3   **11,4** Rm 13,10   5 - 6 Io 15,13

cit, quia animam suam pro nobis dedit. Et uolauit, uolauit super
pinnas uentorum. Secundum historiam, quod prius est dicendum,
uolauit super pinnas uentorum, quia uelocior est uentus quam omnes
[10] creaturae et dominus uelocior est uento, quia penetrat usque ad fines
terrae *et omnia suauiter disponit;* quia ultra uentos ipse est, ideo uelocior. Et ad moralem sensum animam significare uoluit a uento. Sicut
uentus iste inuisibilis est, ita et anima sic est. Uentus mouet corpus, et
anima mouet corpus similiter. Sed cur uentum appellauit animam nisi
[15] quia deus *insufflauit* in Adam? Numquid corporalis sit deus pater?
Non, sed tunc insufflauit, quando animam dedit, ut ait propheta: Tu
domine *creans omnem flatum.* Per haec intellegimus omnes animas a
deo esse creatas. 'Et uolauit, uolauit super pinnas uentorum' hoc est
uirtutes sanctarum animarum, quia Christus uelocior est uento et al-
[20] tior quam anima et praecelsior angelis et sanctis.

12. Posuit tenebras latibulum suum, in circuitu eius tabernaculum
eius. 'Latibulum suum' in scripturis, 'in circuitu eius': Christus in Maria quasi sponsus in thalamo, et corpus Mariae quasi tabernaculum.
'Tenebras' dicit, eo quod nobis obscura est incarnatio uel natiuitas
[5] eius. Tenebrosa aqua in nubibus aeris. Nubes prophetae sunt et
aqua doctrina eorum, quia obscurae erant scripturae prophetarum,
quia sicut nubes pluuiam portant et terram aridam inrigant, sic et prophetae per eorum doctrinam inrigant corda arida.

13. Prae fulgore in conspectu eius nubes transierunt. Fulgora inluminatio spiritus sancti. Ipsae nubes id est doctores transierunt de Iudaeis in gentes, spiritu sancto gubernante, ut illud: *Quia indignos uos
iudicastis uitae aeternae,* nos *ad gentes ibimus.* Grando et carbones

Codices: LMNV
7 nobis] inimicis *V*   8 pinnas *N*: pennas *cett.*   10 quia] qui fortiter *LV*   penetrat +
et pertingit *LV*   11 uentum *LV*   11/12 uelocior + est *LV*   13 corpus] nubes *M*
14 nisi] hoc est *LV*   18 est + super *LV*   20 excelsior *V*   et² *om. V*   12,2 suum] et
ipsum dixit *L*: sicut ipse dicit *V*   6 eorum + tenebrosa *V*   erant] sunt *LV*   8 arida]
arentia *V*: hominum *L*   13,1 Prae fulgore] Et fulgora *MN*   2 Ipsae] in conspectu
eius *LV*   doctores] prophetae *V*   3 in] ad *LV*   ut – 4 ibimus] quod dixit fulgora *V*
3 Quia *M²*: uos *LN** (eras. *N²*)   4 Grando – 5 ignis¹ *om. LMN*

10/11 *cf* Sap 8,1   15 *cf* Gn 2,7   17 Is 57,16   **13,3 – 4** Act 13,46

⁵ IGNIS: per carbones ignis conpunctio cordis intellegitur, grando conminatio dei.

14. ET INTONUIT DE CAELO DOMINUS. Per sanctos suos intonuit quasi de caelo, ut dixit: *Tunc iusti fulgebunt sicut sol in regno patris eorum.* ET ALTISSIMUS DEDIT UOCEM SUAM: *Hic est filius meus dilectus.* Aliter 'altissimus dedit uocem' hoc est praedicationem, ut ait propheta: *Uox tonitrui* ⁵ *tui in rota,* id est praedicatio euangelii in toto mundo.

15. MISIT SAGITTAS SUAS ET DISSIPAUIT EOS. Misit uerba sua sancta quasi sagittas, quae pleniter et malos et bonos praedicant. Bonos remunerat deus, si faciunt quae praecepit, et malos confundit, si audiunt et non faciunt. Unde sanctus apostolus ait: *Aliis quidem sumus odor uitae in ui-* ⁵ *tam et aliis odor mortis in mortem.* Odor uitae sunt his qui audiunt et faciunt, et odor mortis sunt his qui audiunt et non faciunt. Quia praedicatores nesciunt qui sunt praedistinati, tamen aequaliter praedicant. ET FULGORA MULTIPLICAUIT ET CONTURBAUIT EOS. 'Fulgora' miracula, 'conturbauit eos': per illa miracula apostolorum conpuncti sunt, ut illi ¹⁰ qui dixerunt ad Petrum: *Quid faciemus, uiri fratres?* et ille: *Paenitentiam, inquit, agite et baptizetur unusquisque uestrum.*

16. ET APPARUERUNT FONTES AQUARUM. 'Fontes' apostoli, quasi aquas de uno fonte potati sunt. De uno fonte quod est Christus satiati fuerunt apostoli, sicut in euangelio dominus dixit: *Qui biberit aquam quam ego dabo ei non sitiet in aeternum.* ET REUELATA SUNT FUNDAMENTA ORBIS ⁵ TERRAE: secundum historiam quando in passione uelum templi scissum est desursum usque deorsum et illa quae in templo erant apparuerunt. Et ad sensum de littera sensus spiritalis, quia quod ibidem latebat in figura omnibus patuit per mysteria. AB INCREPATIONE TUA DOMINE ET AB INSPIRATIONE SPIRITUS IRAE TUAE: per hoc fecit deus.

17. MISIT DE SUMMO ET ACCEPIT ME ET ADSUMPSIT ME DE MULTITUDINE AQUARUM. Deus pater misit filium suum, sicut dictum est: *Uerbum caro factum est et habitauit in nobis.* Misit sponsus ad sponsam: uerum spon-

Codices: LMNV
14,4 uocem + suam *L*   5 euangelii] eorum *V*   **16**,2 uno] nouo *M (bis)*   4 Et *om. MN*
5 terrarum *V*   historiam + factum fuit hoc *LV*   6 desursum] a summo *V*   usque +
ad *L*   et + arca et *LV*   8 in figura *om. MN*   9 deus + ista quia ubi uult spirat *LV*

14,2 Mt 13,43   3 Mt 3,17   4/5 Ps 76,19   **15**,4 – 5 II Cor 2,16   10 – 11 Act 2,37.38
16,3 – 4 Io 4,13   5/6 *cf* Mt 27,51   9 (Io 3,8)   **17**,2 – 3 Io 1,14

sum iunxit sponsae hoc est carnem in utero uirginis Mariae. 'Adsump-
5 sit me de multitudine aquarum' id est de multitudine populi ecclesia
collecta est, ut illud: Aquae multae populi multi.

18. ERIPE ME DE INIMICIS MEIS FORTISSIMIS. Deus pater eripuit Christum a
Iudaeis et ecclesiam ab hereticis. ET AB HIS QUI ODERUNT ME, QUIA CON-
FORTATI SUNT SUPER ME. Oderunt Iudaei dominum et heretici eccle-
siam. Et 'confortati sunt super me' quasi uim possent inferre.

19. PRAEUENERUNT ME IN DIE ADFLICTIONIS MEAE, ut superius diximus id
est ante uindictam crucis. ET FACTUS EST DOMINUS PROTECTOR MEUS:
deus pater protexit filium suum et filius ecclesiam suam.

20. EDUXIT ME IN LATITUDINEM: eduxit ecclesiam de tribulatione quasi de
angustia in latitudinem, quae est spes futura uel remuneratio uitae aeternae. SALUUM ME FECIT, QUONIAM UOLUIT ME: uox ecclesiae. Quid
me uoluit? *ut exhiberet sibi ecclesiam non habentem maculam aut rugam*
5 *aut aliquid eiusmodi.*

21. ET RETRIBUIT MIHI DOMINUS SECUNDUM IUSTITIAM MEAM. Pro quid retribuit? quid faciet ei aliquid boni? Non nostris meritis praecedentibus,
sed propter suam misericordiam retribuit nobis bona hoc est uitam
aeternam. Ille retribuit quod per prophetas promisit; non debitum
5 exhibuit, sed promissum retribuit nobis gratis. ET SECUNDUM INNO-
CENTIAM MANUUM MEARUM RETRIBUIT MIHI: repetitio est.

22. QUIA CUSTODIUI UIAS DOMINI, sua mandata, NEC IMPIE GESSI A DEO
MEO, ut ad idola conuerterem post fidem.

23. QUONIAM OMNIA IUDICIA EIUS IN CONSPECTU MEO SUNT SEMPER. Quattuor sunt iudicia dei, duo de praesenti et duo de futuro. In praesenti
prosperitas malorum et tribulatio sanctorum, sed in futuro remuneratio sanctorum et condemnatio peccatorum. ET IUSTITIAS EIUS NON REP-

Codices: LMNV
17,6 ut illud *om. MN*   **18**,1 Eripe] -puit *LV*   2 quia] quoniam *L*   3 dominum]
deum *L*   4 uim] uincere *LV*   potuissent *LV*   inferre *om. V*   **19**,1 meae *om. N*
id – 2 crucis *om. MN*   2 crucis + ut illud: Non in die festo, ne forte tumultus fieret in
populo *L*   3 protexit *om. LMN*   **20**,1 Eduxit[1]] *praem.* Et *V*   eduxit[2]] educitur *V*
ecclesia *V*   2 quae] quod *L*   **21**,1 retribuit[1]] -buet *N[2]V*   meam] suam *L* + uox
ecclesiae *LV*   2 faciet] fecisti *LV*   3(*et* 4, 5, 6) retribuet *N[2]*   3/4 uita aeterna *LN*
4 non – 5 exhibuit *om. MN*   **23**,3 tribulatio] retributio *M*   4 iustitiam *M*

6 Apc 17,15   **19**,2 (Mt 26,5)   **20**,4 – 5 Eph 5,27

⁵ PULI A ME, sarcinam eius non proieci a me, unde dixit: *Iugum enim meum suaue est et onus meum leue.*

24. ET ERO INMACULATUS CUM EO. Qui inmaculato adheret inmaculatus erit, sicut ecclesia adheret Christo. Quia Christus *non fecit peccatum nec inuentus est in ore eius dolus,* ecclesia Christo adheret. ET OBSER-UABO ME AB INIQUITATE MEA, id est non conuerto ad illam iniquitatem,
⁵ ubi prius fui in infidelitate.

25. ET RETRIBUIT MIHI DOMINUS SECUNDUM IUSTITIAM MEAM ET SECUNDUM INNOCENTIAM MANUUM MEARUM IN CONSPECTU OCULORUM EIUS. Per oculos aspectus diuinitatis intellegitur, quia ipse aspicit quicquid operatur homo in mandatis dei.

26. CUM SANCTO SANCTUS ERIS ET CUM UIRO INNOCENTE INNOCENS ERIS,

27. ET CUM ELECTO ELECTUS ERIS ET CUM PERUERSO SUBUERTERIS. Aliquis auctor dixit: quaedam occulta profunditas hic uidetur. 'Cum sancto sanctus eris': Tu Christe sanctus natura es; quem tu santificaueris, ab illo cognosceris quod tu sanctus es. Uox prophetae ad Christum.
⁵ Quem tu innocentem feceris, ab ipso cognosceris quod tu innocens es, quia nulli noces, ideo innocens. Quem tu elegeris ut sit electus, ab ipso cognosceris quod tu electus es, ut Paulus dixit: *Conprehendam a quo conprehensus sum.* Peruersi dicuntur qui de rectitudine declinant ad peruersitatem ut diabolus, ut Iudas, ut heretici, ut omnes superbi.
¹⁰ Quotienscumque deus facit iustam uindictam, illi reprehendunt: cum eligit pauperem et reprobat potentem, cum eligit piscatorem sicut Pe-trum et relinquit nobiles: hoc peruersum uidetur esse apud peruersos, ut propheta ait: *Uiae domini rectae,* sed *uiae uestrae prauae* id est peruersae.

28. QUONIAM TU POPULUM HUMILEM SALUUM FACIES, quod superius dixi-

Codices: LMNV
5 sarcinas *N*   dixit + in euangelio *LV*   24,2 Christus + inmaculatus de inmaculata matre sancta Maria, qui *LV*   3 ecclesia – adheret *om. V*   25,1 retribuet *L²N²V* dominus – 2 mearum] usque *MN*   3 aspexit *M*   27,3 sanctus²] -ta *V*   7 quod] quia *L*V*   8 declinantur *LV²*   9 peruers.] aduersitatem *LV*   diabolus + ut Iudaei *V* omnes *V*: homines *cett.*   10 Quotienscumque deus] Aliter omnipotens deus quotiens *LV* 11 eligit *N²V²*: elegit *cett.*   pauperes ... potentes *LV*   piscatores *LV*   13 Uiae] *praem.* Uniuersae *LV*   28,1 facias *N*: -cis *LV*

23,5/6 Mt 11,30   24,2 – 3 I Pt 2,22(Is 53,9)   27,7/8 Phil 3,12   13 Os 14,10 + Ez 18,25

mus, ET OCULOS SUPERBORUM HUMILIABIS id est sensus superborum, ut
illud: *Qui se exaltat humiliabitur.*

29. QUONIAM TU INLUMINAS LUCERNAM MEAM. Quid est lucerna nisi intellectus animae? Sicut oculi corporis sine lucerna exteriore non habent
lumen, in tenebris non uident, ita et intellectus animae, nisi inlumine-
tur ab altero hoc est a Christo, sicut in euangelio dicit: *Erat lumen ue-*
5 *rum quod inluminat omnem hominem uenientem in hunc mundum,* nequaquam uidet. DOMINE DEUS MEUS INLUMINA TENEBRAS MEAS hoc est
ignorantiam cordis, unde scriptum est: *Si lumen quod in te est tenebrae*
sunt, ipsae tenebrae quantae erunt? et Paulus: *Fuistis enim aliquando*
tenebrae, nunc autem lux in domino.

30. QUONIAM A TE ERIPIAR A TEMPTATIONE. Uox ecclesiae: nisi a deo
eripiar, per me non possum. ET IN DEO MEO TRANSGREDIAR MURUM.
'Murum' dicit ecclesia peccata nostra, qui aedificatur peccatis peccata
augendo. Nisi a deo destruantur illa peccata, non possimus per nos
5 transire ad deum.

31. DEUS MEUS INPOLLUTA UIA EIUS. Inpolluta uia hoc est incarnatio eius,
quia non est ex uirili semine, sed de spiritu sancto conceptus. Et aliter:
fides perfecta ecclesiae 'inpolluta uia' dicitur, per quam deus uenit ad
nos. ELOQUIA DOMINI IGNE EXAMINATA: 'eloquia domini' sua mandata,
5 in hoc sunt placita domino, non quod ipsa sint examinata ab igne aut
quod fuissent inquisita, sed qui illa acceperint facit eos ut aurum mundum purificatum per ignem. PROTECTOR EST OMNIUM SPERANTIUM IN
SE, qui in eum credunt. Deus illos protegit qui sancto timore illum timent.

32. QUONIAM QUIS DEUS PRAETER DOMINUM AUT QUIS DEUS PRAETER DEUM
NOSTRUM? Hic trinitas intellegitur: 'praeter dominum' hoc est deus pa-

---

Codices: LMNV
2 id - 3 humiliabitur *om. MN*   2 superborum[2] + humiliabis *V*   29,1 tu *om. V*
2 exterius *L*   4 Christo + non uidet *codd. (eras. N)*   5 quod] qui *LN*: quae *V*
5/6 nequaquam uidet *om. V*   8 erunt] + Nemo potest duobus dominis seruire *LMN*: + et
rlq. *V*   enim *om. LV*   30,1 a[1]] in *V*   2 non] nequaquam *LV*   3 qui] quae *N[2]V*:
quem *LN**   aedificantur *M[2]*: -camus *LV*   4 addendo *V*   possimus *N*: -sumus *cett.*
31,1 uia[2] + dei *LV*   2 quia] qui *V*   5 in hoc *om. MN*   6 inquinata *V*   acceperint
V: -rit *cett.*   eum *M[2]*   8 se] eo *V*   32,2 dominum] deum *L*   2/3 deum patrem *V*

28,3 Lc 14,11   29,4 - 5 Io 1,9   7 - 8 Mt 6,23   8 (Mt 6,24)   8 - 9 Eph 5,8

ter, 'praeter deum nostrum' id est filius et tertia persona id est spiritus
sanctus, sicut dixit: Deus pater, deus filius, deus spiritus sanctus.

33. DEUS QUI PRAECINXIT ME UIRTUTE: ad quid praecingit? quasi restringat
sinus cupiditatis. Per similitudinem: sicut homo praecingit uestimenta
sua, ut non noceant pedibus quod sunt sensus et manibus quod est
opera, ⟨ita deus me⟩ praecingit, hoc est ut restringantur sinus cupidita-
⁵ tis, ut supra diximus: non impediantur ⟨sensus⟩ per cupiditatem. ET
POSUIT INMACULATAM UIAM MEAM hoc est fidem meam.

34. QUI PERFECIT PEDES MEOS TAMQUAM CERUI. Sicut cerui calcant pedibus
spinas et transiliunt siluas, ita sancti calcant spinas id est peccata et
transiliunt siluam hoc est infidelitatem et subeunt usque ad deum hoc
est usque ad altitudinem caritatis. ET SUPER EXCELSA STATUIT ME. 'Ex-
⁵ celsa' sancta ecclesia est, et Christus super excelsa, et excelsa super excelsa id est super sequaces ecclesiae.

35. QUI DOCET MANUS MEAS AD PROELIUM: opera mea aduersus diabolum
dirigit, ET POSUIT UT ARCUM AEREUM BRACHIA MEA; 'arcum aereum' id
est intentio, brachium fortitudo, hoc est ut non deficiam bene agere.

36. DEDISTI MIHI PROTECTIONEM SALUTIS TUAE: uox ecclesiae ad Christum.
'Salutis' quia ipse est salus nostra, ut dicit: *Domini est salus*. DEXTERA
TUA SUSCEPIT ME: dextera patris Christus est, suscepit ecclesiam per incarnationem; ET DISCIPLINA TUA IPSA ME DOCUIT. Necesse est, dum su-
⁵ mus hic, sub disciplina esse, unde Paulus: *Omnis quidem disciplina in
praesenti non uidetur esse gaudii sed maeroris; sed postea* in futuro *reddet fructum pacatissimum.*

37. DILATASTI GRESSUS MEOS SUB ME id est sensus ecclesiae, 'sub me' sub
potestate ecclesiae 'dilatasti' hoc est amplificasti; ET NON SUNT INFIR-

---

Codices: LMNV
3 filium *V*   33,1 praecinxit] -cingit *M*V*   ad – 2 cupiditatis *om. MN*   2 Per – 3 sua
om. LV   3 noceant pedibus] impediantur pedes *LV*   manus quae (quod *L*) sunt *LV*
4 praecingit – 5 impediantur *om. V*   4 sinus *scripsi cum* AU: sensus *codd.*   5 non]
ne *N²*   34,1 cerui¹] -uorum *LV*   2 siluas + uel (et *V*) umbras *LV*   5 et²] id est *LM*V*
excelsa² – 6 ecclesiae] super suam ecclesiam pro parte carnis. Aliter 'super excelsa
statuit me' id est primitiua ecclesia super sequacem (-ci *V*) ecclesiam (-sia *V*) *LV*
35,2 direxit *LV*   3 intentionem + mentis *LV*   36,1 tuae *om. L*   4 docuit *N*:
docebit *cett.*   6 gaudii *M²V²*: -dium *cett.*   37,1 gressos *L**   sub¹] subtus *M²*
2 dilatasti – amplificasti *om. MN*

33,4/5 *cf* AU 17,33,1-3(p. 99)   36,2 Ps 3,9   5 – 7 Hbr 12,11

MATA UESTIGIA MEA: exempla ecclesiae non sunt infirmata a successoribus nec a sequacibus.

38. PERSEQUAR INIMICOS MEOS, affectus carnales, ET CONPREHENDAM ILLOS,
antequam ego conprehendar ab illis; ET NON CONUERTAR DONEC DEFI-
CIANT: non conuertam quod non pugnem contra illos.

39. ADFLIGAM ILLOS NEC POTUERUNT STARE, CADENT SUB PEDIBUS MEIS, illi
affectus carnales subtus sensus meos.

40. PRAECINXISTI ME UIRTUTE id est uirtute fidei contra diabolum uel contra ista supradicta uitia; SUBPLANTASTI INSURGENTES IN ME SUBTUS ME,

41. ET INIMICORUM MEORUM DEDISTI MIHI DORSUM. Inimici mei dorsum
dant, quando fugiunt et quando post me uadunt; ET ODIENTES ME DIS-
PERDIDISTI: omnes inimicos ecclesiae uel ipsa uitia uel peccata disperdit deus.

42. CLAMAUERUNT NEC ERAT QUI SALUOS FACERET EOS AD DOMINUM NEC
EXAUDIUIT EOS. 'Clamauerunt': praeterito aliquando utitur pro futuro,
sicut hic praeteritum pro futuro ponitur, ac si dicatur: clamabunt. Quid
clamabunt? Impii daemones et Iudaei et heretici clamabunt in futuro
⁵ iudicio, nec erit qui saluos faciet eos, quia quando clamauit deus ad illos per prophetas uel reliquas scripturas, audire noluerunt. Propterea
tunc illi clamabunt et non erit qui exaudiat eos, ut Salomon ait: *Uocaui
et renuistis, extendi manum meam et non fuit qui aspiceret. Dispexistis
omne consilium meum, et increpationes meas neglexistis.* Propterea *et*
¹⁰ *ego in interitu uestro ridebo; cum uobis quod timebatis superuenerit sub-
sannabo; cum inruerit super uos repentina calamitas, tunc inuocabitis me
et non exaudiam.*

43. ET COMMINUAM ILLOS UT PULUEREM ANTE FACIEM UENTI, UT LUTUM
PLATEARUM DELEBO EOS. Comminuam illos, id est illos supradictos affectus carnales ad nihilum deducam.

Codices: LMNV

38,3 pugnem] cessem pugnare *LV*   **39,**1 poterunt *N²*   stare + Affligam id est per paenitentiam *V*   subtus pedes *L*   meis] meos *L*: *om. MN*   ille *MV**   2 carnalis
LMN   subtus *om. MN*   meus *MN**: mei *N²*   **40,**1 Praecinxisti] *praem.* Et *LV*
uirtute¹] -tem *L*M**   uirtute²] -tem *L*   2 me² + ut supra *V*   **41,**2 confugiunt *LV*
3/4 disperdet *L*   **42,**3 dicat *V*   7 exaudiet *V*   10 aduenerit *V*   11 ingruerit *M*
43,3 pro nihilo *LV*

42,7 – 12 Prv 1,24-28

8

44. ERIPE ME DE CONTRADICTIONIBUS POPULI, CONSTITUE ME IN CAPUT GEN-
TIUM. Uox Christi ad patrem: eripe me de illis qui mihi contradicunt, tu
eripe me a Iudaeis infidelibus, et ero caput ecclesiae gentium.

45. POPULUS QUEM NON COGNOUI SERUIUIT MIHI, id est gentes quae me non
cognouerunt neque per fidem neque per legem seruient mihi; IN AU-
DITU AURIS OBOEDIUIT MIHI. Obaudierunt mihi aures, qui non uiderunt
miracula neque meam praesentiam corporalem. Postea audierunt et
5 crediderunt.

46. FILII ALIENI MENTITI SUNT MIHI. Antiquo uocabulo Iudaei filii dei ap-
pellati sunt, sed 'alieni', quia filii diaboli effecti sunt. FILII ALIENI INUE-
TERAUERUNT, hoc est quia nouum hominem Christum non recepe-
runt, ad uetus pertinent; ET CLAUDICAUERUNT A SEMITIS SUIS: claudi-
5 cauerunt quia patrem credunt et filium non credunt, unum pedem habent et alium non habent, exinde claudicant.

47. UIUIT DOMINUS ET BENEDICTUS DEUS. Numquid antea non uiueret?
⟨Non⟩, sed hoc pro incarnatione dicit, sicut sanctus Paulus dicit: *Qui
mortuus est ad tempus ex infirmitate carnis, sed uiuit ex uirtute dei. Iam
enim non moritur, mors ei ultra non dominabitur.* ET EXALTETUR DEUS
5 SALUTIS MEAE. Uox ecclesiae ad Christum, quia Christus exaltatus est
in ascensione.

48. DEUS QUI DAS UINDICTAM MIHI: uox ecclesiae ad Christum. Dedit deus
potestatem ecclesiae ligandi et soluendi et disciplinam faciendi, ut habuit potestatem Petrus et Paulus per spiritum domini, sicut dixit: *Ecce
dedi uobis potestatem calcandi super serpentes et scorpiones et super om-
5 nem uirtutem inimici.* ET SUBDIDISTI POPULOS SUB ME, sub potestate
ecclesiae ad regendum. LIBERATOR MEUS DOMINUS DE GENTIBUS IRA-
CUNDIS: Christum in passione a Iudaeis et ecclesiam ab hereticis et animam ecclesiae ab uniuersis uitiis quae appellauit gentes,

Codices: LMNV
44,1 constitues *V*   2 illis] illo populo infideli *LV*   3 Iudaeis + et *LV**   45,1 cognouit *L**   seruiet *LV*   qui *L**N   2 neque[1] - legem] per cognitionem legis *V*
seruiunt *N*: -ant *L**   mihi + per fidem *V*   3 obaudiuit *LM*   aures] -ribus *LV*
qui] quae *M*[2]: quia *V*[2]   5 crediderunt + ut illud: Quia uidisti me et credidisti: beati qui
non uiderunt et crediderunt *LV*   46,3 qui *V*   Christum *om. V*   4/5 claudicant *V*
47,3 sed + nunc *LV*   4 mors] *praem.* et *V*   illi *V*   48,1 uindictas *L*   3 Petrus et
Paulus *V*: *trsp. cett.*   7 Christus *L*: *praem.* et *LV*[2]   ecclesia *LN**V   7/8 anima *V*
8 ecclesiae *om. LV*   appellat *L*

45,5 (Io 20,29)   47,2-3 II Cor 13,4   3/4 Rm 6,9   48,3 – 5 Lc 10,19

49. ET AB INSURGENTIBUS IN ME EXALTABIS ME id est a persecutoribus uel a peccatis, A UIRO INIQUO ERIPIES ME id est a diabolo, ut dictum est: *Inimicus homo hoc fecit.*

50. PROPTEREA CONFITEBOR TIBI IN POPULIS DOMINE. Ecclesia dicit: laudabo te in credentibus, PSALMUM DICAM NOMINI TUO id est laudabo et operabor.

51. MAGNIFICANS SALUTARE REGIS IPSIUS. Propheta ad deum patrem loquitur: quia sanitatem facis et salutem per singulos, qui animas adtrahis per praedicatores, ut sis salus credentium qui credunt in salutem regis ipsius; ET FACIENS MISERICORDIAM CHRISTO SUO ⟨DAUID⟩, hoc est unige-
5 nito tuo. Dauid manu fortis interpretatur quod est Christus. Facis misericordiam Dauid ET SEMINI EIUS USQUE IN SAECULUM. Semen eius quod sunt sancti; magnificat misericordiam dominus semper cum sanctis suis sine fine.

18. IN FINEM PSALMUS DAUID. Iste psalmus in persona Christi cantatur per prophetam et in persona ecclesiae.

2. CAELI ENARRANT GLORIAM DEI. Secundum historiam caelum et terra cum ceteris creaturis suis gloriam dei narrant, ut ait Paulus: *Per ea quae facta sunt intellecta conspiciuntur,* id est ab intellegentibus intellecta conspiciuntur. ⟨ET OPERA MANUUM EIUS ADNUNTIANT FIRMAMENTUM⟩.
5 Caelum hoc est firmamentum, unde dixit: *Et posuit deus firmamentum intermedium aquarum* id est caelum. Aliter secundum sensum: 'caeli' apostoli, et quod est gloria hoc est et opera, et quod est narrant hoc est et adnuntiant, quia praedicant gloriam dei. Et unde scitur quod hoc sit

Codices: LMNV
49,1 persecutoribus uel a *om. MN*   2 a² *om. LMV*   ut] unde *L*   50,2 nomini tuo] tibi inter gentes *LV*   51,1 Magnificans] *praem.* Quoniam *LV*   salutare] salutes *L²M*: -tis *L*V*   2 quia] qui *V*   3 crediderunt *V*   4 misericordia *N*   5/6 misericordiam + christo suo *LV*   6 Semen] semini *V*   7 magnificat] facit *LV*

Ps 18,1,1 psalmus¹ + ipsi *V*   2,1 caeli et terrae *V*   6 caeli] caelum *MN*   8 unde scitur] ut sciamus *LV*   quod] quia *LV*   sit] est *LV*

49,2/3 Mt 13,29

Ps 18,2,2/3 Rm 1,20   5 – 6 Gn 1,6.7

firmamentum quod et caelum nisi quia dixit in Genesi: *Et appellauit*
10 *deus firmamentum caelum?* 'Adnuntiant' unde et dominus ad discipulos: *Omnia quaecumque audiui a patre meo adnuntiaui uobis.*

3. Dies diei eructuat uerbum et nox nocti indicat scientiam. Dies
hesterna diem hodiernum adnuntiauit, et hodiernus dies crastinum
diem. Secundum sensum dies Christus, et aliter dies apostoli. Quomodo Christus dies est habet scriptum: *Ego sum lux mundi;* quod et
5 apostoli dies sunt, sicut ait: *Uos estis lux mundi;* et unus dies duodecim
horas habet, unde dixit: *Nonne duodecim horae sunt diei?* ipsae intelleguntur sancti apostoli. 'Nox nocti': nox Iudas, nocti Iudaeis, 'indicat
scientiam' id est Christum, quando dixit: *Quem osculatus fuero, ipse
est, tenete eum.* Aliter 'nox' profunditas scripturarum in prophetis nun-
10 tiare profunditatem Ueteris Testamenti.

4. Non sunt loquellae neque sermones quorum non audiantur uoces eorum. 'Non sunt loquellae' ac si dicat: linguae, 'neque sermones',
quia in lingua multi sermones sunt. Siue diuersitates uerborum intelleguntur per sermones, ac si dicat: non fuerunt ullae locutiones quas
5 apostoli in uarietate linguarum non accepissent; et aliter: non fuerunt
ullae loquellae quae sermones apostolorum non audissent, dum dicit

5. quod | In omnem terram exiit sonus eorum usque ad mare, et in fi-
nibus orbis terrae uerba illorum, hoc est in omnes insulas quaecumque finis mundi est.

6. In sole posuit tabernaculum suum, et ipse tamquam sponsus procedens de thalamo suo. 'In sole' in utero sanctae Mariae uirginis.
Maria interpretatur stella maris. Lumen solis magis lucet quam stellae.

Codices: LMNV
9 nisi – dixit] dicit *V*　　10 caelum + pro quid caelum firmamentum? id est quia firmiter
tenet creaturas *LV*　　3,1 eructat *V*　　Dies² – 3 diem] Dies praesens uel externa
(= hesterna) potest intellegi dies aeterna. Praeteritus diem praesentem, dies iterum
⟨praesens⟩ crastina⟨m⟩ adnuntiauit, quia in praeterito et in praesenti et in futurum(-ro *L*)
extenditur uerbum uitae *LV*　　2 adnuntiat *M*　　crastinam *M*　　3 aliter] iterum *V*
6 dixit + dominus *V*　　7 indicauit *V*　　9/10 pronuntiant *LV*　　4,1 loquillae *N*
audientur *LV*　　4 quas *MV*²: quod *cett.*　　5 aliter] ideo *LV*　　6 loquellae] linguae *LV*
quae (qui *L**)] quibus *L²V**　　5,1 in omni terra *MV*　　exiet *L*　　usque ad mare *om. MN*
1/2 fines *L²V*　　2 eorum *V*　　omnibus insulis *L*　　3 est] sunt *V*²　　6,3 stellae] -la
LN*V

9/10 Gn 1,8　　11 Io 15,15　　3,4 Io 8,12　　5 Mt 5,14　　6 Io 11,9　　8 – 9 Mt 26,48
4,4 – 6 *cf* Act 2,4sqq.

Sol iustitiae dominus, ut ait propheta: *Orietur uobis sol iustitiae* quod
⁵ est Christus. Inluminauit sol istam stellam id est sanctam Mariam, ut
esset sicut sol. Ideo posuit tabernaculum suum in sole, quando corpus
adsumpsit de utero suo. 'Et ipse tamquam sponsus procedens de thalamo suo': sponsus uerbum patris, sponsa caro cum qua de thalamo
suo processit id est de utero uirginis. EXULTAUIT UT GIGANS AD CUR-
¹⁰ RENDAM UIAM. Hic gigans pro fortitudine Christi ponitur, eo quod ipse
alligauit fortem diabolum et uasa eius quod nos fuimus diripuit; 'ad
currendam uiam' quia non habuit hic moras, quo modo natus uenit in
passionem, resurrexit et ascendit.

7. A SUMMO CAELO EGRESSIO EIUS ET RECURSUS EIUS USQUE AD SUMMUM
EIUS. A summo caelo id est a patre quod est principale nomen, non
ideo quod maior sit filio, sed pro nomine paternitatis id est a coaeternitate. 'Et recursus eius usque ad summum eius' in coaequalitate aeter-
⁵ nitatis, quia ascendit ad caelos, sedet ad dexteram patris, ubi antea et
semper fuit cum ipso. NEC EST QUI SE ABSCONDAT A CALORE EIUS. Nullus est qui de calore suo non habeat aliquid, quod ei non desit ex multis
diuisionibus gratiarum actionum, sicut dixit Paulus: *Alii datur sermo
sapientiae, alii sermo scientiae* et rlq.

8. LEX DOMINI INREPREHENSIBILIS. Lex ipse est Christus, quia non uenit
legem soluere, sed adimplere; 'inreprehensibilis' quia non habuit
peccatum. CONUERTENS ANIMAS de captiuitate in libertatem, TESTIMO-
NIUM DOMINI FIDELE. Quale testimonium ⟨nisi⟩ quia dixit: *Discite a me,*
⁵ *quia mitis sum et humilis corde?* 'Fidele' quia non mentitur. SAPIENTIAM
PRAESTANS PARUULIS, paruulis non sensu, sed humilitate, unde scriptum est: *Quia abscondisti haec a sapientibus et prudentibus et reuelasti
ea paruulis.*

Codices: LMNV
6 sicut sol] similis soli *V*   8 caro + humana *LV*   9 suo *N: om. cett.*   gigas *L²M*
10 eo] et *LV*   12 uiam + praesentis uitae *LV*   in] ad *LV*   7,1 occursus *LV*
3 filio + secundum diuinitatem *LV*   paternitatis (pater nisi *MN*) + a summo *LV*
4 Et *om. MN*   praecursus *N*: occursus *LV*   6 abscondit *N*   eius + id est ante con-
prehensionem iudicii nullus se poterit abscondi, ut illud: Ignis in conspectu eius ardebit et
rlq.; et item: Quos ignis exurit tempestas inuoluit. Aliter *LV*   7 desit] dedisset *V*
8,1 quia] qui *V*

6,4 Mal 4,2   11 *cf* Mt 12,29   7,6 (Ps 49,3 + GR-M, *cf ad* Ps 10,7,9/10)   8 - 9 I Cor
12,8   8,1/2 *cf* Mt 5,17   4/5 Mt 11,29   7 - 8 Mt 11,25

9. IUSTITIAE DOMINI RECTAE, LAETIFICANTES CORDA. Iustitiae hoc est iudicia recta, quia recte iudicat deus, et a rectis recta habentur. 'Laetificantes corda' animas sanctorum. PRAECEPTUM DOMINI LUCIDUM Nouum
Testamentum, INLUMINANS OCULOS hoc est oculos cordis.

10. TIMOR DOMINI SANCTUS PERMANET IN SAECULUM SAECULI: timor cum
caritate, unde dixit: *Perfecta caritas foras mittit timorem.* Hic timor non
timor gehennae aut timor poenae; sed timore sancto sic timeat, ut
quem amat non perdat per negligentiam. IUDICIA DOMINI UERA IUSTIFI-
5 CATA IN SEMET IPSA, non ab alio, sed a semet ipsa,

11. DESIDERABILIA SUPER AURUM ET LAPIDEM PRETIOSUM MULTUM ET DUL-
CIORA SUPER MEL ET FAUUM, quia nullum metallum pretiosius ad iudicia, ut sapientiae dei conparari potest. 'Aurum et lapidem pretiosum'
ad ornatum et uestitum pertinet, et mel unde pascitur. His duabus re-
5 bus homo uestitur, ut Paulus: *Habentes uictum et uestitum his contenti*
sumus. Si fueris lapis pretiosus et probatus sicut aurum, mereris intellegere iudicia et sapientiam dei.

12. ETENIM SERUUS TUUS CUSTODIT EA IN CUSTODIENDO ILLIS RETRIBUTIO
MULTA. Propter quid custodit ea illis nisi in custodiendo illis retributio
multa?

13. DELICTA QUIS INTELLEGIT? Qui in delictis est id est in peccatis iudicia
dei non intellegit, neque sua peccata quamdiu est in delictis non intellegit. AB OCCULTIS MEIS MUNDA ME DOMINE,

14. ET AB ALIENIS PARCE SERUO TUO. 'Ab occultis' id est praeteritis peccatis,
'et ab alienis' hoc est quae futura sunt et adhuc ad me non uenerunt.
Aliter 'ab occultis' id est omnia quae in me sunt, et ab alienis peccatis,
quia diabolus habuit in occulto superbiam et eiectus est. Postea alie-

---

Codices: LMNV
9,1 Iustitiae[2] *M*: -tia *cett.*   est] sunt *LV*   **10**,2 foris *LV*   3 timeat] -met *MN*
4 domini] dei *LV*   uere *N*   4/5 iustificata + hoc est inreprehensibilia *LV*   5 ipsa[1]]
ipsis *L*[2]   ipsa[2]] -so *LV*[2]   **11**,2 nullus metallus pretiosior *L*N*   2/3 ad iud.] iudiciis *V*
3 ut *N*: aut *cett.*   conparari *L*[2]*V*[2]: -rare *cett.*   Aurum] *praem.* Ad *LV*   pretiosum +
conparatur quod *LV*   4 ornamentum et uestimentum *L*   mel *V*: melle *cett.*
6 mereberis *LV*   **12**,1(*et* 2) custodiendo] -dis *MV*[2]   2 multa + quia (*om. V*) seruus tuus
id est seruus dei non seruus peccati *LV*   Propter] pro *MN*   illis[1] *om. LV*   nisi +
quia *N*[2]*V*   **14**,3 omnia] ea *V*   et - peccati] et occulta sunt mihi; 'ab alienis' id est a
daemonibus seu alienis peccatis communicare *LV*

10,2 I Io 4,18   **11**,5 I Tim 6,8

5 nus erat ab Adam, antequam ipse Adam peccasset; sed postea consensit ei, superbia et uoluntas coniunctae sunt, et de uno peccato fecit sibi duo iudicia diabolus, ut dupliciter iudicaretur, quia et se et alium occidit. Si MEI NON FUERINT DOMINATI, TUNC INMACULATUS ERO: si ista peccata non fuissent mihi, tunc inmaculatus ero, ET EMUNDABOR A DELIC-
10 TO MAXIMO, id est superbia, *quia superbia initium omnis peccati.*

15. ET ERUNT UT CONPLACEANT ELOQUIA ORIS MEI: tunc tibi placebunt eloquia mea, ET MEDITATIO CORDIS MEI IN CONSPECTU TUO SEMPER, id est de recordatione humilitatis. DOMINE ADIUTOR MEUS ET REDEMPTOR MEUS, adiutor in tribulatione et in necessitatibus, et redemptor meus,
5 quia tu me redemisti de sanguine tuo pretioso.

19. IN FINEM PSALMUS IPSI DAUID. Istum psalmum propheta in persona ecclesiae cantat de Christo. Praeuidebat propheta Christum ad red-emptionem nostram uenire in carnem et pro inimicis orare. Inde dixit:

2. EXAUDIAT TE DOMINUS IN DIE TRIBULATIONIS. Pro parte carnis dicit. Rogat ecclesia pro Christo, et quando pro Christo rogat, pro se rogat. PROTEGAT TE NOMEN DEI IACOB: et ipse pro parte carnis dicit. 'Iacob' nos sumus, subplantatores uitiorum, sicut dicit: *Maior seruiet minori;* quia
5 maior populus Iudaicus fuit et minor populus gentilis. Sed modo maior seruiet minori.

3. MITTAT TIBI AUXILIUM DE SANCTO hoc est de semet ipso, quia diuinitas in ipso corpore erat. ET DE SION SUSCIPIAT TE, hoc est de ecclesia. Et ipsa est Sion quod et ecclesia, et ipse est in ecclesia.

4. MEMOR SIT DOMINUS OMNIS SACRIFICII TUI, hoc est ut redimat per passionem suam, quia Christus ipse est rex et sacerdos et hostia, quia semet ipsum obtulit in passionem, quia pro nobis sanguinem suum de-

Codices: LMNV

6 ei + quia *M*   uoluptas *M*   7 iudicetur *V*   7/8 occisit *L*M*V**   8 fuerunt *MN*
10 superbia[1]] non solum a minimo, sed etiam et a maximo peccato mundus ero *LV*
15,3 record.] resurrectione *MN*   5 de *om. MV*

Ps 19,1,1 ipsi *om. L*   2 cantatur *MV**   3 carne *V*   Inde] et *V*   2,3 ipsa *L*: ipsud *V*:
ipsum *M*   4 dicit + Et *LV*   5 populus[1] + ille *LV*   3,1 quia] + illic *L*: + illa *V*
2 suscipiet *V*   4,1 redimat per] nos recordemur *LV*   3 qui *V*

14,10 Sir 10,15

Ps 19,2,4 Gn 25,23(Rm 9,12)

dit. HOLOCAUSTUM TUUM PINGUE FIAT id est acceptabile sit deo, 'holo-
5 caustum' totum conbustum, quia Christus cum corpore et anima
ascendit in crucem.

5. TRIBUAT TIBI DOMINUS SECUNDUM COR TUUM id est siue pro humanitate carnis Christi siue pro corpore suo: hoc ecclesia ut exaudiatur optat; ET OMNE CONSILIUM TUUM CONFIRMET id est consilium trinitatis.

6. LAETABIMUR IN SALUTARI TUO. Uox ecclesiae: ⟨laetabimur⟩ in salute
mundi quam dedisti, ET IN NOMINE DOMINI DEI NOSTRI MAGNIFICABI-
MUR, non in nobis, sed in illo.

7. IMPLEAT DOMINUS OMNES PETITIONES TUAS. Usque hic de passione dixit, modo de resurrectione et ascensione et remuneratione. Duae sunt
petitiones Christi, cum dicit: Exaudiat te dominus, et: Impleat dominus omnes petitiones tuas; quando dixit Christus ad patrem: *Clarifica*
5 *me, pater, apud temet ipsum claritate quam habui priusquam mundus fie-*
ret; et alibi: *Pater sancte, serua eos in nomine tuo quos dedisti mihi, quo-*
modo nos unum sumus, sic *et illi unum sint.* NUNC COGNOUI QUONIAM
SALUUM FECIT DOMINUS CHRISTUM SUUM. 'Nunc' dicit propheta ad tempus. Quando accepit spiritum sanctum, tunc cognouit quod saluauit
10 deus pater filium suum, ET EXAUDIUIT ILLUM DE CAELO SANCTO SUO id
est de semet ipso et de sancta ecclesia, IN POTENTATIBUS SALUS DEXTE-
RAE EIUS, 'potentatibus' sancta ecclesia, quibus salus facta est per
Christum qui est dextera eius id est dei patris, quia habet ecclesia potestatem ligandi et soluendi et disciplinam faciendi; et dominus: *Ecce*
15 *dedi uobis potestatem calcandi super serpentes et scorpiones et omnes uir-*
tutes inimici. Unde Paulus dicit: *Quid uultis: in uirga ueniam ad uos an*
in caritate?

8. HII IN CURRIBUS ET HII IN EQUIS. Per currus uolubilitas mundi siue
mundanorum omnium cupiditas designatur, quia quasi rota instabiles
sunt, sic ipsi in mente huc illucque discurrunt; per equos superbi, ipsi

Codices: LMN (S) V
4 Holocaustum] *praem.* Et V   5 anima + pro nobis V   5,2 hoc] quod est LV
6,2 quam dedisti mundo V   7,2 remuneratione (rememoratione V) + canit (-et L) LV
3 repetitiones MN   5 *a* claritate *iterum adest* S   9 saluaret SV   12 potentates SV
ecclesia + est LSV   quibus] cui L²   14 et³] unde et SV   15 et² + super LSV   17
caritate + et spiritu mansuetudinis LSV   8,2 quia *om.* MN*   rotae LS: + quae L² V²: +
qui SV*   3 discurrant V

7,4 – 6 Io 17,5   6 – 7 Io 17,11.22   14 – 16 Lc 10,19   16 – 17 I Cor 4,21

sunt et cupidi. Nos AUTEM IN NOMINE DOMINI DEI NOSTRI INUOCABIMUS,
⁵ non in his supradictis, sed in nomine domini.

9. IPSI OBLIGATI SUNT ET CECIDERUNT, qui uitiorum suorum funiculis ligati sunt et ad surgere non ualent, sed cadent, ut illud: *Et abierunt retrorsum et ceciderunt.* Nos UERO RESURREXIMUS ET ERECTI SUMUS, resurreximus ab infidelitate, et erecti sumus per fidem, quia tortuosi fui-
⁵ mus in peccatis.

10. DOMINE, SALUUM FAC REGEM ET EXAUDI NOS IN DIE QUA INUOCAUERI-
MUS TE: saluum fac regem hoc est Christum pro parte carnis, et exaudi
nos: ecclesia rogat, ut exaudiatur tempore oportuno.

20. IN FINEM PSALMUS IPSI DAUID.

2. DOMINE IN UIRTUTE TUA LAETABITUR REX. Propheta dicit in persona ecclesiae ad deum patrem. Uirtus uerbum patris est, ut ait Paulus *Christum dei uirtutem et dei sapientiam* in coaeternitate. 'Laetabitur rex' id
est homo adsumptus in diuinitate. ET SUPER SALUTARE TUUM EXUL-
⁵ TABIT UEHEMENTER: hoc est salutare quod et uirtus, et hoc est exultare
quod et laetari; 'uehementer' fortiter nimis.

3. DESIDERIUM ANIMAE EIUS TRIBUISTI EI. Desiderauit filius dei, ut ueniret
genus humanum redimere, unde dixit: *Desiderium desiderauit hoc pascha manducare uobiscum antequam patiar.* ET UOLUNTATE LABIORUM
EIUS NON FRAUDASTI EUM, hoc est quando dominus dixit: *Pacem meam
⁵ do uobis, pacem meam relinquo uobis.*

4. QUONIAM PRAEUENISTI EUM IN BENEDICTIONE DULCEDINIS, hoc est a

---

Codices: LMNSV
4 domini om. *L** 5 in¹ om. *M* 9,1/2 ligati sunt] *trsp. SV* 2 surgere] superiora *SV*
ualent + ascendere *L*SV* Et *om. SV* 3 ceciderunt + in terram (-ra *S*) *LSV* resur-
reximus¹] surreximus *SV* 10,1(*et* 2) saluum + me *N*

Ps **20**,1,1 ipsi *om. L* ipse Dauid psalmus *V* 2,2 patrem + 'Domine' deus pater *LSV*
est *om. SV* Paulus] apostolus *SV* 3 Christum] Qui est *SV* uirtus ... sapientia *SV*
4 tuo *LN* 4/5 exultabit *N*: -uit *cett.* 3,2 Desiderio *M²V²* 3 uoluntatem *MN*
4 dominus *om. SV* 4,1/2 a longe *om. SV*

9,2/3 Io 18,6

Ps **20**,2,3 I Cor 1,24 3,2 – 3 Lc 22,15 4 – 5 Io 14,27

longe, quando Melchisedech benedixit Abraham, et Christo in ipso Abraham benedixit. Et deinde quotquot benedictiones in patriarchis usque in aduentum Christi fuerunt, Christus in ipsis benedictus est.
5 'Quoniam praeuenisti eum' hoc est antea praeuenit eum 'in benedictione dulcedinis', antequam a Iudaeis fel porrectum gustasset, quia antea eum istae benedictiones praeuenerunt. Gustauit et *noluit bibere:* gustauit, quia de mortalitate nostra suscepit; noluit bibere, quia die tertia resurrexit, noluit bibere hoc est non permansit in morte. POSUI-
10 STI IN CAPITE EIUS CORONAM DE LAPIDE PRETIOSO. 'Posuisti' uox prophetae ad deum patrem, 'in capite': caput ecclesiae Christus et caput Christi deus id est homo adsumptus in diuinitate. Posuit ei deus pater coronam de lapide pretioso id est de duodecim apostolis.

5. UITAM PETIIT, ET DEDISTI EI. Pro quid petiit Christus uitam nisi pro corpore suo? LONGITUDINEM DIERUM IN SAECULUM SAECULI: 'longitudinem' quia humanitas accepit inmortalitatem a diuinitate sine fine.

6. MAXIMA EST GLORIA EIUS IN SALUTARI TUO, ac si dicat: 'magna est gloria eius in salute tua', magnum est hominem adsumptum esse ad dexteram patris. GLORIAM ET MAGNUM DECOREM INPONES SUPER EUM, gloriam resurrectionis, decorem quando in monte *resplenduit facies eius*
5 *sicut sol et uestimenta eius facta sunt alba sicut nix.*

7. QUONIAM DABIS EI BENEDICTIONEM IN SAECULUM SAECULI, quia omnis creatura benedicit eum, LAETIFICABIS EUM IN GAUDIO CUM UULTU TUO, tunc laetificabis filium in gaudio, cum coadunata fuerit illa multitudo sanctorum et numerus restauratus, tunc gaudebit Christus pro adqui-
5 sitis, pro quibus passus est.

8. QUONIAM REX SPERAT IN DOMINO, homo adsumptus in diuinitate, ET MISERICORDIA ALTISSIMI NON COMMOUEBITUR, nec humanitas filii nec

Codices: LMNSV
2 Christum *N*   3 quotquot] quot *L²M²*: quod *L*M*N**   4 in¹] ad *S: om. V*   5 Quoniam – 5/6 benedictione] Quare *SV*   6 fel porrectum a Iudaeis *SV*   quia *om. SV*
6/7 ante *NSV*   8 gustauit *om. LSV*   noluit bibere] uel *SV*   9 noluit – est *om. SV*
13 de¹ – est *om. SV*   6,1 Maxima] Magna *SV*   salute tua *N*   magna – 2 tua *om. SV*
3/4 gloria *MN*   5 et – nix] id est fecit corpus suum in splendorem solis *SV* + ut est illud:
Et transfiguratus est (+ in monte *L²V*) ante eos *LSV*   7,1 ei + in *SV*   2 uulto *N*
4 restaurabitur *L²*   8,1 et + in *SV*   2 nec²] in *M*

4,2 *cf* Gn 14,19; Hbr 7,1sqq.   7 Mt 27,34   6,4 – 5 Mt 17,2

ecclesia primitiua in finem non commouebitur. Usque hic propheta locutus est in persona ecclesiae ad deum patrem de humanitate Christi;
⁵ modo loquitur ad diuinitatem, unde dixit:

9. INUENIATUR MANUS TUA OMNIBUS INIMICIS TUIS. Hieronimus dicit:
Inueniant inimici tui potestatem tuam, ut reuertantur in bonum. Et
Agustinus: Inueniat potestas dei illos qui hic Christum in humilitate
noluerunt credere; inueniat illos in uindicta. DEXTERA TUA INUENIAT
⁵ OMNES QUI TE ODERUNT: repetitio est.

10. PONES EOS UT CLIBANUM IGNIS IN TEMPORE UULTUS TUI. Hieronimus
dicit in bonam partem, ut conburantur illorum peccata. Et Agustinus: sicut clibanus intrinsecus ardet, sic illorum conscientia intrinsecus ardebit, eo quod bona non fecerunt. DOMINUS IN IRA SUA CONTUR-
⁵ BABIT EOS, ET DEUORABIT EOS IGNIS. Hieronimus: conturbabit eos de
peccatis suis, ut se emendent, et deuorauit eos ignis ab spiritu sancto illorum peccata. Agustinus dicit: Deuorabit eos ignis in tempore uultus dei, cum uenerit iudicare mundum.

11. FRUCTUM EORUM DE TERRA PERDES, id est ipsos perdes uel opera illorum de sancta ecclesia, ET SEMEN EORUM A FILIIS HOMINUM, semen id
est filii qui geniti sunt in mala doctrina, 'a filiis hominum' id est a consortio bonorum perdet illos.

12. QUONIAM DECLINAUERUNT IN TE MALA. Iudaei quod super se per iustam uindictam recipere debuerunt, in Christo 'declinauerunt',
quando dixerunt quod dignus erat morte: *Expedit nobis ut unus moriatur quam ut tota plebs pereat.* COGITAUERUNT CONSILIUM QUOD NON PO-
⁵ TUERUNT STABILIRE, quando dixerunt ad Pilatum: *Domine, recordati sumus quod seductor ille dixit adhuc uiuens: post diem tertium resurgam;*

Codices: LMNSV

3/4 loquitur *L*   5 a (ad *LS*) diuinitate *LNS*   dicit *SV*   9,4 noluerunt credere] non
crediderunt *SV*   10,2 bonam partem *M*: bona parte *cett.*   3 eorum *L*   3/4 intrinsecus + sine fine *LSV*   4/5(*et* 5) conturbabit (-uabit *M**) *MN*: -bauit *LSV*   5 deuorabit
M²NS²: -uit *cett.*   6 et *om.* LMN   7 dicit *om.* MN   Deuorabit *M²N*: -uit *cett.*
ignis + in uindicta *S*   11,1 perdes²] -dis *N*   3 filii] filios eorum *LSV*   generati *LSV*
4 perdet *N*: -des *cett.*   12,1/2 pro iusta uindicta *L*   2 in] a *M*   3 morte + et *SV*
nobis *om. SV*   4 quam ut] et non *SV*   gens *V*   consilia *MN*   6 quod] quia *SV*

9,3 AU 20,9,2-3(p. 116)   10,3 *et* 7/8 *cf* AU 20,10(ib.)   12,3/4 Io 11,50   5 – 8 Mt
27,63-65

iube ergo custodire sepulchrum usque in diem tertium. At ille: *Habetis custodiam, ite, custodite sicut scitis.* Et postea posuerunt signacula. Sed mortui non potuerunt tenere uiuentem: resurrexit quod illi nec uolue-
10 runt nec crediderunt. Tunc non potuerunt stabilire consilium quod cogitauerunt.

13. QUONIAM PONES EOS DEORSUM, duobus modis: 'deorsum' quia semper terrena desiderant; aliter 'deorsum' ut retro cadant aut quando respiciunt retro. IN RELIQUIIS TUIS PRAEPARABIS UULTUM ILLORUM id est prophetas quos patres eorum occiderunt. Reliquiae eorum filii Iudaeorum
5 qui occiderunt Christum caput prophetarum, ut illa uindicta a prophetis usque in capite ueniat super illos qui dominum occiderunt. Aliter 'in reliquiis tuis praeparabis uultum illorum' id est per Heliam et Enoch credituri sunt in finem. Praeparabis uultum illorum ad te credendum, ut illud: *Ut conuertat corda patrum in filios* et rlq.

14. EXALTARE DOMINE IN UIRTUTE TUA. Uox ecclesiae: exaltare in uirtute id est demonstra tuam potestatem et maiestatem, quia prius uenisti in humilitate, sed modo ueni in maiestate. CANTABIMUS ET PSALLEMUS UIRTUTES TUAS DOMINE, 'cantabimus' in corde, 'psallemus' implemus
5 in opere, uirtutes tuas adnuntiamus.

21. IN FINEM PRO SUSCEPTIONE MATUTINA PSALMUS DAUID. Iste psalmus pro resurrectione Christi cantatur, unde dixit: *Potestatem habeo ponendi animam meam et potestatem habeo iterum sumendi eam.* Quia quarta uigilia credimus dominum resurrexisse, et ideo iste psalmus to-

---

Codices: LMNSV et Z = S+V
7 At ille] ait illis *L*   8 postea] illi *LSV*   sigilla *SV*   9 nec] non *SV*   13,1(*et* 2)
deorsum] dorsum *SV(ter)*   quia] unde *SV*   2 retro + aut *SV*   2/3 quando – retro]
respiciant *SV*   3/4 in prophetis *L*   4(*et* 6) occiserunt *L*M*N**   5 qui *om. SV*
Christum *om. SV*   uindicta + quae coepit *LSV*   6 usque in capite *om. SV*   illos +
uindicta *LMN*   qui] quia *SV*   7 eorum *V*   est + illi qui *SV*   14,3 humanitate *V*
psallimus *L*MN*   4 psallimus *L*MN*   implebimus *L²: om. M*   5 in *om. SV*
opere + et *SV*   adnuntiabimus *M* + deo gratias (+ Explicit *L*) *LN*

Ps 21,1,1 susceptione (*cf* lin. 5/6)] adsumptione *LMN*   Iste psalmus] id est *Z*   3 Quia
+ in *LZ*   4 dominum] deum *V*   et ideo *om. Z*

13,9 Lc 1,17 (Mal 4,6)

Ps 21,1,2 – 3 Io 10,18

⁵ tus de passione Christi cantatur et de resurrectione. Hic dicit: 'Pro susceptione matutina' et alio loco dicit: PRO ADSUMPTIONE ⟨uel: PRO⟩
CERUO MATUTINO, quia sicut ceruus transiliit spinas et ad montes conscendit, ita et Christus calcauit spinas peccatorum nostrorum et ad caelos conscendit.

2. DEUS, DEUS MEUS, RESPICE IN ME, QUARE ME DERELIQUISTI? 'Deus, deus
meus' unum pro re, alium pro adfirmatione; et quod in medio uersi-
culo legitur: 'respice in me' superfluum est. Quare me dereliquisti? Hic
purus homo loquitur ad diuinitatem quae in eo est, id est filius coaeter-
⁵ nus patri, quia nulla est diuisio inter eos, quia coaeterni et coaequales
sibi sunt. Ad quem, sicut diximus, humanitas loquitur, ut in euangelio
ait: *Deus, deus meus, quare me dereliquisti?* ac si dicat: utquid me dereliquisti. Hic humanitas loquitur, quomodo derelicta fuit in Adam,
quando praeceptum transgressus est; uel in passione derelictus uide-
¹⁰ tur Christus pro parte carnis. LONGE A SALUTE MEA UERBA DELICTORUM
MEORUM. 'Longe' hic diuinitas loquitur, 'uerba delictorum meorum',
quia nostra peccata sua reputat. Nam in salute sua nullum est peccatum, sed a peccatore longe est salus.

3. DEUS MEUS, CLAMABO PER DIEM NEC EXAUDIAS ET NOCTE. Clamauit
Christus in cruce et orauit pro suis. Est exauditus an non? Exauditus et
non exauditus: exauditus pro praedistinatis sicut in octo milia uel pro
illis centum uiginti et in quingentis fratribus; et non exauditus hoc est
⁵ pro illis qui non erant praedistinati, unde dixit euangelista: *Sanguis
eius super nos et super filios nostros.* Ergo dies hic pro bonis et nox pro
malis intellegitur. Uel dies et nox prosperitas et aduersitas in ecclesia:
ecclesia non exauditur in prosperitate, ut non se eleuet, et non exaudi-

Codices: LMNSV et Z = S+V
6 et + in *V*   7 matutina *Z*   quia *om. MZ*   transiliet *L*   spinis *SV** *   2,2 aliud *V*
et – 3 est *om. Z*   3 Hoc *V** *   4 quae *L²M²V²*: qui *cett.*   5 patri + uel ad patrem *LZ*
diuisio] differentia *Z*   7 quare ... utquid] *trsp. Z*   8 quomodo] quae *Z*   fuerit *Z*
9/10 uidetur] est *V²*: *om. SV** *   12 in eius salute *V*   13 sed] qui *V*   longe (nulla *S*)
est salus] aufert peccata *V*   3,1 exaudies *L²Z*   2 pro + inimicis *L*   Est – non *om. Z*
4 centum uiginti *om. Z*   et in *canc. V²*   non + est *L*   5 unde – euang.] ut(qui *V*)
dixerunt *Z*   7 intellegi potest *Z*   8 eleuet] extollat *Z*   8/9 exaudiatur *L*

6 Pro adsumptione mat. = Ps(Ro)   6/7 Pro ceruo mat. = Ps(H)   2,7 Mt 27,46
13 Ps 118,155   3,3 octo milia *cf ad* Ps 4,4,9/10   4 centum uiginti *cf* Act 1,15
quingenti fratres *cf* I Cor 15,6   5/6 Mt 27,25

tur in aduersitate, ut amplius mundetur. ET NON AD INSIPIENTIAM MIHI,
10 id est filius coaeternus patri scit omnia, cur non sit exauditus in die passionis id est pro filiis mortis et propter prosperitatem et tribulationem
ecclesiae suae.

4. TU AUTEM IN SANCTO HABITAS LAUS ISRAHEL. Uox prophetae: in sancto
habitas, hoc est in suo corpore uel in caelo siue in ecclesia.

5. IN TE SPERAUERUNT PATRES NOSTRI, DOMINE, SPERAUERUNT ET LIBERA-
STI EOS:

6. AD TE CLAMAUERUNT ET SALUI FACTI SUNT, IN TE SPERAUERUNT ET NON
SUNT CONFUSI. 'Sperauerunt' patriarchae et prophetae uel reliqui boni,
'et liberasti eos' hoc est de Aegypto uel de Babylonia. 'Non sunt confusi', quia quod promisisti eis adimplesti hoc est terram repromissionis
5 et uitam longaeuam et procreationem filiorum. Aliter 'in te sperauerunt patres' id est doctores ecclesiae, 'non sunt confusi', quia spes ipsorum semper est.

7. EGO AUTEM SUM UERMIS ET NON HOMO: uox Christi. Cur 'uermis et non
homo', dum legimus: *Uenit filius hominis redimere quod perierat?* Christus et uermis dicitur et homo, uermis ut ait propheta: *Noli timere uermis Iacob;* et homo, quia ex Maria natus adsimilatur sua natiuitas
5 uermi, quia uermis ⟨qui⟩ in ligno nascitur non habet patrem nisi matrem, et Christus ex matre natus absque coitu uiri. Duo habitacula fecit
deus, caelum et terram; caelum habitatio angelorum et terra habitatio
uermium. Fecit deus uermem ascendere in caelum et angelos descendere in terram: Christus per humilitatem super omnes angelos ascen-
10 dit, et diabolus per superbiam proiectus est in terram. OBPROBRIUM
HOMINUM ET ABIECTIO PLEBIS, obprobrium quando dixerunt Iudaei: *Tu
discipulus illius sis;* abiectio quando eiecerunt eum extra ciuitatem et
crucifixerunt eum.

8. OMNES UIDENTES ME INRIDEBANT ME. Pro parte malorum dicitur, sicut
et ipsi Iudaei dixerunt: *Si filius dei es, descende de cruce;* uel: *Aue rex Iu-*

Codices: LMNSV et Z = S+V
11 propter *om. Z*   prosperitate et tribulatione *Z*   4,1 laus Israhel *om. M*   6,1 Ad -
et²] usque *Z*   2 boni *om. Z*   4 quot *S*   5 longinquam *Z*   et² - filiorum *om. Z*
6 patres + nostri *LZ*   7,1 uox Christi *om. Z*   3 uermis² *om. MN*   7 caelum²] in
caelum (-lo *V²*) *Z*   terra] *praem. in LZ*   8 angelum *LZ*   8/9 descendere *om. L*MN*
13 eum *om. Z*   **8,1** dicit *Z*

7,2 Mt 18,11   3/4 Is 41,14   11/12 Io 9,28   12 *cf* Lc 4,29   **8,2 - 3** Mt 27,42.29

daeorum. LOCUTI SUNT LABIIS ET MOUERUNT CAPUT: locuti sunt labiis, quia quod habebant in corde hoc loquebantur in uerbis; mouerunt ca-
5 put id est reliquerunt unum caput quod est Christus et fecerunt sibi multa capita daemoniorum.

9. SPERAUIT IN DOMINO, ERIPIAT EUM, SALUUM FACIAT EUM, QUONIAM UULT EUM. Uox prophetae de humanitate loquitur: sperauit in domino hoc est humanitas in diuinitate, eripiat eum de Iudaeis, quoniam uult eum hoc est deus pater uoluit talem filium habere sine peccato, per
5 quem peccata mundi tolleret, ut ait propheta: *Ipse infirmitates nostras accepit et aegrotationes portauit.*

10. QUONIAM TU ES QUI EDUXISTI ME DE UENTRE. Uox humanitatis: eduxisti me de uentre hoc est de utero sanctae Mariae uel de synagoga, quia per praedicationem prophetarum concepit, in sensum spiritalem quasi de uentre eductus est. SPES MEA AB UBERIBUS MATRIS MEAE: ubera matris
5 non dedignatus est lactare Christus id est ab uberibus Mariae. Aliter ubera matris lex synagogae. Duo ubera dicuntur, quia litteram et sensum habent. Sed ipsi id est Iudaei unam ubera susceperunt, quia litteram legis tantummodo obseruant.

11.
12. DEUS MEUS ES TU, | NE DISCEDAS A ME. Humanitas clamat ad diuinita-
tem: ne discedas hoc est in die passionis, QUONIAM TRIBULATIO PRO-
XIMA EST, ut ipse dixit: *Surgite, eamus; ecce adpropinquauit qui me traditurus est.* NON EST QUI ADIUUET, neque angelus neque homo, nisi tu pater.

13. CIRCUMDEDERUNT ME UITULI MULTI. Uitulus lasciuiens id est Iudaei qui lasciuientes et incontinentes erant. TAURI PINGUES OBSEDERUNT ME, id est principes illorum Anna et Caiphas uel reliqui mali. 'Tauri' dicuntur propter superbiam illorum, 'pingues' propter crassitudinem
5 malitiae.

14. APERUERUNT IN ME OS SUUM, quando dixerunt: *Crucifigatur;* SICUT LEO

Codices: LMNSV et Z = S+V
4 uerbis + Aliter *LZ*   **9,**1 faciet *Z*   2 human.] humilitate *M*   **10,**1 humanitatis (-tas *V*) + ad diuinitatem *LZ*   3 praedicationem] uaticinium *Z*   in (*eras. M²*)] et ad *LZ*
4 ubera] ab uberibus *L*   5 lactare] sugere *Z*   Mariae] matris meae *S*   7 habet *Z* susceperunt] suxerunt *Z*   8 obseruabant *V²*   **12,**1 discesseris *L*   **13,**2 qui *om. N*
3 mali *om. Z*   **14,**1 in] super *V*

9,5/6 Is 53,4   **12,**3 Mt 26,46   **14,**1 Mt 27,23

RAPIENS ET RUGIENS, hoc est quando de illo cogitabant, quomodo eum crucifigerent, uel 'rapiens' quando *cum gladiis et fustibus* eum conprehenderunt.

15. SICUT AQUA EFFUSUS SUM, ET DISPERSA SUNT OMNIA OSSA MEA. Sic uoluerunt Iudaei Christum extinguere quasi aqua quae hauritur et dispergitur et non reuertitur. 'Dispersa sunt omnia ossa mea': ossa Christi apostoli dicuntur, quia sicut caro ossibus roboratur, ita et corpus
5 Christi quod est ecclesia ab apostolis uel doctoribus firmatur. FACTUM EST COR MEUM TAMQUAM CERA LIQUESCENS IN MEDIO UENTRIS MEI. Cor Christi ecclesia intellegitur. Antequam Christus ascenderet in crucem quasi dura uidebatur esse, quia pauci pro nomine illius patiebantur, unde dicitur: *Pro iusto quis moritur?* 'Tamquam cera liquescens', quia
10 postquam Christus ascendit in crucem, postea omnes sancti gaudentes coeperunt tribulationem pro ipso sustinere propter spem futurae retributionis muneris. 'In medio uentris mei' hoc est in medio ecclesiae.

16. EXARUIT TAMQUAM TESTA UIRTUS MEA. Testa antequam in igne ponatur infirma est, postquam in igne ponitur roboratur; et Christus postquam in patibulum crucis ascendit suam ecclesiam roborauit. LINGUA MEA ADHESIT FAUCIBUS MEIS, id est linguae apostolorum obmutuerunt tem-
5 pore passionis, licet unus locutus est, tamen negando, non confitendo, id est Petrus. ET IN LIMUM MORTIS DEDUXISTI ME hoc est in incarnationem uel in infernum, quando animas sanctorum exinde eduxit secum.

17. QUONIAM CIRCUMDEDERUNT ME CANES MULTI. Canum proprium est, ut domino suo congaudeant et latronem latrent. Canes hic Iudaei intelleguntur, qui latrauerunt dominum suum Christum et latroni congaude-

Codices: LMNSV et Z = S+V
2 rugiens + rugiebant *LZ*　　3 uel *om. Z*　　15,1 effusa sunt *N*　　2 aquam *V*　　hauritur + et uergitur *Z*　　4 ossibus (*praem.* in *LM*N*)] apostoli *Z*　　5 quod – ab *om. MN*　apostoli uel doctores *MN*　　firmantur + a Christo *LMN*　　6(*et* 9) liquiscens *MN*　meae *L*　　Cor] Corpus *S*　　8 durum *Z*　　uideatur *N*　　10 gaudentes *om. MN*　11/12 retributionis futuri *(trsp. L) LZ*　　12 meae *S*　　16,1 ignem *V*　　2 et] sic et *LZ*　4 obmutauerunt *N*　　5 confidendo *NV*　　6 limo *MN*　　deduxerunt *Z*　　7 eduxit] eripuit *Z*　　17,2 domino suo *M²*: -nis suis *V²*: -num suum *cett.*　　2 latronem] *praem.* ad *M²*: latronibus *LZ*　　3 latrauerant *M* + contra *M²*　　dominum suum *om. Z*　　latroni *V²*: -nem (-ne *M²*) *cett.*　　3/4 congaudebant *M²V²*: -bunt *N*: -runt *cett.*

3 Mt 26,55　　15,9 Rm 5,7　　10/11 *cf* Act 5,41

bant, hoc est Barraban, quando illum petierunt et Christum occiderunt
5 siue interfecerunt. CONCILIUM MALIGNANTIUM OBSEDIT ME: Iudaei obsederunt Christum id est circumdederunt. FODERUNT MANUS MEAS ET
PEDES MEOS: praeterito pro futuro utitur. Foderunt manus meas id est
clauis fixerunt et fructum magnum inuenerunt id est salutem gentium;

18. ET DINUMERAUERUNT OMNIA OSSA MEA, in cruce conspexerunt membra
sua. IPSI UERO CONSIDERAUERUNT ET CONSPEXERUNT IN ME: repetitio
est.

19. DIUISERUNT SIBI UESTIMENTA MEA ET SUPER UESTEM MEAM MISERUNT
SORTEM. Quattuor milites fecerunt quattuor partes. Tunicam non diuiserunt: significabat unitatem ecclesiae, quae non scinditur; uolunt heretici scindere, sed non possunt.

20. TU AUTEM DOMINE NE ELONGAUERIS AUXILIUM TUUM A ME. Humanitas
ad diuinitatem loquitur, ut auxilietur ei in tempore passionis; AD DE-
FENSIONEM MEAM RESPICE: repetitio est.

21. ERIPE A FRAMEA ANIMAM MEAM. Framea gladius uel malitia Iudaeorum
intellegitur; ET DE MANU CANIS UNICAM MEAM. Canes Iudaei, unica id
est anima Christi. Unica dicitur, quia non habuit peccatum illa anima
et aliae animae ab ipsa mundantur. Uel unica ecclesia.

22. LIBERA ME DE ORE LEONIS. Leo populus Iudaicus propter fortitudinem
malitiae suae; ET A CORNIBUS UNICORNIUM HUMILITATEM MEAM. Unicornis ipse populus Iudaicus intellegitur, quia unum cornu habebat id
est unam legem, unde uentilabant omnes gentes ante praeuaricatio-
5 nem illorum. – Usque hic de passione dixit. Iam de resurrectione loquitur, cum dicit:

Codices: LMNSV et Z = S+V
4 Barrabae V^2 5 Concilium L: -silium cett.   obsedit LV^2: -det V^*: -derunt cett.
6 Christum post circumdederunt trsp. Z   7 meos + foderunt LZ   praeterito LM^2:
-tum cett.   utitur] ponitur LZ   manus – est om. Z   8 clauis L^2M^2: -ues(-uos
L^*) cett.   18,2 et conspexerunt om. MN   in me om. L   19,3 significabant L
quae M^2N: quod (praem. eo V^2) cett.   scinderetur LZ   20,2 auxiliaretur LM^*Z
21,1 Eripe] Erue LZ   gladius L^2M^2: -dium cett.   malitia + ipsorum (illorum V) LZ
2 canis] -nes LS   Iudaei] populus Iudaicus Z + quid est V   22,1 Libera me] Saluum
me fac Z   Leo M^2: -onis cett.   2 unicornuum N: -nuorum V   3 quia] quasi Z
cornum LNS   habet N^2: -bent N^*Z 4 uentilabat M^2

19,2 cf Io 19,23sq.

23. NARRABO NOMEN TUUM FRATRIBUS MEIS: uox Christi. Fratres Christi sancti apostoli postquam resurrexit, ut ipse ait: *Ite, nuntiate fratribus meis.* IN MEDIO ECCLESIAE LAUDABO TE, hoc est in unitate ecclesiae.

24. QUI TIMETIS DOMINUM LAUDATE EUM. Omnes sancti timore sancto timent illum et laudant. UNIUERSUM SEMEN IACOB MAGNIFICATE EUM, id est populus minor, subplantatores uitiorum, magnificate illum.

25. TIMEAT EUM OMNE SEMEN ISRAHEL, hoc est omnes uidentes deum, QUONIAM NON SPREUIT NEQUE DISPEXIT PRECEM PAUPERUM. Pauper Christus uel populus christianus. Non spreuit deus, sed exaudiuit; NEQUE AUERTIT FACIEM SUAM A ME, CUM CLAMAUERO AD EUM EXAUDIUIT
   5 ME: Christus exauditus est in passione, et ecclesia exauditur in tribulatione.

26. APUD TE LAUS MIHI: uox Christi. Christus apud patrem, ut dixit: *Ego et pater unum sumus;* IN ECCLESIA MAGNA in toto mundo diffusa. UOTA MEA DOMINO REDDAM CORAM TIMENTIBUS EUM, coram mulieribus. Uota Christi natiuitas uel passio et reliqua, uota ecclesiae opera bona.

27. EDENT PAUPERES ET SATURABUNTUR. 'Pauperes' apostoli 'edent' corpus Christi. LAUDABUNT DOMINUM QUI REQUIRUNT EUM per fidem et opera bona. UIUET COR EORUM IN SAECULUM SAECULI: 'cor' anima ipsorum, uiuet sine fine.

28. REMINISCENTUR ET CONUERTENTUR AD DOMINUM OMNES FINES TERRAE, hoc est fecit dominus deus populum christianum, ut recordaretur eum et conuerteretur de suis uiis prauis omnis multitudo gentium; ET ADORABUNT IN CONSPECTU EIUS OMNES PATRIAE GENTIUM (alibi dicit: FAMI-
   5 LIAE GENTIUM, sed unum est) et hic adorent et in futuro.

29. QUONIAM DOMINI EST REGNUM ET IPSE DOMINABITUR GENTIUM. Regnum diaboli cessauit et regnum Christi uenit.

Codices: LMNSV et Z = S+V
23,1 Fratres – 2 apostoli] Fratribus apostolis Z   3 te + domine L   24,1 sancti + qui LZ
2 et *om*. Z   laudant] + eum Z: + laudate eum L   Uniuersi M   25,3 deus + pater LZ
5 exauditur *om*. Z   26,1 mihi] mea L²V   uox Christi] id est Z   3 coram mulieribus
om. Z   4 et reliqua] resurrectio, ascensio LZ   27,3 bona *om*. Z   Uiuent corda L
animae L²Z: -mas L*   4 uiuent L: -uit M: *om*. Z   28,1 omnes] uniuersi LZ   2 hoc
est] haec Z   dominus *om*. Z   populo christiano LZ   recordetur N: -darentur LZ
3 conuerterentur LZ: -titur N   4 patriae] familiae Z, *sed* patriae siue *post* 32,1 generatio
inserunt omnes codd.   alibi – 5 est *om*. Z   5 adorent N: -rant *cett*.   29,2 cessauit] cecidit Z   aduenit LZ

23,2 Mt 28,10   26,1/2 Io 10,30

30. MANDUCAUERUNT ET ADORAUERUNT OMNES DIUITES TERRAE, id est apostoli uel ceteri sancti manducauerunt corpus Christi, ut dixit superius. Diuites terrae hoc est in fide et opere uel uirtutibus. IN CONSPECTU EIUS PROCEDENT UNIUERSI QUI DESCENDUNT IN TERRAM, 'procedunt' id est
5 peccatores in diem iudicii in conspectu dei erunt.
31. ANIMA MEA ILLI UIUET, ET SEMEN MEUM SERUIET IPSI. Anima Christi uiuet deo patri et *mors ei ultra non dominabitur;* uel ecclesia uiuet Christo. 'Semen meum' filii ecclesiae seruient ipsi id est Christo.
32. ADNUNTIABITUR DOMINO GENERATIO UENTURA: propheta dicit. Generatio uentura hoc est populus gentium qui uenturi erant in fidem, antequam Christus ueniret in mundum, ad credendum ei; uel 'generatio uentura' hoc est in diem iudicii tota integra inmortalitas: ADNUNTIA-
5 BUNT CAELI IUSTITIAM EIUS, ⟨caeli⟩ hoc sunt apostoli uel doctores, 'iustitiam eius' mandata ipsius, POPULO QUI NASCETUR QUEM FECIT DOMINUS, 'qui nascitur' hoc est per uerbum praedicationis, 'quem fecit dominus' hoc est praedistinauit ante saecula.

22. DOMINUS REGIT ME. Uox ecclesiae loquitur de Christo: 'Regit me' dicit, quia fiducialiter loquitur per fidem, quia ante aduentum Christi diabolus regebat mundum, sed modo Christus regit ecclesiam suam. Quod nos dicimus 'dominus regit me' Hebraei dicunt: DOMINUS PASCIT ME.
5 Aliter 'dominus pascit me' id est Christus, quia Christus pastor noster est, unde dixit: *Ego sum pastor bonus;* et oues ecclesia est, quia Christus pascit ecclesiam suam de suo corpore et de suo sanguine uel de

Codices: LMNSV et Z = S+V
30,2 manducant L   4 procedent *restitui e Gl.*: cadent *codd.*   discendunt L*N
terra LMS   procidunt L²Z   31,1/2 uiuet] -uit L*M²   2 ei ultra] *trsp.* LMN
3 seruiunt Z   id est Christo *om.* Z   32,2 in fidem(-de L) *om.* Z   4 mortalitas V
6 ipsius] illius Z   populus N   nascitur L*M*N   7 nascetur M²   8 praedistinati
MNV²   ante saecula *om. (eras.)* V

Ps 22,1,1 regit¹ NS²: -get *cett.*   regit²] -get MV   dicit + ecclesia LZ   2 quia¹ *om.* Z
3 mundum] -do V²: *praem. in* LM*Z   5 Aliter – 8 uerbo *huc posui, post* 2,2 ipsum *in codd.*
5(*et* 7) pascet N   Christus¹ + regere pascere est LZ   6 oues + illius LZ

31,2 Rm 6,9

Ps 22,1,4 pascit me = Ps(H)   6 Io 10,11.14

suo uerbo. Et nihil mihi deerit, eo quod qui deum habet et qui deo adheret nihil bonum deest ei, ut ait propheta: *Nihil deest timentibus*
10 *eum.*

2. In loco pascuae ibi me conlocauit, hoc est in unitate fidei, in unitate ecclesiae siue in semet ipsum. Ibi me conlocauit, ac si dicat: ibi me conduxit. Super aquas refectionis educauit me: aquae refectionis doctrina patriarcharum et prophetarum siue apostolorum intelleguntur.
5 'Educauit me' ac si dicat: edocuit me.

3. Animam meam conuertit id est animam ecclesiae, quia antea ad infernum descendebat per culpam primi hominis Adae, sed modo ad Christum conuersa est per fidem, unde dixit: *Conuertimini ad me et ego conuertar ad uos.* Deduxit me super semitas iustitiae id est super se-
5 mitas mandatorum, propter nomen suum, non propter meum meritum, sed propter nomen suum.

4. Nam et si ambulem in medio umbrae mortis, non timebo mala, domine, quoniam tu mecum es. Umbra duobus modis fit id est a corpore et lumine. Per corpus mors intellegitur, per umbram peccata et ignorantia. Et tamen, quamuis ecclesia inter haec supradicta ambulet
5 non timet, quia dominum apud se habet, ut ipse dixit: *Ecce ego uobiscum sum omnibus diebus usque ad consummationem saeculi.* Propterea ecclesia non timet. Uirga tua et baculus tuus ipsa me consolata sunt: uox ecclesiae ad Christum. Uirga tua id est disciplina, baculus sustentatio. Aliter: uirga infantibus uel iuuenibus, baculus sapientibus
10 uel perfectis. Aliter per uirgam intellegitur tribulatio uel persecutio ecclesiae, et per baculum sustentatio et consolatio futura.

5. Parasti in conspectu meo mensam aduersus eos qui tribulant me. Mensa id est scriptura diuina, quia sicut in mensa post laborem inueni-

Codices: LMNSV et Z = S+V
8 eo quod *om. Z*   9 boni *L²Z*   **2,**1(*et* 2) conlocabit *L²*   1 unitate¹] -tem *SV* fidei – unitate² *om. Z*   2 ipsum *LM*N*: -so *M²Z*   3(*et* 5) educauit *L²M²V²*: edocuit *cett.*   aquae] aqua *L*   4 intellegitur *L²: om. Z*   5 edocuit] docuit *LZ* + uel enutriuit *Z* **3,**1 meam *om. L*   est + ad semet ipsum uel *LZ*   2 descendebant *LM² N**   4 super²] per *V*   4/5 semitam *Z*   6 sed – suum *om. Z*   **4,**1 et *om. N*   ambulauero *LV* 1/2 domine *om. LZ*   2 es + domine *S²V*   a *om. N*   4 Et *om. Z*   tamen *om. N* 6 omnibus diebus *om. LZ*   7 ipse *Z*: ipsi *N*   consolatae *L*: -te *Z*   9 sapientibus] fortioribus *Z*   10 profectis *L*   **5,**2 quia *om. N*   sicut *om. Z*

9 Ps 33,10   3,3/4 Za 1,3   4,5-6 Mt 28,20

tur consolatio et refectio, sic et sancti per mensam hoc est scripturam
diuinam habent consolationem et refectionem, id est spem, fidem et
5 caritatem. 'Aduersus eos qui tribulant me': persecutores ecclesiae id
sunt daemones, Iudaei et heretici: contra istos omnes in scripturis
sacris inuenimus consolationem. INPINGUASTI IN OLEO CAPUT MEUM.
'Caput' id est principale mentis ecclesiae, unde sanctus Gregorius
dixit: Mens etenim caput intellegitur, quia sicut a capite reguntur
10 membra, ita cogitationes mente disponuntur. Per oleum intellegitur
consolatio, quia per oleum consolatur corpus, ita et per consolationem
scripturarum mens ecclesiae. ET CALIX TUUS INEBRIANS QUAM PRAE-
CLARUS EST. Calix intellegitur uerbum dei, inebrians quia per praedicationem conpungitur homo in mente, quando separat hominem id est
15 patrem a filio et filium a patre suo, matrem a filia et filiam a matre sua
et nurum a socru sua: tunc inebriat quando ista facit. Aliter: per
calicem mensura intellegitur, quia unicuique iuxta quod meretur uel
potest capere sic illi diuidit deus id est dat.

6. MISERICORDIA TUA DOMINE SUBSEQUITUR ME: uox ecclesiae ad Christum. Misericordia dei et praeuenitur et subsequitur: praeuenitur per fidem, subsequitur in custodiendo mandata dei; OMNIBUS DIEBUS UITAE
MEAE id est quamdiu aduixerit. UT INHABITEM IN DOMO DOMINI. Eccle-
5 sia hic quasi in tabernaculo consistit, quia tabernaculum mutatur de
loco in locum. Sic et ecclesia de isto tabernaculo transfertur in domum
hoc est in uita aeterna siue perpetua, ubi sine fine habitabunt sancti,
LONGITUDINEM DIERUM id est dies sine fine.

Codices: LMNSV et Z = S+V

3 est + per Z   4 refectionem + post laborem LZ   5 me + id est aduersus LZ   7 consolationem + uel defensionem LZ   9 intellegitur] uocatur Z   11 consolatio + post la-
borem(-es S) LZ   quia + sicut V² 12 ecclesiae + inpinguatur oleo caput ecclesiae Z +
quando futura praemia ei (om. LV) promittuntur LZ   tuus] meus V   13/14 conpungitur MV²: -git cett.   14 mentem L*N   16 inebriant ... faciunt N   17 uel] et Z
18 dat + et (om. LV) quia deus (om. V) dat mensuram uerbi dei recipienti (-endi LV), ut illud:
Qui habet aures audiendi audiat LZ   6,1 domine om. Z   subsequetur Z: -quatur L*
2 praeuenit LV² (bis)   3 mandata N: -tis cett.   4 uixerit Z   7 uitam aeternam L²V
perpetualiter LZ   habitant M*N: -tat M²

5,9 cf GR-M Ev 12,3(ed. 1120 C 1-3) et alibi   14 - 16 cf Lc 12,53   18 (Mt 11,15;
13,9.43...)

23. Psalmus Dauid: Domini est terra et plenitudo eius, orbis terrarum et uniuersi qui habitant in ea. Iste psalmus contra hereticos per
prophetam ex persona ecclesiae cantatur, qui dicebant quod in una
parte mundi esset ecclesia, maxime Donatistae qui in Africa habitare
5 uidebantur, quod ibidem tantummodo esset ecclesia. Sed propheta dicit: Domini est terra hoc est totus mundus, et plenitudo eius hoc est
habitatores mundi istius. Aliter 'domini est terra' hoc est ecclesia, 'et
plenitudo eius' id est omnes sancti.

2. Ipse super maria fundauit eam. Per 'maria' fluctuationes istius
mundi, quia calcant et superant ecclesiam ab initio saeculi. Sed fundauit hoc est constabiliuit ecclesiam suam in fide, et super flumina
praeparauit illam. Per flumina intelleguntur potentes saeculi uel cu-
5 piditas, ut ait Salomon: *Omnia flumina intrant in mare, et mare non
redundat.* Sic et ipsi potentes, quamuis magnum habeant, numquam
satiantur. Super ista flumina est ecclesia, ut illos praedicet et corripiat,
quia potestatem habet, si se audire uoluerint.

3. Quis ascendit in montem domini? Uox prophetae interrogando.
'Quis' pro raritate ponitur. Quis ascendit in montem domini? Mons hic
pro alta iustitia commemoratur, ut illud: *Uade, uende omnia quae habes*
et rlq. Aut quis stabit in loco sancto eius? 'Quis stabit' ac si dicat:
5 quis perseuerauerit? quia multi ascendunt et non perseuerant.

4. Innocens manibus hoc est operibus, quia per manus opera intelleguntur; et mundo corde id est mundis sermonibus. Qui non accepit in
uano animam suam: ille in uanum non accepit animam suam qui
opera bona agit, nec iurauit in dolo proximo suo: ille in dolo non iu-

---

Codices: LMNSV et Z = S+V

Ps 23,1,1 Psalmus Dauid *om. LMN*   2 ea] eo *L*Z*   5 Sed *om. MN*   7 ecclesia]
saeculum *V*   **2,**1 eam] ea *L*N*: eum *S*   2 calcauit *N*: -cat *Z*   superat *N²Z*
ecclesia *N²Z*   ab initio] fluctuationes *LZ*   3 stabiliuit *S*V*   4 illa *N*: -lum *Z*
4/5 cupidi *Z*   5 mare² - 6 redundat] rlq. *Z*   6 potentes + saeculi uel cupidi quia *LZ*
7 illis *V²*   corripiet *SV**   8 habet + super illos *Z*   se] praedicationem eius *LZ*
uoluerint] *praem.* non *N*: noluerint (-runt *V*) *LZ*   **3,**1 ascendet *L²Z*   interrogando +
loquitur *LZ*   2 ascendet *L²V*   3 commemoratur *om. Z*   Uade + et *Z*
5 perseuerauit *N²*: -rabit *L*   perseuerant] -rent *LSV**   **4,**1/2 intelleguntur *L²M²V²*:
-gitur *cett.*   2 accipit *M*   3 uano] -num *N*   suam + id est qui non est subiectus
rebus terrenis (sed est subiectus rebus aeternis *om. S*), hoc est *LZ*   accipit *LM*

Ps 23,2,5 Ecl 1,7   3,3 Mt 19,21

⁵ rat proximo suo qui quod cogitat hoc praedicat et in opere implet. Sed heretici dolosi dicuntur, quia aliud cogitant et aliud loquuntur et quod promittunt implere non possunt.

5. HIC ACCIPIET BENEDICTIONEM A DOMINO. De isto supradicto dicit qui non iurat in dolo proximo suo: accipiet benedictionem a domino, quando dicturus erit: *Uenite benedicti patris mei, percipite regnum;* ET MISERICORDIAM A DEO SALUTARI SUO. Misericordiam a deo consequitur
⁵ qui se putat esse miserum.

6. HAEC EST GENERATIO QUAERENTIUM DOMINUM. Superius singulariter dixit: hic accipiet benedictionem; et modo pluraliter, quia ecclesia ex pluribus personis congregatur et tamen una dicitur propter unitatem fidei. Generatio haec id est populus christianus REQUIRENTIUM FACIEM
⁵ DEI IACOB id est per fidem et operationem, unde dictum est: *Maior seruiet minori.*

7. TOLLITE PORTAS, PRINCIPES, UESTRAE. Hic sententia mutatur. Tollite portas, principes, uestrae: uox angelorum bonorum ad angelos malos, quorum princeps diabolus est. Portas, principes, uestrae id est cupiditas et timor. Bene coniunxit cupiditatem et timorem, quia quaecum-
⁵ que per cupiditatem congregat homo per timorem et malitiam custodit, ut non perdat. Et qui timorem et cupiditatem et malitiam habet, spiritum malignum de se non deiectat. ET ELEUAMINI PORTAE AETER-NALES id est fides et caritas. 'Aeternales' dicuntur quia ab Adam usque ad Christum in imo iacuerunt et ideo eleuare dicuntur. ET INTROIBIT
¹⁰ REX GLORIAE hoc est Christus, quia per fidem et caritatem ingreditur Christus in ecclesiam.

8. QUIS EST ISTE REX GLORIAE? Uox malorum daemonum, ac si dicerent:
9. nos nostrum regem habemus diabolum. Iste rex gloriae quis est? Do-
10. MINUS FORTIS ET POTENS. Uox angelorum bonorum: fortis est qui alli-

---

Codices: LMNSV et Z = S+V

5 Sed] Et *SV**   6 dolose *M*   7 non possunt] nolunt *LZ*   5,3 patres *M*   4 salutare
L*N   consequetur *V*   6,3 pluribus *L²M²V²*: -ris *cett.*   et *om. Z*   4 Generatio +
ergo *LZ*   haec] ista + sancta per fidem requirentium faciem dei Iacob *LZ*   requiret
(-rit *L*) *LZ*   7,1 principis *L²*   uestri *L²*: uestras *L*Z*   Hic - 2 uestrae *om. S*
2(*et* 3) principis uestri *L²*   uestras *L*Z*   4 Bene] poenae *N*   4/5 quodcumque *Z*
5 homo *om. MN*   5/6 custodit *L²M²*: -ditur *cett.*   7 deicit *M*   9 introiuit *NSV**
8-10,1 daemonum + quis est *LZ*

5,3 Mt 25,34   6,5/6 Gn 25,23(Rm 9,12)

gauit fortem principem uestrum. Dominus uirtutum ipse est rex
5 gloriae. Pluraliter hic 'uirtutum' Christus intellegitur, quia super
nouem uirtutes caelorum sedet. Uel 'uirtutum' dicitur, quia super omnes uirtutes diaboli dominus est. Uel 'uirtutum' dicitur, quia diabolus
nouem ordines angelorum sub sua habuit dominatione, siue bonos
siue malos. 'Tollite portas' uox angelorum bonorum uel uox dominica
10 ad angelos bonos: tollite portas hoc est quia, quando Adam peccauit,
portae paradisi clausae fuerunt et data est romphea ignea angelo sera-
phim, ut eum custodire deberet. Sed postquam Christus uenit in mundum et proeliauit cum diabolo, aperuit infernum et animas sanctorum
secum eduxit et cum angelis bonis ad caelestia remeauit. Tunc portae
15 paradisi quae ante clausae fuerant apertae sunt. Aliter 'portae aeternales' angeli dicuntur, per quorum custodiam ad caelestia conscendimus.
Eleuatae dicuntur, quia antea omnes animae sanctorum ad infernum
descendebant. Sed postquam Christus ascendit una cum corpore suo
super omnes uirtutes caelorum, postea angeli laetati sunt, quia animas
20 sanctorum apud se illuc deducunt. 'Quis est iste rex gloriae?' Uox angelorum qui apud patrem semper fuerunt, ac si dicerent: nos patrem et
filium semper insimul esse uidimus. Iste rex gloriae quis est? pro parte
carnis dicit: nescimus. Respondent illi boni qui apud Christum in
mundo contra diabolum pugnauerunt: iste est qui fuit in mundo et
25 pugnauit cum diabolo et ligauit illum et liberauit genus humanum.
Item uox angelorum contra spiritus malignos: 'tollite portas' id est
superbiam et cupiditatem et auaritiam, quia per has tres omnis homo
ad infernum descendebat. 'Portae aeternales' quas dicit eleuare, fides,
caritas et castitas est, quia per has tres Christus in ecclesiam ingreditur.
30 'Quis est iste rex gloriae?' humana fragilitas respondet: quis est iste? ac
si dicant: iste est quem nos dispeximus et crucifiximus et pro infirmo
ac pro nihilo habuimus. Respondent: Dominus uirtutum, quasi

Codices: LMNSV et Z = S+V
6 caelorum] angelorum Z   dicit Z   8 nouem] praem. de LN*Z   ordinibus L²Z
8/9 bonis siue malis LSV*   11 portae L²: -ta M²N²: -tas cett.   clausas L*N*: -sa N²
12 eam M: ea N   15 antea LZ   fuerunt LM   17 Eleuare LZ   20 deducant N
21 qui] quia MN   22 uidemus M*   23 dicebant LZ   nescimus] Potens in proelio Z:
om. LN   responderunt S   24 iste – 25 humanum om. Z   26 Item + tertio sensu:
Tollite portas LZ   angelorum + qui cum Christo LZ   malignos + dimicant LZ
est + aditus mortis LZ   27 superbia, cupiditas et auaritia L*Z   28 Portas M²
31 dispeximus et om. Z   et² + inproperauimus et Z   32 Dominus] Deus S
quasi – 33 si] id est qui Z

dicant: *Et si mortuus est ad tempus ex infirmitate carnis, sed* nunc *uiuet ex uirtute dei.* Uel uirtus fuit, quando dixit Thomae: *Infer digitum tuum*
35 *in locum clauorum et mitte manum tuam in latus meum et noli esse incredulus, sed fidelis.* 'Dominus uirtutum' dicitur, sicut Paulus ait: *Quis nos separabit a caritate Christi?* et cetera. Item aliter: 'tollite portas, principes, uestras' uox angelorum qui cum Christo ad infernum descenderunt ad subiectos diaboli dicunt, quando apud se principem illorum
40 ligatum duxerunt. 'Tollite portas' dicit, quia tultae sunt portae, id est potestas illorum tunc abstracta est. 'Et eleuamini portae aeternales': et tunc eleuatae sunt aeternales portae id est animae sanctorum de inferno. Aeternales dicuntur, quia semper sine fine apud deum regnaturi sunt.

24. AD TE DOMINE LEUAUI ANIMAM MEAM. Hic uox ecclesiae intellegitur ad Christum. 'Leuaui' dicit id est eleuare, quia prius in ualle lacrimarum uel in imo iacebat ecclesia, antequam Christus ueniret in mundum. In quid eleuauit eam? in spe, fide et caritate. Per significationem uerbi
5 gratia: triticum si in imo iaceat, conputrescit, si sursum eleuatur, custoditur. Sic et anima, si in putredine peccatorum hoc est in imo iaceat, conputrescit et perit. Nam si sursum eleuatur in his supradictis spe, fide et caritate, custoditur a deo.
2. DEUS MEUS, IN TE CONFIDO. Ecclesiae confessio est: in te confido, non in me, sed in te. NON ERUBESCAM,
3. NEQUE INRIDEANT ME INIMICI MEI. 'Non erubescam' quia in hominem non confido, de quibus dictum est: *Maledictus homo qui spem suam ponit in homine;* et: *Benedictus uir qui confidit in domino.* 'Neque inrideant

---

Codices: LMNSV et Z = S+V
37 separabit L^2M^2: -uit *cett.* Item aliter *eras. N: om. V* 37/38 principis L^2
38 uestrae NSV*: uestri L^2 39 ad] sed S subiectis SV* 40 dicit *om. Z*
43 regnaturae M

Ps 24,1,3 uenisset M 4 eam] id est LZ: *om. N* spem, fidem et caritatem Z per significationem *om. Z* 6 iacuerit Z **2,1** Ecclesiae – confido^2 *om. Z* 2 te + ecclesiae confessio est Z **3,1** homine L^2Z 2/3 ponet N 3 hominem M

33 II Cor 13,4 34 – 36 Io 20,27 36/37 Rm 8,35

Ps 24,3,2 – 3 Ier 17,5.7

me inimici mei' id est illi qui in homine tantummodo confidunt, quia
5 postquam ille defectus fuerit, inimici ipsorum inrident eum. Et inimici
ecclesiae sunt daemones, heretici, uitia et peccata. ETENIM UNIUERSI
QUI TE EXPECTANT (alii dicunt: QUI TE SUSTINENT) NON CONFUNDENTUR
neque hic neque in futuro.

4. CONFUNDANTUR INIQUE AGENTES SUPERUACUE. Propheta non optando,
sed prophetando dicit: confundentur in die iudicii illi, qui usque in finem in malitia ipsorum perseuerant. UIAS TUAS, DOMINE, NOTAS FAC
MIHI. 'Uias tuas' mandata tua, 'notas fac mihi' hoc est demonstra mihi;
5 ET SEMITAS TUAS DOCE ME. Semita minor est quam uia. Per semitam
intellegitur arta et *angusta uia quae ducit ad* aeternam *uitam.*

5. DIRIGE ME IN UERITATE TUA. Uox ecclesiae: dirige me, quia ego tortuosus sum, 'in ueritate tua' in Christo tuo. ET DOCE ME, QUIA TU ES DEUS
SALUTARIS MEUS ET TE SUSTINUI TOTA DIE, hoc est toto tempore uidebunt me propter te sustinere.

6. REMINISCERE MISERATIONUM TUARUM, DOMINE. Populus christianus loquitur, ut recordari eos faciat de suis miserationibus, ut illud: *Misericordiae tuae multae sunt, domine.* ET MISERICORDIAE TUAE QUAE A SAE-
CULO SUNT, quia misericordias tuas ab initio saeculi nobis promisisti.

7. DELICTA IUUENTUTIS ET IGNORANTIAE MEAE NE MEMINERIS: 'delicta iuuentutis' ante baptismum, 'et ignorantiae meae' post baptismum. SE-
CUNDUM MAGNAM MISERICORDIAM TUAM MEMOR ESTO MEI, DEUS, id est
non secundum meum meritum, sed secundum tuam misericordiam,
5 PROPTER BONITATEM TUAM, DOMINE.

8. DULCIS ET RECTUS DOMINUS: dulcis quia promittit praemia futura, rectus quia *reddet unicuique secundum opera sua.* PROPTER HOC LEGEM DA-

Codices: LMNSV et Z = S+V
4 hominem *L*M*   quia *om. Z*   5 defectus] defunctus *Z*   eum] eis *Z: om. L*
7 alii dicunt] id est *Z*   8 futuro + Etenim uniuersi qui te expectant, id est non solum ego,
sed unusquisque qui propter te sustinet, non confundetur (-dentur *V*: -ditur *S*) *LZ*
4,1 iniqua *M*   superuacue *om. MN*   2 pronuntiando *L*   confundentur *L*N*: -dan-
tur *cett.*   2/3 finem + uitae *LZ*   4 mihi² *om. LZ*   5 edoce *LS*   6 aeternam *om. Z*
5,2 Et doce] Edoce *MNS*   3 est + in *LV*   **6,2** recordari *L²MV²*: -re *cett.*   eos *MV²*:
eis *cett.*   faciat + dominus *LZ*   de *om. Z*   suis miserationibus *L²*: suas -tiones
L*M*NZ: sua -tione *M²*   4 misericordiae tuae *Z*   promissae sunt *Z*   **7,1** et - 1/2
iuuentutis *om. S*   **8,2** sua + Non te blandire de *(om. V)* dulcedine(-nem *SV²*), sed respice
rectitudinem *LZ*

4,6 Mt 7,14   6,2/3 Ps 118,156   8,2(*et* 4) Mt 16,27; Rm 2,6

BIT DELINQUENTIBUS IN UIA, 'statuit legem' hoc est *reddet unicuique secundum opera sua,* 'delinquentibus in uia' peccantibus in ista uita.

9. DIRIGIT MITES IN IUDICIO, mites et humiles corde dirigit in iudicio, hoc est discretionem facit hic in praesenti inter corpus et animam, ut se inuicem corrigant in uiis mandatorum dei; DOCEBIT MANSUETOS UIAS SUAS id est mandata.

10. UNIUERSAE UIAE DOMINI MISERICORDIA ET UERITAS: de supra recapitulat, ubi dixit: *Dulcis et rectus dominus.* Quia qui se miserum considerat, miseretur illi deus. 'Ueritas' quando reddet unicuique secundum quod fecit, REQUIRENTIBUS TESTAMENTUM EIUS: illis facis misericordiam qui
⁵ requirunt Nouum Testamentum.

11. PROPTER NOMEN TUUM, DOMINE, PROPITIABERIS PECCATO MEO, non propter meum meritum, sed propter tuam misericordiam. COPIOSUM EST ENIM, multum est, grande est peccatum meum.

12. QUIS EST HOMO QUI TIMEAT DOMINUM? LEGEM STATUIT EI IN UIA QUAM ELEGIT. Omnis homo qui timet dominum legem accipit ab eo 'in via quam elegit' siue coniugium legitimum obseruat, siue uirginitatem siue castitatem uel reliqua bona.

13. ANIMA EIUS IN BONIS DEMORABITUR id est sperat in praemiis futuris, ET SEMEN EIUS HEREDITATE POSSIDEBIT TERRAM, 'semen eius' opera eius possident terram id est uitam perpetuam.

14. FIRMAMENTUM EST DOMINUS TIMENTIBUS EUM. Nos infirmi et inbecilles sumus, sed ab ipso roboramur; ET TESTAMENTUM IPSIUS UT MANIFESTETUR ILLIS hoc est Nouum Testamentum.

15. OCULI MEI SEMPER AD DOMINUM, oculi cordis intenta mente ad deum, de quibus dicitur: *Oculi sapientis in capite eius;* QUIA IPSE EUELLET DE LAQUEO PEDES MEOS hoc est de laqueo diaboli sensus meos.

Codices: LMNSV et Z = S+V
3 reddere *S*   3/4 secundum opera sua] quod fecit *LZ*   4 delinquentes *M*   uia + dirigit (-get *L*M) LMN*   peccantes *MN* + emendat *M*   **9,1** Diriget *(bis) L*MZ* iudicio¹ *L²M²:* -cium *cett.*   4 est + sua *LZ*   **10,1** superius *LZ*   3 miserebitur *LZ* **11,1** domine *om. M**   peccatum meum *LSV**   **12,1** timet *L²MZ*   2 accipiet *L:* accepit *NZ*   ab eo] a deo *V*   3 obseruet *M²:* -uare *Z*   4 uel] et *Z*   bona *om. Z* **13,1** sperat *L²:* -ratur *cett.*   2 hereditatem *L*M*N*   possidebunt *LN*   semen² – 3 terram *om. MN*   3 perpetuam] aeternam *L*   **14,2** sumus *om. LZ*   et *om. MN* **15,2** euellet] uellit *N*

15,2 Ecl 2,14

16. Respice in me et miserere mei: respice in adiutorium quia infirmus
sum, et miserere quia miser sum; quia unicus et pauper sum ego: ad
Christum pertinet, quia Christus unicus sine peccato, ut ait propheta:
Qui peccatum non fecit; pauper pro nobis, ut Paulus dicit: *Qui cum diues*
5 *esset, pauper factus est, ut illius inopia nos diuites essemus.* Aliter 'unicus' populus christianus.

17. Tribulationes cordis mei dilatatae sunt id est multiplicatae sunt.
De necessitatibus meis eripe me hoc est de necessitatibus ecclesiae.

18. Uide humilitatem meam et laborem meum: ecclesia loqitur ad
Christum. 'Humilitatem' quia humiliant eam persecutores, 'laborem'
in tribulatione quam sustinet. Et dimitte omnia peccata mea id est
parua et maxima, praesentia et praeterita et futura uel mea et pa-
5 rentum.

19. Respice inimicos meos, quoniam multiplicati sunt. Uox ecclesiae
de persecutoribus dicit. Et odio iniquo oderunt me. Dum dicit 'odio
iniquo', ergo est aliud odium bonum, de quo dicitur: *Perfecto odio ode-*
ram illos. Iniquo odio oderunt ecclesiam aduersarii, quia nihil eis noce-
5 bat.

20. Custodi animam meam et eripe me: ecclesia supplicat, ut custodiatur
et eripiatur ab omni malo. Non confundar, quia inuocaui te: non
confundar hoc est neque hic neque in futuro. Quare? quia inuocaui te.

21. Innocentes et recti adheserunt mihi. Sicut collum adheret ad caput
et membra in eodem corpore continentur, sic et ecclesia primitiua adhesit Christo et membra eius in eodem corpore continentur, id est successores apostolorum uel ceteri sancti. Quia sustinui te, domine,

22. libera me, deus Israhel, ex omnibus angustiis meis: ecclesia dicit.
'Sustinui te' id est patienter expectaui, 'libera me deus Israhel': Israhel
anima uidens deum, 'ex omnibus angustiis meis' ex omnibus tribulationibus meis.

Codices: LMNSV et Z = S+V
16,1 quia - 2 sum[1] *om. MN*   **17,**1 multae(-ti *N*) *MN*   **18,**2 humiliabant *LZ*   peccatores *MN*   3 quam (quod *L*M*N*) sustinet *om. Z*   demitte *LN*   4 parua et maxima
om. MN   **19,**2 dicit[1] *om. LZ*   Et *om. MN*   Dum *om. Z*   2/3 odio iniquo dicit *Z*
3 dicitur] loquitur *Z*   **20,**2 omnia mala *L*M*N*   **21,**1 ad caput] capiti (-te *SV**) *LZ*
2 continentur *L²M²V²*: -nent *cett.*   et[2] *om. LN*   3 Christum *L*N*   **22,**3 animarum
uidentium *Z*   meis + ecclesia dicit *Z*

16,4 I Pt 2,22(Is 53,9)   4 - 5 II Cor 8,9   **19,**3/4 Ps 138,22

25. In finem psalmus ipsi Dauid, ut superius dictum est.

Iudica me domine: uox ecclesiae ad Christum. 'Iudica me': numquid iudicium futurum roget a deo? ⟨Non⟩, sed discretionem, de qua in alio psalmo legimus: *Iudica me, deus, et discerne causam meam,* hoc est ut
5 non me iudices in futuro sicut ceteri peccatores iudicandi sunt, quoniam ego in innocentia mea ingressus sum. Pro parte sua dicit ecclesia, ac si dicat: paratus sum innocenter uiuere, quia nulli nocet nec nocere desiderat ecclesia. Ingressus sum id est inter peccatores, ubi usque in finem habitat. Et in domino sperans non infirmabor.
10 'Non infirmabor' id est inter homines peccatores. Quare non infirmor? propterea quia in te spero, non in me.

2. Proba me, domine, et tempta me. Probari se rogat ecclesia, ut se cog- noscat et ab aliis cognoscatur esse probata, sicut Iob probatus est, ut se cognosceret et alii eum cognoscerent, sicut illi reges fecerunt qui eum uisitauerunt. Ure renes meos et cor meum, ure id est accende, renes
5 delectationes, per 'cor' cogitationes. Ure renes hoc est igne spiritus sancti, de quo igne dicit: *Ignem ueni mittere in terram.*

3. Quoniam misericordia tua ante oculos meos est, uox ecclesiae, id est ante oculos cordis, et conplacui in ueritate tua, in Christo tuo.

4. Non sedi in concilio uanitatis, hoc est qui de terrenis cogitant sem- per, non sedet ecclesia in eorum consilio; et cum iniqua gerentibus non introibo.

5. Odiui congregationes malignorum et cum impiis non sedebo, ⟨qui⟩ non solum cogitauerunt in uerbo, sed perfecerunt in opere.

6. Lauabo inter innocentes manus meas: manus lauare id est opera lauare lacrimis, baptismo et paenitentia. Et circumdabo altare tuum, domine: altare id est fides circumdabo operibus bonis. Unus-

Codices: LMNSV et Z = S + V

Ps 25,1,1 ut *om. Z*   est + de psalmo *S*   3 iudicium + quod sit(scit *Z*) *LZ*   ad(*canc. V²*) deum *Z*   5 non *om. V*   7 parata *LZ*   9 habitant *V*   10 homines] omnes *M*: hos *LZ*   infirmor] -mabor *MS*   **2,**1 probari *M²V²*: -re *cett.*   3 eum¹ *om. MN*   4 ure² – accende *om. MN*   5 renes *om. Z*   6 qua *L*NZ*   **3,**1 uox ecclesiae *om. LZ*   **4,**2 sedit *LMN*   **5,**1 congregationem *Z*   **6,**1 opera (-re *M*) – 3 circumdabo *om. L*   2 lauare *N*: lauat *Z*: *om. M*   baptismo *M²*: -mum *cett.*   paenitentiam *Z*

Ps 25,1,1 superius: *cf* Ps 19,1(?)   4 Ps 42,1   2,6 Lc 12,49

quisque sanctus altare domini est, quia altare hoc est fidem domini in
⁵ se habet.

7. UT AUDIAM UOCEM LAUDIS TUAE ET ENARREM UNIUERSA MIRABILIA TUA.
'Laudis tuae' quicquid boni agimus a deo reputatur esse, et quicquid
mali facimus a nobis est. Laus dei perfecta est et laus hominum imperfecta. Agustinus per similitudinem: uerbi gratia duo homines ad
⁵ iudicem uenerunt, unus diues et alter pauper; ambo pariter, dum
uenerunt, laudauerunt iudicem, causa indiscussa. Et unus ex ipsis
sententiam suscepit id est pauper, et quod antea laudabat coepit
blasphemare. Propterea laus hominum imperfecta est. Sed laus dei
perfecta, quia et hic illum laudat ecclesia et postea sine fine.

8. DOMINE, DILEXI DECOREM DOMUS TUAE ET LOCUM HABITATIONIS GLO-
RIAE TUAE: propheta loquitur. Domus domini est sacerdotes ecclesiae,
et habitatio gloriae ipsi sunt in quibus habitat deus.

9. NE PERDAS CUM IMPIIS ANIMAM MEAM id est in die iudicii cum peccatoribus, ET CUM UIRIS SANGUINUM UITAM MEAM: repetitio est.

10. IN QUORUM MANIBUS INIQUITATES SUNT hoc est in operibus ipsorum,
DEXTERA EORUM REPLETA EST MUNERIBUS. De sinistra fecerunt sibi dexteram, quia uita futura dextera dicitur et sinistra uita praesens. Illi pro
dextera habuerunt sinistram, ut illud: est munus a lingua et est munus
⁵ a manu et est munus ab obsequio: a lingua laus hoc est fauor humanus,
a manu a rebus terrenis, ab obsequio in seruitio indebite inpensum.
Sed melius est, ut ait propheta: *Qui excutit manus suas ab omni munere,
iste in excelsis habitabit.*

11. EGO AUTEM IN INNOCENTIA MEA INGRESSUS SUM: ecclesia loquitur pro
parte bonorum, ingressa inter peccatores. LIBERA ME de tribulatione,
ET MISERERE MEI, quia miser sum.

Codices: LMNSV et Z = S+V
4 est¹ – domini² *om. Z*   quia altare *eras. N*   domini² *om. L*   5 habet + quae est fides *Z*
7,2 reputamus *Z*: -tandum *L²*   esse] est *L²*   3 male *L*M*N*   fecimus *V*
3/4 imperfecta + est *V*   4 Agustinus *om. Z*   6 uenerint *M*SV**: uenirent *L*   7 laudabat *L²V²*: -dauit *M*: -bit *cett.*   8 est *om. LM*Z*   Sed] et *MN*   8,1 habitationis]
tabernaculi *MN*   2 est] sunt *V²*   10,1 ipsorum *N*: eorum *cett.*   3 Illi + qui *V*
4 dextera] nihilo *Z*   6 seruitium *Z*   indebite *scripsi (cum* GR-M): debite(debet *Z)*
codd.   8 habitabit *L²M²*: -uit *cett.*   11,2 ingressa + est *LZ*

7,4 – 8 *cf* AU 25 en. 2,13,21sqq.(p. 150)   10,4 – 6 *cf* GR-M Ev 4,4(ed. 1092 A 2-6)
7/8 Is 33,15.16

12. Pes enim meus stetit in uia recta, sensus meus in Christo, quia ipse est uia. In ecclesiis benedicam dominum: de unitate congregationis dicit ecclesia.

26. Psalmus Dauid priusquam ungueretur. Tribus unctionibus unctus est Dauid, una a Samuhel, alia in Hebron ubi septem annis regnauit, tertia in Hierusalem, quando super omnem Israhel rex leuatus est. Sed de his tribus unctionibus media ad istum pertinet psalmum. Dauid fi-
5 guram Christi tenet, quia et ipse unctus est in baptismum, quando in specie columbae spiritus sanctus super eum uenit. Dauid in prima unctione non accepit regnum, sic nec Christus secundum carnem tempore passionis non accepit regnum nisi postea quam resurrexit ascendit, ut illud: *Data est mihi omnis potestas in caelo et in terra.*
10 Dominus inluminatio mea et salus mea, quem timebo? Uox ecclesiae ad Christum. In omnibus psalmis uerba spiritus sancti sunt et uerba sunt quae non sunt nostra, et item uerba sunt nostra quae non sunt spiritus sancti. Spiritus sancti uerba sunt, quae ab ipso inspirata uel dicta sunt; et nostra sunt quae de nostris uitiis procedunt. 'Domi-
15 nus inluminatio mea': sicut oculi corporis inluminantur ab alia luce, sic et oculi cordis nostri a uera luce hoc est Christo inluminantur. Unde dictum est: *Erat lumen uerum quod inluminat omnem hominem uenientem in hunc mundum.* 'Et salus mea' id est fortitudo mea. Sunt multi fortes et non habent lucem, et sunt multi uidentes et non habent forti-
20 tudinem. Illi dicuntur caeci et fortes esse, qui fortitudinem habent operandi et nesciunt quid faciant. Et illi dicuntur lucem habere et non sunt fortes, qui sciunt quid faciant et fortitudinem operandi non habent. Nam deus noster ecclesiae suae et lumen et fortitudinem dedit,

Codices: LMNSV et Z = S + V
12,2 uia] uita LZ

Ps 26,1,3 eleuatus V   4 his] istis LZ   5 baptismo M²Z   6 in] a Z   7 carnem +
in LZ   8 resurrexit] + et M: om. Z   ut – 9 terra om. Z   12 uerba¹ – quae¹ om. Z
quae²] et Z   13 quae] quia Z   illo Z   16 hoc] quod S: quae LV   Christo] praem.
a N: Christus LZ   17 Erat] Est M: om. N   lux uera quae LZ   18 mea¹ + quem
timebo LMN   22 facient N

Ps 26,1,1 – 3 cf I Rg 16,13; II Rg 2,4; 5,3   9 Mt 28,18   17 Io 1,9

ut sciat quid agere debeat. DOMINUS DEFENSOR UITAE MEAE, A QUO TRE-
25 PIDABO? Defensor ipse est qui et salus, sed tamen 'defensor' adiutor dicitur. A quo trepidabo? dicit ecclesia: a nullo, nec a diabolo neque ab
heretico neque a persecutoribus, dum ipsum habeo defensorem.

2. DUM ADPROPINQUANT SUPER ME NOCENTES, UT EDANT CARNES MEAS.
Dum adpropinquant super me nocentes id est daemones uel persecutores, carnes uolunt edere id est affectus carnis, quia hoc est cibus ipsorum. Tamen dantur illis carnes edere id est corpora sanctorum ad per-
5 sequendum; sed habent sancti consolationem a domino, ut ait: *Nolite
timere eos qui occidunt corpus, animam autem non possunt occidere.* QUI
TRIBULANT ME INIMICI MEI id est daemones et persecutores, IPSI INFIR-
MATI SUNT ET CECIDERUNT. Tunc infirmati sunt, quando Christus nostram suscepit humanitatem.

3. SI CONSISTANT ADUERSUS ME CASTRA, NON TIMEBIT COR MEUM: uox ecclesiae. Si consistant aduersus me castra hoc est fortitudo daemonum
uel persecutorum. 'Castra' dicit secundum illud: *Castrametati sunt filii
Israhel.* 'Non timebit cor meum': ecclesia non timet propter illud quod
5 dominus dixit: *Ecce ego uobiscum sum omnibus diebus usque ad consummationem saeculi.* SI INSURGAT IN ME PROELIUM, IN HOC EGO SPE-
RABO. Si insurgat in me proelium: ista supradicta, 'proelium' pugna
diaboli: ego, dicit ecclesia ad Christum, in auxilium tuum et defensionem tuam sperabo.

4. UNAM PETII A DOMINO, id est ipsum dominum, HANC REQUIRAM, id est
idipsum dominum, UT INHABITEM IN DOMO DOMINI OMNIBUS DIEBUS UI-
TAE MEAE, 'in domo domini' in uita perpetua; et praesens ecclesia hic
dicitur domus, tamen non perpetue, sed nuncupatiue, unde dicit: *Beati
5 qui habitant in domo tua, domine.* UT UIDEAM UOLUNTATEM DOMINI id
est dilectionem dei, ut illud: *Uidebimus eum sicuti est,* sed hic *per specu-*

Codices: LMNSV et Z = S+V
27 persecutore Z   2,2 nocentes *om.* MN   3 uolunt] uero MN   4 Tamen + et LZ
4/5 ad persequ.] a persecutoribus LZ   5 Noli MS   8 infirmauerunt Z   3,1 consistat L*
4 non timet] dicit LZ   8 diaboli] daemoniorum LZ   ego V: ergo *cett.*   4,1 a
domino] dominum N   3 et praesens(-sente N)] quia quamuis LZ   4 dicitur] -catur LZ
perpetua M: proprie LZ   nuncupatiua M   5 domini *om.* M   6 delectationes S

2,5/6 Mt 10,28   3,3 Nm 33,5.7sqq.   5/6 Mt 28,20   4,4/5 Ps 83,5   6 I Io 3,2
6/7 I Cor 13,12

lum. ET PROTEGAR IN TEMPLO SANCTO EIUS id est protectionem ab ipso supradicto habeam.

5. QUONIAM ABSCONDIT ME IN TABERNACULO SUO. Tabernaculum diuini-tatis humanitas Christi est. Abscondit ecclesiam in tabernaculo suo, quia caput nostrum Christus est et nos membra illius. Abscondit ergo ecclesiam apud se, ut dictum est: *Mortui enim estis, et uita uestra ab-*
5 *scondita est cum Christo in deo.* IN DIE MALORUM PROTEXIT ME IN AB-SCONDITO TABERNACULI SUI. Numquid dies mali sint? Non, sed in no-stris operibus mali dicuntur, ut Paulus dicit: *Quoniam dies mali sunt.* De istis praesentibus diebus dicit, quia quamuis caput sursum sit, membra tamen adhuc deorsum sunt usque in finem; et ideo ab ipso
10 protectionem indigent.

6. IN PETRA EXALTASTI ME, in Christo exaltauit per fidem. Petra Christus, ut Paulus: *Petra autem erat Christus.* NUNC EXALTABIT CAPUT MEUM SU-PER INIMICOS MEOS. 'Nunc' in praesenti, 'super inimicos' id est istos su-pradictos, exaltatum est caput nostrum quod est Christus super omnes
5 inimicos ecclesiae. CIRCUIBO ET IMMOLABO IN TABERNACULO EIUS HO-STIAM IUBILATIONIS. Circuibo id est exercitabo me in creaturis dei, quia considerat creaturas dei cumque aliquis caelum et terram uel mare cum suis ornamentis conspexerit, inuenit quid immolet deo, hoc est laudem. Aliter 'circuibo': per quattuor partes mundi exempla sanc-
10 torum inquiro, et ibi inuenitur laus dei. 'Hostiam iubilationis' hoc est praedicationis. Iubilus dicitur, quia nec per litteras nec per syllabas nec uerbis potest conprehendere magnitudinem laudationis dei. Hostia di-citur quod per partes diuiditur, et sanguis circa altare effunditur et ipsa hostia foris conburitur. Sacrificium dicitur uinum et oleum, et holo-
15 caustum totum conbustum, et uictima antequam occidatur, unde et

Codices: LMNSV et Z = S + V
5,4 apud se(*om. M*)*] caput *LN*   6 tabernaculo suo *LN*   sint *LV***: sunt *cett.*
9 finem + quia et hoc puto significare, quando ipse solus in monte et nauicula in mari iacta-batur fluctibus *LZ*   10 protectione *L²V*   indigent *scripsi*: -geunt *L*SV**: -get *MN*:
-gebant *V²*: -guit *L²*   **6,2** Nunc] *preaem.* Et *LZ*   exaltabit *N*: -uit *cett.*   4 exaltatum
L²M²V²: -tus *cett.*   5 tabernaculum *LZ*   6 me *om.* Z   9 laudet *LZ*   12 potes
M²V²   14 foris *om. M*N*   oleum + et medium animal *LZ*   15 et² *om.* Z

5,4 – 5 Col 3,3   7 Eph 5,16   9 (*cf* Mt 14,23.24)   6,2 I Cor 10,4

Paulus: *Hostiam uiuam.* CANTABO ET PSALMUM DICAM DOMINO: 'cantabo' praedicabo, 'psalmum dicam' opere conpleam.

7. EXAUDI DOMINE UOCEM MEAM QUA CLAMAUI AD TE: oratio ecclesiae est, MISERERE MEI, id est fac in me misericordiam, ET EXAUDI ME in hoc quod te rogo.

8. TIBI DIXIT COR MEUM, tibi confessa est anima mea. Aliter 'cor meum' anima ecclesiae ad deum, de superius recapitulat, ubi dixit: *Unam petii a domino.* QUAESIUIT FACIES MEA FACIEM TUAM, hoc est conscientia mea, FACIEM TUAM REQUIRAM hoc est praesentiam tuam.

9. NE AUERTAS FACIEM TUAM A ME. Alibi dicit: *Auerte faciem tuam a peccatis meis,* sed hoc orandum est. Et hic dicit: Ne auertas faciem tuam a me, id est ne dimittas me in popria uoluntate, sicut dictum est: *Tradidit illos deus in reprobum sensum,* hoc est permisit. NE DECLINES IN IRA A
5 SERUO TUO. Seruus si dominum terrenum offendit, cum pauore et metu est; quanto magis homo, si deum caelestem offenderit. De hoc rogat ecclesia, ut illam hic corripiat et in futurum non iudicet; nam non ab illa cum ira discedat. ADIUTOR MEUS ESTO DOMINE, NE DERELINQUAS ME NEQUE DESPICIAS ME, DEUS SALUTARIS MEUS. 'Adiutor' in praesenti
10 'esto': tam de praesenti quam de futuro pertinet. 'Ne derelinquas me' neque hic neque in futuro, 'neque despicias me, deus salutaris meus'. Salutaris noster Christus est; et hoc rogat ecclesia, ut non despiciatur ab illo, id est non committat illud peccatum pro quo a deo despiciatur.

10. QUONIAM PATER MEUS ET MATER MEA DERELIQUERUNT ME. Pater diabolus, mater Babylonia uel gentilitas, antequam Christus ueniret in mundum, parentes nobis fuerunt. Modo pater noster deus est et mater nostra Hierusalem caelestis, ut ait Paulus: *Hierusalem quae est mater no-*

Codices: LMNSV et Z = S+V
7,1 quam *N*   oratio - est *om. MN*   2 id - misericordiam *om. MN*   in[2] - 3 rogo
om. MN   3 te] tibi *LSV**   **8,**1 dixi *N*   2 de *om. MN*   3 ad dominum *N*
faciem tuam *om. LZ*   4 tuam[1] + hoc est anima ecclesiae praesentiam dei. Uultum
tuum *LZ*   praesentiam tuam] per(*om. L*) operationem *LZ*   **9,**2 sed] et *Z*
Et] sed *LZ*   2/3 a me *om. Z*   3 propriis *LZ*   uoluntate(-tibus *L*) *LN*: uoluptate
(-tibus *Z*) *MZ*   6 deum] dominum *N*   offendit *LZ*   De] Ergo *Z*   hoc + ergo *L*
7 in - iudicet] illum uideat *Z*   8 illa *L*: -lo *cett.*   esto] es tu *N*   9 dispicias *LMNV*
10 de[2]] in *Z*   11 futurum *N*

16 Rm 12,1   **8,**2/3 *cf supra* v. 4   **9,**1 Ps 50,11   3/4 Rm 1,28   **10,**4 Gal 4,26

⁵ *stra.* DOMINUS AUTEM ADSUMPSIT ME. 'Adsumpsit me' dicit ecclesia; quando Christus carnem induit, tunc adsumpsit hominem.

11. LEGEM MIHI CONSTITUE, DOMINE, 'legem' temet ipsum, quia ipse est lex, IN UIA TUA id est mandata tua. Quae sunt illa mandata? Ut *non declines ad dexteram neque ad sinistram;* et non respicias retro, ut illud: *Nemo ponit manum suam in aratro aspiciens retro aptus est regno caelo-*
⁵ *rum;* et item: *Memores estote uxoris Loth,* ut Paulus: *Quae sursum sunt quaerite, non quae super terram.* DIRIGE ME IN SEMITA RECTA hoc est in temet ipsum, PROPTER INIMICOS MEOS: daemones, hereticos, persecutores.

12. NE TRADIDERIS ME IN ANIMAS PERSEQUENTIUM ME id est supradictis, quia non permittit illos tantum praeualere quantum illi uolunt, ut illud: *Fidelis deus qui non patietur uos temptari super id quod potestis* portare. QUONIAM INSURREXERUNT IN ME TESTES INIQUI. Contra Christum
⁵ testes iniqui surrexerunt, quando dixerunt Iudaei: *Hic dixit: destruite templum hoc, et in triduo reaedificabo illud.* Uel contra ecclesiam dicunt aduersarii. MENTITA EST INIQUITAS SIBI, id est sibimet ipsis mentiti sunt et non mihi. Unde dixit Gregorius: Uniuscuiusque uitii malum in suum recurrit auctorem. Hic similitudo est de sagitta.

13. CREDO UIDERE BONA DOMINI IN TERRA UIUENTIUM. Uox ecclesiae. In terra uiuentium, quia pignus nostrum illuc sursum habemus quod est Christus. Ille accepit de nostra terra morientium, et nos ab ipso accipimus spem et fidem, et per spem et fidem credimus peruenire in terram
⁵ uiuentium.

14. EXPECTA DOMINUM, id est usque in finem saeculi quicquid tibi accesserit pro Christo patienter sustine. UIRILITER AGE id est fortiter age, ut di-

Codices: LMNSV et Z = S+V
10,6 induit + humanam *Z*   **11,1** est] es *M²*   3 respicies *N*   4 ponens *Z*
aspiciens] respiciens *Z*   5 uxoribus *Z*   Loth + et nec stare debes in uno(-um *SV**)
loco(-um *SV**), sed in antea tendas *Z*   sursum] retro *Z*   6 quaerite – terram] obliuiscens ad anteriora tendere(tende *V²*) *Z*   7 ipso *L²M²*   **12,1** id est supradictis *om. LMN*
2 quia – 3/4 portare *om. Z*   2 permittet *N*   3 temptare *L*M*N*   5 insurrexerunt *Z*
8 sanctus Gregorius dixit *Z*   uitii – in] uitium malum(*om. S*) *LS*: iudicium *V**(-cii *V²*)
9 Hic – sagitta *om. Z*   **13,3** morientium] mortale *LZ*   3/4 accipimus *M*N*: -cepimus
cett.   4 et¹ *om. LMN*   **14,1** Specta *N*   domino *L**   2 sustinere *S*

11,2/3 Dt 17,11   4 Lc 9,62   5 Lc 17,32(Gn 19,26)   5/6 Col 3,1.2   **12,3** I Cor
10,13   5/6 Mt 26,61   8/9 GR-M: *ubi?*

10*

xit angelus ad Iesum: *Confortare et esto robustus.* ET CONFORTETUR COR
TUUM hoc est anima tua, ET EXPECTA DOMINUM hoc est sustine domi-
⁵ num.

27. IN FINEM PSALMUS DAUID.
AD TE DOMINE CLAMAUI, DEUS MEUS. Uox hominis adsumpti in diuinitate. Clamauit Christus in cruce, ut dixit: *Heli, Heli* etc. NE SILEAS A ME
hoc est non me derelinquas, ET ERO SIMILIS DESCENDENTIBUS IN LACUM
⁵ id est in miseria istius uitae, quia si diuinitas ab eo recessisset, similis
nobis in miseria fuisset.

2. EXAUDI UOCEM DEPRECATIONIS MEAE, DUM ORO AD TE. Orauit Christus
in cruce pro toto mundo, pro Iudaeis et pro apostolis. DUM EXTOLLO
MANUS MEAS AD TEMPLUM SANCTUM TUUM: extollit manus id est extendit eas in cruce, 'ad templum sanctum' ad hoc extendi, ut templum tibi
⁵ praepararem hoc est corpus ecclesiae, ut ait Paulus: *Uos estis templum
dei uiui.*

3. NE SIMUL TRADAS ME CUM PECCATORIBUS id est latrones, inter quos
pendebat, ut ait propheta: *Et inter iniquos deputatus est.* ET CUM OPE-
RANTIBUS INIQUITATEM NE PERDAS ME id est in die iudicii cum his latronibus uel ceteris malis, tam ad Christum quam ad ecclesiam pertinet.
⁵ CUM HIS QUI LOQUUNTUR PACEM CUM PROXIMO SUO, MALA AUTEM SUNT
IN CORDIBUS EORUM. Loquebantur Iudaei pacem, cum Christo dicebant: *Magister, scimus quia uerax es et in ueritate uiam dei doces.* Mala
autem sunt in cordibus eorum, quando interrogabant eum: *Licet tribu-
tum dare Caesari an non?*

4. DA ILLIS DOMINE SECUNDUM OPERA EORUM. Propheta non optando, sed

---

Codices: LMNSV et Z = S+V
Ps 27,1,1 In – Dauid *om. LMN*   2 clamabo(+ ui *supra* bo) *S*   3 ut] et *L²*   5 quia –
recessisset *om. N*   similis] fidelis *N*   **2,**2 mundo + et *Z*   3 extollit] -lat *SV**: -tulit
V²: om. MN   manus *om. MN*   3/4 extendit] expandit *LZ*   4 ad²] in *Z*   extendit
L*V: expandi *S*   5 praeparem *L*MS*   ut – 6 uiui *om. Z*   **3,**1 id est] peccatores *Z*
latrones] -nibus *M:* + dicit *Z*   2 reputatus *Z*   Et² *om. LMN*   4 tam] *praem.* istud *M*
quam + et *LM**   pertinet *M: om. cett.*   6 Christo + et *M*   6/7 dicentes *Z*
9 dari *M²V*   **4,**1 domine *om. L**

14,3 Ios 1,6

Ps 27,1,3 Mt 27,46   2,5/6 II Cor 6,16   3,2 Is 53,12   7 – 9 Mt 22,16.17

pronuntiando dicit, ac si dixisset: Daturus eris illis uindictam in die iudicii; ET SECUNDUM INIQUITATEM ADINUENTIONUM EORUM RETRIBUE IL
LIS. REDDE RETRIBUTIONEM EORUM IPSIS,

5. QUONIAM NON INTELLEXERUNT IN OPERA DOMINI id est per creaturas non
cognouerunt creatorem, ET IN OPERA MANUUM EIUS hoc est in uirtutibus illius quas operatus est per se uel per suos sanctos. DESTRUE ILLOS
NEC AEDIFICABIS EOS id est ut non persequantur corpus meum. Uel de
5 strue illos ad impietatem spiritus sancti de illorum malis quae faciunt.
'Nec aedificabis eos' id est ut iterum non faciant ipsa mala. Aliter 'destrue illos' in diem iudicii.

6. BENEDICTUS DOMINUS, cui benedicit omnis creatura, QUONIAM EXAU
DIUIT UOCEM DEPRECATIONIS MEAE, id est exaudiuit deus pater Christum et Christus ecclesiam.

7. DOMINUS ADIUTOR MEUS ET PROTECTOR MEUS, adiutor in praesenti, protector in futuro; ET IN IPSO SPERAUIT COR MEUM: humanitas in diuinitate, ET ADIUTUS SUM in tribulatione. ET REFLORUIT CARO MEA: caro
Christi in resurrectione refloruit. Aliter 'refloruit caro' id est refloruе
5 runt apostoli, quia post negationem ad fidem uenerunt et eum confessi
sunt, ut illud: *Non enim possumus nos quae uidimus et audiuimus non
loqui.* ET EX UOLUNTATE MEA CONFITEBOR ILLI, laudabo illum.

8. DOMINUS FORTITUDO PLEBIS SUAE id est populo christiano, ET PROTEC
TOR hoc est defensor SALUTARIUM CHRISTI SUI EST. Pluraliter dicit, quia
omnes uirtutes Christi diuinitas custodiuit.

9. SALUUM FAC POPULUM TUUM DOMINE hoc est populum christianum, ET
BENEDIC HEREDITATEM TUAM. Hereditas Christi sua ecclesia, de qua dixit: *Dabo tibi gentes in hereditatem tuam.* ET REGE ILLOS ET EXTOLLE EOS
USQUE IN SAECULUM: rege illos, ac si dicat: Tu rege, non diabolus neque

Codices: LMNSV et Z = S+V
3 et - 5,7 iudicii *deest in MN*   5,1 in *om.* L*V   2 in[2] *om.* V   3 illis V   per se *om.* S
5 pietatem LV   quae V[2]: quod LSV*   6 ipsi V   6,2 id - 3 ecclesiam *om.* MN
7,4 refloruit[1]] floruit M   4/5 floruerunt MS   5 et - 7 loqui *om.* MN   7 illi] ei LZ
laudabo illum] ipsi patri, ut illud: Confitebor tibi, pater etc.; et ecclesia ad Christum, ut
illud: Prouidentes gregem non coacte(-ti L[2]), sed uoluntarie(-rii LS); et iterum: Uoluntarie
sacrificabo tibi etc. LZ   8,1 populi christiani M[2]   9,2 qua] quo L*M*V*   3 illos]
eos NV   eos] illos Z

7,6 Act 4,20   7 (Mt 11,25; I Pt 5,2; Ps 53,8)   9,3 Ps 2,8

⁵ peccatum; et extolle eos usque in saeculum hoc est deduc eos 'usque in saeculum' in uitam aeternam.

28. In finem psalmus Dauid in consummatione tabernaculi. Quando arca de captiuitate Philistinorum reducta est, pro qua multa mala habuerunt, remissa est in Silo, et Dauid aedificauit ei tabernaculum, in quo hortatur populum, ut offerret sacrificia deo. Dauid apertissime fi-
⁵ guram Christi tenet et arca figuram ecclesiae. Sicut Dauid reduxit arcam de captiuitate, sic et Christus reduxit arcam hoc est sanctam ecclesiam de captiuitate id est de potestate diaboli.

Adferte domino filii dei. Uox Christi praedicatores admonet: Adferte praedicationem et exemplum uel fidem et opera. Adferte do-
¹⁰ mino filios arietum. Arietes apostoli dicuntur. Aries in capite duo cornua habet, et sancti apostoli duo cornua habuerunt id est duo Testamenta praedicauerunt. Filii arietum successores apostolorum sunt, quos generant per uerbum praedicationis. Consummatio tabernaculi secundum sensum perfectio ecclesiae est, quando coniuncta est de Iu-
¹⁵ daeis et gentibus hic in praesenti.

2. Adferte domino gloriam et honorem id est per uerbum et exemplum, unde dicit: Honorificabant et glorificabant, filios generant, ut diximus, per praedicationem, ut Paulus dixit: *Per euangelium ego uos genui.* In hoc est gloria et honor dei. Uolunt alii dicere 'gloriam' resurrec-
⁵ tionem, 'honorem' ascensionem. Adferte domino gloriam nomini eius: nomen patris filius est, gloria Christus est. Adorate dominum in aula sancta eius id est in ecclesia uel in conscientia, ubi unusquisque ipsum adorare debet.

Codices: LMNSV et Z = S+V
5 eos¹] illos *V*   6 in saeculum *om. LZ*

Ps 28,1,1 Dauid] *praem.* ipsi *Z*   consummationem *SV**   2 reuersa *Z*   2/3 habuerunt + et *LZ*   3 Dauid] quod *Z*   4 populo *LZ*   offerret *N:* -rent *L*Z:* -rat *M:* -rant *L²*   sacrificium *M*   deo + in eo *LZ*   13 praedicationis + ut illud: Nam per euangelium ego uos genui *LZ*   2,1 domino *om. Z*   2 glorificabant + eis *L*   filios generant *om. Z*   3 ut – 3/4 genui] ut supra *Z, quod et add.(post* genui) *L*   5 honorem *MV²:* honor *cett.*   6 est¹ + et *Z*   Adorate] Adferte *L*   domino *LSV**

Ps 28,2,3 I Cor 4,15

3. Uox DOMINI praedicatio domini SUPER AQUAS id est super populos, ut illud: Aquae multae populi multi. Uel uox domini super aquas id est in baptismum super Christum, ut illud: *Hic est filius meus dilectus in quo mihi conplacui.* 'Super aquas' dixit, quia populus qui ibidem aderat uo-
5 cem audiuit, uel 'super aquas' ut ait ad apostolos: *Ite, baptizate omnes gentes in nomine patris et filii et spiritus sancti.* DEUS MAIESTATIS, deus potestatis, INTONUIT DOMINUS SUPER AQUAS MULTAS. Sicut tonitruum a nube procedit, ita et Christus intonuit de nube hoc est de corpore suo, quando dixit: *Paenitentiam agite, adpropinquauit uobis regnum caelo-*
10 *rum.*

4. Uox DOMINI IN UIRTUTE, quando dixit: *Lazare ueni foras.* Uel in uirtute, quia in unoquoque sancto loquitur. Uox DOMINI IN MAGNIFICENTIA: magnificatur Christus per opera sanctorum.

5. Uox DOMINI CONFRINGENTIS CEDROS. Cedri dicuntur omnes sublimes et excelsi uel superbi. Confringet illos dominus aut hic per paeniten-tiam aut in diem iudicii in uindicta. CONFRINGET DOMINUS CEDROS LI-BANI hoc est sublimes et nobiles, qui de sua nobilitate se iactant ut Iu-
5 daei.

6. COMMINUET EOS TAMQUAM UITULUM LIBANI. Iste uitulus est saginatus, qui occisus est, hoc est Christus pro salute mundi. Sicut confringit ui-tulus de cornibus uirgulta tenera, ita et Christus confringit Iudaeos, unde dixit: *Iam securis ad radicem arborum posita est.* ET DILECTUS SIC-
5 UT FILIUS UNICORNIUM. 'Filius unicornium' Christus est, filius Iudae-orum, quia ex stirpe eorum secundum carnem fuit. Iudaei unicornes dicuntur pro una lege quam habuerunt, per quam in superbia se eleua-uerunt.

Codices: LMNSV et Z = S+V
3,1 populum *MN*   3 baptismo *M²*   4 conplacuit *Z*   7 Sicut *om. MN*   9 adpro-pinquauit – caelorum] et rlq. *Z*   **4,**1 quando] ut *Z*   2 loquitur + Christus, ut Paulus ait: An experimentum quaeritis eius qui in me loquitur Christus? *LZ*   3 magnificatur] *praem.* quando *LZ*   Christus *om. LZ*   **5,**1 sublimi *L*Z*   2 dominus *om. Z*
3 Confringet] *praem.* Et *LZ*   4 ut] sicut *M*   4/5 Iudaei + quando dicebant: Nos patrem habemus Abraham *LZ*   **6,**1 Comminuit *L: praem.* Et *Z*   eas *MV*   uitulum] -lus *N* signatus *S*   2 confringet *L*SV**   3 confringet *MS*: -fregit *L²*   5 unicorniorum (*bis*) *L*M**   6 fuit + Inde *L*

3,2 *cf* Apc 17,15   3 Mt 3,17   5/6 Mt 28,19   9 Mt 4,17   **4,**1 Io 11,43   2 (II Cor 13,3)   **5,**4/5 (Mt 3,9)   **6,**4 Mt 3,10

7. UOX DOMINI INTERCIDENTIS FLAMMAM IGNIS. Post flammam sonus uenit, ita et post praedicationem persecutio. Uox domini intercidentis id
est auxilium illius inter persecutores, quia suis sanctis subuenit. Aliter
'intercidentis flammam', hoc est illam flammam interfecit, ubi tres
5 pueri fuerunt; uel cotidie in unoquoque nostrum flammam libidinis
frenat per confessionem et gratiam spiritus sancti, sicut legimus per
Aaron factum.

8. UOX DOMINI CONCUTIENTIS DESERTUM. Secundum historiam concus-
sus fuit ille desertus quasi in hoc, quando ibidem mortui fuerunt illa
decem milia, exceptis duobus qui introierunt in terram repromissionis. Aliter 'concutientis desertum', id est gentes quae desertae erant
5 omnes concussae sunt de infidelitate ad fidem per uerbum praedicationis. ET COMMOUEBIT DOMINUS DESERTUM CADES. 'Cades' interpretatur commotio tineae. Bene illos tineae conparauit, quia sicut tinea pan-
nos comedit, sic conscientia eos comedebat. Commotio tineae dicitur,
eo quod commouit illos de illorum conscientia praua ad fidem eccle-
10 siae.

9. UOX DOMINI PRAEPARANTIS CERUOS. Cerui praedicatores; praeparauit
illos, quando misit illos praedicare, ut illud: Ite, *docete omnes gentes.*
Cerui transiliunt et calcant spinas uel serpentis uenena, sic et praedicatores uenena diaboli et spinas peccatorum transiliunt et ad altiora ten-
5 dunt id est ad theoricam uitam. ET REUELAUIT DOMINUS CONDENSA.
'Condensa' obscuritas scripturarum. Unde in euangelio commemorat
de illis duobus discipulis dicentibus: *Nonne cor nostrum ardens erat,*
cum aperiret nobis scripturas? ET IN TEMPLO EIUS OMNES DICENT GLO-
RIAM, id est in ecclesia: gloria patri et filio et spiritui sancto.

10. DOMINUS DILUUIUM INHABITARE FACIT id est Noe et illae octo animae

Codices: LMNSV et Z = S + V
7,1 intercedentis(-tes *LM**) *LMNV*   6 frenat *om. LZ*   sancti + extinguit(interficit *L*) id
est per operationem(opera *V*) sacerdotis facit cessare *LZ*   7 factum] deus(deo *Z*) fecisse
in deserto(-tum *L*) *LZ*   **8**,1 Secundum – 4 desertum *om. MN*   5 omnes] quomodo *LZ*
8 conscientia + eorum *LZ*   Commotio(-tatio *Z*) + ergo *LZ*   9 commouet *Z*
9,1 praeparantes *L*M*N*   praedicatores – 3 Cerui *om. LMN*   2 eos *V*   4 transeunt
MZ   5 dominus *om. Z*   6 commemorat – 7 dicentibus] illi duo quibus ipse apparuit
dicebant *Z*   7 erat + in nobis *LZ*   8 cum + loqueretur et *Z*   8/9 gloria *L*Z*

7,1 *cf* Ex 3,2sqq.   4/5 *cf* Dn 3,49   6/7 *cf* Nm 16,46sqq.   **9**,2 Mt 28,19   7 – 8 Lc 24,32

quae in arca fuerunt in tempore diluuii. Et modo diluuium in ecclesia inhabitat per habundantiam gratiae spiritus sancti, per quem delentur peccata. SEDEBIT DOMINUS REX IN AETERNUM: humanitas ad dexteram
5 dei patris, uel reges sancti dicuntur qui se regunt.

11. DOMINUS UIRTUTEM POPULO SUO DABIT id est uirtutem fidei, 'populo suo' populo christiano; ET BENEDICIT PLEBEM SUAM IN PACE, populo christiano benedicit et hic et in futuro, quando dicturus erit: *Uenite benedicti patris mei, percipite regnum.* 'In pace' in semet ipso, quia *ipse est*
5 *pax nostra,* et haec est summa pax.

29. IN FINEM PSALMUS CANTICI IN DEDICATIONE DOMUS DAUID. 'Psalmus cantici' laus cum opere, 'in dedicatione domus Dauid', licet Dauid aedificauit domum in Sion, sed illa domus hic non pertinet. Dauid figuram Christi tenet. Domus Christi humanitas id est domus diuinitatis.
5 Tunc aedificauit domum id est quando humanitatem carnis adsumpsit, et tunc dedicauit, quando a mortuis eum resurgere fecit. Et modo fabricatur domus Dauid id est Christi, hoc est ecclesia usque in finem fabricatur, sed in resurrectione dedicatur, quando inmortalitatem acceptura erit.

2. EXALTABO TE DOMINE: uox Christi ad patrem et uox ecclesiae ad Christum. Exaltabo id est laudabo, QUONIAM SUSCEPISTI ME id est Christum ad dexteram patris, et Christus suscepit ecclesiam, quando humanitatem carnis adsumpsit. NEC DELECTASTI INIMICOS MEOS SUPER ME. Quo-
5 modo dicit 'nec delectasti inimicos meos', dum et Iudaei Christum crucifixerunt et conspuerunt et flagellauerunt? et persecutores delectantur super ecclesiam, quia persequuntur eam? Tamen nec Iudaei de-

Codices: LMNSV et Z = S + V
10,2 qui *L*NV*   2/3 habitat dil. in ecclesia *Z*   3 quam *V²*   4 Sedebit] *praem.* Et *Z* humanitas + Christi *Z*   5 patris + in aeternum uel quicumque in octaua die resurrectionis tendunt *Z*   **11,1** uirtutem¹] -tum *L*V*   2(*et* 3) benedicet *Z*   pacem *LN* 4 percipite regnum *om. Z*   pacem ... ipsum *LN*   5 et – pax²] qui fecit ex(*eras. V*) utraque unum et rlq. *Z*

Ps 29,1,3 de illa domo *Z*   4 Domus¹ + Dauid, domus *Z*   domus² + est *Z*   5 quando *post* carnis *trsp. LMN*   7(*et* 8) fabricatur] aedificatur *Z*   8 dedicabitur *Z*   **2,**3 in dextera *Z*   5 meos *om. Z*   7 eam *om. Z*

11,3/4 Mt 25,34   4/5 Eph 2,14

lectati sunt super Christum, quia non potuerunt eum extinguere sicut
uoluerunt. Sed hic non est intellegendum de hominibus, sed de dae-
10 monibus, quia daemones delectare coeperunt, quando aestimauerunt
eum cum latronibus ad infernum deducere, sicut in montem se permisit duci ab eis. Sed non fuerunt delectati, quia tunc et principem et suos
subiectos ligauit. Ita nec super ecclesiam non erunt delectati in die iudicii, quando dicturi erunt sancti: *Ubi est mors stimulus tuus? ubi est*
15 *mors uictoria tua? Absorta est mors in uictoria,* id est in uictoria sanctorum disrupta est.

3. DOMINE DEUS MEUS, CLAMAUI AD TE ET SANASTI ME. Domine deus
meus: oratio Christi siue ecclesiae, sanasti me id est resurgere me fecisti.

4. REUOCASTI AB INFERIS ANIMAM MEAM, id est animam Christi cum aliis
animabus sanctorum deus de inferno reuocauit. SALUASTI ME A DE-
SCENDENTIBUS IN LACUM id est de miseria istius uitae praesentis uel de
lacu inferni, ubi animae peccatorum sunt.

5. PSALLITE DOMINO SANCTI EIUS. Propheta hortatur sanctos, ut laudent illum a quo saluati sunt, ET CONFITEMINI MEMORIAE SANCTITATIS EIUS,
'memoriae' id est ut memores sitis beneficiorum eius, qualiter uos de
peccato redimere uenit.

6. QUONIAM IRA IN INDIGNATIONE EIUS. Numquid ira aut indignatio in deo
sit? Non, sed iusta uindicta. Indignatio dei fuit quando Adam peccauit;
'ira' iusta uindicta intellegitur, quando eum a paradiso eiecit. ET UITA
IN UOLUNTATE IPSIUS, id est sicut per deum iusta uindicta super ipsum
5 id est Adam uenit, ita et per ipsum deum uita restaurata est, quando
humanitatem carnis adsumpsit. AD UESPERUM DEMORABITUR FLETUS
ET AD MATUTINUM LAETITIA. Uesperum post meridiem dicitur. Post
meridiem Adam uocem domini in paradiso audiuit deambulantis et

---

Codices: LMNSV et Z = S+V
8 sunt om. LZ   Christum + fuerunt *LZ*   9 est *om. LMN*   10 daemones *om. Z*
11 deduci *M²*: duci *Z*   sicut + et *Z*   12 eis] eodem *Z*   delectati + daemones *Z*
13 Ita + et *Z*   non *canc. M, eras. S*   14 stimulus] aculeus *Z*   15 id – uictoria³ *om. Z*
4,2 sanctis *Z*   5,2 soluti *N*   3 memoria *LMN*   id – sitis] sermonum *LMN*
beneficia *LNZ*   4 ueniet *N*   6,4 iusta] ista *N*   7(*et* 10) Uespere *Z*   8 deambulantis *L²M²*: -tem *cett.*

Ps 29,2,11/12 *cf* Mt 4,8   14 – 15 I Cor 15,55.54   6,7/8 *cf* Gn 3,8

sub arbore foliis se contexuit tremefactus, eo quod praeceptum trans-
10 gressus est. 'Uesperum' tota ista uita praesens intellegitur, quia per
peccatum Adae omnis homo usque in finem saeculi gemit. 'Demorabitur fletus', id est fletum habet homo, quando recordatur bona paradisi
quae perdidit in Adam. 'Et mane laetitia' id est in resurrectione,
quando mortalitas ad inmortalitatem restaurata erit. Aliter 'uesperum'
15 quando flebat Maria et apostoli in passione domini, 'et in matutinum
laetitia' quando resurrexit, ut dictum est mulieribus: *Ite, nuntiate fratri-*
bus meis, ut eant in Galileam; ibi me uidebunt. Unde et dixerunt mulieres ad apostolos: *Uidimus dominum, et haec nobis dixit.*

7. Ego autem dixi in mea habundantia: non mouebor in aeternum:
uox Adam in paradiso, qui sine fine ibidem se putabat esse, et dum sic
cogitasset et tanta bona ei deus dedisset, coepit cogitare, quid esset
causa, cur praecepisset ei deus, ne comederet de pomo uetito, et dixit:
5 hoc uero probare uolo. Et comedit et probauit, et proiectus est.

8. Domine in uoluntate tua praestitisti decori meo uirtutem. Et ipsud uox Adam est. Postquam proiectus est de paradiso pro sua culpa,
tunc cognouit quod sapientia lucis ab eo recessisset, et tunc cognouit
quod a deo in paradiso conlocatus fuerat, nam non a semet ipso. Auer-
5 tisti faciem tuam a me, et factus sum conturbatus. Tunc auertit
deus faciem suam ab Adam quando peccauit, et tunc conturbatus ⟨est⟩,
quando sub maledictione de paradiso proiectus est. Et unusquisque
homo, quando peccat et se cognoscit, de suis peccatis tunc conturbatur.

9. Ad te domine clamabo et ad deum meum deprecabor. Christus clamauit in cruce et ecclesia in persecutionibus.

Codices: LMNSV et Z = S+V
9 contexit *Z*   praeceptum] pactum *Z*   10 intellegitur + demorabitur fletus *Z*
11 homo + in ista uita *Z*   gemet *Z*   11/12 Demorabitur *suppleui*] Et *Z: om. LMN*
13 mane] ad matutinum *Z*   14 mortalitas + simul iam *Z*   restituta *Z*   15 in matuti-
num] mane *Z*   17 ibi – Unde *om. Z*   7,4 ne + contingeret et *Z*   et dixit *om. LMN*
5 et³] quia *Z*   **8,**1 decore *LN*   3 quo *S*   recessit *Z*   et *om. LMN*   4 paradisi +
diuitiis *Z*   constitutus *Z*   fuerat + in(om. *SV**) habundantia *Z*   nam *L*M*N: om. Z*
7 eiectus *Z*   8 quando – conturbatur] qui de suis conturbatur peccatis *Z*   **9,**1 domine
om. M   a deo meo *L*N*   2 persecutione *Z*

16/17 Mt 28,10   18 Io 20,18

10. QUAE UTILITAS IN SANGUINE MEO, DUM DESCENDO IN CORRUPTIONEM?
Humanitas Christi loquitur ad patrem, ac si dixisset: nulla est utilitas
quod sanguinem effudi, nisi resurrexero a mortuis. Aliter 'quae utilitas
in sanguine meo', id est in gente mea Iudaeorum nulla est utilitas, quia
5 non credunt nisi hominem purum tantum, si non resurrexero; non solum non crediderunt, sed etiam latus eius lancea aperuerunt. NUM-
QUID CONFITEBITUR TIBI PULUIS, ac si dixisset: si ego non resurrexero,
non confitebitur tibi quisquam – 'puluis' id est impii uel infructuosi –,
AUT ADNUNTIABIT UERITATEM TUAM id est Christum tuum, ac si dicat:
10 non adnuntiant.

11. AUDIUIT DOMINUS ET MISERTUS EST MEI. Uox Christi: misertus es mei,
resurgere me fecisti a mortuis. DOMINUS FACTUS EST ADIUTOR MEUS,
defensor meus.

12. CONUERTISTI PLANCTUM MEUM IN GAUDIUM MIHI. Planctum Christi
deus pater in gaudium conuertit, quando eum a mortuis resurgere fecit. Quid est planctus Christi nisi natiuitas eius et passio eius et tribulatio eius uel reliqua, quae a Iudaeis sustinuit? CONSCIDISTI SACCUM
5 MEUM. Non legimus in scripturis sacris secundum historiam Christum
ullum saccum habuisse neque cilicium uel cinere indutum fuisse, et
nulla ratio est, quia non habuit peccatum; sed saccum et cilicium ad
peccatores pertinet. Quid est saccus Christi nisi mortalitas quam de nobis adsumpsit? Tunc conscissus est iste saccus, quando resurrexit et in-
10 mortalis effectus est. Et licet habuit saccum, sed non habuit opus sacci
id est peccatum. Nobis ergo necesse est saccum et cilicium induere,
quia opus sacci habemus id est peccatum. PRAECINXISTI ME LAETITIA id
est laetitia resurrectionis, siue Christum siue ecclesiam in futuro.

Codices: LMNSV et Z = S+V
10,3 quae utilitas *om. LMN*   5 credunt + in me *Z*   non³] *praem. et Z*   6 lancea *om. Z*
7 dicat *M*   surrexero *M*   9 dicat + si non resurrexero *LZ*   10 adnuntient *L*
11,1 Dominus + deus pater *Z*   es *N*: est *cett.*   mei² + quia *Z*   2 fecit *Z*
meus + et *S*   **12,4** quae] quod *SV**   a Iudaeis *om. Z*   5 sacris *om. Z*   6 nullum
L*N: neque *Z*   habuisse *om. Z*   cinerem *MN*   6/7 et nulla] nec *Z*   8 pertinet +
dum dicit: Conscidisti saccum meum, et alibi dicit: Induebar me cilicium etc.; et hoc ille
non est usus indumento (-tum *SV**) *Z*   est + ergo *Z*   quam *M²V²*: quae *cett.*
9/10 inmortalitatis *M*   11 peccatum + de quo scriptum est: Qui peccatum non fecit etc. *Z*
12 quia] qui *NZ*   13 futurum *LM**

10,6 *cf* Io 19,34   **12,8** (Ps 34,13)   11 (Is 53,9)

13. Ut CANTEM TIBI GLORIA MEA, id est laudem tibi. Gloria mea hoc est gloria resurrectionis. ET NON CONPUNGAR, neque Christus quia nullum
habuit peccatum, neque ecclesia post resurrectionem habebit unde
conpungi debeat. DOMINE DEUS MEUS, IN AETERNUM CONFITEBOR TIBI
⁵ id est sine fine laudabo te.

30. IN FINEM PSALMUS DAUID.

2. IN TE DOMINE SPERAUI, NON CONFUNDAR IN AETERNUM: uox prophetae
ex persona ecclesiae dicit. Non confundar, id est quod qui recte confitentur fidem trinitatis, non confundentur. Aliter 'in te domine speraui'
ipsa uox ecclesiae est: in te domine speraui, id est in te, non in me; 'non
⁵ confundar in aeternum' hoc est qui in illo integre confitentur non confundentur neque hic neque in futuro. ET IN TUA IUSTITIA LIBERA ME,
non in mea sed in tua. Dicit ille auctor qui hoc exposuit, quia si te iustificaueris, perdis tuam iustitiam, quia nisi a deo iustificemur, per nos
non possumus iustificari. Unde scriptum est: Qui se iustificat, ipse se
¹⁰ condemnat. Unde et Paulus de quibusdam dicit: *Suam quaerentes statuere iustitiam, iustitiae autem dei non sunt subiecti.*

3. INCLINA AD ME AUREM TUAM: uox ecclesiae ad Christum. Per aurem benignitas uel clementia dei intellegitur. Inclinat Christus aurem,
quando exaudire dignatur; uel tunc inclinauit deus aurem suam,
quando misit uerbum suum et nos exaudiuit in mundo; et in tanto in-
⁵ clinauit, ut nostra peccata digito in terra scriberet. ET ADCELERA, UT
ERIPIAS ME: adcelera id est festina, ut eripias me. Uult sancta ecclesia liberari de corpore, ut ait Paulus: *Cupio dissolui et esse cum Christo.* ESTO
MIHI IN DEUM PROTECTOREM: uox ecclesiae. 'In deum protectorem' in
deum defensorem, quia multi sunt dii nuncupatiue qui non prosunt.

Codices: LMNSV et Z = S+V
13,1 gloria mea¹] gloriam meam L   id – est² *om. LMN*   1/2 gloria + mea Z   4 conpungi M²: -gere *cett.*   meus *om.* V   5 te] tibi L*N

Ps 30,2,2 id est quod] illi MZ   2/3 confidentur L   3 non confundentur(-dantur M) *om.* Z
5 confidunt L²   7/8 iustificas Z   8 perdes L*Z   iustificeris Z   nos] te Z
9 potes Z   10 condemnet MZ   **3,**3 inclinat N   dominus V   4 tantum Z
7 corpore + ideo rogat Z   8 deum²] deo MN   9 deo L*MN   nuncupati Z
praesunt M

Ps 30,2,10/11 Rm 10,3   **3,**5 *cf* Io 8,6   7 Phil 1,23

¹⁰ Unde et Paulus dicit: *Siquidem sunt dii multi et domini multi, nobis ta-*
men unus deus pater ex quo omnia, filius per quem omnia, spiritus sanc-
tus in quo omnia. ET IN DOMUM REFUGII, UT SALUUM ME FACIAS. Hic similitudo ponitur: homo propter tempestatem in domum refugit, ita et
ecclesia a tempestate persecutionis in deum habet refugium. 'Ut sal-
¹⁵ uum me facias' in temet ipsum. Dicit ille auctor qui hoc exposuit:
Multi uolunt fugere a praesentia dei et non possunt euadere, ut ait propheta: *Et a facie tua quo fugiam?* Sed nos, dicit ecclesia, insimul in domum habemus refugium hoc est in ipso qui est deus.

4. QUONIAM FIRMAMENTUM MEUM id est firmamentum fidei ET REFUGIUM
MEUM ES TU. 'Refugium meum' dicit, quia ecclesia in Christo habet refugium, ut ait propheta: *Domine, refugium factus es nobis.* PROPTER NO-
MEN TUUM DUX MIHI ERIS: uox ecclesiae, id est quando ego facio aliquid
⁵ boni, nomen dei ex hoc glorificatur. ET ENUTRIES ME. Tunc enutriuit
ecclesiam quando nostram carnem suscepit. Unde Paulus dicit: *Nemo*
enim carnem suam odio habet, sed nutrit et fouet. Et enutriuit nos, ut fortes simus.

5. ET EDUXIT ME DE LAQUEO QUEM ABSCONDERUNT MIHI. Quamdiu in uia
es, non times in laqueo cadere, quia laquei secus uiam ponuntur. Uia
Christus est, sicut ipse ait: *Ego sum uia.* Et tu, si es in uia hoc est in
Christo, non times cadere in laqueum diaboli, quia omnis laqueus a
⁵ diabolo est. QUONIAM TU ES PROTECTOR MEUS. Uox ecclesiae: tu es protector meus, ac si dicat: tu es defensor meus.

6. IN MANUS TUAS COMMENDO SPIRITUM MEUM: uox Christi ad patrem in
passione quando commendauit animam suam et dixit: *Pater, in manus*
tuas commendo spiritum meum. Sanctus Agustinus dixit: quod com-
mendatur saluum recipitur; et ipse dixit: *Potestatem habeo ponendi ani-*
⁵ *mam meam, et potestatem habeo iterum sumendi eam.* Aliter 'in manus

---

Codices: LMNSV et Z = S+V
11 ex - filius *om. Z*   spiritus - 12 omnia] et rlq. *Z*   12 refugium *N*   14 eccl.] anima
ecclesiae *LZ*   in] ad *Z*   15 ipso *Z*   17 nos] nunc *N*   17/18 domo *LZ*
18 ipsum *L*   4,2 es tu *scripsi:* esto *Z: om. LMN*   3 Propter] *praem.* Et *Z*   5 dei] tuum *Z*
glorificetur *Z*   6 Unde + et *Z*   dicit *om. Z*   5,1 educes *Z*   mihi + laqueus
dicitur captio, quia *Z*   2 es + hoc est in Christo *Z*   4/5 ab ipso *Z*   5 meus + id est
defensor *LZ*   6,3 Sanctus Ag. dicit *om. Z*   5 et - eam] et rlq. *Z*

10 - 12 I Cor 8,5.6   17 Ps 138,7   4,3 Ps 89,1   6/7 Eph 5,29   5,3 Io 14,6   6,2/3
Lc 23,46   4/5 Io 10,18

tuas commendo spiritum meum' hoc est in potestatem tuam commendo animam meam. Hoc exemplum accepit ecclesia a Christo; hoc et Stephanus fecit, hoc et sancti orant quando exeunt de corpore, ut illud: *Fideli creatori commendant animas suas in benefactis.* REDEMISTI
10 ME DOMINE DEUS UERITATIS, quia quod promisit deus non mentitur, id est sicut promisit per seruos suos prophetas, ita et uenit, ac redemit nos sanguine suo sancto; unde et Paulus dicit: *Empti enim estis pretio magno.*

7. ODISTI OBSERUANTES UANITATEM SUPERUACUE. 'Superuacue' dicit, non quod deus odiat aliquem – absit hoc sentire –, sed qui istam tantummodo uitam praesentem amant et caelestia contemnunt, odit illos deus; non quod odium, sicut dixi, in deum cadat, sed odire deo dicitur
5 reprobare, id est quia reprobat illos deus qui sic faciunt sicut superius dixi. EGO AUTEM IN TE DOMINE SPERAUI: uox ecclesiae: non in me, sed in te speraui et spero.

8. EXULTABO ET LAETABOR IN TUA MISERICORDIA. Pro quid exultabo et pro quid laetabor? Pro hoc quod subsequitur: QUIA RESPEXISTI HUMILITATEM MEAM. Tunc respexit, quando carnem suscepit, quia contemptibilis et captiua et dispecta erat ecclesia. SALUASTI DE NECESSITATIBUS ANI-
5 MAM MEAM. Dupliciter intellegitur. Necessitates corporis multae sunt id est manducare, bibere et dormire uel reliquas necessitates corporis. Sed necessitates animae unum id est uita aeterna. Saluauit deus animam ecclesiae de sua necessitate, quia dedit ei uitam aeternam quod est sua necessitas.

9. NEC CONCLUSISTI ME IN MANUS INIMICI. Ille concluditur in manus inimici qui perseuerat in peccatis suis. Sed ego, dicit ecclesia, non concludor, quia non uolo nec perseuero in malis. STATUISTI IN LOCO SPATIOSO PEDES MEOS, id est sensus meos dilatasti in unitatem ecclesiae in toto
5 mundo. Quomodo dicit 'in loco spatioso'? Numquid localis sit deus?

Codices: LMNSV et Z = S+V
8 et[1] + sanctus Z   9 beneficiis N   11 ac] et Z   7,1 Odisti + omnes Z   2 odit NV[2]
aliquem] quemquam Z   absit – sentire *om.* LM*N   4 deus + et plus isto transit ipse
quam illud quod diligit. Odit illos deus Z   6 dixi M[2]V[2]: -xit *cett.*   me + speraui Z
8,3 meam + Exlultabo corpore, laetabor mente Z   4 captiuata Z   5 Dupliciter intellegitur *om.* LMN   6 rel. – corporis] reliqua Z   7 neccessitas Z   unum + sunt M
Saluabit L   8 ecclesiae *om.* Z   9,1 manibus (*bis*) LZ   5 spatioso *om.* Z

8 *cf* Act 7,5   9 I Pt 4,19   12 I Cor 6,20

Et localis et non localis: localis est ad se uenientibus, et non localis quia
ubique est.

10. MISERERE MEI DOMINE, QUONIAM TRIBULOR. Miserere mei, ac si dicat:
fac in me misericordiam, quoniam tribulor: illorum uox est qui tribulantur a qualibet tribulatione. CONTURBATUS EST IN IRA OCULUS MEUS.
Ecclesia conturbatur de uitiis et peccatis, tam de suis quam et de alio-
5 rum. Sed orandum est, ut ira non uertatur in odium neque de festuca
fiat trabis. Uel conturbatur oculus de futuro iudicio, id est sensus.
ANIMA MEA ET UENTER MEUS: 'anima mea' id est interiora mea, ⟨et uenter meus⟩ id est uiscera animae.

11. QUONIAM DEFECIT IN DOLORE UITA MEA, ideo in dolore, quia ecclesia
non potest emendare malos nec segregare malos a sanctis usque in finem. Unde dominus dixit: *Sinite utraque crescere usque ad messem.*
UITA MEA ET ANNI MEI IN GEMITIBUS: quamdiu est hic in praesenti uita
5 habet gemitum et fletum unusquisque homo. INFIRMATA EST IN PAU-
PERTATE UIRTUS MEA: uox ecclesiae. Infirmata est ecclesia inter omnes
malos, inter quos habitat hic in praesenti uita, quia plures sunt peccatores et pauci sunt iusti. ET OSSA MEA CONTURBATA SUNT, 'ossa' fortes
sancti, uel 'ossa' uirtutes ecclesiae, id est sancti conturbantur ab illis
10 unde supra dixit secundum apostolum: *Scimus quia omnis creatura
congemescit,* non solum illa, sed et nosmet ipsi infra nosmet ipsos ge-
mimus.

12. FACTUS SUM OBPROBRIUM UICINIS MEIS: uox Christi et uox ecclesiae.
Domino Iudaei multa obprobria dixerunt, et heretici et persecutores
dicunt ecclesiae. NIMIUM ET TIMOR NOTIS MEIS id est apostolis qui timuerunt in passione. Uel 'noti' ecclesiae mali christiani, qui dicunt se
5 credere deum et operibus negant et despiciunt uitam sanctorum. Ui-
cini dicuntur per fidem et noti propter christianitatem. QUI UIDEBANT

Codices: LMNSV et Z = S+V
7 est + sed inuenitur in loco pure inquirentibus, ut illud: Et motus est locus ubi erant
sedentes. Aliter 'in loco spatioso pedes': Pedes sancti praedicatores qui portant uerbum
praedicationis in toto mundo *Z*   **10,2** contribulor *L*   6 id est sensus *om. Z*
8 animae + meae *LZ*   **11,8** iusti] sancti *Z*   Et[2] *om. N*   9 sanctorum conturbata
sunt *Z*   10 superius *Z*   sec. apost.] ut Paulus ait *Z*   11 ingemescit *V*
nosmet[1] – ipsos] nos intra nos *Z*

9,7 (Act 4,31)   **11,**3 Mt 13,30   10 Rm 8,22

ME, FORAS FUGIEBANT A ME, id est apostoli qui uiderunt Christum conprehendi in passione, et *relicto eo fugerunt.* Aliter: Iudaei fugerunt sa-
cramenta mysterii ecclesiae id est corpus et sanguinem Christi.

13. EXCIDI TAMQUAM MORTUUS A CORDE, id est sic habuerunt Iudaei Christum quasi hominem mortuum pro nihilo. FACTUS SUM SICUT UAS
PERDITUM: sic habuerunt Iudaei Christum quasi uas perditum id est
hominem mortuum in suo peccato. Aliter: sic sunt sancti apud hereti-
⁵ cos uelut homo perditus.

14. QUONIAM AUDIUI UITUPERATIONEM MULTORUM, id est Christus a Iudaeis et ecclesia ab hereticis, IN CIRCUITU INHABITANTIUM, id est in circuitu Christi et in circuitu ecclesiae, quia ipsi supradicti circuierunt ecclesiam. DUM CONGREGARENTUR SIMUL ADUERSUS ME, UT ACCIPE-
⁵ RENT ANIMAM MEAM, Iudaei Christum in passione et heretici ecclesiam,
CONSILIATI SUNT mala consilia et non bona, consiliati sunt, ut acciperent id est ut tollerent animam meam: animam Christi Iudaei et heretici animam ecclesiae.

15. EGO AUTEM IN TE SPERAUI. Uox ecclesiae: in te speraui, in te, non in
me. Et peccatores dicunt: in te speraui; sed sancti et fidem et opera habent, peccatores sperant tantummodo in deum, sed non timent illum
timore sancto.

16. IN MANIBUS TUIS SORTES MEAE id est gratia spiritus sancti, non per memet ipsum, sed a te.

17. INLUSTRA FACIEM TUAM SUPER SERUUM TUUM. Inlustra hoc est cerne et
discerne, quis sit melior de sanctis tuis.

18. ERUBESCANT IMPII ET DEDUCANTUR IN INFERNUM. Erubescant impii:
daemones, heretici uel qui non credunt resurrectionem, erubescant
tunc, quando illos sanctos, quos hic in dispectionem habuerunt, uidebunt coronatos et se condemnatos.

Codices: LMNSV et Z = S+V
12,7 foris *M*   a me *om. Z*   7/8 conprehendi *V*²: -dere *cett.*   8 fugerunt² - 9 Christi]
uel heretici uident et fugiunt, quia non credunt *Z*   **13,**1 Excidit *L*: excedit *M** (-di *M*²)
4 suis peccatis *V*²   **14,**3 circueunt *N*: circumdant *Z*   4 ecclesiam *om. Z*   Dum]
praem. In eo *Z*   congregarentur + omnes *N**(exp. N*²)   5 in passione *om. Z*
7 meam, animam² *N: om. cett.*   **15,**1 te¹ + domine *Z*   3 deo *M*   **16,**2 ad te *N*
17,2 melius *Z*: maior *L*

12,8 Mt 26,56

19. MUTA EFFICIANTUR LABIA DOLOSA QUAE LOQUUNTUR ADUERSUS IUSTUM
INIQUITATEM IN SUPERBIA ET CONTEMPTU. Muti erunt isti iniqui in die
iudicii, unde superius fecimus mentionem, quia non habebunt tunc
quid loquantur, neque Iudaei contra Christum neque heretici contra
5 sanctam ecclesiam. 'In contemptu' hoc est in dispectione.

20. QUAM MAGNA MULTITUDO DULCEDINIS TUAE, DOMINE. Admirat propheta, admirat et ecclesia: quam magna multitudo dulcedinis tuae, id
est quantam gloriam, quanta praemia praeparauit deus ecclesiae suae,
ut esset semper cum angelis sine fine in aeternum mansura. QUAM AB-
5 SCONDISTI TIMENTIBUS TE, id est bona sanctorum in temet ipsum ab-
scondidisti, ET PERFECISTI EIS QUI SPERANT IN TE: perfecisti, ac si dicat:
perfecturus eris, IN CONSPECTU FILIORUM HOMINUM id est non erubue-
runt confiteri quod credunt ante reges et potentes, ut ait propheta: *Et
loquebar de testimoniis tuis in conspectu regum et non confundebar.*
10 'Quam abscondisti timentibus te', quia hic per tribulationem pleniter
non accipiunt praemium, sed in futurum expectant.

21. ABSCONDES EOS IN ABSCONDITO UUTLUS TUI (uultus praesens: FACIEI
TUAE) hoc est in secreto dei, sicut Iob et ipse et omnia quae habuit absconsa fuerunt in deum. A CONTURBATIONE HOMINUM, a persecutione
peccatorum, PROTEGES EOS, defendes eos, IN TABERNACULO TUO in
5 praesenti ecclesia, A CONTRADICTIONE LINGUARUM, id est alii laudant
ecclesiam et alii contradicunt.

22. BENEDICTUS DOMINUS cui benedicit omnis creatura. Quomodo dicit:
cui benedicit? Numquid illi opus sit nostra benedictio? Non, sed ut nos
ab ipso benedictionem accipere mereamur. QUONIAM MIRIFICAUIT MI-
SERICORDIAM SUAM IN CIUITATE MUNITA (alibi dicit: CIRCUMSTANTIAE).

Codices: LMNSV et Z = S+V
19,1 effic.] fiant *N*   qui *LM*N*   2 isti iniqui] mentes iniquae *S*   2/3 in die iudicii
om. MN   4 loquerent *N*: loquere *L*Z*: loqui *L*²   Iudaei ... heretici *om. Z*   5 In¹] et *Z*
20,1(*et* 2) dulcidinis *N*   2 tuae + domine *Z*   3 deus *om. Z*   4 angelis + et *Z*
fine + permanere *Z*   mansura *om. Z*   5 ipso *Z*   5/6 abscondisti *LMZ*   7 eris +
illis *Z*   est + qui *Z*   8 potentes] praesides *L*   **21,**1 Abscondis *L*: -das *V*
absconditu *M*N*: abditu *Z*   2 in] ut *S*   4 protegis *LN*   defendes(-dis *LN*)
eos *om. Z*   5 conturbatione + *sscr.* contradictione *M*   **22,**4 suam + mihi *V*
circumstantiae + id est Hierusalem in medio mundo circumstantiae *Z*

20,8/9 Ps 118,46   **22,**4 circumstantiae = Ps(Ro)

⁵ Uolunt aliqui auctores dicere quod sic sit Hierusalem in medio mundo quasi insula in mari et aqua in circumquaque, ita et Hierusalem in medio sit et omnes gentes in circuitu illam circumdent. 'Munita' dicitur hoc est firmata uel constabilita, et in circuitu omnes gentes illam circumdant. Ibi 'mirificauit misericordiam suam dominus', quia ibi na¹⁰tus, ibi passus ⟨est⟩, ibi resurrexit et inde ascendit ad caelos, ut ait propheta: *Operatus est salutem in medio terrae.* Aliter: Hierusalem caelestis munita de congregatione angelorum et hominum, et *foris canes et uenefici et impudici.* Aliter 'munita' sancta ecclesia; ecclesia ciuitas, ut diximus, firmata undique per fidem contra omnes inpugnationes ¹⁵aduersariorum, unde dixit: *non cecidit, fundata enim erat super* firmam *petram.*

23. EGO AUTEM DIXI IN EXCESSU MENTIS MEAE. Ecclesia quando recordatur de paradiso, quomodo inmortalis potuerat esse, et cogitat qualis ibidem potuerat esse et modo qualis est et qualiter deus per angelum apud Adam loquebatur et quomodo de oculis interioribus deum uide⁵bat: quando ista cogitat, tunc 'in excessu mentis' est ecclesia. PROIECTUS SUM A UULTU OCULORUM TUORUM, id est Adam quando transgressus fuit mandatum dei, tunc proiectus est a facie dei et nos et omnis posteritas sua post eum. IDEO EXAUDISTI UOCEM ORATIONIS MEAE, DUM CLAMAREM AD TE: 'ideo', dicit ecclesia, exaudi uocem orationis meae, ¹⁰quia cognoui ubi poteram esse et cognosco ubi modo sum.

24. DILIGITE DOMINUM OMNES SANCTI EIUS. Diligite id est amate illum, QUONIAM UERITATEM REQUIRET DOMINUS, id est qui perseuerant usque in finem in bonitate, ut dictum est: *Qui perseuerauerit usque in finem, hic saluus erit.* ET RETRIBUET HIS QUI HABUNDANTER FACIUNT SUPER-

Codices: LMNSV et Z = S+V

5 dicere + uerbi gratia Z   quod M: quia Z: quasi LN   6 circuitu V   7(et 8) circuitu] gyro Z   circumdant L   12 et²] ut illud Z   13 impudici + et homicidae et idolis seruientes et omnes qui amant iniquitatem et faciunt Z   ecclesia² om. LZ   14 omnem impugnationem Z   15 dixit + de uiro sapienti qui aedificauit domum suam super(-pra V) petram et uenerunt flumina et flauerunt uenti et inpegerunt in domum illam et Z supra N   16 petram + id est in Christo Z   23,2(et 3) poterat Z   qualiter Z 6 uultu] facie L   7 est] sum N   8 Ideo om. MN   exaudi N   9 exaudisti Z 10 potueram L   24,1 domino L   2 perseuerant M²: -rat LNS: -rauerit V   4 Et – 6 tormentum om. Z   4 retribuit N + dominus N* (exp. corr.)

11 Ps 73,12   12/13 Apc 22,15   15 Mt 7,24.25   24,3/4 Mt 10,22

⁵ BIAM, id est illi qui habundanter faciunt iniquitatem, hoc est qui perseuerant in peccatis habundanter sustinebunt tormentum.

25. UIRILITER AGITE hoc est inmobiliter, ET CONFORTETUR COR UESTRUM
OMNES QUI SPERATIS IN DOMINO, 'cor uestrum' anima uestra, 'in domino' semper.

31. INTELLECTUS DAUID, intellectus Christi. Duplex intellectus est. In isto
titulo maxime santus Agustinus de illo publicano et phariseo, qui in
templo orabant, uoluit dicere, quia unus se iustificabat et alius se condemnabat hoc est accusabat.
⁵ BEATI QUORUM REMISSAE SUNT INIQUITATES ET QUORUM TECTA SUNT
PECCATA. Beatus, ut supra diximus, inmortalis, laudabilis, gloriosus
siue bene uadens. Sed tamen nullus potest apud se esse beatus, nisi ab
illo accipiat qui iustificat impium hoc est deus, unde et Paulus dicit:
Credenti autem in eo qui iustificat impium deputatur fides eius ad iusti-
¹⁰ *tiam.* Dum scimus quod istae beatitudines in Ueteri fuerunt cantatae,
inquirendum est, si fuerunt in Ueteri impletae an non. Non fuerunt,
sed in Nouo Testamento. Quare? quia non erat ibidem remissio peccatorum, ut illud: *Nihil enim ad perfectum adduxit lex.* 'Beati quorum remissae sunt iniquitates': de istis beatitudinibus commemorat sanctus
¹⁵ Paulus, et qui uult plenius scire, in ipsius epistola ad Romanos potest
requirere. 'Beati quorum remissae sunt iniquitates': quibus modis remittuntur peccata? Tribus, id est remittuntur per baptismum, teguntur
per caritatem, ⟨non⟩ inputantur per martyrium. 'Et quorum tecta sunt
peccata' id est per caritatem secundum illud: *Caritas operit multitudi-*
²⁰ *nem peccatorum.*
2. BEATUS UIR CUI NON INPUTAUIT DOMINUS PECCATUM, id est per martyrium. Quod tegitur non uidetur, quod non uidetur non inputatur, quod

---

Codices: LMNSV et Z = S+V
Ps 31,1,1 In] *praem.* Hic Z   2 et + de illo Z   4 accusabat + uel de illo qui per fidem sine
opere et per opera sine fide uoluit iustificari(-re *SV**) Z   6 superius Z   diximus + in
alio psalmo Z   laudabilis + siue Z   7 siue bene uadens(beniuolens *L*) *om.* Z
8 deus *M²*: deum *cett.*   12 Testamento *om.* Z   ibi *LS*   15 epistolis Z   ad Romanos *om.* Z   **2,**1 inputabit *LS*   2 Quod – 3 punietur *post* **1,**18 martyrium *inserunt* Z

Ps 31,1,2 – 4 *cf* AU 31 en. II 10,12sqq.(p. 233-234) ad Lc 18,8sqq.   6 supra: *cf* Ps 1,1,3-4
9 Rm 4,5   13 Hbr 7,19   19/20 I Pt 4,8

non inputatur nec punietur. Nec est in ore eius dolus, hoc est in illius
ore qui se confitetur esse peccatorem sicut Nathanahel, unde dominus
5 dixit: *Ecce uere Israhelita in quo dolus non est;* et de illo publicano, unde
superius diximus, qui se confitebatur esse peccatorem, dicens: *Deus,*
propitius esto mihi peccatori.

3. Quoniam tacui inueterauerunt omnia ossa mea: uox malorum est.
'Tacui' id est tacent illorum peccata et in confessione nolunt dicere.
'Inueterauerunt ossa mea' id est uirtutes, quas debuerant habere, inueterauerunt per peccatum. Dum clamarem ad te tota die. Clamant: si
5 aliquid boni habent, per uanitatem demonstrant, ut ille phariseus in
templo faciebat, qui dicebat: *Deus gratias tibi ago, quia non sum sicut*
ceteri hominum: raptores, iniusti, adulteri uel ut etiam hic publicanus.

4. Grauata est super me manus tua, in uindicando potestas tua, quia
qui hic non emendantur, grauatur super illos manus dei id est potestas
uindictae in diem iudicii. Conuersus sum in aerumna (Hieronimus
dicit: in miseria), dum confringitur mihi spina id est mea conscien-
5 tia peccati.

5. Delictum meum cognitum tibi feci. Hic melius est quam superius,
ubi dixit: *Quoniam tacui.* 'Cognitum tibi feci' per confessionem; et iniustitiam meam non abscondi, quia publicaui illam per confessionem. Dixi pronuntiabo aduersus me iniustitias meas domino, et tu
5 remisisti iniquitatem peccati mei. In persona illorum dicit propheta
qui conuertuntur sicut ille *filius qui peregre profectus est* et dixit: *Ibo ad*
patrem meum et rlq. Dixit in corde, ubi deus uidet.

6. Pro hac orabit ad te omnis sanctus: pro hac iniquitate uel pro hac
remissione quod superius dixit: *Remissae sunt iniquitates et quorum*

Codices: LMNSV et Z = S+V
5 uere *L²V²*: uir *cett.*　　　　**3,1** est + uel uetus error Z　　　　4 tota die] cotidie *N*: id est *S*
4,1 quia − 3 iudicii *om. MN*　　　2 emendant *LSV**　　　　3/4 Hieron. − miseria *om.* Z
4 configitur *LZ*　　　spina + aerumna id est miseria Z　　　id est + dum conpungit Z
mea] me Z　　　5 peccati + Aliter alio loco dicit 'dum confringitur(-fig- *V²*) mihi spina' id est
spina pungitur(-git *V*) dolorem facit. Quid per spinam nisi peccatum? Confringitur per
conpunctionem paenitentiae Z　　　**5,1** Delictum − 3/4 confessionem *om.* Z *(lacuna indicata*
in S)　　　1 Hic − 2 feci *om. L*　　　2/3 iniustitias meas *N*　　　3 illa *N*　　　4 pronuntiaui *L*
aduersum *N*　　　iniustitiam meam *MZ*　　　5 impietatem Z　　　7 uidet *V*: -detur *cett.*
6,1 pro² − 3 sanctus *om. L*

2,5 Io 1,47(*sec.* AU 31 en. II 9,17 sqq. [p. 232])　　　　6/7 Lc 18,13　　　　**3,6** − 7 Lc 18,11
4,4 miseria = Ps(H)　　　**5,6** − 7 Lc 15,13.18　　　**6,2** superius: v. 1

tecta sunt peccata. 'Omnis sanctus' hoc est per baptismum. TEMPORE OPORTUNO: modo est tempus oportunum, ut illud: *Ecce nunc tempus*
5 *acceptabile, ecce nunc dies salutis,* hoc est qui post baptismum peccat, postea dimittitur illi per paenitentiam aut per martyrium. UERUMTA-MEN IN DILUUIO AQUARUM MULTARUM AD EUM NON ADPROXIMABUNT. 'Diluuium aquarum' id est uarietas doctrinarum hereticorum; per hoc ipsi ad deum non adpropinquabunt.

7. TU MIHI ES REFUGIUM IN TRIBULATIONE QUAE CIRCUMDEDIT ME: uox ecclesiae ad Christum. EXULTATIO MEA, REDIME ME A CIRCUMDANTIBUS ME. Dum dicit 'exultatio', quomodo dicit 'redime me', quia ille qui redimitur in captiuitate est, et illi qui exultant redemptione non indigent?
5 Uox illorum est qui cum deo sunt, quia hoc ad sensum pertinet. Illi exultant qui cum deo sunt et rogant pro illis qui in ista captiuitate tribulantur.

8. INTELLECTUM DABO TIBI ET INSTRUAM TE IN UIA HAC QUA INGREDIERIS. Qualem intellectum dat deus ecclesiae suae? id est ut intellegat pro qua causa calcat hic sanctos et facit prosperare peccatores. FIRMABO SUPER TE OCULOS MEOS: uox Christi ad ecclesiam. In quid firmabo super te
5 oculos meos id est aspectum diuinitatis nisi in hoc quod supra dixit: in uia hac qua ingredieris? id est siue in coniugio legitimo siue in uirginitate siue in castitate uel reliqua bona agendo.

9. NOLITE FIERI SICUT EQUUS ET MULUS IN QUIBUS NON EST INTELLECTUS. Equus indomitus, mulus piger. ⟨IN FRENO ET CAMO MAXILLAS EORUM CONSTRINGE QUI NON ADPROPINQUANT TE⟩. Hoc rogat ecclesia ad deum patrem, ut per frenum praedicationis populum gentilem, quos equos
5 nominauit, de lata uia et spatiosa saeculi huius faciat ad se adpropinquare, et populum Iudaicum, quem mulum nominauit, qui piger est ad

---

Codices: LMNSV et Z = S+V
3 Omnes sancti *Z*   per] in *SV**: ante *V*²   Tempore – 5 est] et *Z*   7 diluuium *LN*
9 adproximabunt *LZ*   7,1 mihi *om. V*   refugium + meum *V*   in] a *V*   3 me²
om. LMN   5 quia *om. V*   hoc – pertinet *post* 4 indigent *trsp. Z*   Illi – 6 sunt *om. V*
6 exultent *N*   8,1 tibi dabo *V*   gradieris(gred- *M*) *MZ*   2 dominus *L*   3 hic *om.*
LMN   4 uox – 5 meos *om. Z*   5 nisi – 7 agendo *om. Z*   9,1 in – intellectus *om. Z*
4 praedicationis] id est per(*om. V*) praedicationem *Z*   equum *M*²   5 nominauit + quia
facilis est in malum *Z*   6 quem mulum *M*²: quos mulos(malos *N*) *cett.*

4/5 II Cor 6,2

deum credendum, per camum hoc est conpunctionem cordis faciat ad
se adpropinquare.

10. MULTA FLAGELLA PECCATORUM, quia aliqui peccatores in ista uita initiantur illorum flagella, quae postea in futurum habebunt sine fine. SPE-
RANTES AUTEM IN DOMINO MISERICORDIA CIRCUMDABIT, id est qui rectam spem et fidem in deo habent, ipsos misericordia dei circumdat, ut
⁵ illud: *Mittit angelum dominus in circuitu timentium eum;* et alibi: *Custodit dominus omnes diligentes se.*

11. LAETAMINI IN DOMINO ET EXULTATE IUSTI. Propheta hortatur ecclesiam
laetari de spe uitae aeternae et remunerationis; tamen laetatur et hic in
tribulatione. GLORIAMINI OMNES RECTI CORDE, ut Paulus: *Qui gloriatur,
in domino glorietur.* 'Recti corde' dicuntur, cui omnia iudicia dei pla-
⁵ cent et se accusant de suis peccatis et deum siue in prosperis siue in
aduersis semper laudant.

32. PSALMUS IPSI DAVID IN FINEM.

EXULTATE IUSTI IN DOMINO. Propheta hortatur sanctos, ut laudent dominum: exultate iusti; alibi dicit: GAUDETE, maxime unum est. Alii
exultant in rebus saeculi huius, alii in circo, alii in theatro. Sed ut dicit
⁵ propheta ad unumquemque sanctum: in domino exulta. RECTOS DE-
CET CONLAUDATIO. Recti dicuntur qui in regula ueritatis corda illorum
dirigunt.

2. CONFITEMINI DOMINO IN CITHARA. Cithara deorsum habet cauum et
sex cordas habet. Opera sanctorum intelleguntur per citharam, quae
sunt sex opera misericordiae. Illae cordae aliae bene cantant, aliae
murmurant, sic et sancti alii sic et alii sic. IN PSALTERIO DECEM COR-

---

Codices: LMNSV et Z = S+V
7 faciat + illum *Z*   **10,**1 peccatores + sunt qui *Z*   2 quae *M²V²*: quod *cett.*   3 autem
om. V   misericordia + dei *L*   5 Mittat *V*   angelum + suum *Z*   **11,**2 remuneratione *V*   hic + ecclesia *Z*   3 Gloriamini] *praem.* Et *Z*

Ps 32,1,1 ipsi *M*: *om. cett.*   In finem psalmus Dauid *LZ*   4 ut] nunc *M*: *om. Z*
6 Recti *M*: -tos *cett.*   dicit *Z*: -tur *L*   in] ad *Z*   regulam *MZ*   **2,**1 et – 2 habet *om.*
MN: *post* 2 intelleguntur *trsp. V*   4 et alii] alii uero *Z*   psalterium *LN*

10,5 Ps 33,8   5/6 Ps 144,20   **11,**3/4 I Cor 1,31

Ps 32,1,3 Gaudete = Ps(Ro)

⁵ DARUM PSALLITE EI. Psalterium desursum habet cauum, praedicatio
uel mandata intelleguntur in sanctis, quae de supernis ueniunt. Unde
sanctus Iacobus dixit: *Omne datum optimum et omne donum perfectum*
desursum est descendens a patre luminum. 'Decem cordarum' decem
uerba legis, tria mandata in una tabula quae ad fidem trinitatis perti-
¹⁰ nent, id sunt: *Audi Israhel, dominus deus tuus deus unus est;* secundum:
Non habebis nomen dei tui in uanum; tertium: *Obserua diem sabbati.*
Septem in altera tabula ad dilectionem proximi pertinent.

3. CANTATE EI id est psallite ei CANTICUM NOUUM. Nouum canticum est:
nouus homo uenit in mundum, nouam legem adtulit nobis et nouam
ecclesiam per baptismum. BENE CANITE EI, bene psallite ei. Ille bene
psallit qui implet in opere quod cantat id est praedicat. IN IUBILATIONE:
⁵ iubilus dicitur, quod nec uerbis nec syllabis nec litteris nec in uoce pot-
est erumpere aut conprehendere, quantum homo deum debeat lau-
dare.

4. QUONIAM RECTUS EST SERMO DOMINI ET OMNIA OPERA EIUS IN FIDE. Rectus est ad rectos, opera eius in fide hoc est in fide sanctorum, quia quod
promittit deus sanctis suis non mentitur.

5. DILIGIT MISERICORDIAM ET IUDICIUM DOMINUS. Quomodo dicit: diligit
misericordiam, cum alio loco dicat: *Ne miserearis pauperi in iudicio?* id
est non propter pauperem nec propter diuitem, non propter proximum
et longinquum, non propter cognitum et incognitum: non declines a
⁵ recto iudicio. Sed prius iudica rectum iudicium, et postea subueniat
misericordia. MISERICORDIA DOMINI PLENA EST TERRA. Totus mundus
de misericordia domini plenus est, uel 'terra' sancta ecclesia de misericordia dei plena est, quia ipsud quod sumus et uiuimus uel mouemur
misericordia dei est, quia sicut ille ubique est, et sua misericordia cum
¹⁰ illo et ab illo inseparabilis est.

6. UERBO DOMINI CAELI FIRMATI SUNT. Uerbum patris filius est. 'Caeli firmati sunt' sancti apostoli per ipsum in fide, ET SPIRITU ORIS EIUS OMNIS

Codices: LMNS (V et Z = S+V)
5 praedicatio + caelestis *Z*   7 sanctus Iacobus *om. LMN*   8 *a* Decem *deest* V(*usque ad*
Ps 34,23)   cordae *M*²   11 nomen + domini *S*   3,1 est²] id est *S*   6 conprehendi *L*²
habeat *M*   5,2 dicit *S*   pauperem *S*   5 subueniet *S*   6 dei *MN*   7 de¹ - est
om. S

2,7 - 8 Iac 1,17   10 - 11 Dt 6,4; Ex 20,7; Dt 5,12   5,2 Ex 23,3   8 *cf* Act 17,28

UIRTUS EORUM, id est per spiritum sanctum uirtutes illorum, quia per spiritum sanctum habemus diuersas gratias id est uirtutes. Nam per
5 nos nihil habemus nisi per ipsum.

7. CONGREGANS SICUT IN UTREM AQUAS MARIS. Per aquas significat tribulationem et persecutiones sanctorum, quia sicut homo in utrem aquas stringit et quomodo uult spargit, sic dominus tribulationes, ut ait Paulus: *Fidelis deus qui non permittit uos temptari super id quod potestis, sed*
5 *facit cum temptatione etiam prouentum, ut possitis sustinere.* PONENS IN THESAURIS ABYSSOS, in thesauris id est in absconditis dei. Abyssus inmensitas hoc est profunditudo scripturarum, unde alio loco dicit: *Qui producit uentum de thesauris suis,* id est unde nos nescimus, nisi quantum ipse uoluit per seruos suos nobis demonstrare, tantum habemus;
10 per nos intellegere ipsam profunditudinem scripturarum nequaquam possumus.

8. AB IPSO AUTEM COMMOUEANTUR UNIUERSI ET OMNES QUI INHABITANT ORBEM. 'Ab ipso' deo 'commoueantur uniuersi' hoc est de infidelitate ad fidem, uel 'uniuersi' omnes creaturae ab ipso ueniunt et non sicut dicunt peccatores quod tempus illas adducit et non deus, quia et tem-
5 pora et dies et annos uel etiam momenta deus constituit.

9. QUONIAM IPSE DIXIT hoc est uoluit, ET FACTA SUNT id est creaturae in re. Aliter 'ipse dixit' hoc est per filium, ⟨IPSE MANDAUIT, ET CREATA SUNT⟩, mandauit per imperium. Aliter 'mandauit' inenarrabilia.

10. DOMINUS DISSIPAT CONSILIA GENTIUM, secundum illud: *Non est consilium, non est sapientia, non est prudentia, non est fortitudo contra deum.* Uel 'dissipat' id est consilia eorum qui turrem aedificabant dissipauit hoc est destruxit, ut illud: *Uenite, confundamus ibidem linguas eorum.*
5 REPROBAT AUTEM COGITATIONES POPULORUM hoc est Iudaeorum consilia, quia non potuerunt illi facere, nisi quantum a deo praefinitum

Codices: LMNS
6,4 habemus + modo *S*   5 nihil + boni *S*   **7,3** stringet *S*   quomodo] quando *S*
tribulationes + ecclesiae *S*   4 permittit] patietur *S*   potestis + portare *N*   5 faciet *S*
possetis *NS*   Pones *N*   8 uentos *S*   9 ipse *om. S*   **8,4** quia] qui *L*   5 deus *om. L*
9,1 et *om. LMN*   creaturae *L²M²*: -ras *cett.*   2 est + dixit *S*   3 inenarrabiliter *S*
10,3 dissipat] -pauit *S*   consilia eorum id est + illos *S*   dissipauit *om. S*   4 eorum +
ut non audiat unusquisque uocem proximi sui *S*

7,4 – 5 I Cor 10,13   **7/8** Ps 134,7   **10,1 – 2** Prv 21,30   4 Gn 11,7

fuit; ET REPROBAT CONSILIA PRINCIPUM hoc est Annae et Caiphae, quia
ipsi principes Iudaeorum erant.

11. CONSILIUM UERO DOMINI MANET IN AETERNUM. Consilium domini fuit,
ut resurgeret a mortuis, sicut et fecit. Istud consilium Iudaei uel principes illorum destruere non potuerunt.

12. BEATA GENS CUIUS EST DOMINUS DEUS EIUS, hoc est qui credunt quod
dominus creauit illas creaturas, unde superius mentionem fecit, nam
non quod tempus illas adduxerit. 'Beata gens' id est populus christianus. POPULUM QUEM ELEGIT DOMINUS IN HEREDITATEM SIBI, ipsum po-
5 pulum christianum, 'in hereditatem sibi', ut dixit in alio psalmo: *Dabo
tibi gentes in hereditatem tuam* et rlq.; et alibi: *Dominus pars hereditatis
meae;* et item: *Portio mea dominus.*

13. DOMINUS DE CAELO PROSPEXIT, hoc est misertus est nobis, SUPER FILIOS
HOMINUM: filii hominum filii Adam, uel filii hominum successores
apostolorum.

15. QUI FINXIT SINGILLATIM CORDA EORUM: qui finxit id est fecit, 'singillatim' per singulos, omnes intellegit et insimul omnes recognoscit,
'corda illorum' opera illorum. QUI INTELLEGIT OMNIA OPERA EORUM
hoc est qualiter dona diuisionum unaquaeque anima habeat, ipse dis-
5 pensat.

16. NON FIT SALUUS REX PER MULTITUDINEM UIRTUTIS SUAE. Quare? quia
alibi dicit: *Domini est salus;* et aliter: *Non glorietur sapiens in sapientia
sua nec uir fortis in fortitudine sua.* NEC GIGANS SALUUS ERIT IN MULTI-
TUDINE FORTITUDINIS SUAE. Gigans pro fortitudine dicitur. Nec ipse
5 saluus esse potest per fortitudinem suam, sicut legimus de Golia et
Dauid.

17. FALLAX EQUUS AD SALUTEM. Equus corpus humanum, impedimentum
est animae, ideo fallax. IN HABUNDANTIA AUTEM UIRTUTIS SUAE NON
ERIT SALUUS, nec gigans nec rex.

18. ECCE OCULI DOMINI SUPER TIMENTES EUM. Oculi dei aspectus diuinita-

---

Codices: LMNS
11,3 eorum *L*   distruere *LN*   **12**,2 fecimus *S*   3 adducat *S*   4 populus *L²*
ipsum] in *S*   4/5 populo christiano *S*   **15**,4 dona diuisionum] donum dei *S*
16,5 per] propter *M:* pro *LN*   fortitudine sua *L²N*   **17**,3 salus *N*   **18**,1 dei] domini *L*

12,2 superius: *cf* v. 8,3-4   5/6 Ps 2,8   6/7 Ps 15,5   7 Ps 118,57   **16**,2 Ps 3,9
2 - 3 Ier 9,23

tis 'super timentes eum' qui eum timent timore sancto, ET IN EIS QUI
SPERANT IN MISERICORDIA EIUS,

19. UT ERIPIAT A MORTE ANIMAS EORUM, id est ad hoc sperant in misericordia eius id est dei, ut a morte perpetua eripiat animas eorum; uel 'a
morte' hoc est a diabolo. ET ALAT EOS IN FAME id est nutrit eos, unde dixit: Et aluit eos *quadraginta annis in deserto* hoc est *pauit eos,* quia quo-
⁵ tienscumque homines habent famem, deus autem pascit seruos suos,
sicut de pluribus legimus factum, et licet de cibo terreno non pascat, tamen plus est unde pascit eos de cibo spiritali id est de sua doctrina et de
suo uerbo.

20. ANIMA AUTEM NOSTRA SUSTINET DOMINUM id est patiens est in domino
quicquid accesserit ei, siue bonum siue malum, sustinet propter dominum, ut ait Paulus: *Omnia mihi placent.* QUONIAM ADIUTOR ET PROTEC-
TOR NOSTER EST, hoc est quia ipse est adiutor et defensor ecclesiae suae.

21. ET IN IPSO LAETABITUR COR NOSTRUM id est anima nostra laetabitur de
spe futurae remunerationis, et laetatur ecclesia in tribulatione. ET IN
NOMINE SANCTO EIUS SPERAUIMUS. Nomen patris filius est. Quantum
speras tantum habes, et quantum habes tantum speras id est quantum
⁵ operaris tantum speras, et quantum speras tantum operaris, et quantum operaris tantum habes.

22. FIAT, DOMINE, MISERICORDIA TUA SUPER NOS SICUT SPERAUIMUS IN TE.
Oratio ecclesiae est. Tamen istum uersiculum cogitare debet unusquisque antequam legatur, ut fiducialiter dicat: sicut sperauimus in te,
ne forte alibi uacet mens sua.

33. PSALMUS DAUID CUM COMMUTAUIT UULTUM SUUM CORAM ABIMELECH,
ET DIMISIT EUM ET ABIIT. Quomodo dicit 'commutauit uultum suum
coram Abimelech', quia in Regum sic legitur quod in Geth ciuitatem

---

Codices: LMNS
19,2 eripias *N*   3 nutrit] pauit *S*   4 hoc – eos² *om. S*   6 sicut – et *om. S*   non pascat *N*: *om. cett.*   **20,4** est³ + et *S*   **21,5**(*et* 6) operaris *M*²: operas *cett.*   **22,1** misericordia tua domine *S*   3 legat *L*²

Ps 33,1,1 mutauit *S*   2 demisit *L*N*   3 legimus *S*

19,4 II Esr 9,21

Ps 33,1,3sqq. *cf* I Rg 21,10-14

ad regem Achis fugit in Philistim? Uel quomodo ausus fuit ibidem am-
5 bulare, quia inimicus illorum erat et ipse interfecit antea Goliam principem illorum? Propterea illuc ambulauit pro hoc quod mulieres dixerunt: *Percussit Saul mille et Dauid decem milia.* Et postea intrauit diabolus in illum per inuidiam et dixit: *Quid ei superest nisi tantum ut regnum
habeat?* Et peruenit Dauid ad regem Achis. Sed postea Achis misit mis-
10 sos suos, ut Dauid ad se adducerent, ut eum interficeret. Et cum inue-
nissent eum ad portam ciuitatis, et cum cognouit Dauid quod ipsum
interficere uolebant, necessitate conpulsus ad artem declinauit, misericordia dei praeueniente cecidit spiritus sanctus super ipsum, coepit
babare super suam barbam, et cum perduxissent eum ad regem, dixit
15 illis rex: pro qua causa adduxistis istum hominem arreptitium et furi-
bundum super me? Numquid desidero arreptitios? Dauid pulcher
homo erat, et dimiserunt eum; et quando eum adprehenderunt, tympanizabat ad portam ciuitatis et in manibus suis ferebatur, et cum eum
dimisissent et fugisset, tunc dixit: *Benedicam dominum.* Sed sanctus
20 Agustinus ille hoc exposuit id est istum titulum. Dauid figuram Christi tenet, Saul figuram diaboli. Abimelech interpretatur regnum patris
mei, Achis interpretatur quomodo est id est niger. Dauid uenit in Geth
ad regem Achis, et dominus uenit in regnum patris sui hoc est in regnum Iudaeorum. 'Mutauit uultum suum coram Abimelech' hoc est co-
25 ram regnum patris sui, unde sanctus Paulus dixit: *Qui cum in forma dei
esset, non rapinam arbitratus est esse se aequalem deo, sed semet ipsum
exinaniuit formam serui accipiens* etc. Aliter 'commutauit uultum
suum' hoc est in sacerdotium tunc commutauit, quando Melchisedech
obtulit panem et uinum, 'immutauit uultum' quia quantum aduentus
30 Christi adpropinquabat, tantum illae figurae apertiores erant, quia antea hostias offerebant, sed postea spiritaliter impletum fuit in Nouo

---

Codices: LMNS
5 Goliath *S*   6/7 dixerunt] per choros cantabant *S*   9 Achis[2] *scripsi*: Abimelech *codd.*
10 ducerent *M²S*   11 ciuitatis + sedebat et tympanizabat *S*   et cum(*om. N**) *eras.* M
12 conclusus *M*NS*   13 prouidente *S*   eum *L*   14 adduxissent *S*   17 dimiserunt eum et *om. LS*   prendiderunt *MN*: prehenderunt *L*   19 domino *N*   22 niger +
et hic pro interpretatione nominis mutat isto nomen *S*   26/27 semet ipsum exinaniuit
om. S   27 accepit *S*   28 sacerdotio *M*   29 inmutauit uultum *om. S*

7 *et* 8 *cf* I Rg 18,7.8   20 AU 33 s. I,2sqq.(p. 274-81)   25 – 27 Phil 2,6.7

Testamento, sicut dicit: *Tu es sacerdos in aeternum secundum ordinem Melchisedech.* Non dixit secundum ordinem Aaron, sed secundum ordinem Melchisedech. Tympanizabat ad portam ciuitatis: tympanus de
³⁵ corio extenditur, et dominus extendit manus suas in cruce. Porta ciuitatis initium fidei nostrae est, quando credimus incarnationem Christi et per hoc intramus nos in caelestem Hierusalem. Per saliuam intellegitur infirmitas carnis quam dignatus est suscipere, illa barba fortitudo diuinitatis. 'Dimisit eum et abiit': dimisit Christus Iudaeos et uenit in
⁴⁰ gentes, unde dictum est: Uos *indignos uos iudicastis* sermonibus *uitae aeternae, nos ad gentes ibimus.*

2. BENEDICAM DOMINO IN OMNI TEMPORE. Benedicam domino id est laudabo dominum, in omni tempore hoc est in prosperis et in aduersis. Fecit hoc Dauid, et modo ecclesia sic debet facere. SEMPER LAUS EIUS IN ORE MEO, in ore et in corde intenta mente deum semper lau-
⁵ dare.

3. IN DOMINO LAUDABITUR ANIMA MEA hoc est uita mea. AUDIANT MANSUETI ET LAETENTUR: mansueti id est sancti laetentur, non de terrenis, sed de caelestibus, qui non habent pugnam uitiorum in se.

4. MAGNIFICATE DOMINUM MECUM, hoc est laudate, ET EXALTEMUS NOMEN EIUS IN INUICEM, ac si dicat propheta: quomodo ego amo, et uos sic facite. Homo illum quem amat laudat, et quemadmodum ille amat et laudat, uult, ut toti illum ament et laudent.

Codices: LMNS
32 sicut - aeternum *om.* S   36 est] intellegitur S   37 et - Hierusalem *om.* MN
Hierusalem + Suis manibus ferebatur: nemo se ipsum potest portare, sed hoc intellegitur, quando dixit ad discipulos: Nisi manducaueritis carnem filii hominis et rlq., illi dixerunt: Quomodo potest homo carnem suam manducare? Chus interpretatur est id est niger, ut supra. Hic impletum est 'suis manibus ferebatur', quando accepit corpus suum et suum sanguinem et dixit: hoc est corpus meum S   38 quam L²: qui L*N: quae S: quia M
40 Uos] Uobis + oportebat primum loqui uerbum dei, sed quia respuistis illud et S
sermonibus *om.* S   41 aeternae + ecce conuertimur S   ibimus(imus MN)] Sic enim nobis mandauit deus: Posui te lumen gentibus, ut sis in salutem usque ad extremum terrae. Et item Paulus dicit: Sanguis uester super caput uestrum, mundus ego ex hoc iam ad gentes ibo S   2,1 domino¹] -num LMS   2 domino S   4 semper deum S
3,1 Audient MN   2 laetentur + in deo qui S   2/3 non terrena sed caelestia + desiderant S   3 quia M²   4,1 exultemus N   3 laudat(-det N) - 4 laudat *om.* S

32 Hbr 5,6; 7,17.21(Ps 109,4)   33/34 *cf* Hbr 7,11   37 (Io 6,54.53)   40 - 41 Act 13,46
41(Act 13,47[Is 49,6]; 18,6)

6. ACCEDITE AD DOMINUM, non loco sed fide et opere, ET INLUMINAMINI id est in mente, ET UULTUS UESTRI NON ERUBESCENT, id est facies uestrae hoc est facies conscientiae non erubescent in condemnatione in diem iudicii.

7. ISTE PAUPER CLAMAUIT ET DOMINUS EXAUDIUIT EUM: iste pauper id est Dauid clamauit, quando dixit: *Domine deus, uanum fac consilium Achitofel.* Clamauit Christus in cruce, et ecclesia clamat modo. 'Et dominus exaudiuit eum': ad tres personas ⟨pertinet⟩. ET EX OMNIBUS TRIBULA-
5 TIONIBUS EIUS SALUAUIT EUM: repetitio est.

8. EMITTIT ANGELUM DOMINUS IN CIRCUITU TIMENTIUM EUM ET ERIPIET EOS. Emittit angelum, hoc est angelum magni consilii dei dedit illis hic, hoc est Christum.

9. GUSTATE ET UIDETE QUAM SUAUIS EST DOMINUS. Gustus per fauces discernitur, uisus per oculos, quia per oculos uidetur. Propheta dicit: gustaui, et quomodo gustaui, sic inueni per fidem, per spem et per opera bona. BEATUS UIR QUI SPERAT IN EUM. Quare beatus? quia illum habet
5 qui omnia habet, hoc est deum.

10. TIMETE DOMINUM OMNES SANCTI EIUS. Timete dominum hoc est diligite, QUONIAM NIHIL DEEST TIMENTIBUS EUM. Quorum deus est Christus, nihil deest eis id est nihil boni deest eis, quia qui deum habet, omnia habet, et ideo nihil deest eis.

11. DIUITES EGUERUNT ET ESURIERUNT. Secundum historiam diuites solent esurire et sancti a deo refectionem accipiunt. Aliter: 'Diuites' populus Iudaicus qui diues fuit de lege et prophetis uel de rebus terrenis. 'Eguerunt' quia modo famelici sunt de uerbo dei, ut ait propheta: Ecce
5 ego *inmittam in uos famem,* non famem panis neque sitim aquae, sed famem audiendi uerbum dei. INQUIRENTES AUTEM DOMINUM NON DEFICIENT OMNI BONO: modo sanctis datum est quod ab illis abstractum est.

Codices: LMNS
6,3 erubescit *MNS*   **7,1** clamabit *M²*   3 Clamauit + et *S*   4 exaudit *M*   ad] pro *S*
5 saluabit *M*   **8,2** hic *om. LS*   3 hoc – Christum] seu defendit illos *S*   **9,1** quam]
quoniam *N*   2 dicit + Ego *S*   4 eo *L*   quia + qui *L*   5 qui *om. L*   **10,2** eum +
timentibus id est diligentibus. Nihil illis deest id est *S*   3 id – 4 eis *om. LN*   4 desit *S*
11,2 Diuites + eguerunt id est *S*   3 de¹] in *M*   5 neque – aquae *om. S*   6/7 deficiant *N*

7,2 II Rg 15,31   **8,2** *cf* Is 9,6 *sec.* LXX   **11,5** Ez 5,17

12. UENITE FILI, AUDITE ME. Uocat Christus ecclesiam ad se uenire per fidem. Sancti filii dei dicuntur iuxta quod dictum est in euangelio: *Quotquot autem receperunt eum dedit eis potestatem filios dei fieri;* et Iohannes dicit in epistola sua: *Nunc filii dei sumus.* TIMOREM DOMINI DOCEBO
5 UOS, ut illud: *Initium sapientiae timor domini;* et alibi dicit: De timore nascitur conpunctio salutaris. Ad hoc uos rogo uenire, ut timorem domini uos debeam docere.

13. QUIS EST HOMO QUI UULT UITAM? Uox prophetae interrogando dicit, et alius dicit: ego uolo; et ille dicit: si uis, fac quod subsequitur et uidebis uitam hoc est habebis uitam aeternam. ET CUPIT UIDERE DIES BONOS hoc est dies aeternos.

14. PROHIBE LINGUAM TUAM A MALO (alibi dicit: UETA LINGUAM TUAM A MALO) ET LABIA TUA NE LOQUANTUR DOLUM. Prohibe linguam tuam a malo id est a detractione uel a murmuratione, quia dictum est: *Mors et uita in manibus linguae;* et alibi: *Qui custodit linguam suam custodit ani-*
5 *mam suam;* et alibi dicit: *Cultus iustitiae silentium et pax.*

15. DEUERTE A MALO ET FAC BONUM, hoc est destrue uitia et aedifica uirtutes. Nihil prodest, si destruis et non aedificas hoc est si destruis uitia et non aedificas uirtutes, ac si dicat: nullus profectus est, quia dictum est: nullum bonum fuit, quod nullum malum non destruxit. Hieronimus
5 dicit: Nisi oderimus malum, bonum facere non possumus. INQUIRE PACEM ET SEQUERE EAM. Iudaei quaesierunt pacem id est Christum ad occidendum, non ad imitandum, quia sequere imitare dicitur. Aliter 'inquire pacem et sequere eam' hoc est Christum, quia ipse est pax nostra. Sequere imitare, unde dixit in euangelio: *Qui uult post me uenire me*
10 *sequatur.*

16. OCULI DOMINI SUPER IUSTOS, ET AURES EIUS AD PRECES EORUM: oculi do-

---

Codices: LMNS
12,1 filii *N*   6 salutaris + et *S*   **13,**1 dicit *om. S*   2 si uis(uoles *L*S) om. MN*
fac + ergo *S*   3 cupit uidere *om. LMS*   **14,**1 alibi – 2 malo *om. S*   2 loquatur *L*N*
3 a murmuratione] amaritudinem *S*   4 manu *S*   5 Cultus *scripsi:* Custus(-os *L²M²)*
LMS: Gustus *N*   **15,**1 destruere ... aedificare *L*   2 Nihil] Qualis *S*   destruis¹ *L²:*
-es *cett.*   destruis²] -es *L*MN*   3 profectus est *om. S*   4 fuit] fecit *L*   quod] qui
LN: quia *S*   Hieronimus – 5 possumus *om. S*   6 persequere *MS*   7 sequi imitari *L²*

12,2/3 Io 1,12   4 I Io 3,1   5 Ps 110,10   **14,**3/4 Prv 18,21   4/5 Prv 21,23
5 Is 32,17   **15,**9 Lc 9,23

mini aspectus diuinitatis super iustos; et aures eius ad preces eorum: quicquid rogant sancti de bono, exaudit illos. Quia deus audit et uidet nos, propterea nos faciamus uoluntatem illius.

17. UULTUS AUTEM DOMINI SUPER FACIENTES MALA. Iste psalmus in persona bonorum et in persona malorum currit. Pro quid uultus dei super eos qui mala faciunt? UT DISPERDAT DE TERRA MEMORIAM EORUM hoc est de terra uiuentium, ut ait propheta: *Deleantur de terra uiuen-*
⁵ *tium.*

18. CLAMAUERUNT IUSTI, ET DOMINUS EXAUDIUIT EOS, hoc est tres pueri inter flammam clamauerunt et dominus exaudiuit eos hoc est liberauit; uel filii Machabeorum clamauerunt, et modo unusquisque sanctus clamat; ET EX OMNIBUS TRIBULATIONIBUS EORUM LIBERAUIT EOS, et illos sic
⁵ fecit et modo unumquemque.

19. IUXTA EST DOMINUS HIS QUI TRIBULATO SUNT CORDE, hoc est qui propter illum sustinent, cum ipsis est in tribulationibus, non loco, quia deus non est localis, sed auxilio. ET HUMILES SPIRITU SALUABIT, humiles spiritu id est mites, sicut ipse dixit: *Discite a me, quia mitis sum et humilis*
⁵ *corde;* et alibi: *Beati pauperes spiritu.*

20. MULTAE TRIBULATIONES IUSTORUM, ET DE OMNIBUS HIS LIBERAUIT EOS DOMINUS, et corporaliter et spiritaliter.

21. DOMINUS CUSTODIT OMNIA OSSA EORUM id est uirtutes eorum, ET UNUM EX HIS NON CONTERETUR de sanctis suis in futuro iudicio. Quomodo dicit 'unum ex his non conteretur', quia multi habent ossa fracta, sicut legimus de sanctis martyribus? Sed hic ossa firmamentum uirtutis ani-
⁵ mae intelleguntur.

22. MORS PECCATORUM PESSIMA, quia et hic initiantur et in futuro sine fine torquentur, ET QUI ODERUNT IUSTUM DELINQUENT. Iudaei oderunt iustum id est Christum sine causa; delinquent id est peccauerunt in hoc. Uel qui odit modo iustum id est unumquemque sanctum, delinquet id
⁵ est peccat.

Codices: LMNS
16,2 ad] in *M*   3 exaudiet *S*   **17,**2 dei] domini *L*   3 memoria *L*S*   4 terra²] libro *LS*   **18,**2 hoc est liberauit *om. S*   3 clamauerunt *om. S*   3/4 clamat *om. S* 4/5 sic fecit(facit *N*) *om. S*   **19,**2 tribulatione *S*   4 sicut – dixit] ut illud *S* **21,**2(*et* 3) conterentur *N*   3 conteritur *L*   4 uirtutis *M²N*: -tes *cett.*   5 intellegitur *L* **22,**3 peccant *LS*   in hoc *om. S*   4 delinquit *LS*   4/5 id est] et *M*

17,4 Ps 68,29   **18,**1 - 3 *cf infra* **Ps 68,**19,4sqq.   **19,**4 Mt 11,29   5 Mt 5,3

23. REDIMET DOMINUS ANIMAS SERUORUM SUORUM: redemit nos Christus sanguine suo pretioso et modo per singulos dies redimit, ET NON DERELINQUET OMNES QUI SPERANT IN EUM: qui in deum sperant non delinquent neque hic neque in futuro.

34. IN FINEM PSALMUS IPSI DAUID. In finem in Christo, ut illud: *Finis enim legis Christus ad iustitiam omni credenti.* Uel finis perfectio Christi, unde et apostoli dixerunt: *Domine, ostende nobis patrem et sufficit nobis;* et dominus dixit: *Qui me uidet, uidet et patrem* meum, *quia ego in*
5 *patre et pater in me.* In hoc perfectio Christi est. Dauid fortis manu interpretatur siue desiderabilis. Et dominus manu fortis est, quia tetigit loculum et surrexit iuuenis uiduae; uel fortis: per quem facta sunt omnia, desiderabilis, quia in tantum desiderant sancti uidere Christum, ut etiam corpora sua pro ipso tradant in martyrium.
10 IUDICA DOMINE NOCENTES ME. Uox Christi in passione et uox ecclesiae in tribulatione. Iudica: iudicium discretionis rogat, uel 'iudica' id est discerne inter me et Iudaeos et inter ecclesiam et persecutores. EXPUGNA INPUGNANTES ME, ac si dicat: tu fac uindictam pro me, sicut dicit per sanctum Paulum: *Mihi uindicta, ego retribuam;* et item: *Si deus pro*
15 *nobis, quis contra nos?*
2. ADPREHENDE ARMA ET SCUTUM. Sanctus Eucherius dicit arma domini defensio diuinitatis: quid fortius, quid pulchrius quam Christum armatum stare pro suis sanctis? sicut Stephanus uidit, quando dixit: *Ecce uideo caelos apertos et filium hominis stantem a dextris dei.* Unde sanctus

---

Codices: LMNS

23,1 Redimet] -emit *L*   redemit] -imet *NS*   Christus] dominus *L*   2 redimit *L²*:
-imet *L*MS²*: -emit *NS**   2/3 delinquet *LM*   3 eo *L*   dominum *M*   3/4 derelinquet *S*   4 futurum *L*N*

Ps. 34,1,1 ipsi *om. N*   4 dixit] Philippe, tanto tempore uobiscum sum et non cognouistis me? *S*   4/5 Quia ego ... - me; et: Qui me ... - meum *trsp. S*   4 uidit (*bis*) *L*MN* meum *om. M*   9 tradunt *NS*   martyrio *LS* + ut ad illum mereantur perueniri *S* 14 sanctus Paulus (*om.* per) *S*   uindictam *LMS*   retribuam + dicit dominus *L* **2**,1 dixit *L*   2 defensio] protectio *S*   3 sanctis *om. S*   sicut + sanctus *S*   4 dei + patris *S*

Ps **34**,1,1/2 Rm 10,4   3 – 5 Io 14,8-10   6/7 *cf* Lc 7,14.15   7 *cf* Io 1,3   14 Rm 12,19(Dt 32,35)   14/15 Rm 8,31   **2**,1/2 EUCH int.1(ed. 8,3-5)   3/4 Act 7,55

⁵ Gregorius dixit: »Stare pugnantis uel adiuuantis est«. Tu non potes mutare tua arma. Dominus aliquotiens de armis facit scutum, et nos debemus arma accipere, sicut sanctus Paulus dicit: *Accipite armaturam dei, ut possitis resistere in die malo et in omnibus perfecti stare.*

3. EFFUNDE FRAMEAM ET CONCLUDE ADUERSUS EOS QUI ME PERSEQUUN-TUR. Per frameam intellegitur anima dominica, per quam fecit deus pater iustam uindictam. Uel 'framea' intellegitur anima uniuscuiusque sancti, quia deus per animas sanctas facit uindictam, sicut per Petrum
⁵ fecit de Anania et Saffira et per Heliam de quinquaginta uiris. DOMINE DIC ANIMAE MEAE, SALUS TUA EGO SUM. Uox ecclesiae: dic animae meae, ut intellegat quod tu es deus meus, tu es salus animae meae.

4. CONFUNDANTUR ET REUEREANTUR gentiles de idolis, conuertantur de infidelitate ad fidem Christi, AUERTANTUR RETRORSUM ⟨ET ERUBES-CANT⟩ QUI COGITANT MIHI MALA id est daemones, Iudaei uel persecutores ecclesiae auertantur in futuro iudicio, unde Paulus dicit: *Qualem*
⁵ *ergo fructum habuistis tunc in his, in quibus nunc erubescitis?* Aliter 'auertantur retrorsum' id est illi qui malum cursum habuerunt, sicut dominus ait ad Petrum: *Uade post me satanas.*

5. FIANT TAMQUAM PULUIS ANTE FACIEM UENTI, ET ANGELUS DOMINI AD-FLIGENS EOS. Puluis leues et infructuosi homines dicti sunt, quia sicut puluis ante faciem uenti, sic peccatores ante sententiam diuinam in die iudicii. 'Et angelus domini adfligens eos': angelus domini spiritus ma-
⁵ lignus. Si malus, cur domini? si domini, cur malignus? Domini, quia dominus illum creauit et dominus illum habet in potestate; malignus non natura, sed sua adinuentione. Diabolus habet uoluntatem nocendi, sed non habet potestatem faciendi, ut ait propheta: *Inmissiones per angelos malos,* id est tantum habet potestatem quantum dominus ei
¹⁰ permittit, non quantum ille uult.

Codices: LMNS
3,1 framea *L*NS*   4 fecit *N*   5 quinquaginta] illis quinquagenariis *S*   7 ut + te *LM*
intellegam *S*   4,1 conuertuntur *L*: confundantur *S*   2 ad – Christi *om. S*   6 auertantur(reuert- *MN*) *MNS*: reuereantur *L*   7 satanas + et apostoli dixerunt ad dominum: Rabbi nunc quaerebant te Iudaei lapidare et iterum uadis illuc? *S*   5,2 leui *L*NS*
4 eos + hic *S*   5 malignus + dicitur *M*   8 Inmissiones] -sio *M*N*: -onem *M²*   10 non
– uult *om. MN*

5 GR-M Ev 29,7(ed. 1217 C 8-9)   7 – 8 Eph 6,13   3,4/5 *cf* Act 5,5-10   5 *cf* IV Rg 1,10
4,4/5 Rm 6,21   7 Mt 16,23   (Io 11,8)   5,8/9 Ps 77,49

6. FIANT UIAE EORUM TENEBRAE ET LUBRICUM, 'tenebrae' ignorantiae, 'lubricum' id est luxuria; ⟨ET ANGELUS DOMINI PERSEQUENS EOS⟩, quia qui in istis est deditus id est ignorantia et luxuria, angelus domini hoc est diabolus persequitur eum.

7. QUONIAM GRATIS ABSCONDERUNT MIHI INTERITUM LAQUEI ANIMAE SUAE. Gratis id est sine causa, tam Iudaei Christum quam et persecutores ecclesiam; 'laquei animae suae' dicit, quia ipsi semet ipsos laqueauerunt in uindicta.

8. UENIAT ILLIS LAQUEUS QUEM IGNORABANT, hoc est quia unusquisque peccator *funiculis uitiorum suorum constringitur* in die iudicii, ET CAPTIO QUEM ABSCONDIT ADPREHENDIT EOS ET LAQUEUS INCIDIT IN IPSOS, ut illud: *Foderunt ante faciem meam foueam, et ipsi inciderunt in eam.* Et
   5 item dicitur: Fouea quam fratri tuo praeparaueris, in eam cadebis.

9. ANIMA AUTEM MEA EXULTAUIT IN DOMINO, et Christus in patre et ecclesia in Christo, 'exultauit' iocundauit. DELECTABITUR SUPER SALUTARE EIUS: delectabitur hoc est laudabitur, super salutare eius: salutaris noster Christus est, quia in ipso delectatur ecclesia, ut ait Salomon:
   5 *Quae est ista quae ascendit dealbata et enixa super fratruelem suum?*

10. OMNIA OSSA MEA DICENT: DOMINE QUIS SIMILIS TIBI? Ossa fortiores sancti uel uirtutes sanctorum. Quis similis tibi? ac si dicat: nemo. Alio loco dicit: *Deus quis similis tibi?* id est nullus. ERIPIENS INOPEM DE MANU FORTIORIS EIUS. Inops Christus pro nobis, *ut illius inopia nos diui-*
   5 *tes* faceret. 'De manu fortioris' id est de manu Iudaeorum liberauit eum deus pater. Aliter 'inops' Christus, ex persona membrorum suorum loquitur. EGENUM ET PAUPEREM A RAPIENTIBUS EUM: repetitio est maxime.

Codices: LMNS
6,1 lubricum + non optando dicit, sed pronuntiando *S*   2 luxuriae *N*   3 id – est[3] *om. S*
4 illum persequitur *S*   7,1 laquei – 2 suae *om. S*   3 laquei – quia *om. S*   8,1 illi
L*MS   ignorant *L²S*: -rat *L*M*   2 uitiorum] peccatorum *S*   3 quem *L*N*: quam *L²S*
adprehendat *S*   et laqueus(-os *LN*)] *trsp. S*   incident in ipso *S*   4 ipsi *om. S*
5 dicit *LNS*   Foueam *S*   quem *LNS*   eam *M*: ea *cett.*   9,1 exultabit *L*
2 exultabit iocundabit(-bitur *L²*) *LN*: *om. S*   3 eius¹] suo *L*   salutare] -ri *S*
5 et enixa] et nixa *N*: ut nix *M*   10,4 fortiorum *S*   5 fortiorum + eius *S*   7/8 maxime repetitio est *S*

8,2 Prv 5,22   4 Ps 56,7   9,5 Ct 8,5 *iuxta* Hexapl.   10,3 Ps 70,19   4 II Cor 8,9

11. INSURGENTES TESTES INIQUI: Iudaei contra Christum in passione, et contra ecclesiam heretici. QUAE IGNORABAM INTERROGABANT ME. Ignorare deo est peccatum non habere, secundum prophetam: *Qui non fecit peccatum.* Iudaei Christum pro peccatore habebant, unde et dixerunt
5 ad Pilatum: *Hic si non esset malefactor, non tibi tradidissemus eum.*

12. ET RETRIBUEBANT MIHI MALA PRO BONIS. Sic fecerunt Iudaei: Christo pro bonis mala reddiderunt. Uenit medicus ad aegrotum, surrexit aegrotus, occidit medicum. Sanctus Agustinus dixit istud. Item Agustinus dicit: Retribuebant mihi mala pro bonis, ac si diceret: ego ad-
5 tuli fecunditatem, ipsi retribuebant sterilitatem; ego adtuli uitam, ipsi retribuebant mortem; ego adtuli honorem, ipsi retribuebant contumelias; ego adtuli medicinam, illi retribuebant uulnera. STERILITATEM ANIMAE MEAE, id est quomodo illorum animae steriles erant de bono et plenae de peccato, sic uoluerunt, ut anima Christi fuisset.

13. INDUEBAM ME CILICIUM ET HUMILIABAM IN IEIUNIO ANIMAM MEAM. Legimus illius ieiunium, non legimus cilicium; sed cilicium peccatoribus debetur, quia uestimentum paenitentiae est. 'Induebam me cilicium' ac si dicat: induit se diuinitas carnem et de carne peccati damnauit
5 peccatum. 'Humiliabar in ieiunio': quomodo dicit: humiliabar in ieiunio? quia non legimus quod Christus ieiunasset in passione, quia quinta feria cum discipulis cenauit, crastina die sexta feria medio die crucifixus est. Non carnaliter, sed spiritaliter ieiunauit, hoc est esuriebat, uenit ad arborem fici, sitiebat, uenit ad fontem. Esuriebat salutem
10 humani generis, sitiebat fidem ecclesiae. Esuriebat passionem, quando toti apostoli maxime negauerunt, nisi tantum latro confessus est. ET ORATIO MEA IN SINU MEO CONUERTEBATUR, hoc est in secreto dei patris audiebatur, et sancti orant in secreto id est in corde, ubi deus ui-

Codices: LMNS
11,1 Insurgentes + in me *LS*   3 dei *M*   sec. prophetam] ut illud *S*   **12,3** occisit *L*NS*   Item – 7 uulnera *om. MN*   9 de *om. S*   **13,1**(*et* 3) Induebam *N*: -bar *cett.* cilicio *LM²*   2 peccatores *S*   3 debetur *om. S*   paenitentialis *LS*   4 carne peccati] peccato *S*   5 peccatum] + in(*om. N*) carne(-nem *LN*) *LNS*   7 quinta feria] nocte Iouis *S*   discubuit in cena cum discipulis suis *S*   sexta feria] Ueneris *S*   media *L* 8/9 esuriens *LS*   9 fici *om. N*   sitiens *LS*   10 in passione *S*   11 maxime *om. L* 12 secretum *S*   13/14 uidet *L*: -detur *cett.*

11,3/4 Is 53,9   5 Io 18,30   **12,4 – 7** AU 34 s. II 2,32sqq.(p. 313)

det, ut in euangelio ait: *Cum oras, intra in cubiculum tuum et clauso*
15 *ostio tuo ora patrem tuum.* Et Anna orauit in templo.

14. QUASI PROXIMUM SICUT FRATREM NOSTRUM: proximus et frater Christus Iudaeis, quia de ipsis humanitatem adtraxit. ITA CONPLACEBAM id
est Christus deo patri. TAMQUAM LUGENS ET CONTRISTATUS: lugebat
Christus pro parte nostra, ut illud: *Uidens,* inquit, *ciuitatem fleuit super*
5 *eam.* ITA HUMILIABAR, id est Christus humiliatus est in passione, 'con-
placebat' conplacuit patri per fidem et spem.

15. ADUERSUS ME LAETATI SUNT. Laetati sunt Iudaei quando Christum adprehenderunt, ut eum crucifigerent. ET CONUENERUNT: ad hoc conuenerunt ut Christum crucifigerent, non ut crederent. CONGREGATA
SUNT IN ME FLAGELLA: flagellauerunt Christum, sicut dixit: *Cum gladiis*
5 *et fustibus,* sic ad me uenistis; et Pilatus dixit: *Emendatum ergo eum di-*
mittam id est flagellatum dimittam. ET IGNORAUI: numquid ignoraret
Christus aliquid? Non, sed ignoraui id est pro quid istud mihi aduenit
non conmisi.

16. TEMPTAUERUNT ME. Multis modis temptauerunt Iudaei Christum, sicut dixit unus ex ipsis: *Magister, quod est primum mandatum in lege?* DI-
RISERUNT ME DIRISU, quando dixerunt: *Descende de cruce;* et dicebant:
Aue rex Iudaeorum. STRIDERUNT IN ME DENTIBUS SUIS: per motum cor-
5 poris ostenditur motus animae. Per dentes intellegitur malitia, quia per
malitiam ipsum crucifixerunt et in hoc dentes striderunt.

17. DOMINE QUANDO RESPICIES, RESTITUE ANIMAM MEAM A MALEFACTIS EO-
RUM. Propheta ex persona ecclesiae dicit, ac si dicat: respice malorum
iniquitatem, et meam iustitiam ab ipsis discerne. ET A LEONIBUS UNI-
CAM MEAM. Leo ipse populus Iudaicus propter fortitudinem malitiae
5 suae. 'Unicam meam' dicit, quia unica fuit anima Christi sine peccato,

Codices: LMNS
14 in² - tuum] habitaculo *S*   et - 15 tuum] et cetera *S*   15 orabat *LS*   14,1 sicut]
quasi *L*   2 qui *S*   3 lugiebat *L*MN*   4 parte] carne *S*   5/6 conplacebam + illi
quando *S*   6 placuit *S*   15,1 Aduersum *N*   Laetati sunt² *L²M²*: laetauerunt *cett.*
3 non ut(*om. M*)] *trsp. S*   6 ignoraret *L*: -noret *S*: -norat *MN*   7 me istud *L*
16,3 me *om. L*   5 animi *L²*   17,1 restitues *LM*   a - 1/2 eorum *om. LMN*   5 dicit
quia] id est *S*

13,14/15 Mt 6,6   15 I Rg 1,13   14,4 Lc 19,41   15,4/5 Mt 26,55   5 Lc 23,16
16,2 Mt 22,36   3/4 Mt 27,40.29

secundum prophetam: *Qui peccatum non fecit nec inuentus est in ore eius dolus.* Et ecclesia dicitur unica propter unitatem fidei.

18. CONFITEBOR TIBI DOMINE IN ECCLESIA MAGNA id est in toto mundo diffusa, IN POPULO GRAUI LAUDABO TE id est in populo christiano, ibi te laudabo. 'Grauis' dicitur, quia non est leuis ad peccandum.

19. NON INSULTENT IN ME QUI ADUERSANTUR MIHI INIQUI: Iudaei Christum et persecutores ecclesiam. QUI ODERUNT ME GRATIS. Oderunt Iudaei Christum gratis id est sine causa et persecutores ecclesiam, ET ANNUERUNT OCULIS id est quia nihil boni in opere ostenderunt.

20. QUONIAM MIHI QUIDEM PACIFICE LOQUEBANTUR, quando dixerunt: *Magister, scimus quia uerax es et in ueritate uiam dei doces* etc. ET IN IRA DOLOSE COGITAUERUNT. Sic loquebantur pacifice, sed cogitabant, ut eum adprehenderent et crucifigerent, sicut et postea fecerunt. In ira hoc
⁵ fecerunt, sicut Salomon ait: *Ira uiri iustitiam dei non operatur;* et alibi dicit: *Irascimini et nolite peccare. Sol non occidat super iracundiam uestram.* Sed istud illi noluerunt tenere.

21. DILATAUERUNT IN ME OS SUUM: dilatauerunt id est amplificauerunt, DIXERUNT: EUGE, EUGE. Euge aliquotiens in bonam partem, sicut dicit in euangelio: *Euge serue bone et fidelis;* et aliquotiens in malam partem. Euge, euge, uox Iudaeorum, ac si dicat: bene, bene, uidimus quod
⁵ cupiuimus, illas uirtutes quas faciebas quod nihil erant.

22. UIDISTI DOMINE: praeterito pro futuro utitur, ac si dixisset: uidebis illos ad iudicandum. NE SILEAS, ne taceas: tacet modo et non tacet, id est non tacet mandatum, tacet iudicium. NE DISCEDAS A ME, id est pater a filio in passione non discessit.

23. EXSURGE DOMINE, hoc est in adiutorium. INTENDE IUDICIUM MEUM, id

Codices: LMNS
6 sec. prophetam] ut illud *S*   nec – 7 dolus] et rlq. *S*   **18,**1/2 diffusa + est *S*   3 dicit *N*
qui *L*   **19,**1 inique *S*   Iudaei + in *S*   2 persecutores + in *S*   4 in bono opere *S*
20,2/3 dolos cogitabant *S*   3 pacifice *om. S*   cogitantur *S*   4 crucifigerent] ligarent *S*
21,1 in] super *L*   4 Iudaeorum + est *S*   dicant *LS*   uidemus *N*   5 cupimus *MN:*
+ uidimus *S*   **22,**1 dicat *S*   uidebis] uidisti *NS*   3 tacet iudicium et non tacet
mandatum + et ad diem iudicii tacet mandatum et non tacet iudicium, quia reddet unicuique secundum opera sua *S*   **23,**1 adiutorium + meum *S*

17,6 I Pt 2,22   **20,**1/2 Mt 22,16   5 Iac 1,20   6 Ps 4,5   Eph 4,26   **21,**3 Mt
25,21.23   **22,**3 (Mt 16,27; Rm 2,6)

est discerne inter me et Iudaeos. Aliter 'intende iudicium meum', quia
par poena et dispar est culpa, quando cum latronibus pendebat, quia
ipse innocens pendebat; unde dixit: intende iudicium meum id est fac
5 discretionem inter me et illos. DEUS MEUS ET DOMINUS MEUS IN CAUSA
MEA: uox humanitatis ad diuinitatem pro parte carnis loquitur.

24. IUDICA ME SECUNDUM MAGNAM MISERICORDIAM TUAM: repetitio est.

25. EUGE, EUGE, ANIMAE NOSTRAE, NEC DICANT DEUORABIMUS EUM. Deuorat homo quod intus mittit. Sed in hoc dicit deuorare, quia peccatores
uolunt illos sanctos deuorare id est ut unum corpus efficiantur. Non
tantum gaudent de illorum morte, quantum ut illos faciant, ut quo-
5 modo illi sunt. Sic et sancti praedicatores uolebant peccatores adtrahere per illorum praedicationem, ut unum corpus efficerentur.

26. ERUBESCANT ET REUEREANTUR SIMUL QUI GRATULANTUR MALIS MEIS.
Erubescant daemones, Iudaei, heretici et persecutores, qui gratulantur
malis meis, hoc est non solum qui faciunt, sed etiam qui consentiunt
facientibus. INDUANTUR CONFUSIONE ET REUERENTIA QUI MALIGNA LO-
5 QUUNTUR ADUERSUS ME: isti supradicti induantur confusione id est
confusione aeterna, unde dixit: *Discedite a me maledicti in ignem aeternum.*

27. EXULTENT ET LAETENTUR QUI UOLUNT IUSTITIAM MEAM. Sancti uolunt
iustitiam id est mandata dei implere, ipsi exultent et laetentur de remuneratione uitae aeternae, ET DICANT SEMPER MAGNIFICETUR DOMINUS,
semper laudetur dominus, QUI UOLUNT PACEM SERUI EIUS: per illos lau-
5 datur dominus qui uolunt pacem Christi, id est sancti uolunt pacem
Christi, ut illud: *Ipse est pax nostra.* Aliter 'serui eius': Christus seruus
dei patris, unde dixit: *Magnum est tibi uocare seruum meum;* pro parte
carnis dicit.

Codices: LMNSV et Z = S+V
3 *ab* et *iterum adest V*   cum + illis Z   5/6 causam meam Z   **25**,1 deuorauimus
LMV   4 illos faciant(-unt N)] illi efficiantur M   ut²] conuertere Z: *om. M*   4/5 quomodo + et L   5 sunt + Sicut Moyses quando illud caput uituli rogauit limare et populo
Israhelitico donauit ad sorbendum Z   5/6 per illorum praed. pecc. adtrahere Z
26,1 simul *om. L*   4 confusionem M*NS   reuerentiam S   magna N   6 dicit Z
27,2 iustitiam id est *om. Z*   4 per – 5 Christi *om. LN*   6 Christi] id est Christum Z
Aliter *om. MZ*   7 dicit Z

26,6 Mt 25,41   **27**,6 Eph 2,14   7 Is 49,6

28. Sed et lingua mea meditabitur iustitiam tuam. Lingua Christi sancti sunt, meditantur iustitiam id est mandata Christi. Tota die laudem tuam: 'tota die' toto tempore laudare deum.

35. In finem pueri dei psalmus Dauid.

2. Dixit iniustus ut delinquat sibi id est ut peccet sibi. Sibimet ipsi delinquet iniustus hoc est diabolus cum suis satellitibus, populo Iudaico uel reliquis suis membris. Non est timor dei ante oculos eius hoc est populo Iudaico, quia si timorem domini habuissent ante oculos
5 cordis, numquam tanta mala fecissent.

3. Quoniam dolose egit in conspectu eius, diabolus et Iudaei ante conspectum dei. Dolose egit: ad quid? ut inueniret iniquitatem suam et odium.

4. Uerba oris eius: uerba oris eius odium fuit, quia odium quod corde tegebant labiis pollutis uociferabant. Iniquitas et dolus, et in diabolo et in populo Iudaico. Noluit intellegere ut bene ageret, id est diabolus et sui satellites nolunt intellegere: aliud est non posse et aliud
5 nolle.

5. Iniquitatem meditatus est ipse diabolus cum suis satellitibus, unde superius mentionem fecimus; et in cubili suo id est in corde eorum. Adstetit omni uiae non bonae, isti supradicti; 'uia non bona' mala conuersatio est. Malitiam autem non odiuit: non solum non ode-
5 runt, sed etiam amplexauerunt.

6. Domine, in caelo misericordia tua: 'in caelo' in sanctis angelis, qui ibidem firmati fuerunt et non ceciderunt. Aliter 'in caelo misericordia tua' hoc est in sancta ecclesia. Et ueritas tua usque ad nubes. Ueritas Christus est, ut ipse ait: *Ego sum uia et ueritas*. 'Nubes' sancti praedica-

---

Codices: LMNSV et Z = S+V
28,2 sancti + praedicatores Z   meditabuntur Z: -bitur L   iustitiam id est *om.* Z

Ps 35,1 pueri dei] *trsp. post* Dauid L: puero domini (+ ipsi V) Z   psalmus + ipsi M
2,1 ut – sibi *om.* Z   Sibimet] Semet L   1/2 delinquit L: Dixit Z   2 id est populus
Iudaicus Z   4 domini] dei Z   **3,2** quid + hoc fecit Z   **4,1** uerba[2] – 2 uociferabant
om. Z   4 noluerunt Z   intellegere + ut bene agerent Z   aliud[2] + est LZ
5,1 diabolus – satellitibus *om.* Z   2 et *om.* Z   3 Adstitit L^2V omne MN
5 amplexati sunt L^2V^2 **6,4** ipse ait] illud Z   ueritas + et uita Z

Ps 35,6,4 Io 14,6

⁵ tores, unde dicitur: *Mandabo nubibus meis, ne pluant pluuiam super eam.* Quia sicut nubes pluuiam portant et inrigant terram, sic sancti praedicatores pluuiam id est doctrinam euangelii portauerunt et inrigauerunt corda arida.

7. IUSTITIA TUA: 'iustitia' mandata, SICUT MONTES DEI: 'montes' sancti maioris meriti sicut sanctus Iohannes uel ceteri apostoli. Montes prius a sole inluminantur et postea ualles. Sic et montes quod sunt sancti non a semet ipsis inluminantur, sed a sole id est a Christo, unde dixit
⁵ propheta: *Orietur uobis sol iustitiae.* ET IUDICIA TUA UELUT ABYSSUS MULTA. 'Abyssus multa', iudicia dei occulta, quia unum reprobat et alium adsumit, sicut dixit quodam loco: *Iacob dilexi, Esau autem odio habui.* Dixit inde sanctus Agustinus similitudinem de homine potente qui intus est in domo et alii foras: unum uocat et alteri dicit foras
¹⁰ stare. HOMINES ET IUMENTA SALUOS FACIES, DOMINE, 'homines' fortiores sancti, 'iumenta' sequaces illorum qui fidem exemplo eorum tenent.

8. SICUT MULTIPLICASTI MISERICORDIAM TUAM hoc est in sanctis maioris et minoris meriti, attamen in his multiplicauit deus misericordiam suam. FILII AUTEM HOMINUM id est filii Christi, quia ipse hominis filius et sancti filii hominum; IN PROTECTIONE ALARUM TUARUM SPERABUNT
⁵ (alio loco dicit: IN TEGMINE ALARUM). Duae alae duo Testamenta, quia inde teguntur sancti a Christo.

9. INEBRIABUNTUR: ipsi filii inebriabuntur, a quo? AB UBERTATE DOMUS TUAE hoc est a pinguedine gratiae spiritus sancti; 'domus tuae' sancta ecclesia. ET TORRENTE UOLUNTATIS TUAE POTABIS EOS, id est de tua doctrina satiabis eos.

Codices: LMNSV et Z = S + V
5 meis *om. L*   ne] ut non *Z*   pluuiam] imbrem *Z*   6 ea *SV**   7 euangelii] *praem.* sancti *L*   7/8 portant et inrigant *Z*   8 arentia *Z*   7,2 maioris *L²V²*: -res *cett.* 3 sole + ipsi(-so *V²*) *Z*   Sic et] sed *Z*   quod] id *Z*   4 inluminati *Z*   sed] nisi *Z* Christus *Z*   5 propheta *om. Z*   uelut *om. N*   6 multa² + profunditudo id est *Z* 7 quodam loco *om. Z*   8 similitudinem] *praem.* in *V*   8/9 petente *N*   9 alius *Z* foris *L²(bis)*   alterum *N*   10 facias *Z*   11 qui – tenent *om. Z*   exemplo(-um *M**)] et exemplum *L*   8,2 meriti – his *om. Z*   3 hominis filius] + est *M*: *trsp. Z* 9,1 a quo *om. Z*   ab *om. N*   3 torrentem *N*   tua *om. Z*   4 illos *Z*

5 Is 5,6   7,5 Mal 4,2   7 Rm 9,13(Mal 1,2.3)   8,5 in tegmine = Ps(G)

10. Quoniam apud te est, domine, fons uitae: doctrina dei animae uita est, et in lumine tuo uidebimus lumen, id est a Christo inluminabimur, ut ait in euangelio: *Erat lumen uerum quod inluminat omnem hominem uenientem in hunc mundum.*

11. Ostende misericordiam tuam scientibus te, id est illis qui te sciunt et qui te intellegunt, ipsis ostende misericordiam tuam; et iustitiam tuam his qui recto sunt corde, 'iustitiam tuam' mandata tua, 'his qui recto sunt corde' id est qui non habent duplicitatem cordis.

12. Non ueniat mihi pes superbiae: optando dicit; 'pes superbiae' sensus superbiae, sicut in supradictis fecit. Et manus peccatorum non moueat me, hoc est opera malorum me non moueant de bono in malum.

13. Ibi ceciderunt omnes qui operantur iniquitatem in superbia et elatione, expulsi sunt id est daemones de caelo, nec potuerunt stare: caelum eos non potuit tenere.

36. In finem psalmus Dauid.

Noli aemulari inter malignantes. Propheta hortatur sanctos: noli aemulari id est noli imitari 'malignantes' mala opera facientes uel exercentes. Neque aemulatus fueris facientes iniquitatem. 'Neque
5 aemulatus fueris' id est neque zelatus fueris, hoc est inuidia ductus de prosperitate peccatorum non sis. Inuidia ductus: quare? propter hoc quod in antea dicit:

2. Quoniam tamquam fenum cito arescent et sicut olera herbarum cito cadent. Inde dixit propheta: *Uere fenum est populus, exsiccatum est fenum et cecidit flos;* et Iacobus dixit: *Ita et diues in itineribus suis marcescit.*

Codices: LMNSV et Z = S+V
10,2/3 inluminabitur *N*   3 quod] qui *NZ*   **11**,2 tuam + domine *Z*   **12**,1 dicit + non ueniat mihi(*om. V*) *Z*   2 in supradictis] supradictus *M*   2/3 moueant *L*   3 moueant *LM²*: -at *cett.*   **13**,1 et + in *Z*   1/2 emulatione *L*   2 nec] non *L*

Ps 36,1,1 In - Dauid *om. LMN*   2(*et* 3) aemulare *LN*   hortatur] optat *Z*   3 id - imitari(-re *LN*) *om. S*   4 facientes - 5 fueris[1] *om. LMN*   6 Inuidia ductus *om. Z*
2,1 arescet *S*: -cit *L**   2 cadent *N*: decident *cett.*   propheta *om. Z*   2/3 exsiccatum - 4 marcescit *om. Z*

10,3 - 4 Io 1,9

Ps 36,2,2 - 3 Is 40,7.8   3/4 Iac 1,11

3. SPERA IN DOMINO: spem semper habeas in domino, ET FAC BONITATEM hoc est adimple mandata. INHABITA TERRAM id est sanctam ecclesiam uel corpus tuum; PASCERIS IN DIUITIIS EIUS, in sacris uoluminibus.

4. DELECTARE IN DOMINO id est laetare, quia illa anima reficitur, quando ieiunat illi corpus et abstinet propter dominum, tunc anima consolatur. ET DABIT TIBI PETITIONES CORDIS TUI hoc est quicquid petieris per fidem; unde dixit: *Quia si duo ex uobis consenserint super terram de* [5] *omni re quod petierint a patre meo, fiet eis.*

5. REUELA DOMINO UIAM TUAM. Quomodo dicit 'reuela'? Numquid aliquid nesciat deus? Non, sed tu quod habes in corde patefacere debes deo in sermone per confessionem tuam. ET SPERA IN EUM id est in deum. 'Spera in eum' in remissionem peccatorum. ET IPSE FACIET hoc [5] est et ipse tibi dimittet peccata tua.

6. ET EDUCET TAMQUAM LUMEN IUSTITIAM TUAM, id est in claritate opera tua, ET IUDICIUM TUUM SICUT MERIDIEM. Meridies hic opera sanctorum intellegitur.

7. SUBDITUS ESTO DOMINO id est humilis coram domino, ET OBSECRA EUM in oratione, unde Paulus dixit: *Obsecro primo omnium fieri orationes, obsecrationes, postulationes, gratiarum actiones.* NE AEMULATUS FUERIS EUM: repetitio est, ut superius diximus: ne zelatus fueris id est non ha- [5] beas inuidiam; QUI PROSPERATUR IN UIA SUA, non in tua sed in sua, AB HOMINE FACIENTE INIQUITATEM: nec cum illo esse desideres qui iniquitatem facit.

8. DESINE AB IRA ET DERELINQUE FUROREM. 'Desine' cessa ab ira id est ab ira animae et furore corporis. NE AEMULERIS UT NEQUITER FACIAS: 'ne aemuleris' ne secteris, ne imiteris hominem malum, ut peccata con-

---

Codices: LMNSV et Z = S+V
3,1 domino[1]] -num *L*   domino[2]] deum *L*   2 terra *L²S*   sancta ecclesia *L*NZ*
3 pasceris] *praem.* et *Z*   4,1 illa] tunc *M*   2 illi] illius *V²*: illud *L²*: *om. M*   3 petitio-
nem *LZ*   5,1 ⟨ad⟩ dominum *N*   2 nesciet *Z*   debeas *N*   3 id – 5 est] semper *Z*
4 ipse faciet(-cit *L*MN*)] *trsp. MN*   5 tibi] te *N*   dimittit *L*N*   tua + hoc est et ipse
faciet *Z*   6,1 educet *L²M*: -cit *cett.*   tamquam] quasi *L*   2 meridiem] -die *M*Z*
hic *om. MN*   3 intelleguntur *V²*   7,1 humiles *LN*   2 Obsecro] ⟨H⟩ortor *Z*
primum *Z*   3 actiones + etc. *Z*   4 ut – 5 inuidiam *om. Z*   4 dixit *L*   6 desideras *N*
8,3 ne[1]] nec *L*MN*   ne[2]] nec *NZ*

4,4 – 5 Mt 18,19   7,2 – 3 I Tim 2,1   4 superius: *cf* v. 1,5

mittas: quando uideris prosperitatem habere peccatorem, tu non ha-
5 beas zelum uel inuidiam de hoc.

9. QUONIAM QUI NEQUITER AGUNT EXTERMINABUNTUR de terra uiuentium, QUI UERO EXPECTANT DOMINUM, hoc est quicquid eis accesserit
sustinent propter dominum, IPSI HEREDITATE POSSIDEBUNT TERRAM id
est terram uiuentium.

10. ADHUC PUSILLUM ET NON ERIT PECCATOR: modice expecta, et non erit
peccator, quia tollitur hinc, ET QUAERIS LOCUM EIUS NEC INUENIES.

11. MANSUETI AUTEM IPSI POSSIDEBUNT TERRAM, id est mites et humiles
possidebunt terram hoc est uitam aeternam. DELECTABUNTUR IN MUL-
TITUDINE PACIS, 'delectabuntur' id est laetabuntur, in multitudine pacis hoc est in Christo, quia summa pax est Christus secundum Pauli
5 dictum: *Ipse est pax nostra.*

12. OBSERUABIT PECCATOR IUSTUM, obseruat ut perdat, non ut saluet. Aliter 'obseruabit' quia per illa opera sanctorum ipsi cruciantur et torquentur in ista praesenti, id est in mente, per malitiam et inuidiam
quam habent. ET STRIDENT SUPER EUM DENTIBUS SUIS: per motum cor-
5 poris, ut diximus, ostendit motum animae.

13. DOMINUS AUTEM INRIDEBIT EUM. Numquid dominus aliquem inrideat?
Non, sed quia digni sunt ipsi ut inrideantur in uindicta. QUONIAM PRO-
SPICIT QUOD UENIET DIES EIUS, hoc est dominus scit, quando ueniet
perditio eius.

14. GLADIUM EUAGINAUERUNT PECCATORES id est gladium persecutorum
in persecutione, TETENDERUNT ARCUM id est tendicula ipsorum contra
sanctos, UT DEICIANT INOPEM ET PAUPEREM, ad hoc tendunt arcum et
gladium, UT TRUCIDENT RECTOS CORDE id est iugulent.

Codices: LMNSV et Z = S+V
4 uides Z   9,2 eis] ei L: *om.* Z   acciderit V^2 3 hered. possid.] hereditabunt Z
10,1 expecta + id est pusillum Z   2 tolletur L^2Z quaeres LZ   nec] et non S
inuenies + quid est 'locum eius' nisi usum eius? Habet enim usum peccator peccandi, quia
utitur illum deus ad probandum iustum, quomodo usus est diabolo ad probandum
Iob, quomodo usus est Iudam ad tradendum Christum, ita et istiusmodi utitur deus peccatorem Z   11,2 possident MN   uita aeterna L^*NZ 12,3 praesenti M^2V^2: -te *cett.* +
uita Z   mente + ab intus Z   a malitia et inuidia Z   4 stridet S   5 ostenditur
motus V^2 13,2/3 prospexit N   3 ueniet^1] -iat L   ueniet^2] -iat LM   14,1 perse-
cutorum] peccatorum LM   2 tenderunt Z   3 deicient Z   ad] in LZ   4 trucidant
LMN   iugulentur Z

11,5 Eph 2,14

15. GLADIUS EORUM INTRET IN COR IPSORUM hoc est uindicta in animas ipsorum, ET ARCUS EORUM CONFRINGATUR, tendiculas ipsorum super ipsos.

16. MELIUS EST MODICUM IUSTO SUPER DIUITIAS PECCATORUM MULTAS, quamuis paruum sit, meliores sunt, ut ait Salomon: *Melior est exigua portio cum requie quam plena manus cum iniquitate.*

17. QUONIAM BRACHIA PECCATORUM CONTERENTUR, 'brachia' id est fortitudo illorum, conterentur in uindicta. CONFIRMAT AUTEM IUSTOS DOMINUS, confirmat id est in fide.

18. NOUIT DOMINUS UIAS INMACULATORUM id est conuersationem illorum nouit, ut illud: *Nouit dominus qui sunt eius;* ET HEREDITAS ILLORUM IN AETERNUM ERIT, hoc est in uita aeterna.

19. NON CONFUNDENTUR IN TEMPORE MALO id est in die iudicii, ET IN DIEBUS FAMIS SATURABUNTUR, hoc est quando illi peccatores erunt uacui, tunc sancti saturabuntur de gratia dei.

20. QUONIAM PECCATORES PERIBUNT, si non se emendant, INIMICI AUTEM DOMINI MOX UT HONORIFICATI FUERINT ET EXALTATI, DEFICIENTES UT FUMUS DEFICIENT. Superius iam dictum est, quia cito transeunt.

21. MUTUATUR PECCATOR ET NON SOLUET. Mutuum accipit unusquisque a domino id est quinque sensus corporis uel diuitias praesentis uitae; non soluit id est non gratias agit deo. IUSTUS AUTEM MISERETUR ET COMMODAT id est et in se facit misericordiam et in aliis, hoc est discernit
⁵ ipsos quinque sensus corporis.

22. QUONIAM BENEDICENTES EUM POSSIDEBUNT TERRAM: qui semper deum laudant, ipsi possidebunt terram, et istam terram solent possidere et

---

Codices: LMNSV et Z = S+V
15,1 corda *MZ*   est + in *M*   2 confringantur *L**   2/3 ipsis *LZ*   **16,**1 iustum *L*M*
2 parua(-uae *M²V²*) sint *MZ*   ut ait] quia dixit *Z*   Melius *L*   **17,**2 iustum *L*: -tus *NV*
3 fidem *N*   **18,**1 uias] dies *Z*   2 nouit¹ *om. Z*   illorum] eorum *LZ*   3 in *om. V*
19,1 confundantur *N*   2 illuc *M*   **20,**1 se *L²: om. cett.*   emendauerint *Z*
autem] uero *S*   2 deficient *LN*   3 Superius] ut fumus *L*   iam *om. LMN*
transient *L²*   **21,**1 unusquisque *om. Z*   2 praesentis uitae] et *Z*   3 soluet *M²V*
id est] et *Z*   deo + Aliter(*om. V*) 'mutuatur peccator' id est tollitur de ista uita, 'et non
soluit' id est non remittitur(-tetur *Z*) illi suum peccatum quod hic in praesente commisit,
quia cum ipso uadit *LZ*   4 fecit *V*   discernet *M*   **22,**2 laudent *N*

16,2 - 3 Ecl 4,6   **18,**2 II Tim 2,19   **20,**3 superius: *cf* v. 2

postea terram uiuentium possidebunt. MALEDICENTES AUTEM ILLUM
DISPERIENT: contemnentes illum disperient hoc est in uindicta.

23. A DOMINO GRESSUS HOMINUM DIRIGENTUR, sensus uniuscuiusque, ut
ait Salomon: *Hominis est praeparare uiam suam, sed dominus dirigit
gressus suos,* ET UIAM EIUS CUPIET, mandata eius desiderat.

24. CUM CECIDERIT IUSTUS NON CONTURBABITUR: quare? QUIA DOMINUS
FIRMAT MANUM EIUS id est opera eius. 'Cum ceciderit iustus' dicit: si iustus, cur cadit? et si cadit, cur iustus? Iustus quia resurgit secundum illud: *Septies cadet iustus et resurget.* Cadit cogitatione, delectatione,
5 uerbo; resurgit confessione, spe, fide et opere. Et ideo iustus *quia iustus ex fide uiuet.*

25. IUNIOR FUI ET SENUI ET NON UIDI IUSTUM DERELICTUM. Uox ecclesiae.
Ecclesia in Abel iuuenis hoc est initiata, usque in finem mundi 'senui':
senescere multiplicare. Et non uidi iustum derelictum hoc est a deo.
NEC SEMEN EIUS QUAERENS PANEM. Semen ecclesiae sequaces ecclesiae
5 uel opera eius sunt, non quaerit panem id est uerbum dei uel ipsum
Christum, quia inde est refecta et ipse eam refecit de suo uerbo et de
semet ipso, sicut dixit: *Ego sum panis uiuus.*

26. TOTA DIE MISERETUR ET COMMODAT: 'tota die' omni tempore miseretur
a deo, quia aliis ministrat doctrinam dei, ET SEMEN EIUS IN BENEDIC-
TIONE ERIT, hoc est in habundantia et in gloria.

27. DECLINA A MALO ET FAC BONUM: declina a malo hoc est a diabolo uel a
peccato, et fac bonum hoc est imple mandata. INHABITA IN SAECULUM
SAECULI id est in ecclessia in unitate fidei.

28. QUONIAM DOMINUS AMAT IUDICIUM hoc est rectum iudicium, ET NON

Codices: LMNSV et Z = S+V
3 possidebunt L^2: -dent *cett.*   illum *om. Z*   4 disperient^1] -unt M^*N disperient^2]
-ibunt Z   23,1 hominis M   2 diriget LZ   3 suos] eius L^2 24,1 conturb.] conli-
detur L   2 si – 3/4 illud] quia Z   3 resurgit] surrexit M   4 Cadit – 6 uiuet *om. Z*
5 Et ideo *om. L*   6 uiuit L   25,1 et^2 – ecclesiae *om. Z*   2 Ecclesia + dicit Z
in] ab Z   Abel + iusto Z   est + fortis Z   initiata + senui id est Z   senui] uel Z
3 multiplicare + est Z   deo + et si fuit carnaliter, non fuit spiritaliter Z   4 ecclesiae – 5
uel^1] eius Z   5 sunt *om. Z*   non quaerit (-ret N)] quaerens Z   uel^2 – 7 uiuus *om. Z*
6 reficit L   26,2 quia] qui L   doctrinam dei] a deo S   3 est + opera eius Z
in^2 *om. NZ*   27,1 hoc est] separa(-rare V^2) Z   3 in^2 *om. M*   unitatem M^*Z
28,1 Quia S

23,2 Prv 16,9   24,4 Prv 24,16   5/6 Rm 1,17   25,7 Io 6,41.51

DERELINQUET SANCTOS SUOS, hoc est usquequaque non derelinquet. IN
AETERNUM CONSERUABUNTUR hoc est in perpetuum. INIUSTI AUTEM PU-
NIENTUR in uindicta, ET SEMEN IMPIORUM PERIBIT hoc est opera ipso-
⁵ rum cum ipsis.

29. IUSTI AUTEM HEREDITATE POSSIDEBUNT TERRAM, terram uiuentium, ET
    INHABITABUNT IN SAECULA SAECULORUM SUPER EAM, id est sine fine.
30. OS IUSTI MEDITABITUR SAPIENTIAM id est Christum, unde dicit: *Et in
    lege eius meditabitur die ac nocte.*
31. LEX DEI EIUS IN CORDE IPSIUS hoc est in mente iusti, unde superius
    mentionem fecimus. ET NON SUBPLANTABUNTUR GRESSUS EIUS hoc est
    sensus eius a diabolo uel a peccato.
32. CONSIDERAT PECCATOR IUSTUM, ut perdat, non ut saluet.
33. DOMINUS AUTEM NON DERELINQUET EUM IN MANIBUS SUIS, hoc est in
    operibus uel potestate illius peccatoris, NEC DAMNABIT EUM, CUM IU-
    DICABITUR ILLI: illum iustum non condemnat deus in die iudicii, cum
    impium iudicat.
34. EXPECTA DOMINUM: quicquid tibi accidat in prosperis et in aduersis pa-
    tienter 'expecta' id est sustine. CUSTODI UIAS EIUS, mandata eius, ET
    EXALTABIT TE, UT INHABITES TERRAM hoc est in terra uiuentium.
35. UIDI IMPIUM SUPEREXALTATUM ET ELEUATUM SUPER CEDROS LIBANI.
    'Cedros Libani' sancti pro altitudine meritorum ipsorum id est sacer-
    dotes odoris boni operis. Impii super ipsis sunt, quia calcant et obpri-
    munt illos.
36. TRANSIUI ET ECCE NON ERAT, QUAESIUI EUM ET NON EST INUENTUS LO-
    CUS EIUS id est ipsius impii, 'non est inuentus locus eius' pro tanta uelo-
    citate dicit quod deficiunt.

Codices: LMNSV et Z = S+V

2 non derelinquet²] quia ubique semper cum ipsis est, ut illud: Ecce ego uobiscum sum omnibus diebus et rlq. *Z*   3 autem *M*: *om. cett.*   3/4 puniuntur *N*   4/5 illorum *Z*
29,2 saeculum saeculi *N*   **33,**1 derelinquit *L**   suis] eius *L²*   hoc – 2 peccatoris *om. Z*
2 damnauit *L**MZ: -nat *N*   3 deus *om. Z*   **34,**1 accidat *L²N*: -cedat *cett.*   3 in terra]
terram *L*   **35,**1 super] sicut *MS*   2 propter altitudinem *Z*   ipsorum + Aliter
Libanus dealbatio interpretatur, sancti intelleguntur *Z*   3 odoris – operis(Opera *M*)] qui
odorem suauitatis portant, ut ait Paulus: Christi bonus odor sumus deo *Z*   ipsos *LZ*
36,3 dicit *om. Z*   qua deficit *V²*

28,2 (Mt 28,20)   **30,**1/2 Ps 1,2   **35,**3 (II Cor 2,15)

37. CUSTODI UERITATEM id est mandata dei, UIDEBIS AEQUITATEM ipsum Christum, QUONIAM SUNT RELIQUIAE HOMINI PACIFICO id est opera eorum bona.

38. INIUSTI AUTEM DISPERIBUNT, ut supra diximus, in uindicta, RELIQUIAE IMPIORUM opera illorum cum ipsis ⟨PERIBUNT⟩.

39. SALUS AUTEM IUSTORUM A DOMINO: ipse est nostra salus, ET PROTECTOR EORUM EST IN TEMPORE TRIBULATIONIS, hoc est defensor.

40. ET ADIUUAUIT EOS ET LIBERAUIT EOS a peccatoribus in tempore tribulationis. Modo in praesenti adiuuat deus suos sanctos ET LIBERAUIT EOS A PECCATORIBUS id est a persecutoribus, ⟨ET⟩ SALUOS FACIET EOS; pro quid? QUONIAM SPERAUERUNT IN EUM, propterea saluos faciet eos, quia
5 sperauerunt in eum hoc est in deum.

37. IN FINEM PSALMUS DAUID IN REMEMORATIONE DIEI SABBATI. Sabbatum requies interpretatur, hoc est quando rememorantur sancti bona paradisi id est rememoratur ecclesia modo de illa requie paradisi, quam perdidit in Adam.

2. DOMINE, NE IN IRA TUA ARGUAS ME: uox ecclesiae; NEQUE IN FURORE TUO CORRIPIAS ME. Non hoc rogat ecclesia, ut non arguatur, quia dixit alio loco: *Proba me, domine, et tempta me.* Sed hoc rogat, ut non tunc arguatur, quando peccatores condemnandi erunt, sed hic in praesenti me
5 arguas. 'Domine, ne in ira tua arguas me neque in furore tuo corripias me': Dicit santus Hieronimus: Furor et ira intellegitur diabolus, ac si dicat ecclesia ad deum: non per diabolum, sed per temet ipsum me argue. Aliter: arguere uerbis, corripere flagellis.

Codices: LMNSV et Z = S+V
37,1 uidebunt V   2 Christum + noli inuidere peccatores quando habent prosperitatem Z
hominum L   3 bona + et cogitatio sancta Z   38 *om. LMN*   39,2 hoc est defensor
om. Z   40,1 adiuuabit ... liberabit M² in – 3 peccatoribus *om. Z*   2 adiuuet N
liberabit M²   4 quia – 5 deum *om. Z*

Ps 37,1,1 Sabbatum MV: -tus *cett.*   2 bona – 3 est] quia Z   3 modo *om. Z*   quam
M²: quod *cett.*   **2,**4 erunt + non tunc me arguas Z   5 arguas¹] praecipe emendare Z
7 deum] dominum L   8 argue ... corripe L²MV²   flagellis + Quando sustinent homines flagella, putant iram, sed non iustam uindictam. Iudex quando disciplinam facit, dicunt
tantum: iratus est iste iudex Z

Ps 37,2,3 Ps 25,2

3. QUONIAM SAGITTAE TUAE, id est uerba tua, INFIXAE SUNT MIHI, hoc est in mente; CONFIRMASTI SUPER ME MANUM TUAM id est potestatem tuam.

4. NON EST SANITAS IN CARNE MEA, id est purum corpus nihil boni habet, ut ait Paulus: *Scio quia non habitat in me hoc est in carne mea bonum.* A UULTU IRAE TUAE hoc est praesentia iudicii tui NON EST PAX OSSIBUS MEIS. Ossa Christi fortes sancti sunt, et ossa ecclesiae uirtutes ecclesiae
⁵ hoc est uirtutes sanctorum. Aliter 'non est pax ossibus meis' propter hoc quod in antea dicit: A FACIE PECCATORUM MEORUM.

5. QUONIAM INIQUITATES MEAE SUPERPOSUERUNT CAPUT MEUM: caput nostrum Christus, et ipse nostras iniquitates suas reputat. Uel ecclesia dicit: caput meum hoc est Christus nostra peccata ipse tollit, ut ait propheta: *Ipse iniquitates nostras accepit et aegrotationes portauit;* SICUT
⁵ ONUS GRAUE id est pondus grande GRAUATAE SUNT SUPER ME, sic peccata mea super me grauata sunt.

6. CONPUTRUERUNT ET DETERIORAUERUNT CICATRICES MEAE. A primo homine usque modo semper peccata mea conputruerunt et deteriora fuerunt, usque quod uenit Samaritanus custos noster, ut ait propheta: *Custos quid de nocte?* quod est Christus, qui infudit uinum et oleum hoc
⁵ est alligauit uulnera humani generis per uinum et oleum id est passionem et infusionem spiritus sancti. A FACIE INSIPIENTIAE MEAE, per hoc fecerunt per insipientiam meam. Aliter 'a facie insipientiae meae', ut Paulus ait: *Quod infirmum est dei, fortius est hominibus.* Insipientia mea id est desiuit humanitas hoc est sapientia humana infirmitate dei, quia
¹⁰ incarnatio Christi insipientia uidebatur apud homines, ut dei filius humana indueret et gustaret mortem. Sed hoc fortius fuit hominibus.

8. QUONIAM ANIMA MEA IMPLETA EST INLUSIONIBUS: uox ecclesiae, id est

---

Codices: LMNSV et Z = S+V
4,2 habitet L*N   me – in² *om.* Z   3 est¹ + a LZ   iudicii tui] irae tuae L   6 hoc quod] quid V   **5,1** supergressae sunt LZ   2 suas reputat] portat Z   3 nostra] mea Z tollit N: tul(l)it *cett.*   4 et – portauit *om.* Z   5 grauatae sunt *om. MN*   6 grauata sunt *om.* LZ   **6,2/3** deteriorauerunt L*Z   3 quo MV²   ut – 4 nocte *om.* Z   4 quid M²: qui *cett.*   effudit Z   hoc – 6 sancti *om.* Z   8 ait] dicit quia Z   Insipientia – 11 hominibus *om.* Z   9 dissipat L   infirmitatem L   10/11 humanam L*M: -nitatem L²   11 et] ut L   **8,1** uox ecclesiae *om.* Z

4,2 Rm 7,18   **5,4** Is 53,4   **6,3 – 5** *cf* Lc 10,33.34   3/4 Is 21,11   8 I Cor 1,25

titillationibus siue temptationibus. NON EST SANITAS IN CARNE MEA, id
est per me nihil habeo bonum.

9. INCURUATUS SUM ET HUMILIATUS SUM USQUEQUAQUE uel usque in finem. Quando Christus uenit in passionem, genus humanum incurua-
tum erat in peccatis, et ipse Christus incuruatus in passione, uel ecclesia propter transgressionem Adae et cotidianis delictis incuruatur.
5 RUGIEBAM A GEMITU CORDIS MEI. Aliud est gemitus corporis et aliud
gemitus cordis: gemitus corporis est propter res terrenas uel propter
mortem gemere; gemitus cordis propter sua peccata uel aliorum. Sed
Christus non habuit quid gemeret, quia non fecit peccatum.

10. ET GEMITUS MEUS NON EST ABSCONDITUS A TE, id est quicquid habet
homo deus scit.

11. COR MEUM CONTURBATUM EST IN ME. Non habuit Christus quid contur-
bare, sed pro parte nostra dicit; ET DERELIQUIT ME UIRTUS MEA: quasi
illa fortitudo diuinitatis dimisisset hominem in passione, eo quod permisit patere; sed non fecit. ET LUMEN OCULORUM MEORUM NON EST ME-
5 CUM. Oculi Christi sancti sunt, 'non est mecum' dicit Christus id est
apostoli in passione. Aliter 'lumen oculorum meorum non est mecum'
uox Adam quando peccauit, quia aperti sunt oculi carnales et clausi
sunt oculi spiritales; uel modo unicuique clauduntur per culpam.

12. AMICI MEI ET PROXIMI MEI ADUERSUS ME ADPROPINQUAUERUNT. Iudaei
adpropinquauerunt Christo in passione, loco non corde; ET PROXIMI
MEI A LONGE STETERUNT hoc sunt apostoli, a longe steterunt et loco et
corde, unde dixit: *Stabant autem omnes noti eius a longe.*

13. ET UIM FACIEBANT QUI QUAEREBANT ANIMAM MEAM, hoc sunt Iudaei,
quasi illorum fortitudo esset et a deo ipsam potestatem non accepissent. ET QUI INQUIREBANT MALA MIHI: falsi testes inquirebant et non
inueniebant. 'Et qui inquirebant mala mihi' LOCUTI SUNT UANITATEM,
5 quando dixerunt: *In Beelzebub eiecit daemonia.*

Codices: LMNSV et Z = S+V
2 titillationibus *M*: titulationibus(titubat- *L*) *cett.*   9,1 sum² + nimis *Z*   2 Quando
(quod *LN*) – 3 ipse *om. Z*   3 erat *om. LN*   incuruatus *om. Z*   uel] et *Z*   4 et – incuruatur *om. Z*   8 gemere *LMV*   10,1 te + hoc est non cessat gemitus, non cessat desiderium *Z*   11,1/2 turbare *L*   2 mea + uox Christi *Z*   4 pati *L²V²*   7 uox] hoc est *Z*
12,2 Christum *S*   4 omnes *om. LV*   longe + Aliter: longe est a peccatoribus salus *Z*
13,4 uanitates *V*   5 daemones *Z*

12,4 Lc 23,49   (Ps 118,155)   13,5 Lc 11,15

14. EGO AUTEM SICUT SURDUS NON AUDIEBAM ET SICUT MUTUS NON APERUI OS MEUM: Christus coram Iudaeis, ut illud: *Sicut agnus coram tondente se, sic non aperuit os suum.* Sed taciturnitas Christi sanauit excusationem Adae.

15. FACTUS SUM SICUT HOMO NON AUDIENS. Christus in omnibus exemplum dedit, ut homo se flagellantem et corripientem patienter portare debeat.

16. QUONIAM IN TE DOMINE SPERAUI: Christus in patrem et ecclesia in Christo. TU EXAUDIES ME, DOMINE DEUS MEUS: oratio est. Aliter 'tu exaudies me' hoc est uide illorum superbiam et meam humilitatem.

17. QUIA DIXI: NEQUANDO INSULTENT IN ME INIMICI MEI, hoc est non gaudeant Iudaei, ut ego non resurgam; ET DUM COMMOUENTUR PEDES MEI: pedes Christi in passione, uel sancti apostoli, qui pedes Christi esse debuerant, moti fuerunt de fide ad infidelitatem. IN ME MAGNA LOCUTI
⁵ SUNT: Iudaei de Christo multam malam blasphemiam dixerunt.

18. QUONIAM EGO AD FLAGELLA PARATUS SUM. Christus ad hoc uenit, ut passionem sustineret, ET DOLOR MEUS CONTRA ME EST SEMPER: Christus in persona membrorum suorum loquitur, propter illam transgressionem Adae.

19. ET INIQUITATEM MEAM EGO PRONUNTIO: oratio ecclesiae est.

20. INIMICI AUTEM MEI UIUENT: uiuunt Iudaei in diuitiis, ET CONFORTATI SUNT SUPER ME: praeualuerunt in passione super me, ET MULTIPLICATI SUNT QUI ME ODERUNT INIQUI: ipsi,

21. QUI RETRIBUEBANT MIHI MALA PRO BONIS. Malum est malum pro malo reddere, maxime malum est pro bonis mala reddere, sicut fecerunt Iudaei Christo; DETRAHEBANT MIHI, QUONIAM SUBSECUTUS SUM IUSTI-

---

Codices: LMNSV et Z = S+V
14,1 aperiens *Z*   2 meum] suum *NZ*   3 suum + et ad occisionem ductus est *Z*
15,1 Christus + se *M*   **16**,1 patre *L²M²V*   2 me *om. S*   **17**,1 dixit *M*   inexsultent
(in- *canc. V²*) *Z*   2 commoueantur *N*   3 uel *exp. L²*   4 commoti *Z*   infidelitatem + quando negauerunt *Z*   5 multa mala dixerunt (+ et *V²*) blasphemia(-as *V²*) *Z*
18,1 ad¹] in *Z*   **19**,1 pronuntiabo *S*   **20**,1 autem *om. Z*   confirmati *M*   3 sunt +
super me *LMN*   inique *S*   **21**,1 malum² – 2 est *om. M*   2 bonis *V²*: -no *L²M*:
-na *cett.*   mala] -lum *L*   sicut – 3 Christo *om. Z*

14,2/3 Is 53,7   3/4 *cf* Gn 3,12

TIAM: propterea detrahebant Iudaei, quia Christus subsecutus est iusti-
5 tiam, hoc est mandata patris adimpleuit.

22. NE DERELINQUAS ME, DOMINE DEUS MEUS. Non dereliquit pater filium
in tribulatione neque Christus ecclesiam; NE DISCESSERIS A ME in auxilium, neque pater a filio neque Christus ab ecclesia.

23. INTENDE IN ADIUTORIUM MEUM, DOMINE DEUS SALUTIS MEAE: ecclesia
rogat, quia salus ecclesiae Christus est.

38. IN FINEM PRO IDITHUN CANTICUM DAUID. Idithun transiliens eos interpretatur. Dicitur quod iste Idithun uelocissimus homo fuisset et
transiliret montes, siluas et fossas et reliqua. Et adhuc semper salit et
numquam restat usque in finem saeculi. Iste Idithun figuram tenet
5 omnium sanctorum, quia sancti transeunt et transcendunt istam praesentem uitam et uadunt ad superiora per contemplationem caelestium.

2. DIXI, id est disposui, CUSTODIAM UIAS MEAS, custodire opera mea id est
quinque sensus corporis, UT NON DELINQUAM IN LINGUA MEA id est ut
non peccem, quia *qui custodit linguam suam custodit animam suam.*
Unde et alibi: *Mors et uita in manibus linguae;* et item: *Cultus iustitiae*
5 *silentium et pax;* et item: Loqui me paenitet, tacere numquam. POSUI
ORI MEO CUSTODIAM, et alibi: *Pone domine custodiam ori meo, ut non*
declines cor meum in uerba mala; DUM CONSISTIT ADUERSUS ME PECCA-
TOR, populus Iudaicus contra Christum.

3. OBMUTUI ET HUMILIATUS SUM ET SILUI A BONIS. Dicit ecclesia: dum ille
hoc est Christus suam iustitiam tacet, quanto magis nos peccatores debemus tacere a malis eloquiis. Unde et sanctus Benedictus dicit: »Si a

Codices: LMNSV et Z = S+V
4 Iudaei] mihi Z   22,1 derelinquit N   2 neque – ecclesiam *om. Z*   23,1 deus *om. S*

Ps 38,1,2 Dicitur] Fertur Z   3 montes + et Z   fossas] foueas Z   5 transeunt] transiliunt Z   transcendunt + et calcant Z   6/7 caelestem LZ   **2,1** custodire] -di *M²*
4 Custus *L*M**: -tos *L²M²*   5 paenituit *M*   numquam + et alibi *LMN*   6 et alibi] ori
meo custodiam dicit, unde in alio psalmo ait Z   ut] et LZ   7 Dum] cum Z
consistit L: -tet *MS*: -teret *NV*   aduersum N   **3,3** dicit + quia Z

Ps 38,2,3 Prv 21,23   4 Prv 18,21   4/5 Is 32,17   6 – 7 Ps 140,3.4   3,3 – 5 BEN-N
reg. 6,2

bonis eloquiis interdum tacere debet homo, quanto magis propter poe-
⁵ nam peccati a malis debet cessare«. ET DOLOR MEUS RENOUATUS EST
MIHI. In hoc dicitur dolor Christi renouatus, quia illi non fuerunt digni
audire uerba mysterii, ut ait propheta: *Uae mihi quia tacui;* et alibi: *Ad-*
herescere faciam linguam tuam palato tuo, quia domus exasperans est.

4. CONCALUIT COR MEUM INTRA ME. Dicit ecclesia: si illos frigidos in peccato facit spiritus sanctus calescere in feruore caritatis, quanto magis
sanctos dei.

5. LOCUTUS SUM IN LINGUA MEA, hoc est praedicaui omnes homines, ut illud: *Si non adnuntiaueris iniquo iniquitatem suam, sanguinem eius de*
manu tua requiram. NOTUM FAC MIHI DOMINE FINEM MEUM id est transitum meum, ET NUMERUM DIERUM MEORUM QUIS EST, hoc est numerus
⁵ sine numero, dies sine die, tempora sine tempore, 'quis est' qui semper
est. UT SCIAM QUID DESIT MIHI, hoc est ut me facias intellegere omnia
bona. Iam scis, iam habes quid quaeris, sicut sanctus Paulus dicit: *Infe-*
lix ego homo, quis me liberabit de corpore mortis huius?

6. ECCE UETERES POSUISTI DIES MEOS, ueteres: per transgressionem Adae
inueterasti dies meos usque in finem mundi; ET SUBSTANTIA MEA TAM-
QUAM NIHIL ANTE TE EST: ad conparationem creatoris substantia hominis nihil est. UERUMTAMEN UNIUERSA UANITAS OMNIS HOMO UIUENS,
⁵ uniuersa uanitas quia per defectionem ad finem tendit.

9. OBPROBRIUM INSIPIENTI DEDISTI MIHI: populus Iudaicus obprobrium
Christi, uel sanctos exprobrant peccatores.

10. OBMUTUI ET NON APERUI OS MEUM: iam in superiore psalmo dictum est.

Codices: LMNSV et Z = S+V
4 interdum + propter taciturnitatem *Z*   debet tacere *Z*   homo *om. Z*   magis + a
malis uerbis *Z*   5 a malis *om. Z*   cessare + nec in sermone ad defensionem debemus
nos defendere *Z*   7/8 adherere *M²V²*   8 tuo + et eris mutus nec quasi uir obiurgans *Z*
4,2 calere *Z*   3 sancti *L*   5,1 praedicans *L*   4 quis] quid *M*   5 die] diebus *M*
tempore] -ra *N*: -ribus *M²*   quis] qui *LN*   7 bona + Aliter 'notum fac mihi hunc numerum dierum meorum quis est, ut sciam quid desit mihi', quoniam nondum ibi sum, ne
superbiam ex eo in quo iam sum, ut inueniar in illo non habens meam iustitiam, sed illius *Z*
scis] nouisti(-uis *SV*) *Z*   requiris(-es *L*) *LN*   8 liberabit *M²*: -uit *cett.*   huius + gratia dei per Iesum Christum dominum nostrum *Z*   6,1 ueteris *L*(bis)   3 nihilum *V*
5 per defect.] de perfectione *V*   9,1 mihi] me *V*   2 sancti *S*: -tis *M*

7 Is 6,5   7–8 Ez 3,26   5,2–3 Ez 3,18   7/8 Rm 7,24

Tamen 'obmutui', dicit Christus, 'et non aperui os meum', hoc est non uoluit rationem ad ipsos dare, quia illi nesciebant, propter quid Christus sustinebat, ut illud: *Non respondes ad haec quae isti dicunt?* QUON-
5   IAM TU FECISTI ME: uox Christi ad patrem: tu fecisti me hoc est ut istam tribulationem haberem.

12. PROPTER INIQUITATEM CORRIPUISTI HOMINEM, hoc est Adam propter suam transgressionem uel modo unumquemque de suis malis, ⟨ET⟩ TA-BESCERE FECISTI SICUT ARANEAM ANIMAM EIUS. Aranea timida est, sic et animam hominis fecisti, quia timet homo quando uidet lupum aut le-
5   onem aut ursum aut strutionem uel cetera istiusmodi. UERUMTAMEN UANE CONTURBABITUR, quia conturbatur homo quamdiu spissitudi-nem carnis trahit super se. Uel 'uane conturbabitur' maxime repetitio est, ut superius dixit.

13. EXAUDI ORATIONEM MEAM ET DEPRECATIONEM MEAM: oratio suauis est pro deuotis, deprecatio pro peccatis suis uel aliorum. NE SILEAS A ME, id est ne taceas a me id est ut me non exaudias, QUONIAM INCOLA SUM EGO APUD TE. Incola dicitur, quia suam terram non excolit, nos non excoli-
5   mus nostram terram; aduena qui de terra aliena uenimus, ET PEREGRI-NUS SICUT OMNES PATRES MEI, quia *dum sumus in corpore peregrinamur a domino,* quia omnes sancti peregrini sunt hic sicut fuerunt patriarchae et prophetae.

14. REMITTE MIHI UT REFRIGERER: remitte hoc est dimitte mea peccata, ut refrigerer in conscientia; PRIUSQUAM ABEAM, id est prius quam trans-eam ET AMPLIUS NON ERO. Hieronimus dicit: Amplius non ero id est

---

Codices: LMNSV et Z = S+V
10,2 dicit Christus *post* meum *trsp.* Z   3 uolui Z   quid M^2: quod *cett.*   3/4 Chri-stus] ego S^2V: *om.* S*   4 sustinebar Z   hoc $L*V$ 5 me[1] *exp.* L   me[2] *exp.* L: *om.* Z
5/6 istas tribulationes Z   **12,**2 et *suppleui*: tu S: *om. cett.*   3 araneam] -nea $L*S$
animam(-ma S) eius *om.* LMN   4 hominis + timidam Z   5 strutionem + aut
tonitruum audit Z   uel] et Z   istiusmodi *om.* Z   6 conturbatur] -babitur $L*N$
6/7 spissitud.] sarcinam Z   7 super se L: *om. cett.*   Uel - 8 dixit *om.* Z   **13,**1 meam[1]
om. Z   meam[2] *om.* LM*   3 a me L: *om. cett.*   id est] in hoc Z: *om.* M   incola]
aduena Z   ego sum N   4 te + in terra et Z   quia] qui V^2 nos - 5 terram *om.* V
5 qui] quia Z   de alia terra Z   ueniunt V + ad paradisum Z   5/6 peregrinus + aut
ignotus S   6 quia] quoniam L   7 domino + sicut omnes patres mei Z   hic in pere-grinatione sunt Z   **14,**2/3 transeam] uadam M

10,4 Mt 26,62   **13,**6 II Cor 5,6

peregrinus. Et sanctus Agustinus dicit: Peccator non est in praeuari-
5 cationis culpa, et diabolus est et non est: est modo in quo est, et non est
in illa natura angelicae dignitatis, in qua creatus est. Dicit ecclesia: non
ero apud illum qui non est id est diabolum, sed apud illum ero qui semper est, hoc est Christus, unde dicit: *Ego sum qui sum.*

39. IN FINEM PSALMUS DAUID.

2. EXPECTANS EXPECTAUI DOMINUM: uox prophetae in persona ecclesiae
loquitur. Quia praeuidebat propheta Christum per spiritum sanctum
uenturum esse in carne, propterea dixit 'expectans expectaui dominum', ac si dicat: sustinens sustinui. ET RESPEXIT ME id est adiuuauit
5 me. Alius expectat in theatro et in circo, sed ego te expectaui.
3. ET EXAUDIUIT DEPRECATIONEM MEAM. Tunc me exaudiuit, quando me
adiuuauit, ET EDUXIT ME DE LACU MISERIAE hoc est de praeuaricatione
Adae, ET DE LUTO FAECIS, quia adheseramus in terrenis desideriis. STA-
TUIT SUPRA PETRAM PEDES MEOS: supra petram hoc est super Christum,
5 pedes meos sensus meos, ut illud: *Petra autem erat Christus.* Aliquis
auctor posuit hic sanctum Petrum, dicens: Petrus quando super mare
ambulauit, quamdiu respexit in petram, non timuit mergi, sed postea
quam respexit ad uentum, sic coepit mergi. Ita et sancti quamdiu habent intentam mentem in Christo, non cadent neque mergentur. ET
10 DIREXIT GRESSUS MEOS, id est sensus bonorum operum ecclesiae dirigit,
quia unusquisque per se tortuosus est.
4. ET INMISIT IN OS MEUM CANTICUM NOUUM: nouus homo uenit in mundum, nouam legem dedit mundo; HYMNUM DEO NOSTRO, laudem deo

Codices: LMNSV et Z = S+V
4 in – 5 culpa *om.* Z   5 quo] quod *L*N*   6 angelicae – in^2 *om.* Z   qua M^2: quo
LM*N: quod + fuit Z   est *om.* Z   7 id – diabolum *om.* Z   8 Christum *M*

Ps 39,2,1(*et* 3/4) domino *N*   2 prouidebat *L*V*   4 adiuuauit *M*: adiuuet *LN*: adsumpsit *Z*
5 et] alius *Z*   circo + et reliqua *Z*   te] tibi *L*N*   3,4 super] -pra *L*
8 mergi *L^{2}M^{2}V^2*: -gere *cett.*   8/9 habebant *N*   9 intentam + id est fixam *Z*
mergentur *L^2*: -gent *cett.*   10 ecclesia *LV*   diriget *Z*   4,1 nouum + id est orationem
dominicam *Z*

14,8 Ex 3,14

Ps 39,3,5 I Cor 10,4

nostro. UIDEBUNT MULTI ET TIMEBUNT ET SPERABUNT IN DOMINO. Si uidebunt, cur timebunt? et si timebunt, cur sperabunt? Quattuor in fide
5 sunt sanctorum, duo de praeterito et duo de futuro. De praeterito timor et paenitentia, de futuro amor et spes. Timor sine spe disperatio est, spes sine timore praesumptio est. Sed sic conuenit, ut nec spes sine timore sit nec timor sine spe: timor premit et spes eleuat.

5. BEATUS UIR CUIUS EST NOMEN DOMINI SPES EIUS. 'Beatus' felix, hoc est felix est illa anima quae habet fidem firmam et spem directam in Christo; ET NON RESPEXIT IN UANITATEM, et ipse beatus est, qui non respicit ad ista caduca mundi, ET INSANIAS FALSAS. Ergo dum dicit 'falsas', sunt
5 et uerae? Falsae sunt, ubi thesauri congregantur in malitia; et uerae sunt, unde dixit ille princeps ad Paulum: *Insanis Paule, insanis, nam multae litterae te ad insaniam prouocauerunt; et ille* dixit: *non insanio, inquit, optime legate, sed ueritatis et sobrietatis uerba emitto.*

6. MULTA FECISTI TU, DOMINE DEUS MEUS, MIRABILIA TUA, ET COGITATIONIBUS TUIS NON EST QUI SIMILIS SIT TIBI. Non possumus nos conprehendere in toto, quanta sunt mirabilia dei, sicut fecit Petrus: super mare ambulauit, mortuos suscitauit et rlq. ADNUNTIAUI ET LOCUTUS SUM:
5 quicquid intellexit fides ecclesiae praedicauit. MULTIPLICATI SUNT SUPER NUMERUM hoc sunt peccatores et foris numero sunt, quia non sunt digni numerari in illo numero iustorum.

7. SACRIFICIUM ET OBLATIONEM NOLUISTI. Dicit sanctus Agustinus: quare ergo hoc iussisti? Esaias dicit: Quia *sanguinem taurorum et hirco-*

Codices: LMNSV et Z = S + V
4 Quattuor + poenae *S*: + paene *V**(pennae *V²*?)   5 duo *L²*: duae *MV²*: duas *NSV** (*bis*) praeteritae ... futurae (*om.* de) *M*   8 sit *om. LMN*   5,2 directam] rectam *M*: dilectam (del - *S*) *Z*   3 uanitate *L**MS   4 ad] in *Z*   5 sunt + in theatro et reliqua, uel falsae *Z* ubi + sunt *Z*   congregati *Z*   malum *Z*   6 insanies *SV**(*bis*)   7 et – 8 emitto *om. LMN*   6,1 tu *om. LMN*   2 qui] quis *SV²*   sit *om. LN*   3 sunt] sint *Z* dei + Aliter 'mirabilia tua ... – similis sit(*om. V*) tibi' dicit aliquis: mei parentes habuerunt dignitates, non possumus transagere sine hoc. Tu dicis: multa fecisti tu domine, quale est illud: supra(-per *S*) mare ambulare *Z*   supra *V*   5 intellegit *Z*   praedicat *Z* 6 peccatores + super numerum *Z*   foras *V²*   numero] -rum *Z*   7 iustorum + Sanctus Agustinus dixit: hodie impletum est ad istum tumulum martyris, quia uidetis quod pauci hic sumus, aspicite quia multitudo in theatro, in choro, in circo adsunt *Z*

5,6 – 8 Act 26,24.25   6,7 (AU: *ubi?*)   7,1 *cf* AU 39,12,9-10(p. 434)   2 – 3 Is 1,11.14

rum nolo; et item: *Sabbata uestra et neomenias uestras odit anima mea.*
Secundum illud tempus dedit eis, quid facere deberent; quia serui pec-
5 cati erant, secundum hoc dedit eis legem, ut non se ad idola sacrifi-
cando conuerterent. Nam tunc quod fuit in umbra uel figura, modo apparet in ueritate. AURES AUTEM PERFECISTI MIHI: aurem cordis perfecisti, ut hoc intellegerem. HOLOCAUSTA ETIAM PRO DELICTO NON POSTU-
LASTI: modo non postulat, quia *transierunt uetera et facta sunt omnia*
10 *noua.*

8. TUNC DIXI: ECCE UENIO. Dixit per patriarchas et prophetas, et quod dixit adimpleuit, quia uenit. IN CAPITE LIBRI SCRIPTUM EST DE ME, in lege
et prophetis,

9. UT FACIAM UOLUNTATEM TUAM, DEUS MEUS, UOLUI: uox Christi ad patrem: ⟨uoluntatem tuam⟩ uolui, non hominum sed tuam; ET LEGEM
TUAM IN MEDIO CORDIS MEI, hoc est in mente mea.

10. BENE ADNUNTIAUI IUSTITIAM TUAM, bene praedicaui mandata tua, IN
ECCLESIA MAGNA id est in toto mundo diffusa. ECCE LABIA MEA NON
PROHIBEBO. Labia Christi sancti sunt, non prohibet illis praedicare, sicut sanctus Paulus dicit: *Uerbum dei non est alligatum;* TU COGNOUISTI:
5 tu scis quod non feci id est non prohibui.

11. IUSTITIAM TUAM NON ABSCONDI IN CORDE MEO hoc est mandata tua. UE-
RITATEM TUAM ET SALUTARE TUUM DIXI: ueritas et salutaris Christus
est, hoc praedicant sancti. NON CELAUI MISERICORDIAM TUAM ET UERI-
TATEM TUAM IN SYNAGOGA MULTA, hoc est in tota plebe adnuntiaui.

12. TU AUTEM DOMINE NE LONGE FACIAS MISERICORDIAS TUAS A ME, non
longe sed prope. MISERICORDIA ET UERITAS TUA SEMPER SUSCEPERUNT
ME: 'misericordia' peccata dimittere, 'ueritas' reddit unicuique secundum quod fecit.

Codices: LMNSV et Z = S+V
7,5 legem + uel propter hoc Z   6 uel + in Z   9 non *om. L*   8,1 Dixit] 'Tunc dixi'
tempus ostendit id est Z   9,1 uolui *om. LMN*   10,1 nuntiaui Z   3 illos *L²Z*
4 tu *NV*: tunc *cett.*   5 scisti *L*   11,1 tua + Aliter iustitiam tuam(meam *V*) id est fidem
meam non abscondi in corde meo, quia quod credidi praedicaui Z   2 tuam *om. V*
4 in¹ *M*: *om. cett.*   synagogae multae *L*Z*   12,1 longe] *praem.* e *SV**   miserationes Z
3 dimittit *M*   reddere Z   3/4 secundum *om. LMN*

9 II Cor 5,17   10,4 II Tim 2,9

13. QUONIAM CIRCUMDEDERUNT ME MALA QUORUM NON EST NUMERUS: 'circumdederunt me mala' multitudo peccatorum; CONPREHENDERUNT ME INIQUITATES MEAE ET NON POTUI, UT UIDEREM. Genus humanum circumdat originale peccatum, et non potui ut uiderem, quia abstracta
5 fuerat illa lux ueritatis, unde dictum est: De terra excaecaueris et de terra inluminaueris. MULTIPLICATI SUNT SUPER CAPILLOS CAPITIS MEI, ipsa iniquitas super genus humanum. COR MEUM DERELIQUIT ME. Quando homo peccat, non habet cor suum, unde Dauid dixit: *Inuenit seruus tuus cor suum;* ergo antea quando peccauit, non habuit illud.

14. CONPLACEAT TIBI DOMINE, LIBERARE ME DOMINE. Ecclesia dicit ad Christum: hoc te conplaceat, ut me liberes. IN AUXILIUM MEUM RESPICE: infirmus est, uoluntatem habet, perficiendi possibilitatem non habet.

15. CONFUNDANTUR: propheta non optando, sed pronuntiando dixit: aut hic ⟨se⟩ emendent aut in futuro confundantur; REUEREANTUR, hoc est ut reuerentiam habeant, AUERTANTUR RETRORSUM illi qui malum cursum habuerunt.

16. FERANT CONFESTIM CONFUSIONEM SUAM: portent confusionem suam, si non se emendauerint, QUI DICUNT MIHI: EUGE, EUGE. Duos hostes habet ecclesia, adulationes et blasphemationes.

17. EXULTENT ET LAETENTUR QUI UOLUNT IUSTITIAM MEAM hoc est fide et opere, ET DICANT SEMPER MAGNIFICETUR DOMINUS: per sanctos suos magnificatur dominus, unde dixit: *Uideant uestra opera bona et glorificent patrem uestrum qui est in caelis.* QUI DILIGUNT SALUTARE TUUM hoc
5 est Christum tuum.

18. EGO UERO EGENUS ET PAUPER SUM, DEUS ADIUUA ME. Egenus et pauper

Codices: LMNSV et Z = S+V
13,5 ueritas *NZ*   excaecaberis *L²N*   6 inluminaberis *L²S*   Multiplicatae *LM**
8 Inuenit] *praem.* Iam *Z*   9 suum + domine *Z*   illud *L²*: -lum *cett.*   **14,**1 libera
M²NZ   domine² *exp. L²: om. Z*   dicit] rogat *Z*   3 est *eras. V²*   proficiendi *L*
15,1 dicit *Z*   2 emendant *Z*   reuereantur] *praem.* et *Z*   3 illi] id est *Z*   **16,**1 portant *NZ*   2 se *L²: om. cett.*   3 adulatores et blasphematores *Z*   **17,**1 est + in *N*
1/2 fidem et opera *Z*   2 per – 3 dominus *om. M*   3 magnificetur *Z*   dixit + ut *Z*
et – 4 caelis] et rlq. *Z*   **18,**1 deus – me *om. Z*   adiuuat *M*

13,8/9 II Rg 7,27   **17,**3/4 Mt 5,16

Christus qui *cum diues esset, egenus factus est*. Egenus dicitur qui aliquid habet et aliquid indiget, pauper dicitur qui nihil habet, inops sine ope. ADIUTOR ET LIBERATOR MEUS ES TU, DOMINE DEUS MEUS, NE
5 TARDAUERIS: oratio ecclesiae est.

40. IN FINEM INTELLECTUS FILIIS CORE. Core interpretatur decaluatio. Filii Core filii credentes id est filii Christi. Istum psalmum propheta per spiritum sanctum in persona Christi cantauit.

2. BEATUS QUI INTELLEGIT: 'beatus' felix, qui intellegit SUPER EGENUM ET PAUPEREM. Christus *egenus* et pauper *factus est* pro nobis, *ut illius inopia* nos *diuites* faceret. 'Qui intellegit', id est ut intellegam illum uerum deum et uerum hominem esse. Aliter 'beatus qui intellegit super ege-
5 num et pauperem', id est antequam petat pauper, ut intellegas in illo facere misericordiam, quia deus in illo suscipitur. IN DIE MALA LIBERAUIT EUM DOMINUS, 'dies mala' dies iudicii. Aderit tibi dies mala, si non intellexeris super egenum et pauperem.

3. DOMINUS CONSERUET EUM in praesenti mundans eum ET UIUIFICET EUM in resurrectione, ET BEATUM FACIAT EUM IN TERRA hoc est in sancta ecclesia uel in die aeternitatis, ET NON TRADAT EUM IN MANUS INIMICI EIUS id est in potestatem diaboli.

4. DOMINUS OPEM FERAT ILLI SUPER LECTUM DOLORIS EIUS hoc est adiutorium praestet illi. 'Lectum doloris' infirmitas carnis, uel de illo paralytico potest intellegi, quando dominus dixit: *Surge, tolle lectum tuum,* quia *corpus quod corrumpitur adgrauat animam et habitatio terrena de-*
5 *primit sensum multa cogitantem.* UNIUERSUM STRATUM EIUS UERSASTI IN INFIRMITATE EIUS. Hic de Adam dicit, quia ille antequam peccasset, re-

---

Codices: LMNSV et Z = S+V
2 Christus + est *V*   qui[1] *om. LM*   qui[2] – 3 dicitur] ipsa paupertas id est *Z*   4 Adiutor + meus *N*   domine *om. L*   5 tardaberis *S*

Ps 40,1,1 intellectus] intellegitur *M*: + Dauid, intellectus *L**, *canc. L*[2]   Core *N*: Chore *cett.*   3 cantatur *L*SV**   2,3 ut *om. N*   intellegas *Z*   6 misericordia *Z* mala] -lo *N*   7 Adheret *V*[2]   3,2 faciat *L*N*: -ciet *cett.*   3 tradit *L*N*: -det *L*[2]
4,2 praestat *LN*   Lectum] *praem.* Super *Z*   doloris + eius *Z*   3 quando] cui *M*

18,2 II Cor 8,9

Ps 40,2,2/3 II Cor 8,9   4,3 Lc 5,24   4 – 5 Sap 9,15

quiem paradisi habuit, uersus fuit in infirmitatem et miseriam praesentis uitae. 'Uniuersum stratum' dicit, quia non solum ille, sed etiam et omnes filii eius.

5. EGO DIXI, DOMINE MISERERE MEI, SANA ANIMAM MEAM, QUIA PECCAUI TIBI. 'Miserere mei' ecclesia dicit, quia multi sunt qui peccata conmittunt et uerba excusationis protendunt et dicunt: meum fatum et mea nascentia uel meum signum et mea stella mihi hoc fecit, quicquid ha-
⁵ bui in fato hoc sustineo. Sed ecclesia dicit: ego me accuso pro meis peccatis, quia ego ipsi peccaui.

6. INIMICI MEI DIXERUNT MALA MIHI, inimici Christi Iudaei: QUANDO MORIETUR ET PERIET NOMEN EIUS? Uoluerunt Iudaei mortem Christi, qui et dixerunt: *Hic est heres: uenite, occidamus eum et habeamus hereditatem illius;* et item: *Deglutiamus eum tamquam infernus uiuum, et non*
⁵ *memoretur nomen eius amplius.*

7. ET INGREDIEBANTUR UT UIDERENT: ad hoc egrediebantur ut uiderent, hoc est ut explorarent, sed non ut crederent. Uel modo similiter falsi fratres intrant in ecclesiam ut explorent, non ut imitentur, sicut Paulus dicit: *Falsi fratres qui subintroierunt explorare libertatem nostram, quam*
⁵ *habemus in Christo Iesu.* UANA LOCUTUM EST COR EORUM, 'cor eorum' lingua eorum, ficta in dilectione, quando dixerunt: *Magister, scimus quia uerax es et in ueritate uiam dei doces.* Hoc uanum erat, quia non credebant sicut dicebant. CONGREGAUERUNT INIQUITATEM SIBI, id est Iudaei, non Christo sed sibi, et modo falsi fratres uel heretici non sanc-
¹⁰ tis, sed sibi congregant iniquitatem, ET EGREDIEBANTUR FORAS ET LOQUEBANTUR

8. SIMUL IN UNUM, ipsi Iudaei in unum hoc est in unitate malitiae, qualiter

---

Codices: LMNSV et Z = S+V
7 uersa *Z*   8 dicit quia *om. Z*   **5,3** et¹] sed *Z*   praetendunt *Z*   4 mihi *L²MV²*:
me *cett.*   5 fato] facto *LN*   Sed] et *Z*   6 ipsi *N: om. cett.*   peccaui + ipse *M*
6,2 peribit *L²*   qui *om. L*   3 Hic – heres *om. Z*   habebimus *LZ*   4 illius] eius *LZ*
item + et *MN*   Deglutiamus – et²] ut *Z*   **7,1** Et + si *M*   ingred.-] egrediebantur *Z*
uiderent² – 2 ut¹ *om. Z*   2 similiter *om. Z*   3 non – imitentur] libertatem nostram *Z*
5 cor eorum²] id est *Z*   6 eorum *om. Z*   quando dixerunt] quia lingua pro corde(cor
SV*) ponitur, ut illud *Z*   7 et – doces] et rlq. *Z*   erat] est *Z*   quia² – 8 dicebant *om. Z*
8/9 id est Iudaei *om. Z*   9 et – heretici *om. Z*   10 congregant iniquitatem *om. Z*
8,1 ipsi – unum² *om. Z*   unitatem *LZ*

6,3 Mt 21,38   4 – 5 Prv 1,12 + Ier 11,19   **7,4** – 5 Gal 2,4   6/7 Mt 22,18

ipsum id est Christum interficerent. ADUERSUS ME SUSURRABANT id est
murmurabant OMNES INIMICI MEI COGITABANT MALA MIHI, inimici
Christi supradicti Iudaei uel modo contra ecclesiam heretici uel falsi
5 fratres.

9. UERBUM INIQUUM MANDAUERUNT ADUERSUS ME: uox Christi. 'Uerbum
iniquum' quando dixerunt: *In Beelzebub eicit daemonia;* et non solum
super uiuum, sed etiam super mortuum falsos testes miserunt. NUM-
QUID QUI DORMIT NON ADICIET UT RESURGAT? Uox prophetae interro-
5 gando, ac si dixisset: resurget quia uoluntarie semet ipsum posuit in
passionem, ut illud: *Oblatus est, quia ipse uoluit.* Unde dixit alio loco:
Ego dormiui et quieui et resurrexi. Illi uoluerunt occidere, ita ut non resurgerem; sed ego dormiui. Dicit ille auctor qui hoc exposuit: nam si
non uoluisset, nec dormisset. Quare? quia ipse dixit: *Potestatem habeo*
10 *ponendi animam meam et iterum potestatem habeo sumendi eam.*

10. ETENIM HOMO PACIS MEAE IN QUEM SPERAUI. Quid sperauit Christus in
Iudam? ac si dicat: nihil. Aut quomodo dicit 'homo pacis', dum alibi dicit: *Iuda, osculo filium hominis tradis?* Osculum porrigis et bellum inge-
ris. Agustinus dicit: Amoris pignere uulnus infligis, officio caritatis
5 sanguinem fundis, instrumento pacis mortem inrogas, et eo quod te
suscepi in fratrem, ideo tradis. Aliter 'in quem speraui' in persona apostolorum dicit. Sperabant apostoli uel reliqui, quos Iudas praedicabat,
quod ipse bonus esset, quia deus in illis creditus erat. QUI EDEBAT PA-
NES MEOS AMPLIAUIT ADUERSUS ME SUBPLANTATIONEM. Iudas finem

Codices: LMNSV et Z = S+V
2 id est Christum *om.* Z   Aduersum *V*   3/4 inimici Christi *om.* Z   4/5 uel – fratres
om. MN   **9**,1 aduersum *MZ*   uox – 2 iniquum *om.* Z   2 eiecit *L*N*   3 miserunt]
quaesierunt *Z*   4 adiciat *Z*   4/5 interrogantis *Z*   5 dicat *Z*   resurgit *NZ*
6 passione *Z*   ut – uoluit *om.* Z   7 et[1] – resurrexi (surrexi *V*) *om. MN*   7/8 ita –
resurgerem *om.* Z   8 qui – exposuit *om.* Z   nam – 9 uoluisset *post* 8 dormiui
trsp. LMN   10 et – eam *om.* Z   **10**,1 quem] quo *L²*   2 ac – nihil *om. LMN*
Aut – 2/3 dicit] Sed alii sperabant quod discipulus illius esset, sed non erat, ut illud *Z*
3 porrigis + quomodo homo pacis *Z*   4 Agustinus – 6 Aliter] et rlq. *Z*   4 Amores *L²N*:
-rem *M**   pignere *scripsi*: -neris *L²*: pingeris(fing- *M*) *L*MN*   infligis] infigis *MN*
officium *L*MN*   5 instrumenta *L*MN*   eo *om. LM*   quod + propter *LM*   6 ideo
om. LM   trades *M*   quem] quo *L²*   7 reliqui] sancti *Z*   9 finem + illius id est *Z*

9,2 Lc 11,15   3 *cf* Mt 28,13   6 Is 53,7   7 Ps 3,6   7 – 9 cf AU 40,10,7-10(p. 456)
9/10 Io 10,18   **10**,3 Lc 22,48   4/5 AU: *est* AM Lc X 627-29 (CC 14, p. 364)

¹⁰ Christi uoluit; uel edebat panem id est corpus et sanguinem Christi indigne.

11. TU AUTEM DOMINE MISERERE MEI: uox Christi ad patrem, ET RESUSCITA ME, quod et fecit in resurrectione. Quomodo dicit 'resuscita me', dum non plus suscitauit pater filium quam ipse se saluauit, quia aequalis patri in diuinitate? Sed propter hominem adsumptum dicit. ET RETRI-
⁵ BUAM ILLIS, quod et postea fecit in uindicta crucis uel facturus erit. Occiderunt Iudaei Christum, ne perderent locum; occiso illo perdiderunt locum, quia eradicato regno ab ipsis dispersi sunt.

12. IN HOC COGNOUI QUONIAM UOLUISTI ME: in quid? QUIA NON GAUDEBIT INIMICUS MEUS SUPER ME, id est populus Iudaicus non gaudebit de resurrectione Christi.

13. PROPTER INNOCENTIAM AUTEM MEAM SUSCEPISTI ME. Suscepit deus pater Christum propter suam innocentiam et ecclesiam propter suam misericordiam, nam non tantum propter innocentiam. ET CONFIRMASTI ME IN CONSPECTU TUO IN AETERNUM, deus pater filium suum in perpe-
⁵ tuum, et Christus ecclesiam suam.

14. BENEDICTUS DOMINUS DEUS ISRAHEL, benedictus cui benedicit omnis creatura, 'Israhel' anima uidens deum. FIAT, FIAT: sententiam confirmat.

41. IN FINEM INTELLECTUS FILIIS CORE. 'In finem' in Christo. Intellectus hoc est intellectus spiritalis. Filii Core id est filii Christi, quod sunt credentes in ecclesia.

2. SICUT CERUUS DESIDERAT AD FONTES AQUARUM, ITA DESIDERAT ANIMA MEA AD TE DEUS. Propheta per similitudinem loquitur, quia ceruus si

---

Codices: LMNSV et Z = S+V
10 panes Z **11,2** dicit + et Z dum] quia Z 3 suscitauit] saluauit deus Z
filium] illum Z se *om. LS* saluauit *om. MN* 4 secundum diuinitatem L
5 et *om. LZ* erit + in diem iudicii Z 6 illo occiso Z 7 ipsis + et ipsi Z
12,1 quid + cognouit Z 2 de – 3 Christi *om. L* 3 Christi + quod non resurrexisset LZ
13,4/5 perpetuum] aeternitate Z 5 et] uelut N **14,**2/3 confirmet N + finit(*om. L*).
Explicit psalmorum liber primus. Deo gratias semper(*om. L*). Amen LMN

Ps 41,1,1 intellectus¹ + pro V 2 quod] qui L 3 in ecclesia *om. MN* **2,2** quia
ceruus] Duo genera sunt ceruorum, unum genus est qui Z

11,5 – 7 AU 40,12,5-7(p. 457)

inuenit serpentem in illis locis ubi habitat, interficit et comedit, et postea propter fortitudinem ueneni ad aquas purissimas currit, ut bibat et
5 uenena euomat. Et per ipsa uenena pilos mutat et cornua perdit et a paribus suis proicitur, usque dum iterum reuertitur. Iste ceruus figuram paenitentum tenet, quia paenitentes stringuntur intrinsecus a conscientia peccati et uadunt ad fontes id est ad doctrinam scripturarum, ut bibant et uenena euomant. Foris proiciuntur, quia segregant se per
10 paenitentiam a corpore et sanguine Christi, usque dum recipiantur per reconciliationem sacerdotis. Aliter 'sicut ceruus desiderat ad fontes aquarum' hic duos sensus habet hoc est de caticuminis et anima ecclesiae. Caticumini dicuntur qui necdum baptizati sunt et desiderant ad fontes uenire, quia dominus dixit: *Nisi quis renatus fuerit ex aqua et spi-*
15 *ritu sancto,* non potest habere uitam aeternam. Uel ecclesia dicit: sicut ceruus desiderat ad fontes aquarum, sic anima ecclesiae desiderat deum, unde dictum est: *Qui sitit ueniat et bibat;* et alibi: *Quoniam apud te est domine fons uitae;* et iterum: *Beati qui esuriunt et sitiunt iustitiam.*
3. Sitiuit anima mea ad deum fortem uiuum. Dii mortui sunt idola gentium, quia non prosunt nec sibi nec aliis. Sed ecclesia de deo forte et uiuo dicit, fortis, quia alligauit diabolum fortem et uasa eius diripuit; uiuus, per quem omnia uiuunt, quia ipse dixit: *Sicut misit me uiuens pa-*
5 *ter et ego uiuo propter patrem, et qui credit in me, et ipse uiuit propter me.*
Quando ueniam et parebo ante faciem dei mei: ecclesia desiderando et confitendo, non desperando dicit 'quando ueniam', id est

---

Codices: LMNSV et Z = S+V
5 euomit *N*   5/6 paribus suis] ceteris *M*   6/7 Isti cerui ... tenent *Z*   7 constringuntur *LZ*   8 ut - 9 euomant *om. Z*   12 aquarum + aliud genus ceruorum est, qui si inuenit serpentem in illis locis ubi habitat, interficit illum et post uictoriam factam petit ad montem, ubi pabulum inueniat. Ita unusquisque sanctus, qui inuenit serpentem id est diabolum in se uel in aliis, interficiat et ad montem quod est Christus pabulum animae petat. Aliter 'sicut ceruus' et rlq. *Z*   13 dicuntur *om. LMN*   necdum - et *om. LMN*   14 uenire + id est ad gratiam spiritus sancti *Z*   15 habere] introire in *Z*   17 deum] dominum *M* quoniam] quia *Z*   18 item *Z*   3,1 uiuum + Differentia inter deum mortuum et uiuum *LZ*   1/2 gentium + seu daemones *Z*   2 quia] qui *L*NZ*: quae *L²*   aliis + ut illud: Omnes dii gentium daemonia *Z*   ecclesia + non de istis, sed *Z*   2/3 et uiuo *om. LMN*   4 dicit *LM*   5 uiuet *M*   6 et *om. L**   apparebo *V²*   7 confidendo *L²*

Ps 41,2,14 Io 3,5   17 Io 7,37   17/18 Ps 35,10   18 Mt 5,6   3,2 (Ps 95,5)
3 *cf* Mt 12,29   4 - 5 Io 6,58

quando erit illud tempus, quia ecclesia uult dissolui a corpore et esse
cum Christo; 'et parebo ante faciem dei mei' id est ante conspectum
10 diuinitatis. Et tunc *uidebimus eum sicuti est.*

4. FUERUNT MIHI LACRIMAE PANES DIE AC NOCTE. Quomodo potest de lacrimis panis fieri? Potest, quia sicut corpus satiatur de pane, ita anima
satiatur de lacrimis, quia exinde sperat remissionem peccatorum habere. DUM DICITUR MIHI COTIDIE: UBI EST DEUS TUUS? Uox malorum
5 est: ubi est sanctitas uestra, ubi est religio uestra?

5. HAEC RECORDATUS SUM, haec rememoratus sum. Quid est rememoratus nisi quod ab initio sic persequitur ecclesia? ET EFFUDI IN ME ANI-
MAM MEAM. Ecclesia dicit: cognosco me meliorem esse de me. Et quomodo potest homo melior esse de se ipso? Potest, quia anima intellegit
5 melius quam corpus. Dicit anima: intellego me meliorem esse de corpore, quia corpus inferior quam anima; anima inferior deo, aequalis
angelis in aeternitate, nullam creaturam super se habet in dominatione
nisi creatorem. Aliter: istos quinque sensus corporis supercalcaui et
contemplaui de caelestibus. QUONIAM INGREDIAR IN LOCUM TABERNA-
10 CULI ADMIRABILIS USQUE AD DOMUM DEI. Tabernaculum migrantium et
peregrinantium est, et ecclesia hic in tabernaculo est, usque dum ueniat ad domum dei id est in aeternitatem. IN UOCE EXULTATIONIS id est
laudationis ET CONFESSIONIS peccatorum SONUS EPULANTIS: intellexit
propheta inenarrabilia aeternitatis, propterea dixit: sonus epulantis.

6. QUARE TRISTIS ES ANIMA MEA? Intellectus animae loquitur, qui discernit inter bonum et malum. ET QUARE CONTURBAS ME? SPERA IN DEUM.

Codices: LMNSV et Z = S+V
10 diuinitatis + ut illud Z   4,1 panis L²MN   2 panis] -nes SV*   fieri + Non. Cur
non? cum in alio psalmo dicit: Cibabis nos panem lacrimarum et rlq., ac si dicat Z
ita + spiritaliter Z   3 sperat + se Z   4 cotidie + alii dicunt: per singulos dies Z
4/5 Uox malorum est] Obprobria paganorum sunt, quando dicunt contra christianos Z
5 ubi² - religio] uel arma Z   5,1 haec²] quia M   Quid - rememoratus² om. Z
2 ecclesiam MV   3 de] quam Z   4 semet ipso Z   6 quia - anima¹ om. LMN
7 habet om. LM   dominationem SV*   8 Aliter + intellego me meliorem esse de me,
hoc est quando Z   supercalcat Z   et + de illis interioribus Z   9 contemplatus sum
L²: contemplatur (*post* caelestibus) Z   Quoniam + transibo siue Z   loco L*N
10/11 militantium et pugnantium Z   12 aeternitate NS   6,1/2 ut discernat M
2 malum + et ecclesia semet ipsam confortat Z   deo Z

8/9 cf Phil 1,23   10 I Io 3,2   4,2 (Ps 79,6)

Anima semet ipsam hortatur uel interior homo hortatur exteriorem; QUONIAM ADHUC CONFITEBOR ILLI: habeto spem, dicit interior homo
5 uel intellectus interioris hominis. 'Quoniam adhuc confitebor illi' SA-LUTARE UULTUS MEI ET DEUS MEUS. Aliter 'quare tristis es anima mea et quare conturbas me' ecclesia dicit, quia ecclesia conturbat semet ip-sam pro parte malorum uel tribulatione quam sustinet. Et hoc inqui-rendum est, animalia si habent animam an non. Habent animam, sed
10 non habent intellectum, unde dictum est: *Nolite fieri sicut equus et mu-lus, in quibus non est intellectus;* et Paulus: *Condelector enim legi dei se-cundum interiorem hominem, uideo autem aliam legem in membris meis repugnantem legi mentis meae et captiuantem me in lege peccati, quae est in membris meis.* Et hoc inquirendum: anima quid est? flatus dei.
15 Anima corporea an incorporea est? Et corporea et incorporea. Corpo-rea est, dum in corpore commoratur; sed postquam exiit de corpore, spiritus est, quia aequalis est angelis. 'Salutare uultus mei

7. et deus meus'. Salus animae meae deus meus est. A ME IPSO ANIMA MEA TURBATA EST: intellectus animae turbatur semet ipsum de suis pecca-tis. PROPTEREA MEMOR ERO TUI DE TERRA IORDANIS, propter ista supra-dicta. Iordanis interpretatur descensio eorum, quia ibi descendebant
5 in baptismum. Memor ero de terra Iordanis, quia ibi te confitebor, ibi te laudabo. ET HERMON MONTEM MODICUM, 'Hermon' anathematio est, ac si dicat: qui se anathematizabant de suis peccatis, ipsi intelle-guntur per Hermon et illi confidunt et illi laudant. 'Anathema' id est perditio, 'montem modicum', quia de superbia descendebant ad humi-

Codices: LMNSV et Z = S+V
4 habe tu L: habet Z   dicit] ac si dicat Z   5 uel + ille LZ   intellectus + mentis Z
8 tribulationes Z   quas LZ   Et om. Z   9 si habent animalia Z   11 et Paulus]
Uel tristatur anima secundum Pauli dictum Z   Condel.] Cum delectetur(-tatur M) LMN
enim NV: om. cett.   legem L*MN   12 autem om. LMN   14 Et hoc inquirendum
om. LMN   dei + ut illud: Insufflauit deus in Adam et rlq. Z   15 Anima om. Z
Et – incorporea² om. LMN   16 est] dicitur Z   17 angelis + in aeternitate Z   7,1 et
om. Z   Salutatio Z   animae] enim Z   meae] mea V²   Ad me ipsum LMZ
2 conturbata Z   animae + dicit hoc, quia Z   turbatur + anima Z   ipsam LN: ipsa Z
5 ero + tui Z   Iordanis + id est in baptismo Z   6 Hermon¹] -moniim M*Z: -nii M²
a monte modico MZ   anathema Z   7 est] interpretatur Z: om. MN   anathematizant Z   8 confitentur Z   9 superbia] altitudine superbiae Z   descendunt Z

6,10/11 Ps 31,9   11 – 14 Rm 7,22.23   14 (cf Gn 2,7)   17 cf Lc 20,36

¹⁰ litatem et postea laudant deum et placent deo, quia si tibi places, deo
displices.

8. ABYSSUS ABYSSUM INUOCAT: homo hominem inuocat id est homo interior semet ipsum considerat, quia nemo *scit quae sunt in homine nisi
spiritus hominis qui in ipso est,* ut illud: *Cor hominis uelut aqua profunda.* Aliter 'abyssus' homo peccator 'inuocat abyssum' id est suum
⁵ peccatum, ut ipsum absorbeat; inuocat non uoce, sed opere, quia *peccator cum uenerit in profunditudinem peccatorum suorum contemnit* id
est desperat. Uel 'abyssum inuocat' id est iudicium dei super se. Aliter
'abyssus abyssum inuocat' Uetus Nouum in testimonium et Nouum
Uetus in auctoritatem. IN UOCE CATARACTARUM TUARUM id est doc-
¹⁰ trina prophetarum et apostolorum. OMNIA EXCELSA TUA ET FLUCTUS
TUI SUPER ME TRANSIERUNT, 'fluctus' persecutiones et tribulationes ecclesiae. 'Excelsa' dicit, quia nisi a deo temperentur, supra uires uidentur esse; sed *fidelis deus qui non patietur uos temptari supra id quod potestis* sustinere.

9. IN DIE MANDAUIT DOMINUS MISERICORDIAM SUAM ET NOCTE DECLA-
RAUIT. Per diem prosperitas, per noctem aduersitas, ut sancti nec in
prosperitate eleuentur nec in aduersis declinentur, unde dictum est:
Non declinaueris ad dexteram neque ad sinistram; et illud: *Si bona recipi-
⁵ mus de manu domini, mala cur non sustineamus?* APUD ME ORATIO DEO
UITAE MEAE. Intellectus animae apud se intrinsecus orat, ut ait propheta: *In me sunt deus uota tua, quae reddam laudationes tibi;* et alibi:

Codices: LMNSV et Z = S+V
8,2 in homine] hominis Z   3/4 profunda + et uir sapiens exhauriet illud id est ebibit Z
6 profunditatem M: -dum Z   pecc. suorum] malorum Z   9 In uoce *om. LMN*
tuarum + Catharactae Z   9/10 doctrina + patriarcharum et Z   10 apostolorum + sunt Z
11 persecutionis et tribulationis L*Z   13 patitur Z   uos *om. Z*   temptari L²M²:
-re *cett.*   super MZ   **9,**1 et + in S   3 prosperis Z   eleuentur LM: -uent *cett.*
(*praem.* se V²)   declinentur M: -nent *cett.*   4 declinaberis M²: declines Z   neque]
uel L   sinistram + et 'nocte' declarabitur, si gratias agis deo in tribulatione Z
et] ut LNZ   5 sustineam Z   6 orat + ut illud: Cum oras, intra in cubiculum tuum et
rlq. Z   6/7 ut ait propheta] et alibi Z   7 tua *om. NZ*   laudationis MN   alibi]
item Z

8,2/3 I Cor 2,11   3/4 Prv 20,5   5/6 Prv 18,3   13 I Cor 10,13   **9,**4 Prv 4,27
4/5 Iob 2,10   6 (Mt 6,6)   7 Ps 55,12

Sacrificium deo spiritus contribulatus. 'Deo uitae meae': uita animae meae deus meus.

10. DICAM DEO, SUSCEPTOR MEUS ES. Anima ecclesiae dicit: deus meus, tu me suscepisti in fidem. QUARE ME OBLITUS ES? In hoc dictur obliuisci, dum permittit temptari ecclesiam suam. ET QUARE TRISTIS INCEDO? de ipsa persecutione dicit ecclesia; DUM ADFLIGIT ME INIMICUS, persecuto-
⁵ res ecclesiam.

11. DUM CONFRINGUNTUR OMNIA OSSA MEA, id est uirtutes ecclesiae quasi confringuntur per illam tribulationem, quod sustinent sancti. EXPRO-BRAUERUNT ME INIMICI MEI, id est ipsi persecutores ecclesiam, quia multa obprobria dicunt contra ipsam. DUM DICITUR MIHI PER SINGULOS
⁵ DIES, UBI EST DEUS TUUS: obprobria paganorum sunt.

12. QUARE TRISTIS ES ANIMA MEA? iam superius dictum est. SALUTARE UUL-TUS MEI DEUS MEUS: et hoc repetitio est.

42. IUDICA ME DEUS ET DISCERNE CAUSAM MEAM DE GENTE NON SANCTA. Uox ecclesiae: iudica me deus. Discretionem rogat, ut discernat malos a bonis, quia par poena, sed dispar est culpa. Quomodo? quia et pecca-tores sustinent propter illorum mala quae committunt, et sancti prop-
⁵ ter dominum sustinent. Discerne, dicit ecclesia, propter quod ego sus-tineo et propter quod illi peccatores. Fac discretionem id est separa me a malis et infidelibus hominibus. De gente non sancta: gens non sancta infideles, Iudaei uel heretici seu pagani, uel impii qui non credunt. AB HOMINE INIQUO ET DOLOSO ERIPE ME. Homo dicitur diabolus, quia ho-
¹⁰ minem decepit, iniquus quia uoluit se erigere contra suum creatorem,

---

Codices: LMNSV et Z = S+V
8 uitam meam *N*   9 meus + est *Z*   **10**,2 dicitur *scripsi*: dicit *codd.*   3 temptari *L²*:
-tare *cett.*   suam + Nam non obliuiscitur, quia dicit: Ecce ego uobiscum sum omnibus
diebus et rlq. *Z*   5 ecclesiae *L*Z*   **11**,1 omnia *om. Z*   id est] Per ossa *Z*   2 pro
illa tribulatione *L*   quod] quam *V²*   3 me + qui tribulant me *Z*   id est ipsi *om. Z*
persecutores + exprobrant *Z*   **12**,2 mei + et *Z*

Ps 42,1,2 discernantur mali *Z*   3 sed] et *M*: *om. L*   Quomodo *om. MN*   4 mala + et
scelera *Z*   quae *L²M²V²*: quod *cett.*   sancti + similiter *Z*   5 sustinent + Et ideo *Z*
dicit ecclesia discerne *trsp. Z*   7 hominibus + in iudicium *Z*   8 uel¹ *om. Z*   9 dicitur diabolus] *trsp. Z*   10 decipit *M*

8 Ps 50,19   **10**,3 (Mt 28,20)

uel iniquus quia uoluit diuinitatem rapere. Dolosus dicitur diabolus, quia sub dolo decepit hominem, ut non acciperet quod ille perdidit.

2. QUIA TU ES DEUS MEUS FORTITUDO MEA. Dicit ecclesia: in te habeo fortitudinem, non in me. QUARE ME REPPULISTI? Numquid reppulit deus suam ecclesiam, quia dixit sanctus Paulus: *Non reppulit deus plebem suam quam praesciuit?* Sed repellere dicitur ecclesiam, quando dimittit

5 illam deus temptari, ut ait Paulus: *Oportet hereses esse, ut qui probati sunt, manifesti fiant.* QUARE TRISTIS INCEDO? Incedo hoc est ambulo, DUM ADFLIGIT ME INIMICUS id est diabolus cum suis membris uel persecutores.

3. EMITTE LUCEM TUAM ET UERITATEM TUAM. Rogat ecclesia a deo patre: Emitte lucem tuam et ueritatem tuam id est Christum, quia lux et ueritas Christus est. Rogauerunt qui ante aduentum fuerunt, ut ueniret Christus et liberaret illos de inferno. Et nos rogamus, ut ueniat ad iudi-

5 cium et separet nos a malis. Quia IPSA ME DEDUXERUNT in uitam, ET ADDUXERUNT de inferno – lux et ueritas hoc fecit – IN MONTEM SANCTUM TUUM id est in caelestibus, ET IN TABERNACULO TUO id est in ecclesia.

4. INTROIBO AD ALTARE DEI MEI. Altare alta res. Quid intellegitur per hoc nisi fides? quia per fidem intramus ad deum. AD DEUM QUI LAETIFICAT IUUENTUTEM MEAM, id est initium fidei, quando uenit ecclesia ad fidem. CONFITEBOR TIBI IN CITHARA id est laudabo te cum opere, DEUS

5 DEUS MEUS: confessio ecclesiae est.

5. QUARE TRISTIS ES ANIMA MEA ET QUARE CONTURBAS ME? Inquirendum

---

Codices: LMNSV et Z = S+V

11 uel – quia *om. LMN*   12 sub dolo] callide id est subdole per inuidiam Z   decepit] cepit N   perdiderat Z   **2**,2 reppulit] repellat(-lit V*) Z   3 ecclesiam + Non, absit Z   repellet V: -lat S   4 Sed *om. LMN*   ecclesia MN   6 fiant + in uobis Z   7 uel + suis Z   7/8 persecutoribus Z   **3**,1 ad(*exp. L²*) deum patrem LZ   2 tuam¹ *om. MN* tuam² *om. MNV*   3 est] intellegitur Z   4 et¹] ut L   5 uitam + aeternam NZ 6 fecit + id est Christus, ut ipse ait: Ego sum lux mundi; et item: Ego sum uia et ueritas Z in] et LMN   6/7 monte sancto tuo Z   7 tabernacula tua L²   7/8 ecclesiam L **4**,1 altare¹] -rem N   alta res *om. MN*   2 deum¹ + et Z   qui + me V²   3 in(*om. S*) iuuentute mea + Iuuentus Z   quando + incipit quis credere fidem trinitatis id est tenere, uel nuper quando Z   5 deus *om. NV*

Ps 42,2,3/4 Rm 11,2   5/6 I Cor 11,19   3,6 (Io 8,12; 14,6)

est, quis hoc dixit. Forsitan corpus dicit an anima? Quomodo? quia
non potest corpus loqui, sed anima. Quis ergo hoc dicit? Intellectus
animae loquitur, qui discernit inter bonum et malum: quare tristis es
5 tu, anima? Hoc intellectus loquitur ad animam: uoles liberari de corpore, sed ego contemplor de futuro, ego uideo quod futurum est. Sustine adhuc in corpore, ut praemium accipias. SPERA IN DOMINO, id est
spem habeas in domino, QUONIAM ADHUC CONFITEBOR ILLI, id est confitebor illi peccata mea et gratias ago illi in tribulatione. SALUTARE UUL-
10 TUS MEI DEUS MEUS. Salutatio animae meae deus meus est, et uultus
hoc est aspectus animae meae deus meus est.

43. IN FINEM PRO FILIIS CORE INTELLECTUS PSALMUS DAUID. Core interpretatur caluitium, et dominus in monte Caluariae fuit crucifixus. Filii
Core filii Christi sancti apostoli uel martyres sunt; unde dictum est:
Non possunt filii sponsi lugere, quamdiu sponsus est cum illis. Intellectus
5 est, ut intellegamus illum qui initium sumpsit secundum carnem ex
tempore et ante saecula genitus; uel intellectus est, ut intellegamus de
prosperitate praesenti peccatorum et de tribulatione praesenti sanctorum.

2. DEUS AURIBUS NOSTRIS AUDIUIMUS ET PATRES NOSTRI ADNUNTIAUE-
RUNT NOBIS OPUS QUOD OPERATUS ES IN DIEBUS EORUM ET IN DIEBUS AN-
TIQUIS. Propheta dicit: *Uidete contemptores et admiramini, quia ego
opus operor in diebus uestris, quod non credidistis si quis enarrauerit uo-
5 bis,* hoc est opus quod propheta dixit: *Ecce uirgo in utero concipiet et pa-
riet filium* et reliqua. 'Deus auribus nostris audiuimus': audierunt pro-

---

Codices: LMNSV et Z = S+V
5,2 quis *MV²*: qui *cett.*   dixit] dicit *Z*   Quomodo + corpus *Z*   3 sed] sine *Z*
4 loquitur + ad animam *LZ*   qui] quia *L**: quae *L²*   5 tu *om. LM*   uoles] uis *L²*:
anima uolet(uellet *V²*) *Z*   liberari *L²NV²*: -re *cett.*   6 uideo] praeuideo *Z*   7 ut +
maiorem(-ra *V²*) *Z*   praemia *V*   accipies *N*   dominum *L*   8 habe *LM*
dominum *L*   9 Salutaris *L*   10 Saluatio *L²M*

Ps 43,1,1 pro *om. M*   2 dominus + caluus dicitur, quia(qui *V*) *Z*   4 cum illis est
sponsus *Z*   5 est] hoc est *Z*   2,1 et *LM*: *om. cett*   3 Uox prophetae *V*   dicit +
Audite uel *Z*   4 creditis *MZ*   si] cum si *Z*   5 opus *om. Z*   et – 6 filium *om. Z*
6 reliqua + Aliter *Z*

Ps 43,1,4 Mt 9,15   2,3 – 4 Act 13,41(Hab 1,5)   5/6 Is 7,14

phetae per patriarchas miracula, quomodo exierunt de Aegypto uel
quomodo ambulauerunt per mare Rubrum et rlq. Aliter 'Deus auribus
nostris audiuimus': apostoli audierunt quod prophetae praedixerunt
10 de aduentu Christi; et nos modo audiuimus hoc est intelleximus, quomodo apostoli de Christo miracula in toto mundo praedicauerunt. 'Patres nostri adnuntiauerunt nobis': patriarchae adnuntiauerunt prophetis, prophetae adnuntiauerunt apostolis, apostoli adnuntiauerunt christianis.

3. MANUS TUA GENTES DISPERDIDIT ET PLANTASTI EOS. Propheta loquitur
ad deum. Manus tua hoc est potestas tua gentes disperdidit, illas septem gentes, unde in alio psalmo dicit: *Eiecit a facie eorum gentes.* 'Et
plantasti eos' populum Israheliticum, qui conlocati fuerunt in illorum
5 domos secundum illud: *Et habitare fecit in tabernaculis eorum tribus Israhel.* ADFLIXISTI POPULOS ipsas gentes, ET EXPULISTI de ipsis locis.

4. NON ENIM IN GLADIO SUO: propheta dicit. Non enim in gladio suo, hoc
est ipse populus Iudaicus, POSSIDEBUNT TERRAM, illam terram repromissionis, ac si dicat: non in suo, sed in tuo gladio id est uindicta posse-
derunt terram illam. ET BRACHIUM EORUM NON LIBERAUIT EOS id est Iu-
5 daeos. Brachium eorum hoc est fortitudo illorum non liberauit eos de
Aegypto, SED quid? DEXTERA TUA ET BRACHIUM TUUM. Hoc intellegitur
per dexteram et brachium quod et per manum id est potestas dei. ET
INLUMINATIO UULTUS TUI (alibi dicit: INLUMINATIO FACIEI TUAE) id est
praesentiae tuae, quia ipse cum eis erat, ut illud: Mementote quomodo
10 *adsumpserim uos et portauerim super alas aquilarum* hoc est auxilium
angelorum. Uel inluminatio faciei illius columna ignis potest intellegi,
unde in egressione eorum Exodus commemorat: Et creauit, inquit,

Codices: LMNSV et Z = S+V
7 miracula + egressionis Z   9 audierunt + id est intellexerunt Z   10 audiuimus hoc
est *om. Z*   intelligimus Z   10/11 quod Z   11 praedicauerunt] adnuntiauerunt
LMN   3,1(*et* 2) disperdidit *L²NV²:* -perdet(-dit *L**) *cett.*   3 Eiecit] *praem.* Et V
Et *om. LMN*   6 et *om. LM*   expulisti + eos Z   4,1 propheta – 2 ipse] possidebunt
terram id est Z   2 possidebunt – 3 dicat om. Z   3 id est uindicta *om. Z*   3/4 posse-
derunt *L:* -sidebunt *cett.*   4 illam] terram repromissionis Z   5 eorum] illorum *MN*: +
non liberauit eos Z   eos] illos Z   6 quid om. Z   Hoc – 7 dei *om. Z*   8 alibi – tuae
om. S   9 ipsa L   10 adsumpserim – et *om. Z*   portauerim + uos Z   hoc – 11 angelorum *om. Z*   11 illa Z   12 gressione(-em *M*) *MNS*

3,3 Ps 77,54   5 Ps 77,55   4,8 faciei tuae = Ps(G)   10 Ex 19,4

deus columnam nubis per diem et columnam ignis per noctem, *ut dux esset utroque tempore;* et hanc dicit inluminationem faciei. Quoniam
15 CONPLACUIT TIBI IN ILLIS: sic cum eis egisti, ut placeres in eis, ut qui uidebant illos quomodo ambulabant dicerent, quia uere deus est in illis et deus illos adiuuat.

5. Tu es ipse rex meus et deus meus qui mandas salutem Iacob. Uox prophetae: tu ipse es rex qui me regis, tu es qui semper es; reges saeculi mutantur, secundum dictum Danielis prophetae: *Ipse inmutat tempora et amouet reges et constituet;* isti sic, sed rex creator temporum num-
5 quam mutatur. Unde et ad Moysen ait: *Ego sum qui sum* id est qui semper sum. 'Qui mandas salutem Iacob': per Iacob intellegitur ille populus Israeliticus, qui in Aegypto commorabatur, quia ipse Iacob postea Israhel dictus est. Mandauit eis salutem, quando dixit ad Moysen: *Uidi adflictionem populi mei qui est in Aegypto,* ideo *descendi liberare eos.*
10 *Ueni igitur et mittam te ad pharaonem et educes populum meum inde.* 'Qui mandas salutem Iacob' id est liberasti populum tuum de Aegypto, tunc ergo mandauit hoc est fecit eis salutem. Uel Iacob, id est modo in Nouo Testamento, populus christianus, populus iunior, subplantator uitiorum, mandauit salutem id est fecit eis similiter salutem per semet
15 ipsum.

6. In te inimicos nostros uentilabimus, id est ille populus Iudaicus uentilabat gentes, quia sicut bos cornibus uentilat fenum, ita ille populus uentilabat omnes gentes. Et in nomine tuo spernimus insurgentes in nos, non per semet ipsos, sed per adiutorium dei.

7. Non enim in arcu meo sperabo, et gladius meus me non faciet saluum: ipsa uox uadit.

Codices: LMNSV et Z = S+V
13 noctem + De columnis suo loco disseremus, nam de columnis hic dixit Z   14 esset +
in V   utrobique M   hinc V²   inluminationem M²: -tio LM*N: -tione Z   faciei]
praeueniam Z   15 tibi] mihi Z   ut²] et Z: om. N   5,1 salutes Z   2 prophetae +
ac si dicat Z   es³ + quia(qui V*) Z   3 Danielis om. Z   4 ista N   creator M²:
-turarum cett.   5 et om. LZ   ait] dixit Z   7 ipse - postea] posteritas Iacob erat id est Z
8 dictus est M²: om. cett.   9 discende + in Aegyptum L   12 Uel] Aliter M
13 subplantatores Z   6,2 uentilabat (-bant L*N) om. Z   2/3 populus + Iudaicus Z
3 spernemus Z   4 nobis M   ipsum L

13/14 Ex 13,21   14 - 17 AU 43,4,16-19(p. 483)   5,3/4 Dn 2,21   5 Ex 3,14
8 - 10 Ex 3,7.8.10

8. SALUASTI ENIM NOS, DEUS, EX ADFLIGENTIBUS NOS, id est saluauit deus
populum suum de dura seruitute Aegyptiorum. Aegyptus interpretatur angustia siue tenebrae. Saluauit hoc est liberauit per seruum suum
Moysen, et sicut Moyses liberauit populum dei de Aegypto, ita et do-
5 minus liberauit uel liberat cotidie populum suum christianum de dura
seruitute diaboli. ET EOS QUI ODERUNT NOS CONFUDISTI, id est pharaonem cum exercitu suo in mari Rubro confudisti id est demersisti.

9. IN DEO LAUDABIMUR TOTA DIE ET IN NOMINE TUO CONFITEBIMUR IN SAE-
CULA. De illo loco, ubi dicit 'manus tua gentes disperdidit' usque hic de
populo Iudaico potest intellegere, qualiter fecit deus misericordiam
suam cum illis contra omnes gentes. Et modo potest similiter intelle-
5 gere de ecclesia Christi.

10. NUNC AUTEM REPPULISTI ET CONFUDISTI NOS. Superius dixit 'adflixisti
populos et expulisti' et 'in nomine tuo spernimus insurgentes in nos',
id est ille populus qui de Aegypto egressus fuit et spernebant et uentilabant reliquas gentes per illud cornu quod habebant, et licet non per
5 se, tamen in hoc et adflictae et expulsae fuerunt gentes, ut ait quodam
loco: Ecce ego mittam crabrones ante faciem uestram et eiciam Cana-
neum, Ferezeum, Iebuseum, Cetheum et Eueum, Gergeseum et
Amorreum. Et hic dicit 'nunc autem reppulisti et confudisti nos'? Ista
supradicta fecit deus pro suae pietatis magnitudine. Sed quamdiu cus-
10 todierunt illi legem dei, custodiuit illos pietas diuina; et cum postposuerunt deum et legem ipsius non custodierunt, reppulit illos deus, secundum quod in alio psalmo dicitur: *Reppulit tabernaculum Sylo, taber-*
naculum suum, ubi habitauit in hominibus et rlq. Dicit ergo 'nunc autem
reppulisti et confudisti nos': uox populi dei. Et quomodo dicit 'reppuli-

Codices: LMNSV et Z = S+V
8,1 deus[1] *om. S*   2 Aegyptiorum] pharaonis in Aegypto Z   3 tenebrae + mundus iste
intellegitur Z   Saluauit(-bit *M*) + inde deus populum suum Z   4 Moysen + Moyses
hic typum tenebat Christi Z   et] quia Z   4/5 dominus] Christus Z   7 confudit hoc
est demersit Z   **9,**1/2 saeculum N   2 disperdet MZ   huc *L²*   3 potest(-es *M²*)
intellegere(-gi *V²*)] dicit L   4 potes *M²*   4/5 intellegi *L²*Z   **10,**1 nos + id(Inde *V*) est
quod Z   2 populum Z   spernemus Z   3/4 spernebat et uentilabat Z   4 gentes
+ populorum Z   per illud] de illo uno Z   cornu(-num *N*) + id est legem Z
8 dixit *NZ*   12 dicitur *M*: -cit *cett.*   Reppulit + dominus Z

10,1/2 Superius: *cf* v. 3 *et* 6   6 – 8 *cf* Ios 24,12.11   12/13 Ps 77,60

[15] sti', cum Paulus dicat: *Non repellit deus plebem suam quam praesciuit?* Sed repellere dicit, quando dimisit eos ambulare in captiuitatem, uel modo similiter ecclesiam suam repellit, quando permittit eam temptari. ET NON EGREDIERIS DEUS IN UIRTUTIBUS NOSTRIS: interrogando dicit 'reppulisti nos, et non egredieris in uirtutibus'? ac si dicat: egredieris [20] in uirtutibus hoc est in adiutorium.

11. AUERTISTI NOS RETRORSUM POST INIMICOS NOSTROS. Multas uices fugierunt Iudaei ante inimicos suos, ET EOS QUI NOS ODERUNT DIRIPIEBANT SIBI, quia multi ex eis ducti fuerunt in captiuitatem.

12. DEDISTI NOS TAMQUAM OUES ESCARUM: uox martyrum. 'Tamquam oues' dicit, et Christus *ductus est sicut ouis ad uictimam, et sicut agnus coram tondente se, sic non aperuit os suum;* et ipsi agnum sequuntur. ⟨ET DISPERSISTI NOS IN GENTES⟩.

13. UENDIDISTI POPULUM TUUM SINE PRETIO. Quid tantum uendere, cum in alio loco dicat: *Ad quem uendidi uos?* et rlq. Sed uendere pro despectione dicit. ET NON FUIT MULTITUDO IN COMMUTATIONIBUS EORUM, id est non aurum, non argentum pro eis non procurabat, sed ipsi ambula- [5] bant in captiuitatem, ut superius dixit: *Dispersisti nos in gentibus.*

14. POSUISTI NOS IN OBPROBRIUM UICINIS NOSTRIS INLUSIONE ET DERISU HIS QUI IN CIRCUITU NOSTRO SUNT.

15. POSUISTI NOS IN SIMILITUDINEM GENTIBUS. Obprobria gentium contra populum dei, quando dicebant: sic moriaris tu sicut ille male mortuus christianorum, et christiani mortui sunt male. Male mortuum Christum dicit, qui crucifixus est turpiter propter nos. COMMOTIONEM CAPI- [5] TIS IN POPULIS. Ad Christum pertinet hoc, quando dicebant Iudaei: *Uah, uah, qui destruis templum et in triduo reaedificas;* et item dicebant: *Aue rex Iudaeorum* et alia multa obprobria.

Codices: LMNSV et Z = S+V

15(*et* 17) repellet *M**: reppulit *L²NV*　　**11,**2 nos oderunt] *trsp. LM*　　**13,**1 tantum + est *M* 4 non¹] in *N*　　non²] neque *Z*　　non³ *om. M, exp. LV*　　procurabat *M²*: -currebat *cett.* (pro *eras. V²*)　　**14,**1 in *om. V, exp. L*　　inlusionem *MV* + subsannationem (-ne *S*) *Z* derisum *MV*: *om. L*　　**15,**2 morieris *V*　　sicut] quomodo *Z*　　mortuus] + est rex *M*: + deus *V²*　　4 qui] quia *M*　　nos + In gentibus posuisti nos *MN*　　6 destruit ... reaedifi- cat *M²V** + salua temet ipsum *Z*　　7 multa + huiuscemodi *Z*

15 Rm 11,2　　**12,**2 – 3 Is 53,7　　**13,**2 *cf* Is 50,1　　5 Ps 43,12　　**15,**6/7 Mt 27,40.29

16. TOTA DIE UERECUNDIA MEA CONTRA ME EST ET CONFUSIO FACIEI MEAE COOPERUIT ME.

17. A UOCE EXPROBRANTIS ET OBLOQUENTIS, A FACIE INIMICI ET PERSEQUEN-TIS. 'Obloquentis' id est dupliciter loquentis, qui aliud habent in corde et aliud in ore.

18. HAEC OMNIA UENERUNT SUPER NOS, ista supradicta, ET OBLITI NON SU-MUS TE: uox perfectorum est; ET INIQUE NON EGIMUS IN TESTAMENTO TUO, quia non declinabant in aduersis;

19. ET NON RECESSIT RETRO COR NOSTRUM: de illis bonis dicit, qui num-quam postposuerunt deum. DECLINASTI SEMITAS NOSTRAS A UIA TUA, sicut ait per prophetam: *Non enim sunt uiae meae uiae uestrae neque co-gitationes meae cogitationes uestrae* et rlq. Declinasti semitas nostras,
  5 quia de lata et spatiosa uia saeculi noluerunt declinare ad artam et an-gustam uiam, propterea dicit 'declinasti'. Sed sancti de lata et spatiosa uia ueniunt ad artam et angustam uiam quae ducit ad uitam.

20. QUONIAM HUMILIASTI NOS IN LOCO ADFLICTIONIS ET COOPERUIT NOS UM-BRA MORTIS. Mors est cum diabolo damnari.

22. NONNE DEUS REQUIRET ISTA, unde superius dixit? ac si dicat: sic facit. IPSE ENIM NOUIT OCCULTA CORDIS, ipse nouit propter quid sustinet unusquisque; requiret nostram tribulationem et illorum persecutio-nem. Tamen tribulantur multi et benedicuntur ab aliis et non sunt
  5 benedicti, quia propter laudem humanam hoc faciunt. QUONIAM PROP-

---

Codices: LMNSV et Z = S+V
16,1 Tota die] Cotidie *L*   **17**,2 dupliciter] oblique uel ficte *Z*   loquentis(-tes *LZ*) + id est illi *Z*   habebant *M**: -bat *M²*   3 ore + corporis *Z*   **18**,2 uox - est] de perfectis di-cit, qui in mandatis dei permanserunt *Z*   3 quia - aduersis] et non recedendo a mandatis dei *Z*   **19**,1 de - 2 deum] de ipsis mandatis dei, quod eis per legem praeceptum fuerat, non recesserunt *Z*   1 qui] quia *L*   2 tua + de illis dicit qui de ipsis mandatis recesse-runt *Z*   3 per proph.] propheta *Z*   4 nostras + a uia tua *LZ*   6 uiam - declinasti *om.* *Z*   7 uiam *om. MN*   **20**,2 mortis + umbra mortis mortalitas uitae praesentis. Aliter 'cooperuit nos umbra' *Z*   diabolo + in infernum (-no *L*) *LZ*   **22**,2 occulta] abscondita *Z*   ipse nouit²] hoc est *Z*   3 unusquisque + ipse nouit *Z*   requiret(-rit *LM*) + dicit id est *Z*   5 benedicti + apud deum *Z*   faciunt + ut illud: Receperunt mercedem suam id est laudes quas amauerunt *Z*

19,3/4 Is 55,8   5/6 *cf* Mt 7,13.14   **20**,2 AU 43,18,3-4(p. 489)   **22**,5 (Mt 6,2.5.16)

TER TE MORTE ADFICIMUR TOTA DIE, AESTIMATI SUMUS UT OUES OCCISIO-
NIS: uox martyrum est hoc, quia dictum est: *Beati qui persecutionem
patiuntur propter iustitiam* et rlq.

23. EXSURGE, QUARE OBDORMIS, DOMINE? In illis dormit dominus, qui credunt quod discipuli illum furassent et non resurrexisset. Et in illis uigilat, qui illum recte credunt, quod uerus deus et uerus homo est, qui
passus est propter nos et nos redemit.

24. QUARE FACIEM TUAM AUERTIS? Uidetur auertere, quando sanctos suos
temptari permittit. OBLIUISCERIS INOPIAM NOSTRAM, id est miseriam
nostram?

25. QUONIAM HUMILIATA EST IN PULUERE ANIMA NOSTRA. Per puluerem intelleguntur leues et infructuosi, quia ipsi persequuntur sanctos dei.
ADHESIT IN TERRA UENTER NOSTER: uox infirmorum est. Per uentrem
capacitas intellegentiae intellegitur. Debuerant habere uentrem id est
⁵ capacitatem intellegentiae quasi ossa id est uirtutes; adheserunt in
terra uentre id est in terrenis actibus et desideriis.

26. EXSURGE DOMINE, ADIUUA NOS ET LIBERA NOS PROPTER NOMEN TUUM,
non propter nostrum meritum, sed propter tuam misericordiam. Uel
'exsurge': in illis, in quibus dormis, euigila.

44. IN FINEM PRO HIS QUI COMMUTABUNTUR FILIIS CORE INTELLECTUS CAN-
TICUM PRO DILECTO. Uox prophetae ad illos loquitur qui mutantur de
infidelitate ad fidem, de morte ad uitam, de tenebris ad lucem, de creaturis ad creatorem, de ignorantia ad scientiam, de malo ad bonum. 'In-

Codices: LMNSV et Z = S+V
6 morte afficiemur *N*:mortificamur(-cabimur *V*) *Z*   ut] et sicut *N*   ouis *N*   7 hoc –
est²] unde dicit *Z*   8 patiuntur + adiunxit *Z*   et rlq. *om. Z*   23,2 furati essent *LV*
3 qui¹ + in *L*   illi *S*   quod] qui *L*   est *om. LM*N*   24,1 auertis + a nobis *Z*
auertere] -tisse *L*   2 inopiam nostram *N*: -piae nostrae *cett.* + inopia *Z*   2/3 miseriam
nostram *N*: -riae nostrae *LM*: miseria *Z*   25,2 quia – dei] ut illud: puluis esca serpentis.
Puluis puluerem persequitur in peccatis. Uel humiliata est a puluere anima nostra id est a
persecutoribus *Z*   4 intellegitur *om. MN*   Debuerant] Qui debuerunt *Z*   6 terra –
in *om. Z*   et *om. M*N*   26,3 illos *L*M*N*   euigila + Christi uox et ecclesiae *Z*

Ps 44,1,2 delicto *V*   commutantur *LV*: -tabuntur S

7/8 Mt 5,10   **25,2** (Is 65,25)   3/4 EUCH int. 7(ed. 36,16)

⁵ tellectus': dum dicit intellectus, id est ut habeamus intellectum non solum secundum historiam, sed etiam in sensum spiritalem debeamus
conuertere hoc, quod in historia intellegimus. 'Canticum pro dilecto':
canticum id est laus, pro dilecto: dilectus Christus, unde dictum est:
Hic est filius meus dilectus in quo mihi conplacuit. Iste psalmus cantatur
¹⁰ de sponso et sponsa, de rege et plebe; sponsus et sponsa Christus et ecclesia, rex et plebs ipse Christus et sua plebs.
2. ERUCTUAUIT COR MEUM UERBUM BONUM. Sanctus Agustinus dixit:
Non sicut homo post cibum uadit, eructat, quod nos corrupte Latine
dicimus ruptare, sed eructauit quod dicit uox paterna sonat. Per similitudinem: cor tuum generat consilium, prolis mentis est id est proge-
⁵ nies, quod cogitat in corde et postea apparet in operatione. Ita consilium trinitatis fuit ex intimo uel in secreto dei patris, ut unum de semet
ipsis mitterent in mundum, qui liberaret genus humanum. Dicit Hieronimus: *Semel locutus est deus.* Numquid non et locutus fuit per prophetas et apostolos et reliqua? Semel hoc est de Christo. Aliter 'eructa-
¹⁰ uit cor meum uerbum bonum', dum dicit ad illum diuitem: *Nemo bonus nisi solus deus,* ac si dicat: nisi me credas deum et hominem esse,
non potes tu esse bonus. Aliter: eructauit Christus praedicationem
euangelii; quid eructauit? hoc est uitam post mortem, requiem post laborem, regnum post seruitium. Aliter: dicit Dauid 'eructaui', id est
¹⁵ quomodo praedicauerunt alii prophetae de Christo, et ego similiter.
Aliter: sancti eructant id est praedicant uerbum praedicationis, unde
dictum est: *Bonus homo de bono thesauro cordis sui profert bona;* et aliter: *Ex habundantia cordis os loquitur.* Uehiculum fecit sibi diuinitas,
uehiculum id est caro dominica, quia non potueramus cognoscere di-

Codices: LMNSV et Z = S+V
5 dum *om. Z*   dicitur *V* + ergo *Z*   intellectus] -tum + debemus habere *Z*   6 sensu
spiritale(-li *L²*) *LN*   debemus *Z*   7(*et* 8) delicto *V*   8 dilectus] id est *Z*, + in *V*
Christo + ipse enim dicitur dilectus *Z*   9 mihi *om. Z*   conplacui *M²Z*   11 et²] in *Z*
plebe + id est saluator et hi(his *SV**) qui saluati sunt *Z*   2,1 Eructauit *Z*   2 uadit *om. Z*
3 ructare *V²*   eructuauit *L*   4 generat + in absconso *Z*   7 humanum + quod non
potest homo conprehendere, qualiter sit factum *Z*   Dicit + sanctus *Z*   13 quid eructauit *om. Z*   14 eructaui] -uit + cor meum *Z*   17 dictum est] dicitur *Z*   17/18 aliter]
item *Z*   18 habundantia + enim *Z*

Ps 44,1,9 Mt 3,17   2,4 - 5 *cf* AU 44,4,10sqq.(p. 496)   7 - 9 *cf* AU 44,5,10sqq. (p. 497)
8 Ps 61,12   10/11 Lc 18,19   17 - 18 Lc 6,45; Mt 12,35.34

²⁰ uinitatem, nisi uenisset in carnem et per uehiculum uenit ad nos consilium patris id est filius, quia filius aequalis et coaeternus est patri, quia
si non uenisset in carnem, nemo cognosceret, nemo laudaret qualis esset, quia deus numquam fuit mutus, numquam fuit sine suo uerbo.
DICO EGO OPERA MEA REGI: uox paterna, 'opera mea' id est quomodo
²⁵ genui illum in diuinitate. LINGUA MEA CALAMUS SCRIBAE. Dum dicit
lingua, usque hic dixit de diuinitate, nam modo narrat de humanitate.
Uel 'lingua' sancti praedicatores intelleguntur. 'Calamum' dicit: ad
quid pertinet calamus aut quomodo conparatur calamus ad Christum?
Quid pertinet petra ad Christum, leo, dextera, mons uel reliqua, sic
³⁰ pertinet et calamus. Sed quia calamo et mensuratur et scribitur, unde
dixit propheta: *Surge* et accipe calamum *et metire templum* et ciuitatem.
'Calamum scribae': scriba ipse Christus est, unde dixit in euangelio:
Omnis scriba doctus in regno caelorum similis est patrifamilias et rlq. UE-
LOCITER SCRIBENTIS, quia nullus tam cito scribit, sicut ipse dominus in
³⁵ cordibus sanctorum scribit. Quid scripsit nisi fidem et spem et caritatem? Quid mensurat, nisi unicuique iuxta capacitatem suam uerbum
praedicationis tribuit?
3. SPECIOSUS FORMA PRAE FILIIS HOMINUM. Quomodo dicit speciosus,
dum dicit Esaias: *Uidimus eum non habentem speciem neque decorem,
sed quasi despectum et humiliatum et percussum et flagellatum a deo?*
Propheta Esaias ex persona Iudaeorum dicit hoc, quia illi humanita-
⁵ tem carnis quasi purum hominem esse crediderunt. Sed hic propheta
secundum diuinitatem loquitur. Item Hieronimus dicit, Esaias propheta praeuidebat hoc per spiritum sanctum illam humanitatem, quod

---

Codices: LMNSV et Z = S+V
20 carne *L²M²Z*   per + illum *Z*   nos + uerbum quasi *Z*   21 patris + Prolis mentis
tuae est, quia cum dicitur aliquid, tunc generamus uerbum. Illud consilium generatum est
intus; quando in opera(-re *SV**) uenit, tunc laudant alii ipsam similitudinem. Consilium
patris *Z*   id est filius] filius est *Z*   24 regi + 'dico' repetitio est *Z*   opera mea²
om. LMN   27 Uel lingua] Per linguam *LZ*   ad *LV²*: et *cett.*   29 Quid] *praem.* Et *Z*
leo + ad saluatorem *LZ*   mons] manus *L*   30 calamo – scribitur] calamus mensuratio
et scriptio est *Z*   32 Calamo *MZ*   dicit *Z*   35 scribit *M²V²*: -bitur *cett.*   36 mensurat *L²V²*: -ratur *cett.*   3,4 Propheta – 5 crediderunt] Ille ex humanitate carnis quasi purus homo esset et ex persona Iudaeorum dicit *Z*   5 haec *L*   propheta + Esaias *Z*
7/8 quod a foris *scripsi: trsp. codd.*

31 Apc 11,1   33 Mt 13,52   3,2 – 3 Is 53,3

a foris uiderunt Iudaei, sed intrinsecus non potuerunt uidere. Diffusa
est gratia in labiis tuis. Ubicumque audis de diffusione in scripturis
10 sanctis, gratia spiritus sancti est. Diffusa est gratia in sanctis apostolis,
quia per spiritum sanctum praedicauerunt, quia dictum est illis: *Acci-*
pite spiritum sanctum. Uel ad Christum diffusa est gratia spiritus sancti,
id est in baptismum in specie columbae descendit in caput, uenit in
barbam, deinde in ora uestimenti eius. Caput nostrum Christus, barba
15 sancti apostoli, ora uestimenti eius id est modo sancti praedicatores,
sicut ait propheta: *Sicut unguentum in capite quod descendit in barbam et*
quod descendit in ora uestimenti eius. Gratia in labiis tuis, id est *quia lex*
per Moysen data est, gratia et ueritas per Iesum Christum facta est. Propterea benedixit te deus in aeternum. Propter ista supradicta bene-
20 dixit deus pater filium suum et Christus suam ecclesiam.

4. Accingere gladium tuum circa femur potentissime. 'Gladium
circa femur': per gladium uerbum dei, per femur incarnatio. Accingit
homo gladium ad pugnandum, ac si dicat propheta: Tu Christe indue
carnem, pugna contra diabolum et libera genus humanum de inferno.
5 Sed aliquis auctor posuit hic Abraham, sicut dixit ad seruum suum:
Mitte manum tuam sub femore meo et iura mihi per deum caeli, ut non ac-
cipias uxorem filio meo de filiabus Chananeorum nisi de Mesopotamia
Syriae. Abraham figuram dei patris tenet hic, ille seruus figuram prophetarum, illa mulier figuram ecclesiae, ut cognosceretur quod de fe-
10 more Abrahae Christus processit, et per istam lineam Christus uenit,
in quo omne sacramentum daretur christianorum. Maxime quod
amant homines per timorem, per hoc iurant. Aliter 'gladium' uerbum
dei intellegitur, ut ait Paulus: *Et gladium spiritus quod est uerbum dei.*

Codices: LMNSV et Z = S+V
8 uidere] intellegere Z: *om. LN*   9 diffusione + gratiae Z   10 gratia ... est[1]] gratiam ...
demonstrat + Aliter Z   sanctis apostolis] labiis tuis id est gratia spiritus sancti in apostolos Z   11 quia[1]] qui V   quia[2]] unde Z   illis M: *om. cett.*   13 caput L[2]: -pite cett.
14 Christus + est Z   15 eius - modo *om.* Z   16 barbam + barbam(in barba S) Aaron Z
et *om.* Z   17 eius + Aliter Z   19 Propter] Per Z   19/20 benedixit + te Z
20 deus *iter.* Z   4,1 gladio tuo L[2]MZ   femur + tuum Z   3 ad proeliandum Z
5 aliquis auctor] sanctus Agustinus Z   8 ille] ipse Z   9 cognoscetur NS   11 Maxime + per illud Z   12 pro timore M: *om.* Z   13 unde et Paulus dicit Z   gladium +
id est LMN

11/12 Io 20,22   16/17 Ps 132,2   17/18 Io 1,17   4,6-7 Gn 24,2.3; *cf* AU
44,13,5sqq.(p. 503)   13 Eph 6,17

'Sub femore' dicitur, quia unusquisque quod praedicat implere
15 debet.

5. SPECIEM TUAM ET PULCHRITUDINEM TUAM, ad diuinitatem pertinet, IN-
TENDE PROSPERE, PROCEDE ET REGNA. Propheta dicit: si tibi intendis,
semper tibi prospera erunt; procede id est ueni de caelo, et regna, quia
regnum diaboli antea erat, unde dicimus in oratione dominica: *Ueniat*
5 *regnum tuum* in nobis; et destrue regnum diaboli. PROPTER UERITATEM
ET MANSUETUDINEM ET IUSTITIAM. Ueritas ipse Christus, quia ipse est
ueritas. Ueritas: de illa muliere, unde dominus dixit ad Iudaeos: *Qui*
sine peccato est uestrum primus in eam lapidem mittat; 'mansuetudinem' quando dixit: *Nec ego te condemnabo,* 'iustitiam' quando dixit:
10 *Uade mulier et amplius noli peccare.* DEDUCET TE MIRABILITER DEXTERA
TUA, id est potestas tua deducet te id est in caelum.

6. SAGITTAE TUAE, id est uerbum praedicationis, ACUTAE, quia usque ad
intima cordis penetrant. POPULI SUB TE CADENT IN CORDA INIMICORUM
REGIS. Populi sub te cadent, id est per praedicationem sanctam cadent
de superbia in humilitatem, 'in corda inimicorum regis' quia qui ini-
5 mici Christi erant postea amici effecti sunt.

7. SEDES TUA DEUS IN SAECULUM SAECULI: sedes dei sancta ecclesia est,
quia *anima iusti sedes sapientiae.* UIRGA DIRECTIONIS UIRGA REGNI TUI:
per uirgam correptio doctrinae, quia per ipsam regulam ueritatis corda
illorum diriguntur, quia tortuosi erant.

8. DILEXISTI IUSTITIAM ET ODISTI INIQUITATEM. Dilexit Christus iustitiam
id est mandata dei patris implere; 'et odisti iniquitatem': numquid
odium cadit in deum? Non, sed odire deo dicitur reprobare. Iniquitas
ipse diabolus intellegitur. PROPTEREA UNXIT TE DEUS DEUS TUUS OLEO

Codices: LMNSV et Z = S+V
14 implere + in(*om. V*) opere *Z*   **5,**1 de diuinitate *LN*   3 erunt] procedent *M*: *om. N*
procede *om. LM*   4 ante *M*   5 destrue] dispereat *Z*   6 quia ipse *om. Z*   7 Ueritas[2]] in ipso fuit quando *Z*   unde dominus *om. Z*   8 illam *L*   8/9 mansuetudo *Z*
9 iustitia *Z*   10 mulier] humilier *N*   et] iam *Z*   Deducet *L[2]M[2]*: -cit *cett.*   11 deducet *M[2]*: -cit *cett.*   **6,**1 tuae] acutae *Z*   ad *om. Z*   2 interiora *Z*   in - 3 cadent[1]
om. Z   3 sanctam] sanctae ecclesiae *Z*   4 corda *N*: -de *cett.*   qui *om. LZ*   **7,**1 Sedis *N*(*bis*)   2 sedes + est *M*   3 correptio] directio *M*   doctr.] disciplinae *Z*
4 tortuosa *M*N*   **8,**2 impleuit *MZ*   3 cadat *L*: -det *Z*   odire deo(-um *L*)] odio
recto *S*   reprobare + Odisti iniquitatem *Z*   4 oleum *L**

5,4/5 Mt 6,10   7 - 10 Io 8,7.11   7,2 Prv 12,23 sec. LXX

⁵ LAETITIAE PRAE CONSORTIBUS TUIS, propter ista supradicta quae dixit,
quia Christus natura unctus, nos per gratiam, quia in illo pleniter fuit
diuinitas, nam in sanctos per partes datur.

9. MYRRA ET GUTTA ET CASSIA A UESTIMENTIS TUIS. Myrra unguentum ad
corpora mortuorum condiendum est; gutta stacten dicitur in Graeco;
cassia dicitur quod ipsud sit cinnamomum uel fistula. Propter hoc mittuntur in uestimentis, ut odorem suauitatis faciant. Uestimenta Christi
⁵ sancti sunt in ecclesia. Per myrram mortificatio martyrum uel laus, per
guttam martyrium, sicut legimus in euangelio quod gutta sanguinis de
fronte Christi in monte in terram cadebat, significabat martyrium. A
DOMIBUS EBURNEIS EX QUIBUS TE DELECTAUERUNT

10. FILIAE REGUM IN HONORE TUO. Uox prophetae: a domibus eburneis: reges et potentes faciunt domos de illis ossis et dentibus elephantorum,
nam non pauperes, quia non possunt hoc consequi. Numquam dicitur
ebur, nisi postquam mortua fuerat illa bestia. Sic et sancta ecclesia non
⁵ potest domus dei esse nisi fuerit mortificatio. 'Ex quibus te delectauerunt filiae regum' id est filii apostolorum, 'delectauerunt' laudauerunt
te de sancta ecclesia. ADSTETIT REGINA A DEXTRIS TUIS IN UESTITU
DEAURATO CIRCUMAMICTA UARIETATE. Regina ecclesia est, unde dicit
in Cantico canticorum: *Quae est ista quae ascendit dealbata innixa su-*
¹⁰ *per fratruelem suum?* 'Regina' dicitur, quia regit sua uitia uel peccata. 'A
dextris tuis in uestitu deaurato': a dextris tuis, unde dicit: *Statuet oues a
dextris suis,* quando dicturus erit: *Uenite benedicti* etc. In uestitu, id est
non nuda, sed uestita sensu spiritali, circumamicta uarietate id est de
septuaginta et duabus linguis et de diuersitate gentium: uel 'uarietate'
¹⁵ id est de diuersitate gratiarum actionum.

11. AUDI FILIA ET UIDE: Christus uocat ecclesiam suam per fidem; 'filia'

Codices: LMNSV et Z = S+V
6 per gratiam] gratia *L*   fuit + et est *Z*   7 in sanctos] et sanctis *Z*   datum *Z*
9,1 uestimentibus *V*   2 condiendum *om. LMN*   3 dicunt *LZ*   ipsum *L²Z*
cinnamum *LZ*   6 martyrium – sanguinis] quasi sanguis *Z*   7 in monte *om. Z*
10,1 filii *LN*   2 elephantorum *om. MN*   4 mortua(-um *L*M*N*)] occisa *Z*   fuerat *N*:
-rit *cett.*   5 domum *L*   mortificatio] + carnis *Z*: -cata *L²M²*   6 filiae] -lii *L*
7 uestito *N*   8(*et* 13) circumdata *V*   9 Cantica *LZ*   innixa] et enixa(nixa *V*) *Z*
11 unde dicit] ut ilud *Z*   Statuit *LN*: + quidem *Z*   12 etc.] patris mei *Z*   14 et²]
uel *Z*

9,6/7 *cf* Lc 22,44   **10,**9/10 Ct 8,5 iuxta Hexapl.   11-12 Mt 25,33.34

dicit, ut casta sit mente et corpore. INCLINA AUREM TUAM id est de superbia in humilitatem. 'Audi' aurem cordis dicit, ut illud: *Qui habet aures audiendi audiat.* 'Et uide' hoc est oculis cordis, unde deus uidetur,
5 ut ait: *Beati mundo corde, quoniam ipsi deum uidebunt.* ET OBLIUISCERE POPULUM TUUM id est uitia et peccata, ET DOMUM PATRIS TUI: domum diaboli, quia *totus mundus in maligno positus erat,* ideo inclina aurem tuam.

12. QUONIAM CONCUPIUIT REX SPECIEM TUAM et pulchritudinem tuam, QUIA IPSE EST DOMINUS DEUS TUUS id est creator tuus. Quomodo dicit speciem et pulchritudinem, non tantum pulchram nec speciosam? quia ante foedata et deformis erat ecclesia, sed postea pulchra et spe-
5 ciosa per lauacrum baptismi, quia iustus pro impiis mortuus est id est Christus, mundans eam per lauacrum sanguinis sui, ut ait apostolus: *Non habentem maculam aut rugam* etc. ET ADORABUNT EUM

13. FILII TYRI. Tyrus interpretatur angustia. Filii Tyri filii angustiae. Ipsi adorant Christum qui sunt in angustia. IN MUNERIBUS UULTUM TUUM DEPRECABUNTUR. Fecerunt hoc magi, qui cum thure et myrra et auro uenerunt, quia non tantum uerbis, sed etiam muneribus adorauerunt
5 Christum. OMNES DIUITES PLEBIS terrae, id est magi uel ceteri diuites offerunt.

14. OMNIS GLORIA EIUS FILIAE REGIS AB INTUS, id est seniores ecclesiae uel reges et potentes, qui habent modo spem, fidem et caritatem, ipsi offerunt ab intus hoc est in conscientia ecclesiae. IN FIMBRIIS AUREIS

15. CIRCUMAMICTA UARIETATE, non solum littera, sed etiam et sensu spiritale illi qui intrant offerunt, uel uarietate uirtutum repleti sunt. ADDU-

---

Codices: LMNSV et Z = S+V

11,2 dicit – sit] casta *Z*   3 aurem] de aure *Z*   4 est + crede uel uide *Z*   5 obliuisceris *Z*   7 erat] est *Z*   **12**,3 pulchritudinem + tuam *Z*   nec] et *NZ*   4 antea *LZ* ecclesia + sine baptismo *Z*   6 sui + pulcra deuenit *Z*   apostolus] Paulus + Elegit sibi ecclesiam *Z*   7 aut] neque *L*   etc.] aut aliquid huiusmodi *Z*   **13**,1 filii¹] -liae *V²* angustia] -tiae *Z*   5/6 uel – offerunt(-tur *MN*)] pastores et angeli adorauerunt eum *Z* **14**,1 filii *L*   2/3 offerunt ab intus] intrant in ecclesia *Z*   3 ecclesiae] ab intus id est in corde in conscientia pura *Z*   fimbriis *L²M²V*: -breis *cett.*   **15**,1 litteris *L*   et *om. LZ* 2 intrant + et *Z*   uel *om. Z*

11,3/4 Mt 11,15; 13,9.43etc.   5 Mt 5,8   7 I Io 5,19   **12**,5/6 *cf* Rm 5,6   7 Eph 5,27 **13**,3 – 5 *cf* Mt 2,1.11

CENTUR REGI UIRGINES: primitiua ecclesia dicit. POSTEA PROXIMAE EIUS, successores ecclesiae, unde dicit: *Trahe me post te, curremus.* ADFEREN-

16. TUR TIBI | IN LAETITIA ET EXULTATIONE, unde dicit: Adferte domino in laetitia. ADDUCENTUR IN TEMPLO REGIS hoc est in sancta ecclesia.

17. PRO PATRIBUS TUIS NATI SUNT TIBI FILII: pro patriarchis et prophetis apostoli uel pro apostolis successores illorum. CONSTITUES EOS PRINCI-PES SUPER OMNEM TERRAM: constituit Christus sanctos suos super omnes populos.

18. MEMORES ERUNT NOMINIS TUI IN OMNI GENERATIONE ET PROGENIE: memores erunt quia numquam obliuiscuntur. PROPTEREA POPULI CONFI-TEBUNTUR TIBI IN AETERNUM ET IN SAECULUM SAECULI: hic confitebuntur et illic gratias agent.

45. IN FINEM PRO FILIIS CORE PRO ARCANIS PSALMUS DAUID. 'Pro arcanis' id est pro occultis. De uocatione gentium et de reprobatione Iudaeorum.

   2. DEUS NOSTER REFUGIUM ET UIRTUS: uox ecclesiae. Fugit homo ad alium hominem, sed tamen non est securus, nam nostrum refugium in deum sit. ADIUTOR IN TRIBULATIONIBUS QUAE INUENERUNT NOS NIMIS. Tribulatio te inuenit, quando alius te praedicat, sicut sanctus Petrus
   5 praedicabat et responderunt dicentes: *Quid faciemus uiri fratres?* et rlq. Et tu inuenis tribulationem, quando tu derelinquis propriam uoluntatem per confessionem.

   3. Propterea non timebimus, dum conturbabitur terra: uox aposto-

---

Codices: LMNSV et Z = S+V
3 de ecclesia primitiua Z   Post eam MS   proximae M: -mi *cett.*   4 currimus L*MN
Offerentur (-runtur S) Z   **16,**1 dicis L   2 templum L²V   sanctam ecclesiam L²M²
17,3/4 omnem terram L   **18,**1 omnem generationem L*   2 obliuiscentur(-cent
SV*) Z   4 illuc LMSV*   agent L²V²: agunt *cett.*

Ps 45,2,3 deo sit + ut illud: Domine, refugium (+ tu V) factus es nobis Z   tribulatione
L*N   4 alius] alter Z   5 praedicauit L   et rlq.] Petrus uero ad illos ait: Paeniten-tiam agite et baptizetur unusquisque uestrum in nomine domini Iesu Christi in remissio-nem peccatorum, et accipietis donum spiritus sancti Z   6 inuenisti N   tu²] te L²
derelinques L*   propria uoluntate L   **3,**1 cum LV: *om.* S

15,4 Ct 1,3
Ps 45,2,3 (Ps 89,1)   5 Act 2,37   (Act 2,38)

lorum. Cum conturbabitur terra, populus Iudaicus, quando illis angelus in illa piscina descendebat et rlq. TRANSFERENTUR MONTES, sancti
apostoli uel successores illorum, 'montes' pro altitudine meritorum.
⁵ Uel 'montes' sicut in euangelio ait: *Si habueritis fidem sicut granum sinapis, dicetis huic monti transire, et facit.* IN CORDE MARIS, in gentilitate.

4. SONAUERUNT ET TURBATAE SUNT AQUAE EIUS. Sonauerunt id est praedicauerunt, aquae eius: aquae multae populi multi. ET CONTURBATI SUNT
MONTES IN FORTITUDINE EIUS. Hic montes superbi uel potentes saeculi
sunt. 'Turbati sunt montes' turbatus est Paulus, quando dixerunt
⁵ Athenienses: *Dii descenderunt ad nos similes facti hominibus,* et uolebant illis immolare. Et item: *Quid sibi uult hic seminator uerborum?*
Nouorum deorum uidetur adnuntiator; et item dicebant: *Magna Diana*
Efesiorum.

5. FLUMINIS IMPETUS LAETIFICAT CIUITATEM DEI, id est gratia spiritus
sancti laetificat ciuitatem, sanctam ecclesiam, quando inluminauit
centum uiginti, hoc est primitiua ecclesia. SANCTIFICAUIT TABERNACU-
LUM SUUM ALTISSIMUS id est uterum sanctae Mariae plenius uel
⁵ sanctam ecclesiam.

6. DEUS IN MEDIO EIUS NON COMMOUEBITUR, ut ait angelus: *Ne timeas,*
Maria; uel non commouebitur ecclesia in tribulatione. ADIUUAUIT
EAM DEUS MANE DILUCULO. Infirma erat, adiuuauit eam in resurrec-

Codices: LMNSV et Z = S+V
2 Dum *V*   3 et rlq.] ut illud: Angelus domini descendit de caelo, mouebatur aqua et sanabatur unus *Z*   Transferuntur *L*N*   montes + in cor maris. Mons Christus, ut illud: Et
erit in nouissimis diebus praeparatus mons domus domini et rlq. Uel montes *Z*   4 apostoli + dicuntur *Z*   montes om. *Z*   propter altitudinem *Z*   5 Uel] Transferentur *Z*
6 dicitis *LN*: -ceretis *M²*   transi + hinc *L*   facit] facere *M*: iacta te in mare et rlq. *Z*
corda *L²*: cor *Z*   4,1 Sonauerunt *V²*(*bis*)   turbati *Z*   2 Et om. *Z*   4 sunt¹] intelleguntur *Z*   6 hic om. *Z*   7 deorum + nobis *Z*   adnuntiator *M*: -tiare *cett.*   5,1 id –
2 ciuitatem om. *N*   2 laetificauit *L²*   ecclesiam + per gratiam baptismi *Z*   3 primitiuam ecclesiam *L²*   4 est + Christus *Z*   plenius – 5 ecclesiam] ut illud: Aue Maria
gratia plena, dominus tecum. Aliter 'sanctificauit tabernaculum suum' id est sancta
ecclesia *Z*   6,1 angelus om. *Z*   2 Maria + inuenisti gratiam apud deum *Z*   non
commouebitur om. *Z*   Adiuuabit *NV*

3,2/3 Io 5,4   3 (Is 2,2)   5-6 Mt 17,19; (21,21)   4,2 *cf* Apc 17,15   5 Act 14,10
6/7 Act 17,18   7/8 Act 19,28.34   5,2/3 *cf* Act 1,15   5 (Lc 1,28)   6,1/2 Lc 1,30

tione de praesentia sua, uel adiuuauit sanctam Mariam et sanctam
5 ecclesiam.

7. CONTURBATAE SUNT GENTES ET INCLINATA SUNT REGNA sub potestate
Christi. DEDIT UOCEM SUAM EXCELSUS ET MOTA EST TERRA hoc est gentilitas de infidelitate ad fidem Christi.

8. DOMINUS UIRTUTUM NOBISCUM, SUSCEPTOR NOSTER DEUS IACOB. 'Dominus uirtutum' angelorum et hominum, 'susceptor noster deus Iacob': susceptor adiutor, deus Iacob: per Iacob subplantatores uitiorum
intelleguntur. Aliter 'susceptor': multi habent susceptores et non
5 saluant illos, sed Christus et adiutor et salus nostra est.

9. UENITE ET UIDETE OPERA DOMINI: Christus uocat suam ecclesiam ad fidem uel ad credulitatem: uenite id est credite, et uidete id est intellegite, 'opera domini' uirtutes domini; QUAE POSUIT PRODIGIA SUPER TER-
RAM. Prodigium id est porro dictum hoc est ut praeuideas de futuro.

10. AUFERENS BELLA USQUE AD FINES TERRAE: 'auferens' tollens, bella hoc
est pugnam, quia semper est pugna uitiorum et peccatorum, 'usque ad
fines terrae' usque ad finem saeculorum. Dominus aufert a nobis istam
pugnam, nam per nos non possumus. ARCUM CONTERET ET CONFRIN-
5 GET ARMA ET SCUTA CONBURET IGNI. Arcum et arma et scutum quod dicit praesumptio defensionis in malum, quia mali homines defendere
uolunt illorum mala facta et uerba excusationis praetendunt. 'Conburet igni' dominus hoc est igne gratiae spiritus sancti, postquam ueniunt
ad confessionem; unde dominus dicit: *Ignem ueni mittere in terram et*
10 *quid uolo nisi ut accendatur.*

11. UACATE ET UIDETE QUONIAM EGO SUM DOMINUS. Si non uacassent ab

---

Codices: LMNSV et Z = S+V
4 uel] id est Z   7,1 inclinatae NV   2 excelsus + id est praedicationem Z   2/3 gentilitas + uel terreni Z   8,3 adiutor + uel susceptor, quia suscepit infirmitatem carnis nostrae uel suscepit ecclesiam in fide Z   4 susceptor + noster Z   5 salus nostra] saluator
noster Z   9,2 uenite - credite *om. LMN*   et *om. Z*   3 domini²] dei Z   quae]
qui Z   4 Prodigia Z   porro + quod est longe Z   dicta LMN   praeuideat Z
10,1 finem MN   2 pugna + id est bella Z   3 ad] in Z   4 conterit et confringit N
5 arma - conburet *om. LM*N*   igne *exp. L*   6 defensionis + est Z   malum] -los L
8 igni(-ne L) + ignis illa aperta persecutio (+ et occulta S); uel arma defensionis conburet
igni Z   gratia MN   9 conuersationem Z   et - 10 accendatur] hoc est in ecclesia Z
11,1 dominus + uacate quod non estis, uidete quod eritis. Aliter 'uacate', quia Z

idolis, gentes non intellexissent dominum. EXALTABOR IN GENTIBUS ET
EXALTABOR IN TERRA. Exaltabor in gentibus id est in praedicatione, et
exaltabor in terra id est in ecclesia.

12. DOMINUS UIRTUTUM NOBISCUM, SUSCEPTOR NOSTER DEUS IACOB: repe-
tito est, sicut superius diximus.

46. IN FINEM PRO FILIIS CORE PSALMUS DAUID. Iam diximus plura loca de
Core, sed tamen una res multas figuras et significationes habet. Quid
est una res nisi unitas ecclesiae, quia una fides est et unum baptismum
tenet? Quia si sancti unam rem non praedicarent, scissura in ecclesia
5 esset. Sed pro fastidientibus et neglegentibus, ut diximus, ut in fasti-
dium non ueniat, multas significationes habent. Filii Core filii caluariae: uox deridentis est, id est de illis quadraginta et duobus pueris dicit, qui Heliseum deriserunt et dixerunt: *Ascende calue.* Et *maledixit*
eos in nomine domini, et egressi sunt duo ursi de saltu et deuorauerunt
10 eos. Et tamen non propter hoc orauit, ut ipsi pueri interficerentur, quia
non est consuetudo sanctorum maledicere, quibus iussum est pro inimicis orare. Sed hoc in figura fuit. Heliseus figuram Christi tenet, illi
pueri figuram Iudaeorum, qui dixerunt: *Aue, aue, rex Iudaeorum;* et
item dixerunt: *Uah, uah, qui destruis templum* et rlq. Unde Paulus dicit:
15 *Nolite pueri effici sensibus, sed malitia paruuli estote.* Uenit medicus sanare aegrotos, sed aegroti occiderunt medicum. Ursi proprie daemones intelleguntur, quia ipsi deuorauerunt corda illorum.

2. OMNES GENTES PLAUDITE MANIBUS. Spiritus sanctus per prophetam
omnes gentes uocat ad fidem uenire. Omnes gentes id est totas insi-

---

Codices: LMNSV et Z = S + V
2 Exultabor *L*N*   in] a *L*N*   3 exaltabor¹] -ultabor *L*N*   4 exultabor *N*

Ps 46,1,1 diximus + per *LV²*   3 est¹ *om. Z*   et] ut *N*   4 sancti *om. LMN*   in eccl.]
ecclesiae *L*   6 habet *Z*   6/7 calui + Non *Z*   7 deridentis + Karissimi *Z*   est¹ +
sed dolentis *Z*   8 Heliseum + prophetam *Z*   Ascende calue *iter. V*   9 deuoraue-
runt] comederunt *Z*   10 eos + Duo ursi duo reges Romanorum Uespasianus et Titus. XL
et duo pueri significant illos XL et duo annos de passione domini usquequo uenit uindicta
super illos *Z*   orauit + ipse *Z*   14 qui – templum *om. LMN*   16 aegrotos] -tum *MZ*
occiserunt *M*N*   17 illorum] Iudaeorum *Z*   **2,2** gentes¹ *om. Z*

Ps 46,1,8 – 9 IV Rg 2,23.24   13 – 14 Mt 27,29.40   15 I Cor 14,20

mul, 'plaudite manibus': plaudere laudare: plausus namque laus dicitur. IUBILATE DEO IN UOCE EXULTATIONIS, 'in uoce' id est in uoce osten-
5 dite et opere implete. Propter magnitudinem laetitiae dicit. Uox exultationis est quod nec uerbis nec litteris nec syllabis potest homo conprehendere, quantum deum debeat laudare.

3. QUONIAM DEUS EXCELSUS TERRIBILIS, id est Christus pro parte carnis
adsumptae dicit. Terribilis est peccatoribus et blandus iustis. ET REX
MAGNUS SUPER OMNEM TERRAM id est super omnem ecclesiam, quia ecclesia terra dicitur. Christus super eam, quia *data est* ei *potestas in*
5 *caelo et in terra.* Haec secundum hominem.

4. SUBIECIT POPULOS NOBIS ET GENTES SUB PEDIBUS NOSTRIS. Uoluerunt
dicere quod apostolorum uox esset propter illud, quod dixerunt apostoli: *Domine, ecce daemonia in nomine tuo subiciuntur nobis.* Non
solum tamen ad illos pertinet, sed in persona omnium christianorum
5 dicitur.

5. ELEGIT NOBIS HEREDITATEM SIBI SPECIEM IACOB QUAM DILEXIT. Hereditas Christi sancta ecclesia; unde dixit alio loco: *Dominus pars heredita-*
tis meae; et nos sua et ille nostra secundum illud: *Portio mea dominus.*
'Speciem Iacob quam dilexit' hoc sunt subplantatores uitiorum, quia
5 illos diligit dominus, unde dixit: *Iacob dilexi, Esau autem odio habui.* Et
dominus inquit ad Rebeccam: *Duo populi in utero tuo sunt, et maior ser-*
uiet minori.

6. ASCENDIT DEUS IN IUBILATIONE ET DOMINUS IN UOCE TUBAE. Ascendit
deus in iubilatione id est post uictoriam, quod uicit diabolum, sic ascendit, unde dicit in alio psalmo: *Tollite portas principes uestras* etc. 'Et
dominus in uoce tubae' hoc est in uoce angeli, sicut legimus in Actibus

Codices: LMNSV et Z = S+V
3 plaudire *L*N*   plausus *M*: plaus *cett.*   4 in³] quod *Z*   4/5 ostenditis(-distis V*) *Z*
7 deo *N*   3,1 terribilis *om. Z*   Christus + Quomodo dicit 'deus excelsus'? quia
ipse(*om. V*) manet super(-pra *V*) omnia et subtus omnia et infra omnia et circa omnia, quia
ille et superior est per potentiam et inferior per subtilitatem. Sed excelsus *Z*   4,2 quod¹]
quasi *Z*   dixit *M*   2/3 apostoli] euangelistae(-ta *M*) *LMN*   3 ecce] etiam *Z*
subiciunt *N*   4 pertinet *om. Z*   5,1 nos *Z*: + in *L*   4 quam] quem *L²V*   6,2 uictoria *S* + facta(-tam *V*) *Z*   quod] qua *L²V²*: quando *M*   3 dixit *Z*   principis *N*
uestri *N*: -trae *SV**   4 Actus *NZ*

3,4/5 Mt 28,18   4,3 Lc 10,17   5,2 Ps 15,5   3 Ps 118,57   5 Rm 9,13
(Mal 1,2.3)   6/7 Gn 25,23   6,3 Ps 23,7.9

⁵ apostolorum, quando ascendit de monte Oliueti: *Uiri Galilei, quid hic statis aspicientes in caelum?* et rlq.

7. PSALLITE DEO NOSTRO PSALLITE, PSALLITE REGI NOSTRO PSALLITE: hoc adfirmando dicitur, uel per hoc trinitas intellegitur.

8. PSALLITE SAPIENTER. 'Sapienter' dicit, quia sunt nonnulli, qui non psallunt sapienter. Sed tu quod psallis id est cantas uel praedicas, sapienter psalle hoc est opere imple, quia dicit sanctus Paulus: *Psallam spiritu, psallam et mente.* Et sanctus Benedictus dicit: »Sic stemus ad psallen-
⁵ dum, ut mens nostra concordet uoci nostrae«.

9. REGNAUIT DOMINUS SUPER OMNES GENTES. Unde et in alio psalmo dicit: *Dabo tibi gentes in hereditatem tuam* etc.; et alibi: *Excelsus dominus super omnes gentes* et rlq. DEUS SEDIT SUPER SEDEM SANCTAM SUAM, hoc est in angelis. Propter innocentiam illorum dicuntur sedes, quia non
⁵ peccauerunt. Unde dixit: *Caelum mihi sedes est.* Aliter 'deus sedit super sedem sanctam suam' id est in ecclesia, unde dictum est: *Anima iusti sedes sapientiae.*

10. PRINCIPES POPULORUM CONGREGATI SUNT CUM DEO ABRAHAM. Principes populorum id est seniores christianorum, cuius figuram tenebat centurio uel modo illi, qui tenent illam fidem quam Abraham habuit, unde dictum est: *Multi uenient ab oriente et occidente et recumbent cum*
⁵ *Abraham* et rlq. QUONIAM DII FORTES TERRAE NIMIUM ELEUATI SUNT. 'Dii' sancti sunt, sicut ait propheta: *Ego dixi, dii estis et filii excelsi.* 'Nimium eleuati' uehementer eleuati sunt id est per fidem et praedicationem.

Codices: LMNSV et Z = S+V
5 Oliueti + dixerunt angeli Z   8,1/2 psallant SV*   9,1 Regnabit M²   deus S   omnes *om.* S   gentes + Quomodo dicit 'super omnes gentes'? quia antea in una gente tantummodo regnabat, sed modo in cunctis gentibus regnat Z   in *om.* SV*   3 rlq.] super caelos gloria eius Z   Dominus NV   sedet L²Z   5 Inde Z   10,2 id est] non Anna et Caiphas, sed Z   4 ueniunt L*N   5 fortis N   6 Ego dixi] ergo N et *om.* Z   excelsi + omnes L   7 eleuati¹ + sunt LZ   uehementer + id est fortiter Z est + sancti Z   et] in Z   praedicationem + ut illud: Et loquebantur uerbum dei cum constantia Z

5/6 Act 1,11   8,3/4 I Cor 14,15   4/5 BEN-N reg. 19,7   9,2 Ps 2,8   2/3 Ps 112,4
5 Is 66,1   6/7 Prv 12,23 sec. LXX   10,2/3 *cf* Mt 8,5sqq.; Lc 7,6-9; AU 46,12(p. 536)
4/5 Mt 8,11   6 Ps 81,6   7 (Act 4,31)

47. PSALMUS CANTICI FILIIS CORE SECUNDA SABBATI. Per psalmum opus
uel praedicatio intellegitur, per canticum scientia et laus. Filii Core
sancti apostoli uel martyres. Prima sabbati fecit lucem, secunda sabbati fecit firmamentum, lucem angelos, firmamentum homines. Habet
5 inde aliquid in Nouo Testamento: prima sabbati resurrexit lux Christus, unde dicit in euangelio: *Erat lumen uerum quod inluminat omnem
hominem uenientem in hunc mundum.* Secunda sabbati firmata est ecclesia in fide, quando dixit dominus mulieribus: *Ite, dicite discipulis
meis, ut eant in Galileam, ibi me uidebunt.*

2. MAGNUS DOMINUS ET LAUDABILIS NIMIS: uox ecclesiae. 'Magnus' dicitur non pro conparatione, sed pro magnitudine potentiae suae; et laudabilis nimis: ubi est laudabilis nimis? IN CIUITATE DEI NOSTRI hoc est
in ecclesia, IN MONTE SANCTO EIUS in ipsa ecclesia. Mons dicitur eccle-
5 sia propter fortitudinem operationum.

3. DILATANS EXULTATIONES UNIUERSAE TERRAE: dilatata hoc est ampliata
uel fundata fuit et est ecclesia in toto mundo in fide. MONS SION LA-
TERA AQUILONIS CIUITAS REGIS MAGNI. 'Latera aquilonis' dicuntur,
quod ille mons in latere aquilonis est positus de illa ciuitate, ac si dicat:
5 mons Sion hoc est sancta ecclesia de latere aquilonis, quia de malis est
coniuncta, unde dictum est: *Ab aquilone exardescent mala quae sunt super terram;* et item dicit: *Ueni aquilo, perfla hortum meum.* Hic aquilo
diabolus; perfla hortum meum hoc est ecclesiam de temptationibus,
unde apostolus dicit: *Oportet hereses esse, ut qui probati sunt manifesti
10 fiant in uobis.* Similitudinem dicit sanctus Agustinus: Bonus homo

Codices: LMNSV et Z = S+V
Ps 47,1,1 filii *V*   3 lumen *L*   4 homines] -nem *M: praem.* id est *MV²*   Habet]
-bemus *Z: om. M*   5 proinde *M*: exinde *Z*   Testamento + dicit *M*   resurrectio *LM*
6 quod] qui *M*N*   8 fidem *L*N*   mulieribus *om. LMN*   meis] eius *N*: + et Petro *Z*
2,2 pro¹] ad *Z*   conparationem + alicui(-cuius *V²*) rei *Z*   propter magnitudinem *Z*
3 dei *iter. V*   5 fortitudinem] altitudinem meritorum uel propter magnitudinem *Z*
3,1 exultationes *scripsi*: -nis *LMN*: -nem *V*: -ne *S*   hoc – ampliata(-cata *M*)] uel aedificata *Z*
2 uel] seu *Z*   et] ut *MN*   3 dicuntur(-cunt *NV*) – 4 aquilonis *om. S*   4 est] sit *Z*
5 de¹]in *Z*   aquilonis + est aedificata *Z*   6 congregata *Z*   7 dicitur *Z*   7/8 Hic –
diabolus *om. LZ*   8 perfla + id est proba *Z*   temptatione *L*   10 sanctus Agustinus
om. LMN

Ps 47,1,6 – 7 Io 1,9   8 – 9 Mt 28,10; Mc 16,7   **3,**6 Ier 1,14   7 Ct 4,16   9/10 I Cor
11,19   10/11 AU 47,3,44sq.(p. 541)

est, mala latera habet; sic et sancta ecclesia mala latera habet id est daemones et hereticos uel malos homines. 'Ciuitas regis magni' id est
sancta ecclesia.

4. DEUS IN DOMIBUS EIUS COGNOSCETUR CUM SUSCIPIET EAM. In domibus
id est in sancta ecclesia, cum suscipiet eam hoc est in fidem, quia antea
inter malos erat.

5. QUONIAM ECCE REGES TERRAE CONGREGATI SUNT ET CONUENERUNT IN
UNUM id est in unitatem ecclesiae.

6. IPSI UIDENTES TUNC ADMIRATI SUNT, per uirtutes apostolorum admirati
sunt, ET COMMOTI SUNT de infidelitate ad fidem.

7. TREMOR ADPREHENDIT EOS, id est quando idola eorum uidebant cadere, tremor adprehendit eos, quia dictum est: *A timore tuo concepimus
et peperimus spiritum salutis.* IBI DOLORES SICUT PARTURIENTIS: *mulier
quando parit dolorem habet;* sed sancti parturiunt opera bona.

8. IN SPIRITU UEHEMENTI CONTERENS NAUES THARSIS. Spiritus uehemens
id est spiritus sanctus conteret naues Tharsis id est superbiam gentilitatis, quia per naues Tharsis mare intellegitur.

9. SICUT AUDIUIMUS ITA ET UIDIMUS: uox apostolorum. Sicut audiuimus
id est per patriarchas et prophetas quod praedicauerunt de Christo, ita
et uidimus; unde in epistola Iohannes loquitur: *Quod audiuimus, ita et
uidimus oculis nostris.* Unde et alibi: *Multi cupierunt uidere quae uidetis*
    [5] *et non uiderunt* etc. Aliter 'sicut audiuimus', hoc est audierunt sancti
patres praedicationem apostolorum et uiderunt mirabilia illorum. IN
CIUITATE DOMINI UIRTUTUM id est in sancta ecclesia, IN CIUITATE DEI
NOSTRI: sancta ecclesia ciuitas dicitur, quia multorum uitam in se continet. DEUS FUNDAUIT EAM IN AETERNUM id est non ad tempus, sed in

Codices: LMNSV et Z = S+V
13 ecclesia + regis magni id est Christi(-tus *S*) *Z*   4,1 cognoscitur *L*N*   2 fide *Z*
5,2 unitatem *M*: -te *cett.*   6,2 sunt[1] + et conturbati sunt *Z*   7,1 Timor *Z*   illorum *L*:
sua *M*   2 tremor - eos *om. Z*   concepimus] parturiuimus *LM*   3 et - salutis] spiritum et perficimus salutare *Z*   parturientes *L**   4 parit] parturit *Z*   sed sancti] et
ipsi *Z*   parturient *L*NZ*   8,1 conteres *MZ*   Tarsis *MN*   uehemens] -mentis
MN   2 sanctus + ut illud: Et factus ⟨est⟩ de caelo repente sonus tamquam aduenientis
spiritus uehementis *Z*   9,3 loquitur] legitur *S*   4 quae + uos *V*   uidistis *L*
6 miracula eorum *Z*   7 in[2] - 8 nostri *om. LMN*   9 in[2] - 10 perpetuum] semper id est in
aeternum *Z*

7,2 - 3 Is 26,18   3/4 Io 16,21   8,2 (Act 2,2)   9,3/4 I Io 1,1   4/5 Mt 13,17

10 aeternum id est in perpetuum. Fundauit deus ecclesiam suam super semet ipsum, unde dictum est: *Fundamentum enim aliud nemo potest ponere praeter id quod positum est quod est Christus Iesus.*

10. SUSCEPIMUS DEUS MISERICORDIAM TUAM IN MEDIO TEMPLI TUI. Consuetudo est scripturarum aliquotiens narrare pluraliter pro singulariter et aliquotiens singulariter pro pluraliter. Sed hic et pluraliter et singulariter potest intellegi: suscepimus deus misericordiam tuam. Impletum
5 fuit hoc, quando Symeon accepit Christum in ulnis suis et dixit: *Nunc dimitte seruum tuum domine* et rlq. In medio templi tui id est in Hierusalem. Uel apostoli susceperunt illum in templo id est in sancta ecclesia.

11. SECUNDUM NOMEN TUUM DEUS, unde dixit sanctus Paulus: *Et dedit ei nomen quod est super omne nomen* et rlq.; ITA ET LAUS TUA, quia et nomen tuum super omne nomen, et laus tua super omnes laudes est. IN FINIBUS TERRAE IUSTITIA PLENA EST DEXTERA TUA: 'iustitia' id est man-
5 data, hoc est Christus impleuit mandata patris, *in quo sunt omnes thesauri sapientiae et scientiae dei absconditi.*

12. LAETETUR MONS SION, sancta ecclesia, ET EXULTAUERUNT FILII IUDAE, primitiua sancta ecclesia et gentes quae ad paenitentiam uenerunt; PROPTER IUDICIA TUA DOMINE, et propter hoc exultauerunt. 'Iudicia tua' iudicia dei occulta, quia reprobati sunt Iudaei et electae sunt gen-
5 tes in fide. Aliter 'laetetur mons Sion' et rlq., id est spiritus sanctus admonet per prophetam omnes sanctos praedicare.

13. CIRCUMDATE SION id est defendite ecclesiam, ET CONPLECTIMINI EAM hoc est in caritate, NARRATE IN TURRIBUS EIUS, 'narrate' hoc est praedicate. Turres id sunt principes ecclesiae, quia turris et fortis est et ab

---

Codices: LMNSV et Z = S+V
10/11 super semet ipsum *om. LMN*   12 positum] dictum Z   quod[2]] qui *LNZ*
10,1 Suscipimus *N*   2 plurale pro singulare Z (*trsp.* lin.3)   4 tuam + in medio templi
tui Z   6 dimittes *L*   domine + secundum uerbum tuum in pace, quia uiderunt oculi
mei salutare tuum Z   7 templum *L*Z   **11**,6 scientia *N*   **12**,1 et *om. NZ*
exultent Z   2 sancta *om.* Z   ecclesia + ut illud: Ergo Z   gentes – uenerunt] gentibus ad paenitentiam dedit deus uerbum Z   4 Iudaei + qui se exaltabant Z   4/5 gentiles Z   6 per prophetam] prophetas et Z   **13**,3 Turres *M*: -ris *cett.*   ab + ea *V*[2]

11 - 12 I Cor 3,11   **10**,5/6 Lc 2,29.(30)   **11**,1 - 2 Phil 2,9   5 - 6 Col 2,3

undique speculatur; sic et sancti et fortes et speculatores debent esse in
⁵ genus humanum.

14. PONITE CORDA UESTRA IN UIRTUTE EIUS. Ponite hoc est intellegite, 'in
uirtute eius' in caritate eius, quia non solum quod praedicant, sed
etiam ⟨quod intellegunt⟩ opere debent implere. ET DISTRIBUITE DOMUS
EIUS UT ENARRETIS IN PROGENIE ALTERA, id est alius in Iudaea, alius in
⁵ gentibus semper praedicare debent.

15. QUONIAM HIC EST DEUS, DEUS NOSTER IN AETERNUM ET IN SAECULUM
SAECULI ET IPSE REGIT NOS IN SAECULA id est et regit et dominatur et hic
et in futurum.

48. IN FINEM PRO FILIIS CORE PSALMUS DAUID. Filii Core sancti apostoli uel
martyres sunt. Istum psalmum spiritus sanctus per prophetam in persona praedicatorum cantauit.

2. AUDITE HAEC OMNES GENTES: uox praedicatorum. Audite haec id est
audite praedicationem omnes gentes, id est non solum Iudaei, sed
etiam omnes gentes audierunt, unde dominus dixit: *Ite, docete omnes
gentes baptizantes eos* et rlq. AURIBUS PERCIPITE QUI HABITATIS ORBEM.
⁵ Hic aurem cordis requirit, unde deus auditur. 'Qui habitatis orbem' id
est corpora uestra,

3. QUIQUE TERRIGENAE FILII HOMINUM, id est filii Adam, SIMUL IN UNUM
DIUES ET PAUPER, seruus et liber; uel 'pauper' unde dicitur: *Beati pauperes spiritu* et rlq.

4. OS MEUM LOQUETUR SAPIENTIAM. Ecclesia dicit: os meum loquetur sapientiam id est Christum, quia hoc praedicat ecclesia; ET MEDITATIO

Codices: LMNSV et Z = S+V
4 undique] aliunde *M*   5 genere humano *V*² + ut illud: Speculatorem dedi te domui
Israhel *Z*   14,3 domos *L*²   4 ut enarretis *om. LMN*   progeniem alteram *LNSV**
alius¹] Petrus *Z*: alios *M(bis)*   Iudeam *LN*   alius²] Paulus *Z*   15,2 et¹ *om. Z*
regit *N(bis)*: -get *cett.*   3 futuro *LM²Z*

Ps 48,2,3 etiam + et *NZ*   4 eos + in nomine patris et filii et spiritus sancti *Z*   5 Hic *M*:
qui *LN*: *om. Z*   requiret *NSV**   dominus *L*   auditur + ut illud: Qui habet aures audiendi audiat *Z*   3,1 terriginae + et *Z*   filii hominum *iter. N*   2 dicitur *M*: dicit *LN*:
-xit *Z*   4,1 loquitur *N(bis)*

13,5 (Ez 3,17)

Ps 48,2,3/4 Mt 28,19   5 (Mt 11,15; 13,9.43 *etc.*)   3,2/3 Mt 5,3

CORDIS MEI PRUDENTIAM, id est gratia spiritus sancti. Uel 'prudentia' hoc est ut prouideas de futuro.

5. INCLINABO IN PARABOLAM AUREM MEAM: inclinabo aurem cordis ad humilitatem, in parabolam id est in similitudinem, ut intellegam. APE-RIAM IN PSALTERIO PROPOSITIONEM MEAM, id est quod proposui in corde praedicabo in sermone et intellegam.

6. CUR TIMEBO IN DIE MALA? Cur timebo (alii dicunt: UTQUID TIMEBO)? ac si dicat: non timebo. Dicit ille auctor qui hoc exposuit: Debes timere quod potes euadere, sed quid times quod non potes euadere? Si times mortem aut diem iudicii: non potes euadere. Sed potes euadere ini-
5 tium suggestionis malae. Maxime ad hoc pertinet, quod in antea dicit: INIQUITAS CALCANEI MEI CIRCUMDABIT ME. Dixit dominus ad mulierem: *Inimicitias ponam inter te* et serpentem *et semen tuum et semen illius;* tu obseruabis id est *conteres caput* suum et ipse *insidiaberit calcaneum* tuum.

7. QUI CONFIDUNT IN UIRTUTE SUA QUIQUE IN HABUNDANTIA DIUITIARUM SUARUM GLORIANTUR: reges et potentes et diuites homines hoc faciunt, sed tamen non tantum debent confidere in amico et in diuitias uel in uirtutibus suis, sed in domino.

8. FRATER NON REDIMET, REDIMET HOMO? Interrogando dicit, ac si dicat: redimet frater, quia frater noster Christus est, deus et homo, qui nos redemit. Aliter 'frater non redimet, redimet homo': id est quod non redemit Moyses redemit Christus. NON DABIT DEO PROPITIATIONEM
5 SUAM

9. ET PRETIUM REDEMPTIONIS ANIMAE SUAE: de superius pertinet, ubi dixit

---

Codices: LMNSV et Z = S+V

3 gratiam *M*   sancti + Multi praedicant Christum, sed non ex sinceritate, sed ut persecutionem sustinent(uel suscitent *sscr. V²*) inter fratres *Z*   4 hoc est] dicit *Z*   praeuideas *Z*
5,1 ad] in *Z*   2 parabola *MNZ*   similitudine *MN*   3 psalterium *SV**   posui *Z*
4 praedico *Z*   ut intellegatur *Z*   6,1 Cur timebo² *LN: om. cett.*   2 hoc exposuit *L: trsp. cett.*   Debes] *praem.* Hoc *LZ*   3 quod¹ + non *M²*   non *canc. M²*   6/7 mulierem ... serpentem] *trsp. Z*   8/9 Ipsa conteret caput tuum et tu insidiaberis calcaneum eius *Z*   7,2 et² – homines *om. Z*   3 confitere *MS*   diuitiis *LZ*   4 domino + ut illud: Qui gloriatur in domino glorietur etc. *Z*   8,1 redimet¹ *LN:* -imit *V²:* -emit *MSV**
redimet²] -imit *M*   3 quod] quem *M*   4 redemit²] -imet *Z*   9,1 ubi] unde *LMN*

6,1 Utquid = Ps(Ro) AU   2 – 5 *cf* AU 48 s.I 6,5sqq.(p. 556)   7 – 9 Gn 3,15
7,4 (I Cor 1,31)

'qui confidunt in diuitiis suis': non dabunt deo propitiationem suam et pretium redemptionis animae suae, ac si dicat: iste talis non facit quod deus in finem illi sit in auxilium uel in adiutorium. LABORAUIT IN

10. AETERNUM | ET UIUIT IN FINEM. Iste talis ad hoc laborat, ut semper hic in praesenti bene uiuat. Aliter Hieronimus dicit: laborauit in aeternum et uiuit in finem, hoc est usque in finem saeculi semper in captiuitate uiuit; 'usque in finem': per Heliam et Enoch reuersurus erit in
   5 fidem: *Cum plenitudo gentium subintrauerit, sic omnis Israhel saluus fiet.*

11. QUONIAM NON UIDEBIT INTERITUM id est non cogitat de illo interitu futuro, CUM UIDERIT SAPIENTES MORIENTES, id est moritur stultus cum sapiente et non recogitat de illa futura poena, quod illis euenit. SIMUL INSIPIENS ET STULTUS PERIBUNT hoc est illi qui uitam praesentem dili-
   5 gunt, ET RELINQUENT ALIENIS DIUITIAS SUAS. Tollit illos deus de ista uita et dat diuitias suas cui placuerit. 'Alienis' dicit, quia etiam filius suus alienus dicitur, quia non potest illum adiuuare, sicut ille diues in inferno qui rogabat, ut ei Lazarus intingueret digitum suum in aqua et rlq. Sed tamen Lazarus eum adiuuare poterat plus quam illi quinque
   10 fratres sui, si dominus uoluisset.

12. SEPULCHRA EORUM DOMUS ILLORUM IN AETERNUM: in illorum speratione, quia si semper sic essent, ut numquam resurgerent, eis sepulturas eorum fabricabant. TABERNACULA A PROGENIE IN PROGENIEM INUOCAUERUNT NOMINA SUA IN TERRIS SUIS: uocantur nomina sua in terris
   5 ipsorum, non in caelo, sed in terris.

13. ET HOMO CUM IN HONORE ESSET NON INTELLEXIT, hoc est Adam cum in

Codices: LMNSV et Z = S+V
2 confident + in uirtute sua et Z　　　dabit *LM*　　4 deus + propitius Z　　　**10**,1 uiuet Z
4 finem + quod Z　　in²] ad Z　　5 fidem] finem V + ut illud Z　　　subintrauit M*N:
-bit *M²*　　6 fiet] erit M: + Aliter: labor(-rem SV*) magnus(-um SV*) et uita breuis Z
11,3 sapientibus V　　4 peribit L　　　est + in futuro Z　　　praesentem + tantum Z
5 Tollet *L*Z*　　6 dat - suas] illas diuitias dat Z　　7 quia] qui NZ　　7/8 inferno MV²:
-num *cett.*　　8 qui] quando Z　　8/9 et rlq.] propter illum Z　　9 eum M²: om. *cett.*
10 deus Z　　**12**,1 illorum¹] eorum Z　　1/2 speratione] aestimatione Z　　2 quia si
*LM*N*: quasi *M²Z*　　essent *om.* Z　　resurgant Z　　eis] et MZ　　3 fabricant *LZ*:
-carent *M²*　　Tabernacula + eorum Z　　progeniem L: -nies V²: -nie *cett.*　　3/4 uo-
cauerunt Z　　4 uocantur] -cauerunt Z　　5 caelum SV*　　**13**,1 hoc est Adam *om. MS*

10,4-5 Rm 11,25.26　　**11**,7 - 10 *cf* Lc 16,24sqq.

honore esset, non intellexit, quia ad similitudinem dei factus est aequalis angelis inmortalis. CONPARATUS EST IUMENTIS INSIPIENTIBUS ET
SIMILIS FACTUS EST ILLIS: et Adam et isti supradicti adsimilantur iu-
5 mentis in uiuendo, in parturiendo et in morte.

14. HAEC UIAE EORUM SCANDALUM IPSIS, id est quando tribulationem habent, blasphemant deo; ET POSTEA IN ORE SUO BENEDICENT, et quando
bene habent in prosperis laudant deum, et in aduersis declinant.

15. SICUT OUES IN INFERNUM POSITI SUNT. 'Oues' dicuntur propter infirmitatem, non pro innocentia, secundum quod in epistolis apostolorum
legitur: *Errantes sicut oues non habentes pastorem,* hoc est Christum.
MORS DEPASCET EOS id est diabolus; ET DOMINABUNTUR EORUM IUSTI IN
5 MATUTINO, unde in euangelio dicit: *Cum sederit filius hominis in sede
maiestatis suae, sedebitis et uos* et rlq. 'In matutino' hoc est in resurrectione. ET AUXILIUM EORUM UETERESCET IN INFERNUM, id est illorum
diuitiae et illorum fortitudo cum diabolo, in quo habuerunt auxilium
id est confidentiam, cum ipso in inferno erunt; A GLORIA SUA id est de
10 honore SUO EXPULSI SUNT: nihil inde habent in futuro.

16. UERUMTAMEN DEUS LIBERAUIT ANIMAM MEAM DE MANU INFERI, CUM
ACCEPERIT ME: uox prophetae, in persona omnium sanctorum loquitur, quia deus illos liberat de potestate diaboli.

17. NE TIMUERIS, CUM DIUES FACTUS FUERIT HOMO, tu non timere, ET CUM
MULTIPLICATA FUERIT GLORIA DOMUS EIUS, nec propter hoc non timere,
ac si dicat: quare? propter hoc quod subsequitur:

18. QUONIAM NON CUM MORIETUR ACCIPIET HAEC OMNIA: nihil inde accipiet, nihil inde habet in aeternitate.

19. QUIA ANIMA EIUS IN UITA IPSIUS BENEDICETUR: hoc quod uoluit, ut hic
illum laudent, iuxta quod in alio psalmo dicitur: *Quoniam laudatur pec-*

Codices: LMNSV et Z = S+V
2 non intellexit *om. MS*   5 moriendo Z   14,1 uia L^2M^2V eorum] illorum Z
in scandalis L   2 deum LM   3 bene *om.* Z   in prosperis] prosperitatem Z
15,1 inferno LM^2Z 1/2 pro infirmitate Z   4 Mors] *praem.* Et Z   depascit M
5 matutinum M^*N dicitur M   6 uos + iudicantes Z   7 ueteriscet N   inferno
L^2M^2 8 et *om.* Z   auxilium] consilium M   9 id est^2 *scripsi:* et *codd.*   10 habuerunt Z   **16,**1 liberauit] redimet Z   inferni Z   **17,**1 non] noli M^2V^2 2 time L^2M^2
18,1 cum mor.] commorietur L^* haec N: *om. cett.*   2 habebit L^2Z **19,**1 benedicitur L   quod N: *om. cett.*   uolui M: -luerit N: uult Z

15,3 I Pt 2,25 + Mt 9,36   5 – 6 Mt 19,28   **19,**2/3 Ps 9,24

cator in desideriis animae suae; CONFITEBITUR TIBI CUM BENEFECERIS EI, laudat te,

20. ET INTROIBIT USQUE IN PROGENIEM PATRUM EIUS, id est usque in infernum ad illos peccatores descendit, quia dicit: hoc sufficit mihi quod habuit auus et pater meus. ET USQUE IN AETERNUM NON UIDEBIT LU-MEN: *tollatur impius, ne uideat gloriam dei.* Numquid non uideat, cum
   5 dicat: uidebunt? Uisuri sunt non ad remunerationem, sed ad condemnationem, unde et subiunxit: *Uideant et confundantur.*

21. ET HOMO CUM IN HONORE ESSET, NON INTELLEXIT etc.: repetitio est. – Finit glosa istius psalmi. Sed sanctus Agustinus in suis dictis multum inde dixit, quod hic non est insertum.

49. PSALMUS ASAPH. Asaph interpretatur congregatio. Iste psalmus in antea pertinet.

DEUS DEORUM DOMINUS LOCUTUS EST, alio loco dicit: *Deus stetit in synagoga deorum;* et item dicit: *Ego dixi dii estis;* et sanctus Paulus dicit: *Si*
5 *quidem dii multi;* et alibi: *Ecce constitui te in deum pharaonis.* Quaestiones sunt hae. Sed hic 'deus deorum' quod dicit, ac si dicat: deus omnium sanctorum hoc est Christus. 'Dominus locutus est' per semet ipsum et per prophetas et per patriarchas, ET UOCAUIT TERRAM hoc est

---

Codices: LMNSV et Z = S+V

4 laudabit *M*   tibi *L*N*   **20,1** in¹ *om. S*   progenies *MZ*   2 dixit *L*   5 uideant + et *Z*   Uisuri] *praem.* quem *M*   **21,2** sua dicta *L*M*N*: sua decata *Z*

Ps 49,1,1/2 in antea] de futuro *Z*   2 pertinet + siue in persona omnium sanctorum cantatur *Z*   5 quidem + sunt *Z*   et alibi] et domini multi, nobis tamen unus deus pater, ex quo omnia et nos in illum(-lo *V²*), et unus dominus Iesus Christus, per quem omnia et nos per ipsum, et unus spiritus sanctus, in quo omnia et nos in ipsum(-so *V²*). Et ad Moysen dixit *Z*   Ecce *MN*: *om. cett.*   in *om. M²Z*   5/6 Quaestiones sunt *om. Z* 6 hae] haec *L*: *om. NZ*   Sed hic *om. Z*: ac si dicat *N*   7 hoc est Christus *om. Z* Deus *LV*   per – 8 patriarchas] Numquid non locutus est per patriarchas et prophetas et apostolos? Sed quod dicit 'locutus est' ad iudicium tendit sensus prophetae, quia modo loquitur in(*om. SV**) ecclesia per subiectos (+ per *S*) praedicatores, sed tunc proprie per semet ipsum locutus(-turus *V²*) erit, quia reddet unicuique secundum quod gessit, sicut ait propheta: Ipse dominus in iudicio ueniet cum senioribus populi et cum principibus eius *Z*

20,4.6 Is 26,10.11

Ps 49,1,3 Ps 81,1   4 Ps 81,6(Io 10,34)   4/5 I Cor 8,5   5 (I Cor 8,6)   Ex 7,1 8 (Is 3,14)

sanctam ecclesiam, A SOLIS ORTU USQUE AD OCCASUM id est a quattuor
10 partibus mundi, ab oriente usque in occidentem et reliqua, uel a prima
aetate usque in senectutem.

2. EX SION SPECIES DECORIS EIUS, sancti apostoli; 'ex Sion' dicit, quia de
Sion inde exierunt. 'Decoris' dicit id est decorati per praedicationem;
uel 'ex Sion' sancta ecclesia – Sion interpretatur specula uitae –, decorati, quia et ipsi speculantur et praedicant.

3. DEUS MANIFESTE UENIET hoc est ad diem iudicii, quia omnis homo
eum uidebit, ut in Apocalipse ait: *Et uidebit eum omnis oculus.* ET DEUS
NOSTER NON SILEBIT id est non tacebit; modo tacet, tamen et si tacet iudicium, non tacet mandatum. In primo aduentu tacuit, quia humilis
5 apparuit, unde dixit in propheta: *Tacui, tacui, numquid semper tacebo?*
IGNIS ANTE EUM ARDEBIT id est iste aer inter caelum et terram, quia ista
concauitudo unus ignis erit. ET IN CIRCUITU EIUS TEMPESTAS UALIDA.
Inde dixit sanctus Gregorius: »Quos ignis exurit, tempestas inuoluit«; et alio loco dicit: *Purgauit aream suam* et rlq.

4. ADUOCAUIT CAELUM DESURSUM ET TERRAM, 'caelum sursum' sancti

---

Codices: LMNSV et Z = S+V
10 reliqua] ab aquilone usque ad meridiem id est a finibus terrae Z   11 in] ad Z
2,1 ex² – 2 inde] de Hierusalem Z   2 exierunt + qui praedicauerunt in toto mundo. De
Sion dicit id est de sancta ecclesia exeunt. Sion interpretatur(-tabatur V) specula uitae,
sancti praedicatores intelleguntur Z   dicit – est *om.* Z   decorate L*MN   per + ipsam Z   3 uel – 3/4 decorati *om.* Z   3,2 eum¹] deum M   Apocalipsin LMZ
oculus + id est omnis homo Z   Et² *om.* Z   3 noster + et MZ   tacebit + ut ait propheta: Tacui, numquid semper tacebo? Z   tamen – tacet² *om.* Z   4 mandatum + quia
praecepit quid unusquisque agere debeat Z   5 unde – tacebo] ut supra Z   in N:
om. LM   tacui² *om.* M   6 iste aer] ista concauitudo Z   quia *om.* LMN   7 concauitudo unus] concauitas domus L   9 et¹ + in Z   Purg.] Permutauit Z   et rlq.] id
est congregauit triticum in horreum suum Z   4,1 Aduocabis L   sursum L   et – 2
praedicatores] id est angelos, ut illud: Tunc commouebuntur omnes uirtutes caelorum. Et
terra, ut ait Paulus: Nostra autem conuersatio in caelis est; et item: Hoc enim uobis dicimus
in uerbo domini, quia nos qui uiuimus, qui residui sumus in aduentu domini non praeue-
niemus eos qui dormierunt, quoniam ipse dominus in iussu et in uoce archangeli et in tuba
dei descendit de caelo et mortui qui in Christo sunt resurgent primi, deinde et nos qui uiuimus, qui relinquimur simul rapiemur cum illis in nubibus obuiam domino in aera et sic
semper cum domino erimus. Itaque consolamini inuicem in uerbis istis Z   1 terra N
sanctos MN

3,2 Apc 1,7   5 Is 42,14   8 cf GR-M Ev 1,6(ed. 1081 B 4)   9 Lc 3,17   4,1-2 (Mt
24,29; Phil 3,20; I Th 4,15-18)

praedicatores, 'et terram' id est peccatores. Caelum fecit hoc est sanctos DISCERNERE POPULUM SUUM id est in futuro iudicio, quando dicturus erit: *Ite maledicti in ignem aeternum,* et ad sanctos: *Uenite benedicti*
⁵ in uitam aeternam.

5. CONGREGATE ILLI SANCTOS EIUS: propheta hortatur sanctos angelos, unde in euangelio dicit: *Mittet filius hominis angelos suos et congregabunt electos suos a quattuor partibus mundi* et rlq.; QUI ORDINANT TESTAMENTUM EIUS SUPER SACRIFICIA. 'Ordinant' praedicant et implent,
⁵ testamentum hoc est Nouum Testamentum super Uetus, quia *transierunt uetera et ecce facta sunt omnia noua.*

6. ADNUNTIABUNT CAELI IUSTITIAM EIUS. 'Caeli' sancti, 'adnuntiabunt' praedicabunt, ut illud: *Caeli enarrant gloriam dei.* 'Iustitiam eius' mandata eius, QUONIAM DEUS IUDEX EST: quia ipse est iudex uiuorum et mortuorum, et aduocatus noster est et iudex est et deus noster est.

7. AUDI POPULUS MEUS ET LOQUAR TIBI ISRAHEL: uox dei patris ad populum Iudaicum loquitur: 'audi populus meus' aurem cordis requirit, unde ait propheta: *Audiam quid loquatur in me dominus deus;* et alibi: *Audi Israhel, dominus deus tuus deus unus est.* ET TESTIFICABOR TIBI, id
⁵ est per patriarchas et prophetas, sicut dixit: *Ego sum qui sum.* Hoc audi, uel quod in antea dicit: QUONIAM DEUS DEUS TUUS EGO SUM; et illud: Ego sum qui semper sum aeternus.

8. NON SUPER SACRIFICIIS TUIS ARGUAM TE, HOLOCAUSTA AUTEM TUA IN CONSPECTU MEO SUNT SEMPER, hoc est in conspectu meo offers, sed non suscipiam. Quare? quia commixtum est cum idolis.

9. NON ACCIPIAM DE DOMO TUA UITULOS id est incontinentes uel superbos, NEQUE DE GREGIBUS TUIS HIRCOS, 'hircos' id est qui foedati sunt in peccato.

10. QUONIAM MEAE SUNT OMNES FERAE SILUARUM hoc sunt gentes, IU-

---

Codices: LMNSV et Z = S+V

2 terra *LNS*   Caelum – sanctos *om. Z*   3 suum] tuum *L*   4 benedicti + patris mei *V*
5,2 Mittit *NZ*   3 suos] eius *Z*   et rlq.] a summis caelorum usque ad terminos eorum *Z*
6,1/2 adnuntiauerunt praedicauerunt *M*   2 Iustitia *Z*   7,5 audi] audiui *Z*   6 sum
ego *M*   et(ut *LN*) illud *om. Z*   8,1 super] in *Z*   2 offeres(-is *N*) *NZ*   3 cum *om. Z*
9,2 hircos²] -ci *M*   foetidi *L*

4 Mt 25,41.34   5,2 – 3 Mt 24,31   5/6 II Cor 5,17   6,2 Ps 18,2   7,3 Ps 84,9
4 Dt 6,4   5 Ex 3,14

MENTA ⟨IN MONTIBUS⟩ iuniores et infirmiores ecclesiae, montes fortiores sancti, BOUES tractores ecclesiae.

11. COGNOUI OMNIA UOLATILIA CAELI, ET SPECIES AGRI MECUM EST, uirtutes sanctae ecclesiae. 'Uolatilia caeli' quae mihi offers, turtures et columbas ego tibi dedi, et omnia antequam fiant apud deum uiuunt et quali loco essent et quali tempore uenirent et in numero et in pondere et in
5 mensura omnia apud deum sunt, ut ait in euangelio: *Nam et capilli capitis uestri omnes numerati sunt.* Aliter 'uolatilia caeli' sancti angeli. Aliud est enim hominem intellegere et aliud est deum diligere.

12. SI ESURIERO, NON DICAM TIBI, hoc est non quaeram tibi, MEUS EST ENIM ORBIS TERRAE ET PLENITUDO EIUS id est totus mundus; uel 'orbis terrae' sancta ecclesia.

13. NUMQUID MANDUCABO CARNES TAURORUM AUT SANGUINEM HIRCORUM POTABO? ac si dicat: non accipiam illud, quia commixtum est cum idolis.

14. IMMOLA DEO SACRIFICIUM LAUDIS ET REDDE ALTISSIMO UOTA TUA: Uox prophetae admonet sanctos immolare spiritaliter et uota reddere, ut ait: *In me sunt deus uota tua quae reddam laudationis tibi.*

15. INUOCA ME IN DIE TRIBULATIONIS TUAE. Deus inuocari se uult et exaudire se promittit. 'In die tribulationis' in die persecutionis ERIPIAM TE, ET MAGNIFICABIS ME hoc est laudabis, quando eripuero te de tribulatione.

16. PECCATORI AUTEM DIXIT DEUS: QUARE TU ENARRAS IUSTITIAS MEAS ET ADSUMIS TESTAMENTUM MEUM PER OS TUUM? Ponunt aliqui quod hoc de Iuda sit dictum siue dicatur, quia ipse Nouum Testamentum praedicabat; sed maxime ad unumquemque pertinet qui praedicat aliis et
5 ipse non mittet in opere quod praedicat. Unde et sanctus Paulus dicit:

Codices: LMNSV et Z = S+V
10,3 sancti + ut illud: Debemus nos firmiores inbecillitates infirmorum portare Z
boues + pastores uel Z   tractatores L   **11,**1 est + species agri Z   2 et] uel Z
3 dedi + et demonstraui Z   4 uenerint Z   in¹ - et³ *om.* Z   5 sint + in praesentia Z
7 enim *om.* Z   et *om.* Z   aliud dei natura Z   **12,**1 tibi²] te M   **14,**1 deus N
3 laudationis M: -nes *cett.*   **15,**1 inuocari M²: -re *cett.*   3 laudabis + me Z   eruero
V: eruo S   **16,**2 Putant N   3 siue dicatur *om.* Z   4 unumquemque + hoc Z
praedicant Z   5 ipsi Z   mittit L²: implent Z   quod praedicat *om.* Z   et *om.* Z
dixit LZ

10,3 (Rm 15,1)   **11,**4/5 *cf* Sap 11,21   5/6 Lc 12,7   **14,**3 Ps 55,12

Multi sunt *qui praedicant Christum non sincere,* id est non implent in opere quod praedicant; unde et dominus dixit ad apostolos: *Omnia quaecumque dixerint uobis facite, secundum opera uero illorum nolite facere,* ac si dixisset: interim quod spiritus sanctus uenerit super illos et
10 discernere poterant.

17. Tu uero odisti disciplinam et proiecisti sermones meos post te. Ille proicit sermones dei post se qui praedicat aliis quod opere non implet.

18. Si uidebas furem, simul currebas cum eo. Non dixit furabas, sed currebas. Curris quando consentis aut furem aut latronem aut hereticum qui furant testimonia dei de sacra scriptura. Et cum adulteris portionem tuam ponebas, id est cum istis quos dixit superius 'portio-
5 nem tuam ponebas', id est portionem quam cum deo et angelis habere debueras, ponis illam in infernum.

19. Os tuum habundauit malitia et lingua tua concinnabat dolum, id est Iudas contra Christum: os suum habundauit nequitia, quando consilium fecit cum Iudaeis, ut eum crucifigerent.

20. Sedens aduersus fratrem tuum detrahebas et aduersus filium matris tuae ponebas scandalum. Iudas contra Christum, frater domini dicitur, ut ait propheta: *Narrabo nomen tuum fratribus meis.* 'Et aduersus filium matris tuae ponebas scandalum': filius matris dicitur
5 Christus, quia de synagoga processit unde et ipse Iudas. Aliter: fratres fortiores sancti, filii matris simpliciores; unde sanctus Paulus dixit: *Debemus autem nos fortiores inbecillitates infirmorum portare,* id est nos qui fortiores sumus debemus infirmiores fratres subportare.

Codices: LMNSV et Z = S+V
7 Omnia *om. Z*   8 uobis dixerint + scribae et pharisaei *Z*   9 ac si dixisset *om. Z*
ueniret *Z*   et] quia non *Z*   10 discernere poterant(-erit *N*)] *trsp. Z*   17,2 Illi
proicient … praedicant *N*   quod opere] et ille *Z*   2/3 implent *N*: + in opere quod praedicat *Z*   18,1 furebas *MN*   2 fure aut latrone aut heretico *M*² 3 furat *Z*
dei – scriptura] sacrae scripturae + et peruertit in herese *Z*   4 quos – superius] supradictis *Z*   6 ponas *N*: -nes *L*: -nebas *Z*   19,1 habundabit *M*²   concinnabit *M*
2 suum] tuum *M*   malitia *LZ*   3 crucifig.] traderet(-diderit *S*) + illis et dixit: Quem
osculatus fuero ipse est, tenete eum *Z*   20,3 dicebatur + quia de ipsa plebe erat *Z*
5 unde *om. Z*   6 sancti + sunt *L*   matris *om. LMN*   6/7 Nos qui fortiores sumus
debemus … *Z*   7 id – 8 subportare *om. Z*

16,6 Phil 1,17   7/8 Mt 23,3   19,3 (Mt 26,48)   20,3 Ps 21,23   6/7 Rm 15,1

21. Haec fecisti et tacui: uox dei. 'Haec' supradicta, 'et tacui' quia non
statim uindicaui, sed sustinui. Existimasti iniquitatem quod ero tibi
similis, ac si dicat interrogando: aestimasti quod quomodo tibi placent
tua mala uel aliorum, sed non mihi? Arguam te in futuro iudicio pro
5 istis supradictis, et statuam illa contra faciem tuam id est illa mandata quae non custodisti uel illa peccata tua et aliorum quod post te re-
liquisti, ut illud: *Si non adnuntiaberis iniquo iniquitatem suam, sangui-*
nem eius de manu tua requiram.

22. Intellegite nunc haec qui obliuiscimini dominum. Uox prophetae
admonendo dicit unicuique, ut non ponat dominum in obliuionem uel
sua mandata, nequando rapiat et non sit qui eripiat, 'nequando rapiat' hoc est ad mortem uel ad diem iudicii, unde dixit: *Et non est qui de*
5 *manu mea possit eruere.*

23. Sacrificium laudis honorificabis me, quia de omnibus bonis quod
sancti faciunt deus honoratur, ut illud: Omne quodcumque agitis in
uerbo aut in opere, *omnia in gloriam dei facite,* ut in euangelio ait: *Ut*
uideant uestra bona opera et glorificent patrem uestrum qui est in caelis.
5 Et illic iter est: Christi 'iter' per opera sanctorum est, in quo ostendam illi salutare dei: salutaris dei patris filius est.

50. In finem psalmus Dauid,

2. cum uenit ad eum Nathan propheta quando intrauit ad Bersabae. Dauid dum ambularet per solarium, uidit a longe mulierem nomine Bersabae. Longe erat mulier, sed prope erat libido. Dauid figu-

---

Codices: LMNSV et Z = S+V
21,1 Haec² + fecisti, haec Z   2 inique *LMZ*   tibi] tui *V*   3 aestimasti quod *om. Z*
4 sed] et Z   non + placent Z   5 illa¹] illam *LZ*   6 custodisti + quando currebas cum
his supradictis quod locutus sum uobis Z   tua et aliorum *om. LZ*   7 ut – 8 requiram
om. LZ   22,1 nunc *om. Z*   haec *om. L*   domino *SV**: deum L   2 ammonet (*om.*
dicit) Z   unumquemque *V²*   obliuione *LN*   23,1 honorificabit *V*   2 ut illud]
unde dixit sanctus Paulus Z   facitis + aut Z   3 Ut² *om. Z*   4 opera bona Z
5 Christus *L*   iter² + est Z   est² *om. L²Z*   5/6 ostendant Z   6 salutare]
-rem *M**N*

Ps 50,1 psalmus + ipsi *M*   2,1 uenerit Z   Bethsabe *M²*   2 deambularet Z   per]
super *M*   3 sed *om. Z*   libido + per oculum corporis pertulit praedam cordis Z

21,7 – 8 Ez 3,18.20   22,4/5 Dt 32,39   23,2/3 I Cor 10,31   3/4 Mt 5,16

Ps 50,2,2 *cf* II Rg 11,2

ram tenet Christi, qui uidit mulierem a longe id est sanctam ecclesiam;
5 sed postea adpropinquauit per fidem et opera bona. Sed Nathan propheta per similitudinem locutus est et dixit ad Dauid: Homo quidam
erat diues qui habebat centum oues, et pauper erat qui habebat unam
ouem. Sed ille qui plus habebat tulit pauperi unam ouiculam. Quid iudicas de hoc? Dauid dixit: dignus est morte. Et Nathan ait: Tu es, do-
10 mine mi rex, qui fecisti haec et tulisti Uriae uxorem suam, cum tu multas haberes. Et Dauid conpunctus est et ad paenitentiam ductus est et
sic dixit: *Miserere mei deus.* Iste psalmus remissionem peccatorum demonstrat, quia et quinquagesimus psalmus est, sicut in Uetere annus
iubilaeus hoc est annus quinquagesimus annus remissionis uocare ius-
15 sus est.

3. MISERERE MEI DEUS. Potest hoc ad Dauid intellegi uel ad unumquemque paenitentem, ⟨quia⟩ qui se miserum putat esse de suis peccatis,
cum illo facit deus misericordiam. 'Miserere mei deus' SECUNDUM
MAGNAM MISERICORDIAM TUAM. Hic quaestio oritur: dum dicit 'mag-
5 nam', ergo est minor? Maior misericordia est in futuro, minor in praesenti, quia homo cum non esset, ex nihilo creauit illum deus ut esset,
et regit et gubernat; maior misericordia dicitur quando ipsum hominem quem creauit in futuro remunerat. ET SECUNDUM MULTITUDINEM
MISERATIONUM TUARUM DELE INIQUITATES MEAS. 'Miserationum' dicit,

Codices: LMNSV et Z = S+V
5 Sed[2] *om. Z*   6 et dixit *om. Z*   Homo – 8 ouiculam] de illo diuite: Duo uiri erant in
ciuitate una, unus diues et alter pauper. Diues habebat oues et boues plurimos ualde, pauper autem nihil habebat omnino praeter unam ouem paruulam, quam emerat et enutrierat
et quae creuerat apud eum cum filiis eius, simul de pane illius comedens et de calice eius bi-
bens et in sinu illius dormiens eratque illi sicut filia. Cum autem peregrinus quidam uenisset ad diuitem, parcens ille sumere de ouibus et de bubus suis, ut exhiberet conuiuium pere-
grino illi qui uenerat ad se, tulit ouem uiri pauperis et praeparauit cibos homini qui uenerat
ad se *Z*   8/9 iudicas *M*: deiudicas(diiud. *L[2]*)*cett.*   9 hoc + Et *Z*   morte + ouem reddet in quadruplum, eo quod fecerit uerbum istud et non pepercerit pauperi(-rem *S*) *Z*
ait] ad Dauid *Z*   10 haec] hanc rem *Z*   11 haberes + Et dixit Dauid ad Nathan: Peccaui
domino. Et Nathan ait ad Dauid: Dominus quoque transtulit peccatum tuum et non
morieris *Z*   11 paenitentia (*om.* ad) *LZ*   13 uetere + lege *L[2]M[2]V[2]*   annus] ius *Z*
14 uocare – 15 est *om. LMN*   3,2 miseros putant *Z*   3 illis *Z*   6 quia – esset[1]] eo
quod homines *Z*   illum – esset[2] *om. Z*   7 reget *SV**: -geret *M[2]*   gubernet *V**:
-naret *M[2]*   misericordia *om. Z*   ipsum – 8 creauit] ipsos *Z*

6sqq. II Rg 12,1-7   12 (II Rg 12,13)   13/14 *cf* Lv 25,10

¹⁰ quia sicut multa sunt peccata mea, ita et miserationes tuae nimis, ut illud: *Miserationes tuae multae sunt, domine.*

4. AMPLIUS LAUA ME AB INIUSTITIA MEA ET A DELICTO MEO MUNDA ME. Pro
quid dicit 'amplius'? Dum propheta erat et rex et multum sapiens,
quare dixit 'amplius laua me', ac si diceret: plus potes tu mihi mea peccata remittere quam ego te intellegam rogare.

5. QUONIAM INIQUITATES MEAS EGO PRONUNTIO. Si tu pronuntias in confessione tua peccata, et deus ignoscet tibi. ET DELICTUM MEUM CONTRA
ME EST SEMPER. Delictum hoc est peccatum 'contra me est' ante me est.
Quia non trado illum in obliuione, praeuideo illum semper ante oculos
⁵ meos. Dicit ille auctor qui hoc exposuit: Si tu ponis illum ante te, deus
illum non ponit ante se, sicut dixit: *Nec memor ero nomina illorum per
labia mea.*

6. TIBI SOLI PECCAUI ET MALUM CORAM TE FECI. Dicit Dauid: ego peccaui,
et tu solus sine peccato, sicut dixit Esaias: *Qui peccatum non fecit* et rlq.;
et alibi: *Quis arguet me de peccato?* et item dicit: *Uenit princeps mundi
huius et in me non inuenit quicquam.* UT IUSTIFICERIS IN SERMONIBUS
⁵ TUIS ET UINCAS CUM IUDICARIS, quia tu rectum iudicium iudicas. Nos
transgressores et peccatores sumus, tu solus sine peccato. Dicit ille
auctor qui hoc exposuit: Ille fuit iudicatus et damnatus, unde dictum
est: Iustus ab iniquo iudicatus est. Sed ille in futuro iudicio erit alios iudicaturus et condemnaturus.

7. ECCE ENIM IN INIQUITATIBUS CONCEPTUS SUM ET IN PECCATIS GENUIT
ME MATER MEA. Uox prophetae in persona humani generis. Dicit ergo:
ecce enim in iniquitatibus conceptus sum et rlq. Quia Adam et Eua,
cum essent in bona creatione creati et aequales angelis in aeternitate,

Codices: LMNSV et Z = S+V

10 sicut *om. Z*   ita *om. Z*   nimis] multae *M²Z*, + nimis *M*   ut illud] unde dicit propheta in alio loco *Z*   4,1 iniustitias meas *L*M*NS*   2 dicit *om. L*   3 quare *om. Z*
diceret] dicat *L*: dixisset *Z*   plus + me *SV**   mihi - peccata *om. Z*   4 te *om. S*
5,1 pronuntio] agnosco *Z*   pronuntias] agnoscis *Z*   2 et¹ *om. Z*   dominus *L*
ignoscit *N*   4(*et* 5 *et* 6) illud *V²*   6 ponet *LZ*   nomen *MN*   6,2 peccato + es *L*
et rlq.] nec est in ore eius dolus *Z*   3 arguit *L*   Uenit + enim *Z*   5 cum] dum *N*
quia] Quaecumque *Z*   tu + iudicas *Z*   6 sumus *om. Z*   7 haec *M*: *om. LN*
condemnatus *Z*   7,1 in¹ *om. N*   2 Dicit - 3 rlq. *om. Z*   4 bonam creationem *Z*

3,11 Ps 118,156   5,5 - 6 *cf* AU 50,14,20sqq.(p. 610)   6/7 Ps 15,4   6,2 Is 53,9
3 Io 8,46   3/4 Io 14,30

⁵ transgressi sunt mandatum dei, postea et illi et omnis posteritas eorum
ceciderunt, ut illud: *Uindicta peccati mors* carnis est.

8. ECCE ENIM UERITATEM DILEXISTI. Ueritas Christus est. 'Ueritatem dilexisti' dicit, quia *pater diligit filium* suum. Aliter 'ueritatem dilexisti' id
est confessionem ex ore peccatoris, ut illud: *Ueritas de terra orta est.* IN-
CERTA ET OCCULTA SAPIENTIAE TUAE MANIFESTASTI MIHI. Deus per Na-
⁵ than prophetam incerta et occulta manifestauit id est narrauit Dauid,
quando dixit: dimissum est peccatum tuum, sicut Niniuitae subuersi
sunt de malo in bonum per praedicationem Ionae.

9. ADSPARGES ME HYSOPO, ET MUNDABOR. Praefigurabat baptismum, quia
in Uetere accipiebant uaccam atque hircum, offerebant in sacrificium
et illam cinerem miscebant aqua et sanguine et hysopo, in summa
uirga mittebant et sic super populum illum spargebant. Hoc ⟨in⟩ figura
⁵ erat. Significabat illa uacca atque hircus carnem dominicam absque
peccato, ille sanguis passionem dominicam, illa aqua baptismi gratiam,
illae cineres paenitentiam, hysopus humilitas, illa uirga crux Christi. Et
sicut illi in figura mundabantur, sic tu Christe in ueritate per paenitentiam et per ista supradicta nos mundabis. Hysopus humilis herba est et
¹⁰ supra petram nascitur; medicus sanat exinde pulmones infirmos. Medicus praedicator, pulmones superbi, hysopus humilitas, quia dictum
est: Superbia *inflat, caritas uero aedificat;* et qui sunt humiles, a Christo
accipiunt exemplum, sicut dicit: *Discite a me, quia mitis sum et humilis*

Codices: LMNSV et Z = S+V
6 ceciderunt + in peccato Z   ut illud] quia dictum est Z   est] Ille patrem et matrem
christianos habet, sed propter transgressionem Adae et Euae, ut diximus, omnis posteritas
eorum sub iugo peccati et uinculo diaboli ligati erant Z   **8,**1 est + ut illud: Ueritas de
terra orta est Z   2 ueritatem - 3 est¹] Ueritas de terra orta est Z   3 confessio Z
ut - est² *om.* Z   4 sapientia tua L*MS   5 id est narrauit *om.* Z   6 conuersi M
9,1 Asparges LN   ysopo M: isobo N   2 uaccam + absque iugo Z   hircum + et Z
in *om.* Z   3 illum M   et²] in Z   4 spargebant + et mundabantur(-buntur SV*) LZ
Haec M   5 Significauit V   atque hircus] absque iugo LZ   7 ille cinis M
humilitatem L²   illa *om.* Z   crucem L²M²   8 mundabant L*M   Christe *om.* LZ
9 nos M: *om. cett.*   10 super NZ   Infirmus + peccator Z   11 superbi] -bia Z
12 et] Illi Z   13 dictum est Z

7,6 Rm 6,23   **8,**2 Io 3,35; 5,20   3 Ps 84,12   6 II Rg 12,13   5 - 7 *cf* AU
50,11,10sqq.(p. 607)   **9,**2 - 4 *cf* Nm c.19   9/10 *cf* AU 50,12,2-3.9-10(p. 608)
12 I Cor 8,1   13 Mt 11,29

corde; et postea mundantur a peccatis. LAUABIS ME hoc est per paeni-
15 tentiam et baptismum, ET SUPER NIUEM DEALBABOR, sicut dixit Esaias:
Si fuerint peccata uestra sicut Fenicium, uelut nix dealbabuntur.

10. AUDITUI MEO DABIS GAUDIUM ET LAETITIAM. 'Auditui' dicit, quando dixit ei Nathan: dimissum est peccatum tuum. ET EXULTABUNT OSSA HU-
MILIATA id est uirtutes quae prius fuerant per peccatum humiliatae.

11. AUERTE FACIEM TUAM A PECCATIS MEIS: auerte faciem tuam, ac si dicat:
ne uideas nec recorderis illa; ET OMNES INIQUITATES MEAS DELE id est
per paenitentiam.

12. COR MUNDUM CREA IN ME DEUS. Sic rogabat Dauid, ita et unusquisque
sic debet facere. 'Cor mundum crea in me deus' propterea rogabat, ut
mundus deueniret a peccato. SPIRITUM RECTUM INNOUA IN UISCERIBUS
MEIS, spiritum rectum ad uidendum et discernendum, sicut antea rec-
5 tus fuit in me.

13. NE PROICIAS ME A FACIE TUA. Qui proicitur contemnitur uel torquetur.
A facie tua id est a praesentia tua. SPIRITUM SANCTUM TUUM NE AUFE-
RAS A ME id est spiritum prophetiae.

14. REDDE MIHI LAETITIAM SALUTARIS TUI. Salutaris dei patris Christus est,
ac si dicat: Sicut antea praeuidebam dominum per spiritum sanctum in
carne uenire, et modo sic faciam. SPIRITU PRINCIPALI CONFIRMA ME hoc
est in regnum, spiritum rectum hoc est innouandum, spiritum sanc-
5 tum hoc est spiritum prophetiae. Alii uoluerunt dicere spiritum princi-
palem patrem, spiritum rectum filium, spiritum sanctum ipsum spiri-
tum sanctum.

15. DOCEBO INIQUOS UIAS TUAS, ET IMPII AD TE CONUERTENTUR. Docebo
iniquos uias tuas hoc est ponam me ipsum, ut meum exemplum alii
teneant. Casus maiorum timor debet esse minorum. Multi imitantur

---

Codices: LMNSV et Z = S+V
14 peccato *L*   Laua *Z*   14/15 per baptismum et paenitentiam *Z*   16 uelut nix]
super niuem *V²*   dealb.] + id est per baptismum et paenitentiam uelut illa uestimenta
Christi in monte refulserunt *Z*   11,2 nec] ne *LZ*   12,2 Cor – deus *om. Z*   ut] quia *Z*
3 inmundus *V*   deuenerat(-rit *L**) *LZ*   per peccatum *Z*   4/5 rectus] factus *Z*
13,1 contemnitur + despicitur *Z*   3 spir. proph.] prophetiam *M*   **14,**2 dominum *N*:
om. cett.   sanctum] prophetiae Christum *LZ*   3 uenturum *Z*   faciam] uideam *Z*
4 innou.] ad uidendum *Z*   **15,**2 pono *Z*   alii *om. N*   3 uolunt imitare *Z*

16 Is 1,18   10,2 II Rg 12,13   14,5 – 7 AU 50,17,13-16(p. 612)   15,3 – 5 *cf* AU 50,3,
2-6(p. 600)

dimissum peccatum Dauid et non imitantur illam paenitentiam quam
⁵ fecit uel de tali sublimitate ad talem humilitatem se perduxit.

16. LIBERA ME DE SANGUINIBUS hoc est de peccatis carnalibus, unde sanctus Paulus dixit: *Caro et sanguis regnum dei non possidebunt.* Necessitas
carnis multa, necessitas animae unum; necessitas carnis manducare,
bibere, dormire et reliqua. 'Libera me de sanguinibus': sanguis peccata
⁵ carnalium intelleguntur. 'Libera me' tunc erit, quando *hoc mortale in-
duerit inmortalitatem.* Quia illa septem uitia in illa transgressione Adae
fuerunt, libera me 'de sanguinibus' plurale numero. Sicut multae sunt
uindictae, ita multae retributiones. DEUS, DEUS SALUTIS MEAE, quia
alius nullus potest hoc facere. EXULTAUIT LINGUA MEA IUSTITIAM TUAM
¹⁰ id est praedicauit lingua mea mandata tua.

17. DOMINE LABIA MEA APERIES, ET OS MEUM ADNUNTIABIT LAUDEM TUAM:
clausus erat per peccatum nec locus erat nec tempus nec persona, nec
exemplum poterat dare, quia *non est pulchra laus ex ore peccatoris.*

18. QUONIAM SI UOLUISSES SACRIFICIUM, DEDISSEM UTIQUE; HOLOCAUSTIS
AUTEM NON DELECTABERIS.

19. SACRIFICIUM DEO SPIRITUS CONTRIBULATUS, COR CONTRITUM ET HUMI-
LIATUM DEUS NON SPERNIT. Multi habent cor contritum, sed non habent humiliatum; contritum habent quia plangunt quod fecerunt, sed
non habent humiliatum, quia postea ad ipsum reuertere desiderant
⁵ quod antea fecerunt et de praeterito nolunt paenitere.

20. BENIGNE FAC DOMINE hoc est placita fac IN BONA UOLUNTATE TUA SION.
Usque hic dixit de se; postea modo rogat pro plebe et pro sancta ecclesia: UT AEDIFICENTUR MURI HIERUSALEᴍ. Dicit ille auctor qui hoc ex-

Codices: LMNSV et Z = S+V
5 uel + quod L^2　　16,4 dormire + et lassescere Z　　5 carnalia Z　　intellegitur LM
8 multae + sunt S　　9 Exaltauit M^2　　iustitias tuas LZ　　17,1 aperi L　　adnuntiauit MN
2 clausa L: -sae M　　erant LMN　　locutus V　　erat² + per (propter V) peccatum Z
3 potebat $L*NS$　　18,1 utique + id est sacrificium legis, quae pro peccato et quae pro ignorantia offerebantur. 'Dedissem' id est obtulissem Z　　2 delectaberis + hoc est quia his
non delectaberis id est non placaris, ut(unde V) dixit Gregorius: Quia nostra ditione non
placeris, oblatione cordis melius placaris, ut in antea Z　　19,2 sed] et Z　　3 contritum
habent *om.* Z　　plangent $L*NZ$　　sed – 4 quia] et Z　　4 reuerti M　　5 paenitere]
emendare L　　20,1 Benefac L　　fac² *om.* Z　　2 se + et V　　pro² *om.* Z

16,2 I Cor 15,50　　5/6 I Cor 15,54　　17,3 Sir 15,9　　18,2 (*cf* GR-M Ez 1,12,578-82[p.
200] ?)

posuit quod in isto muro duos pertusos fecit Dauid id est adulterium et
⁵ homicidium, sed postea reclausit. 'Muri' uirtutes, Hierusalem anima
ecclesiae.

21. TUNC ACCEPTABIS SACRIFICIUM IUSTITIAE id est confessionem ex ore
peccatoris, OBLATIONEM id est laudationem, ET HOLOCAUSTA, TUNC IN-
PONES SUPER ALTARE TUUM UITULOS. 'Altare' fides, quia quicquid offers, per fidem offerre debes. 'Uitulos' laudes, uel uituli cogitationes
⁵ intelleguntur.

51. IN FINEM INTELLECTUS DAUID,
2. CUM UENIT AD EUM DOHEC IDUMEUS ET ADNUNTIAUIT SAUL ET DIXIT EI:
UENIT DAUID IN DOMO ABIMELECH. 'Intellectus Dauid' intellectus ecclesiae, quia intellegit ecclesia quomodo est deus ante saecula genitus
qui passus est pro ipsa, et intellegit de prosperitate peccatorum et sua
⁵ tribulatione quam sustinet, et habet intellectum ad discernendum inter bonum et malum, et ipsud intellegit quod ad similitudinem dei facti
sumus. Dohec interpretatur motus terrenus, Idumeus hoc est sangui-
neus siue terrenus; Abimelech interpretatur regnum patris mei. Dauid
uenit in domum Abimelech, et Christus uenit in regnum Iudaeorum.
¹⁰ Saul interpretatur appetitus. Appetitus dicitur, quia fuit a populo peti-
tus in regnum. Per Saul intellegitur mors, per Dauid uita. Quid est
quod mors persequitur uitam, nisi quod ab initio saeculi semper mors
persequitur nostram uitam? quia qui ista praesentia amant persequuntur sanctam ecclesiam id est illos qui caelestia diligunt.

Codices: LMNSV et Z = S+V
4 est] sunt L   5 postea + per paenitentiam Z   reclusit Z   animae LN   21,1 confessio Z   2/3 inponent Z   3 uitulos + Holocausta dicit id est totum conbustum, ut
quicquid agis in uerbo aut in opere spiritaliter agas Z   4 uituli *om.* Z

Ps 51,2,1 uenerit V   Sauli M   ei *om.* LV   2 domum L²   Achimelech S
Dauid² + dicit Z   3 quomodo] quod uerus Z   4 peccatorum + quod hic habent Z
et² + de Z   5 quam L²M²: quod *cett.*   sustinet + quod cito transit Z   6 ipsud *om.* Z
ad + imaginem et Z   7 sumus + Omne quod uiuit(-et Z) animam habet et non habet intellectum, ut illud: Nolite fieri sicut equus et mulus (+ in V) quibus non est intellectus LZ
motus] modus L: mons MN   9 domum L²: -mo *cett.*   10/11 appetitus Z

Ps 51,2,7 (Ps 31,9)

3. QUID GLORIARIS IN MALITIA QUI POTENS ES INIQUITATE? Uolunt alii dicere quod iste psalmus cantetur in persona Iudae Scariotis usque ad illum locum ubi dicit: *et radicem tuam de terra uiuentium.* Aliter 'quid gloriaris in malitia' hoc est Adam et diabolus, quia quod deus aedifi-
5 cauit, illi destruxerunt in semet ipsis imaginem dei et angelorum. 'Qui potens es iniquitate' ipsi non in bonitate, sed in iniquitate.

4. TOTA DIE INIUSTITIAM COGITAUIT LINGUA TUA. Hic lingua pro cor ponitur secundum illud: *Tu qui dixisti in corde tuo* et rlq. SICUT NOUACULA ACUTA FECISTI DOLUM. 'Nouacula' hic persecutores intelleguntur; aliter: nouacula capillum incidit, sed per capillum superfluitas diuitiarum
5 intellegitur. Item 'sicut nouacula acuta fecisti dolum': ille facit dolum qui in negotio circumuenit fratrem suum; unde dicit sanctus Paulus: *Nemo circumueniat aut supergrediatur in negotio fratrem suum, quia de his omnibus uindex est dominus.*

5. DILEXISTI MALITIAM SUPER BENIGNITATEM: diabolus et Adam. Sanctus Agustinus conparationem hic dicit, quomodo ille qui uult oleum mittere subter aquam, terram super caelum, tenebras super lumen, ac si dicat: sic uoluerunt diabolus et Adam; INIQUITATEM MAGIS QUAM LO-
5 QUI AEQUITATEM: magis dilexerunt illi iniquitatem quam ueritatem.

6. DILEXISTI OMNIA UERBA PRAECIPITATIONIS. Quod dilexisti locutus fuisti, quando dixisti: *Super caelos conscendam et ero similis altissimo.* Magis dilexerunt iniquitatem quam aequitatem. 'Uerba praecipitationis' dicit, quia semet ipsos praecipitauerunt sicut diabolus de caelo, sic et
5 Adam de paradiso. IN LINGUA DOLOSA, quia aliud habuerunt in sermone, aliud in corde.

7. PROPTEREA DESTRUET TE DEUS IN FINEM: propter ista supradicta de-

Codices: LMNSV et Z = S+V
3,1 es + in *V*   iniquitate *LM²V*: in equitate *N*: iniquitatem *cett.*   2 cantatur *Z*
5 ipsos + id est *Z*   6 es *om. LS*: + in *LNZ*   ipsi] -se *N*: *om. Z*   **4,**1 iniustitiam *LN*:
-tia *cett.*   2 Tu – dixisti] quod Esaias ait: Quomodo cecidisti de caelo Lucifer, qui mane
oriebaris? Corruisti in terra qui uulnerabas gentes? qui dicebas *Z*   et rlq.] In caelo conscendam, super astra dei ponam solium meum; sedebo in monte testamenti in lateribus
aquilonis, ascendam super altitudinem nubium, ero similis altissimo *Z*   3 hic *om. Z*
4 capillum²] -los *Z*   5 facit] fecit *V*   6 dixit *N*   **5,**3 lucem *S*   5 quam + aequitatem id est *Z*   **6,**2 ascendam *Z*   3 dilexisti *Z*   **7,**1(*et 1/2*) distruit *N*(*bis*): destruxit
L*(*bis*)

3,3 *cf infra* v.7   **4,**2 Is 14,13   (Is 14,12-14)   7 - 8 I Th 4,6   **5,**2 - 3 AU 51,10,25-
28(p. 630)   **6,**2 Is 14,14

struet deus memoriam diaboli, ut alibi: *Ut non adponat ultra magnifi-*
care se homo super terram. Unde et sanctus Paulus dixit: *In finem saecu-*
lorum inimica destruetur mors, id est diabolus; EUELLET TE ET EMI-
5 GRAUIT TE DE TABERNACULO TUO ET RADICEM TUAM DE TERRA UIUEN-
TIUM. Terra morientium est hic, non uiuentium; ut mors in Adam data
est, ita et omnibus eius filiis dominatur, unde dictum est: *Terra es et in*
terram ibis. Diabolus et Adam eradicauerunt se, et unusquisque sic facit quando peccat.

8. UIDEBUNT IUSTI ET TIMEBUNT. 'Uidebunt' intellegunt eorum poenam,
'et timebunt' sicut sanctus Paulus dixit: Uide, *ne et tu tempteris;* uel 'timebunt' quia nesciunt exitum illorum, ut illud: *Nescit homo finem*
suum. ET SUPER EUM RIDEBUNT. Duo tempora sunt, *tempus flendi et*
5 *tempus ridendi.* Hic habent sancti tempus flendi et in futuro tempus ridendi. ET DICENT:

9. ECCE HOMO QUI NON POSUIT DEUM ADIUTOREM SIBI. 'Homo' diabolus,
quia hominem decipit. Aliter 'ecce homo qui non posuit deum adiutorem sibi', SED SPERAUIT IN MULTITUDINE DIUITIARUM SUARUM ET PRAE-
UALUIT IN UANITATE SUA. De illo diuite dicit qui in inferno torquebatur,
5 et de illo alio, unde euangelista dicit: *Stulte, hac nocte animam tuam re-*
petunt a te; quae autem parasti cuius erunt? etc. Numquid tantum malum sit diuitias habere? Non, sed malum est spem in diuitias mittere.
Unde et in alio psalmo dicit: *Diuitias si affluant, nolite cor adponere.* Licet habere ad necessitatem, non licet possidere ex amore. Nam et
10 Abraham et reliqui diuitias habuerunt, sed spem in diuitias non miserunt.

Codices: LMNSV et Z = S+V
2 deus] te deus in finem hoc est Z   ut] et N   alibi + ait Z   3 et *om. NV*   dicit Z
4/5 emigrabit *LV²*   6 non] et non est V   7 et¹] in *SV**   dominatur *L²M²*: -netur *cett.*
8/9 faciat N   9 peccauit N   **8,2** sanctus *om. Z*   3 quia] id est Z   ut illud] unde
dictum est Z   Non scit M   5 Hinc *SV**   **9,2** quia] qui Z   decepit LZ   4 dicit]
potest intellegi Z   6 etc.] Sic est qui sibi thesaurizat et in deo non est diues Z
7 habere] tanto, ut de iusto habeantur et deo gratias referatur qui eas dedit? Z   8 Unde]
cum Z   Diuitiae *L²V²*: -tiis *SV**   affluent N   8/9 Licet] *praem.* Diuitias Z
9 non] et non Z   10 reliqui + boni Z   diuitias²] -tiis Z

7,2/3 Ps 9,39   3/4 I Cor 15,26   7/8 Gn 3,19   **8,2** Gal 6,1   3 Ecl 9,12   4/5 Ecl
3,4   **9,4** *cf* Lc 16,19sqq.   5/6 Lc 12,20   8 Ps 61,11

10. Ego autem sicut oliua fructifera in domo domini. 'Oliua fructifera' sancta ecclesia, ut illud: *Prumptuaria eorum plena eructuantia* in bonam partem. Item 'oliua fructifera' sicut ait propheta: *Uocauit dominus nomen tuum: oliuam uberam, pulchram, fructiferam, speciosam;* sed
⁵ conuersa es in oleastro, *fracti sunt rami.* Et item: *Cum oleaster esses, insertus es* in bonam oliuam, id est in fidem patriarcharum et prophetarum. Speraui in misericordia dei mei in aeternum et in saeculum saeculi: Dohec damnauit, Dauid coronauit.

52. In finem pro Melech intellectus ipsi Dauid. Melech interpretatur dolens siue parturiens. Corpus Christi intellegitur. Et dominus doluit pro peccatis nostris, quia uerum corpus fuit, et parturiuit filios; et ecclesia corpus Christi dolet pro peccatis suis et aliorum et parturit filios
⁵ per uerbum praedicationis, ut ait Paulus: *Per euangelium ego uos genui;* et item: *Filioli mei, quos iterum parturio.*
Dixit insipiens in corde suo: non est deus. 'Dixit insipiens' populus Iudaicus siue diabolus: non est deus, ac si dicat: non est Christus filius dei.
2. Corrupti sunt de lege bonae naturae, abhominabiles id est odibiles facti sunt in uoluntatibus suis hoc est in desideriis suis. Non est qui faciat bonum, non est usque ad unum. Quomodo dicit: non est usque ad unum? Numquid non fuerunt antea qui facerent bonum: pa-

---

Codices: LMNSV et Z = S + V
10,2 ecclesia + intellegitur *Z*   eructantia + hic *Z*   3 bonam partem *M*: -na -te *cett.*
oliua + non *codd.*   4 tuum + a uoce loquelae grandis exarsit ignis in ea et conbusta sunt
frutecta(fructa *SV**) eius; et item *Z*   uberem *L*Z*   speciosam + uocauit dominus
nomen tuum *Z*   sed + quomodo *Z*: + nunc *N*   5 es + in amaritudinem? Oliuae id est *Z*
in oleastro] oleastri *V²*: + ut illud *Z*   Et *om. Z*   item + in bonam partem dicit: Tu(*om.*
L) itaque(*om. L*) *LZ*   esset *N*   6 fide *MN*   7 misericordiam *NSV**

Ps 52,1,1 Malech *M*: Amalech *LZ*   ipsius *L²*   Melech² *N*: Amalech *MZ*: Abimelech *L*
2 Et *om. Z*   5 ait Paulus] illud *Z*   6 parturio + donec Christus formetur in uobis *Z*
9 dei + ut illud: Si filius dei es, descende de cruce *Z*   **2,1** naturae + et *Z*   2 suis² + ut
illud: Post concupiscentias tuas non eas *Z*   4 fecerint *L**

10,2 Ps 143,13   3/4 Ier 11,16   5 - 6 Rm 11,19.17

Ps 52,1,5 I Cor 4,15   6 Gal 4,19   9 (Mt 27,40)   **2,2** (Sir 18,30)

⁵ triarchae et prophetae et reliqui sancti? Et ubi est Melech qui dolebat et parturiebat: forsitan non peccauit nec in cogitatione nec in sermone? Unde ipse de illis malis uenit et non per se, sed per illum qui pro ipso passus est? Non de illo dicit, sed de corpore diaboli. Sanctus Hieronimus dicit quod in passione toti negauerunt; et sanctus Agusti-
¹⁰ nus respondet quod non toti, quia sancta Maria et reliquae mulieres non negauerunt. Sed tamen de illis dicit qui negauerunt in passione.

3. DOMINUS DE CAELO PROSPEXIT SUPER FILIOS HOMINUM. Prospicere et uidere ignorantis et quaerentis est. Numquid deus aliquid ignoret? Non, sed caeli sancti sui sunt, ut alibi ait propheta: *Caeli enarrant gloriam dei;* et Paulus dicit: *Conuersatio nostra in caelis est,* quia spiritus sanctus
⁵ facit sanctos amare et diligere deum, et ipse spiritus sanctus deus est. Prospicit deus per suos sanctos, quia ille praedicat et loquitur per illos, ut dominus ait: *Non enim uos estis qui loquimini, sed spiritus patris uestri qui loquitur in uobis.* UT UIDEAT, SI EST INTELLEGENS AUT REQUIRENS DEUM. Hieronimus dicit: sic est istud quomodo ubi dicit:
¹⁰ *Temptat uos dominus deus uester, ut sciat, utrum eum timeatis* et rlq.; et aliter ad Abraham: *Nunc cognoui quod timeas deum.*

4. OMNES DECLINAUERUNT SIMUL id est in passione, INUTILES FACTI SUNT. Inutilis dicitur qui non operatur aliquid boni, unde dicit in euangelio: *Tollite itaque talentum ab eo et inutilem seruum proicite in tenebras exteriores* et rlq. Sibimet ipsis sunt inutiles qui mandata dei implere non
⁵ uolunt. NON EST QUI FACIAT BONUM, NON EST USQUE AD UNUM: repetitio est, ut superius dixit.

5. NONNE COGNOSCENT OMNES QUI OPERANTUR INIQUITATEM? Uox prophetae, ac si dicat: si modo non cognoscunt, cognoscent in futuro. QUI DEUORANT PLEBEM MEAM SICUT CIBUM PANIS: 'plebem meam' illos par-

Codices: LMNSV et Z = S+V
5 Melech] Amalech *MSV**: Abimelech *LV²*   7 et *om. Z*   11 negauerunt¹ + et corpus
Christi ab initio fuit id est ecclesia *Z*   3,1 respexit *S*   2 ignorat *L²Z*   3 alibi *om. Z*
4 Paulus dicit] alibi *Z*   Nostra autem conuersatio *Z*   6 Prospexit *NZ*   illos +
sanctos *Z*   8 qui *om. S*   Ut – 11 deum *om. LMN*   10 utrum + si *SV*, eras. V²*
11 ad *om. S*   4,2 dicit] -citur *Z*   3 itaque *om. Z*   4 ipsi *L*MV*   quia *S*
4/5 adimplere nolunt *Z*   5,2 cognoscunt] -cent *Z*   futurum *NZ*

3,3 Ps 18,2   4 Phil 3,20   7/8 Mt 10,20   10 Dt 13,3   11 Gn 22,12   4,3 Mt
25,28.30

turientes et dolentes dicit. Similitudinem dicit homo: non uolo olera,
5 non uolo poma manducare et reliqua, panis semper uadit. Sic et persecutores non lassescunt persequi sanctos dei.

6. DOMINUM NON INUOCAUERUNT. Numquid non inuocent? Et quomodo
dicit dominum non inuocauerunt? Inuocant non deum, sed quod
amant, hoc inuocant per ipsum. ILLIC TREPIDAUERUNT TIMORE UBI NON
ERAT TIMOR. Tres sensus hic habet, de illa pecunia commendata, unde
5 dicit: *et timens abiit et abscondit* pecuniam domini sui; et de Iudaeis
sicut dixerunt: *Uenient Romani et tollent nostrum locum et regnum;* et
gentes, quae daemonia et idola tenuerunt, et deum non timuerunt.
QUONIAM DEUS DISSIPAT OSSA HOMINUM id est uirtutes et fortitudinem
illorum, SIBI PLACENTIUM CONFUSI SUNT: qui hominibus placent et non
10 deo confusi erunt, QUONIAM DEUS SPREUIT EOS id est despicit illos.

7. QUIS DABIT EX SION SALUTARE ISRAHEL? *De Sion,* ut ait propheta, *exiet
lex et uerbum domini de Hierusalem.* 'Quis dabit'? Deus pater dedit filium suum, in Sion hoc est in sancta ecclesia, salutare Israhel: salutaris
noster Christus est. DUM AUERTIT DOMINUS CAPTIUITATEM PLEBIS
5 SUAE. De quali captiuitate dicit? Iam redempti sumus de peccato Adae,
sed adhuc in captiuitate detinemur, quia non est integra libertas, ut ait
apostolus: *Dum sumus in corpore, peregrinamur a domino;* et item dicit:
Infelix ego homo, quis me liberauit de corpore mortis huius? Sed in die iudicii, quando *inimica destruetur mors,* tunc erit uera redemptio et uera
10 libertas. LAETETUR IACOB ET EXULTET ISRAHEL, hic Iacob et illic Israhel.

Codices: LMNSV et Z = S+V
4 dicit¹ *om. NZ* Similitudo est *LZ* olera] oleum *LMN* 6 persequi *L²M²*: -quere
cett. **6,**1 Deum *N* inuocent? + Inuocant *Z* 4 unde – 5 sui *om. Z* 6/7 gentem
LZ: + De daemonia *Z* 7 quae] et(*om. L*Z*) gentes *LZ* tenuerunt] timuerunt *LZ*
8 dissipauit *N* hominum] eorum *V* uirtutem *M* 10 erunt] sunt *Z* **7,**1 exiit *Z*
3 sanctam ecclesiam *M* 4 auerterit *LV* plebi *M* 5 Adae + et de diabolo *NZ*
6 sed + tamen *Z* 6/7 ut ait apostolus] quia *Z* 7 item + sanctus Paulus *Z* 8 liberabit *L²* 9 distruitur *N* uera¹] uestra *LS* et – 10 libertas *om. Z* 10 illic *N*:
illuc(-ud *V*) *cett.*

6,5 Mt 25,25 6 Io 11,48 7,1/2 Is 2,3 7 II Cor 5,6 8 Rm 7,24 9 I Cor 15,26

53. In finem in carminibus intellectus Dauid,

2. cum uenerunt Ziphei et dixerunt ad Saul: Dauid absconditus est apud nos in spelunca. Ziph uicus est, unde Ziphei dicuntur. Ziphei interpretantur florentes id est peccatores, quia quasi florentes et uirides sunt hic in praesenti uita. Sicut herba hodie quasi uiridis uidetur esse
5 usque quod uenit aestas, sic peccatores qui uidentur florere in die iudicii arescent, ut ait propheta: *Omnis caro fenum.* Et sancti qui hic sunt quasi aridi et sicci tunc erunt uirides et florentes, unde dictum est: *Iustus ut palma florebit.* Isti deputantur ad poenas, quia quod siccum est igni reseruatur; sancti ad regnum. Dauid fuit absconditus in inferiores
10 partes terrae, et dominus in utero sanctae Mariae et in una gente Iudaeorum, et diuinitas in carne Christi.

3. Deus in nomine tuo saluum me fac: uox sanctorum; maxime ad illos pertinet, quos superius arentes et siccos nominauit, quia in futuro erunt florentes et uirides. 'In nomine tuo' hoc est in illo nomine humilitatis quod est saluatio; et in uirtute tua iudica me. Itaque dum di-
5 cit: in illo nomine humilitatis, inquirendum est, quid est illa humilitas et quid est uirtus. Humilitas fuit ⟨quando⟩ de caelo uenit in uterum, de utero in praesepe, et quod sustinuit multa id est alapas, sputa, flagella et reliqua. Uirtus fuit, quando resurrexit, ascendit in caelum quadragesimo die, et quinquagesimo die uenit spiritus sanctus super apostolos
10 et praedicauerunt de nomine Christi in toto mundo, unde dictum est: *Et dedit illi nomen super omne nomen, ut in nomine Iesu omne genu flectatur* et rlq.; et: *Qui mortuus est ad tempus ex infirmitate carnis, uiuit ex uirtute dei;* et item dicit: *Nihil me existimaui scire inter uos nisi Christum Iesum, et hunc crucifixum.* 'Iudica me': uox ecclesiae discretionem
15 rogat.

Codices: LMNSV et Z = S+V
Ps 53,2,1 uenerunt *M*: -niunt *LN*: -nissent *Z*   dixerunt *M*: -xissent *Z*: dicunt *LN*
ad(*om. L*) Saul] Sauli *Z*   2 Ziph] Zeb *LN*   3 uirides(-dis *N*) *NV*²: -di *cett.*
4 Sicut – 9 regnum: *ordinem propositionum mutaui*   5 quod] quo *M²V²*   qui + hic *Z*
7 uiridi *Z*   8 deportantur *L*   poenam *LZ*   est + et arescit *Z*   9 sancti] *praem.* et *Z*
11 carnem *SV**   **3,2** arescentes *Z*   futuro *M*: -rum *cett.*   4 saluator *S*   Itaque
om. Z   6 et *om. LMN*   7 praesepe + inde in temptationem *LZ*   quod] quae *L*²
11 nomen¹ + quod est *N*   12 carnis + nunc *Z*   13 dicit + apostolus *Z*

Ps 53,2,6 Is 40,6   7/8 Ps 91,13   3,11 Phil 2,9.10   12 II Cor 13,4   13/14 I Cor 2,2

4. Deus exaudi orationem meam: et hoc rogat, ut mereatur a deo exaudiri. Auribus percipe uerba oris mei: ipsa uox ecclesiae est. Aures domini dicuntur, quando exaudire dignatur.

5. Quoniam alieni insurrexerunt aduersus me, hoc est Iudaei contra Christum. 'Alieni' dicuntur non cognatione, sed uita et operibus; unde dominus dicit: *Filii alieni mentiti sunt mihi. Et si filii, quomodo alieni?* De una tribu erant, sed alieni erant, quia suam uitam qui illos uenerat
⁵ uiuificare uolebant tollere. Fortes quaesierunt animam meam. 'Fortes' id est quasi illorum fortitudo esset, sic putabant, quando dominum persequebantur; et dominus dicit: *Non haberes potestatem in me ullam, nisi tibi desuper datum fuisset.* Sic et heretici persecutores super sanctam ecclesiam non haberent potestatem, nisi eis permitteretur. Non
¹⁰ proposuerunt deum ante conspectum suum, hoc est si deum habuissent ante conspectum illorum, numquam tanta mala fecissent, tam Iudaei contra Christum uel de omni copore malorum potest intellegi.

6. Ecce enim deus adiuuat me et dominus susceptor est animae meae: deus pater suscepit filium suum et Christus suam ecclesiam in fide.

7. Conuerte mala inimicis meis. Propheta non optando, sed prophetando dicit, ac si dicat: sic facturus eris. Et in ueritate tua disperde illos. Ueritatem dicit, quia uerus est et reddit unicuique secundum opera sua. 'Disperde illos' malos in die iudicii et in tua iusta uindicta,
⁵ hoc est diabolum et membra sua.

8. Uoluntarie sacrificabo tibi: uox ecclesiae. Uoluntarie id est non necessitate aut coacte, sed uoluntarie, ut illud: *Prouidentes gregem non*

Codices: LMNSV et Z = S+V
4,2 ipsa *om. Z*   est *om. Z*   3 dignatur + Isti florentes nesciunt pro quid te rogo; tu solus scis quid te(tibi *L*SV**) rogo *LZ*   5,1 aduersum *L*   2 cognatione *L²NV²*: -nitione *cett.*   unde + et *Z*   3 dominus + per prophetam *Z*   4 uitam + ei *M²*   6 deum *V* 7 in] aduersum *L*   8 heretici + et *M²Z*   9 haberent - Non² *om. MN*   11 fecissent + In saeculum respexerunt et deum ante conspectum suum non proposuerunt *Z*   12 uel] quam *L²*   6,3 fidem *SV**   7,1 mala + in *S*   3 illos + quos tolerasti in humilitate *LZ* est + deus *LZ*   reddet *MZ*   4 Disperdes *LM*: -dit *N*   malos *om. Z*   iudicii + in tua uirtute *Z*   5 sua + id est ipsius diaboli *Z*   8,1 Uoluntarie² + dicit *Z*   2 ut] secundum *Z*

5,3 Ps 17,46   7/8 Io 19,11   7,3/4 Mt 16,27; Rm 2,6   8,2/3 I Pt 5,2

coacti, sed uoluntarie. CONFITEBOR NOMINI TUO QUONIAM BONUM EST: confitebor id est laudabo nomen tuum, hoc bonum est.

9. QUONIAM EX OMNI TRIBULATIONE ERIPUISTI ME. Eripuit deus pater filium suum et Christus suam ecclesiam, ET SUPER INIMICOS MEOS RESPEXIT OCULUS TUUS. Propheta dicit: debetis uoluntarie sacrificare hostias laudis, ut conspiciat oculus uester super inimicos uestros.

54. IN FINEM IN CARMINIBUS INTELLECTUS DAUID. 'In finem' in Christo: *finis enim legis Christus ad iustitiam omni credenti.* 'In finem' semper de Christo intellegitur, unde et sancti apostoli dixerunt: *Domine, ostende nobis patrem, et sufficit nobis.* Non potes legem implere, nisi ab ipso im-
5 pleatur. Omnis scriptura sancta de illo est. 'In carminibus' in laudibus. Sicut sunt carmina saeculi, sunt et carmina ecclesiae, unde laus dei cantatur et consolatio sanctorum est, quia dictum est: *Tunc iusti fulgebunt sicut sol in regno patris eorum* et *aequales angelis sunt.*

2. EXAUDI DEUS ORATIONEM MEAM: uox ecclesiae. Per illum titulum per hoc intellegitur in cuius persona cantatur ille psalmus; sed iste psalmus aliquando cantatur in persona infirmorum, aliquando in persona fortium. ET NE DISPEXERIS DEPRECATIONEM MEAM. Tunc uidetur dispi-
5 cere, quando non exauditur. Sed tamen semper audit humiles, et qui miseros se putant de suis peccatis, cum illis facit deus suam misericordiam.

3. INTENDE ME, id est in adiutorium, ET EXAUDI ME in hoc quod te rogo. CONTRISTATUS SUM IN EXERCITATIONE MEA: uox ecclesiae, id est taedet me uiuere. Uolebam me exercitare in mandatis tuis, sed non possum. Tu me exercita in tuis mandatis uel in tribulatione. CONTURBATUS SUM

4. A UOCE INIMICI: uox ecclesiae. Duos inimicos habet ecclesia, unum aperte et unum occulte, unum debet diligere et alium odire; diligere proximum, ut illud: *Diligite inimicos uestros;* et unum odire et contem-

---

Codices: LMNSV et Z = S+V
3 coacti] -te *Z*: -tum *LN*   uoluntarie(-rii *L*)] spontanii(-nie *V²*) *Z*   4 laudo *L*
9,4 hostiam *LZ*

Ps 54,1,1 Christo + ut illud *Z*   8 sunt] erunt *Z*: *om. LN*   2,2 ille] omnis *M*   5 audit]
exaudit *Z*   6 putant + esse *Z*   3,1 rogo + quia miser sum *Z*   2 ecclesiae + Contristatus sum *Z*   4 exercitare *N*   4,2 diligere² + debet *Z*

Ps 54,1,1/2 Rm 10,1   3/4 Io 14,8   7/8 Mt 13,43   4,3 Lc 6,27

nere id est diabolum, qui occulte uenit per suggestiones et delectatio-
⁵ nes; ET A TRIBULATIONE PECCATORIS: uides tribulationem peccatorum
aut ut emendentur aut ⟨ut⟩ per illos corrigat deus bonos. QUONIAM
DECLINAUERUNT IN ME INIQUITATES. Declinat ad iniquitatem qui mendacium profert super proximum. Aliter 'quoniam declinauerunt super
me iniquitates' id est Iudaei super dominum, sicut dixerunt: *In Beelze-*
¹⁰ *bub principe daemoniorum eicit daemonia;* et non solum super uiuum,
sed etiam super mortuum falsos testes miserunt. ET IN IRA MOLESTI
ERANT MIHI, molesti id est saeui in ira: ira festuca, trabis odium, ira conturbat, ut illud: *Turbatus est prae ira oculus meus;* trabis excaecat.

5. COR MEUM CONTURBATUM EST IN ME ET FORMIDO MORTIS CECIDIT SUPER
ME: uox infirmorum.

6. TIMOR ET TREMOR UENERUNT SUPER ME, timor animae et tremor corporis. CONTEXERUNT ME TENEBRAE. 'Tenebrae' dicuntur mali homines
qui persequuntur ecclesiam et qui tegunt ipsam in odio, quia *qui odit*
fratrem suum in tenebris est et rlq.

7. ET DIXI: QUIS DABIT MIHI PINNAS SICUT COLUMBAE? Uox ecclesiae optando, ac si dicat: dum ista supradicta sic fiunt, quia sic persequuntur
mali bonos, utinam esset qui daret mihi pinnas sicut columbae et fuge-
rem. Non dixit sicut coruo aut aliae aui, sed sicut columbae. Columba
⁵ simplex animal est absque felle et a malitia fellis alienum. Quia osculum caritatis animae significat, figurat sanctos qui ex caritate praedicant ecclesiam. Ecclesia duas pinnas habet, id est duo praecepta caritatis: dilectionem dei uidelicet et proximi. Unam pinnam ligatam habet,
quando diligit deum et proximum non diligit. Ligatas pinnas habet co-
¹⁰ lumba non in uisco, sed in caritate. Pontifices uel abbates intelleguntur
qui regunt animas et propter necessitatem fratrum ligatas pinnas habent, non possunt semper cogitare de caelestibus, sicut Paulus dicit:
Optabam dissolui et esse cum Christo, permanere autem in carne necessa-

Codices: LMNSV et Z = S+V
5,1 turbatum(-tus *M*) *LM*   6,3 regunt *S*   7,1(*et in sqq.*) pinnas *N*: pennas *cett.*
3 qui *M²N*: quis *cett.*   5 felle *L²M²*: fel *cett.* + amaritudinem(-nis *V²*) *Z*   Quia +
columba *Z*   7 ecclesiam] -siae *V²*   8 dilectio *Z*   uidelicet *om. Z*   11 et *om. Z*
11/12 habent + quia *Z*   12 sicut + sanctus *Z*

9/10 Lc 11,15   11 *cf* Mt 28,13sqq.   13 Ps 6,8   6,3/4 I Io 2,11   7,13 Phil 1,23.24

rium propter uos. ET UOLABO ET REQUIESCAM, uolabo per contemplatio-
15 nem, et requiescam id est in anima.
8. ECCE ELONGAUI FUGIENS ET MANSI IN SOLITUDINE. Columba fugit a
   conuersatione humana, et sancti fugiunt in deserto a consortio hominum. Aliter: fugiunt sancti non corporaliter sed spiritaliter id est in
   conscientia, quia cogitant, quomodo se contra diabolum uel hereticos
   5 defendere debeant. Aliter: fugiunt propter persecutionem, dum timent in odium exardescere contra persecutores.
9. EXPECTABAM DOMINUM QUI SALUUM ME FECIT A PUSILLANIMITATE SPI-
   RITUS ET TEMPESTATE, unde me saluum fecit a pusillo animo et tempestate. Pusillanimis dicitur qui non habet longum animum ad sustinen-
   dam tribulationem propter dominum; 'et tempestate': tempestas in
   5 mari est, et ideo necesse est, ut in naue sis et per lignum salueris id est
   per crucem dominicam. Uel dominus in naue dormiebat in tempestate. Dormit dominus in anima hominis, quando non recordatur de
   illa humanitate, quod propter illum passus est. Sicut illi homines in diluuio saluati sunt id est octo animae, sic in die iudicii, nisi qui in unitate
   10 ecclesiae fuerint, non possunt saluari.
10. PRAECIPITA DOMINE ET DIUIDE LINGUAS EORUM. Hoc secundum histo-
    riam factum fuit de illis qui turrem aedificare uoluerunt in campo Se-
    naar, ubi fuit postea Babylonia aedificata. Duae ciuitates sunt in
    mundo, Babylonia quae interpretatur confusio et Hierusalem. Aliter
    5 'praecipita domine' id est de superbia ad humilitatem; QUIA UIDI INI-
    QUITATEM ET CONTRADICTIONEM IN CIUITATE id est in Babylonia et in
    Hierusalem. Per Babyloniam intelleguntur mali qui non cessant perse-

---

Codices: LMNSV et Z = S+V
14 uolabo²] uolant sancti Z   15 requiescunt Z   8,1 longaui NS   solitudinem Z
2 conuers.] frequentatione Z   4 quia] qui MN   diab.] suggestiones diaboli Z
6 odio Z   persecutores] malos Z   9,3 Pusillanimus NS   3/4 sustinendum L*N:
-nere SV*   5 lignum] nauem LMN   6 Uel + quando Z   8 quod] quae L²: qua V²
illum] nos Z   9 sunt + in archa Z   id est] nisi Z   10,1 et om. S   2 de] in LN
3 ubi M: unde cett.   postea om. Z   4 mundo + dispersae Z   Hierusalem + uisio
pacis Z   5 domine om. Z   ad] in MZ   humilitatem(-te NS) + diuide linguas eorum, ut non sint in unitate malitiae Z   quia] quoniam Z   6 ciuitatem S   in³ om. Z
7 Hierusalem + 'Iniquitatem' quod dicit id est infidelitatem: iustus ex fide uiuit Z
Per – 9 inimicis huc posui, in codd. in Ps 55,2,5 inseruntur

10,2 cf Gn 11,4.7   7 (Rm 1,7)

qui sanctos, sic et Hierusalem id est anima ecclesiae non cessat orare pro inimicis.

11. DIE AC NOCTE omni tempore CIRCUMDABIT EAM SUPER MUROS EIUS, id est istas ciuitates 'super muros' id est sublimes uel superbi, INIQUITAS ET LABOR, iniquitas erat cum illis IN MEDIO EIUS in corde illorum,

12. ET INIUSTITIA EIUS, ET NON DEFECIT DE PLATEIS EIUS USURA ET DOLUS. Usura est plus accipere quam dare, unde propheta dicit: *Non feneraui neque fenerauit mihi quisquam* et rlq.; et: Si uis quod tibi dimittatur, et tu dimitte.

13. QUONIAM SI INIMICUS MEUS MALEDIXISSET MIHI, SUSTINUISSEM UTIQUE, ET SI IS QUI ODERAT ME SUPER ME MAGNA LOCUTUS FUISSET, ABSCONDISSEM ME FORSITAN AB EO. De illo loco ubi dicit: 'quoniam si inimicus meus maledixisset mihi' usque hic de Christo pertinet, quia si uoluis-
⁵ set, potuerat hoc facere; sed non uoluit.

14. TU UERO HOMO UNIANIMIS DUX MEUS ET NOTUS MEUS: uox Christi de Iuda. 'Unianimis' dicit, quia uidebatur ab aliis quasi bonus, 'dux' dicitur propter quod quando Christum tradidit, dux mortis fuit; 'notus' quando *misit eos binos ante faciem suam* in praedicationem.

15. QUI SIMUL MECUM DULCES CAPIEBAS CIBOS, ut illud: *Qui intingit mecum manum in parapside, hic me tradet.* Uel cibus dulcis id est corpus et sanguinem Christi quod ipse accepit indignus; sed tamen amarum intus habebat, non gustauerat quam dulcis erat dominus. IN DOMO DOMINI
⁵ AMBULAUIMUS CUM CONSENSU: Iudas ab aliis uidebatur quasi in uno consensu.

16. UENIAT MORS SUPER ILLOS. Usque hic uox dominica; postea propheta adnuntiat de peccatoribus. ET DESCENDANT IN INFERNUM UIUENTES. Hic quaestio oritur: dum dicit 'ueniat mors', quomodo dicit 'descendant in infernum uiuentes'? Factum fuit hoc de Core et Abiron: et insi-

---

Codices: LMNSV et Z = S+V
11,2 muros + eius Z   superbos Z   3 corda L*MN: -dibus L²   12,1 eius¹ *om. M*
et² *om. LZ*   3 et² *om. Z*   3/4 et tu M: *om. cett.*   13,1 meus *om. M*   5 potuisset M:
poterat Z   14,1(*et* 2) unanimis V   2/3 dicit MN   3 quod + ducatum praebuit Z +
Iudaeis V   quando *om. LMN*   tradidit + uel Z   15,2 hic me tradet *om. MN*
3 sed - 4 domninus *om. MN*   16,3/4 discendendum N   4 Factum fuit] Duas turmas
exinde facturi sumus super illos uulgos qui consentanee fuerunt Z   de] est Z   4/5 simul M

12,2/3 Ier 15,10   14,4 Lc 10,1   15,1/2 Mt 26,23   4 *cf* Ps 33,9; I Pt 2,3   16,4/5 *cf*
Nm 16,30sqq.

⁵ mul uenit ignis et mortui sunt et terra absorbuit eos uiuos. QUONIAM NEQUITIA IN HABITACULIS EORUM IN MEDIO IPSORUM id est in corde illorum.

17. EGO AUTEM AD DOMINUM CLAMAUI, ET DOMINUS EXAUDIUIT ME: uox ecclesiae, corpus Christi, tu qui in tempestate fuisti unde superius dixit, et dominus exaudiuit me.

18. UESPERE ET MANE ET MERIDIE. Uespere de praeterito praedicat, mane de futuro, meridie de sempiterno; iterum uespere in passione, mane in resurrectione, meridie sedet ad dexteram patris; NARRABO ET ADNUNTIABO, ET EXAUDIET UOCEM MEAM: uox ecclesiae. Narrabo quasi
⁵ minora, adnuntiabo quasi maiora, 'et exaudiet uocem meam' hoc quod rogat ecclesia.

19. LIBERAUIT IN PACE ANIMAM MEAM, 'in pace' in semet ipso, ut ait Paulus: *Ipse est pax nostra, qui fecit utraque unum et medium parietem,* AB HIS QUI ADPROPINQUANT MIHI: adpropinquant corpore, non uita nec merito, QUONIAM INTER MULTOS ERANT MECUM: 'in multis' dicit, non in
⁵ paucis; in multis id est in baptismo et in fide ficta, in paucis non sunt id est in fide firma et spe et caritate.

20. EXAUDIET DEUS id est sanctos suos, ET HUMILIAUIT EOS, illos superbos, QUI EST ANTE SAECULA ET MANET IN AETERNUM: ille qui initium sumpsit ex Maria ante saecula genitus. NON EST ENIM ILLIS COMMUTATIO: de malo in bonum non commutantur; NON TIMUERUNT DEUM: propterea
⁵ non declinauerunt de malo in bonum, quia non cognouerunt deum.

21. ET EXTENDIT MANUM SUAM IN RETRIBUENDO ILLIS: extendit manum, ut ait propheta: *Tota die expandi manus meas ad populum non credentem et contradicentem mihi,* ideo quia non credit opera mea et potentiam meam; 'in retribuendo illis' hoc est uindictam in die iudicii. Praesciuit
⁵ in Abraham et dixit: *In semine tuo benedicentur omnes gentes terrae,* id

---

Codices: LMNSV et Z = S+V
5 sunt] fuerunt Z   obsorbuit MN   6 corda MN   17,2 tu *om.* Z   18,1 et¹ *om.* N
2 item Z   3 patris + iterum uespere patientia crucis, mane uita propter nos resurrexit LZ
4 exaudies L   5 minora + et Z   19,1 Paulus dicit Z   4 erat Z   dicit + erat
mecum, sed Z   20,1 eos *om.* M   3 ex + matre Z   enim est Z   4 commutantur +
et Z   5 deum *om.* LMN   21,1 Et *om.* NZ   extendit¹] expandit L   retribuendum V
4 in uindicta Z

19,2 Eph 2,14   21,2 Is 65,2   5 Gn 22,18

est in Christo, quia dixit alio loco: *Et dabo tibi gentes* et rlq. Christus per Nouum Testamentum adquisiuit hereditatem suam. CONTAMINAUE-RUNT TESTAMENTUM EIUS,

22. ET DIUISI SUNT AB IRA UULTUS EIUS, id est heretici, qui hereditas dei de-buerant esse, uoluerunt contaminare testamentum dei. Diuisi erunt in die iudicii, quando accipient sententiam damnationis: *Ite maledicti in ignem aeternum.* ADPROPINQUAUIT COR EIUS: uoluntas illius, quia quod
5 intellegunt de scripturis, in malum ipsas uertunt, quia fidem trinitatis non recte credunt. Unde dictum est: *Oportet hereses esse, ut qui probati sunt manifesti fiant in uobis.* MOLLITI SUNT SERMONES SUOS SUPER OLEUM, ET IPSI SUNT IACULA: molliti sunt heretici in sermone quasi oleum et lenes et dulces, et ipsi sunt iacula, quia postea occidunt ani-
10 mam.

23. IACTA IN DEUM COGITATUM TUUM, ET IPSE TE ENUTRIET. Uox ecclesiae, ac si dicat: dum ista supradicta sic sunt, iacta tu in deum cogitatum tuum, ut sis fortis et idoneus sicut sanctus Petrus, quando dixit: *Do-mine, ad quem ibimus?* quando illi ambulauerunt, quia tu potes nos
5 enutrire ut intellegamus. NON DABIT IN AETERNUM FLUCTUATIONEM IU-STO. Qui fluctuat in mari est; per mare mundus iste intellegitur, in quo sancti fluctuant; tamen non longae erunt istae fluctuationes id est tri-bulationes in isto saeculo.

24. TU UERO DEUS DEDUCES EOS IN PUTEUM IN INTERITU: propheta ad popu-lum loquitur. 'In puteum in interitu' id est in inferno in iusta uindicta super illos. UIRI SANGUINUM ET DOLOSI NON DIMIDIABUNT DIES SUOS:

Codices: LMNSV et Z = S+V
6 dixit + in *V*   Et *om. Z*   et rlq.] hereditatem tuam *Z*   7 Contaminauerunt - 8 eius *post* 4 iudicii *trsp. Z*   **22,**1 qui] quia *L*M*: quoniam *V*   1/2 debuerat *N*   2 uolunt *Z* 3 accipiunt *L*N*: acceperint *Z*   4 Adpropinquauit] -quabit *N*: praem. Et *Z*   5 fidem *MV²*: de fide *cett.*   7 Molliti sunt] mollierunt *Z*   suos + alibi dicit: Molliti sunt sermo-nes eius *Z*   8 sunt² + sermones dei *Z*   9 lenes et dulces *M*: -nis et -cis *cett.* occidunt *scripsi*: -dit *codd.*   9/10 animam] sicut dicit Paulus: Qui per dulces sermones et benedictiones Christi seducant corda innocentium *Z*   **23,**1 deum *N*: deo *cett.* 1 - 5 *fortasse huc pertinent uerba, quae codd. intra* Ps 55,4 *inserunt*: Dum non possumus intel-legere, si aliquid in sermonibus uariis loquitur quod non intellegimus (*cf* AU 54,23/24 p.674)   4 illi] + LXX *LZ*: + LX *M*   7 istae - est] illas *Z*   **24,**1 duces *V*   puteo *L** in interitu] interitus *L*   2 infernum *Z*   in⁴ *om. Z*

6 Ps 2,8   **22,**3/4 Mt 25,11   6/7 I Cor 11,19   10 (Rm 16,18)   **23,**3/4 Io 6,69

uiri sanguinum id est sanguinarii qui humanum sanguinem fundunt et
5 heretici qui tollunt uitam animae, non longabuntur dies illorum, sed
breuiabuntur; 'dolosi' ipsi sunt heretici. EGO AUTEM SEMPER IN TE DO-
MINE SPERAUI. Uox ecclesiae: isti sic manent; ego in te spero.

55. IN FINEM PRO POPULO QUI A SANCTIS ELONGAUERUNT IPSI DAUID IN TI-
TULI INSCRIPTIONE, CUM TENUERUNT EUM ALLOFILI IN GETH. A sanctis
elongauerunt: populus Iudaicus uel heretici et peccatores elongauerunt se non corporaliter, sed spiritaliter, quia dictum est: *Inter multos*
5 *erant mecum,* hoc est in fide ficta, in sacramento ecclesiae, in una alle-
luia, in pace, in amen et rlq. Aliter: elongauerunt se Iudaei a sanctis in
spe et fide et caritate. Tituli inscriptione, iam diximus, tribus modis id
est post uictoriam, pro memoria, pro cognitione; titulus clauis id est
apertio. 'Cum tenuerunt eum Allofili in Geth': legimus in Regum
10 quod fuit ibi cum DC uiris, sed non legimus quod ibidem fuisset tunc
detentus nisi in alia uice. Non intellegitur hic historia nisi sensus. Allofili interpretantur alienigenae, Geth interpretatur torcular. Detentus
est Dauid in Geth, detinetur corpus Christi in torculari per sua membra. Tres res sunt in torculari: uua et oleum et amurca; de torculari
15 quod nihil est foris proicitur, et uinum et oleum in uasis recipitur. Sic
et sancti per torcular quod est tribulatio ecclesiae, quamuis uulneren-
tur gladiis, dentur leonibus, proiciantur in plateis, conculcentur pedibus, sed postea recipiuntur in mansiones caelestes.

2. MISERERE MIHI DOMINE. Uox Christi ad patrem et uox ecclesiae ad
Christum: miserere mihi domine, ac si dicat: fac in me misericordiam;
QUONIAM CONCULCAUIT ME HOMO. In passione Christus a Iudaeis con-

---

Codices: LMNSV et Z = S+V
5 elongabuntur *L*   6 semper *post* domine *trsp. M: om. S*   7 manent *N*: nam et(*om. Z*)
cett.

Ps 55,1,1 praelongauerunt *L*   ipse *SV²*   2 inscriptione *scripsi c. Gl.*: -onis *NZ*:
-nibus *LM*   tenerent *NZ*   5 ecclesiae + in unitate fidei *Z*   7 inscriptionis *LZ*
modis + sunt *Z*   8 pro uictoria *MV²*   cogitatione *N*   9 apertio + quomodo dicit
spiritus sanctus per prophetam *Z*   10 cum *MV²*: apud *cett.*   uiris *M²V²*: -ros *cett.*
14 oleum] oliua *Z*   15 foras *Z*   uas *Z*   16 ecclesiae + huius uitae *Z*   17 proiciuntur *Z*   plateis + uel in mare *Z*   18 recipientur *M*

Ps 55,1,4/5 Ps 54,19   7 diximus: *cf ad* Ps 15,1   9/10 *cf* I Rg 27,2   14 sqq. *cf ad* Ps 8,1

culcatus est et ecclesia conculcatur a persecutoribus. 'Homo' unus pro
5 multis dicitur: uel unus hoc est pro unitate ecclesiae. Tota die bellans tribulauit me: 'tota die' toto tempore, bellans id est pugnans.

3. Conculcauerunt me inimici mei tota die: repetitio est, uel tota uita.
Ista uerba de Christo et ecclesia pertinent.

4. Ab altitudine diei timebo. Duos sensus habet hic, unum quasi dicat
ecclesia interrogando: non timebo altitudinem superborum? alium adfirmando, ac si dicat: timebo altitudinem hoc est altitudinem diuinitatis, quia qui non timet praesumptiose agit. Ego uero in te sperabo:
5 uox ecclesiae ad Christum: in te habeo spem.

5. In deo laudabo uerbum id est praedicabo, in deo laudabo sermones
meos, sicut dominus dixit: *Mea doctrina non est mea, sed eius qui me misit patris.* Quanto magis nos, quia omnia ab illo accipimus, et illum a
quo accipimus ipsum semper laudare debemus. In deo sperabo, non
5 timebo quid faciat mihi homo: uox ecclesiae. Quare non timet? quia
dictum est: Si *occidunt corpus, animam autem non possunt occidere.*

6. Tota die uerba mea execrabantur aduersus me. Iudaei uerba Christi execrabant id est despexerunt, et heretici despiciunt uerba ecclesiae. Omnia consilia eorum in malum: Iudaeorum contra Christum
et persecutorum contra sanctos.

7. Inhabitabunt et abscondent. Sanctus Agustinus dicit: Incolae et
peregrini sunt hic et peccatores et sancti, sed peccatores abscondent
eorum peccata. In peccatoribus uidet deus illorum iniquitatem quod
habent intus, et sancti uident in die iudicii illorum damnationem. Ipsi
5 calcaneum meum obseruabunt: Iudaei finem Christi et peccatores
finem ecclesiae obseruant, quia *septies cadet iustus in die et resurget.*

Codices: LMNSV et Z = S+V
2,4 est *V²*: *om. cett.*   conculcatur *om. LMN*   Homo + diabolus *Z*   5 dicitur + quia
omne corpus malorum membra ipsius diaboli insimul conprehendit *Z*   est + huius
uitae *Z*   propter unitatem *MZ*   ecclesiae] malitiae + quia et multi pro uno et unus pro
multis *Z*   5/6 bellans + alibi dicit pugnans *Z*   6 bellant ... pugnant *Z*   **3,1** est + id
est toto tempore *Z*   2 pertinent + tota(+ die *V*) *Z*   **4,2/3** adfirmando + Non timebo
altitudinem *Z*   3 hoc – altitudinem² *om. LMN*   4 sperabo + domine *S*   **5,3** accepimus *LV*   **6,1** exsecrabantur *MS*   2 execrabant id est *om. LMN*   despiciunt *om. Z*
3-4 Iudaei ... peccatores *Z*   **7,1** dixit *Z*   2 hi *L*   abscondunt *LN*   3 uidit *L*Z*
eorum *Z*   quod] quam *V²*   6 obseruant *om. Z*

5,2 Io 7,16   **6** Mt 10,28   **7,1-3** *cf* AU 55,9,10sqq.(p. 684)   **6** Prv 24,16

Aliter 'calcaneum meum obseruabunt', sicut de illa muliere et serpente dicitur: *Ipsa conteret caput tuum et tu insidiaberis calcaneum eius.*
Per caput initium suggestionis malae et per calcaneum finis uitae. Uel
¹⁰ heretici in qualicumque sermone in fine obseruare quaerunt ecclesiam. Sɪᴄᴜᴛ ᴇxᴘᴇᴄᴛᴀᴜɪᴛ ᴀɴɪᴍᴀ ᴍᴇᴀ. Christus dicit ad suum corpus:
sicut ego sustinui passionem, ita et tu sustine propter me.

8. Pʀᴏ ɴɪʜɪʟᴏ sᴀʟᴜᴏs ꜰᴀᴄɪᴇs ɪʟʟᴏs, quia non fecit pro quid sustinuit, sed
expectauerunt Iudaei, ut illum interficerent. Aliter 'pro nihilo saluos
facies illos' hoc est nihil eorum meritis praecedentibus. Iɴ ɪʀᴀ ᴘᴏᴘᴜʟᴏs
ᴄᴏɴꜰʀɪɴɢᴇs aut in bonum aut in malum, sicut dixit: *Tamquam uas*
⁵ *figuli confringes eos.* Dᴇᴜs,

9. ᴜɪᴛᴀᴍ ᴍᴇᴀᴍ ɴᴜɴᴛɪᴀᴜɪ ᴛɪʙɪ: si domini est aliquid si nuntias, sed tamen
debes nuntiare per confessionem, sicut Paulus fecit, quando dicebat:
Qui fui blasphemans et persecutor; et item dicit: *Uiuo autem iam non ego,*
uiuit uero in me Christus. Pᴏsᴜɪsᴛɪ ʟᴀᴄʀɪᴍᴀs ᴍᴇᴀs ɪɴ ᴄᴏɴsᴘᴇᴄᴛᴜ ᴛᴜᴏ,
⁵ audisti et uidisti, sɪᴄᴜᴛ ɪɴ ᴘʀᴏᴍɪssɪᴏɴᴇ ᴛᴜᴀ. Deus promittit sanctis suis
bona, sed tamen dicit: dic tu prius iniquitates tuas, ut iustificeris.

10. Tᴜɴᴄ ᴄᴏɴᴜᴇʀᴛᴇɴᴛᴜʀ ɪɴɪᴍɪᴄɪ ᴍᴇɪ ʀᴇᴛʀᴏʀsᴜᴍ. Optando dicit ecclesia,
ut qui currunt ad infernum peccatores currant ad deum. Iɴ ǫᴜᴀᴄᴜᴍ-
ǫᴜᴇ ᴅɪᴇ ɪɴᴜᴏᴄᴀᴜᴇʀᴏ ᴛᴇ, aut in prosperis aut in aduersis, ᴇɢᴏ ᴄᴏɢɴᴏᴜɪ
ǫᴜᴏɴɪᴀᴍ ᴅᴇᴜs ᴍᴇᴜs ᴇs ᴛᴜ: uox ecclesiae. Aliqui cognoscunt per crea-
⁵ turas caeli et terrae, sicut sanctus Paulus dicit: *Per ea quae facta sunt in-*
tellecta conspiciuntur et rlq.; et alii per deum qui spirat in animas illorum uel sicut Thomae dixit: *Infer digitum tuum huc* et rlq., et ipse recordatus in mente dixit: *Deus meus et dominus meus.*

12. Iɴ ᴍᴇ sᴜɴᴛ ᴅᴇᴜs ᴜᴏᴛᴀ ǫᴜᴀᴇ ʀᴇᴅᴅᴀᴍ ʟᴀᴜᴅᴀᴛɪᴏɴᴇs ᴛɪʙɪ: uox ecclesiae,
id est gratiarum actio pro acceptis beneficiis.

Codices: LMNSV et Z = S+V
8 Ipsa – eius *om. MN*   10 finem *Z*   obseruare] reprehendere *Z*   11 expectauerunt
L: -tat *Z*   animam meam(suam *Z*) *LZ*   12 ita – sustine *om. Z*   **8,**1 saluos – illos
om. LMN   fecit + Christus *Z*   propter quod *Z*   **9,**1 uita mea *S*   adnuntiabit *N*
si¹ *om. LZ*   2 fecit – dicebat *om. MN*   3 Qui] quia *N*: + prius *Z*   blasphemus *Z*
persecutor + et contumeliosus etc. *Z*   dicebat *Z*   5 promisit *Z*   6 tamen + alibi *Z*
prior *Z*   **10,**1 conuertantur *L²Z*   2 currant] reuertantur *Z*   a deo *L*N*   4 Alii *Z*
6 inspirat *Z*   7 uel *om. Z*   8 Deus … dominus] *trsp. V*   **12,**2 beneficiis + sacrificium
laudis puras confessiones *Z*

7/8 Gn 3,15   **8,4/5** Ps 2,9   **9,3** I Tim 1,13   3/4 Gal 2,20   **10,5/6** Rm 1,20
7/8 Io 20,26.28

13. QUONIAM ERIPUISTI ANIMAM MEAM DE MORTE: pro hoc te laudabo. 'De morte' dicit id est de inferno, OCULOS MEOS A LACRIMIS, ut illud: *Absterget deus omnem lacrimam ab oculis eorum* in die iudicii, quia dictum est: *Beati qui lugent* nunc, *quoniam ipsi consolabuntur;* PEDES MEOS A LAPSU,
5 pedes meos hoc est sensus meos a lapsu, quia non erit tunc suggestio mala nec tribulatio. UT PLACEAM CORAM DOMINO IN LUMINE UIUEN-TIUM. Christus est lumen uiuentium, ut illud: *Ego sum lux mundi;* et item: *Erat lumen uerum quod inluminat omnem hominem* et rlq., sicut legimus in Apocalipsi de illa sancta ciuitate, quia lucerna non erat ibi,
10 quia dominus *deus omnipotens inluminauit eam et lucerna eius est agnus.*

56. IN FINEM NE DISPERDAS IPSI DAUID IN TITULI INSCRIPTIONE, CUM FUGE-RET A FACIE SAUL regis Iudaeorum IN SPELUNCA. 'Ipsi Dauid in tituli inscriptione ne disperdas' hoc est ne corrumpas titulum inscriptione: quando scripsit Pilatus super dominum in cruce linguis tribus: *Rex Iu-*
5 *daeorum,* et illi: *Noli scribere rex Iudaeorum* et rlq. Et dixit Pilatus: *Quod scripsi scripsi.* 'Ne corrumpas' quia uolebant scribere falsitatem, et Pilatus dixit: Quod scripsi scripsi, ac si dixisset: ego non corrumpam ueritatem. Non legimus quod in spelunca ille titulus super caput Dauid fuisset scriptus, sed super crucem dominicam; hic non sequitur histo-
10 riam. Dauid in spelunca fuit absconditus id est inferior pars terrae;

Codices: LMNSV et Z = S+V
13,1 pro *L*: propter *cett.*   2 inferno] morte perpetua *Z*   3 quia] unde *Z*   4 nunc *om. Z*
5 erat *NZ*   6 deo *Z*   7 ut] secundum *Z*   8 iterum *M*   et rlq.] uenientem in hunc mundum; et *Z*   9 quia *om. LN*   erit *M*   10 quia] et templum non uidi in ea *Z* dominus + enim *Z*   omnipotens + templum illius est et agnus, et ciuitas non egit sole neque luna, ut luceant illi. Gloria enim dei *Z*   inluminabit *Z*

Ps 56,1,1 ipsi] -se *Z*: *om. M*   in tituli] titulo *M*: *om. N*   inscriptionis *LMN*   2 rege *Z* titulo *M*N   3 inscriptionis *L*[2]   4 dominum] caput domini (-nicum *Z*) *NZ*   5 et rlq.] sed quia ipse dixit: rex sum Iudaeorum, obicientes causa Iudaeorum *Z*   6/7 et – dixit *om. LMN*   7 Quod – dixisset] uos suggeritis falsitatem *Z*   10 absconditus + Spelunca *Z*   inferiores partes *M*

13,2/3 Apc 7,17   4 Mt 5,5   7 Io 8,12   8 Io 1,9   10 (Apc 21,22.23)   10/11 Apc 21,23

Ps 56,1,4 - 6 Io 19,19.21.22

praefigurabat corpus humanum, ubi illa maiestas fuit absconsa in corpore Christi, ut illud: *Traditus sum et non egrediebar;* et Paulus dicit: *Si enim intellexissent, numquam dominum gloriae crucifixissent.*

2. MISERERE MEI DEUS, MISERERE MEI: una pro re, alia pro adfirmatione, et de passione sonat et de ecclesia. Miserere mei quia miser sum, istud ad nos: ad illos deus miseretur qui se putant miseros esse. QUONIAM IN TE CONFIDIT ANIMA MEA. Quasi unus homo diceret, sed unus pro multis,
5 quia dictum est: *A finibus terrae ad te clamaui, domine;* et alibi: *Erat illis anima una et cor unum;* ET IN UMBRA ALARUM TUARUM SPERO. A calore umbra quaeritur, sed per calorem persecutio uel tribulatio intellegitur, et per umbram protectio diuinitatis, ubi semper confugere debemus. 'Alarum' dicit: forsitan deus alas habet? Non, quia non corporaliter
10 deum determinamus; sed duae alae duo Testamenta uel duo praecepta caritatis. DONEC TRANSEAT INIQUITAS id est diabolus cum suis membris uel suis satellitibus.

3. CLAMABO AD DEUM ALTISSIMUM. Clamauit Christus ad deum patrem et orauit pro falsis fratribus, et ecclesia pro inimicis orat; ET AD DOMINUM QUI BENEFECIT MIHI: uox ecclesiae. Qui benefecit mihi id est fecit me ex nihilo ad suam imaginem et dedit mihi omnia bona praesentis uitae
5 et postea in futuro uitam aeternam promisit.

4. MISIT DE CAELO ET LIBERAUIT ME. Deus pater misit filium suum, ut liberaret genus humanum de potestate diaboli uel de inferno. 'Misit de caelo': non sicut homo de uno loco uenit in alium, sed missio apparitio dicitur. DEDIT IN OBPROBRIUM CONCULCANTES ME: et ad caput et ad
5 membra pertinet. 'Dedit in obprobrium': obprobrium Christi Iudaei et

Codices: LMNSV et Z = S+V
13 intellexissent] cognouissent Z   2,1 mei² + ubicumque inuenis duas similitudines Z
una + est Z   2 de ecclesia] uox ecclesiae Z   3 nos + pertinet Z   esse + de suis peccatis. Miserere mei deus: superius recapitulat, ubi dixit illas similitudines, unam pro re, aliam pro adfirmatione id est propter falsos fratres. Propter flagella rogat ecclesia ad deum Z
4 dicat Z   5 quia – est] ut illud Z   alibi] item Z   6 sperabo NZ   A – 7 quaeritur]
Umbra proteget a calore solis Z   8 fugire Z   9 Dum dicit alarum Z   deus + auis
est(+ aut V) Z   10 determinare debemus Z   Testamenta + sunt M   11 caritatis +
unde dicit: Sub pennis eius sperabo Z   iniquitas + usque in finem transit iniquitas Z
3,2 dominum N: deum cett.   4 imaginem + et similitudinem Z   5 futurum M*NZ
4,5 obprobrium Christi om. LMN   Iudaeis L*N: -os L²M

12 Ps 87,9   12/13 I Cor 2,8   2,5 Ps 129,1   5/6 Act 4,32   11 (Ps 90,4)

obprobrium ecclesiae peccatores. Aliter: dedit apostolis *potestatem calcare super serpentes* et rlq. MISIT DEUS MISERICORDIAM SUAM ET UERITATEM SUAM: misericordia et ueritas Christus est. In unum continetur, nec una sine altera: si sola misericordia fuisset, licentia fuisset peccare, ¹⁰ et si sola ueritas, non potuisset homo sustinere.

5. ANIMAM MEAM ERIPUIT DE MEDIO CATULORUM LEONUM. Leones principes eorum, catuli plebs subiecta, qui clamabant: *Crucifige eum.* Aliter leo diabolus iuxta epistolam Petri: *Aduersarius uester diabolus circuit quasi leo quaerens quem deuoret.* Catuli satellites uel membra sua. DOR-
⁵ MIUI CONTURBATUS: dormiuit Christus, quia dictum est: *Ego dormiui;* aliter 'dormiuit' secundum illud: *Potestatem habeo ponendi animam meam.* Aliter 'conturbatus': turbauit semet ipsum, non tamen pro se, sed ut nos turbaremur, quia peccatores sumus turbaremur de nostris peccatis. FILII HOMINUM id est filii peccatorum, filii carnalium. DENTES
¹⁰ EORUM ARMA ET SAGITTAE ET LINGUA EORUM GLADIUS ACUTUS. Arma et sagittae et gladius acutus uerba illorum sunt mala, qui uulnerant sanctos.

6. EXALTARE SUPER CAELOS DEUS: uox prophetae. Propheta prophetando, non consilium dando dicit: tu qui interfectus es a Iudaeis, exaltare super istos tres caelos uel 'super caelos' id est sanctos angelos uel 'super caelos' sanctos apostolos, ET SUPER OMNEM TERRAM GLORIAM TUAM, id
⁵ est in toto mundo, uel super omnem terram id est sancta ecclesia.

7. LAQUEOS PARAUERUNT PEDIBUS MEIS: pedibus meis id est sensibus meis laqueos parauerunt: uoluerunt eum Iudaei in sermone capere de tributo uel de illa muliere in adulterio deprehensa. ET INCURUAUE-RUNT ANIMAM MEAM: sic uoluerunt Iudaei Christum incuruare, ut no-

Codices: LMNSV et Z = S+V
6 ecclesiae *om. LMN*   peccatores + uel heretici Z   7 calcandi Z   rlq.] scorpiones et super omnem uirtutem inimici Z   9 fuisset²] esset Z   peccandi Z   10 et *om. MZ*
5,2 quae clamabat M²   4 quaerens] fremens quaeret Z   4/5 Dormiuit N   5 Christus + in cruce Z   6 secundum] ut Z   8 turbaremur¹ quia] qui Z   turbaremur²] turbemus Z   11 sunt mala] *trsp.* Z   quia M²   6,2 dicit] ac si dicat propheta: interfecerunt te, et Z   tu + Christe Z   es] fuisti Z   3 caelos² - sanctos *om.* Z   3/4 super caelos *om.* Z   4 id - 5 ecclesia] In omni terra exiuit sonus id est sanctae ecclesiae in toto mundo dilatata Z   7,3 reprehendere Z   4 incuruare + id est extinguere Z

4,6/7 Lc 10,19   5,2 Mc 15,13   3 - 4 I Pt 5,8   5 Ps 3,6   6 Io 10,18   6,4/5 (Ps 18,5)   7,2 - 3 *cf* Mt 22,15.17sqq. *et* Io 8,3sqq.

⁵ men eius non nominaretur. FODERUNT ANTE FACIEM MEAM FOUEAM:
foueam ante faciem meam foderunt, quia ego uidebam hoc, ET IPSI IN-
CIDERUNT IN EAM secundum quod dictum est: Fouea quam fratri tuo
parabis, in ea cadebis.

8. PARATUM COR MEUM, DEUS, PARATUM COR MEUM, una pro re, alia pro
adfirmatione. Ecclesia dicit fiducialiter paratum se habere cor ad martyrium sustinere pro nomine Christi. CANTABO ET PSALMUM DICAM DO-
MINO: 'cantabo' praedicabo, 'psalmum dicam' opere conpleam.

9. EXSURGE GLORIA MEA: uox patris ad filium, quia gloria patris filius est;
EXSURGE PSALTERIUM ET CITHARA. Quid significant ista duo organa,
una de supernis et alia de terrenis? Quid intellegitur psalterium? Ad
Christum intellegitur, ut ipse ait: *Ite, dicite Iohanni quae audistis et ui-*
⁵ *distis: caeci uident, claudi ambulant, leprosi mundantur, surdi audiunt,*
mortui resurgunt, pauperes euangelizantur. Et beatus est qui non fuerit
scandalizatus in me, hoc est diuinitas operta per carnem. Cithara de terrenis, id est lassescere, dormire, fatigare et reliqua. Aliter 'psalterium':
ad nos quid pertinet nisi spes, fides, caritas, longanimitas, bonitas, be-
¹⁰ nignitas etc.? Item per citharam sex opera misericordiae intelleguntur,
quae debemus implere: *esuriui, sitiui, hospes fui, nudus, infirmus uel in*
carcerem. Item psalterium id est in tribulatione gratias agere deo, de supernis uenit per quem sustines; cithara persecutio et tribulatio et reliqua quae in corpore sustinet homo. EXSURGAM DILUCULO, respondit
¹⁵ Christus ad patrem, unde superius dixit: *Exsurge gloria mea.*

10. CONFITEBOR TIBI IN POPULIS, DOMINE, hoc est postquam resurrexero,
PSALMUM DICAM TIBI INTER GENTES id est praedicabo, operabor.

11. QUONIAM MAGNIFICATA EST USQUE AD CAELOS MISERICORDIA TUA. Uox
prophetae ad patrem: magnificata est usque ad caelos, id est super angelos et super omnes creaturas spiritales nomen domini est. 'Miseri-

Codices: LMNSV et Z = S+V
6 foderunt *om. Z*   7 ea *N*   quod + alibi *Z*   Foueam *Z*   8 paras *M*: praeparabis *Z*
cades *L²M²V²*   8,3 propter nomen *Z*   9,3/4 Ad Christum psalterium *trsp. LMN*
4 ipse ait] illud *Z*   5 claudi – 7 me] et rlq. *Z*   7 operta *M* + et *LM*N*] operata *Z*
10 opera *L²M²V²*: opus *cett.*   11 fui] eram *Z*   13 persecutiones et tribulationes *Z*
14 sustines *Z*   homo *om. Z*   deluculo *N*   10,2 inter] in *L*   gentibus *LN*
praedicare, opere implere *Z*   11,1 uox *om. Z*   2 Propheta *Z*   patrem + loquitur,
quoniam *Z*   caelos + misericordia tua *Z*   3 est + magnificatum *Z*

9,4-7 Mt 11,4-6   11 Mt 25,42.43

cordia' ut dixit: *Deus meus, misericordia mea.* ET USQUE AD NUBES UERI-
⁵ TAS TUA. Caeli sunt sancti, quando de supernis contemplantur, nubes
quando inrigant corda humana de praedicatione.

57. IN FINEM NE DISPERDAS DAUID IN TITULI INSCRIPTIONE. Uos suggeritis
falsitatem, sed ego non corrumpam ueritatem: *quod scripsi scripsi.*
2. SI UERE UTIQUE IUSTITIAM LOQUIMINI, IUSTA IUDICATE FILII HOMINUM.
Iudaei iusta loquebantur ad Christum, quando dicebant: *Magister, scimus quia uerax es et in ueritate uiam dei doces* et rlq. Non iudicabant iusta, quando petierunt Barabban concedere sibi filium mortis et interfe-
⁵ cerunt Christum filium uitae. Aliter 'iusta iudicate' id est uos qui iudicatis iustitiam bonam esse, recta iudicate, hoc est quod tibi non uis, alteri non facias.
3. ETENIM IN CORDE INIQUITATEM OPERAMINI IN TERRA, id est iniquitatem
operati sunt in corporibus eorum, quando cogitat homo malum in
corde et uult perficere et potestatem non habet, tamen apud deum pro
factore putatur. INIQUITATEM MANUS UESTRAE CONCINNANT. Concin-
⁵ nare connectere, contrahere, hoc est peccatum super peccatum addere, unde dicitur: *Uae uobis qui trahitis peccatum uestrum quasi funem
longum;* et alibi: *Unusquisque funiculis peccatorum suorum constringitur,* quia qui facit furtum, occidit, falsum testimonium dicit ore, prius
in corde disponit.
4. ALIENATI SUNT PECCATORES A UULUA. In uulua concipitur et de uulua
nascitur homo. Iudaei quando acceperunt legem quasi renati fuissent,
sed postea alienati, quia ipsam legem non custodierunt. Et heretici re-

---

Codices: LM(N)SV et Z = S+V
5 supernis] caelestibus *Z*   nubes + sunt *Z*   6 deprecatione + et reliqua, ut superius
dicta sunt *Z*

Ps 57,1,1 disperdas] perdis *L*   2 sed *om. Z*   scripsi² + ut supra *Z*   **2,**1 iuste *M²*
a filii *deest N* (*usque ad* Ps 72,1)   2 iusta] iustitiam *Z*   3/4 uiudicauerunt iustitiam *Z*
4 donare sibi Baraban *Z*   5/6 iudicatis] laudatis *Z*   6 recte *Z*   7 non] ne *Z*
3,1 iniquitatem¹] -tates *Z*   2 eorum + quia unusquisque *Z*   homo *om. Z*   3 posse
LZ   3/4 pro facto reputatur *M*   4 Iniquitatis *L²*   7 longam + unde *Z*   9 dispo-
net *Z*   **4,**1 concipitur + homo *LZ*   2 fuissent] sunt *L*   3 sed] de *Z*   alienati +
fuerunt *Z*   heretici + similiter *Z*

11,4 Ps 58,18

Ps 57,1,2 Io 19,22   2,2/3 Mt 22,16   6/7 *cf* Tb 4,16   3,6 Is 5,18   7 Prv 5,22

nati quando baptizantur, sed postea alienantur ab unitate ecclesiae.
⁵ Uel unusquisque alienatur, quia cum peccato nascitur, unde dictum
est: *Nisi quis renatus fuerit ex aqua et spiritu sancto, non potest introire in
regnum dei.* 'Alienati sunt peccatores a uulua': quando concepit Eua de
ore serpentis, depostea alienatum est genus humanum a beata uita id
est a paradiso et de consortio angelorum. Locuti sunt falsa: Iudaei
¹⁰ contra Christum, et heretici de fide trinitatis falsitatem loquuntur.

5. Furor illis (alii dicunt: Ira illis) secundum similitudinem serpentis. Non semper huius similitudinem in bonam partem accipimus, illam similitudinem quam dominus dixit de illo homine *qui deum non timebat et hominem non reuerebatur,* ille non tenebat bonam similitudi-
⁵ nem, sed illa mulier quae perseuerauit interrogando meruit laudem.
Serpens quando senescit inter duas petras intrat et tunicam suam dimittit; et quando occiditur, semper caput suum abscondit et corpus
tradit ad flagellandum. Sic et nos, si fidem Christi defendimus. Sicut
aspides surdae obturantes aures suas,

6. quae non exaudient uocem incantantium. Aspidis genus est serpentis. Ille homo qui illas incantat Marso dicitur et trahit illam serpentem de tenebris ad lumen. Marso praedicator intellegitur, sicut sanctus
Stephanus bonus Marso fuit: Christum praedicauit ad Iudaeos de lege
⁵ Ueteris Testamenti, et illi continuerunt aures suas et impetum fecerunt in eum unanimiter et lapidauerunt eum. Ille serpens unam aurem
mittit contra terram et alteram cooperit de sua cauda. Hic mali homines intelleguntur: quando sancti praedicant ad illos qui in terrenis sunt
dediti et non uolunt audire, quasi caudam super aurem mittunt et non

---

Codices: LMSV et Z = S+V
4 baptizarentur *M*   5 quia(qui *M*) cum] quicumque *Z*   5/6 dicitur *Z*   6 intrare *Z*
7 dei + Aliter *Z*   peccatores + ab utero errauerunt *Z*   9 paradiso] felicitate paradisi *Z*
et de] a *Z*   10 contra Christum *om. Z*   falsa *Z*   5,2 accepimus *L*Z*   4 illi *Z*
tenebant *Z*: timebat *M*   5 in rogando *Z*   meruit laudem *M*: *om. cett.*   6 intra *Z*
7 et¹] uel *Z*   8 tradet *Z*   et *om. Z*   nos + similiter *Z*   si] sub *Z*   9 aspidis *L*
surdi *LM*   obdurantis *L**   6,1 exaudiet *M²S**: -diunt *L** (-dit *L²*)   1/2 serpentis]
-tium *Z*   2/3 illam serpentem] illas *Z*   3 lucem *Z*   4 ad Iudaeos] Iudaeis *M²*
5 et¹] sed *Z*   6 unianimiter *Z*   Ille *L²M²*: illa *cett.*   9 dediti] obligati *Z*

4,6 Io 3,5   5,1 ira = Ps(Ro)   3/4 Lc 18,2   5 *cf* Lc 18,5   6,2 sqq. *cf* AU 57,7,
34-40(p. 715)

10 sequuntur sanctum Paulum, qui dixit: *Obliuiscens ea quae retro sunt ad
ea quae in antea sunt extendens me ad supernum brauium uocationis dei.*
Quia *quae uidentur temporalia sunt, quae non uidentur aeterna.* ET UE-
NEFICI QUI INCANTANTES SAPIENTER. Uenefici dicuntur qui uenenum
abstrahunt de serpente et postea faciunt de illo serpente quod uolunt.
15 Serpens ipse diabolus qui prius locutus fuit per serpentem ad mulierem, ipse loquitur per illum incantatorem et ipse est in illo uerme, ut
melius credant homines et seducantur. Sic et sancti praedicatores abstrahunt uenenum malitiae de hominibus et postea faciunt de illis in
bonum quod uolunt.

7. DEUS CONTERET DENTES EORUM IN ORE IPSORUM, id est loquelam Iudaeorum contriuit deus, quia de illorum interrogatione eos uicit, ubi dixerunt, si *licet censum dare Caesari an non* et rlq., et de baptismo Iohannis
similiter, unde esset et rlq. ⟨MOLAS LEONUM⟩: dentes incidunt et mola-
5 res molunt. Dentes plebs Iudaeorum subiecta, molares seniores id est
principes eorum, CONFRINGET DOMINUS ambos.

8. AD NIHILUM DEUENIENT TAMQUAM AQUA DECURRENS, sicut aqua ab initio saeculi gyro uadit. Aliter 'aqua decurrens' quod est torrens id est
aqua quae de montibus currit in ualles; uel sicut aquae hiemales cum
ueniunt statim siccant, sic isti cito transeunt, unde dictum est: *De tor-*
5 *rente in uia bibit* dominus, quia de nostro accepit. INTENDIT ARCUM
SUUM DONEC INFIRMENTUR. Per arcum minae id est comminationes dei
intelleguntur, unde dixit: *Nisi conuersi fueritis* de superbia ad humilitatem, *gladium suum uibrabit,* sicut Paulus audiuit: *Saule, Saule, quid me
persequeris?*

Codices: LMSV et Z = S+V
10 dixit + Ego quidem Z   ad] et in Z   13 incantantur Z   15 Serpens] hoc est Z
17 homines + in hoc Z   18 malitiae *om.* Z   in *om.* Z   9 quod uolunt bonum Z
7,1 loquacitatem Z   1/2 Iud.] eorum Z   2 conteret Z   eos uicit] reuicit Z
3 dari LZ   an – rlq. *om.* Z   4 Molas leonum *suppleui:* Aliter *codd.*   5 Iudaeorum
om. Z   subiecta + qui clamabant: crucifige Z   6 dominus] deus L   8,2 Aliter] et
cetera, ita ipsorum est doctrina Z   quod] quae Z   3 currit] descendit Z   ualles L*:
-libus *cett.*   uel *om.* Z   aquae – 4 siccant] aqua hiemalis currit et in aestate siccatur Z
5 bibet Z   dominus + de torrente in uia bibet Z   qui M   nostra Z   7 unde dixit]
ut illud Z   ad] in Z   8 uibrabit M²: -uit *cett.*

10 – 11 Phil 3,13.14   12 II Cor 4,18   7,3 Mt 22,17   3/4 Mt 21,25   8,4/5 Ps 109,7
7/8 Ps 7,13   8/9 Act 9,4

9. Sicut cera liquefacta auferentur. Sicut cera ab igne liquescit, sic peccatores per uerbum praedicationis. Sed tamen non omnes conuertuntur, non omnes homines infirmantur. Super eos cecidit ignis, et non uiderunt solem: super eos cecidit ignis id est cupiditas. Duae
5 poenae sunt peccatorum, hic in praesenti una, quando uult aliquid adipisci et non potest; altera postquam habet, cogitat ut fortior ab illo abstrahat aut mortuus perdat.

10. Priusquam producant spinae uestrae ramnos: uox prophetae admonendo. Ramnus herba est mollis et pulchra et habet minutas spinas, sed postquam senescit, cadunt suae spinae, et postea de se ipsa incenditur. Sed quid per hoc intellegitur nisi diaboli suggestio? In primis
5 quasi pulchra et mollis uidetur esse, sed tamen continuo debemus occidere illam suggestionem, antequam crescant spinae. Unde in euangelio legimus: *Et creuerunt spinae et suffocauerunt* uerbum, hoc sunt diuitiae, quomodo hic quaestio est, sed sanctus Gregorius soluit, quia »spinae pungunt, diuitiae delectant«, sed tamen quodammodo
10 cogitationum suarum mentem pungunt. Ramnus de se ipsa incenditur, et unusquisque peccator materiam peccatorum in se habet, unde incendatur. Sicut uiuentes, sic in ira absorbet eos, 'uiuentes' id est sapientes mundi, qui per illorum sapientiam putant se quasi uiuentes, sed *sapientia huius mundi stultitia est apud deum.* Ira dei absorbet eos
15 uiuentes in uindicta, et quod peius est, et sapientes qui spiritales uidentur esse, et ipsos sic facit, qui non adimplent quod intellegunt; et stulti quando sustinent pro peccatis suis dicunt quod deus iratus sit; et ira non cadit in deo, sed ira dei iusta uindicta est.

Codices: LMSV et Z = S+V
9,1 liquefacta - cera² *om. Z*   auferuntur *M*   liquescet *Z*   2 omnes + homines *Z*
2/3 conuertuntur *L*²: -tentur *cett.*   4 cupiditas + malorum *Z*   5 aliquid *om. MN*
6 ut] aut *Z*   **10**,1 ramnum *M*   2 et² - 3 postquam] quando crescit condensa spinis et *Z*
3 cadent *Z*   et *om. Z*   ipso *Z*   4 Sed *om. Z*   primitus *Z*   8 diuitiae + et sollicitudines saeculi *Z*   quomodo - 10 pungunt] Gregorius hoc exposuit *Z*   10 ipso *Z*
12 sic] sicut *Z*   absorbuit *Z*   13 uiuentes + sint *Z*   15 uiuentes *om. LZ*   est +
etiam *Z*   16 ipsis *M*²   qui] quia *Z*   et² - 17 et] sed quasi mortui peccauerunt, stulti
facti sunt. 'Ira absorbet eos': ira uidetur esse quod sustinent, sed non est ira, quia *Z*
18 cadet *Z*   dei + quod dicit *Z*

10,7 Mt 13,7.22   9 GR-M Ev 15,1(ed. 1131 D 1-3)   14 I Cor 3,19

11. Laetabitur iustus cum uiderit uindictam impiorum. Hic quaestio oritur, quomodo dicit 'laetabitur iustus', quia pro inimicis debemus orare? Inde laetabitur, dum de una massa sunt id est de terra. Laetabitur quia non contemnitur quomodo ille peccator, nam alio modo
5 non laetabuntur sancti de interitu impiorum in die iudicii, sed de sua gloria quam accipient laetabuntur, cum impii torquentur in poena. Manus suas lauabit in sanguine peccatorum. Et hic quaestio est: si iustus est, quid necesse est manus lauare? Necesse est propter hoc quod scriptum alibi est: *Septies cadet iustus in die et septies resurget.*
10 Manus id est opera sua lauat: quando uidet quod deus occidit illos peccatores, ille emendat se. Inimici ad hoc tribulantur, ut emendent suas conscientias; si non, dicit sanctus Agustinus, mihi parcit, illum occidit.

12. Et dicit homo: si utique est fructus iusto? ac si dicat: est, ut illud: *Iustus autem ex fide uiuit.* Dicunt peccatores: non curat deus de suis creaturis, sed tempus illas adducit, nec diligit plus sanctos quam peccatores. Respondit propheta dicens: si est fructus iusto? Utique est, ac si
5 dicat: est, et curat deus de suis creaturis, et sanctis multa praemia dat. Deus iudicans eos in terra: iudicans eos id est discretionem facit inter illos in die iudicii.

Codices: LMSV et Z = S+V
11,1 impiorum + Laetabitur quia non contemnitur quomodo ille peccator. Dum dicit: laetabitur iustus cum uiderit uindictam impiorum Z   Hic *om. LM*   2 debet Z
3/4 Laetabitur - 4 peccator *om. LM*   4 alio modo *om. LM*   5 laetantur Z
6 accipiunt L*Z   torqueantur Z   7 lauauit M*S*   8 lauare + Per manus opera intellegitur Z   9 resurget + Non inde iustus quia cadet, sed quia resurget Z   10 Manus + suas lauat Z   sua *om. Z*   lauat + per confessionem et conpunctionem lacrimarum Z occidet Z   12 si] sed L   dicit s. Agustinus *post* 11 se *trsp. Z*   mihi] me L*Z
12,1 dicet M²   si¹ + uere LZ   2 autem *om. Z*   5 et²] ut aliqua praemia accipiant a deo, quia Z

11,9 Prv 24,16   10 - 11 *cf* AU 57,21,31-35(p. 728)   12,2 Rm 1,17(Hab 2,4)

58. In finem ne disperdas Dauid inscriptione tituli, quando misit Saul custodire domum eius, ut interficeret eum. Hic iste titulus non intellegitur de passione, sed de sepulchro. Per Saul regnum Iudaeorum intellegitur. Misit Saul custodire domum Dauid, miserunt Iu-
⁵ daei et custodierunt sepulchrum dominicum, quando dixerunt ad Pilatum: *Domine, recordati sumus, quia seductor ille dixit adhuc uiuens: post tres dies resurgam. Iube ergo custodire sepulchrum usque in diem tertium* et rlq. 'Ut interficeret eum': uoluerunt Iudaei sic extinguere nomen Christi, ut nec nominaretur nomen eius nec resurrectio ipsius praedi-
¹⁰ cata in mundo fuisset.

2. Eripe me de inimicis meis, deus meus: uox Christi ad patrem et uox ecclesiae ad Christum. Eripe me: hoc rogat, ut liberaretur Christus a Iudaeis et ecclesia a persecutoribus uel hereticis; et ab insurgentibus in me libera me. Exsurrexerunt contra Christum Iudaei, testes falsi, et
⁵ modo contra ecclesiam mali homines.

3. Eripe me de operantibus iniquitatem et de uiris sanguinum salua me. 'Uiri sanguinum' Iudaei, qui effuderunt sanguinem Christi et heretici sanguinem ecclesiae.

4. Quia ecce ceperunt animam meam et insurrexerunt in me fortes. Quattuor genera sunt hic fortium. Diabolus fortis non natura, sed nos fecimus illum fortem, quando transgressi sumus mandatum; propter hoc dominabatur in toto mundo ante aduentum saluatoris. Iudaei for-
⁵ tes in rebus, sicut ille diues dixit: *Destruam horrea mea et maiora faciam* et rlq., et in illorum sacrificio et in illorum iustitia uidebantur quasi fortes esse, unde dominus dixit: *Non necesse habent sani medicum,* id est fortes in corpore. Et persecutores et heretici fortes uidebantur esse.

5. Neque iniquitas mea neque peccatum meum, domine, hoc est neque
⟨ peccatum maius neque minus habuit dominus id est neque in corpore

---

Codices: LMSV et Z = S+V
Ps 58,1,2 custodire] et custodiuit Z   interficerent L   eum + nec occidit eum id est
anima Christi in passione Z   5 domini LZ   7 custodiri L²   8 interficerent LZ
8/9 nomen Christi] Christum Z   9 ipsius] eius Z   10 fuisset in mundo Z   2,1 deus
meus *om. M*   2 liberetur Z   5 mali homines] similiter Z   3,2 Iudaei] *praem.* ipsi Z
et] uel Z   3 ecclesiae] animae Z   4,1 inruerunt Z   3 sumus] fuimus Z   5 diues
+ qui Z   6 sacerdotio Z   7 esse *om. M*   medicum + sed qui male habent Z
id est] et Z   8 uidentur L   5,1 neque³] nullum Z   2 peccatum + neque Z

Ps 58,1,6-7 Mt 27,63.64   4,5 Lc 12,18   7 Mc 2,17

neque in anima. SINE INIQUITATE CUCURRI ET DIREXI: sine iniquitate
cucurri id est de caelo uenit in uterum, de utero in praesepe et reliqua;
⁵ et direxit non sensus suos, sed nostros, quia praui erant et tortuosi,
unde propheta dixit: *Et erunt praua in directa et aspera in uias planas.*
6. EXSURGE IN OCCURSUM MIHI ET UIDE. Non sicut homo quando fugit et
rogat auxilium qui ante illum est, ut eum adiuuet, ut non illum interficiat qui illum persequitur. Sed 'exsurge in occursum mihi' id est fac
alios intellegere de illo cursu quod habui, quod ego aequalis tibi, unde
⁵ ait: *A summo caelo egressio eius et recursus eius usque ad summum eius*
hoc est deus pater super omnes creaturas spiritales. 'Et uide', ac si dicat: ut facias tu eos uidere, id est ut credant me aequalem tibi. ET TU
DOMINE DEUS UIRTUTUM id est angelorum et hominum, DEUS ISRAHEL
id est deus animarum uidentium deum: Christus ad patrem: INTENDE
¹⁰ AD UISITANDAS OMNES GENTES, non solum Iudaeam, sed etiam omnes
gentes, id est ut quomodo te laudant in Iudaea, sic et in toto mundo te
laudent. NON MISEREARIS OMNIBUS QUI OPERANTUR INIQUITATEM. Pronuntiando dicit propheta, ac si dicat: non eris misertus. Duae iniquitates sunt. Ad illos non miseretur deus qui se eleuant de illorum peccatis
¹⁵ et dicunt: si deus non uoluisset, ego non peccassem, et dicunt meum
fatum et mea stella me hoc fecit sustinere. Dicit Agustinus: ergo
deus auctor malitiae est? Absit. Ad illos miseretur deus, qui illorum
iniquitates agnoscunt id est qui se ipsos condemnant et iudicant de
suis iniquitatibus aut ipsi per se aut per iudicium alterius; aut si non,
²⁰ deus iudex iudicat illos in futuro iudicio.
7. CONUERTENTUR AD UESPERUM ET FAMEM PATIENTUR UT CANES: uox
prophetae. Uespere id est sero, et quid est sero nisi tarde? hoc est illa
octo milia quae per apostolos crediderunt 'uespere', quia post ascensionem domini crediderunt. 'Famem patientur ut canes': gentiles fa-
⁵ mem habebant de uerbo dei, ut dixit illa mulier Cananea: *Domine, nam*

Codices: LMSV et Z = S+V
5 direxi *LZ*   6 dicit *Z*   **6,4** aequalis + sum *Z*   10 Iudaea *Z*   omnes] et *Z*
11 id est ut] ac si dicat *Z*   14 deus *om. M*   16 Agustinus] ille auctor qui hoc exposuit *Z*
19/20 si non, deus *om. LM*   20 iudicabit *L²*   **7,1** Conuertantur *Z*   uesperam *Z*
2 et *om. Z*   est³ + quando *Z*   3 quae] qui *L*   4 canes + canes hic *Z*

5,6 Is 40,4(Lc 3,5)   6,5 Ps 18,7   15-17 AU 58 s.I 14,16-20(p. 740)   7,3 octo milia *cf
ad* Ps 4,4,9/10(p. 18)   5/6 Mt 15,27

et catelli edunt de micis quae cadunt de mensa dominorum suorum; et dominus dixit: *Beati qui esuriunt et sitiunt iustitiam* et rlq. Aliter: canes intelleguntur sancti praedicatores, quia quasi canes ulcera lingunt et latrant contra hereticos. ET CIRCUIBUNT CIUITATEM: ciuitatem sanctam
10 custodiunt, sicut sanctus Paulus perfectus canis fuit, *de Hierusalem usque in Ilirico repleuit euangelium Christi.* Mundus totus intellegitur, Hierusalem in medio mundo quasi umbilicum et crux dominica ibi fuit fixa et omnes gentes in gyro illam circumdant.

8. ECCE IPSI LOQUUNTUR IN ORE SUO: illi qui prius negauerunt, postea praedicauerunt; ET GLADIUS IN LABIIS EORUM: 'gladius' bisacutus uerbum dei, Nouum et Uetus Testamentum; QUONIAM QUIS AUDIUIT? Aduersus pigrum loquitur, ut ait propheta: *Domine, quis credidit audi-*
5 *tui nostro?* et rlq.

9. ET TU DOMINE DERIDEBIS EOS. Numquid deus aliquem hominem inridere uideatur? Non, sed ipsi sibi fecerunt digna opera risui. PRO NIHILO HABEBIS OMNES GENTES, id est qui ligna et lapides adorabant, et nullis meritis praecedentibus adducet illos deus ad cognoscendam uerita-
5 tem.

10. FORTITUDINEM MEAM AD TE CUSTODIAM: omnes uirtutes meas ad te custodiam, id est non a me, sed a te, quia semper de ipsis te laudabo, non meis uiribus, unde sanctus Paulus dicit: *Si enim accepisti, quid gloriaris quasi non acceperis?* QUIA DEUS SUSCEPTOR MEUS ES: in fide susce-
5 pit, uel suscepit nostram carnem.

11. DEUS MEUS UOLUNTAS EIUS PRAEUENIET ME. Fecit nos deus uelle omnia bona habere, et qui nos fecit uelle, ipse custodit.

12. DEUS OSTENDIT MIHI SUPER INIMICOS MEOS. Ostendit dominus suis sanctis qualem amorem circa ipsos habet, dum de una massa fuerint

Codices: LMSV et Z = S+V
7 et rlq.] quoniam ipsi saturabuntur famem uerbi dei *Z*   Aliter *om. Z*   8 lingent *Z*
10 custodiunt + toto mundo *Z*   sanctus *om. Z*   perfectus] bonus *M*   11 Iliricum
LV²   12 et] in medio uentris, ubi illa *Z*   ibi *om. Z*   13 fixa *L²*: ficta *cett.*   illam
circumdant *L*: *om. cett.*   8,1 illum quem *Z*   4 pigrum] peregrinos in fide *Z*   5 rlq.]
brachium domini cui reuelatum est? Illos praedicatores dicit *Z*   9,2 risui + quia tu pro-
uides omnes gentes credituras *Z*   4 adducit *LZ*   10,2 tibi refero laudes *LZ*
3 sanctus *om. Z*   11,1(*et* 2) facit *Z*   deus *om. Z*   12,1 ostendit¹] -de *V*
ostendit²] -dat *V*

7 Mt 5,6   10/11 *cf* Rm 15,19   8,4/5 Is 53,1   10,3/4 I Cor 4,7

creati boni et mali, istos facit uasa irae et condemnat et alios uasa misericordiae et iustificat, unde sanctus Paulus dixit: *Alia sunt uasa in hono-*
5 *rem, alia autem in contumeliam.* NE OCCIDAS EOS id est Iudaeos, quia
dominus rogauit pro eis dicens: *Pater, ignosce illis, quia nesciunt quid
faciunt;* et sanctus Stephanus secutus magistrum dixit: *Domine, ne sta-
tuas illis hoc peccatum.* NEQUANDO OBLIUISCANTUR POPULI MEI LEGIS
TUAE, ac si dicat: non obliuiscantur. DISPERGE ILLOS IN UIRTUTE TUA,
10 quia illi te occiderunt quasi infirmum; ET TU DESTRUE EOS, PROTECTOR
MEUS DOMINE.

13. DELICTA ORIS EORUM SERMONES LABIORUM IPSORUM, quasi dixisset: destrue delicta oris ipsorum, quando dixerunt: *Crucifige.* Confiteantur
tibi, quem antea negauerunt. CONPREHENDANTUR IN SUPERBIA SUA, id
est humiles fiant, ET DE EXSECRATIONE SUA ET DE MENDACIO CONUEL-
5 LANTUR et inde ueniant ad bonitatem.

14. CONSUMMA EOS IN IRA CONSUMMATIONIS, ET NON ERUNT, non erunt con-
sumpti, sed consummati hoc est perfecti. 'Ira consummationis' dicit id
est pro morte illorum, tamen non erunt in ira consummationis id est in
ira poenae quod habebunt peccatores. UT SCIANT QUIA DEUS IACOB DO-
5 MINABITUR FINIUM TERRAE, ac si dicat propheta: non solum Iudaea, sed
finium terrae dominabitur id est omnes gentes.

15. CONUERTENTUR AD UESPERUM et rlq.: repetitio est.

16. ECCE IPSI DISPERSI SUNT AD MANDUCANDUM, sancti apostoli uel praedicatores. 'Ad manducandum' dicit, quia adsumunt alios ad fidem, ut ait
dominus ad Petrum: *Surge Petre, macta et manduca.* SI UERO SATURATI

Codices: LMSV et Z = S+V
4 unde + et Z   Alia + quidem M   4/5 honore ... contumelia Z   5 Nec L
6 Pater – 7 faciunt *om. LM*   7 et – magistrum *post* 8 peccatum *trsp. LM*   7 dixit *om. LM*
10 te *om. LM*   tu *om. V*   **13,**1 sermo M   2 oris *om. Z*   4 execratione Z
sua *om. Z*   de[2] *eras.* M   4/5 conuellentur Z   **14,**1 non erunt[2] *om. LM*   2 Ira]
praem. In Z   4 habebant M   peccatores + non erunt superbi; ⟨si⟩ a deo perficientur,
perfecti erunt in uirtute et fide Z   Ut] et Z   scient LZ   5 ac – propheta *om. Z*
6 dominabitur *om. Z*   omnibus gentibus M   **15,**1 Conuertantur Z   uesperam Z
rlq.] famem patientur ut canes et circumibunt ciuitatem Z   est + ut supra diximus Z
16,1 Ecce ipsi] Ipsi autem Z   dispergentur Z   1/2 praedicatores + ut illud: Ite, docete
omnes gentes Z   3 manduca + occide uitia, aedifica uirtutes Z   3/4 non fuerint
saturati Z

12,4/5 *cf* Rm 9,21-23   6 Lc 23,34   7/8 Act 7,60   **13,**2 Mc 15,13; Lc 23,21
16,2 (Mt 28,19)   3 Act 10,13

NON FUERINT, MURMURABUNT, id est si illi homines, qui praedicati fue-
5 rint, pleniter fidem non acceperint, murmurabunt.
17. EGO AUTEM CANTABO FORTITUDINEM TUAM, id est a fortitudine diuinitatis, quomodo uicit diabolum, hoc praedicabo. EXULTABO MANE MISE-
RICORDIAM TUAM. 'Mane' hoc est quando conuertit in iuuentute, uel
'mane' initium fidei catholicae, uel 'mane' post resurrectionem. QUIA
5 FACTUS ES SUSCEPTOR MEUS ET REFUGIUM MEUM IN DIE TRIBULATIONIS
MEAE: et Christus ad patrem et ecclesia ad Christum.
18. ADIUTOR MEUS, TIBI PSALLAM, QUIA DEUS SUSCEPTOR MEUS ES, DEUS
MEUS MISERICORDIA MEA: totum ibi dixit quod superius dixit.

59. IN FINEM PRO HIS QUI COMMUTABUNTUR IN TITULI INSCRIPTIONE IPSI
2. DAUID AD DOCTRINAM, | CUM SUCCENDIT MESOPOTAMIAM SYRIAE ET
SOBAL ET CONUERTIT IOAB ET PERCUSSIT IDUMEAM IN UALLE SALINARUM
DUOCECIM MILIA. 'Pro his qui commutabuntur' id est de infidelitate ad
fidem, de ignorantia ad cognitionem dei et reliqua. Propter quid com-
5 mutabuntur? propter passionem Christi; cui commutantur? ipsi Christo, unde sanctus Paulus dixit: *Ut qui uiuunt iam non sibi uiuant, sed ei
qui pro ipsis mortuus est.* 'In doctrinam' id est ut habeant doctrinam et
praedicent. 'Cum succendit Mesopotamiam Syriae': legimus in Regum quod fuisset factum hoc, et non legimus quod fuisset succensa.
10 Sed hic non tantum secundum historiam, sed secundum sensum est
intellegendum. Dauid qui succendit Mesopotamiam Christus intellegendus est. Mesopotamia interpretatur eleuata uocatio, Syria sublimis.
Deus noster illos qui eleuati sunt in superbia et sublimitate succendit a

Codices: LMSV et Z = S+V
4 qui L^2M^2: quibus V^2: quos *cett.*   17,1 a fort.] fortitudinem Z   4 mane² + dicit Z
6 meae + ille defendit suos Z   a patre ... a Christo Z

Ps 59,1,1 inmutabuntur M   inscriptionem Z   ipse Z   2 in doctrina Z   2,1 et +
Syriae Z, *canc.* V^2 2 Soba V: Subule L   Idumeam] Edom S^2 3 Pro his *om.* Z
7 doctrinam¹] -na M   id – doctrinam² *om.* Z   8 Syriae + usque hic SV*   9 hoc et
om. Z   10 Sed – 11 Mesopotamiam] nisi sicut de Abimelech intellegimus. Secundum
sensum Dauid(*om.* V) succendit Z   12 est + Succendit Mesopotamiam Z   eleuata
uocatio] eleuatio LM   sublimis + dominus V   13 Deus] dominus LV   eleuati – et]
in Z   sublimitate + sunt Z   a LM*: *om. cett.*

Ps 59,2,6/7 II Cor 5,15

gratia spiritus sancti, ut ueniant ad humilitatem, unde dominus dixit:
15 *Ignem ueni mittere in terram et quid uolo nisi ut accendatur.* Ignis tres habet in sua natura: inluminat, urit et calefacit. Succensa fuit Mesopotamia id est superbia, uitia et peccata, et eleuatae sunt uirtutes. Quae fuit
exaltata fuit humiliata, et quae fuit humiliata iterum fuit exaltata, quia
qui se exaltat humiliabitur et qui se humiliat exaltabitur. Sobal uana ue-
20 tustas interpretatur. Per similitudinem: sicut silua uetus incenditur et
postea nascuntur ibi uirgultae, sic incensa fuit uana uetustas, ut dixit
sanctus Paulus: *Exspoliate uos ueterem hominem cum actibus eius et induite nouum* hominem et rlq. Uetusta peccata dicit, incensa fuerunt a
gratia spiritus sancti et nata sunt uirgulta id est uirtutes, fides et opera
25 bona. Ioab interpretatur inimicus et in malum intellegitur et in bonum.
Et in malum persequitur illos diabolus qui amant terrena et diligunt; et
in bonum, ut sanctus Paulus dixit: *Inimicus uobis factus sum uerum dicens uobis;* et alibi dicit: *Et inimici hominis domestici eius.* 'Et conuertit
Ioab et percussit Idumeam in ualle salinarum': Idumea interpretatur
30 terrena siue sanguinea. 'In ualle salinarum': per sal sapor intellegitur
uel praedicatio. Sal tres habet in se: occidit uermem id est inuidiam,
abstrahit sanguinem id est peccata carnalia, tollit putredinem id est
foetorem peccatorum; et in omne sacrificium sal mittebatur in Uetere,
unde et in euangelio dominus dicit: *Habete sal in uobis et pacem habete*
35 *inter uos.* Percussit Ioab duodecim milia. XII perfectus numerus est id
est duodenarius numerus apostolorum uel omnium sanctorum intellegitur. Percusserunt sancti id est praedicauerunt per gratiam spiritus
sancti et per gladium quod est uerbum dei illos infideles qui uidebant-
tur falsam humilitatem habere et quasi saliti essent, sed non erant sa-

Codices: LMSV et Z = S+V
16 urit *om.* Z   calefacit + et lumen dat Z   17 et² *om.* Z   sunt] fuerunt Z   22 Ex-
poliate L: Spoliate *cett.*   26 persequitur] percutit Z   28 alibi] iterum Z   eius + id
est conuertere de malo in bonum Z   29 salinarum + percussa est iniquitas, inuenta est
humilitas Z   30 salinarum + ibi Ioab bona pascua inuenit Z   31 praedicatores Z
35 Percussit - milia *om.* Z   XII + milia M   37 Percussi sunt Z   sancti + praedicatores Idumea⟨m⟩ Z   38 per *om.* LM   gladium + spiritus Z   39 saliti L: -lati
cett. (*bis*)   sed] et Z

15 Lc 12,49   19 Lc 14,11; 18,14   22 Col 3,9.10   27/28 Gal 4,16   28 Mt 10,36
34 Mc 9,49

⁴⁰ liti, sed infatuati, quia non habebant zelum dei. Postea praedicauerunt illos et fecerunt illos, ut saliti essent id est saporati.

3. DEUS REPPULISTI NOS ET DESTRUXISTI NOS. Pertinet ad populum Iudaicum, quando illos permittebat tribulari, quasi tunc uideretur repellere; et modo ecclesiam uidetur repellere, quando illam permittit temptari per tribulationem. Nam aliter non repellit, quia dicit sermo diuinus:
⁵ *Non repellit deus plebem suam quam praesciuit.* Unde et uox ad Hieremiam ait: *Uade et destrue et dissipa et euelle et aedifica,* ac si dixisset: Destrue uitia et peccata et aedifica uirtutes. Aliter 'deus reppulisti' hoc est propter idolatriam 'et destruxisti' uitia et peccata. IRATUS ES ET MISERTUS ES NOBIS. Ira dei iusta uindicta dicitur, nam ira non cadit in deo,
¹⁰ tamen prius disciplina et postea misericordia.

4. COMMOUISTI TERRAM, id est illos terrenos, sicut in illo titulo dixit 'pro his qui commutabuntur', ET CONTURBASTI EAM: per illa miracula conturbasti eam id est tam Iudaeos quam et ecclesiam. SANA CONTRITIONES EIUS QUIA MOTA EST: uox prophetae, ac si aperte dicat ad deum: illi
⁵ qui contriti sunt modo, tu sana contritiones eorum.

5. OSTENDISTI POPULO TUO DURA in tribulatione, unde sanctus Paulus dixit: *Qui uolunt pie uiuere in Christo persecutionem patiuntur.* Usque hic dixit de mundatis per spiritum sanctum et de gladio quod est uerbum dei, sicut Salomon dicit: *Fili, accessisti ad seruitutem dei, sta in timore*
⁵ dei *et praepara animam tuam ad temptationem* et laqueum diaboli. POTASTI NOS UINO CONPUNCTIONIS. Per uinum lex populi dei intellegitur, et ipsa conpunctio gratia dei est. Uel ad ecclesiam potest intellegi.

6. DEDISTI METUENTIBUS TE SIGNIFICATIONEM: qualem significationem? UT FUGIANT A FACIE ARCUS, UT LIBERENTUR DILECTI TUI. Arcus uindicta dei in die iudicii. In arcu duo sunt: neruus et sagitta. Arcus quantum plus tenditur, tanto fortius percutit; et dominus quantum plus ex-

Codices: LMSV et Z = S + V
40 sed + erant *Z*   41 illos¹] -lis *V*   illos² *om. Z*   ut – saporati(roborati *L*)] ut saporati essent *Z*   **3,2** permittebat + deus *Z*   4 dicit – diuinus] dixit sanctus Paulus *Z*   5 repellet *S*   5/6 Hieremiam + prophetam *Z*   7 reppulisti + nos *L*   8 est + reppulisti *Z*   peccata + ut supra *Z*   9 cadet *Z*   10 primitus *Z*   **4,2** illa] tua *Z*   4 commota *Z*   **5,3** de gladio] gladium *Z*   **6,2** ut²] et *Z*

3,5 Rm 11,2   6 Ier 1,10   **5,2** II Tim 3,12   4/5 Sir 2,1

5 pectat, tanto fortius iudicium praeparat. Istam significationem dedit deus ad sanctos suos, ut praeuideant semper sacram scripturam.

7. SALUUM ME FAC DEXTERA TUA: uox ecclesiae. Dextera patris filius est. 'Saluum me fac' de illis dicit qui saluati erunt, quando filius tuus mittet me in dextera tua in die iudicii. Unde in alio loco dixit: *Dextera domini fecit uirtutem.*

8. DEUS LOCUTUS EST IN SANCTO SUO id est in filio suo uel per unumquemque sanctum loquitur. Unde sanctus Paulus dixit: *Deus erat in Christo mundum reconcilians sibi et dedit nobis uerbum reconciliationis.* Dicit sanctus Agustinus: Homo grauis et infirmus promittit se aliquid boni
5 facere, forsitan illam uoluntatem habet et non habet potestatem, et tamen uult. Quanto magis deus, qui numquam mentitur et potens est. LAETABOR: deus omnipotens facit sanctos suos laetos. DIUIDAM SICIMAM. Sicima interpretatur humeri, et quid est humeri nisi scapulae? ut ait propheta: *In scapulis suis obumbrauit te.* Humeri et in bonum et in
10 malum intelleguntur, in bonum, ut ait dominus: *Tollite iugum meum super uos et discite a me, quia mitis sum et humilis corde. Iugum enim meum suaue est et onus meum leue.* Per similitudinem: auis, quando tollit homo suas pennas, uidetur leuis, et non est leuis sed grauis et non potest uolare. Sic et sancti quando non habent iugum dei super se, non
15 possunt uolare. Item in malum, id est qui non uolunt iugum diaboli deponere. ET CONUALLEM TABERNACULORUM DIMETIAR. Uallis tabernaculorum figuram populi Iudaeorum tenet, quia diuisi sunt id est segregati sancti de illis, ut ait Paulus: *Non enim est omnium fides.*

9. MEUS EST GALAAD: uox Christi. Iacob in lingua sua appellauit Galaad, et in Latino aceruus testimonii dicitur quod est congregatio siue stra-

Codices: LMSV et Z = S+V
5 fortius] plus *L*   6 dominus *S*   sanctis suis (*om.* ad) *Z*   praeuideant + se *Z* in sanctis scripturis *Z*   7,3 dexteram tuam *Z*   dicit *LZ*   **8,2** dicit *LZ*   3 dedit – reconciliationis] rlq. *Z*   4 boni *om. Z*   5 ille *LZ*   possibilitatem *Z*   7 laetos + esse *Z*   9 te] tibi *V*   11 Iugum – 12 leue *om. Z*   12 auis *V²*: ad auem *cett.*   13 et²] quia *Z*   15 id est] illi intelleguntur mali *Z*   17 Iudaici *Z*   tenent *Z*   18 sancti + et electi *Z*   ait Paulus] illud *Z*   **9,2** Latina *Z*   dicitur – 3 eius] Laban gar satu in Syrum est quod in Latinum sonat tumulus testis, strages martyrum quod est congregatio *Z*

7,3/4 Ps 117,16   8,2/3 II Cor 5,19   4 – 6 AU 59,8,4sqq.(p. 759)   9 Ps 90,4   10-12 Mt 11,29.30   18 II Th 3,2   9,2 (*cf* HI Qu. in Gn 31,47[ed. p. 40])

ges martyrum hoc est portio eius. MEUS EST MANASSES: et ipsud uox Christi est. Manasses obliuiosus interpretatur, unde et Paulus dicit:
5 *Obliuiscens ea quae retro sunt in antea me extendens,* ipsos accipit Christus. ET EFFRAIM FORTITUDO CAPITIS MEI. Effraim fructificatio interpretatur. Ecclesia dicit: mea est fructificatio, hoc est de resurrectione Christi dicit. Unde et dominus dixit: *Nisi granum frumenti cadens in terra mortuum fuerit, ipsum solum manet.* IUDA REX MEUS: uox ecclesiae,
10 ut dixit Iacob: *Iuda, te laudabunt fratres tui, manus tua in ceruicibus inimicorum tuorum,* tu dominaris inter fratres tuos. Iuda Christus intellegitur, ut illud: *Uicit leo de tribu Iuda.*

10. MOAB OLLA SPEI MEAE. Per ollam tribulatio intellegitur. Sanctus A gustinus dixit: Moab et Amon fratres fuerunt de illis sororibus quae inebriauerunt patrem suum. Duae gentes exinde fuerunt, quae pugnabant contra filios Israhel. Figurabant illos qui contra ecclesiam agunt. Item
5 per ollam, ut dixi, tribulatio intellegitur, unde dixit Hieremias propheta: *Uidi ollam succensam et faciem eius a facie aquilonis;* et alibi dicit: *Ab aquilone exardescent mala quae sunt super terram,* id est tribulationes ueniunt a diabolo super terram quod est ecclesia. Sicut Paulus dixit: *Tribulatio patientiam operatur, patientia autem probationem, pro-*
10 *batio autem spem, spes uero non confundit* et rlq., ac si dicat ecclesia: quando tribulationem sustineo, exinde habeo spem uitae aeternae. Item de Moab dicit Hieronimus, ac si dicat: Christus in Moab generatione: ibi est mea spes, exinde uenit mea generatio, quia *Booz genuit Obeth ex Ruth Moabitide, Obeth genuit Iesse, Iesse genuit Dauid.* Ideo
15 uoluit dominus, ut sua generatio in alienigenis cognosceretur, ut non dicerent Iudaei quod non pertineret Christus nisi ad solos Iudaeos. IN

Codices: LMSV et Z = S+V
4 obliuio *Z*   ut Paulus ait *Z*   5 sunt + et *Z*   ante *LM*   accepit *MZ*   7 est[1] *om. Z*   9 manebit *V*   11 inter] super *Z*   Iuda *om. Z*   Christus + hic *Z* 11/12 intellegitur + per Iuda(-am *V*) *Z*   **10**,1 intellegitur + Moab olla *Z*   2 illis + duabus *Z*   3 suum] illorum(-arum *V*[2]) *Z*   fuerunt] exierunt *Z*   qui *LM*S* 4 ecclesiam + dei *LS*   5 dixi] -it *Z*   8 est + super *Z*   10 confunditur *LM*S* et rlq.] quia caritas dei diffusa est in cordibus nostris per spiritum sanctum qui datus est nobis *Z*   12 Item de Moab] Aliter *Z*   ac si dicat *om. Z*   12/13 generationem *Z* 15 coniungeretur *Z*   16 pertinebat *Z*   Christus *om. Z*

5 Phil 3,13   8/9 Io 12,24.25   10 Gn 49,8   12 Apc 5,5   **10**,2 *cf* Gn 19,31-38; AU 59,10,15sqq. (p. 762)   6 – 7 Ier 1,13.14   9 – 10 Rm 5,3-5   12 HI: *ubi?* 13/14 Mt 1,5

IDUMEAM EXTENDAM CALCIAMENTUM MEUM: uox Christi et uox ecclesiae. Idumea interpretatur sanguinea siue terrena. In istos tales extendam calciamenta mea id est mea exempla. MIHI ALIENIGENAE SUBDITI
20 SUNT. Alienigenae id est gentes subditi sunt ecclesiae.
11. QUIS DEDUCET ME IN CIUITATE MUNITA? Uox interrogantis. In ciuitate munita hoc est in ecclesia, quae munita est per fidem. AUT QUIS DEDUCET ME USQUE IN IDUMEA? in ipsa ecclesia, ac si dicat:
12. NONNE TU DEUS QUI REPPULISTI NOS? Reppulisti nos: propter transgressionem nostram uel peccatum Adae destruxit idolatriam uel nostra uitia et peccata. ET NON EGREDIERIS DEUS IN UIRTUTIBUS NOSTRIS: interrogando et adfirmando dicit, ac si dicat: egredieris. Hic quaestio est: dum
5 dicit 'in uirtutibus', si uirtutem habet, quomodo rogat, ut deus egrediatur ut adiuuet? Quomodo ergo non liberauit suos martyres, quia multa multitudo insimul cadebat? ac si dicat: egreditur et adiuuat deus modo et illis sic fecit, quia in anima eorum erat, ut illum non negarent, quando parentes eorum dicebant: fili, nega Christum, ut non pereas;
10 illi autem nolebant. Deus autem in illis erat et ipse operabatur suam uirtutem, ut non negarent.
13. DA NOBIS AUXILIUM DE TRIBULATIONE id est in persecutione, QUIA UANA SALUS HOMINIS, ut ipsi dicebant: fili, nega Christum, ut non pereas; hoc uanum erat.
14. IN DEO FACIEMUS UIRTUTEM id est non per nos, sed per illum; ET IPSE AD NIHILUM DEDUCET TRIBULANTES NOS: ad nihilum deducet, quia nihil sunt.

Codices: LMSV et Z = S+V
17 Idumeam L: -mea cett.   19 calciamentum meum Z   11,1 deducit MV   ciuitate munita] -tem -tam L²M² (bis)   2 ecclesiam M²   quae M²: quia cett.   2/3 deducit M
3 Idumeam M   ipsam ecclesiam L²M²   12,1 nos² om. Z   5 uirtutem] -tes Z
6 ergo non om. LM   liberabit Z   multa om. Z   7 cadet Z   egredietur MZ
adiuuet M   8 illis] ad(om. L) illos L²Z   11 uirtutem + uirtutem fidei id est Z   13,1
de] in Z   14,2 nos + ut non superbiant quod sunt uel in futurum uel Z   qui Z: quod M
3 sunt L²: est cett.

60. IN FINEM HYMNUS IPSI DAUID.

2. EXAUDI DEUS DEPRECATIONEM MEAM: ecclesia loquitur in tribulatione posita, INTENDE ORATIONI MEAE, id est ubi tu solus audis et uides: in corde, ut illud Moysis: *Quid clamas ad me?* Numquid uocem clamoris dicat? Non, sed uocem cordis.

3. A FINIBUS TERRAE AD TE CLAMAUI, id est a quattuor partibus mundi quasi unus homo clamat una ecclesia. Propter unitatem dicitur una, ut illud: *Una est columba mea* id est ecclesia in toto mundo diffusa. DUM ANXIARETUR COR MEUM: uox ecclesiae. 'Dum anxiaretur' propter trans-
5 gressionem aliorum uel de fine mea, dum *nescit homo exitum suum.* IN PETRA EXALTASTI ME hoc est in temet ipso: *Petra autem erat Christus.* Petrus de petra, unde dominus dixit: *Tu es Petrus et super hanc petram aedificabo ecclesiam meam* et rlq.; et alibi: *Uenerunt flumina et flauerunt uenti et inruerunt in domum illam, et non cecidit: fundata enim erat supra*
10 *petram.* DEDUXISTI ME id est in temet ipsum, quia tu es dux meus, tu es uiator meus,

4. QUIA FACTUS ES SPES MEA: uox ecclesiae ad Christum, ac si dicat: quomodo tu resurrexisti inmortalis, sic et nos credimus resurgere. TURRIS FORTITUDINIS A FACIE INIMICI. Uox ecclesiae ad Christum: tu Christe turris fortitudinis, qui uicisti diabolum et dignatus es pati propter nos.
5 Aliter: dum dicit 'turris fortitudinis', sunt ergo turres infirmitatis, id est illi qui confidunt in uirtute sua, sicut in euangelio dicitur: *Si quis uult turrim aedificare et non conputat sumptus eius.* Et postea dicent alii: *hic homo coepit* turrim *aedificare et non potuit consummare;* et derident eum. Hic in praesenti una turris aedificatur colligendo sumptus et al-
10 tera dispergendo, unde dominus dicit: *Si uis perfectus esse, uade, uende*

Codices: LMSV et Z = S+V

Ps 60,1 ymnus] *praem.* in *M*: psalmus *LZ*   ipsi *om. LZ*   **2,2** tu *om. M*   3 ut – Moysis(-es *L²M*)] sicut ad Moysen dictum est *Z*   3/4 uocem – dicat] uoce clamaret *Z*   4 uoce *V²*   **3,2**/3 ut illud] unde in Canticis canticorum dicit *Z*   3 mea + perfecta mea *Z*   5 de *om. M*   finem meam *M*: + nesciens *Z*   exitum] finem *Z*   6 hoc est] uox ecclesiae: in petra *Z*   ipso + ut illud *Z*   7 de] a *Z*   unde] ut *Z*   9 super + firmam *Z*   10 petram + quod est Christus *Z*   ipso *Z*   **4,3** Christe + es *Z*   4 quia *S*   pro nobis *Z*   5 Aliter] et liberasti nos *Z*   est] sunt *Z*   7 non + prius sedens *Z*   8 inrident *Z*   9/10 altera + aedificatur *Z*

Ps 60,2,3 Ex 14,15   **3,3** Ct 6,8   5 Ecl 9,12   6 I Cor 10,4   7/8 Mt 16,18   8 – 10 Mt 7,25   **4,**6 – 8 Lc 14,28.30   10/11 Mt 19,21

omnia quae habes et da pauperibus et rlq. Aliter: sancti praedicatores
turres esse uidentur et in turri habent firmamentum quod est Christus,
non debent otiosi esse, sed debent praedicare et opere implere.

5. ET INHABITABO IN TABERNACULO TUO DEUS IN SAECULA, non in modico,
sed usque in saeculum; PROTEGAR IN UELAMENTO ALARUM TUARUM,
protegar id est defendar, duae alae duo Testamenta, sub quibus prote-
gitur ecclesia uel sub protectione diuinitatis.

6. QUONIAM TU DEUS EXAUDISTI ORATIONEM MEAM: uox ecclesiae. Gratu-
latur ecclesia, quia credit se exaudiri. DEDISTI HEREDITATEM TIMENTI-
BUS NOMEN TUUM id est salutare tuum. Qualem hereditatem? id est temet ipsum dedisti eis qui te timent timore sancto. Das eis temet ipsum
⁵ hoc est uitam aeternam.

7. DIES SUPER DIES REGIS ADICIES ANNOS EIUS. Uolunt hic aliqui intellegere de rege Ezechia, quia adauxit deus uitae suae annos XV; sed non
de hoc tantummodo hic intellegitur 'dies super dies', id est illos dies dicit sine dies 'regis adicies annos eius' USQUE IN DIEM SAECULI ET SAE-
⁵ CULA. De illis annis dicit unde dictum est: annos sine anno et dies sine
die. Et quamuis nos dicamus sic, non potuimus conprehendere, quia
non anxiatur crastinum nec urgetur hesternum. Et si dicit annos uel
dies, dici non potest quantum est, quia aeternitas est.

8. PERMANET IN AETERNUM IN CONSPECTU DEI, in conspectu dei id est ubi
non erit mutabilitas. MISERICORDIAM ET UERITATEM QUIS REQUIRET EO-
RUM? Misericordia est quia indulget nostra peccata, ueritas ut amplius
non peccemus id est ut peccatum super peccatum non addamus. Aliter
⁵ 'misericordiam et ueritatem quis requiret eorum?': quis hic pro raritate
dicit, quia pauci sunt qui aliquid boni habeant et deo gratias referant;
nam plus dicunt eorum uirtute uel suis uiribus quam dei donum.

Codices: LMSV et Z = S+V
11 praedicatores + qui Z   12 firm.] fundamentum Z   5,1 inhabito S: habito M
3 defendar + alarum Z   sub] sunt Z   4 uel] id est Z   6,4 Da LM*S   5 aeternam
+ quia ipse est uita, ut ipse ait: Ego sum uita Z   7,1 aliqui om. LM   2 adauxit + ei Z
3 illos dies] *praem.* de LM*Z: illis diebus L²V²   5 annos] -nus LV²   6 potemus(-erimus
V²) Z   7 non – 8 quia *om.* M   8,2/3 eorum] eam(?) M²: eius L²   4 id est ut] et Z
5 hic *om.* Z   6 gratias *om.* LM   7 nam] sed Z   uirtutem M²: -tes V

6,5 (Io 11,25; 14,6)   7,2 *cf* Is 38,5   8,4 *cf* Is 30,1; Sir 5,5

9. SIC PSALLAM NOMINI TUO DEUS IN SAECULUM SAECULI: uox ecclesiae. 'Psallam' praedicem, opere conpleam. UT REDDAM UOTA MEA DE DIE IN DIEM, id est quicquid spopondi deo custodire, 'de die in diem' hoc est et hic te semper laudem et in futuro sine fine id est in die aeternitatis.

61. IN FINEM PRO IDITHUN PSALMUS DAUID. Idithun propheta fuit, interpretatur transiliens eos. Hoc interrogandum unde ascendit, quos transiliuit, ad quos peruenit? id est omnem creaturam corporalem transcendit. Unde ascendit? de ualle. Quid est ista uallis? hoc est humilitas. Idi-
5 thun corpus Christi id est anima sanctae ecclesiae, transilit omnes superbos, omnes qui terrena diligunt, calcat terrena et uadit ad superna.
2. NONNE DEO SUBDITA ERIT ANIMA MEA? Idithun dicit, corpus Christi, interrogando. 'Nonne' pro adfirmando dicit, ac si dicat: sic erit, subdita erit anima mea deo. Quare? quia ab ipso est patientia mea, quia ille prius sustinuit et ego propter illum sustineo. Anima humana in medio
5 quodam loco posita est, quia anima melior corpore, inferior deo, aequalis angelis, nullam creaturam super se in dominatione habens nisi creatorem. Unde in alio psalmo dicit: *Effudi in me animam meam.* AB IPSO ENIM, deo, SALUTARE MEUM, sicut dixit Symeon, *quia uiderunt oculi mei salutare tuum;* et in alio loco dicit: *Salutare uultus mei et deus*
10 *meus.*
3. ETENIM IPSE DEUS MEUS, SALUTARIS MEUS, ADIUTOR MEUS, NON MOUEBOR AMPLIUS. Usque hic transiliuit, quia per contemplationem usque ad deum uenit. 'Adiutor meus' adiutor in praesenti, susceptor in aeternitate. Iam postea non timet cadere, non habet amplius ubi currat nisi
5 usque ad deum. Apostoli dixerunt ad Christum: *Domine, ostende nobis*

Codices: LMSV et Z = S+V
9,1 psalmum dicam *V*   2 Psallam] psalmum *V*   praedicem + et *Z*   conpleam + id est impleam *Z*   3 spondi *SV**   4 laudare *Z*   id – aeternitatis *om. M*   diem *Z*

Ps 61,1,3 quos] quem locum *Z*   4/5 Idithun + loquitur id est *Z*   5 transcendit *Z* 5/6 superbos + et *Z*   2,1 subdita *L:* -iecta *cett.*   Idithun] *praem.* Iste *Z*   4 Anima – 7 meam *post* 1,4 humilitas *trsp. codd.*   6 habens *L²: om. cett.*   8 salutari meo *Z* Symeon + Nunc dimittis seruum tuum domine secundum uerbum tuum in pace *Z* 9 et² *M: om. cett.*   3,2 hic] huc *M²*

Ps 61,2,7 Ps 41,5   8 (Lc 2,29)   8/9 Lc 2,30   9 Ps 41,6.7   3,5/6 Io 14,8 *patrem, et sufficit nobis,* hic de praesenti; alibi dicit: *Mei autem paene moti sunt pedes.*

4. QUOUSQUE INRUITIS IN HOMINEM? Uox prophetae interrogando: 'Quousque' quamdiu uos persecutores persequi uultis sanctos? ac si dicat: usque in finem. Superius dixit: quousque inruitis in hominem? Quasi de uno homine uidetur dicere, sed unum pro pluribus, unde superius
5 dixit: *A finibus terrae ad te clamaui domine.* INTERFICITIS UNIUERSOS? Hic pluraliter, ac si dicat: numquid omnes homines id est totos interficietis? hoc est quantum in illorum uoluntate; sed quando patitur unus in oriente et alter in occidente quasi unus homo, quia unum corpus est, sicut dictum est ad sanctum Paulum: *Saule, Saule, quid me persequeris?*
10 caput in caelo, pedes in terra, quia cum patitur unum membrum conpatiuntur omnia membra. TAMQUAM PARIETE INCLINATO ET MACERIAE INPULSAE: per similitudinem loquitur propheta contra persecutores, quia sicut parietem inclinatam uel maceriam uult homo destruere, sic mali homines uel heretici uolunt dissipare christianos. Sed ille adiuuat
15 qui sursum est.

5. UERUMTAMEN PRETIUM MEUM COGITAUERUNT REPELLERE, alio loco dicit: HONOREM MEUM, sed pretium meum id est de corpore et sanguine Christi sumus redempti. 'Cogitauerunt repellere' dicit, quia non sunt ausi loqui, sed cogitare, ac si dicerent: non semper erunt christiani. CU-
5 CURRI IN SITI: cucurrit Christus de caelo, uenit in uterum, de utero in praesepe et reliqua. 'Cucurri in siti' sitiens uenit ad fontem, esuriens uenit ad arborem. Uel sitiuit in cruce dicens: *Sitio;* uel sitiuit salutem humani generis, unde dictum est: *De torrente in uia bibit.* Et sancti currunt et sitiunt, currunt, ut Paulus dixit: *Cursum consummaui* et rlq.;

Codices: LMSV et Z = S+V
6 alibi dicit *om. LM*   4,4 unde] sicut Z   5 Interficietis Z   uniuersi uos Z   7 hoc est] quasi dicat + non, sed Z   in] ad Z   uoluntatem eorum + nullum uellent dimittere Z
8 homo + patiatur Z   11 parieti V   13 uel] et Z   maceriae + inpulsae ut cadat Z
5,2 corpus et sanguinem L*M*SV*   6 sitiens] sitiuit Christus Z   7 in cruce sitiuit (*om. S*) Z   dicens – uel *om. LM*   sitiuit² *post* 8 generis *trsp. LM*   8 dictum est] alibi Z
bibet Z   8/9 ecclesia currit et sitit Z   9 currunt – 10 rlq.] ut illud: Beati qui esuriunt et sitiunt iustitiam et rlq. Et Paulus dicit: Cursum consummaui, fidem seruaui. Sitiunt sancti et, ut dictum est: beati qui esuriunt iustitiam quoniam ipsi saturabuntur Z

6/7 Ps 72,2   4,5 Ps 60,3   9 Act 9,4   5,2 honorem meum = Ps(Ro)   6/7 *cf* Io 4,7;
Mt 21,18.19   7 Io 19,28   8 Ps 109,7   9 II Tim 4,7

¹⁰ sitiunt, ut dicitur: *Beati qui esuriunt et sitiunt iustitiam* et rlq. ORE SUO BENEDICEBANT, quando dicebant: *Magister, scimus quia uerax es et in ueritate uiam dei doces;* ET CORDE SUO MALEDICEBANT, quia hoc cogitabant, ut illum reprehenderent.

6. UERUMTAMEN DEO SUBDITA ERIT ANIMA MEA: quicquid ipsi faciunt, deo subdita erit anima mea; QUONIAM AB IPSO EST PATIENTIA MEA, sicut superius dixit.

7. ETENIM IPSE EST DEUS MEUS ET SALUTARIS MEUS, ADIUTOR MEUS in tribulatione, NON EMIGRABOR: uox corporis Christi, ac si dicat: si per lignum in domum ueniam eius, non emigrabor inde.

8. IN DEO SALUTARI MEO, quia ipse sic mihi fecit salutem, ET GLORIA MEA: ab ipso accipimus gloriam resurrectionis. DEUS AUXILII MEI, SPES MEA IN DEO EST: quomodo ille resurrexit et ego resurgam.

9. SPERATE IN EUM OMNIS CONGREGATIO POPULI: Idithun loquitur. Multi sperant in diuitiis suis et rlq., sed: nolite sperare in diutiis, sed in deum sicut ego, quia per hoc perueni usque ad ipsum. Omnes fideles sperate in eum. EFFUNDITE CORAM ILLO CORDA UESTRA, QUIA DEUS ADIUTOR
⁵ NOSTER IN AETERNUM. Uidetur illud quod effunditur quasi pereat. Sed hic 'effundite' quod dicit hoc est in praedicando, in confitendo, in laudando: in praedicando ut dimittat peccata tua, in confitendo ut te confitearis peccatorem, in laudando quia remittit tua peccata et ex nihilo te creauit.

10. UERUMTAMEN UANI FILII HOMINUM, 'filii hominum' filii Adam, filii transgressoris, unde dicit: *Fili hominum usquequo graui corde?* Uani dicuntur, quia transitoria amant. MENDACES FILII HOMINUM IN STATERIS. Salomon dicit: *Pondus et pondus, mensura et mensura, utrumque abho-*
⁵ *minabile apud deum;* et alio loco dicit: *Statera dolosa abhominabilis*

Codices: LMSV et Z = S+V
10 Ori *M*   **6**,1 subdita *M*: -iecta *cett.*   mea + quia *Z*   2 subdita] -iecta *Z*   mea¹ +
quare? *Z*   mea² + id est ille prior sustinuit pro me et ego sustineo pro illo *Z*   **7**,2(*et* 3)
emigrabo *M²*   3 ueniam *M²*: uenis *L*: -nit *M*Z*   eius *M²*: *om. cett.*   **8**,1 salutare *S*
mihi *om. Z*   salutem + per lignum *Z*   2 accepimus *LZ*   mei + et *Z*   **9**,1 eo *L²*
2 rlq.] in reliquis id est uiribus uel hominibus *Z*   sed + Idithun dicit *Z*   deo *Z*
3 hoc + ego *Z*   peruenit *L*   ipsum + id est Christum *Z*   omnis fidelis *L*   4 deus
om. S   5 aeternum + est *V*   7 in praedicando] opere implendo *V*: *om. S*   **10**,2 transgressores *L*: -sionis *S*   2 Fili] filii *V*   4/5 abhominabilis M: + est *Z*   5 abhominabilis *LM*: -le + est *Z*

---

10 Mt 5,6   11/12 Mt 22,16   **10**,2 Ps 4,3   4/5 Prv 20,10   5/6 Prv 11,1

domino et pondus aequum uoluntas eius. 'Dolosa' dicit, quia ille qui satis uult accipere et paruum dare secundum historiam statera dolosa est.
Item ad sensum statera dolosa in praedicando euangelium, unde dicitur: *In qua mensura mensi fueritis remetietur uobis.* Multi sunt qui
10 uolunt sapientiam habere et non uolunt praedicare, uolunt diuitias
habere, non uolunt de manu dare, uolunt ut deus illorum peccata indulgeat et illi non uolunt indulgere. Pro quid ergo istud faciunt? UT
DECIPIANT IPSI DE UANITATE IN IDIPSUM. Uel unusquisque qui circumuenit fratrem suum in negotio, uides cui circumuenit et non uides
15 illum qui ambos uos uidet, in primitus semet ipsum decipit, semet
ipsum circumuenit. Diuersi errores sunt circumuenientium, alii de
rebus, alii de fide trinitatis non recte sentiunt et diuersas uoluntates
habent, sed in unum conueniunt ad unum regem diabolum et in unum
locum id est in infernum. Ad quid? ad hoc ut decipiant ipsi de uanitate
20 sua in idipsum.

11. NOLITE SPERARE IN INIQUITATIBUS. Idithun ammonet non in iniquitate
sperandum, sed in ueritate; ET RAPINAS NOLITE CONCUPISCERE. Rapit
pauper, et tu dicis illi: quare rapuisti? ille respondit: pauper eram. Tu
dicis: si spem habuisses in deo qui te creauit, pasceret te; inimicos suos
5 pascit, quanto magis te, si fidem in ipso habuisses. Ideo rapuisti, quia
fidem in ipso non habuisti, et propterea rapuisti. DIUITIAE SI AF-
FLUANT, NOLITE COR ADPONERE: quare? quia uadunt et currunt. Sanctus Paulus dixit ad Timotheum: *Praecipe diuitibus huius saeculi non
sperare in incerto diuitiarum, sed in domino.*

12. SEMEL LOCUTUS EST DEUS. Hic quaestio oritur, quomodo dicit 'semel':
numquid non locutus est ad Adam, quando dixit: *Ubi es?* numquid

Codices: LMSV et Z = S+V
8 statera – unde] in stateris hoc est in praedicatione euangelii de indulgentia, unde in euangelio Z   11 de manu] egeno(-num SV*) aliquid Z   14 uides] -det Z(bis)   15 uos]
illos L*Z   17 non recte] male Z   18 habent M²: -bendi cett.   regem] regnum Z
19 ad hoc om. Z   20 sua om. Z   11,1/2 iniquitatem ... ueritatem M*   2 et + in Z
4 dicis + illi Z   deum M   pascebat L*Z   5 pascit + deus Z   6 Diuitias Z
7 currunt + sicut V   8 non + sublime sapere neque Z   9 domino] deo L: + qui praestat
nobis omnia habunde ad fruendum: bene agere, diuites fieri in operibus bonis, facile tri-
buere, communicare, thesaurizare sibi fundamentum bonum in futurum, ut adprehendant
ueram uitam Z   12,2 es + Adam Z

9 Mt 7,2   11,8/9 I Tim 6,17-19   12,2 cf Gn 3,9

non locutus est ad Cain: *Ubi est frater tuus?* numquid non locutus est
ad Noe: *Fac tibi arcam?* numquid non locutus est ad Abraham, ad Ia-
5 cob, ad prophetas, ad apostolos, et usque in finem loquitur? Sed hic
'semel locutus est' quod dicit neque per syllabam nec per sonum nec
per ullam creaturam, sed semel locutus est, quando genuit filium
suum in diuinitate; et istud quod superius dixit per ipsum filium locutus est, et per angelum et per reliquas creaturas ad supradictos locutus
10 est. Et adhuc uidetur necessarium, quomodo sanctus Paulus dixit:
*Multifarie multisque modis olim deus loquens patribus nostris in prophe-
tis.* DUO HAEC AUDIUI, QUIA POTESTAS DEI EST

13. ET TIBI DOMINE MISERICORDIA, quia nobis necessaria sunt. Omnes creaturae in istis duabus rebus continentur. Misericordia ad solum hominem pertinet. 'Quia potestas dei est': potestas fuit quia omnes creaturas ex nihilo creauit, misericordia in regendo et redimendo, potestas
5 est sustinendo, regendo, gubernando. Potestas fuit in diluuio, misericordia liberauit Noe. QUIA TU REDDIS UNICUIQUE SECUNDUM OPERA
SUA, bona bonis, mala malis; damnas peccatores, remuneras iustos.

62. PSALMUS DAUID CUM ESSET IN DESERTO IDUMEAE. Dauid figuram Christi tenet. Dauid interpretatur fortis manu siue desiderabilis. Idumea
interpretatur sanguinea siue terrena. Desertum hoc est derelictum id
est ipse populus Iudaicus uel gentilis intelleguntur, qui in sanguinitate
5 uel terrena uidentur commorare.

2. DEUS DEUS MEUS, AD TE DE LUCE UIGILO: uox Christi et uox ecclesiae.
Resurrexit Christus mane diluculo. 'Uigilo' dicit: duae uigiliae sunt, in
bonum et in malum. Ille uigilat in bonum qui conuertitur in iuuentute,

Codices: LMSV et Z = S+V
3 non¹ *om. MS*   est¹ + et Z   4 ad³] *praem.* et Z   4/5 Iacob + uel ad patriarchas Z
5 ad²] et Z   et - loquitur *om.* Z   9 supradictos] istos Z   10 est + quod dicit Z
adhuc + semel quod dicit Z   necess.] contrarium Z   dicit Z   11 loquens] locutus
est Z   11/12 prophetis + sed sic exposuit quomodo diximus: genuit filium in diuinitate Z
12 est *exp.* L²   13,2/3 solos homines V²   4 regendo] regnando S: rogando V
6 reddes LZ

Ps 62,1,1 psalmus] *praem.* In finem Z   desertum L*   2 Dauid *om.* LM   4 Iudaicus
om. LM   gentiles V   intelleguntur *om.* Z   2,2 dicit + quia Z   sunt + et dua
somnia id est Z

3 Gn 4,9   4 Gn 6,14   11 Hbr 1,1

Psalmus 62,2-3 — page 261

ut illud: *Qui mane uigilant ad me, inuenient me.* Et ille male uigilat qui in
5 malis uigilat, sicut dicit Salomon: *Non enim dormiunt nisi malefecerint et rapitur somnus ab oculis eorum nisi subplantauerint;* et alibi dicit: *Uanum est uobis ante lucem surgere.* SITIUIT IN TE ANIMA MEA. Uox Christi et uox ecclesiae: sitiuit dominus fidem ecclesiae et esuriuit salutem humani generis. Sitiuit ecclesia et cotidie sitit Christum, unde
10 dicitur: *Beati qui esuriunt et sitiunt iustitiam.* Uel sitiunt peccatores in cupiditate rebus multiplicari. MULTIPLICITER ET CARO MEA: sitiuit et caro, quia plus sustinuit caro quam anima, quamuis anima conteratur per cogitationem in corpore, corpus tamen sustinet a foris tribulationes, uult anima liberari id est deponere mortalitatem.

3. IN TERRA DESERTA IN INUIO ET INAQUOSO. In deserto, ubi non est uia neque aqua, mundus iste intellegitur. Desertum propter peccatores dicit; nam ubi dominus est, non est desertum. Tria sunt in deserto necessaria: uia, aqua et auxilium. In deserto istius saeculi dedit nobis dominus
5 uiam id est semet ipsum, ut ait: *Ego sum uia;* dedit aquam id est doctrinam euangelii, unde dixit: *Quoniam percussit petram et fluxerunt aquae;* dedit auxilium semet ipsum, ut illud: *Auxilium in tribulatione;* et alibi quidam sapiens ait: Auxiliare nobis, Christe filius dei. SIC IN SANCTO APPARUI TIBI: uox Christi. Ad quid apparuit? UT UIDEREM UIR-
10 TUTEM TUAM: uirtutem quia uicit diabolum et liberauit genus humanum. 'Uirtutem' dicit, *quia quod infirmum est dei, fortius est hominibus,* quia nullus fecit per fortitudinem quod Christus fecit per infirmitatem. Aliter 'sic in sancto apparui tibi' id est in sancto desiderio unde sitiebam et apparui tibi ut uiderem, ET GLORIAM TUAM id est gloriam resur-
15 rectionis a mortuis, quando sedet ad dexteram dei patris.

Codices: LMSV et Z = S+V
4 ut illud] unde dicit in Salomone Z   Et om. Z   4/5 illi ... uigilant(bis) L²   6 et²] praem. Unde Z   dicit om. Z   8 sitiuit + in te anima mea usquequo perueniam ad illum fontem uiuum. Sitiuit Z   9 et – 10 dicitur] Christum cotidie, ut illud Z   10 Uel om. Z   11 multiplicare L*M*SV*   sitit L   12 sustinet LZ   conteratur] crucietur(-atur V²) Z   13/14 tribulationem Z   14 anima om. Z   3,1 et + in M   6 dicit Z   percussisti Z   8 ait om. LM   9 apparui]-it L*Z   11 deo L   12 Christus] ipse Z   13 apparuit L*Z   unde] quod L*Z   13/14 sitiui Z   14 ut uiderem om. LZ   15 quando M: quia Z: om. L   dei om. LZ

Ps 62,2,4 Prv 8,17   5/6 Prv 4,16   7 Ps 126,2   10 Mt 5,6   3,5 Io 14,6   6 Ps 77,20   7 Ps 59,13   11 I Cor 1,25

4. Quia melior est misericordia tua super uitas. Misericordia tua, quia liberasti nos de potestate diaboli; 'super uitas' quod sibi elegerunt, alii militando, alii negotiando et reliqua: tua misericordia melior est quam ista. Labia mea laudabunt te domine: post misericordiam
5 laus, hic orando, illuc laudando.

5. Sic benedicam te in uita mea, quomodo dixi: in sancto desiderio quod mihi daturus es; et in nomine tuo leuabo manus meas. Christus *tota die expandit manus ad populum non credentem et contradicentem* in cruce. Aliter 'leuabo manus meas', ut Paulus in persona sanctorum
5 dicit: *Leuantes puras manus sine ira et disceptatione.* Per manus opera intelleguntur.

6. Sicut adipe et pinguedine repleatur anima mea. Adeps dupliciter hic intellegitur. In Uetere adipem offerebant domino in sacrificium, 'sicut adipe repleatur anima mea': sicut illud acceptum tibi fuit, sic repleatur anima mea de pinguedine gratiae spiritus sancti. Aliter 'replea-
5 tur anima mea' sicut adipe uolebat peruenire ad fontem uitae sine defectione, quia spiritus sanctus ad tempus ueniebat super prophetas et apostolos et recedebat. Sed iste Idithun, corpus Christi, quaerit illum qui numquam defecit de conspectu diuinitatis, de laudibus angelorum, quia uisu et auditu exinde incrassatur anima. Labia exultatio-
10 nis laudabo nomen tuum: hic orationes et illuc laudationes et laetitia sempiterna.

7. Si memor fui tui super stratum meum. 'Si' pro non ponitur: 'si memor fui tui': forsitan memor fui tui? ac si dicat: non fui. 'Super stratum': per stratum requies intellegitur, et qui in requie est solet obliuiscere deum. 'Si memor fui tui' dicit ecclesia, ac si dicat: et in requie et in
5 tribulatione non te fui oblitus. In matutinis meditabor in te: in matutinis sic solet homo aliquid incipere operari; uel 'in matutinis meditabor in te' id est quando aliquis incipit te credere, sic te laudabit. Quare?

Codices: LMSV et Z = S+V
4,2/3 elegerint *L** 		5 illic *V²* 		5,3 manus + in cruce *Z* 		3/4 in cruce] mihi *V**:
sibi *SV²* 		5 dicit *om. Z* 		6,3 sicut¹] sic *M* 		mea + ac si dicat *Z* 		4 gratia *Z*
8 deficit *V* 		10 laudabunt *Z* 		7,1 Si¹] Sic *M** 		3/4 obliuisci *L²V²* 		6 uel – 7 est] et
in requie et *Z* 		7 aliquis *om. Z* 		laudabo *Z*

5,3 Rm 10,21(Is 65,2)		5 I Tim 2,8

8. QUIA FACTUS ES ADIUTOR MEUS. Omnia bona, quicquid facimus, per
adiutorium dei facimus, unde dictum est: *Sine me non potestis quic-*
quam facere, id est nihil boni. ET IN UELAMENTO ALARUM TUARUM SPE-
RABO. Quomodo dicit 'in uelamento alarum'? forsitan deus alas habet
⁵ aut auis est? Non, ⟨sed⟩ quomodo dicit in euangelio: *Quotiens uolui*
congregare filios tuos sub alas *quemadmodum gallina pullos suos congre-*
gat sub alas, et noluisti. Gallina hic sapientia diuina intellegitur, duae
alae duo Testamenta uel duo praecepta caritatis id est dilectio dei et
proximi. Ista gallina defendit nos sub alis suis hoc est sub protectione
¹⁰ diuina, unde nos defendit de miluo id est de diabolo. Grandes pullos
celare non potest gallina. Deus potest celare illos qui se putant paruos
et humiles, quia ipsos defendit sub protectione sua.

9. ADHESIT ANIMA MEA POST TE. 'Adhesit' adglutinauit in caritate, ut illud:
Quis nos separabit a caritate dei? ME AUTEM SUSCEPIT DEXTERA TUA.
Suscepit de nostra humanitate, quia non potueramus illum sequi, nisi
de nostro accepisset.

10. IPSI UERO IN UANUM QUAESIERUNT ANIMAM MEAM. Multi quaerunt, sed
non aequaliter. Iudaei quaesierunt ad perdendum, ut extinguerent nomen Christi; et bene quaeritur, unde dicitur: *Exultent et laetentur qui*
quaerunt te domine. INTROIBUNT IN INFERIORA TERRAE, hoc inde habue-
⁵ runt inferiores partes terrae; alii exposuerunt 'in infernum'. Sed sanctus Agustinus plus spiritaliter dixit: terram super se uoluerunt mittere. Quando dixerunt: *Si dimittimus eum uiuere, uenient Romani et tol-*
lent nostrum locum et regnum et gentem, timuerunt perdere terram et
regnum; sed postea et caelum et terram et regnum perdiderunt, non
¹⁰ ambulauerunt super terram, sed terram super se posuerunt.

11. TRADENTUR IN MANUS GLADII id est in potestate gladii. PARTES UUL-
PIUM ERUNT: non uoluerunt partes agni esse, sed partes uulpium; unde
dominus dixit de Herode: *Ite, dicite uulpi illi.* Quattuor uulpes in Iu-

Codices: LMSV et Z = S+V
8,2 non] nihil Z   2/3 quicquam *om. Z*   3/4 sperabo] exultabo Z   5 in euangelio
om. LM   6 alis Z   7 sub alas *om. Z*   11 paruos + apud semet ipsos Z   12 quia
om. Z   9,1 adglutin.] et conglutinauit Z   2 Qui Z   separabit *L²*: -uit *cett.*   dei +
et rlq. Z   3 quia] et Z   10,7 ueniunt ... tollunt M   8 locum et *om. Z*   11,1 potestatem Z   gladii² + sub Uespasiano et Tito Z   2 unde *om. LM*

8,2 Io 15,5   5 – 7 Mt 23,37   9,2 Rm 8,35   10,3/4 Ps 39,17; 69,5   6 AU 62,18,
19-21(p. 806)   7/8 Io 11,48   11,3 Lc 13,32

daea erant reges. Duae uulpes maiores uenerunt super illos id est Titus
5 et Uespasianus, fecerunt exinde tres partes id est in gladio et fame et
captiuitate.

12. REX UERO LAETABITUR IN DOMINO. 'Rex' Christus in deo patre, uel reges sancti laetabuntur in Christo, ET LAUDABUNTUR OMNES QUI IURANT
IN EO. Digni sunt ut laudem accipiant a deo qui iurant id est quod promittunt in baptismum uel qualecumque uotum deo reddere, et obser-
5 uant, unde dixit: *Uouete et reddite domino deo uestro.* QUIA OBSTRUC-
TUM EST OS LOQUENTIUM INIQUA. 'Obstructum est' clausum est, quia si
cogitant Iudaei, non sunt ausi dicere contra Christum. Ergo antea dixerunt: *Uenerunt discipuli et furati sunt eum;* et item dixerunt: *Si filius dei
es, descende de cruce;* et: *In Beelzebub eicit daemonia.* Et heretici sic co-
10 gitant, sed non sunt ausi loqui propter sanctos dei.

63. IN FINEM PSALMUS DAUID. Iste psalmus ex persona martyrum cantatur,
uel ad caput pertinet hoc est ad Christum.

2. EXAUDI DEUS ORATIONEM MEAM CUM DEPRECOR. Martyres non rogant
pro uita praesenti corporali, sed spiritalem rogant, ut possint sustinere
tribulationem in persecutione uel passionem, ut non negent. A TIMORE
INIMICI ERIPE ANIMAM MEAM: 'a timore inimici' a timore persecutoris,
5 ac si dicat: non timeo. Quare? quia tu dixisti: *Noli timere eos qui occidunt corpus, animam autem non possunt occidere; sed potius eum timete
qui potest et corpus et animam perdere in gehennam.* Unde ipse dixit: Eripe animam meam, ut illos non timeam, sed te.

3. PROTEXISTI ME A CONUENTU MALIGNANTIUM. Protegere defendere est, a

Codices: LMSV et Z = S+V
12,1 domino] deo *Z*   3 quod] quicumque *Z*   4 in] aut in *Z*   baptismo *M*²
uel] aut *Z*   reddiderint *M*²   4/5 et obseruant *om. LM:* + per quem iuras, maiorem te
facis *Z*   6 quia si *LV:* quasi *MS*   8 iterum *M*   dixerunt *om. Z*   9 eiecit *LS*
sic] si *LZ*   10 sed *om. LZ*

Ps 63,1,1 psalmus¹] in hymnis *M*   Dauid] *praem.* ipsi *L*²   **2**,2 spiritalem *M:* -liter *cett.*
4 persecutoris + ut tuam timorem habeam, non hominum *Z*   5 Nolite *Z*   6 - 8 *codd.*
trsp.: Eripe - te, Unde - dixit, sed potius - gehennam   7 ipsi *S*   dixisti *Z*

12,5 Ps 75,12   8 Mt 28,13   8/9 Mt 27,40   9 Lc 11,15

Ps 63,2,5 - 7 Mt 10,28

conuentu malignantium hoc est Iudaeorum uel persecutorum; ET A
MULTITUDINE OPERANTIUM INIQUITATEM: ipsud est.

4. QUIA EXACUERUNT UT GLADIUM LINGUAS SUAS, alio loco dicit: *Lingua
eorum gladius acutus.* Exacuerunt linguas suas id est sermones eorum,
quando Pilatus uoluit Christum dimittere et illi clamauerunt: *Crucifige
eum;* et: *Si hunc dimittis, non es amicus Caesaris.* INTENDERUNT ARCUM
⁵ REM AMARAM. Per arcum occulta persecutio intellegitur, quia non uides sagittam nisi quando uulnerat; et per gladium aperta persecutio,
quia uides illum. 'Rem amaram' dicit, quia amaricauerunt semet ipsos.
Intenderunt arcum: ad quid intenderunt?

5. UT SAGITTENT IN OCCULTIS INMACULATUM. Inmaculatum hoc est Christum: ipse est inmaculatus de inmaculata matre sancta Maria. Aliter: ut
sagittent inmaculatam id est sanctam ecclesiam, inmaculatam, ut Paulus dicit: *Ut exhiberet sibi ecclesiam non habentem maculam neque*
⁵ *rugam aut aliquid eiusmodi.*

6. SUBITO SAGITTABUNT EUM ET NON TIMEBUNT. 'Subito' quasi ex inproui-
so id est in excessu, et non timebunt hoc est deum. FIRMAUERUNT SIBI
SERMONEM NEQUAM id est malum, quando dixerunt: *Sanguis eius super
nos et super filios nostros;* et item dicit: *Et mentita est iniquitas sibi.* NAR-
⁵ RAUERUNT UT ABSCONDERENT LAQUEOS: narrauerunt quando interrogabant, si *licet censum dare Caesari an non.* DIXERUNT: QUIS UIDEBIT EOS?
ac si dicerent: quis uidebit nos aut quis hoc nobis requiret? quasi dicerent: nemo. Dixit sanctus Agustinus similitudinem: homo caecus
non uidet solem, tamen sol circumdat illum; sic et illi non uident
¹⁰ solem hoc est Christum, tamen deus ubique est qui ipsos uidet.

7. SCRUTATI SUNT INIQUITATES, quando dixerunt: non tradamus eum nos,
sed discipulus eius; non interficiamus eum nos, sed Pilatus; non nos
custodiamus sepulchrum, sed milites. DEFECERUNT ipsi, quia non per-

Codices: LMSV et Z = S+V
4,4 et *om. LM*   Caesari *M*Z*   6 nisi *om. Z*   5,1 in occultis *om. LM*   inmacula-
tum¹ + alibi dicit: in occultis(-to *LZ*) *codd.*   1/2 Christum + quia *Z*   2 est *om. Z*
Maria + natus est *Z*   3 inmaculatam¹] -tum *Z*   5 aut – eiusmodi *om. Z*   6,2 et
om. LM   4 et² – dicit] ut illud *Z*   5/6 interrogabant + eum *Z*   7 uidet *Z*
nos *om. Z*   quasi] ac si *Z*   9 solem + sed *Z*   illum] eum *L*   uident] uoluerunt *Z*
10 illos *Z*   7,2 discipuli *Z*   eum] illum *Z*

4,1/2 Ps 56,5   3/4 Io 19,6.12   5,4/5 Eph 5,27   6,3/4 Mt 27,25   4 Ps 26,12
6 Mt 22,17   8 *cf* AU 63,12,2sqq.(p. 814)

fecerunt: occiderunt et uiuificatus fuit, custodierunt sepulchrum et re-
5 surrexit. ACCEDIT HOMO ET COR ALTUM. 'Homo' de humo accedit. Si
non accessisset homo, non uidissemus deum. 'Et cor altum': cor secretum, cor intimum hoc est deus latens in homine, id est diuinitas in
humanitate, et nisi nostra induisset, non potueramus illum sequi nec
uidere.

8. EXALTABITUR DEUS: humiliatus homo, exaltatus deus. SAGITTAE PAR-
UULORUM FACTAE SUNT PLAGAE EORUM. Per similitudinem: sicut infantes quando sagittant inter se et non se uulnerant, sic isti non potuerunt
perficere nisi quantum ipse permisit et uoluit.

9. INFIRMATA EST CONTRA EOS LINGUA EORUM. Quod fecerunt, contra semet ipsos fecerunt, et ipsi infirmati sunt quasi gladius et quasi sagitta;
ET TURBATI SUNT OMNES QUI UIDEBANT EOS. In bonum conturbati sunt
illi qui conuersi sunt de Iudaeis, quando dixerunt: *Quid faciemus, uiri*
5 *fratres, ostendite nobis* et rlq.

10. ET TIMUIT OMNIS HOMO id est numerus praedistinatorum, quando *scis-*
sae sunt petrae et monumenta aperta sunt. Petrae scissae fuerunt, et
corda Iudaeorum in duritia permanserunt. ET ADNUNTIAUERUNT
OPERA DEI, adnuntiauerunt id est praedicauerunt, ET FACTA EIUS IN-
5 TELLEXERUNT: sua miracula post passionem quae per diuinitatem
operatus est.

11. LAETABITUR IUSTUS IN DOMINO: filius in patre et ecclesia in Christo, ET
SPERAUIT IN EO, quomodo diximus, ET LAUDABUNTUR OMNES RECTI
CORDE: recti corde dicuntur quibus iudicia dei placent in omnibus.

Codices: LMSV et Z = S+V
5 Accedet *L*   accedit² + homo(*eras. M*) *LM*: *om. Z*   6 uideremus *L²*: -deamus *L**:
-deretur *Z*   deus *Z*   8 humanitate + non ostendebat quod(quid *V*) erat intus,
induit carnem illa diuinitas, ut ait: Traditus sum et non egrediebar *Z*   nostram *LZ*
poteramus *Z*: -tuissemus *M²*   illum *post* 9 uidere *trsp. Z*   8,1 exaltatus] -tabitur *M*
3 sagittent *Z*   4 perficere + quia non potuerunt *Z*   9,2 ipsi] ideo *Z*   sagittae et
quasi gladium + sed infirmati sunt *Z*   10,4 opera – adnuntiauerunt *om. Z*

7,8 (Ps 87,9)   9,4/5 Act 2,37   10,1/2 Mt 27,51.52

64. In finem psalmus ipsi Dauid, canticum Hieremiae et Ezechiel et populo de captiuitate. Iste psalmus ex persona Christi cantatur et de reuersione captiuitatis Babyloniae in Hierusalem, et de nostra captiui-tate reuersi fuimus ad caelestem Hierusalem. Canticum id est laus de
5 caelestibus uenit; dum dicit de caelestibus, de persona Christi canta-tur. Hieremias et Ezechiel pro qua causa hic ponuntur? pro figura. Hie-remias figuram Christi tenet, unde dominus dixit ad Hieremiam: *Pri-usquam te formarem in utero noui te, et antequam egredereris de uulua sanctificaui te.* Et si de Hieremia hoc dictum est, quanto magis domi-
10 nus secundum deitatem et per spiritum sanctum conceptus? Prophe-tauit ipse Hieremias quod populus in captiuitatem in Babylonia ambu-laret et post septuaginta annos reuersurus esset, quod et ipse uidit quod prophetauit. Ezechiel corpus Christi intellegitur, quia et ipse in captiuitate pro consolatione populi fuit, ut non se conuerteret ad idola.
15 Cum ipsis fuit iste, de Hierusalem in Babylonia quando captiuati fue-runt. Duae ciuitates sunt ab initio mundi: Babylonia et Hierusalem. Babylonia fuit aedificata in extremis partibus Medorum de turre Sen-naar quasi inde aedificata sit, et dicitur quod Cain illam aedificasset. Et de Hierusalem dicitur quod aedificasset illam Abel. Sed istud ad intel-
20 lectum pertinet. Per seniorem Babylonia, per iuniorem Hierusalem, per Cain error uel malitia, per Abel bonitas uel sanctitas. Per Cain, ut diximus, malitia, quia semper ab initio mundi – quantum ad nostram pertinet partem – senior fuit malitia de bonitate, quia semper antea fuit.

2. Te decet domine hymnum deus in Sion. Uox ecclesiae: te decet hym-num. Quid est hymnum nisi laus? Ubi? in Sion id est in sancta ecclesia, quia et hic laudant sancti; sed magis de futuro pertinet. Quomodo so-

---

Codices: LMSV et Z = S+V
Ps 64,1,1 ipsi *L: om. cett.*   Dauid *om. S*   canticum *om. LS*   et¹ – 2 populo *om. M*
et²] de *S²*   3 captiuitatis *om. M*   in] ad *Z*   4 fuerimus *V*   5 de caelestibus² *om. Z*
8 formarem] plasmarem *Z*   10 per *om. M*   11 Babyloniam *L*   11/12 ambulasset *Z*
13 Ezechiel] *praem.* Et *Z*   14 propter consolationem *Z*   fuit *om. Z*   conuerterent *Z*
15 Isti *Z*   Babyloniam *L*   quando *M: om. cett.*   captiui *Z*   17 extrema parte *Z*
23 senior] *praem.* semper *L*   semper *om. Z*   24 fuit + error, postea sanctitas *Z*
2,1 domine *M: om. cett.*   hymnus *LZ*   te decet²] dicit *L:* dixit *M*

Ps 64,1,7-9 Ier 1,5

lum in Sion hoc est in ecclesia laudant, dum uidemus hic in Babylonia
5 id est in mundo martyres et sanctos laudare, et peccatores uidentur
laudare et uerbis et diuersis cantilenis, quia hic commixti sunt mali
cum bonis? Sed quamuis peccatores laudent, rectum tamen non est,
quia *non est* perfecta neque *pulchra laus ex ore peccatoris.* Martyres et
sancti hic laudant, tamen non est integra laus; sed tunc erit ⟨perfecta, si
10 erit⟩ in Sion id est in specula uitae, Hierusalem, uisio pacis (ipsud est
uisio pacis quod et specula uitae). ET TIBI REDDITUR UOTUM IN HIERU-
SALEM. Quid est uotum nisi totum? quid est totum nisi holocaustum?
quid est holocaustum nisi conbustum? Holocaustum Graecum est
quod nos dicimus totum conbustum. Quid hoc intellegitur nisi de fu-
15 turo iudicio, *cum tradiderit regnum deo et patri,* quando erit *deus omnia*
in omnibus, quod adquisiuit sanguine suo, hoc est corpus et anima? In
uisione pacis sic erit acceptum uotum, unde dixit: *Uouete et reddite do-*
mino deo uestro hoc est *sacrificium laudis.*

3. EXAUDI ORATIONEM MEAM, AD TE OMNIS CARO UENIET: corpus Christi
dicit. Quomodo dicit: ad te omnis caro ueniet? de futuro iudicio incognitum non est quod omnes resurgemus. Quomodo dicit: omnis
caro ad te ueniet? quia uidemus hereticos, gentiles, paganos: non om-
5 nes conuertuntur. Ueniunt Iudaei, Graeci, Romani, gentiles, mulier et
uir, senior et iunior de omnibus gentibus, id est praedistinati dicit, quia
de omnibus gentibus ueniunt ad fidem Christi, ut illud: Et dedit ei potestatem super omnem carnem deus pater.

4. UERBA INIQUORUM PRAEUALUERUNT SUPER NOS. Uox christianorum.
Interrogas ad illum: quare non credidisti antea? ille respondit: propter
caecitatem, uel error parentum meorum me tenuit. Quomodo illos
uidi idola adorare, et ego sic feci. Hieremias dixit: *Uere mendacium et*

Codices: LMSV et Z = S+V

4 in² + sancta Z   6 et¹ *om.* Z   8 Martyres] *praem.* Et Z   9 est + hic Z   11 redde-
tur *L*²Z   13 nisi + totum Z   17 uotum + deo Z   18 laudis + tunc(*om. V*) est quando
ille ignis diuinitus adsumit omne quod carnale est Z   3,2 Quomodo] quando *V*   dicit
om. Z   3 Quomodo – 4 ueniet] Omnes dicit Z   4 uidemus *M*: uidimus *cett.*   6 de –
dicit] et rlq. Z   7 omnes gentes + praedistinati Z   8 pater + ad filium: ueniunt ad
fidem de omni gente Z   4,1 super nos *om.* LM   2 ad *om. M*   propter – 3 uel *M*:
om. cett.

2,8 Sir 15,9   15/16 I Cor 15,24.28   17/18 Ps 75,12 + 49,14   3,7/8 *cf* Io 17,2
4,4/5 Ier 16,19

⁵ *uanitatem coluerunt patres nostri et non profuit eis.* ET IMPIETATIBUS NO-
STRIS TU PROPITIABERIS. Usque in finem nos fuissemus in errore, nisi tu
propitius fuisses nostri. Propitiatio dicitur, sicut legimus de illo propi-
tiatorio in templo, unde deus loquebatur per angelum qui erat inter
duos cherubin, unde propitiabatur deus illi populo. Unde et alibi dicit:
¹⁰ *Ipse est propitiatio pro peccatis nostris,* quia ipse Christus et sacerdos et
holocaustum et hostia est, quia semet ipsum obtulit pro nobis.

5. BEATUS QUEM ELEGISTI. Ecclesia loquitur ad deum patrem, unde in
euangelio dicit: *Hic est filius meus dilectus in quo mihi conplacui* et rlq.
ET ADSUMPSISTI hoc est in diuinitate. INHABITABIT IN TABERNACULIS
TUIS id est in illo corpore dominico, ubi fuit plenitudo diuinitatis et in
⁵ utero sanctae Mariae uel hic in sancta ecclesia. REPLEBIMUR IN BONIS
DOMUS TUAE. Uox ecclesiae, gaudet laudibus et muneribus. SANCTUM
EST TEMPLUM TUUM,

6. MIRABILE IN AEQUITATE. 'Templum tuum' corpus dominicum uel
uterum sanctae Mariae uel sancta ecclesia. Dominus dixit: *Soluite tem-*
plum hoc et in tribus diebus excitabo illud; et illi falsi testes dixerunt de
alio templo, Christus autem *dixit de templo corporis sui,* unde dixit: *Po-*
⁵ *testatem habeo ponendi animam meam* et rlq. Deus pater tradidit illum
propitiatorem, et Iudas et Iudaei tradiderunt ad illorum condemnationem et nostram iustificationem. EXAUDI NOS DEUS SALUTARIS NOSTER.
Ecclesia dicit: exaudi nos, quia tu es nostra salus. SPES OMNIUM FINIUM
TERRAE. Omnes gentes in te habent spem qui sunt praedistinati; ET IN
¹⁰ MARI LONGE et in insulis, ubicumque sunt gentes.

7. PRAEPARANS MONTES IN UIRTUTE TUA. 'Montes' sancti apostoli uel
sancti fortiores, unde dixit alio loco: *Transferentur montes in cor maris*
id est in gentilitatem. 'In uirtute tua': in tua, non in sua, hoc est in gratia
spiritus sancti. ACCINCTUS POTENTIA, id est de suis sanctis et angelis,
⁵ unde dixit alio loco: *Accingere gladium tuum.*

Codices: LMSV et Z = S+V
5 et¹] quod Z   illis non profuit Z   6 nos + sic Z   9 et alibi] Paulus Z   11 et hostia *om.* LM   5,2 conplacuit L*M*V   4 et] uel Z   5 uel + Christus modo Z
6 mun.] mercedibus Z   7 est *om.* S   6,2 uter Z   3 in – illud] rlq. Z   illi] alii Z
5 Deus] *praem.* Et Z   6 propitiatorem] sicut dixit: Percutiam pastorem et dispergentur
oues Z   7,1 Praeparas V   3 non in sua, sed in tua Z   4 et *om.* M

7 - 9 *cf* Ex 25,17sqq.   10 I Io 2,2   5,2 Mt 3,17   6,2/3 Io 2,19   3/4 *cf* Mt 26,60.61
4 Io 2,21   4/5 Io 10,18   6 (Mt 26,31[Za 13,7])   7,2 Ps 45,3   5 Ps 44,4

8. QUI CONTURBAS PROFUNDUM MARIS id est corda impiorum qui contra
   sanctos et contra Christum agunt. SONUM FLUCTUUM EIUS TU MITIGAS:
   'sonum fluctuum' sermones persecutorum, QUIS SUSTINEBIT? Nullus,
   nisi tu adiuues. Tu mitigas quia ⟨nocere⟩ non possunt nisi quantum
5 permittis. TURBABUNTUR GENTES ipsum mare,

9. ET TIMEBUNT hoc est deum pro suis miraculis quae uiderunt, OMNES
   QUI INHABITANT FINES TERRAE A SIGNIS TUIS, per hoc timebunt EXITUS
   MATUTINI, ET UESPERE DELECTAUERIS. Per 'mane' laetitia, per 'uespere'
   tristitia. Aliter 'mane' prosperitas saeculi adridit te, diligit te, dicit tibi:
5 homo, conpara agros ut diues sis (dicit sanctus Agustinus:) Deus ad
   illum in corde dicit: ego sum diuitiae tuae, noli amare diuitias saeculi,
   quia uides muscipulam et non uides hamum, tu tenes diuitias et diabolus te tenet. Et ille qui non uult amare diuitias et sustinet persecutionem a diuitibus dicit: non me potes facere quicquam, quia si occidis
10 corpus, animam non potes occidere, et dominus meus pro me sustinuit
   et ego propter illum sustineo. Sic temperat dominus sanctos suos, ut
   nec per mane id est prosperitate eleuentur nec per uesperum id est
   aduersa declinent. Unde sanctus Paulus dicit: *Fidelis deus qui non pati-*
   tur uos temptari et rlq., quia semper et mane et uespere delectaueris in
15 sanctis.

10. UISITASTI TERRAM ET INEBRIASTI EAM. Uisitasti terram hoc est sanctam
    ecclesiam, ut illud: *Uisitauit nos oriens ex alto.* Tunc uisitauit, quando
    de torrente in uia bibit. 'Inebriasti eam' quando dixerunt: *Hi musto re-*
    pleti sunt; et alibi dicit: *Et calix tuus inebrians.* MULTIPLICASTI LOCUPLE-
5   TARE EAM id est sanctam ecclesiam. Dicit sanctus Agustinus: Antea
    pauca grana, sed postea multae segetes, unde dominus dixit: *Messis*
    quidem multa, operarii autem pauci; et item dicit: *Leuate oculos uestros*

Codices: LMSV et Z = S+V
8,4 adiuues + Aliter Z   quantum + tu Z   **9**,2 habitant Z   3 uespere] -rum LM
delectaueris L*M] -beris *cett.*   4 adridit – te²] Agustinus LM   tibi *post* 5 conpara
trsp. M   5 dicit s. Agust. *post* 6 saeculi *trsp.* Z: *om.* LM   7 quia *om.* Z   8 te *om.* M
tenet + hamum M   9 potestis Z   occiditis(-distis V) Z   10 potestis Z   sustinuit
+ et passus est Z   11 pro illo L   Sic] si MS   12 uespere Z   13 aduersitate Z
14 delectaberis Z   **10**,3 bibet Z   6 multa segis Z   7 item] alio loco dominus Z

9,3–8 *cf* AU 64,13,4sqq.(p. 834)   9/10 *cf* Mt 10,28   13/14 I Cor 10,13   **10**,2 Lc 1,78
3 Ps 109,7   3/4 Act 2,13   4 Ps 22,5   5 AU 64,15,6-7(p. 836)   6/7 Mt 9,37
7/8 Io 4,35

et uidete regiones, quia albae sunt iam ad messem. Tunc pauci, sed modo multiplicati. FLUMEN DEI REPLETUM EST AQUIS: populus dei de doc-
¹⁰ trina, ut illud: Aquae multae populi multi. PARASTI CIBUM ILLORUM: semet ipsum praeparauit in cibum illorum, sicut dixit: *Ego sum panis uiuus;* et: *Qui manducauerit corpus meum, ipse in me manet et ego in eo.* QUIA ITA EST PRAEPARATIO TUA, id est tua misericordia.

11. RIUOS EIUS INEBRIANS id est sanctos praedicatores de gratia spiritus sancti. MULTIPLICANS, quia increpasti corda dura et lapidea, multipli-cans per illorum praedicationem, quia pauci in primitus fuerunt, multi-plicati sunt postea. Hic dicit 'riuos eius inebrians' et alio loco dicit:
⁵ SULCOS EIUS; sulcus id est soccus quia aperit terram duram; sic et sancti praedicatores per illorum praedicationem scindunt corda dura et lapi-dea. IN STILLICIDIIS SUIS LAETABITUR GERMINANS. ⟨Stillicidia⟩ minuta pluuia et paucae guttae. Quamuis multi sint sancti, tamen uidentur quasi pauci in hoc, quia nullus sanctus habet integre illa septem dona
¹⁰ spiritus sancti nisi Christus. 'Laetabitur germinans' illa plebs et ipsi praedicatores, cum orta fuerit et germinauerit illa praedicatio.

12. BENEDICENS CORONAM ANNI BENIGNITATIS TUAE. Secundum historiam benedicit deus coronam anni id est circulum anni, quando unus fruc-tus alium consequitur. Aliter secundum intellectum per coronam uic-toria, corona anni integritas anni hoc est quando plenitudo corporis
⁵ Christi in die iudicii integra fuerit, tunc dominus benedicit illos dicens: *Uenite benedicti patris mei, percipite regnum.* ET CAMPI TUI REPLEBUN-TUR UBERTATE. 'Campi' de fertilitate dicuntur; fertiles sunt iusti et re-plebuntur de gratia spiritus sancti.

Codices: LMSV et Z = S+V
10 ut illud om. *LM*   eorum + quia(quoniam *V*) ita est praeparatio tua *Z*   11 sicut di-xit] ut illud *Z*   12 uiuus + qui de caelo descendi *Z*   et] Aliter *Z*   manducat carnem meam *Z*   ipse *om. Z*   eo] illo *Z*   **11,**1 sancti *L*Z*   praedic. + inebriati *Z* 2 sancti + ut illud: Bibite proximi et inebriamini karissimi *Z*   Multiplicans – increpasti] Sancti praedicatores qui increpant *Z*   dura et lapidea] uestra et labia *Z*   2/3 multipli-cata *post* 3 praedicationem *trsp. Z*   4 Hic - et *om. Z*   5 eius + inebrians *Z*   aperit + id est scindit *Z*   6 praedicationem + sulcant id est *Z*   6/7 et lapidea *om. Z*   8 sint *LM²:* sunt *M*: om. Z*   10 ipsi] illi *Z*   11 fuerit orta *LM*   **12,**1 Benedices *Z* 2 benedicet *M*   5 integer *L*M*   7 fertilitate] aequalitate *Z*   aequales *Z*

10 *cf* Apc 17,15   11/12 Io 6,51.57   **11,**2 (Ct 5,1)   5 Sulcos = Ps(H) AU   **12,**6 Mt 25,34

13. PINGUESCENT SPECIOSA DESERTI (alibi dicit: FINES DESERTI), id est omnes gentes desertae ante aduentum saluatoris, quia sine praedicatione
erant, pinguescent de gratia spiritus sancti. Desertae erant sine uia hoc
est Christo, replebuntur de gratia spiritus sancti. ET EXULTATIONE COL-
5 LES ACCINGENTUR: 'colles' humiles 'accingentur' post resurretionem
de laetitia sempiterna.
14. INDUTI SUNT ARIETES OUIUM: 'arietes' principes ecclesiae, oues greges.
'Induti sunt arietes' dicit, et non dixit unde, subauditur: de exultatione
id est laetitia sempiterna. ET CONUALLES HABUNDABUNT FRUMENTO,
hoc est humiles habundabunt doctrina. CLAMABUNT ENIM ET HYMNUM
5 DICENT: clamant fines, clamant campi, clamant colles. Dicit sanctus
Agustinus: Quid clamant? Ergo ueniens dulcis pluuia super omnes,
unusquisque uideat quid germinat. Una pluuia inrigat triticum et
spinas, germinat triticum, germinant et spinae. Qui triticum germinat
parat se ad horreum id est ad mansiones caelestes, et qui spinas germi-
10 nat parat se ad ignem ad conburendum.

65. IN FINEM CANTICUM PSALMI RESURRECTIONIS. Per canticum intellegen-
tia spiritalis intellegitur, per psalmum opus. Hic quaestio oritur: dum
legimus canticum psalmi et psalmi canticum, quare non dixit: liber
cantici, sed liber psalmi? Canticum laus est, et per psalmum opus, quia
5 siue laudant siue praedicant siue aliquid boni agunt, semper per intellegentiam facere debent. 'Resurrectionis', quia iste psalmus de resurrectione Christi pertinet et nostra.

Codices: LMSV et Z = S+V
13,1 alibi - est *om. LM*   3 pinguescent + modo Z   4 replebuntur + ut diximus Z
5 colles - accingentur² *om.* Z   **14,1** gregis *LM*   2 dicit *om.* Z   unde + sed Z
subauditur + quod superius dixit Z   3 est + de Z   4 habundant V + frumento id est Z
etenim Z   5 clamant¹] -mabunt Z   6 Quid] quod M   clamant - 7 quid *om. LM*
7 inrigat] integrat M   8(*et* 9/10) germinant M²   9(*et* 10) parat L²V²: parant M²:
paret(-it L*) *cett.*   9 et *om. LM*   10 conburendum + sicut dicit: Ite maledicti in ignem
aeternum, ubi uermis eorum non moritur et ignis non extinguitur Z

Ps 65,1,1 psalmi] psalmus Dauid M   resurrectione(-nem S) Z   4 laus est] hoc est laus Z
et *om.* Z   psalmum + ut diximus Z   5 laudent ... praedicent Z   agunt + sancti Z
6 resurrectionis + dicit Z

13,1 fines = Ps(Ro)   **14,**6 AU 64,18,10(p. 837)   10 (Mt 25,41 + Mc 9,45.47)

IUBILATE DEO OMNIS TERRA. Uox praedicatorum et apostolorum de resurrectione dominica et nostra. Iubilate, hoc est quod neque per litte-
10 ras neque per syllabas neque per uerbum potest conprehendi, quanta
magnitudo laetitiae et aeternitatis erit post resurrectionem, hoc erum-
pit in uoce. ⟨Omnis terra⟩ omnis ecclesia in toto mundo diffusa.
2. PSALMUM DICITE NOMINI EIUS. Multi laudant, sed non implent opere.
DATE GLORIAM LAUDI EIUS, hoc est *ut uideant opera uestra bona* et rlq.;
et alibi dicit: *Non nobis, domine, non nobis* et rlq.
3. DICITE DEO, QUAM TERRIBILIA SUNT OPERA TUA. Terribilia quae potes
admirari et non potes conprehendere, id est de populo Iudaico electo
et postea reprobato et gentes primitus condemnatae et postea electae,
et de illis qui uidentur quasi sancti et probati, et de peccatoribus qui ui-
5 dentur quasi reprobati et postea electi: occulta sunt iudicia dei terribilia id est timenda. IN MULTITUDINE UIRTUTIS TUAE MENTIENTUR TIBI
INIMICI TUI. In multitudine uirtutis, quando uiderunt in Aegypto uirtutes et signa et in mari Rubro et reliqua, mentiti sunt, quando dixerunt:
Omnia quaecumque dixerit nobis dominus faciemus, et postea quando
10 illas uirtutes dominum uiderunt facere, non custodierunt; unde dicit:
Iniquitas mentita est sibi; et alibi: *Inimici domini mentiti sunt ei.*
4. OMNIS TERRA ADORET TE ET PSALLAT TIBI. Uox ecclesiae ad Christum,
ac si dicat: non tibi impediuit quod Iudaei te reliquerunt, quia omnis
terra adoret te; 'et psallat tibi' dicit: multi adorant, sed non operantur,
unde dictum est: *Non omnes qui dicunt mihi: domine, domine* et rlq.
5 PSALMUM DICAM NOMINI TUO ALTISSIME id est adimplere opere, *ut uide-*

Codices: LMSV et Z = S+V
8 praedicatorum] sanctorum S   10 conprehendere L*M*SV*   quanta] tanta Z
11 magnitudine(-nem S) Z   quae post resurr. erit Z   2,2 rlq.] glorificent patrem uestrum qui in caelis est Z   3 et rlq.] sed nomini tuo da gloriam Z   3,1 terribilia²] terribile
est Z   quae] quod V²   potest M   2 potest M   5 reprobati] probati Z   6 multitudinem S   8 Mentierunt V: mentientur S   dixerunt + ad Moysen Z   9 dixerit]
iusserit Z   dominus + deus Z   postea + mentiti erunt(mentierunt V) Z   10 facere
+ et ipsi Z   custod.] crediderunt Z   11 alibi om. Z   4,2 impetiuit M   dereliquerunt V   3 et om. LZ   non + psallant id est non Z   4 omnis L   dicit L²
5 dicam] -cat Z   implere Z   opere + ut illud Z

Ps 65,2,2 Mt 5,16   3 Ps 113,9   **3,**9 Ex 19,8   11 Ps 26,12   Ps 80,16   **4,**4 Mt
7,21   5/6 Mt 5,16

ant opera uestra bona. DIAPSALMA: pro sermone pertinet quod subsequitur, aut sensum aut personam mutat aut discretionem prophetiae.

5. UENITE ET UIDETE OPERA DOMINI: 'uenite' credite, 'uidete' intellegite: uox praedicatorum. QUAM TERRIBILIS IN CONSILIIS SUPER FILIOS HOMINUM: 'terribilis' id est quomodo unus reprobatur et alter eligitur, reprobantur Iudaei, eliguntur gentes, sicut dicit in euangelio: *Duo in agro,*
⁵ *unus adsumitur et alter relinquetur, duae molentes, una adsumitur et alia relinquetur; duo in lecto, unus adsumitur et alter relinquetur.* Terribile est, dum de una massa fuerunt creati, alii eleguntur et alii reprobantur.

6. QUI CONUERTIT MARE IN ARIDAM ET FLUMINA PERTRANSIBUNT PEDE. Mare gentilitas quae desiderabat spiritalem intellegentiam, sicut dicit: *Qui sitit, ueniat et bibat* et rlq. Terra arida desiderat pluuiam et sancti doctrinam. Per 'flumina' populus intellegitur. 'Pertransibunt pede':
⁵ sancti praedicatores facile ambulabant praedicando, quia deus praeparat illis uiam; unde dictum est: *Calciate pedes uestros in praeparatione euangelii pacis.* IBI LAETABITUR IN IDIPSUM,

7. QUI DOMINATUR IN UIRTUTE SUA IN AETERNUM. 'In idipsum' hoc est in Christum, quia qui hic fuit humiliatus ipse dominatur in aeternum. OCULI EIUS SUPER GENTES RESPICIUNT, ut reprobentur Iudaei et eligantur gentes, ut illud: *Qui finxit oculum, non consideret?* ET QUI IN IRA
⁵ PROUOCANT NON EXALTENTUR IN SEMET IPSIS. Sanctus Agustinus dicit: qui amaricantur non habent in se laetitiam sempiternam, id est illi inimici qui mentiti sunt.

8. BENEDICITE GENTES DOMINUM NOSTRUM: uox christianorum, ET AUDITAM FACITE UOCEM LAUDIS EIUS. Christiani admonent alios: uos qui creditis facite, ut et alii audiant et intellegant.

9. QUI POSUIT ANIMAM MEAM AD UITAM. Quasi unus homo hoc est una

---

Codices: LMSV et Z = S+V
6 bona + et glorificent patrem uestrum qui est in caelis *Z*   propter sermonem *M*
quod] qui *L²V²*   7 disscriptionem *Z*   **5**,4 dixit *L*   5(*et* 6) relinquetur *L*: -quitur *cett.*
duae – 6 relinquetur¹ *om. L*   5 molentes *M*: in(*om. V*) mola *Z*   una] unus *MV**
alia] alter *M*   7 de] in *Z*   **6**,1 et] in *M*   flumine *M**: -men *M²*   2 Mare] *praem.*
per *Z*   desiderat *M*   4 intellegitur] qui fluent in gyro uadent *Z*   5 facile] fortiter *Z*
ambulauerunt *LZ*   5/6 praeparauit *L²*   6 uestros *om. Z*   7 laetabimur *L²S*
7,2 Christo *Z*   aeternitate *Z*   3 respiciunt + ad quid *Z*   7 qui *om. Z*   **8**,1 domino deo nostro *Z*   3 ut *om. MS*

5,4 – 6 Mt 24,40.41; Lc 17,34.35   **6**,3 Io 7,37   6/7 Eph 6,15   **7**,4 Ps 93,9

ecclesia: ego posui ad mortem animam meam, illi ad uitam. Mors occidit mortem, mors Christi occidit mortem nostram. ET NON DEDIT COMMOUERI PEDES MEOS, sensus meos, quia posuit ipsos supra petram id est
⁵ supra semet ipsum, ut ait propheta: *Mei autem paene moti sunt pedes.*

10. QUONIAM PROBASTI NOS DEUS, IGNE NOS EXAMINASTI SICUT IGNE EXAMINATUR ARGENTUM. Per similitudinem: sicut in fornace mittitur aurum aut argentum, sic sancti probantur per tribulationem.

11. INDUXISTI NOS IN LAQUEUM (Agustinus dicit: IN MUSCIPULAM). Quomodo nos induxisti, dum nos docuisti orare dicens: *Ne inducas nos in temptationem?* Permittit deus sanctos suos habere prosperitatem et temptationem. POSUISTI TRIBULATIONEM IN DORSO NOSTRO,

12. INPOSUISTI HOMINES SUPER CAPITA NOSTRA. Non dixit de angelis neque de sanctis, sed de peccatoribus, id est peccatores fecisti esse super nos, ut nos sustineamus per patientiam, quia *per multas tribulationes oportet nos intrare in regnum dei.* TRANSIUIMUS PER IGNEM ET AQUAM: ignis uo-
⁵ rat, aqua corrumpit, ignis temptatio, aqua prosperitas. Ad caticuminos mittit homo aquam et ignem et per hoc exit diabolus ab illis, id est per ignem spiritus sancti et aquam, gratiam baptismi, sic exiet diabolus de corde humano. INDUXISTI NOS IN REFRIGERIUM id est in uitam aeternam.

13. INTROIBO IN DOMO TUA, DEUS, CUM HOLOCAUSTIS hoc est cum totis uisceribus et corpus et anima, UT REDDAM TIBI UOTA MEA,

14. QUAE DISTINXERUNT LABIA MEA id est promissum, ut deum laudem, ut confitear illum creatorem et me creaturam, illum lumen et me tenebras. LOCUTUM EST OS MEUM IN TRIBULATIONE MEA:

15. HOLOCAUSTA MEDULLATA OFFERAM TIBI, corpus Christi. Ossa inferiora carni et medulla inferior ossis, 'medullata' hoc est uiscera cum corpore

---

Codices: LMSV et Z = S+V
9,2 ille Z   3 occidit] -cisit L*M*SV*   nostram + diabolum Z   3/4 commouere M
4/5 super Z(*bis*)   5 ut] unde Z   10,3 aut] et Z   argentum + et probatur Z
11,1 laqueo L*M   muscipulam L: -la *cett.*   4 tribulationes V*   12,2 peccatoribus,
-tores] persecutoribus, -tores Z   3 quia] ut illud Z   5 rumpit MS   6 exiet Z
7 et – 8 humano *om.* LM   13,1 domum tuam L²V*   deus *om.* Z   14,1 id est promissum] quicquid promisi Z   2 et *om.* Z(*bis*)   15,2 ossis L²: -sa *cett.*   cum corpore]
corpus M

9,5 Ps 72,2   11,2/3 Mt 6,13   12,3/4 Act 14,21

et anima offeram tibi, CUM INCENSU ET ARIETIBUS: incensum orationes,
arietes apostoli uel praedicatores; OFFERAM TIBI BOUES CUM HIRCIS,
⁵ boues praedicatores qui arant corda dura, ut Paulus: *Non alligabis os*
boui trituranti; hirci peccatores, ut cognoscamus quia et ipsi peccatores
fuerunt, sicut dixit: *Multiplicatae sunt* enim *infirmitates eorum* et rlq.

16. UENITE ET AUDITE: uox praedicatorum, ET NARRABO UOBIS OMNES QUI
TIMETIS DOMINUM, QUANTA FECIT ANIMAE MEAE: ecclesia dicit quasi
unus homo, ut ait propheta: *A finibus terrae ad te clamaui, domine.*
'Quanta fecit animae meae': quid me fecit? fecit me ex nihilo, passus
⁵ pro me, et uitam aeternam promittit.

17. AB IPSO ORE MEO CLAMAUI. Multi clamant non ad deum nec ore proprio. Quando clamant ad lapides uel ad idola uel ad arbores, tunc nec
ad deum clamant nec ore proprio. Quando ad deum clamas, ore proprio clamas. ET EXALTAUI SUB LINGUA MEA, id est praedicaui, 'sub lin-
⁵ gua mea' sub corde meo: *Corde enim creditur ad iustitiam* et rlq.

18. INIQUITATEM SI CONSPEXERO IN CORDE MEO, NON EXAUDIET ME DEUS, ac
si dicat: non dilexi iniquitatem,

19. PROPTEREA EXAUDIUIT ME DOMINUS, quia non dilexi iniquitatem, ET IN-
TENDIT UOCI DEPRECATIONIS MEAE.

20. BENEDICTUS DOMINUS, cui benedicit omnis creatura, QUI NON AMOUIT
ORATIONEM MEAM ET MISERICORDIAM SUAM A ME. Cognosce et crede:
quamdiu tu oras, suam misericordiam non amouet a te; si tu non oras,
suam misericordiam amouet a te.

Codices: LMSV et Z = S+V
3 anima + Et omnia uiscera totum *Z*   tibi offerre *Z*   incensu] -so *LM**   5 qui
om. LM   6 peccatores] praedicatores *Z*(*bis*)   7 dicit *Z*   et rlq.] postea uero adcelerauerunt *Z*   **16**,1 et¹ *om. M**   audite] uidete *V*   ⁻2 dominum] deum *LZ*   3 domine *om. Z*   4 fecit² + uox ecclesiae *Z*   **17**,1 Ab ipso] Ad ipsum *M²V²*   ore¹] ori *M*
2 (*et* 3) clamant] -mas *Z*   lapidem *Z*   uel ad²] et *Z*   5 meo + ut illud *Z*
enim *om. Z*   et rlq.] ore autem confessio fit ad salutem *Z*   **18**,1 si conspexi *S*: sicut
spexi *V**: si aspexi *V²*   me *om. V**   deus] dominus *V*   **19**,1 dominus] deus *S*
et - 2 meae *om. M*   **20**,1 qui] quia *M*   amouet *M*   2 credere *L**   3 oras²]
adoras *Z*

15,5/6 I Cor 9,9(Dt 25,4)   7 Ps 15,4   **16**,3 Ps 66,3   **17**,5 Rm 10,10

66. In finem psalmus cantici Dauid.

2. Deus misereatur nobis et benedicat nos. Spiritus sanctus per prophetam in persona ecclesiae loquitur de illis qui ante aduentum fuerunt. 'Deus misereatur nobis': rogauerunt qui ante aduentum fuerunt,
ut ueniret Christus in carne, ut illis deus esset misertus propter praeua-
5 ricationem Adae. Et nos in Nouo Testamento rogamus, ut nos liberet
de ista captiuitate corporis nostri, quia *dum sumus in corpore peregrinamur a domino;* et item: *Optabam dissolui et esse cum Christo.* 'Et benedicat nos': iam in aliis duobus psalmis exposuimus *Benedic anima mea
domino;* sed de hoc ita intellegendum, quod intellectus animae loqui-
10 tur ad semet ipsum. Sed nos hic in isto psalmo rogamus, ut deus benedicat animam nostram. 'Et benedicat nos': ista benedictio pro multiplicatione pertinet: rogant christiani, ut de paucis christianis multiplicen-
tur multi, ut dictum est de creaturis: *Et benedixit eas* deus hoc est multiplicauit, quia saepius legimus benedictionem in scripturis sacris pro
15 multiplicatione. Inluminet uultum suum super nos et misereatur
nobis. Rogat ecclesia ad deum patrem, ut ueniat lux Christus, qui *illu-
minat omnem hominem* et rlq., ut nos inluminet et nobis luceat lux de
luce. Aliter: uultus dei imago dei cooperta et tenebrosa effecta est
propter praeuaricationem Adae primi hominis et propter nostra pec-
20 cata. Sed discooperta fuit per aduentum ipsius creatoris, qui hanc imaginem adsumere dignatus est. Unde et uenit *mulier* hoc est sapientia
diuina quod est Christus, *accendit lucernam,* ut ait Gregorius: »Lumen in testa diuinitas in carne«, *euertit domum* conscientias singulo-

Codices: LMSV et Z = S+V

Ps 66,1 finem + ymnus *M*   cantici *M: om. cett.*   2,1 nobis] nostri *Z*   2 de – 2/3
fuerunt] sed nos hic in isto psalmo rogamus, ut deus benedicat animam nostram *Z*
3 nostri *V*   rogauerunt + illi *Z*   4 – 5 ut illis … – Adae, ut ueniret Chr. in carne *trsp.* +
ut illis misereret *Z*   7 Opto *Z*   9 intellegendum + est *Z*   10 ipsam *M*   Sed] et *Z*
13 ut] unde *LM*   Et *om. Z*   16 nostri *Z*   patrem + suum *Z*   lumen *Z*
17 et rlq.] uenientem in hunc mundum in carne *Z*   18 luce] lumine *Z*   dei[2] + ut illud:
Faciamus hominem ad imaginem et rlq. *Z*   est + imago *Z*   19 hominis + ut dixit:
Adam ubi es *Z*   20 Sed – 21 est[1] *om. LM*   22 Christus + ut illud: Congratulamini
mihi quia inueni dragmam quam perdideram uel ouem *Z*   ut – 23 testa *om. LM*
23 subuertit *Z*

Ps 66,2,6/7 II Cor 5,6   7 Phil 1,23   8 – 11 AU 66,1,1-7(p. 856)   13 *cf* Gn 1,22.28; 9,1
etc.   16/17 Io 1,9   18 (Gn 1,26)   19 (Gn 3,9)   21 – 24 *cf* Lc 15,8   22 (Lc 15,6)
22/23 GR-M Ev 34,6(ed. 1249 A 14-15)

rum, *quaesiuit* imaginem suam hoc est dragmam: discooperta fuit
25 imago dei. 'Et misereatur nostri': misertus fuit quando nostram carnem suscepit et nos redemit.

3. UT COGNOSCAMUS IN TERRA UIAM TUAM: terra gentilitas, uia Christus;
ET IN OMNIBUS GENTIBUS SALUTARE TUUM, ut Symeon: *Nunc dimitte ser-*
uum tuum et rlq.

4. CONFITEANTUR TIBI POPULI DEUS, CONFITEANTUR TIBI POPULI OMNES:
Iudaei dicunt, Africani hoc sunt Donatistae et heretici: nos sumus qui
confitemur deum; uox ecclesiae, audi quid sequitur: non uos qui nihil
boni estis, sed omnes gentes confitebuntur. Est confessio in baptismo
5 quando confitemur fidem trinitatis, confessio in martyrio et confessio
peccatorum, et confessio gratiarum actio pro acceptis beneficiis.

5. LAETENTUR ET EXULTENT GENTES. Pro quid laetentur et pro quid exultent? pro hoc quod subsequitur: QUONIAM IUDICAS POPULOS IN AEQUI-
TATE. Iudex terrenus secundum uerba sic iudicat et fallitur. Nam deus
non solum secundum uerba, sed etiam de cogitatione iudicat, ut ait
5 propheta: *Reddet deus unicuique secundum opera sua.* ET GENTES IN
TERRA DIRIGES. Non erant in uia, tortuosi enim erant; direxit eos in uia
id est in semet ipso.

6. CONFITEANTUR TIBI POPULI DEUS, CONFITEANTUR TIBI POPULI OMNES:
hortatur ut laudent in idipsum.

7. TERRA DEDIT FRUCTUM SUUM. Uenit nubes et pluuia, et sic dat terra
fructum suum: praedicatores praedicauerunt ad illos qui interfecerunt
dominum; illi dixerunt: *Quid faciemus, uiri fratres? ostendite nobis;* et

Codices: LMSV et Z = S + V
25 dei + quando pro ipsa pati dignatus est, ut in antea ait Z   3,3 tuum + domine in pace Z
4,2 Iudaei *om.* Z   Donatistae et] isti Z   3 uox ecclesiae] et propheta dicit Z
quod Z   4 confessio + fidei V   5 confitetur LM   confessio² *om.* Z   6 et + est V
beneficiis + dei, et confessio quae adducit tristitiam et est quae laetificat. Quando torquetur
homo, obdurat se, non est ausus dicere, dum timet quod subsequatur tristiam et moriatur.
Ideo spiritus sanctus confortat nos, ut non timeamus tristitiam de ista confessione, sed ⟨spe-
remus⟩ sempiternam laetitiam Z   **5,3** sic *om.* Z   fallitur + ut illud: sicut audio, ita et
iudico V   Nam – 5 propheta *om.* S   4 cogitationibus L²V   4/5 ait propheta] illud V
+ Scito te et de cogitationibus tuis iudicandum; et item Z   6 dirigis V   eos] nos M
uia – 7 in *om.* LM   7 ipso + ut ait: Ego sum uia et ueritas Z   **6,2** exhortatur Z

3,2/3 Lc 2,29   5,5 (Io 5,30)   Mt 16,27; Rm 2,6   7 (Io 14,6)   7,3 – 4 Act 2,37.38

illi dixerunt: *Paenitentiam agite* et rlq. Aliter 'terra dedit fructum suum'
⁵ id est confessio ex ore peccatoris. Aliter 'terra dedit fructum': corpus
Mariae Christum. BENEDICAT NOS DEUS, DEUS NOSTER.

8. BENEDICAT NOS DEUS: fidem trinitatis ostendit 'deus' pater, 'deus' filius, 'deus' spiritus sanctus; ET METUANT EUM OMNES FINES TERRAE, id
est timeant eum omnes gentes quae sunt praedistinatae ad uitam.

67. IN FINEM PSALMUS CANTICI DAUID. Psalmus opera, canticum intelle-
gentia mentis spiritalis. Hic quaestio oritur, quomodo non dicitur liber
canticorum, sed liber psalmorum? hoc est quia psalmus non potest
esse sine cantico. Quare? quia non operamur antequam cogitemus, in-
⁵ simul est et canticum et opus. Sed canticum per se est, quando cogitas
aliquid facere boni, in corde meditaris, et non apparet: hoc canticum
est sine psalmo id est sine opere.

2. EXSURGAT DEUS. Spiritus sanctus per prophetam dicit: exsurgat deus
hoc est Christus, quod et postea fecit. ET DISSIPENTUR INIMICI EIUS Iudaei, ET FUGIANT QUI ODERUNT EUM A FACIE EIUS. Hic quaestio oritur,
quomodo potest homo deum fugere aut a facie dei, quia deus et supe-
⁵ rior et inferior et interior et exterior et ubique praesens et ubique totus? ac si dicat: non potest. Sed facies Christi sancti sunt. Tunc fugiunt
mali homines faciem Christi, quando eis praedicant sancti, quia fuga
eorum timor mentis et animae est. Timent et fugiunt in illorum conscientia; tamen deum nemo potest fugere.

Codices: LMSV et Z = S+V
7,4 dixerunt *om. Z*   paenitentiam + inquit *Z*   rlq.] baptizetur unusquisque uestrum
in remissionem peccatorum, et adiecti sunt circiter in illa die tria milia et in alio die quinque
milia *Z*   5 fructum + suum *LZ*   6 Mariae] *praem.* sanctae *V*   8,2 terrae + metuant *V*
3 timeant eum *om. S*: timent + omnes fines terrae id est *V*   quae *M*: qui *cett.*   praedistinati *LSV**   ad uitam *om. LM*

Ps 67,1,1 cantici *post* Dauid *trsp. V*: canticum *L*: *om. S*   Dauid *om. L*   Psalmus²]
-mum *LM*   1/2 intellegentiae *Z*   6 praemeditaris(promed- *L*) *LZ*   2,2 hoc – Christus *om. Z*   5 et⁴ *om. Z*   6 ac – potest *om. LM*   fugient *V*   7 faciem Christi *om. Z*
8 eorum *om. Z*   9 fugere + Aliter: fugiunt id et cum uident uirtutem spiritus sancti, fugiunt uitia uel daemonia. Fugire enim dicitur quis a quo uincitur atque superatur *Z*

4 (*cf* Act 2,41; 4,4)

Ps 67,1,2sqq. *cf* AU 67,1,32sqq.(p. 869)

3. SICUT DEFECIT FUMUS DEFICIANT. Fumus de igne excitatur. Per ignem odium intellegitur hic et per fumum superbia quod Iudaei habuerunt contra dominum, quia in superbiam et odium se erexerunt contra dominum. Et defecerunt sicut fumus facit qui in altum uadit, uenit uen-
⁵ tus, proicit illum et ad nihilum deducit. SICUT FLUIT CERA A FACIE IGNIS. Dupliciter hic intellegitur. Cera dura est antequam ponatur ad ignem, postea mollis, et si mutat duritiam, non mutat naturam. 'Sicut cera fluit a facie ignis', sic Iudaei et peccatores per paenitentiam et lacrimas et conpunctionem cordis similiter liquescent illorum peccata.
¹⁰ Aliter 'sicut liquescit cera a facie ignis', sic peccatores in die iudicii. Numquid ignis faciem habet aut deus? Non, sed per faciem praesentia intellegitur.

4. ET IUSTI EPULENTUR id est iocundentur, EXULTENT IN CONSPECTU DEI id est sancti, quia non propter laudem humanam fecerunt, sed propter deum, ET DELECTENTUR IN LAETITIA, quia semper erunt aequales angelis in aeternitate.

5. CANTATE DEO in intellectu mentis spiritali, PSALMUM DICITE NOMINI EIUS opere implete, ITER FACITE EI QUI ASCENDIT SUPER OCCASUM. Propheta ad praedicatores Noui Testamenti dicit, quia unusquisque praedicator quando praedicat iter facit deo, sicut de Iohanne dictum est:
⁵ Ecce ego mitto angelum meum et rlq. 'Qui ascendit super occasum', DOMINUS NOMEN EST EIUS. Ille super occasum ascendit id est dominus noster in inmortalitate, quia calcauit mortem nostram, uicit diabolum. Aliter nos, quando uincimus nostra uitia et peccata, tunc quasi super occasum ascendimus. Non ascendit super nos dominus deus noster
¹⁰ nisi occidamus uestustatem Ueteris Testamenti et in nouitate uitae ambulemus. GAUDETE IN CONSPECTU EIUS. Multi gaudent in conspectu hominum, sed nos in conspectu dei gaudeamus, ut illi soli placeamus.

Codices: LMSV et Z = S+V
3,1 deficit L^2S 2 quod] quam M^2 4 uadit + et Z   5 deducet M   6 intellegitur + dura cera Z   7 et] tamen Z   Sicut – 8 ignis om. LM   9 similiter] sic Z   11 aut] ut M per faciem om. Z   4,1 dei om. L   2 qui L   3 semper + uisibiliter Z   5,1 spiritali M^2: -lis cett.   5 et rlq.] ante faciem tuam qui praeparauit uiam tuam ante te Z   6 eius] ei Z   7 imortalitate + super occasum ascendit Z   9 deus om. Z   10 uetust. – Testamenti] uitam ueterem Z   12 gaudemus Z

5,5 Mt 11,10(Mal 3,1)   10 Rm 6,4

TURBABUNTUR id est illi inimici, Iudaei et heretici, A FACIE EIUS id est dei,

6. PATRIS ORFANORUM ET IUDICIS UIDUARUM. Ille est illorum pater et iudex; uel omnes sancti intelleguntur. Orfanus dicitur sine patre et matre, et pupillus absque matre. Et sancta ecclesia intellegitur orfana et uidua: orfana absque patre diabolo et matre gentilitate, uidua dicitur
⁵ quia uiduata est a diabolo et iuncta est cum Christo. DEUS IN LOCO SANCTO SUO in ipsos orfanos et uiduas est uel in omnes praedistinatos, in ipsos deus respicit et in ipsis habitat.

7. DEUS QUI HABITARE FACIT UNIANIMES IN DOMO id est in una fide et in unum baptisma, ut in Actibus apostolorum legitur: *Et erat illis cor unum et anima una.* QUI EDUCIT UINCTOS IN FORTITUDINE: 'uinctos' eduxit Christus id est illos qui ligati erant in inferno propter praeuari-
⁵ cationem Adae, uenit fortis et alligauit fortem diabolum et uasa eius diripuit. SIMILITER ET EOS QUI IN IRA PROUOCANT QUI HABITANT IN SE-PULCHRIS, qui exasperant id est qui amaricant similiter et de illis saluat deus quos uult, qui sciendo peccant quasi in sepulchrum mortui, desperati a semet ipsis et ab aliis, sicut Salomon dicit: *Peccator cum uene-*
¹⁰ *rit in profunditudinem peccatorum suorum contemnit* id est desperat.

8. DEUS CUM EGREDIERIS IN CONSPECTU POPULI TUI id est in conspectu hominum. Quando uenit in mundum et carnem adsumpsit, fideles crediderunt illum deum et hominem esse, Iudaei non credebant nisi tantum purum hominem; CUM PERTRANSIERIS PER DESERTUM hoc est per tuos
⁵ praedicatores,

9. TERRA MOTA EST: gentilitas ad fidem mota est; dicit praeteritum pro futuro, quia apud deum omnia facta sunt. ETENIM CAELI DISTILLAUERUNT A FACIE DEI SINAI. Caeli distillauerunt, terra fructificat. 'Caeli' sancti

---

Codices: LMSV et Z = S+V
6,3 pupillus + dicitur *Z*   4 dicitur *om. Z*   7 recipitur *Z*   **7,**1 inhabitare *LZ*
unanimes *M²V²*   in unitate fidei *Z*   et *om. LM*   2 uno baptismo *L²M²*   legitur]
dicit *Z*   3 educit] -cet *M*   4 inferno + uel reliquos *Z*   5 fortis + id est Christus *Z*
ligauit *L*   6 diripuit + quod nos fuimus *Z*   ira + sua *V*   7 saluauit *LM**: -uabit *M²*
8 peccant + quia *Z*   9 sicut *om. Z*   10 profundum *V²*: -ditate *S*   **8,**1/2 omnium *Z*
2 mundum + dominus *Z*   3 esse *M*: *om. cett.*   4 hominem + unde unus ex ipsis dixit:
Hic si esset propheta, sciret utique quae et qualis est mulier quae tangit eum, quia peccatrix
est *Z*   **9,**3 distillant *L*   fructiferat *S*

7,2/3 Act 4,32   5 *cf* Mt 12,29   9/10 Prv 18,3   **8,**4 (Lc 7,39)

apostoli, ut illud: *Caeli enarrant gloriam dei.* 'A facie dei Sinai' id est a
5 praesentia dei per gratiam spiritus sancti: Ite, *praedicate omni creatu-*
rae. Roborati erant, quia a deo praedicauerunt, non a se, sed a deo. A
facie dei Sinai, A FACIE DEI ISRAHEL, ut non putarent quod alius deus
fuisset adorandus in Sina, ideo dixit 'dei Israhel'. Sina mandatum uel
mensura interpretatur, unde Paulus dixit: *Mandatum* quidem *sanctum*
10 *et iustum et bonum;* mensura: *Alii datur sermo sapientiae, alii sermo*
scientiae.

10. PLUUIAM UOLUNTARIAM SEGREGABIS DEUS HEREDITATI TUAE. Aliqui dixerunt quod de manna esset dictum, sed non. 'Pluuiam' doctrinam
euangelii 'uoluntariam' dicit, ut illud: *Uoluntarie genuit nos uerbo ueri-*
tatis, id est nullis meritis nostris praecedentibus. Contra illos dicit
5 sanctus apostolus qui dicebant quod ipse legem Ueteris Testamenti
blasphemaret. ETENIM INFIRMATA EST, id est ipsa lex uel ipsa plebs Israhel carnalis, quia nullum ad perfectionem adduxit, ipsa plebs infirmata
est, sicut Paulus dixit: *Quia fui blasphemus* et rlq., *sed misericordiam dei*
consecutus sum, ut illud: *Sufficit tibi gratia mea* et rlq. TU UERO PERFE-
10 CISTI EAM. Uox prophetae ad Christum: perfecisti eam id est eam
legem, ut illud: *Non ueni legem soluere, sed adimplere. Finis enim legis*
Christus ad iustitiam.

11. ANIMALIA TUA HABITABUNT IN EA id est simpliciores ecclesiae 'inhabitabunt in ea' in ea lege uel in ecclesia. PARASTI IN DULCEDINE TUA PAU-
PERI DEUS istam pluuiam id est doctrinam euangelii: *Gustate et uidete*
quoniam suauis est dominus.

12. DOMINUS DABIT UERBUM EUANGELIZANTIBUS id est uerbum praedicationis, 'euangelizantibus' id est praedicantibus, UIRTUTE MULTA. Qui

Codices: LMSV et Z = S+V
6 Roborati] *praem.* Et Z   9 quidem] quod L   10 alii² - 11 scientiae] et rlq. Z
10,1(*et* 3) uoluntarie SV*   Alii Z   2 manna] Manasse Z   esset] sit LM   4 dixit Z
5 apostolus] Paulus Z   7 nullum] nihil Z   perfectum Z   adduxit + lex Z
8 dixit + in figura omnium sanctorum Z   Quia *om.* Z   rlq.] persecutor et contumeliosus Z   misericordiam M: -dia *cett.*   9 et rlq.] nam uirtus in infirmitate perficitur Z
11 ut illud] quia dictum est Z   11,1 inhabitabunt Z   id est] animalia Z   2 uel +
modo Z   2/3 pauperis M*: -res L*   3 deus + parasti Z   euangelii + ut illud Z
4 quam L   12,2 uirtutem multam Z

9,4 Ps 18,2   5 Mc 16,15   9/10 Rm 7,12   10/11 I Cor 12,8   10,2 *cf* HI Ps 67,2
(p. 214)   3 Iac 1,18   7 (Hbr 7,19)   8/9 I Tim 1,13   9 II Cor 12,9   11 Mt 5,17
11/12 Rm 10,4   11,3/4 Ps 33,9

dedit uerbum, ipse dedit uirtutem. Qui praedicant et opere implent sequuntur eos uirtutes multae.

13. REX UIRTUTUM, quia ab ipso accipiunt sancti uirtutes, DILECTI. Dilectus rex Christus, unde dictum est: *Hic est filius meus dilectus.* Aliter
'rex' deus pater. Ubi legitur quod rex deus pater sit? Dicit propheta:
Deus iudicium tuum regi da et iustitiam tuam filio regis. Commune con-
5 silium trinitatis patris et filii et spiritus sancti,et pater rex et filius rex.
SPECIE DOMUS DIUIDERE SPOLIA. Specie domus sancta ecclesia, quia
speciosa est per opera bona. 'Diuidere spolia': spoliauit diabolum
Christus. Nouem ordines sunt angelorum, fecit decimum ordinem ecclesiam id est apostolos, prophetas et praedicatores.

14. SI DORMIATIS INTER MEDIOS CLEROS. In Graeca lingua dicitur cleronomia, in nostra sonat hereditas uel sors. Propheta dicit ad praedicatores:
si dormiatis id est si requiescatis inter duas sortes id est Nouum et Ue-
tus Testamentum, requiescatis quia nihil contraria intra se sunt id est
5 in auctoritate duorum Testamentorum. Requieuit dominus ad Noe
quando dixit: *Ponam arcum meum in nube* et rlq.; et item ad Abraham:
Ponam testamentum meum inter me et te et semen tuum post te. Aliter 'si
dormiatis inter medios cleros' inter duas hereditates. Duae hereditates
sunt, terrena et caelestis. Illa terrena ad illos Israheliticos data est hoc
10 est filios et diuitias habere; illa caelestis ad filios Noui Testamenti promissa, inmortalitatem habere, ut sic temperent neque satis uehementer incedant terrena diligere neque ad inmortalitatem desiderent uenire inpatienter antequam sustineant aliquid propter deum, unde remunerationem accipiant coram deo. PENNAE COLUMBAE DEARGENTA-
15 TAE, id est eloquia Ueteris Testamenti, ut dictum est: *Eloquia domini*

Codices: LMSV et Z = S+V
3 uirtutem + id est confirmat suam praedicationem Z   13,1 qui M^2 2 Christus rex +
uirtutum id est uirtutum suarum Z   4 regis + et item in euangelio ipse dominus dicit:
Simile factum est regnum caelorum homini regi qui fecit nuptias filio suo regi Z
6 speciei M(*bis*)   8 ordinem + in Z   9 et + doctores siue Z   14,3 inter + medios
cleros, inter Z   sortes + inter duas hereditates Z   4 contrarii Z   inter Z   sunt]
sonant Z   6 nube + et erit signum testamenti inter me et inter uos Z   Abraham +
dixit Z   9 illos] filios Z   Israhel Z   10 habere + et rlq. Z   10/11 promissa + est
id est Z   13/14 remun.] retributionem V

13,2 Mt 3,17; 17,5   4 Ps 71,2   (Mt 22,2)   **14,6** Gn 9,13   7 Gn 17,7
15/16 Ps 11,7

eloquia casta, argentum igne examinatum et rlq. Sic caput Ueteris Testamenti illos prophetas ignis spiritus sancti illos esse mundatos fecit, ut deus in illis habitaret. Columba ecclesia, ut illud: *Una est columba mea.* Pennae columbae sancti praedicatores, per quos uolat ecclesia ad cae-
20 lestia. Duae pennae duo Testamenta et duo praecepta caritatis. Caput inter duas pennas hoc est Christus – ut ait Paulus: *Caput nostrum Christus est* – inter duas leges. Et posteriora dorsi eius in pallore auri: Nouum Testamentum cum sensu spiritali.

15. Dum discernit caelestis reges super terram. Dicit spiritus sanctus per prophetam ad sanctos: dum uos dormitis, ille aliquid facit hoc est reges super terram, sanctos super ecclesiam, id est alios facit prophetas, alios apostolos, alios doctores et rlq. Niue dealbabuntur in Sel-
5 mon. Pennae columbae dealbabuntur in Selmon, ut illud: *Si fuerint peccata uestra ut Fenicium, uelut nix dealbabuntur.* Selmon interpretatur umbra uel gratia. Duae res faciunt umbram id est lumen et corpus. Ille corpus Christus, ut ait Iohannes: *Uerbum caro factum est et habitauit in nobis;* illud lumen Christus, ut ipse ait: *Ego sum lux mundi,* quia
10 protectio nostra incarnatio Christi est et in diuinitate gratia, unde ad Mariam ait angelus: *Aue Maria gratia plena;* umbra: *spiritus sanctus superueniet in te et uirtus altissimi obumbrabit tibi.*

16. Mons dei Christus, ut ait Esaias: *Et erit in nouissimis diebus praeparatus mons domus domini* et rlq. Uel 'mons' de monte, sancta ecclesia de Christo. Mons pinguis Christus de septem donis gratiae spiritus sancti repletus: *In quo sunt omnes thesauri sapientiae et scientiae dei abscon-*
5 *diti.* Aliter 'mons pinguis' ecclesia de habundantia gratiae spiritus sancti. Montes coagulati: de rudibus uel teneris dicit qui sunt in ecclesia, sicut sanctus Paulus dicit: *Lac uobis potum dedi, non escam* et rlq. Lac de uisceribus trahitur; sic et sancti praedicatores de intimo cordis trahunt ad illos rudes de illorum doctrina. Mons pinguis:

Codices: LMSV et Z = S+V
23 sensu *om. Z*   **15,**1 regis *L²*   5 dealbantur *S*   7 faciunt *L:* -cit *cett.*   8 Illud *L²*
10 in diuin.] diuinitatis *M*   12 obumbrabit *L²:* -uit *cett.*   **16,**3 gratiae *om. Z*
7/8 et rlq.] nondum enim poteratis, sed nec adhuc quidem potestis. Adhuc enim estis carnales *Z*

---

18 Ct 6,8   21/22 I Cor 11,3; Eph 5,23 *etc.*   **15,**3/4 *cf* Eph 4,11   5/6 Is 1,18   8/9 Io 1,14   9 Io 8,12   11 – 12 Lc 1,28.35   **16,**1/2 Is 2,2   4 Col 2,3   7 I Cor 3,2

17. UT QUID SUSPICAMINI MONTES COAGULATOS? Sperauerunt de Iohanne, qui altus mons fuit, quod ipse esset Christus. Et Paulus contra Corinthios: *dicit aliquis ex uobis: ego quidem sum Apollo, ego autem Pauli, ego* ⁵ *autem Cephae. Diuisus est Christus? Numquid Paulus crucifixus est pro uobis? aut in nomine Pauli baptizati estis?* Sed isti montes ab alio sunt monte hoc est Christo; MONS IN QUO BENEPLACITUM EST DEO HABITARE IN EO, si uultis credere, diuinitas in corpore Christi uel Christus in ecclesia. ETENIM DOMINUS HABITABIT IN FINEM, non ad tempus, sed in finem hoc est semper habitat in sua ecclesia uel diuinitas in humanitate.

18. CURRUS DEI DECEM MILIA MULTIPLEX MILIA LAETANTIUM. Currus dei sancti praedicatores qui currunt per mundum, sicut Paulus dicebat: *Legatione fungor pro Christo.* Throni sunt sicut sanctus Iacobus qui in Hierusalem residebat. Decem milia: apud Graecos una miliadis est, ⁵ quod nos dicimus per multas uices decem milia. Sed propter perfectionem numeri dicit. Qui decalogi mandata uel Nouum Testamentum obseruant milia milium sanctorum erunt, quia et tunc fuerunt et modo sunt. DOMINUS IN ILLIS IN SINAI IN SANCTO. Sina mandatum interpretatur, ac si dicat: in sancto mandatum, Nouum et Uetus Testamentum.

19. ASCENDENS IN ALTUM: propheta dicit ad Christum, CAPTIUAM DUXIT CAPTIUITATEM. Ascendit Christus cum corpore suo super omnes creaturas spiritales. Captiuitas et in bonum et in malum intellegitur, in malum quia ipsi se uendiderunt diabolo, quando ei consenserunt; item in ⁵ bonum, quia fecit Christus de illis qui erant uasa diaboli sua uasa. DEDIT DONA HOMINIBUS: diuersitates gratiarum dedit, quia sua membra

Codices: LMSV et Z = S+V
17,1 Iohanne + aliquid Z   2 contra] ad Z   3 dicit – uobis] Significatum est enim mihi de uobis ab his qui sunt Cloes quod contentiones inter uos sint. Hoc autem dico quod unusquisque uestrum dicit Z   Apollo ... Pauli] *trsp.* Z   4 autem] uero Z   Cephae + ego autem Christi. Ergo Z   5 estis + Gratias ago deo quod neminem uestrum baptizaui nisi Crispum et Gaium, ne quis dicat, quod in nomine Pauli baptizati estis(sitis V). Baptizaui et Stephanum diaconum. Non enim misit me Christus baptizare, sed euangelizare Z   sunt M: *om. cett.*   6 Christo + acceperunt Z   7 in³ + sancta Z   18,2 dicebat *om.* Z 6 numeri] miliarii M   uel] et Z   7 erit LM   8 Dominus] *praem.* Et Z   illis + est Z   Sinai] Sina L   9 Testamentum *om.* Z   19,1 altum L: -to *cett.*   2/3 omnem creaturam spiritalem M   4 quando] qui M: quia L   5 Christus *om.* LM 6 hominibus] *praem.* in S   dedit] accepit in se Z

17,3 – 5 (I Cor 1,11)   I Cor 1,12.13   (I Cor 1,14-17)   18,2/3 Eph 6,20

hoc acceperunt. Etenim non credentes inhabitare dominum: interposuit istud uerbum quasi nec sursum nec deorsum coniungit, quasi
interrogasset homo ad prophetam: quare fuerunt captiuati? Respondit
¹⁰ propheta: quare? quia non crediderunt deo, quando eis dixit: *In qua-*
cumque die comederitis ex eo morte moriemini. Non crediderunt quod
deus dominaretur omnium uel ubique habitaret; sed plus crediderunt
diabolo, quando eis dixit: *In quacumque die comederitis ex eo aperientur*
oculi uestri et eritis sicut dii scientes bonum et malum. Propterea in cap-
¹⁵ tiuitatem sub iugo diaboli uenerunt.
20. Benedictus dominus de die in diem. Benedictus dominus cui benedicit omnis creatura. Illi currus et milia laetantium dicunt, cotidie id est
semper deum laudant. Prosperum iter faciet nobis, ut Paulus ait:
Prosperum iter habeam ueniendi ad uos in uoluntate dei. Deus saluta-
⁵ rium nostrorum: sicut multae sanitates, ita et multae infirmitates.
21. Deus noster deus saluos faciendi: pro quid uenit? ut nos saluaret et
redimeret. Et domini mors et domini exitus mortis, hoc est in passione, unde Paulus ait: *Si mortuus est ad tempus ex infirmitate carnis,*
sed uiuit ex uirtute dei.
22. Uerumtamen deus conquassauit capita inimicorum suorum, uerticem capilli perambulantium in delictis suis. 'Capita inimicorum'
principes Iudaeorum, 'conquassauit' in uindicta super illos in die iudicii. Aliter: conquassauit deus illorum peccata quos uult saluare. Et
⁵ conquassauit 'uerticem capilli': uertex capilli superbia intellegitur,
'perambulantium in delictis suis' hoc est qui non sunt humiles, sed
superbi.
23. Dixit dominus: ex Basan conuertam, conuertar in profundum
maris. Propheta de Christo pronuntiat. Agustinus dixit: Basan confusio uel siccitas interpretatur. Illi qui sunt in confusione peccatorum

---

Codices: LMSV et Z = S + V
7/8 interposuit + propheta Z   9 ad *eras. M*   10 deo *M*: deum *cett.*   11 quod] quia *M*
14 scientes – malum *om. Z*   15 iugum *M²V²*   20,1/2 benedixit Z   3 nobis + deus *M*
5 ita + sunt *M*   21,2 Et¹ *om. Z*   3 ad tempus *om. Z*   4 sed *om. LM*   22,1(*et* 3 *et* 4)
conquassabit Z   1/2 uerticem – 2 suis *om. LM*   2 dilectis *V**   3 super illos *om. Z*
6 dilectis *M*V**   hoc – qui] quia *S*   23,1 conuertar] -tam *M*   profundo *L*

19,10/11 Gn 2,17   13/14 Gn 3,5   20,4 Rm 1,10   21,3 – 4 II Cor 13,4   23,3sqq.
AU 67,31,8sqq.(p. 891)

suorum et ipsi confitentur se peccatores et sic se confundunt sicut ille
5 publicanus; uel aridi sunt id est non habent ubertatem gratiae, ut in
psalmo dicit: *Sicut terra sine aqua.* Conuertit illos deus in bonum, et
qui 'in profundo maris' hoc est in profunditudine peccatorum suorum
se cognoscent, facit illos conuerti, unde dominus dixit per prophetam:
Conuertimini ad me, et ego conuertar ad uos, id est illorum confusio facit
10 me conuerti ad illos qui se confitentur in profunditudine peccatorum
suorum esse. Sanctus Hieronimus exposuit Basan confusio: scribae
et pharisaei intelleguntur qui confusi sunt in peccatis et a *deo odibiles.*
'Conuertar' ab illis et transibo per meos praedicatores ad gentes. Unde
Paulus in Actibus apostolorum dicit: *Uobis* enim *missum est uerbum*
15 *salutis huius* et *respuistis illud et indignos uos iudicastis uitae aeternae:*
ecce conuertimus nos ad gentes.
24. UT INTINGUATUR PES TUUS IN SANGUINE. Propheta ad Christum: quid
inde habes? et quid 'intinguatur pes tuus'? Pes Christi sancti apostoli,
sanguinem eorum effuderunt. LINGUA CANUM TUORUM EX INIMICIS AB
IPSO: ipse propheta ad Christum. ⟨Lingua⟩ ipsi qui confusi sunt ex Ba-
5 san; canes sancti praedicatores qui pro domino suo latrant, unde alibi
dicit: *Canes muti non ualentes latrare.* 'Ex inimicis' ex Iudaeis, 'ab ipso'
a Christo, quia Iudaei a Christo fuerunt adtracti de malo ad bonum.
25. UISI SUNT INGRESSUS TUI DEUS: quando tu in carnem uenisti, uisi sunt
tui sancti. INGRESSUS DEI MEI REGIS: reges ipsi sunt sancti qui uisi sunt.
Quod dicit propheta, in persona ecclesiae loquitur. QUI EST IN SANCTO
IPSIUS: deus pater in filio et Christus in sua ecclesia.
26. PRAEUENERUNT PRINCIPES CONIUNCTI PSALLENTIBUS, praedicantibus.
'Principes' seniores ecclesiae, et postea subsecutae sunt uirtutes ope-

---

Codices: LMSV et Z = S+V
4 sic *M: om. cett.*   6 Conuertat *L**   8 illos + bonos ab aliis *Z*   13 transibo] uado *Z*
per] super *LM*   14 Paulus *scripsi*: Petrus *codd.*   enim] autem *L*   15 et[1] + ecce *LM*
iudicastis + a *Z(eras. V[2])*   uitae + uerbi *Z*   aeterni *V*   16 conuertimur *Z*
24,2 habet *LM*   quid *scripsi*: qui *L: om. cett.*   3 sanguinem - effuderunt *om. Z*
4 Christum + in persona illorum loquitur *Z*   confusi] conuersi *Z*   4/5 Basan + id est
ex scribis et phariseis *Z*   5 latrent *Z*   6 dicit *om. Z*   25,2 sancti + id est praedicatores *Z*   reges *om. LM*   3 in[1]] ex *Z*   26,1 praedic.] antea praedicauerunt *Z*
2 et *om. Z*   subsecuti *L*Z*   sunt + sequaces uel *Z*   operis] ecclesiae *Z*

6 Ps 142,6   9 Za 1,3   11 HI Ps 67,33-34(p. 215); Ps h 7,153-55(p. 45)   12 Rm 1,30
14 - 16 Act 13,26.46   24,6 Is 56,10

ris. Aliter 'coniuncti psallentibus' id est plebs perfecta qui audierunt et
opere impleuerunt. IN MEDIO IUUENCULARUM TYMPANISTRIARUM, id
⁵ est nouellae ecclesiae qui nuper inceperunt credere; ut non putaretur
quod canticum saecularium esset, exposuit. Tympanus de corio et cordis extenditur et postea clare cantat. Sic sancti qui non habent fomenta
uitiorum, sed per mortificationem et abstinentiam carnem suam adfli-
gunt, et clare cantant.

27. IN ECCLESIIS BENEDICITE DOMINO DEO DE FONTIBUS ISRAHEL. Fontes de
fonte: fons Christus, fontes praedicatores, a Christo uenerunt et
exinde praedicauerunt, ut illud: *Qui sitit ueniat et bibat;* et alibi:
Quoniam apud te est fons uitae.

28. IBI BENIAMIN ADOLESCENTULUS IN MENTIS EXCESSU. Praeuidit propheta
per spiritum sanctum quod Beniamin hoc est sanctus Paulus inter illos
principes erat id est inter praedicatores, ut ait Iacob: *Beniamin lupus ra-*
pax; et ipse Paulus de se: *Nam et ego Israhelita sum ex tribu Beniamin.*
⁵ 'In mentis excessu', ut dicitur: *Saule, Saule, quid me persequeris?* Item
aliter 'in mentis excessu': *Scio hominem ante annos quattuordecim rap-*
tum usque ad tertium caelum siue in corpore siue extra corpus nescio et
rlq. 'Adolescentulus' dicit, ut ipse ait: *Ego sum minimus apostolorum*
qui non sum dignus uocari apostolus. Aliter: 'in mentis excessu' aliena-
¹⁰ tur anima a sensu corporis, quando rememoratur de futura gloria uel
illa quae perdidit in Adam. PRINCIPES IUDA DUCES EORUM,⟨PRINCIPES
ZABULON, PRINCIPES NEPTALIM⟩. De tribu Iuda inde fuerunt reges et
duces eorum. Sed ista tria nomina tribuum pro qua causa hic ponuntur? Si unum dixisset, quia exinde fuerunt reges putaremus. Propter
¹⁵ hoc non, sed propter interpretationem nominum hic ponuntur. Iudas
confessio interpretatur, Zabulon habitaculum pulchritudinis, Nepta-

Codices: LMSV et Z = S + V
5 nouae *Z*   6 exposuit + Tympanistriarum *Z*   6/7 et cordis *om. Z*   7 et + cordas *Z*
cantant *LZ*   8 sed] et *Z*   9 et *om. Z*   27,1 dominum *Z*   deum *LZ*   1/2 ad
fontem(-tes *V*) *Z*   2 fons – Christo *om. Z*   uenerunt + id est sancti apostoli uel praedicatores ad Christum *Z*   4 te + domine *Z*   28,3 Iacob *V*: Iacobus *cett.*   4 se + ait *M*
7 nescio + deus scit, quoniam raptus est in paradiso et audiuit archana uerba quae non licet
hominibus loqui *Z*   8 minimus] nouissimus *Z*   12 exinde *L*

27,3 Io 7,37   4 Ps 35,10   **28**,3 Gn 49,27   4 Rm 11,1   5 Act 9,4   6 – 7 II Cor
12,2.3   (ib. 12,3.4)   8/9 I Cor 15,9   13sqq. *cf* AU 67,36,24sqq.(p. 894/95)

lim dilatatio mea. 'Principes Iuda, principes Zabulon, principes Neptalim': per Iudam martyres qui confitentur fidem trinitatis, qui in ecclesia culmen dignitatis tenent: qui per martyrium uadunt, necesse est,
20 ut fortitudinem fidei habeant. Zabulon habitaculum pulchritudinis id
sunt ipsi sancti qui clari et pulchri sunt. Neptalim dilatatio mea: propter spem dilatationis praemiorum sustinuerunt angustias temporalis
uitae, exinde expectant latitudinem praemiorum. Aliter principes
fidei, principes spei, principes caritatis. Per fidem operans, necesse est
25 patientia, post spiritum necesse est ut habeas spem caritatis, dilectionem inimicorum, dilectionem dei et proximi, ut illud: *Quia caritas dei
diffusa est in cordibus nostris.*

29. Manda deus uirtutem tuam, id est sancti a Christo accipiunt praedicationem, ut dicitur in euangelio: *Signa autem eos qui credituri sunt
haec sequentur: in nomine meo daemonia eicient* et rlq. Confirma hoc
deus quod operatus es in nobis: sancti dicunt, ut cum fiducia praedi-
5 cemus uerbum dei.

30. A templo sancto tuo in Hierusalem tibi offerunt reges munera.
Secundum historiam fecerunt hoc reges per Hierusalem et per templum. Apostoli uel sancti intelleguntur in ecclesia qui offerunt modo.

31. Increpa feras harundinis: ecclesia dicit ad deum. Ferae dicuntur qui
ferinam uitam habent. Increpa id est hereticos per tuos praedicatores;
'harundinis' Agustinus calamos dicit. Congregatio taurorum
inter uaccas populorum, ut excludant eos qui probati sunt ar-
5 gento. Ad hoc congregantur heretici, ut excludant illos sapientes qui
de eloquio diuino sunt repleti, ut seducant illas plebes, ut illud: *Oportet
hereses esse, ut qui probati sunt manifesti fiant in uobis,* id est ut appare-

---

Codices: LMSV et Z = S + V
17 princeps(*ter*) V   19 qui] quia S   20 id] hii M   21/22 propter + multitudinem Z
spem] spei V: *eras*. S   22 dilatationis M: -onem (-ne S) LZ   temporales M*Z + huius Z
23 uitae + et Z   23/24 princeps(*ter*) V   24 Per] in Z   operis + prius Z   25 patientiam LV   post] postea Z   spiritum + postea Z   spem] *eras*. S: *praem*. latitudinem V   27 uestris L   29,1 Mandat L   1/2 accipient benedictionem Z   2 ut dicitur *om*. LM   3 sequuntur Z   eiciunt L   30,2 per(*bis*)] in Z   2/3 templo L²Z +
Aliter LZ   3 in ecclesia] reges Z   modo + in templo(-um SV*) id est in ecclesia Z
31,2 feroinam Z   Increpa + feras Z   5 Ad] in Z   6 ut¹ + illi Z   ut illud *om*. LM

26/27 Rm 5,5   29,2/3 Mc 16,17   31,3 AU 67,38,10(p. 896)   6/7 I Cor 11,19

ant illi sapientes. Tauri dicuntur propter superbiam indomiti et non
sunt subiecti sub iugo leui Christi. Uaccae id est animae quas seducunt
10 heretici, unde sanctus Paulus dicit: Omnis doctrina eorum in uento.
DISSIPA GENTES QUAE BELLA UOLUNT: ipsi sunt feroces harundinis. Heretici 'gentes' dicuntur propter diuersitates errorum, 'bella uolunt'
contra ecclesiam.

32. UENIENT LEGATI EX AEGYPTO. Legatarii reconciliationem faciunt; Aegyptus totus mundus. 'Uenient legati' sancti praedicatores, quia legatarii sunt Christi, ut Paulus ait: *Legatione fungor pro Christo.* AETHIOPIA
PRAEUENIET MANUS EIUS DEO: sanctus Hieronimus exposuit de illo
5 eunucho Candacis reginae, unde in Actibus apostolorum quasi manus
eius de illa gente primitus credidit. Sanctus Agustinus aliter dicit:
Aethiopia interpretatur tenebrae. 'Praeueniet manus' id est praeuenit
fides gentium ante opera: antea crediderunt, postea operati sunt. Unde
et sanctus Paulus dicit: *Credimus hominem iustificari in fide sine operi-*
10 *bus legis.*

33. REGNA TERRAE CANTATE DEO. Propheta hortatur sanctos uel ammonet,
ut semper deo debeant cantare non hereticorum more, quia heretici
multum cantant non recte. PSALLITE DEO cantate deo, PSALLITE DO-
MINO opere implete.

34. QUI ASCENDIT SUPER CAELOS CAELORUM, illum laudate. Christus ascendit uidentibus apostolis de monte Oliueti super istos tres caelos et super omnes creaturas caelorum AD ORIENTEM. Qui non credit quod de
monte Oliueti ascendisset, deum negat. ECCE DABIT UOCEM SUAM UO-
5 CEM UIRTUTIS SUAE, quasi infirmus primitus et quasi mutus *sicut ouis*
ad occisionem ductus, sic non aperuit os suum. Uenit, iudicatus est; uenturus est, ut iudicet.

Codices: LMSV et Z = S+V
8 indomati *M*   et + qui *Z*   9 id est animae *om. LM*   quas *L*: quos *Z*: quia *M*
11 ferae *Z*   **32,**2 quia] qui *Z*   3 ait *om. Z*   4 praeueniat *L*   5 unde – apostolo-
rum] quia *Z*   6 crediderat *V²*   7 tenebras *L*M*   manus + eius deo *Z*   9 et *om. Z*
per fidem *Z*   **33,**2 more + sed deo. 'Cantate deo' laudate deo *Z*   3 multa *L*
psallite² *iter. M*   **34,**5 suae *om. Z*   mutus] mortuus *LM*   6 est *om. LM*

10 *cf* Eph 4,14   **32,**3 II Cor 5,20   4/5 *cf* HI So 1,40sqq.(p. 657)   6 – 8 AU
67,41,24sqq.(p. 898/99)   9 Rm 3,28   **34,**5/6 Act 8,32(Is 53,7)

35. DATE HONOREM DEO SUPER ISRAHEL: honorate illum quem despexistis; 'Israhel' anima uidentium deum. MAGNIFICENTIA EIUS: cum potentia ueniet a parte sua FORTITUDO EIUS, eius, non eorum; uel 'uirtus eius' sua resurrectio. IN NUBIBUS: in nube ascendit et cum nube ueniet; uel
5 nubes sancti praedicatores.

36. MIRABILIS DEUS IN SANCTIS SUIS: mirabilia per illos operatus est deus. DEUS ISRAHEL IPSE DABIT UIRTUTEM id est uirtutem resurrectionis, ET FORTITUDINEM PLEBI SUAE hoc est fortitudinem inmortalitatis sine fine. BENEDICTUS DEUS, qui hoc operatus est; uel 'benedictus' cui
5 benedicit omnis creatura.

68. IN FINEM PRO HIS QUI COMMUTABUNTUR PSALMUS DAUID. Iste psalmus de passione Christi sonat et aliquotiens ex persona membrorum suo-rum. 'Pro his qui commutabuntur': commutauit se Christus dum aequalis patri erat *formam serui accipiens*. Uel nos commutamus de
5 infidelitate ad fidem.

2. SALUUM ME FAC DEUS, QUONIAM INTRAUERUNT AQUAE USQUE AD ANI-MAM MEAM. Multi dicunt istam historiam in persona Ionae; tamen po-test. Ionas figurat Christum, mare populum Iudaicum, uenter caeti se-pulchrum, tres dies et noctes passionem Christi, unde dixit: *Potestatem*
5 *habeo ponendi animam meam, et potestatem habeo iterum resumendi eam* in resurrectione tertia die. 'Saluum me fac deus': uox Christi ad patrem in passione, 'quoniam intrauerunt aquae usque ad animam meam': aquae populi, ut illud: *Aquae* multae *populi* multi. Intrauerunt 'usque ad animam meam' usque ad uitam meam, quia sic eam uolue-
10 runt tollere, ut numquam surrexisset. Intrauerunt aquae, sed non di-merserunt, sed quod permissae fuerunt hoc fecerunt.

Codices: LMSV et Z = S+V
35,2 uidens *LM*   3 fortitudo + et uirtus *Z*   eius[2] *om. L*M*   4 nubibus + id est in sanctis praedicatoribus *Z*   uel – 5 praedicatores *om. Z*   36,1 per] super *L*
3 plebis *L*Z*

Ps 68,1,1 psalmus[1] *om. LM*   4 commutamur *L*   2,3 populus Iudaicus *LZ*   uentre *SV**   5 sumendi *Z*   10 resurrexisset *L*   sed + tamen *Z*   10/11 dimiserunt *L*

Ps 68,1,4 Phil 2,7   2,2 *cf* Tit. ps. ser. I; HIL Ps 68,5(ed. p. 316/17)   4 – 6 Io 10,18
8 *cf* Apc 17,15

3. INFIXUS SUM IN LIMO PROFUNDI. Qui infigit limo inheret limo terrae:
sua uoluntate infixus est Christus in natura humana. ET NON EST MIHI
SUBSTANTIA. Quare dixit: non est substantia, quia omnis creatura substantia est? Dominus dixit: *Faciamus hominem ad imaginem et similitu-*
5 *dinem nostram;* et hic dicit: non est substantia, ac si dicat: si mea imago
fuisset quomodo ego creaui, cognouisset me; sed iniquitatem et peccatum et superbiam quae tenet non creaui. Aliter: caro sustinuit, non illa
substantia diuinitatis. Pater substantia, filius substantia, spiritus sanctus substantia, et tamen non tres substantiae, sed una substantia. UENI
10 IN ALTITUDINEM MARIS id est in profunditudinem iniquitatis humani
generis, ET TEMPESTAS DIMERSIT ME, id est inpetitio illorum qui dixerunt: *Crucifige eum, crucifige eum;* et: *Non habemus regem nisi Caesa-*
rem.

4. LABORAUI CLAMANS: uox Christi. Illud quod adsumpsit a nobis laborauit, id est dormiuit, esuriuit, sitiuit, et reliqua quae sustinuit Christus, 'clamans' in passione: *Eli, Eli.* RAUCAE FACTAE SUNT FAUCES
MEAE. 'Fauces' Christi apostoli, 'raucae factae sunt' uno sensu quando
5 dixerunt: omnes tecum moriemur, postea obmutuerunt, qui toti
negauerunt. Sanctus Agustinus iterum dicit: ille qui raucus est non
bene intellegitur, sicut illi discipuli fecerunt, quando dominus dixit:
Nisi manducaueritis carnem filii hominis et biberitis eius sanguinem, non
habebitis uitam in uobis, illi responderunt: *Durus est hic sermo.* Isti sunt
10 rauci, qui non intellexerunt suos sermones. DEFECERUNT OCULI MEI
DUM SPERO IN DEO MEO. Absit quod de Christo intellegatur istud, quia
deus erat in Christo; sed de apostolis intellegitur. Caligauerunt oculi
apostolorum: Petrus antea dixit: *Tu es Christus, filius dei uiui,* tunc oculos apertos habuit; postea dixit: *Nescio hominem.* Et Cleophas et ille

---

Codices: LMSV et Z = S+V
3,3 dixit *om. Z*   4 est *om. Z*   5 est + mihi *Z*   6 iniquitas *L*MSV*   7 superbiam
L²V: -bia *cett.*   quae *V²*: quam *L²*: qui *cett.* + me *LM*   10 altitudinem *L*: -ne *cett.*
profundum *V²*   11 demersit *L*   me *om. Z*   impeditio *L*   4,1 laborauit *om. Z*
2 est + Christus *Z*   sitiuit *om. Z*   quae(quod *L*M) – Christus *om. Z*   3 Eli, Eli *om. Z*
5 dixerunt + apostoli *Z*   6 item *Z*   7 intellegit *M²*   discipuli + non *Z*   9 Durus
+ et difficilis *Z*   Isti] hoc (*praem.* in *V²*) *Z*   10 qui] quod *Z*   13 uiui *om. Z*

3,4/5 Gn 1,26   12 Io 19,6.15   4,3 Mt 27,46   6/7 *cf* AU 68 s.I 7,23-27(p. 908)
8 – 9 Io 6,54.61   13 Mt 16,16   14 Mc 14,71   14/15 Lc 24,21

15 alius discipulus dixerunt: *Nos sperabamus quod ipse esset redempturus Israhel:* spes illorum defecerat.

5. MULTIPLICATI SUNT SUPER CAPILLOS CAPITIS MEI. Caput nostrum Christus, capilli capitis apostoli, ut illud: *Et non cadet capillus de capite uestro.* 'Multiplicati sunt super capillos capitis' id est plus erant Iudaei mali quam apostoli, et modo sic sunt peccatores, unde dicit: *Multi uo-*
5 *cati, pauci uero electi.* QUI ODERUNT ME GRATIS id est sine causa. CONFORTATI SUNT SUPER ME QUI PERSECUTI SUNT ME INIMICI MEI INIUSTE: in hoc sunt confortati, quia ipse uoluit et sua permissio fuit. Infirmati fuerunt, quando dixit: *Ego sum, et ceciderunt retrorsum.* Ipse dedit illis fortitudinem, ut eum conprehenderent; illi putabant quod illorum
10 fortitudo fuisset, sed non fuit. QUAE NON RAPUI TUNC EXSOLUEBAM. Qui interrogat ipse exposuit de Christo: pro quid soluisti, si non rapuisti? Pro quid, nisi propter nos? Adam rapuit. Uox Christi: ego accepi de sua natura, unde solutus fui pro illo. Diabolus uoluit rapere diuinitatem, unde dixit in Esaia propheta: *Ponam thronum meum* et rlq.; uoluit
15 et Adam, quando dixit ad illum diabolus: *Scit enim deus, in quacumque die comederitis, eritis sicut dii.* Dominus noster non rapuit diuinitatem, quia de natura hoc habebat; sed propter nos ille passus est.

6. DEUS TU SCIS INSIPIENTIAM MEAM, ET DELICTA MEA A TE NON SUNT ABSCONDITA: uox Christi ad patrem. Numquid deus insipientiam habeat? Non, quia sapientia patris est filius. Sed in persona membrorum suorum loquitur: nostram insipientiam suam reputat et nostra peccata sua
5 reputat, ut ait propheta: *Ipse iniquitates nostras accepit et aegrotationes nostras portauit;* et Paulus dicit: *Quia quod stultum est dei sapientius est hominibus, et quod infirmum est dei fortius est hominibus.* Infirmum uidebatur apud illos qui sapientes erant mundi et sunt, dum deus uerbo poterat redimere mundum, ut ipse deberet mori; sed nullus potest fa-
10 cere per suam sapientiam uel suam fortitudinem quod ipse fecit per in-

Codices: LMSV et Z = S+V
15 alii discipuli *LZ*   5,6 iniusti *L*   11 Qui] *praem.* Ille *Z*   14 et rlq.] contra thronum ipsius *Z*   15 Sciebat *M*   16 comederitis + ex eo *Z*   **6,2** habebat *L*: habet *Z* 3 filius *om.* *LM*   persona + omnium *Z*   5 et – 6 portauit] et rlq. + unde *Z*   6 ait *Z* 8 mundi erant + id est Graeci *Z*   9 potuerat *Z*   deberetur *M*: dignaretur *Z* potest] -tuit *Z*

5,2 *cf* Lc 21,18   4/5 Mt 20,16; 22,14   8 Io 18,6   14 Is 14,13   15/16 Gn 3,5
6,5/6 Mt 8,17(Is 53,4)   6 – 7 I Cor 1,25

firmitatem. 'Tu scis insipientiam meam' id est tu scis, deus pater, pro quid ego ueni in passionem et uolui mori. 'Delicta mea a te non sunt abscondita', ut illud: *Delictum meum cognitum tibi feci;* antequam nascatur homo, tu scis omnia.

7. NON ERUBESCANT IN ME QUI TE EXPECTANT, DOMINE DEUS UIRTUTUM. Christus ad patrem dicit: Non erubescant qui hominem cognouerunt, ut resuscites me. NON CONFUNDANTUR SUPER ME QUI QUAERUNT TE, DEUS ISRAHEL,

8. QUONIAM PROPTER TE SUSTINUI OBPROBRIA: uox Christi ad patrem loquitur, quia una uoluntas fuit patris et filii, quod sustinuit passionem; uel ecclesia, quando sustinuit pro Christo, obprobrium dicit. OPERUIT CONFUSIO FACIEM MEAM, quando negauerunt apostoli. Contra christi-
⁵ anos dicebant heretici: Cultores crucifixi, adoratores male mortui, ueneratores occisi. Ista obprobria dicebant ad christianos, quod illi pro confusione habebant.

9. EXTRANEUS FACTUS SUM FRATRIBUS MEIS. Fratres domini apostoli, unde dixit: *Nuntiabo nomen tuum fratribus meis.* 'Extraneus' dominus apostolis quando dixerunt in passione: *Istum nescimus unde sit;* et alio loco dixerunt: *Scimus unde sit,* et dominus dixit: *Et me scitis et unde*
⁵ *sim scitis.* ET PEREGRINUS FILIIS MATRIS MEAE. Christus peregrinus, ut ait Cleophas: *Tu solus peregrinus es in Hierusalem?* et rlq., quia solus et primus resurrexit inmortalis. Mater synagoga.

10. QUONIAM ZELUS DOMUS TUAE COMEDIT ME. Ibi fuit impleta ista prophetia, quando eiecit uendentes et ementes de templo. ET OBPROBRIA EXPROBRANTIUM TIBI CECIDERUNT SUPER ME. Iudaei contra Christum dicebant: *Si filius dei es, descende de cruce;* et: *Alios saluos fecit, se ipsum*

Codices: LMSV et Z = S + V
11 Tu] *praem.* Deus Z   insipientiam – est] ac si dicat Z   deus *om.* V   13 ut illud
om. Z   13/14 nasceretur Z   14 homo *om.* Z   7,2 in hominem confiderunt Z
8,1 obprobrium Z   3 sustinet Z   obprobrium dicit *om. LM*   4 Contra – 7 habebant
post 7,4 Israhel *in codd.*   5 heretici] infideles Z   6 dicebant + pagani Z
ad] contra Z   7 habebant + unde et sanctus Paulus dicebat: Absit mihi gloriari nisi in
cruce domini nostri Iesu Christi Z   9,2 Narrabo V   3 Nescimus istum + hominem M
4 unde sit *om. LM*   dixit + eis Z   Et *om.* Z   5 filius L*M   6 et rlq.] et nescis
quae in ea facta sunt his diebus? ipse dixit: quae? at ille de Iesu Nazareno Z(*post* 8,3 dicit)
10,2 quando + Christus L   proiecit V   obprobrium L*M

13 Ps 31,5   8,7 (Gal 6,14)   9,2 Hbr 2,12(Ps 21,23)   3 Io 9,29   4/5 Io 7,27.28
6 Lc 24,18.(19)   10,2 *cf* Mt 21,12; Io 2,14.17   4 – 5 Mt 27,40.42.46

5 *non potest;* et item: *Deus dereliquit eum.* 'Exprobrantium': qui exprobrat filium et patrem exprobrat, quia *qui non credit filium nec patrem habet.*

11. OPERUI IN IEIUNIO ANIMAM MEAM. Dixerunt discipuli: *Rabbi manduca; ille dixit: Ego cibum habeo manducare quem uos nescitis;* et alio loco: *Operamini cibum non qui perit, sed qui permanet in uitam aeternam.* Quomodo dicit 'operui in ieiunio animam meam'? Legimus quia ante
5 pasionem ieiunauit Christus XL diebus et noctibus. Sed in passione non legimus quod ieiunasset, quia quinta feria cenauit cum discipulis et in crastinum fuit consilium die Ueneris id est sexta feria ⟨et⟩ media die fuit crucifixus. Sed esuriebat Christus salutem humani generis et fidem ecclesiae. Uel esuriebat quia nullum cibum in Iudaeis inuenie-
10 bat et ipsi apostoli negauerunt nisi unus latro.

12. POSUI UESTIMENTUM MEUM CILICIUM id est carnem quam adsumpsit diuinitas. ET FACTUS SUM ILLIS IN PARABOLA hoc est in similitudine, quando dicebant: sic moriatur meus inimicus quomodo ille male mortuus christianorum.

13. ADUERSUS ME EXERCEBANTUR QUI SEDEBANT IN PORTA: uox Christi. Contra illum erant scribae et pharisaei qui discernebant causas, qui sedebant in publico iudicio; ET IN ME PSALLEBANT QUI BIBEBANT UINUM. Ipsi ebrii erant de uino, uel postea quam ebrii fuerunt cooperiebant ca-
5 put eius et dicebant: *Prophetiza, Christe, quis te percussit.* Et modo sic faciunt contra sanctos mali homines ebriosi, mali christiani, quando castigant ebrios homines, postea illi de illis componunt cantilenas.

14. EGO UERO ORATIONEM MEAM AD TE DOMINE: uox Christi. In corde orabat ad deum patrem, et sancti in corde orant, quia in praesenti deum

Codices: LMSV et Z = S+V
5 et item *om. Z*   reliquit *LM*   qui] quia *S*   11,2 ad manducandum *Z*   4 Quomodo - meam *om. Z*   quia *om. LM*   5 et + XL *Z*   6 quia + in nocte Iouis id est *Z*
7 medio *Z*   8 esuriuit *L*   10 unum *L*MV²* + iustum in *Z*   latronem *L*M*: latrone + inuenit *Z*   12,1 quem *M*   2 parabolam *V*   similitudinem *Z*   3/4 mortuus] + est rex *M*: + est deus *V²*   13,1 aduersum *L*   4 uel] et *Z*   fuerant *Z*   operiebant *Z*
5 Prophetiza + nobis *Z*   quis + est qui *Z*   6 contra - mali² *om. LM*   7 castigant - cantilenas] illis praedicant sancti id est boni christiani, ut se emendent et non faciant illa mala quae faciunt. Illi econtrario non solum quod se non emendant, sed etiam cantica et uerba dirisionis de illis componunt *Z*

6 I Io 2,23   11,1/2 Io 4,31.32   3 Io 6,27   13,5 Mt 26,68

habent qui illos audit. TEMPUS BENEPLACITI DEUS IN MULTITUDINE MI-
SERICORDIAE TUAE. Propheta dicit: quando ista impleta fuerint, 'tem-
⁵ pus beneplaciti' erit, ut Paulus ait: *Ecce nunc tempus acceptabile* et rlq.
'In multitudine misericordiae tuae' quia *uniuersae uiae domini misericordia et ueritas:* misericordia hic in praesenti id est peccata nobis dimittit, ueritas in futuro, quando *reddet unicuique secundum opera sua.*
EXAUDI ME IN UERITATE SALUTIS TUAE, ut alibi: *Domini est salus,* hoc est
¹⁰ ipse est misericordia, ipse ueritas, ipse salus. Ecclesia rogat ad deum
patrem, ut ipsam saluet et exaudiat per ista tria nomina filii.

15. ERIPE ME DE LUTO, UT NON INFIGAR. Antea dixit: *Infixus sum in limo
profundi,* et hic dicit: eripe me de luto id est de terrenis operibus, ut
non me teneat iniquitas sicut auis tenetur a uisco, quia ego per me non
possum istud. Uox ecclesiae est. LIBERA ME AB HIS QUI ODERUNT ME ET
⁵ DE PROFUNDIS AQUARUM id est de profunditudine humani generis. Dixit sanctus Agustinus de illo angelo a quo mouebatur aqua et unus
sanabatur id est unitas ecclesiae; et sanatur ille qui in illis quinque por-
ticibus iacebat aegrotus, quia non poterat eum illa lex sanare.

16. UT NON ME DEMERGAT TEMPESTAS AQUAE id est uerba illorum qui clamabant: *Crucifige eum, crucifige eum,* ut non resurgat a mortuis. NEQUE
ABSORBEAT ME PROFUNDUM hoc est ut non me absorbeat profunda iniquitas humani generis, quod non me resuscites; NEQUE URGEAT SUPER
⁵ ME PUTEUS OS SUUM: *Peccator cum uenerit in profunditudinem peccatorum suorum contemnit* id est disperat. Peccator quando disperat, cooperit ipsum infernus; et ille qui se confitetur peccatorem esse non
conprehendit illum, sed habet exitum.

17. EXAUDI ME DOMINE, QUONIAM BENIGNA EST MISERICORDIA TUA, uox ecclesiae, id est indulgentia tua. SECUNDUM MULTITUDINEM MISERA-

---

Codices: LMSV et Z = S + V
14,5 beneplacitum *Z*   ut] unde et *Z*   ait *om. Z*   8 quando] quia *LM*   9 me +
domine *Z*   ut alibi *om. Z*   10 est *post* ipse² *trsp. Z*   11 in istis tribus nominibus
L²V²   **15,2** et hic] nunc *Z*   3 a] in *Z*   5/6 Dixit + exinde(inde *S*) *Z*   6 a quo *M*:
qui *cett.*   mouebat *LV²*   aquas *L*: -am *V*   8 aegrotus + id est in illis quinque sensibus corporis quod est auditus et uisus et cetera *Z*   potebat *L*SV**   eum *om. Z*
lex + illum *Z*   **16,3** ut – profunda *om. Z*   6 contemnet *Z*   disperet *Z(bis)*
7 infernus super ipsum *Z*   ille] -lum *M*

14,5 II Cor 6,2   6/7 Ps 24,10   8 Mt 16,27; Rm 2,6   9 Ps 3,9   **15,**1/2 *cf supra* v. 3
6 – 8 *cf* AU 70 s.I 19,56sqq.(p. 957)   **16,**2 Lc 23,21; Io 19,6   5/6 Prv 18,3

TIONUM TUARUM RESPICE IN ME, quia infirmus sum et mea peccata multa, sed *miserationes tuae multae sunt domine.*

18. NE AUERTAS FACIEM TUAM A PUERO TUO: uox Christi ad patrem, ut ait propheta: *Magnum est tibi uocare puerum meum.* Putabant illi quod deus pater dereliquisset eum in passione. Absit quod deus auertat faciem suam a filio, quia aequalis patri in diuinitate. Sed in persona
5 membrorum suorum dicit. QUONIAM TRIBULOR, UELOCITER EXAUDI ME: tribulatur in suis sanctis membris Christus, quia usque in finem tribulatur ecclesia.

19. INTENDE ANIMAM MEAM ET LIBERA EAM. Christus dixit: *Potestatem habeo ponendi animam meam,* et hic dicit 'libera eam'; sed pro suis membris dicit; uel corpus Christi liberatur. Duae libertates sunt, una occulta et altera aperta; occulta de filiis Machabeorum, manifesta de
5 tribus pueris. Ideo tres pueri liberati fuerunt, ut unum deum Nabuchodonosor crederet et praedicaret; filii Machabeorum ideo liberati non fuerunt carnaliter sed spiritaliter, eo quod Antiochus rex Graecorum paratus erat, ut uindictam sustineret. PROPTER INIMICOS MEOS ERIPE ME: uox Christi ad patrem. Propter inimicos meos id est propter
10 Iudaeos 'eripe me' resuscita me, ut non gaudeant super me, quod ego non resurgam.

20. TU ENIM SCIS INPROPERIUM MEUM. Christi inproperium: *Si filius dei es;* et illud: *Alios saluos fecit;* obprobrium nostrum quod ab inimicis obicitur; ET CONFUSIONEM: confundere nos debemus de mala conscientia nostra, uel confundere id est confitere debemus nostra peccata; ET
5 REUERENTIAM.

21. IN CONSPECTU TUO SUNT OMNES TRIBULANTES ME: tu hoc uides, sancte

---

Codices: LMSV et Z = S+V
17,3 et] quia Z   4 sed] et Z   18,1 Ne] Non S   3 auertet Z   4 patri] est Z
6 tribulatur + modo Z   sanctis om. Z   19,1 animae meae Z   2 et – eam om. Z
3 liberationes L   4 et – aperta] alia manifesta Z   6 praedicaret + sicut et fecit Z
ideo – 7 quod om. Z   8 susciperet Z + ideo … – spiritaliter (= *l.* 6/7) Z   20,1 enim om. Z
2 et illud om. LM   obprobrium] inproperium Z   2/3 obicitur + ecclesiae Z
4 confundere id est om. Z   confiteri L²   5 reuerentiam L: -tia *cett.* + mea ingenuae
fronti(fonte *codd.*) id est in Christo de falso crimine obicitur Z   21,1 qui tribulant Z
sancte] deus Z: om. M

17,4 Ps 118,156   18,2 Is 49,6   19,1/2 Io 10,18   3 – 8 *cf* AU 68 s.II 3,20sqq.(p. 918/
19)   5/6 *cf* Dn 3,92sqq.   6 – 8 *cf* II Mcc c.7   20,1/2 Mt 27,40.42   5 (*cf* AU 68 s.II
4,5-6[p. 919])

pater. INPROPERIUM EXPECTAUIT COR MEUM: Christus sustinuit inproperium, uel ecclesia sustinet propter Christum, ET MISERIAM id est miseriam carnis humani generis quod suscepit. ET SUSTINUI QUI SIMUL
5 MECUM CONTRISTARETUR ET NON FUIT QUI CONSOLARETUR NON INUENI. Quomodo dicit 'non fuit qui contristaretur'? Sanctus Petrus *fleuit amare,* et illae mulieres unde dicit: *Nolite flere, filiae Israhel, nisi super uos ipsas et super filios uestros.* Ista tristitia absentia corporis erat; sed illam tristitiam suam unde dixit: *Tristis est anima mea usque ad mortem,*
10 tristabatur, dum ille illos uenerat liberare et ipsi de sua gente ipsum crucifigebant: in ista tristitia nemo ei adiutor fuit. 'Et consolantes me non inueni' id est qui illi diceret: tu es Christus filius dei, tu resurrecturus es a mortuis, tu ipse liberaturus eris, tu iudicaturus ad iudicium, tu reddes bona bonis, mala malis: nullus fecit hoc.

22. ET DEDERUNT IN ESCAM MEAM FEL. Esca corpus Christi. Multa grana unum corpus: sicut de multis granis unus panis efficitur, sic de multis gentibus unum corpus Christi quod est ecclesia efficitur, sicut Paulus dicit: *Multa membra unum corpus sumus;* et alibi: *Accepit panem, bene-*
5 *dixit, fregit et dixit: hoc est corpus meum.* Figurat ille panis suum corpus uel sua membra. 'Fel' in corpore suo id est hereses in ecclesia. ET IN SITI MEA POTAUERUNT ME ACETO. Legimus quod dixit: *Consummatum est,* omnia quae de me scripta sunt consummata sunt. Ipsi Iudaei primum fuerunt quasi uinum, postea quasi acetum inueterati fuerunt in
10 malo; et heretici sic sunt modo. Sitiebat Christus salutem humani generis, et ipsi deuenerunt quasi acetum.

Codices: LMSV et Z = S+V
3/4 miseriam *M:* -ria *cett.* 4 quod] quam L^2 sustinuit L^* 5 fuit + et Z non^2] *praem.* et *LM* 7 unde dicit] quibus dominus dixit Z flere + super me Z Israhel] Hierusalem Z nisi] sed Z 8 ipsas + flete Z 9 illa tristitia sua LZ est *V*: es *cett.* 11 erat adiutor Z 13 es *om.* Z ipse] nos Z iudicaturus] uenturus eris Z 14 bonis + et Z **22**,1 Et *om. L* esca mea LZ Christi] eius Z 3 quod est ecclesia *om. LM* sicut + sanctus L 4 ait Z et alibi *om. LM* 4/5 benedixit + ac Z 6 uel] et Z 7 quod dixit] hoc dixisse eum Z 8 consummatum est L^*Z 8/9 primitus Z 9 quasi^2 *om.* Z acetum + quia Z 10 malum *M*: malitia Z Sitiuit Z 11 et *om.* Z

21,6/7 Mt 26,75; Lc 22,62 7/8 Lc 23,28 8 *ante* Ista *aliquid excidisse videtur. Nam* 'ista tristitia' *ad tristitiam Mariae Magdalenae et discipulorum* Io 20,11 *et* Mc 16,10 *narratam spectat, cf* AU 68 s.II 5,26sqq.(p. 921) 9 Mt 26,38 **22**,4 Rm 12,4.5; I Cor 12,12 4/5 Mt 26,26 7/8 Io 19,30

23. Fiat mensa eorum coram ipsis. De supradictis id est Iudaeis dicit et hereticis, quia transgrediuntur legem: 'mensa' doctrina eorum uel lex. In laqueo: de illis quaestionibus legis eorum, unde sperauerunt Christum tenere, inde se tenuerunt. ⟨In⟩ retributionem illorum in malum,
5 et in scandalum, quia non crediderunt *in petra scandali.*

24. Obscurentur oculi eorum ne uideant. Sensus illorum qui uidebantur habere ipsa scientia abstracta est ab eis, et dorsum eorum semper incurua. Hieronimus dicit: semper seruient Romanis. Sanctus Agustinus dicit: terrena semper desiderant, non caelestia; uel de illa
5 muliere curua dixit, quae significabat synagogam.

25. Effunde super eos iram tuam. Propheta non optando, sed pronuntiando, ac si dixisset: sic eris facturus. Nomen effusionis quod dicit habundantiam uindictae significat quae uentura est. 'Iram' dicit, id est qui sustinent illis uidetur ira, sed non est ira, sed iusta uindicta dei. Et
5 furor irae tuae adprehendit eos: repetitio est.

26. Fiat habitatio eorum deserta. Secundum historiam sic fuit: *Si dimittimus eum uiuere, uenient Romani et tollent nostrum locum et gentem et regnum.* Omnia ista perdiderunt. Uel deserti erant sine lege, sine rege, sine prophetia et sacerdotio, et in toto orbe dispersi sunt. Et in
5 tabernaculis eorum non sit qui inhabitet. Quare contigit illis ista? propter hoc quod subsequitur:

27. Quoniam quem tu percussisti ipsi persecuti sunt. Interrogas, si deus percussit, quia dictum est: *Percutiam pastorem et dispergentur oues,* quid commiserunt Iudaei? Mors debebatur Christo, quia carnem accepit. Sed illi in hoc se condemnauerunt, quia tempus mortis eius
5 non expectauerunt, sed antecesserunt. Uel unusquisque qui hominem

Codices: (L)MSV et Z = S+V
23,1 ipsis + in laqueo Z   De + istis Z   2 quia + sciendo Z   transgrediebant Z
4 inde] ipsi Z   Retributionem *M*: -tio *cett.*   5 petram Z   **24,**1 ne uideant *om.* Z
qui] que *L*V²*: quod *SV**   2 ipsam scientiam *L*   3 Hieronimus: *hic finit L*
seruiant Z   4 desiderent *V²*   **25,**2 quod dicit *om.* Z   3 quae – est² *om.* Z   qui]
quam *V²*   4 illis uidebatur Z   sed¹ *om.* Z   4/5 Et furor] Indignatio Z   **26,**1 fuit
+ factum, ut illud Z   2 uiuere + sic Z   3 Uel *om.* Z   3/4 sine rege *om. M*   4 et¹]
sine Z   sunt *om.* Z   5 contingit *M*: -tigent *V²*   ista *om. M*   **27,**1 ipsi *om.* Z
4 acceperat Z

23,3/4 *cf* Mt 22,15sqq.   5 Rm 9,33(Is 8,14)   **24,**3 HI Ps 68,18(p. 216)   4 – 5 AU 68
s.II 8,5.11(p. 923)   **26,**1/2 Io 11,48   **27,**2 Mt 26,31(Za 13,7)

occidit exinde condemnatur: quare? ⟨quia⟩ ante debitam mortem occidit. Percussit Adam, quando dixit: *In quacumque die comederitis, morte
moriemini.* ET SUPER DOLOREM UULNERUM MEORUM ADDIDERUNT MIHI.
Dolores habebat Christus de nostra mortalitate quam suscepit. Sed illi
¹⁰ 'addiderunt' id est flagella, crucifixerunt, in faciem spuerunt, coronam
spineam inposuerunt et reliqua quae addiderunt.

28. ADPONE INIQUITATEM SUPER INIQUITATEM IPSORUM. Paulus dicit: *Numquid iniquitas apud deum? Absit:* sed iniquitas hominum est hominem
occidere, iniquitas super iniquitatem est filium dei occidere. ET NON
INTRENT IN TUA IUSTITIA: pronuntiando dicit propheta, ac si dicat: non
⁵ mereantur intrare in tuam iustitiam.

29. DELEANTUR DE LIBRO UIUENTIUM ET CUM IUSTIS NON SCRIBANTUR. Hic
quaestio est: si fuerunt scripti, quomodo deleantur? et si non fuerunt
scripti, quomodo dicit 'deleantur'? Apud deum omnia cognita sunt,
ante saecula numerum omnium sanctorum ipse scit. Dominus dixit:
⁵ *Scrutamini scripturas in quibus putatis uitam aeternam habere.* In illorum aestimatione quod sperauerunt illi per legis ueteris obseruatio-
nem exinde habere uitam aeternam, sed non habuerunt, Hieronimus dicit ad illos testimonium: *Cadent a latere tuo mille et decem milia
a dextris tuis, tibi autem non adpropinquabunt.* De episcopis dicit uel
¹⁰ quicumque culmen dignitatis tenent in ecclesia dei, quasi pro honore
et illa benedictione quam hic habent debeant in sede dei diiudicare
alios pro hoc quod dominus dixit: *Cum sederit filius hominis, et uos sedebitis;* sed multi — quod peius est — non solum non sedebunt aut iudi-
cabunt, sed in infernum ambulabunt. Et illi qui per sex opus misericor-
¹⁵ diae se sperant uitam aeternam habere, non habebunt, quia pro laude

Codices: MSV et Z = S+V
7 quando *om.* M   comederis + ex eo Z   8 morieris Z   10 flagellauerunt Z
11 inposuerunt *om.* Z   quae] ista Z   **28**,3 iniquitas *om.* Z   5 tua iustitia Z
29,1 Hic *om.* Z   2 quomodo – 3 scripti *om.* M   4 ipse] deus Z   7 sed *om.* Z
7/8 Hieronimus] *praem.* sanctus Z   9 adpropinquabit + sic est istud testimonium Z
De – dicit] sic episcopi Z   10 quasi *om.* Z   11 illa *om.* Z   quam] quod M*Z
hic *om.* Z   habent + quasi Z   in – dei] apud dominum Z   12 alios *om.* M
pro] in M   13 sedebunt aut *om.* Z   15 habent(-beant S) + quare? Z

7/8 Gn 2,17   **28**,1/2 Rm 9,14   3 *cf* AU 68 s.II 12,10-15(p. 926)   **29**,5 Io 5,39
8/9 Ps 90,7, *quem* AU 68 s.II 13,16-17 *affert*   12 Mt 19,28

humana fecerunt; inde dominus dixit: *Amen dico uobis, receperunt mercedem suam.*

30. EGO SUM PAUPER ET DOLENS ET SALUS TUA DEUS SUSCEPIT ME: uox ecclesiae. Ecclesia respondit ad istos supradictos: non ego sum ⟨sicut⟩ uos, sed pauper et dolens sum. Sicut et Christus fecit, hoc similiter et corpus Christi facit. Christus pauper, et ecclesia pro Christo paupera et
5 dolens pro peccatis suis et aliorum.

31. LAUDABO NOMEN DEI CUM ⲤANTICO id est cum praedicatione. Multi laudant, sed non praedicant nec in prosperis nec in aduersis deum non semper laudant. Sed illi cantant et laudant qui semper in prosperis et in aduersis deum praedicant et laudant et opere implent. MAGNIFICABO
5 EUM IN LAUDE: repetitio est.

32. ET PLACEBIT DEO SUPER UITULUM NOUELLUM. Plus placet deo super canticum et laudem modo quam uitulus quod offerebant in lege Ueteris Testamenti. Aliter: uituli scindunt terram duram; uituli sancti praedicatores intelleguntur qui scindunt corda dura per praedicationem
5 illorum; uel uituli sancti apostoli. CORNUA PRODUCENTEM ET UNGULAS. Duo cornua duo Testamenta per quod uincunt hereticos, 'ungulas' intellectus qui discernit inter bonum et malum. Uel uitulus Christus, unde dicit: *Tunc inpones super altare tuum uitulos.* Uituli, sicut superius diximus, sancti apostoli siue praedicatores ecclesiae qui pigros ex-
10 citant, uel cotidie excitantur a nobis, dum nostra bona opera conspiciunt.

33. UIDEANT PAUPERES ET LAETENTUR, 'uideant' canticum et laudent, pauperes in suis, diuites in deo. QUAERITE DOMINUM ET UIUIT ANIMA UESTRA. Propheta admonet christianos: quaerite dominum non de loco ad locum, sed fide et opere.

Codices: MSV et Z = S+V
30,1 uox – 3 sum] Tu corpus Christi non solum non gloriaris apud istos supradictos, sed etiam pauper et dolens Z   3/4 hoc et corpus suum similiter facit Z   4 Christus – et] Aliter Z   5 et] uel Z   **31,**2 non² – 3 laudant¹] benedicent Z   5 laude + maxime Z
32,1 placet] conplacet V   2 modo *om.* Z   uitulus] super uitulum Z   quod] quam M²   3 Aliter *om.* M   4 per – 5 illorum *om.* Z   5 uel] aliter M   apostoli + uel imitatores eorum Z   6 uincunt] uentilant Z   7 Uel + quattuor ungulas IIII euangelia uel Z   8 unde] ut Z   9/10 excitant + qui in tempore somni dormiunt Z   10 uel cotidie *om.* Z   conspiciunt] uident Z   **33,**2(*et* 3) domino Z   uiuet Z

16 Mt 6,2.5.16   **32,**8 Ps 50,21

34. Quoniam exaudiuit pauperes deus, Christum et ecclesiam, et uinctos suos non spreuit. Illos qui ligati erant cum diabolo non spreuit, sed redemit et liberauit. Uel illi qui ligati sunt in uinculo caritatis, in dilectione dei et proximi, non spernet illos.

35. Laudent illum caeli et terra: numquid tantum caeli et terra laudant? ⟨Non⟩, sed habitatores terrae id est homines. Tunc laudant, quando considerant creaturas dei caeli et terrae. Aliter 'laudent illum caeli et terra': caeli angeli, terra homines uel sancti praedicatores et
5 successores illorum. Mare et omnia repentia in eis, 'mare' gentilitas, et omnia reptilia id est qui terrena amant et diligunt: et illi laudent.

36. Quoniam deus saluam faciet Sion: primitiuam ecclesiam et hic saluat et in futurum saluam faciet; et aedificabuntur ciuitates Iudae: per illam primitiuam ecclesiam Sion aedificatae fuerunt, postea successores eorum, et inhabitabunt ibi id est in sancta ecclesia, et here-
5 ditate adquirunt eam, et ista ecclesia, sed maxime illa futura in dominatione sempiterna,

37. et semen seruorum eius possidebunt eam, serui sancti, semen eorum filii eorum id est imitatores eorum uel opera eorum, nepotes merces operum illorum, et qui diligunt nomen eius ipsi inhabitabunt in ea. Nomen patris filius est, quia qui diligit filium et patrem diligit. Ipsi
5 inhabitabunt in ea id est per fidem et opera.

69. In finem psalmus Dauid.

2. Deus in adiutorium meum intende, domine ad adiuuandum me festina. Iste psalmus ex persona martyrum cantatur in Nouo Testamento. Rogat ecclesia, rogauerunt martyres, ut dominus dixit: *Sine me nihil potestis facere.* Non rogauerunt tantum sancti martyres de prae-

---

Codices: MSV et Z = S+V
34,1 deus] dominus Z   Christus M   ecclesiam *scripsi*: -sia *codd.*   3 uinculum Z
35,1 caeli²] -lum M   5 reptilia Z   6 repentia Z   id est] quae in eis sunt Z
amauerunt et dilexerunt Z   illa laudant M   **36,**2 faciat Z   Iudaeae V
3 aedificati M   4 eorum + id est qui conuersi fuerunt Z   inhabitabit M   ibi + in
Sion Z   5 sed maxime] et Z   **37,**1 possidebit Z   2 imitatores – uel *om.* Z   3 et
om. Z   habitabunt Z

Ps 69,2,1 me] mihi Z   4 sancti martyres om. Z

Ps 69,2,3/4 Io 15,5

⁵ senti, sed de sempiterna uita; seu ut possibilitatem haberent tribulationem sustinere, ut non caderent in negationem uel in disperationem.

3. CONFUNDANTUR ET REUEREANTUR OMNES INIMICI MEI QUI QUAERUNT ANIMAM MEAM, ut auferant eam. Aut praedicando aut pronuntiando aut optando dicit. Bene hic optat ecclesia: confundantur de illorum peccatis uel de idolis quibus sacrificauerunt. Unde dixit Paulus: *Qua-*
⁵ *lem fructum habuistis tunc in his, in quibus nunc erubescitis?* 'Reuereantur' hoc est illos quos prius in dispectione habuerunt, ut Paulus fecit quos antea persecutus fuit. 'Qui quaerunt animam meam': dicit sanctus Agustinus, occidit homo hominem; unam tunicam habet, duas uult habere, sed non potest duas habere animas: alterius animam tollit
¹⁰ et non accipit, et suam perdit. 'Qui quaerunt animam meam': multi quaerunt, sed non aequaliter: alii quaerunt ad perdendum et alii ad imitandum, ut dixit: *Periit fuga a me, et non est qui requirat animam meam.*

4. AUERTANTUR RETRORSUM ET CONFUNDANTUR QUI COGITANT MIHI MALA. Auertantur retrorsum id est de illo cursu quem prius habuerunt qui antecedere uolebant, ut Petrus dixit: *Absit a te domine, non erit tibi hoc;* et dominus: *Uade post me, quia non sapis ea quae dei sunt, sed ea*
⁵ *quae hominum.* Aliter 'auertantur retrorsum' id est illi qui malum cursum habuerunt ueniant de malo ad bonum id est ad emendationem. AUERTANTUR STATIM ERUBESCENTES QUI DICUNT MIHI: EUGE, EUGE. Duo persecutores sunt ecclesiae id est blasphemantes et adulantes.

Codices: MSV et Z = S+V
5 seu] uel *Z*　　　habeant *Z*　　　tribulationem + hic in praesente *Z*　　　6 sustinere + 'Ad adiuuandum me festina' dicit: numquid deus citius ueniat, quod rogat ut festinet ad adiu-uandum aut ad iudicium ut ueniat ante ut debet? Non, sed festina, ut mihi non sit tarde quod tu uenias ad adiuuandum, ut patientiam habeam *Z*　　　caderent] debeam cadere *Z* negatione ... disperatione *Z*　　　3,3 hic] illis *Z*　　　ecclesia + aut *Z*　　　4 Paulus *om. M* 5/6 Reuereantur(-uertantur *M²S*)] *praem.* Aliter *Z*　　　6 prius *om. M*　　　dispectione] di-speratione *Z*　　　7 meam + duobus modis *Z*　　　8 hominem + qui *Z*　　　9 tollet *Z* 10 accepit ... perdet *Z*　　　Qui – meam *om. Z*　　　12 dixit + dominus *Z*　　　Perit *M* et - 13 meam *om. Z*　　　4,1 confundantur] erubescant *Z*　　　2 illorum *S: om. V* cursu + malo *Z*　　　quem] quod *Z*　　　4 dominus + dixit illi *Z*　　　me + satanas *Z* quia + scandalum es mihi et *Z*　　　6 habuerunt + ut *V*　　　uenient *M*　　　de] a *M* id - emendationem *om. Z*　　　7 statim + et *Z*　　　8 adulatores *V*

3,4/5 Rm 6,21　　　8 - 10 *cf* AU 69,3,15-16.19-23(p. 932)　　　12 Ps 141,5　　　**4,3 – 5** Mt 16,22.23

Adulatores sunt qui dicunt: tu sanctus es, tu bonus, tu iustus es: nullus
10 talis similis tui; unde dictum est: *Oleo autem peccatoris non inpinguit*
caput meum; et sanctus Gregorius dicit: »Uenditores quippe olei adulatores sunt«. Euge aliquando et in bono intellegitur.

5. EXULTENT ET LAETENTUR QUI QUAERUNT TE DOMINE: exultent et laetentur id est iocundentur et hic et in futurum; 'qui quaerunt te domine'
non de loco ad locum, sed fide et opere. ET DICANT SEMPER MAGNIFICE-
TUR DOMINUS: et in prosperis et in aduersis magnificetur dominus.
5 Quare? quia de peccatore quod eras fecit te iustum, postea fecit te quod
aliquid boni operaris, ut illud: *Si accepisti, quid gloriaris quasi non acce-*
peris? Si te laudare uolueris de quod habes, perdes hoc quod operatus
fuisti. Propterea necesse est ut fidem habeas, quia nisi deus faciat te fidem habere, per te non potes. QUI DILIGUNT SALUTARE TUUM: salutaris
10 noster Christus est. Ipsi diligunt salutarem, qui bonum opus habent et
non sibi, sed deo tribuunt.

6. EGO UERO EGENUS ET PAUPER SUM ut est ćorpus Christi peregrinum, ut
illud: *Dum sumus in corpore, peregrinamur a domino.* Pauper id est pauper in suis diuitiis, sed non in deo, tu non uis laudes hominum. ADIU-
TOR MEUS ET LIBERATOR MEUS ESTO DOMINE, adiutor in tribulatione et
5 liberator in futurum. DEUS MEUS NE TARDAUERIS id est ne moreris. Uidetur mora fieri quando statim non uenit ad adiuuandum, ut dicat:
quare me deus non adiuuas, ut disperatio mihi non fiat?

Codices: MSV et Z = S+V
9 Qui sunt adulatores(*om. V*) Z   es[1] - bonus *om. M*   nullus - 10 tui *om. M*
10 Oleum Z   inpinguet Z   11 et] unde et Z   12 sunt + Item: euge Z   bonum Z
intellegitur + ut illud: ⟨Euge⟩ serue bone; et in malum 'euge, euge' quasi dicat: Bene, bene,
uidimus quod cupiuimus Z   5,7 quod[1]] quo M   8 Propterea *om. M*   fidem + perfectam Z   tibi faciat Z   10 salutare + quod est Christus Z   opus] quod Z
et *om. Z*   6,1 ut est] tu Z   peregrinus Z   2 id - 3 non[1]] in suis, diues Z   3 huma-
nas Z   4 meus[1] *om. Z*   5 ne[2]] me M: + me S(*eras. corr.*)   6 statim *om. Z*   adiuu.]
iudicandum M   ut + non Z   7 adiuuat Z

10/11 Ps 140,5   11/12 GR-M Ev 12,3(ed. 1120 B 11-12)   12 (Mt 25,21.23)   5,6 I Cor
4,7   6,2 II Cor 5,6

70. In finem psalmus Dauid filiorum Ionadab pro his qui primi captiui ducti sunt. Ionadab iste bonus homo fuit ex tribu Leui, filii sui in tempore Hieremiae prophetae fuerunt. Praecepit eis pater eorum, ut uinum non biberent nec in domo habitarent. Dominus dixit ad Hiere-
5 miam prophetam: Uade et dic ad filios Ionadab, ut bibant uinum et in domo habitent. Illi responderunt: non faciemus nec transgrediemus mandatum patris nostri. Renuntiauit Hieremias domino: non uolue-runt bibere uinum filii Ionadab. In hoc dominus laudat illos quod adtenderunt mandatum patris, quia mandatum est et dominus praece-
10 pit diligere et obaudire parentibus, sic tamen, si mandatum domini non sit contrarium. Et in hoc condemnat populum Iudaicum, ut eis do-minus praecepit, ut, si traderent se ad Caldeos, nullus ambularet in captiuitatem, illi noluerunt obaudire. Filii Ionadab obaudierunt dicta patris, et isti dicta dei noluerunt credere: ideo ambulauerunt in captiui-
15 tatem. 'Pro his qui primi captiui ducti sunt': quaestio est hic, quomodo dicit 'primi captiui', quia tertia captiuitas fuit Caldeorum. Non intelle-gitur hoc de populo Iudaico, sed de Adam et Eua. Praeceptum habue-runt, ut mandatum obseruarent, et semper sine infirmitate mansis-sent. Sed uenit deceptor id est serpens, suggessit deceptionem. Domi-
20 nus dixit eis: *De omni ligno paradisi comedite, de ligno autem scientiae boni et mali ne comedatis. In quacumque enim die comederitis ex eo, morte moriemini.* Sed illi magis crediderunt diabolo, quomodo dixit eis: *et eritis sicut dii.* Propterea Adam et omnes filii eius ceciderunt sub cap-tiuatione diaboli in ista captiuitate, sicut ille seruus qui fugitiuus do-
25 mino suo fuit, diabolus illum decepit: si uoluisset oboediens esse, non

Codices: MSV et Z = S+V
Ps 70,1,1 Dauid *om.* M   Ionadab M: -daph Z(*etiam in sqq.*)   5 prophetam *om.* Z
et¹ + accipe scyffum uini et Z   6 transgredimus Z   9 mandatum² + dei V*: + domini SV²   dominus] ipse S: *om.* V   10 oboedire parentes Z   si + contra Z
11 contrarium *om.* Z   hoc + blasphemat uel Z   12 si *om.* Z   se traderent Chaldeis + et Z   13 oboedire ... oboedierunt Z   14 credere] oboedire Z   15 hic *om.* Z
17 Iudaico] Israhelitico Z   19 id est serpens *om.* Z   19/20 Dominus – 23 dii] sicut dixit: Si comederitis, eritis sicut dii Z   23 Propterea – 24 sicut *om.* Z   24/25 domini sui Z   25 decepit + Et ideo omnes filii Adam sub captiuationem diaboli uenerunt. Et ista⟨m⟩ captiuitate⟨m⟩ soluisset Z   uoluisset - esse] oboediens fuisset Z

Ps 70,1,2 - 15 *cf* Ier c. 35   20 - 22 Gn 2,16.17   23 Gn 3,5

esset captiuus. Ionadab interpretatur domini spontaneus. Figuram tenet omnium sanctorum, quia postquam uenit medicus id est Christus
et redemit illos in Nouo Testamento per sanguinem suum, postea
sancti non coacti aut inuiti, sed bona uoluntate deo seruiunt, ut ait pro-
30 pheta: *Immola deo sacrificium laudis;* et alibi: *Uoluntarie sacrificabo
tibi;* et item: *In me sunt deus uota tua quae reddam laudationis tibi.* Iam
redempti sumus de illa captiuitate transgressionis Adae. Sed remansit
aliquid apud nos de ipsa captiuitate Adae et adhuc in captiuitate tene-
mur id est uitiis et peccatis et cogitationibus et concupiscentiis. Unde
35 Paulus dicit: *Uideo autem aliam legem in membris meis, repugnantem
legi mentis meae.* Unde et alio loco dicit: *Caro quod corrumpitur adgrauat animam et habitatio terrena depremit sensum multa cogitantem.*
Et item Paulus dicit: *Infelix ego homo, quis me liberauit de corpore mortis huius? Gratia dei* et rlq. Sed tunc pleniter finita erit ista captiuitas,
40 quando coniuncta fuerit ista ecclesia cum illa ecclesia caelesti, id est
cum tradiderit regnum deo et patri suo et erit *deus omnia in omnibus:*
tunc *absorta erit mors in uictoria.*
DEUS IN TE SPERAUI, DOMINE NON CONFUNDAR IN AETERNUM: uox ecclesiae. Alii sperant in uirtutibus, alii in hominibus, alii in diuitiis, sed:
45 *Maledictus uir qui confidit in hominem.* Ecclesia dicit: ego in te spero,
non confundar in aeternum. Duae confusiones sunt, temporalis et aeterna, una adducit gloriam et altera confusionem.
2. ET IN TUA IUSTITIA LIBERA ME. In alio psalmo dicit: *Iudica me secundum
iustitiam meam;* Agustinus: sua iustitia et non sua: sua est quando

---

Codices: MSV et Z = S+V
26 captiuus + Illud pomum(Ille pomus Z) bonum(-us Z) est, non uolo ut illum(-ud Z) tan-
gas, uolo te probare sub oboedientia *codd.*   dominus Z   27 quia] qui M   31 item
om. Z   laudationes Z   32 Sed – 33 et *om.* Z   33/34 detinemur Z   34 et cogita-
tionibus] cogitationum Z   35 autem *om.* Z   in – meis *om.* M   36 meae + et
captiuam(-uitatum V) me ducentem in lege peccati quae est in membris meis Z   38 Et
item *om.* Z   39 et rlq.] per Iesum Christum dominum nostrum Z   40 ecclesia² *om.* Z
caelestia V   id est] et Z   41 et¹ *om.* M   42 uictoria + sanctorum Z   44 in uiribus Z
diuitibus M   45 sperabo Z   46 confusiones] confessiones Z   47 una] *praem.* illa Z
adducet Z   et altera] alia Z   confessionem Z   2,2 Agustinus] et Z

30 Ps 49,14   30/31 Ps 53,8   31 Ps 55,12   35 Rm 7,23   36/37 Sap 9,15   38 Rm
7,24.25   41 I Cor 15,24.28   42 I Cor 15,54   45 Ier 17,5   2,1/2 Ps 7,9

implet mandata illa quae accepit; non sua, quia non habet hoc de natura, sed donum dei est. INCLINA AD ME AUREM TUAM ET SALUA ME. Au-
⁵ res domini dicuntur, quando exaudire dignatur; uel tunc inclinauit aurem, quando nostram carnem adsumpsit. Ut quidam sapiens dicit: uenit medicus id est Christus et sanauit aegrotum; et alibi: *Formam serui accipiens.*

3. ESTO MIHI IN DEUM PROTECTOREM: ille protegit nos a iaculis inimici id est sagittis, et ipse est scutum nostrum. ET IN LOCUM MUNITUM, UT SALUUM ME FACIAS. Numquid deus localis sit? licet localis est, ad se uenientibus non est localis, quia ubique est. QUIA FIRMAMENTUM MEUM
⁵ ET REFUGIUM MEUM ES TU, firmamentum fidei et refugium in tribulatione.

4. DEUS MEUS, ERIPE ME DE MANU PECCATORIS. Generaliter hic de omnibus peccatoribus intellegitur, ET DE MANU CONTRA LEGEM AGENTIS ET INIQUI. Non omnes peccatores iniqui sunt nisi transgressores id est Iudaei et mali christiani, qui Uetus et Nouum Testamentum transgredi-
⁵ untur; iniqui qui non credunt, ut Paulus ait: *Qui sine lege peccauerunt, sine lege peribunt.*

5. QUONIAM TU ES PATIENTIA MEA, DOMINE, SPES MEA A IUUENTUTE MEA: antea est spes, postea patientia. Quia gentiles propter hoc quod non habent spem in deo, non sustinent, non habent patientiam. Ideo *spes non confunditur, quia caritas dei diffusa est in cordibus nostris* et rlq. 'A iu-
⁵ uentute mea' ex quo initiaui credere, non dixit pueritiam aut infantiam, sed iuuentutem.

6. IN TE CONFIRMATUS SUM EX UTERO, DE UENTRE MATRIS MEAE TU ES PROTECTOR MEUS, DOMINE. 'Ex utero' ex quo generatus fui per baptismum; 'de uentre matris meae', quia praedistinatus apud te semper fui quod

Codices: MSV et Z = S+V
3 implent *M*   quae + a deo *Z*   5/6 aurem *om. Z*   6 Ut - dicit *om. Z*   7 id est Christus *om. Z*   alibi *om. Z*   3,1 proteget *Z*   3 sit] est *Z*   5 es tu] esto *MS*
4,2 agentes *Z*   3 iniqui² + Peccatores qui *Z*   nisi] id est *Z*   6 lege + et *Z*
5,1 domine *iter. Z*   3 in deo] ideo *Z*   sustinent + quia *Z*   4 confundit *V*
caritas] gratia *S*   et rlq.] per spiritum sanctum qui datus est nobis *Z*   5 mea *om. Z*
a pueritia *Z*   5/6 infantiam] adolescentia *Z*   6 iuuentute *Z*   6,2 domine *om. Z*
regeneratus *Z*

7/8 Phil 2,7   4,5/6 Rm 2,12   5,3/4 Rm 5,5

22*

bonus faciar et in te spem haberem. IN TE DECANTATIO MEA SEMPER: ab
⁵ illo tempore, quo initiaui credere, semper in te laus mea.
7. TAMQUAM PRODIGIUM FACTUS SUM MULTIS: ecclesia loquitur. 'Prodigium' porro dictum, de futuro dicit ecclesia apud insipientes ⟨qui⟩
quasi sine sensu sint, quia dicunt mihi: unde scis tu de futuro quod nobis praedicas? ET TU ADIUTOR FORTIS id est in tribulatione.
8. REPLEATUR OS MEUM, DEUS, LAUDE TUA: optando dicit ecclesia in prosperis et in aduersis, UT CANTEM TIBI GLORIAM TUAM id est gloriam resurrectionis et ascensionis, TOTA DIE MAGNIFICENTIAM TUAM, toto tempore et in prosperis et in aduersis.
9. NE PROICIAS ME IN TEMPORE SENECTUTIS: uox ecclesiae, quomodo in
iuuentute mea, sic et in senectute et usque in finem, unde dominus dixit: *Ecce ego uobiscum sum omnibus diebus* et rlq. CUM DEFECERIT UIR-
TUS MEA, NE DERELINQUAS ME: uox ecclesiae. Cum defecta fuerit mea
⁵ uirtus carnalis et potentia saecularis, tua uirtus me adiuuet.
10. QUIA DIXERUNT INIMICI MEI MALA MIHI, ET QUI CUSTODIERUNT ANIMAM
MEAM CONSILIUM FECERUNT IN UNUM,
11. DICENTES: DEUS DERELIQUIT EUM, PERSEQUIMINI ET CONPREHENDITE
EUM, QUIA NON EST QUI ERIPIAT EUM. Hic intellegitur de Christo,
quando dicebant Iudaei: illas uirtutes quas faciebat aut per deum faciebat aut per diabolum. Deus dereliquit eum, quando in nostris manibus
⁵ peruenit. Et de martyribus intellegitur, quando in manus peccatorum
ueniunt et flagellantur.
12. DEUS NE ELONGERIS A ME, id est in tribulatione. DEUS MEUS IN AUXI-
LIUM MEUM RESPICE, in alio psalmo dicit: *Ne elongeris auxilium tuum a*
me: et ad Christum et de ecclesia intellegitur hoc.
13. CONFUNDANTUR ET DEFICIANT DETRAHENTES ANIMAM MEAM. Hoc non
inuenientium in malum, sed in bonum pertinet, quia oratio sanctorum

---

Codices: MSV et Z = S+V
4 faciam *M**: essem *Z*   cantatio *S*   7,3 sint] sit + et quasi exanimes *Z*   8,1 laudem
tuam *Z*   2 gloriam²] -ria *Z*   3 magnificentia tua *Z*   9,2 mea *om. Z*   et²] uel *Z*
dominus *om. Z*   3 et rlq.] usque ad consummationem saeculi *Z*   4 mea¹ + deus *Z*
5 me] in me *Z*   uiuet *V*: ueniet *S*   10,1 custodiebant *S*   11,2 eum² *om. V*
5 martyribus + similiter *Z*   6 ueniunt et *om. Z*   flagellabuntur *V*   12,1 elongas *Z*
2 elongaueris *Z*   3 de Christo *Z*   13,2 inuentio *Z*

9,3 Mt 28,20   12,2 Ps 21,20

est pro malis orare, id est ut deficiant de illis malis. 'Detrahentes animam meam', dicit sanctus Agustinus: CONMITTENTES. Peccatores sic
⁵ uolunt sanctos excitare, ut contra deum debeant illorum animas conuertere, et sic subtiliter ueniunt et dicunt: tu tuos parentes totos perdidisti et tuas res non commisisti tantum deo quantum sustines malum.
Dicit ille: non ausus sum iusta iudicia dei blasphemare, tamen non feci
ego tantum malum quantum ille qui bene habet. Quando istud dicit,
¹⁰ iam incipit iudicia dei blasphemare. OPERIANTUR CONFUSIONE ET REUE-
RENTIA QUI QUAERUNT MALA MIHI. Confusio hic in bonum intellegitur,
quando confunduntur de illorum peccatis. 'Reuerentia' id est reuereantur illos quos persecuti fuerunt.

14. EGO AUTEM SEMPER IN TE SPERAUI, DOMINE: Christus secundum quod
homo est in patrem, et ecclesia in Christum; ET ADICIAM SUPER OMNEM
LAUDEM TUAM. Laus dei est, quod ex nihilo fecit omnia et omnes creaturae illum laudant. Numquid deus inde melior sit? Non. Quare dicit,
⁵ ergo quare fecit? propter hoc, quia uoluit, ut illum laudent. 'Adiciam
super omnem laudem tuam' hoc est quando carnem nostram suscepit
et resurrexit inmortalis, et nos credimus inmortalitatem suscipere.

15. OS MEUM PRONUNTIAUIT IUSTITIAM TUAM id est gloriam uel mandata
tua, non mea sed tua; TOTA DIE SALUTARE TUUM, toto tempore Christum tuum, QUONIAM NON COGNOUI NEGOTIATIONES, alio loco 'litteraturam' dicit: NON COGNOUI LITTERATURAM id est grammaticam et philo-
⁵ sophiam. Accipio hominem insipientem, facio illum sapientem, nihil
exinde accipio. Non dicit de me, sed de Iudaeis dicit, qui in legis littera
gloriabantur, quia *littera occidit* — sicut dicit: *Oculum pro oculo* et rlq. —,
spiritus uiuificat omnia. Paenitentiam demonstrat, quia animas uiuificat, ac si dicat ecclesia: ego non confiteor in legis littera Ueteris, sed in
¹⁰ Nouo Testamento spiritaliter.

Codices: MSV et Z = S + V
3 orare id est *om*. Z   5 debeant] habeant *S*   5/6 conuertere] concitare *Z*   10 incipit
+ iusta *Z*   10/11 confusionem et reuerentiam *Z*   12 confundentur *Z*   12/13 reuereantur illos *post* fuerunt *trsp. Z*   14,1 sperabo *Z*   2 patre *M²*   Christum *M²*:
-to *cett.*   4 fit *M*   dicit – 5 hoc] fecit ergo hoc *Z*   15,2 Salutari tuo *Z*   3/4 littera-
turam] -tura *V*: litteram *S*   4 id est] dicit *Z*   6 me + sanctus Augustinus (+ sed *Z*) dicit
de semet ipso (+ non de me *Z*) *codd.*   qui] quia *M*

13,4 AU 70s.I 14,3-7(p. 950)   **15,3/4** litteraturam = Ps(G)   7/8 II Cor 3,6   7 Mt
5,38(Ex 21,24)

16. Introoibo in potentias domini. Potentia domini me fecit hoc, ut in uitam aeternam intrare debeam. Memor ero iustitiae tuae solius:
ecclesia dicit. Nostra iustitia dei iustitiam adfirmat, quia non potueramus dei mandata implere, nisi quantum ipse auxilium praestiterit.

17. Deus docuisti me a iuuentute mea. Hic de praeterito dicit 'a iuuentute' id est de quo initiaui te credere et intellegere, et usque nunc pronuntiabo mirabilia tua, 'usque nunc' in praesenti, 'pronuntiabo' et
hic pronuntiat et in futuro.

18. Et usque in senecta et senium, deus, ne derelinquas me: quomodo
me adiuuasti in iuuentute, sic me adiuua in senectute, ut non me derelinquas, donec adnuntiem brachium tuum: uox prophetae. Praeuidebat propheta per spiritum sanctum Christum uenturum esse in car-
5 nem; hoc uolebat praedicare. 'Brachium tuum' hoc est filium tuum.
Generationi omni quae uentura est: *generatio uadit et generatio uenit;* 'quae uentura est' id est gentilitas ad fidem, illi uolebat propheta
Christum praedicare. Potentiam tuam

19. et iustitiam tuam: potentiam in creando creaturas, et iustitiam in
reddendo unicuique secundum opera sua; usque in altissimis id est
super omnes creaturas angelorum, quae fecisti magnalia, deus quis
similis tibi? De ipsis creaturis hoc est magnalia dei quis similis tibi?
5 Nullus.

20. Quantas ostendisti mihi tribulationes multas et malas. Ecclesia
dicit: ostendisti, sed tamen non me grauauerunt. In diluuio quod fecisti credidi et praedicaui, in Sodoma et Gomorra et in mari Rubro et in
multis captiuitatibus Iudaeorum. 'Mala' dicit pro illis qui uindictam
5 sustinuerunt uel ad illos qui negauerunt Christum. Sed sancti quando
tribulationem habent, deum semper laudant, dulcis est illis in confessione. Et conuersus uiuificasti me hoc est fecisti me ad te conuertere, 'uiuificasti me' sicut Paulus dicit: *Nos in nobismet ipsis responsum*

Codices: MSV et Z = S+V
16,2 Memor ero] Domine, memorabor Z   3/4 possumus Z   4 adimplere Z   auxilium *om.* M   praestet Z   **17,**4 futurum Z   **18,**4/5 carne Z   7 quae *om.* Z
est¹] erit V: erat S   illi *scripsi*: ibi Z: *om.* M   **19,**2 usque] *praem.* et Z   3 angelicas Z
4 dei] deus V   **20,**1 et malas *om.* S   2 dicit + Et si Z   3 in¹] *praem.* et Z
mare MV   4 multas captiuitates Z   Male Z   5 sancti] ad sanctos Z   6/7 confessione M²: -nem *cett.*   8 ut Z   dicit *om.* Z   nosmet ipsos Z

18,6 Ecl 1,4   **20,**8/9.11 II Cor 1,9

mortis habuimus, ut non simus fidentes in nobis, sed in deo qui uiuificat
10 omnia; quia quantum ad purum hominem pertinet infirmi sumus, nisi
a deo accepissemus spem, *qui suscitat mortuos.* ET DE ABYSSIS TERRAE
ITERUM REDUXISTI ME, primitus illas animas quas de inferno traxit, postea quando resurrexit a mortuis inmortalis et nos sic credimus in resurrectione mortuorum resurgere.

21. MULTIPLICASTI IUSTITIAM TUAM ET CONUERSUS CONSOLATUS ES ME id
est in spe resurrectionis.

22. NAM ET EGO CONFITEBOR TIBI IN UASIS PSALMORUM. Uox ecclesiae: confitebor tibi hoc est laudo te. In quid? in uasis psalmorum. UERITATEM
TUAM ⟨PSALLAM TIBI IN CITHARA⟩, DEUS SANCTUS ISRAHEL. 'In uasis psalmorum': secundum historiam uas psalmorum psalterium est, cithara
5 omnes sancti qui laudant deum. Psalterium organum; ad sensum: laus
cum opere. Per psalterium praedicatio quae de caelestibus uenit, per
citharam sex opera misericordiae. Aliter: psalterium uirtutes quae de
supernis ueniunt, cithara tribulationes quae de terrenis ueniunt. Aliter
psalterium spiritus noster qui de caelestibus uenit, cithara caro nostra.

23. GAUDEBUNT LABIA MEA CUM CANTAUERO TIBI ET ANIMA MEA QUAM RED-
EMISTI. 'Labia' Christi sancti sunt, 'anima quam redemisti' de inferno.

24. SED ET LINGUA MEA MEDITABITUR IUSTITIAM TUAM hoc est Christum
tuum et mandata tua, TOTA DIE LAUDEM TUAM hoc est in prosperis et in
aduersis, sicut sanctus Iob faciebat, qui non solum in die, sed etiam in
nocte hoc est in tribulatione deum laudabat. CUM CONFUSI ET REUERITI
5 FUERUNT QUI QUAERUNT MALA MIHI: repetitio est.

Codices: MSV et Z = S+V
9 nobis] nosmet ipsos Z   9/10 qui – omnia *om.* Z   10 ad – pertinet] purus homo est Z
infirmum est Z   11 acceperit Z   abysso Z   13 sic] si S   in + futurum in Z
13/14 resurrectionem M   14 resurgere *om.* M   21,1 iustitiam] magnificentiam Z
22,2 psalmorum + in corda sanctorum Z   6 Per[1] *om.* MS   7 opus Z   8 superius S
23,2 Christi *om.* M   24,1 Sed *om.* M   2 laudem tuam *om.* M   hoc est] et Z
3 sanctus *om.* Z   qui *om.* Z   die + quod est prosperitas Z   4 deum laudabat *om.* Z
5 fuerint Z   repetitio est *om.* Z

71. In Salomone psalmus. Uolunt alii dicere quod iste psalmus in persona
Salomonis filii Dauid fuisset cantatus pro eo quod dicit: *filio regis.* Sed
ipsa historia non hoc consentit, quia dicit in antea: *et permanet cum sole
et ante lunam in saecula saeculorum.* Sunt et alia huiuscemodi ipsius
⁵ psalmi testimonia, qui in illo psalmo non congruunt. Sed hic spiritus
sanctus per prophetam de Christo dicit, non de filio Dauid, sed de nostro uero Salomone. Salomon interpretatur pacificus id est Christus:
ipse est enim pax nostra qui fecit utraque unum et rlq.

2. Deus iudicium tuum regi da. Deus pater rex et filius rex, sicut in
euangelio legimus: *Simile factum est regnum caelorum homini regi qui
fecit nuptias filio suo* et rlq.; et alibi: *Pater non iudicat quemquam, sed
omne iudicium dedit filio.* Et iustitiam tuam filio regis: maxime
⁵ repetitio est; uel iustitiam tuam id est mandata implere, eo quod ipse
mandatum patris impleuit uel implet cotidie in suis membris. Aliter
'filio regis': sicut dicit filia Sion quod et Sion, ita et Christus et filius
regis est et rex est, ut superius memorauit. Iudicare populum tuum in
tua iustitia id est saluare in tua iustitia, eo quod ipsos saluet qui sua
¹⁰ mandata implent. Aliter 'iudicare populum tuum in tua iustitia': numquid iudicium inuitet super se quod scit futurum? ⟨Non⟩, sed iudicium
discretionis rogat. Unde et in alio psalmo dicit: *Iudica me deus et discerne causam meam,* ac si dicat: in die iudicii discretionem eris facturus
et segregabis bonos a malis id est saluabis tuos sanctos et separabis
¹⁵ a peccatoribus. Et pauperes tuos in iudicio in ipso iudicio discretionis, hoc est de illo populo separabis pauperes tuos, illos unde dixit:
Beati pauperes spiritu.

3. Suscipiant montes pacem populo tuo et colles iustitiam. Suscipiant montes pacem, 'montes' id est sancti praedicatores, qui propter altitudinem meritorum montes appellantur, suscipiant pacem id est
praedicationem, ut illud: *Adnuntiant pacem* et rlq. Pro quid suscipiant?

Codices: MSV et Z = S+V
Ps 71,1,1 In – psalmus¹ *om. V*   Salomone + iste *M*   psalmus¹ + Dauid *S*   aliqui *Z*
2 filii] -lio *Z*   3 permanebit *Z*   4 Sunt *scripsi*: Sed *codd.*   2,5 implere] -plet *Z*
6 expleuit *Z*   11 quod *M*²: quem *M*Z*   3,1 iustitia *Z*   4 Adnuntiantes *Z*
Pro] At *Z*

Ps 71,1,2 *et* 3/4: *vide infra* v. 2 *et* 5   8 Eph 2,14   **2,**2 Mt 22,2   3/4 Io 5,22
12/13 Ps 42,1   16 Mt 5,3   **3,**4 *cf* Is 52,7

⁵ ut praedicent populo tuo pacem id est temet ipsum Christum. 'Et colles iustitiam' id est sancti minores 'colles' dicuntur propter differentiam meritorum; et illi suscipiant. Quid suscipiant? mandata, id est ut oboedientes sint ipsam praedicationem recipiendo, quia licet omnia a deo hoc est a Christo, tamen isti ab illis aliis ut mons a monte ita sancti
¹⁰ apostoli a Christo, illi alii postea hoc est sequaces illorum ab aliis, 'et colles iustitiam' hoc est plebs subiecta, hoc quod audiunt opere conpleant. Aliter 'suscipiant montes': sancti praedicatores, ut diximus, suscipiant Christum, non ut illi se Christum dicant, sicut alii dixerunt, quos et dominus praedixit discipulis suis: *Multi uenient in nomine meo*
¹⁵ *dicentes: ego sum Christus* etc. Nam et Iohannes mons erat, et tamen non se dicebat montem esse, sed quid ait? *Non sum ego Christus.* Unde et apostolus ait: *Num Paulus pro uobis crucifixus est? aut in nomine Pauli baptizati estis?* et rlq., ac si dixissent: non sumus nos mons, sed serui sumus montis, a uero monte inluminati id est a Christo.

4. IUDICABIT PAUPERES HUIUS POPULI ET SALUOS FACIET FILIOS PAUPERUM. Ipsi sunt filii pauperum supradicti, unde discretionem facturus est, et ipsi sunt filii pauperum qui et pauperes, sicut ipsud est filia Sion quod et Sion. Uel filii dicuntur imitatores id est qui uoluntarie pauperes
⁵ sunt, ut dicatur de eis: *Beati pauperes spiritu.* HUMILIAUIT CALUMNIATOREM id est diabolum in passione. Calumniator erat, sicut dictum est de ipso, quia *proiectus est draco* qui erat *accusator fratrum nostrorum qui accusabat eos ante deum die ac nocte.* Uel illud quod in historia Iob legitur: *Numquid gratis colit deum Iob?* Et per Iudaeos multa mala et falsa
¹⁰ testimonia dixit contra Christum, quando in passione uenit seu et antea, quia uidebat escam et non uidebat hamum, hoc est uidebat carnem et non uidebat diuinitatem, sperabat rapere animam illius sicut aliorum solebat, sed diuinitas quae latebat ligauit illum, et captus est fortis a domino fortiore.

Codices: MSV et Z = S+V
7 suscipiant²] -unt S   10 aliis] illis Z   13 ut illi se] utile si Z   14 ueniunt M
15 Nam et] Numquid V   Iohannes] Paulus V   17 Numquid Z   19 montis] tui Z
4,2 pauperes V   3/4 quod et Sion *om.* M   8/9 loquitur V   9 colet M   deum Iob]
trsp. Z   10 passionem S   11 quia *om.* M   13 quae latebat] quam ledebat V: quale debebat S

14 Mt 24,5   16 Io 1,20   17/18 I Cor 1,13   4,5 Mt 5,3   7 – 8 Apc 12,9.10
9 Iob 1,9

5. Et permanebit cum sole et ante lunam in saecula saeculorum.
Hic non tenetur ad historiam, quia Salomon, ut praediximus, non permanet cum isto sole, quia iam transiit; sed neque Christum est magnum permanere cum isto sole in corpore. Nam potuerat si uoluisset,
⁵ qui remeans dixit: *Ecce ego uobiscum sum* etc. 'Et permanet cum sole':
hic sol deus pater intellegitur. Christus hic non permansit, quia resurrexit, ascendit, sedet ad dexteram patris. 'Et ante lunam' id est ante
mortalitatem humani generis, quia mortalitas per lunam intellegitur,
et sicut illa crescit et decrescit, ita genus humanum similiter facit: per
¹⁰ successiones generationum crescit et decrescit; et permanebit cum
sole Christus hoc est cum deo patre, et ante lunam id est ante omnem
procreationem humani generis et antequam initiassent omnes creaturas et postea semper sine fine.

6. Et descendit sicut pluuia in uellus: 'descendit' praeteritum pro futuro ponitur. Recordatur spiritus sanctus quod fecit per Gedeon,
quando uenit angelus domini ad illum et dixit: *Ne timeas uir fortissime,*
et accipe signum per uellus. Sed non tantum hoc ad historiam tenen-
⁵ dum, quia hoc iam fuerat, sed magis ad sensum spiritalem. Iste uellus
intellegitur sancta Maria plena caritate, illa pluuia diuinitas quae eam
repleuit. Item uellus populus Iudaicus potest intellegi, pluuia doctrina
dei, unde dixit et docuit eum: impleti sunt apostoli de ipsa doctrina dei,
postea inrigatae sunt gentes; et sicut stillicidia stillantia super
¹⁰ terram ipsa doctrina super corda eorum.

7. Orietur in diebus eius iustitia et habundantia pacis. Iustitia orietur id est mandata, quia in diebus Christi tunc impleta fuerunt sua
mandata, quae antea fuerunt in figura et umbra, tunc manifestius impleta et apertius declarata sunt; uel modo in sancta ecclesia cotidie
⁵ declarantur. 'Et habundatia pacis': quando Christus uenit, pax erat,
quia sub uno imperatore totus mundus dominabatur, quod in diebus
Salomonis non faciebat. Uel pax in diebus eius orta est, quia secundum apostolum: *Ipse est pax nostra* id est Christus, qui pacificauit

Codices: MSV et Z = S+V
5,1 luna Z   2 tenetur] continetur Z   11 Christo Z   6,3 domini *om.* M*Z
4 uellus M²: -lerem *cett.*   6 plena + de M*Z   10 eorum] Iudaeorum Z   7,3 quae]
quod M*Z   6 dominabatur: regebatur *sscr.* M²

5,5 Mt 28,20   6,3/4 *cf* Idc 6,12.17 *et* 37sqq.   7,8/9 Eph 2,14

familiam caeli et terrae, sicut dicit idem apostolus: *Qui fecit utraque*
10 *unum,* nam antea discordes eramus per culpam primi hominis. DONEC
EXTOLLATUR LUNA hoc est sancta ecclesia; 'extollatur' id est eleuetur,
quia prius quasi in imo erat et conculcabatur ab aduersariis potestatibus, sed modo eleuata, sicut dominus dixit: *Ecce dedi uobis potestatem*
calcandi super serpentes et scorpiones et supra omnem uirtutem inimici.

8. ET DOMINABITUR A MARI USQUE AD MARE. Hic non intellegitur de Salomone filio Dauid, sed de Christo et sua ecclesia: 'et dominabitur a mari
usque ad mare' id est ab oceano usque in oceanum et a terreno usque
ad terrenum; ET A FLUMINIBUS USQUE AD TERMINOS ORBIS TERRAE: in
5 toto dominatio Christi est et suae ecclesiae. Item ad sensum uel a
fluuio qui dicitur Iordanis quando Iohannes Christum baptizauit et
uox paterna intonuit: *Hic est filius meus dilectus* et rlq.; et Iohannes:
Ecce agnus dei: tunc initiata fuit uel est fides ecclesiae Christi uel in
toto mundo.

9. CORAM ILLO PROCIDUNT AETHIOPES: coram illo id est Christo, Aethiopes hic pro omnibus gentibus ponuntur, 'procedunt' de nigredine peccatorum suorum. ET INIMICI EIUS TERRAM LINGENT: inimici Christi
sunt qui terrena diligunt. Peccator peccatorem laudat: *Laudatur,* in-
5 quit, *peccator in desideriis animae suae.* Aliter: inimici dei et sanctorum
qui antea inimici, postea illorum uestigia id est exempla sequuntur,
unde et in propheta dicit: *Et adorabunt uestigia pedum tuorum.*

10. REGES THARSIS ET INSULAE MUNERA OFFERUNT. Secundum historiam
reges fecerunt hoc in templum Salomonis. Sed modo intellegendum
est 'reges' id est sancti qui se regunt a uitiis et peccatis et omnia bona
offerunt deo. Aliter reges gentium munera offerunt ad ecclesiam; et in-
5 sulae id est congregatio gentium, et ipsi munera offerunt. REGES ARA-
BUM ET SABAA DONA ADDUCENT: de illis tribus magis dicit, qui de Arabiae partibus uenerunt. Ibi impleta fuit ista prophetia.

11. ET ADORABUNT EUM OMNES REGES TERRAE id est apostoli uel praedicatores. OMNES GENTES SERUIUNT EI: pro quid?

Codices: MSV et Z = S+V
11 eleuatur *Z*   14 supra] super *Z*   **8,**2 et¹ + de *Z*   5 sua(-am *V*) ecclesia(-am *V*) *Z*
9,1 procident *Z*   2 nigritudine *Z*   6 qui] quia *Z*   antea + fuerunt *Z*   7 in
*om. SV*²   **10,**2 templo *Z*   6 Saba *Z*   **11,**2 seruient *Z*

13/14 Lc 10,19   **8,**7 Mt 3,17   8 Io 1,29.36   **9,**4/5 Ps 9,24   7 Is 60,14
10,2 *cf* III Rg 10,25   6 *cf* Mt 2,1

12. QUIA LIBERAUIT PAUPEREM A POTENTE hoc est populum christianum a
diabolo, qui potens erat de nostris iniquitatibus, sed uenit fortis et alligauit fortem et uasa eius diripuit; ET EGENUM CUI NON ERAT ADIUTOR:
nullus potuit liberare nisi ille de quo dictum est: *Uiso eo misericordia*
⁵ *motus* etc.

13. PARCET PAUPERI ET INOPI: paralytico dimisit sua peccata, ET ANIMAS
PAUPERUM SALUAS FACIET: iustificabit illas. Unde liberauit animas eorum, subiungit:

14. EX USURIS ET INIQUITATE, quia sancti nolunt accipere usuras propter
mandata Christi: cauent se a peccatis maioribus et minoribus; ET HO-
NORABILE NOMEN EORUM CORAM IPSO: nomen sanctorum honorabile
est coram ipso id est coram Christo et praeclarum.

15. UIUET ET DABITUR EI DE AURO ARABIAE: uiuit Christus, quia *mors ei ul-*
tra non dominabitur. 'De auro Arabiae' Salomon dicit: Suscipite prudentiam sicut argentum et sapientiam sicut aurum hoc est sapientiam
dei id est sensus spiritalis cum sapientia diuina. ET ADORABUNT AB IPSO
⁵ SEMPER, id est sancti semper laudant deum, TOTA DIE BENEDICENT EI,
toto tempore siue in prosperis siue in aduersis semper laudant deum
isti.

16. ET ERIT FIRMAMENTUM IN TERRA IN SUMMIS MONTIUM, 'firmamentum'
Christus, in terra hoc est in ecclesia, ut beatus Paulus dicit: *Fundamen-*
tum aliud nemo potest ponere praeter id quod positum est quod est Chri-
stus Iesus. Ideo firmamentum in summis montium id est fides in sanc-
⁵ tis apostolis uel in praedicatoribus. SUPEREXTOLLITUR SUPER LIBANUM
FRUCTUS EIUS. 'Superextollitur' supereleuatur; Libanus mons est excelsus, habet ibi arbores excelsas, intelleguntur per hoc homines in
saeculo potentes. Iste fructus superextollitur id est Christus supereleu-
uatur super illos sublimes uel superbos, quia propter istum fructum
¹⁰ descendunt ad humilitatem. Aliter Libanus dealbatio interpretatur,
uel illud lignum quod in illo monte est, inputribile est: sancti intelle-

---

Codices: MSV et Z = S+V

12,1 pauperum *M*　　5 etc.] esset *V*　　**13,2** faciat *MS*　　iustificabat *Z*　　**14,2** maiores
et minores *Z*　　2/3 honorabile *M²*: -lis *cett.*　　3 nomen² – 4 ipso *om. M*　　4 praeclarum *M²*: -rus *cett.*　　**15,1** Uiuet] -uit(?) *M*　　4 spiritales *V*　　ab] ad *S*: de *V*　　5 deo *Z*
16,5 Libano *Z*　　6/7 excelsus + et *Z*　　7 excelsas *M²*: -sos *cett.*　　11 illo] eodem *Z*

12,2/3 *cf* Mt 12,29　　4 Lc 7,13; 10,33 *al.*　　**13,1** Mt 9,2　　**15,1**/2 Rm 6,9　　2 – 3 *cf* Prv
16,16　　**16,**2 – 4 I Cor 3,11

guntur, et super illos iste fructus id est Christus excelsior est. Et florebunt de ciuitate sicut fenum terrae. In Uetere dicitur: *Germinet*
terra herbam uirentem. In bonum intellegitur et in malum. In bonum
15 sancti florebunt in sancta ecclesia sicut triticum opus fructuum. Aliter
'florebunt de ciuitate' id est de Babylonia id est confusio, sicut fenum
terrae, quia crescent et siccantur.

17. Et erit nomen eius benedictum in saecula, nomen Christi, ut ait
propheta: *Uerbum autem dei stabit in aeternum.* Ante solem permanet
nomen eius et ante lunam sedes eius, id est ante tempora initiata; et
benedicentur in eo omnes tribus terrae, omnes gentes magnifi-
5 cabunt eum, hoc est 'omnes gentes' omnis lingua, et omnes insulae
laudent eum.

18. Benedictus dominus deus Israhel qui facit mirabilia solus. Numquid et sancti non faciunt? Non faciunt, sed ille per suos sanctos facit.

19. Et benedictum nomen maiestatis eius in aeternum et in saeculum
saeculi, et replebitur maiestate eius omnis terra. Fiat, fiat. Sua
maiestas id est potestas et infra et supra et reliqua, quia omnia circumdat, omnia penetrat. Quia enim ipse manet intra omnia, ipse extra om-
5 nia, ipse supra omnia, ipse infra omnia, et superior est per potentiam et
inferior per sustentationem et exterior per magnitudinem et interior
per subtilitatem, sursum regens, deorsum sustinens, extrema circu-
iens, interiora penetrans. Nec alia ex parte superior, alia inferior, aut
alia ex parte exterior atque alia manet interior, sed unus idemque totus
10 uixit, praesidendo sustinens, sustinendo praesidens, circumdando penetrans, penetrando circumdans, per molem corporis nusquam est,
per incircumstantiam nusquam deest etc. 'Fiat, fiat': optat propheta, ut
sua prophetia quam prophetauit de Christo impleretur; quod et ita factum est. Explicit. Diapsalma.

Codices: MSV et Z = S+V
17 crescent et siccantur] arescent Z   **17**,3 luna sedis Z   4 eo *M*²: eum *cett.*   5 gentes + et *M*   6 laudant Z   **18**,2 Non faciunt² *om.* Z   **19**,3/4 circumdat + et Z
7 extra *S*   8 interiora] -rior Z   9 itemque *M*   totus *M*²: -tius *cett.*   10 uexit Z
11 per] *praem.* qui(quia *S*) Z   molem] malum Z   12 incircumsubstantiam Z
nusquam deest] usquam est Z   13 quam *M*²: quod *cett.*   et *om.* Z   14 Explicit(*om.*
M). Diapsalma *in codd. post* 2 fiat². + Finit liber Secundus *S in margine*

13/14 Gn 1,11   **17**,2 Is 40,8; I Pt 1,25   **19**,4 – 12: *unde haec sumpserit, non inueni*

72. DEFECERUNT LAUDES DAUID FILII IESSE. PSALMUS ASAPH. Non legimus
in psalmis ubi Iesse nominasset nisi hic. Sed hic ceteri pro figura ponuntur. Dauid perfectorum figuram tenet hoc est illorum qui fuerunt
in Ueteri, tamen quamuis boni, ad plenitudinem perfectionis non per-
5 uenerunt. Quare? quia *nihil ad perfectionem adduxit lex.* Iesse inperfec-
torum figuram tenet, Asaph congregatio interpretatur. Iste psalmus in
persona synagogae cantatur. Defecerunt laudes Dauid: quando dominus liberauit illos per mare Rubrum et duxit in deserto usque ad terram
repromissionis, propter illa promissa carnalia id est dies elongatos,
10 procreationes filiorum, et quamdiu habebant habundantiam et omnia
ista, laudabant deum. Sed postquam illi peccauerunt, abstraxit deus ab
illis illorum bona, et uidebant illos gentiles qui deum non timebant nec
adorabant bona habere, et illi auertebant se a deo, non credebant illum
recte. Et ideo dicit: Defecerunt laudes Dauid; et non dicit: in Dauid,
15 sed 'defecerunt laudes Dauid' id est in illis, nam non et in Dauid.
QUAM BONUS DEUS ISRAHEL HIS QUI RECTO SUNT CORDE. Propheta admi-
rando dicit: quam bonus deus Israhel, multum bonus et satis bonus.
Subiunxit 'Israhel' hoc est animarum uidentium deum. Cui est bonus
adiunxit: his qui recto sunt corde; et qui sunt recto corde? quibus om-
20 nia iudicia dei placent et se semper accusant de suis peccatis et siue in
prosperis siue in aduersis deum laudant.
2. MEI AUTEM PAENE MOTI SUNT PEDES. Uox synagogae, quia et ipsa dicit:
dum uideo gentes prosperare et omnibus bonis habundare, prope fuit,
ut disperarem de misericordia dei. Uel modo dicit ecclesia: dum uideo
malos bona habere, et me considero multa mala habere; inde in alio
5 psalmo dicit: *Nisi dominus adiuuauerit me, paulo minus habitaret anima
mea in inferno.* PAENE EFFUSI SUNT GRESSUS MEI, hoc sunt gressus qui et
pedes id est sensus: maxime repetitio est.

Codices: M(N)SV et Z = S+V
Ps 72,1,1 Defecerunt - Asaph *in fine Psalmi* 71 *codd.* Asaph + Quam bonus deus Israhel
codd. + *N, qui a* Quam *denuo adest* 4 non *om. S* 5 quia *om. MN* 8 deserto +
est *NZ* in terra *Z* 9 carnale *NZ* elongantur *M* 10 procreatione *MN*
11 laudabunt *Z* deus] dominus *Z* 12 et] ut *N* 15 et *om. NZ* 16 deus Israhel]
trsp. Z recti *N* 17 Israhel deus *N* 19 et - corde² *om. Z* quibus *M²*: cui *cett.*
20 et² *om. Z* **2,**1 autem] enim *N* 2 et + in *V* 5 adiuuaret *Z* 5/6 in inf. anima
mea *Z* 6 qui] quod *S*

Ps 72,1,5 Hbr 7,19 2,5 Ps 93,17

3. QUIA ZELAUI SUPER INIQUOS. De ipso populo intellegitur, quando uidebant gentiles in prosperitate et se in tribulatione; et modo in ecclesia similiter intellegitur. PACEM PECCATORUM UIDENS: uox synagogae.
Quando uidit illos peccatores bona habere et diuitias et prosperitatem,
⁵ prope fuit quod non me demersi cum illis in mala ipsorum.

4. QUIA NON EST RESPECTUS MORTI EORUM: uox prophetae. 'Non est respectus morti eorum', id est illi supradicti mali non respiciunt nisi in
mortem neque declinant a morte neque mors ab illis. ET FIRMAMEN-
TUM IN PLAGA IPSORUM id est supradictorum. Firmata est illorum plaga
⁵ in uindicta.

5. IN LABORIBUS HOMINUM NON SUNT ET CUM HOMINIBUS NON FLAGELLA-
BUNTUR. Isti mali non laudant neque tribulantur cum sanctis propter
deum nec digni sunt, ut laborem sumant ut flagellentur.

6. IDEO TENUIT EOS SUPERBIA: propterea non merentur flagellari, quia tenuit eos superbia. OPERTI SUNT INIQUITATE ET IMPIETATE SUA: cooperit
et circumdat illos iniquitas nec uidet alter cogitationes illorum nec illi
deum possunt uidere.

7. PRODIIT QUASI EX ADIPE INIQUITAS ILLORUM. Ex habundantia sunt qui
habent habundantiam iniquitatis, ex ipsis prodiit crassitudo malitiae
ipsorum. Per similitudinem: pauper furtum facit, dicit: necessitatem
habui, male feci. Ille superbus facit furtum non ex necessitate, sed ex
⁵ habundantia, nec uerbum non dignatur tibi dicere. Iste maius peccatum habet. TRANSIERUNT IN DISPOSITIONEM CORDIS. Isti mali perambu-
lauerunt in malitia quod dispositum habuerunt.

8. COGITAUERUNT ET LOCUTI SUNT INIQUITATEM, non solum cogitauerunt, sed operati sunt: 'locuti sunt' operati sunt id est et uerbo et opere.
INIQUITATEM IN EXCELSO LOCUTI SUNT hoc est blasphemia in deo uel in
sanctis, id est heretici, Iudaei et falsi fratres.

9. POSUERUNT IN CAELO OS SUUM hoc est usque ad caelum blasphemaue-
runt id est blasphemia eorum usque ad caelum peruenit; ET LINGUA
EORUM PERTRANSIIT SUPER TERRAM: terra sancta ecclesia. Isti mali su-

Codices: MNSV et Z = S+V
3,4 uidet Z   5 non *om.* M   4,1 morti] -tis SV^2 Non^2 – 2 eorum *om MS*   4 ipso-
rum] eorum *MV*   5,1 hominum *om.* S   3 deum] dominum Z   ut^2] aut Z
6,1 flagellari M: -re *cett.*   2 iniquitatem S   cooperuit Z   3 iniquitates N   **7,**2 habundantia NZ   iniquitates N   5 non *om.* M   maius M^2: maiorem *cett.*   6 dispositionem *restitui e Gl.*: effectu M: affectum(-tu N) *cett.*   **8,**2 sunt^2 + et Z   et^1 *om.* Z
9,1 caelo] -lum M^2S 3 pertransiet N: transiit Z   terram] -ra N

percalcant illos sanctos pauperes, qui beati pauperes id est qui spiritali-
⁵ ter sunt pauperes; transierunt per terrena usque ad infernum.

10. IDEO CONUERTETUR POPULUS MEUS HIC. Illi boni qui cognoscent quod
peccatores uadunt ad perditionem conuertunt se ad deum, ET DIES
PLENI INUENIENTUR IN EIS id est de uirtutibus non uacui, sicut illorum
malorum dies sunt. Sed et 'dies pleni' sunt sicut dictum est: Transiuit
⁵ Abraham senex *plenus dierum,* ac si dicat: de uirtutibus;

11. ET DIXERUNT: QUOMODO SCIET DEUS ET SI EST SCIENTIA IN EXCELSO? Uox
infidelium est. Illi infideles dicunt: si deus omnia scit, quomodo daturus erat ad illos peccatores tantas diuitias et prosperitatem saeculi? et
qui uidentur sancti esse quare in tribulatione et persecutione sunt?

12. ECCE IPSI PECCATORES ET HABUNDANTES IN SAECULO ET OBTINUERUNT
DIUITIAS: adhuc ipsa uox uadit.

13. ET DIXI: ERGO SINE CAUSA IUSTIFICAUI COR MEUM. Uox synagogae: dum
abstracta sunt mea bona et data sunt malis, sine causa sacrificaui deo
omnia sacrificia legis, ET LAUI INTER INNOCENTES MANUS MEAS: inter
bonos feci et ego bona.

14. FUI FLAGELLATUS TOTA DIE ET CASTIGATIO MEA IN MATUTINIS. 'Tota
die' toto tempore, flagellatus fui in matutino, id est quomodo ego peccaui et flagella super me. Iudaei non intellexerunt, quod deus illis bona
faciebat, propterea flagellati erant; uel modo similiter intellegis.

15. ET DICEBAM: NARRABO SIC: propheta dicit ex illorum persona qui se
cognouerunt quod male dicunt. ECCE NATIONEM FILIORUM TUORUM
REPROBABO. Si sic perseuero, male facio, quia filii dei per flagella
exeunt ad hereditatem.

16. EXISTIMABAM COGNOSCERE HOC LABOR EST ANTE ME: non possum per
me, nisi a deo accipiam,

17. DONEC INTREM IN SANCTUARIUM DEI id est in ecclesiam uel in secretum
cordis, ET INTELLEGAM IN NOUISSIMIS EORUM, in fine saeculorum sic
cognoscam poenas illorum.

Codices: MNSV et Z = S+V
4 qui¹ + sunt *Z*   5 pauperes + transiit super terram *Z*   **10,**1 conuertitur *M*
Illi *om. N*   3 inueniuntur *Z*   5 senex + et *Z*   **11,**3 ad *exp. M*   illis peccatoribus *M*
4 qui] quia *Z*   quare *om. MN*   sunt *om. MN*   **12,**1 et¹ *N: om. cett.*   **14,**2 die + et *M*
4 propterea *om. N*   **15,**2 cogitauerunt *Z*   natione *N:* -num *Z*   **16,**1 cognoscere] ut
cognoscerem *Z*   **17,**1 dei *om. M*   2 cordis *om. M*   nouissima *M*   fine *M*²: -nem
cett.   2/3 sic(se *V*) cognoscam] recognoscam *S*

9,4 *cf* Mt 5,3   **10,**5 *cf* Gn 24,1

18. Uerumtamen propter dolos inposuisti illis mala, propter dolosita-
tem et cumulos peccatorum suorum excaecati fuerunt in diuitiis et non
cognouerunt illorum uindictam quae uentura est illis. Deiecisti eos
dum adleuarentur. Deiecisti illos de illorum superbia sicut diabo-
5 lum fecit de caelo uel Adam de paradiso, et peccatores sic facit; et qui
eleuant se in superbia, *sicut fumus deficit* et cadit subito, sic illi faciunt.

19. Quomodo facti sunt in desolatione: admirat propheta quomodo
facti sunt in destructione. Subito defecerunt et perierunt propter
iniquitatem suam,

20. uelut somnium exsurgentium: quasi somnium est ista uita praesens.
Sicut homo pauper uidit uisionem quasi diuitias habeat, postquam
euigilat, inuenit suam miseriam; si semper dormisset, forsitan diues
fuisset. Sic et diues, si semper uixisset, forsitan semper diues fuisset,
5 sed postquam moriuntur, inueniunt se nudos et pauperes: sanctus
Agustinus dicit. Domine in ciuitate tua imaginem eorum ad nihilum rediges. 'In ciuitate' id est in sancta ecclesia illos superbos ad nihilum rediges. Sicut et illi tuam imaginem quod eis dedisti sordidaue-
runt per peccatum, sic tu illos et hic in praesenti et in futuro deduc ad
10 nihilum.

21. Quia delectatum est cor meum, cognoui quod nihil est illorum superbia, et renes mei resoluti sunt, id est omnes concupiscentiae carnales discesserunt a me,

22. et ego ad nihilum redactus sum et nesciui. Putabam me aliquid
boni esse, sed cognoui me quod nihil sum; antea nesciui, modo scio.

23. Ut iumentum factus sum apud te. Iumentum nihil contradicit. Uox
synagogae, ac si dicat: sic ego secutus sum te per mare Rubrum et per
desertum propter terrena promissa, et ego semper tecum, et si te non

---

Codices: MNSV et Z = S+V
18,1 posuisti Z   2 cumulos M^2: -lo *cett.*   4 adliberentur N   illos] eos NZ
4/5 diabolo NZ   6 se *om.* NZ   deficit] facit NZ   cadet Z   facti sunt N
19,1 desolatione + subito N   **20,**2 uidet Z   4 uixerit Z   5/6 sanctus Agustinus dicit
post 1 praesens *in* S   6 eorum *supra* ipsorum *sscr.* V^2 8/9 sorditauerunt M*N
9 per] in M   9/10 deduc ad nihilum M: uadunt N: spreuis, ut uadunt in dirisu Z
21,1 delect.] dilectum N   **23,**1 Iumentum^2] -tus Z   2 sic] si MS   3 et^1 *om.* MZ
si te *om.* Z

18,6 Ps 67,3   **20,**2 - 6 AU 72,26,6sqq.(p. 999)

intellexi rogare pro caelestibus, tamen propter terrena te rogaui, non
5 ad idola, quomodo alii faciunt uel modo potes intellegere.

24. TENUISTI MANUM MEAM DEXTERAM. Numquid deus manum teneat ad
manum sicut homo facit? Non, sed tua manus id est tua potestas tenuit
meam uitam, quia perduxit me ad uitam. Et deus duas manus habet, et
nos habemus duas manus: sinistra manus uita praesens, dextera uita
5 futura, ut in Canticis canticorum ait: *Sinistra illius sub capite meo et*
dextera illius amplexabitur me. Sinistra sub capite quia ego calcaui ista
terrena, ambulaui ad caelestia; si tu te eleuas in illis terrenis, non te
amplexat dextera id est uita futura; ET IN UOLUNTATE TUA DEDUXISTI
ME ET CUM GLORIA ADSUMPSISTI ME id est in aeternitate.

25. QUID ENIM MIHI EST IN CAELO ET A TE QUID UOLUI SUPER TERRAM? 'Quid
enim mihi est in caelo'? hoc est *quod nec oculus uidit nec auris audiuit*
nec in cor hominis ascendit nec ab ore potest dici: hoc admirat propheta,
quanta est gloria et exultatio caelestis. 'Quid uolui super terram'?
5 primitus uolui terrena, modo non desidero nisi caelestia.

26. DEFECIT COR MEUM spiritalis concupiscentia, ET CARO MEA carnalis
concupiscentia. DEUS CORDIS MEI ET PARS MEA DEUS IN AETERNUM.
Deus est scrutatio cordis mei: *Beati mundo corde, ipsi deum uidebunt,*
'et pars mea': *Portio mea dominus.*

27. QUIA ECCE QUI ELONGANT SE A TE PERIBUNT, qui non loco elongant se,
sed spe, fide et caritate, sicut diabolus fecit. PERDES OMNES QUI FORNI-
CANTUR ABS TE et carnaliter et spiritaliter, carnaliter dicit quia carnaliter fornicant, et spiritaliter id est qui dimittunt locum suum aut illi qui
5 relinquunt doctrinam dei et accipiunt hereticorum.

28. MIHI AUTEM ADHERERE DEO BONUM EST, 'adherere deo' id est uoluntatem dei implere, quia per se nullam horam potest stare sine deo, quia

Codices: MNSV et Z = S+V
4 propter] pro Z   terrena + ad NZ   5 potest NV   24,1 meam *om. M: post* dexteram
trsp. S   1/2 ad manum teneat *trsp.* Z   4 habemus] debemus ... habere Z   7 terrena
+ dextera supra et Z   si tu M^2V: sicut *cett.*   illis terrenis M^2: illa terrena *cett.*
8 amplectit M^2 9 et - me^2 *om. M*   25,1 quid²] quidquid N   2 mihi] id MZ   nec¹
om. V   oculus + non Z   3 dicere NZ   26,1 cor meum *om. MN*   spiritales concupiscentias Z   1/2 carnales(-lis N) concupiscentias (+ amat M) *codd.*   2 Deus¹ +
scrutatio N   cordis - 3 Deus *om. M*   3 corde + quoniam M^2S 27,1 se² M^2:*om. cett.*
2 Perdis N

24,5/6 Ct 2,6; 8,3   25,2 - 3 I Cor 2,9   26,3 Mt 5,8   4 Ps 118,57

neque diabolus qui in angelica honore est creatus, neque Adam qui ad
imaginem dei est factus, per se non potuerunt stare, quia uoluerunt dii
⁵ esse. Et sanctus Gregorius dixit: Totum quod in homine laudabile
est misericordia dei est, non suis meritis praecedentibus. Qui sic considerat mente bene, quia praeuidendo ista non superbit, non super-
biendo non eleuatur, non extollendo non cadit, non cadendo stat,
stando adheret, adherendo manet, manendo adheret et laetatur in
¹⁰ domino deo suo. PONERE IN DOMINO DEO SPEM MEAM, id est ut semper
homo in deo habeat spem suam, unde dicit: *Benedictus uir qui confidit
in domino,* UT ADNUNTIEM OMNES LAUDES TUAS IN PORTIS FILIAE SION,
'praedicationes tuas in portis filiae Sion': portae filiae Sion sancti
praedicatores sunt, ut ait propheta: *Aperite mihi portas iustitiae* et rlq.
¹⁵ Portae ipsi praedicatores sunt, per quas intramus in sanctam ecclesiam.

73. IN FINEM PSALMUS DAUID INTELLECTUS ASAPH. Iste psalmus ex persona
synagogae cantatur, aliud sonat in historia et aliud intellegitur in
sensu; uel ad nos pertinet in Nouo Testamento.
UT QUID REPPULISTI NOS DEUS IN FINEM. Quomodo dicit 'reppulisti',
⁵ cum apostolus dicat: *Numquid reppulit deus plebem suam quam praesciuit? Absit.* Propheta ex persona synagogae loquitur, ac si dicat: quamdiu? Uel per 'finem' Christus intellegitur. Forsitan in Christo? Si in
Christo dixisset, non reppulisset, sed congregasset, ac si dicat: forsitan
in finem non reppulit nos id est usque in finem saeculorum, hoc est per
¹⁰ Heliam et Enoch, ut ait Paulus: *Cum plenitudo gentium intraret, tunc
omnes Israhel saluos faciet.* De illis dicit qui praedistinati sunt. IRATUS

Codices: MNSV et Z = S+V
28,3 honore] hora *MN*   est creatus] esse creatus est *S*   7 mentem *M*N*   8 non¹
exp. M   cadet *NZ*   9 laetatur] eleuatur *N*   10 deo *om. S(bis)*   11 spem suam]
trsp. Z   Benedictus] Beatus *Z*   confidet *V*   12 laudationes *S*   15 sancta
ecclesia *NZ*

Ps 73,1,3 sensum *Z*   4 deus reppulisti nos *SV**   reppulisti² *om. Z*   5/6 praescit *Z*
10 subintrauerit *Z*   11 omnis *NS*   saluus *M²*

28,5sqq. GR-M: *ubi? non inveni*   11 Ier 17,7   14 Ps 117,19

Ps 73,1,5 Rm 11,1.2   10/11 Rm 11,25.26

EST FUROR TUUS SUPER OUES PASCUAE TUAE? Numquid ira cadat in
deum? Non, sed ira dei iusta uindicta dei est, quando illud caput uituli
adorauerunt, quando Moyses praecepit sacerdotibus ut acciperent gla-
15 dium et occideret frater fratrem suum et multa milia ibidem interfecti
fuerunt, uel ad aquam contradictionis, quia non intrauerunt in terram
repromissionis nisi duo tantum. 'Pascuae' dicit, quia ille illos pascebat
et eduxit per mare Rubrum. Uel hic in Nouo Testamento deus dimittit
flagellare, ut quos amat adquirat.

2. MEMENTO CONGREGATIONIS TUAE QUAM POSSEDISTI AB INITIO. Spiritus
sanctus praedicat per prophetam de synagoga. 'Ab initio' hoc est
quando acceperunt legem et Moyses habuit potestatem super illos.
REDEMISTI UIRGAM HEREDITATIS TUAE MONS SION IN QUO HABITAS IN
5 EO. Recordatur hic spiritus sanctus, quando ille rubus ardebat et dominus locutus est cum Moyse et dixit: *Quid habes in manu tua?* et ille
dixit: *uirgam; proice illam in terram.* Sic fecit, et deuenit serpens, et ille
fugiebat, et dominus dixit: *adprehende caudam eius.* Praefigurabat hoc
quando apostoli fugierunt dominum, quando dominus uenit ad cru-
10 cem: primitus fuerunt uirga, quia per illos baptizauit omnes gentes,
postea mutati fuerunt quasi serpens id est in malitia eorum. Adprehende caudam eius, sicut alibi dixit: *Posteriora mea uidebis,* ac si dicat:
per Heliam et Enoch sic credituri sunt. Mons Sion sancta ecclesia, in
quo deus habitat, liberauit illam.

3. ELEUA MANUM TUAM IN SUPERBIA EORUM IN FINEM. Uox prophetae in
persona synagogae. Eleua manum tuam super illos imperatores et potentes qui contra populum tuum sunt; 'in finem' in mortem eorum.
Aliter super populum Iudaeorum, ut in finem saeculorum credant.
5 QUANTA MALIGNATUS EST INIMICUS IN SANCTO: populus Iudaicus in
Christo; aliter illi imperatores super populum tuum id est Israhel.

4. ET GLORIATI SUNT QUI TE ODERUNT. Ipsi Iudaei gloriati sunt quando dominum crucifixerunt. Putabant quod illorum fortitudo fecisset hoc.

Codices: MNSV et Z = S+V
13 Non, sed *om. MN*   dei² *om. MS*   15 occideret + unusquisque *M²*   milia + qui
*M*NZ*   2,1 congregationes *MNS*   2 praedicat *M²*: -catur(-tor *V*) *cett.*   4 Redemisti]
remisisti *N*   habitasti *Z*   6 Moysi *Z*   7 terra *MN*   9 fugerunt *Z*   dominum]
-no *NZ*   12 dicit *Z*

14-15 *cf* Ex 32,27.28   16 *cf* Nm 20,12.13   19 *cf* Prv 3,12; Hbr 12,6   2,5-8 *cf* Ex 4,2-4
12 Ex 33,23

Aliter: illi gloriati sunt qui populum Israheliticum uicerunt, putabant
quasi illorum fortitudo fuisset. IN MEDIO SOLLEMNITATIS TUAE POSUE-
5 RUNT SIGNA SUA,

5. ET NON COGNOUERUNT. In medio sollemnitatis Paschae dominum crucifixerunt, et in medio Paschae quando toti congregati fuerunt, sic uenit Titus et Uespasianus super illos et duos annos et dimidium illam
ciuitatem obsederunt; et postea posuerunt illic sacrificia sua; 'et non
5 cognouerunt' id est non cognouerunt quod deus hoc fecisset nisi illorum fortitudo, et fecerunt illas tres partes hoc est tertiam partem in famem et tertiam in gladium et tertiam in captiuitatem. SICUT IN EXITU
SUPRA SUMMUM QUASI IN SILUA LIGNORUM. 'Super summum' hoc est
quod de summis uenit illa fortitudo. 'Quasi silua lignorum' per simili-
10 tudinem loquitur: quomodo siluam incidit homo de destrali, sic fecerunt illi portis Hierusalem:

6. IN SECURI ET ASCIA DEIECERUNT EAM bipinne id est utraque parte acuta
deiecerunt eam ciuitatem id est destruxerunt.

7. INCENDERUNT IGNI SANCTUARIUM DEI hoc est ipsum templum, IN
TERRA POLLUERUNT TABERNACULUM NOMINIS TUI: imaginem Caesaris
ibi demiserunt.

8. DIXERUNT IN CORDE SUO: COGNATIO EORUM SIMUL QUIESCERE FACIA-
MUS OMNES DIES FESTOS DEI A TERRA, ut numquam ibidem dies festus
domini nominetur.

9. SIGNA NOSTRA NON UIDIMUS, IAM NON EST PROPHETA ET NOS NON COG-
NOSCET AMPLIUS. Uox populi dei: iam non uidimus nostra sacrificia nec
prophetas, iam dereliquit nos deus.

10. USQUEQUO, DEUS, INPROPERAUIT INIMICUS? INRITAT ADUERSARIUS NO-
MEN TUUM IN FINEM? Propheta dicit, quando inritauit populus Iudaicus
Christum, usque in finem saeculorum non credentibus ipsis nisi per
Heliam et Enoch. Aliter 'inritat aduersarius nomen' id est gentes popu-
5 lum dei, quasi non possit ille illos defendere.

Codices: MNSV et Z = S+V
4,3 populo Israhelitico Z   5 sua + signa V   5,1 dominum] deum N   4 illic *om.* Z
et² *om.* MN   6 illas] de illos NZ   8 Super] supra Z   10 destrali(-le M) + id est
securi MZ   11 portis M²: -tas *cett.*   6,2 eam *iter.* Z   7,1 igne N   3 dimiserunt
MZ   8,3 dei N   nominatur N: sit nominatus Z   9,1 uidemus S²   10,1 inprope-
rabit Z   4/5 populo Z: -li N   5 illos] nos MS

5,2-4 *cf* EUS-Caes. Chron. ed. R. Helm (²1956) p. 187

11. Ut quid auertis manum tuam et dexteram tuam in medio sinu tuo
    in finem? Hoc recordatur hic spiritus sanctus, quando *dominus dixit* ad
    Moysen: *Mitte manum tuam in sinu tuo,* et fecit et *retraxit* illam *lepro-*
    sam, iterum et sanata est. Intellegitur primitus sana manus antequam
    5 peccassent Iudaei, postea leprosi deuenerunt postquam peccauerunt.
    Iterum sanata fuit id est ille populus in die iudicii quando credituri sunt
    per Heliam et Enoch.
12. Deus autem rex noster ante saecula. Sanctus Agustinus dixit:
    non est necesse exponere quia ante saecula genitus, operatus est sa-
    lutem in medio terrae, operatus est salutem in Hierusalem per pas-
    sionem suam.
13. Tu congregasti in uirtute tua mare: per tuam uirtutem congregasti
    gentilitatem in fidem, tu contribulasti capita draconis super
    aquas: contriuit illos principes idolorum daemones, qui super popu-
    lum dominicum dominabantur,
14. tu confregisti caput draconis magni hoc est principem daemonio-
    rum, et dedisti eum in escam populis Aethiopum, gentes intellegun-
    tur qui manducauerunt diabolum; propterea uolunt christiani Chris-
    tum manducare; sed tamen sanctus Petrus ille primitus manducauit
    5 diabolum, quando illum uas uidit in uisione et ad Cornelium ambu-
    lauit et plenam domum inuenit de membris diaboli et fecit exinde
    membra Christi, occidit illa uitia et manducauit illorum fidem et illo-
    rum opera bona.
15. Tu disrupisti fontes et torrentes, 'disrupisti' id est aperuisti 'fon-
    tes' praedicatores qui non siccant, 'et torrentes' id est temporales sicut
    aquae hiemales quae aestate non currunt, sed siccantur, qui in tran-
    quillitate possunt praedicare, sed cum uenerit aestas id est persecutio-
    5 nis feruor, non possunt foras exire inter hereticos malos. Tu exsicca-
    sti fluuios Aethan. Aethan interpretatur fortis siue robustus. Locu-
    tus est, exsiccatur fluuius Aethan id est doctrina philosophorum labio-
    rum, qui fortes erant tunc per diabolum.

Codices: MNSV et Z = S+V
11,2 Haec *S*   4 et *om. NZ*   12,2/3 salutes *V*   13,3 idolorum + uel *Z*   4 domina-
bant *Z*: *om. N*   14,1 capita *S*   2 populo *Z*   3/4 Christo *NZ*   5 diabolum] Christum *Z*   15,1 operuisti *M*   3 aquas *NZ*   4/5 persecutiones *NZ*   5 feruor] peruer-
sas *Z*   7 exsiccatos fluuios *Z*   doctrinas *NZ*

11,2 – 4 *cf* Ex 4,6   14,4 – 6 *cf* Act 10,11sqq.

16. Tuus est dies et tua est nox, id est tui sunt spiritales et tui sunt carnales, ut Paulus: *Inter perfectos perfecte loquimur;* aliter: *Spiritalibus spiritalia conparantes* et carnalibus carnalia *non potui uobis loqui spiritaliter
sed quasi carnaliter,* quia *carnales estis;* propterea *lac uobis potum dedi,*
5 *non escam.* Aliter: *Dies diei eructuat uerbum, et nox nocti indicat scientiam.* Aliter 'dies' Christus: *In principio erat uerbum et uerbum erat apud
deum;* nox: *uerbum caro factum est* et rlq. Qui non possunt secundum
diuinitatem intellegere uel praedicare uel secundum carnem intellegant et praedicent quod uident, quia et qui spiritales et qui carnales
10 sunt, ambo Christi sunt. Tu fabricatus es auroram et solem,

17. tu fecisti omnes terminos terrae, aestatem et uer tu fecisti ea.
Spiritus sanctus rememoratur de creaturis dei, 'terminos terrae' id est
omnes gentes ad fidem, 'aestatem' feruentes spiritu, 'uer' nouelli in
fide.

18. Memor esto huius creaturae tuae. Fecisti exinde una creatura sanctam ecclesiam, ut Paulus dicit: *Si qua noua creatura in Christo,* et *ecce
facta sunt omnia noua.* Inimicus inproperauit domino, populus Iudaicus Christo et heretici et mali christiani, pagani uel reliqui sanctae
5 ecclesiae; et populus insipiens exacerbauit nomen tuum, quando
praedicant illis de futuro, dicunt: propter quid praedicatis hoc quod
non uidimus, hoc quod non credimus?

19. Ne tradas bestiis animas confitentes tibi. Rogat primitiua ecclesia
propter illos qui confitentur peccata, ut illi Iudaei de interfectione
Christi dixerunt: *Quid faciemus uiri fratres?* Uel rogat ecclesia modo
propter illos qui confessionem dant, ut non tradantur in manus dae-
5 monum. Animas pauperum tuorum ne obliuiscaris in finem. De illis dicit qui *beati* sunt pauperes id est *pauperes spiritu.* 'Non obliuiscaris
in finem' id est in die iudicii uel in die mortis.

Codices: MNSV et Z = S+V
16,1 Tuus est[1]] Tu es *N*   2 loquitur *Z*   5 eructat *MZ*   et *om. MN*   6 dies + est *Z*
7 nox] et *M*   8/9 intellegunt *Z*   **17,**1 eam *NZ*   3 spiritu + sancto *Z*   **18,**1 esto
om. V   1/2 sancta ecclesia *NZ*   3 domino *M*: -num *cett.*   4 Christum *NZ*
christiani + et *Z*   6 illos *Z*   dicant *V*   quid *M*[2]: quod *cett.*   7 quod *om. M*
19,1 confidentes *V*   4/5 daemoniorum *Z*   6 Non] Ne *Z*   7 die *M*[2]: -em *cett. (bis)*

16,2 – 5 I Cor 2,6.13; 3,1.2   5/6 Ps 18,3   6/7 Io 1,1.14   **18,**2/3 II Cor 5,17
19,3 Act 2,37   6 Mt 5,3

20. RESPICE IN TESTAMENTO TUO, ac si dicat: adimple hoc quod promisisti, non Testamento Uetere qui mutatus est, sed Nouo, ut in propheta dicit: *Dando leges meas in cordibus eorum, non testamento quod dedi patribus eorum, sed testamento nouo;* QUIA REPLETI SUNT QUI OBSCURATI
5 SUNT TERRAE DOMORUM INIQUITATUM. Repleti sunt desideria terrena et carnalia. Excaecauit illos *puluis quem proicit uentus a facie terrae.* 'Domorum iniquitatum' hoc est corda nostra in quibus habitatur per cogitationes.

21. NE AUERTATUR HUMILIS FACTUS CONFUSUS: si non inuenit quod promisisti, ille confunditur. PAUPER ET INOPS LAUDABUNT NOMEN TUUM: *beati pauperes spiritu.*

22. EXSURGE DOMINE, IUDICA CAUSAM TUAM: exsurge a mortuis, corpus Christi dicit, quia tu fuisti iudicatus, exsurge iudicaturus, iustifica et discerne tuos sanctos. MEMOR ESTO OBPROBRII SERUORUM TUORUM QUI AB INSIPIENTE SUNT TOTA DIE.

23. NE OBLIUISCARIS UOCEM QUAERENTIUM TE, SUPERBIA EORUM QUI TE ODERUNT ASCENDIT SEMPER. Ne obliuiscaris id est quod non uindices in illis qui mala faciunt et tibi et sanctis tuis.

74. IN FINEM NE CORRUMPAS: ecclesia loquitur ad Christum. 'Ne corrumpas' hoc est ut in nos non sit corruptio, nam in illo non est. Ne corrumpas, exige quod promisisti id est da sanctis tuis uitam aeternam. Homo se non fallat, deus neminem fallit, quia quod promittit adimplet.

2. CONFITEBIMUR TIBI DEUS, CONFITEBIMUR TIBI: non propter sermonis multitudinem hic ponitur bis 'confitebimur', sed quomodo dicit: *Paratum cor meum deus, paratum cor meum,* et alibi: *Fiat, fiat,* uel: *Amen,*

Codices: MNSV et Z = S+V
20,2 ut – 4 nouo *om.* S   3 legis meae(mei *N*) *NV*   3(*et* 4) testamentum *M*(*bis*)
4 nouum *M*   5 iniquitatis(-es *N*) *NZ*   sunt² + terrae *Z*   6 proiciet *N*   7/8 cogitationes *M*(*per corr.*): -nibus *Z*: congregationibus *N* (-ones *M*∗ ?)   **21,1** auertantur *MS*
uenit *N*   **22,2** dicitur *N*   fuisti] fecisti *Z*   3 obprobrium *NZ*   4 insipientes *S*
23,1 uoces *N*   2 ascendat *SV*²   quod] quia *M*: qui *V*   3 et¹ *om. NZ*

Ps 74,1,2 ut *om. N*   in¹ *om. Z*   **2,1** tibi² *om. MZ*

20,3 – 4 *cf* Ier 31,31-33; Hbr 8,8-10   6 Ps 1,4   **21,3** Mt 5,3

Ps 74,2,2/3 Ps 56,8; 107,2   3 Ps 40,14; 71,19 *etc.*   3/4 Io 1,51; 3,3.5.11 *etc.*

amen; sed unum pro re, alium pro adfirmatione. Confitebimur hic con-
5 fessio peccatorum intellegitur. Non uno modo intellegitur confessio;
sed tamen hic confessio peccatorum intellegitur. ET INUOCABIMUS NO-
MEN SANCTUM TUUM. Antea confessio, postea inuocatio, id est postquam confiteris tua peccata et ad unitatem uenias, ut corpus Christi ef-
ficiaris et mundas tuam domum, quia deus in sordida domo non habi-
10 tat, postea inuocas, ut deus in te habitet. Multi inuocant nomen dei, ut
deus illos mundet, sed hoc inuocant quae amant, ut deus illis tribuat
hoc quod amant. NARRABO OMNIA MIRABILIA TUA, 'narrabo' hoc est
praedicabo. Quomodo dicit 'omnia mirabilia tua', quia non potes narrare omnia mirabilia dei, quia neque angelus neque ulla creatura pot-
15 est enarrare quanta sunt mirabilia dei? Sed hic totum pro parte dicit.
3. CUM ACCEPERO TEMPUS, EGO IUSTITIAS IUDICABO. Cum accepero tempus: quomodo dicit 'cum accepero tempus' qui ante saecula fuit et est?
Sed tamen humanitatem carnis ex tempore accepit, uel tempus in
diem iudicii, quando redditurus est *unicuique secundum opera sua.*
4. LIQUEFACTA EST TERRA ET OMNES HABITANTES IN EA. Omnes terreni id
est qui terrena diligunt liquescent in die iudicii, ut dictum est: *Montes*
sicut cera liquescent; et alibi: *Sicut cera liquefacta auferentur.* EGO CON-
FIRMAUI COLUMNAS EIUS: uox dei. 'Eius' id est eius ecclesiae. Uox dei
5 qui dixit superius: *Narrabo omnia mirabilia tua.* Columnae sancti apostoli sunt, ut Paulus ait: *Qui uidebantur columnae esse ecclesiae dextras*
dederunt mihi. Infirmati fuerunt quando dominus in passione uenit et
omnis terra tremuit et fugierunt apostoli et cognouerunt postea. Sed
confirmauit illos dominus post passionem suam, quando dixit Tho-
10 mae: *Infer digitum tuum huc et uide manus meas.* Et confirmauit illos de
sua incarnatione et per gratiam spiritus sancti, ut fortes essent in praedicatione et non timerent.

Codices: MNSV et Z = S+V
5 uno modo] quomodo *M*   6 peccatorum + non *N*   inuocauimus *M*   7 sanctum
tuum] *trsp. Z*   Ante *Z*   inuocabo *Z*   8 unitatem] diuinitatem *M*   9 sordidam
domum *Z*   10 habitat *N*   11 quae] quem *M*: qui *N*   amant] manent *N*   15 sunt]
est *NZ*   mirab.] magnalia *V*   **3,2** qui] quia *MZ*   **4,1** omnes[1] + qui *V*   inhabitan-
tes *M*   4 id – dei[2] *om. M*   5 Columnae *M*[2]: -nas *cett.*   8 fugerunt *S*   9 quando +
dominus *N*   10 hic *Z*   11/12 praedicationem *Z*

3,4 Mt 16,27; Rm 2,6   **4,2/3** Ps 96,5   3 Ps 57,9   5 superius: *cf* v. 2,12   6/7 Gal
2,9   10 Io 20,27

5. Dixi iniquis: nolite inique agere. Dixi per illas columnas. Iniqui dicuntur qui non credunt, qui dicunt ad lapides: tu es deus meus; et delinquentibus: nolite exaltare cornu, hoc est nolite eleuare in superbia.

6. Nolite extollere in altum cornu uestrum: ipsud est; nolite loqui aduersus deum iniquitatem. Iudaei dixerunt: *In Beelzebub eiecit daemonia;* aliter: *Ecce homo uorator et potator uini, peccatorum et publicanorum amicus.*

7. Quia neque ab oriente neque ab occidente neque a desertis mon-
8. tibus, | quoniam deus iudex est. Non solum est in oriente aut in occidente aut in desertis montibus, sed ubique est contra quem litigatis, ut ait propheta: *Si ascendero in caelum, tu illic es* et rlq. 'Quoniam deus iudex est' uiuorum et mortuorum, ut ait Paulus: *In hoc enim Christus*
⁵ *mortuus est et resurrexit, ut et uiuorum et mortuorum dominetur.* Hunc humiliat et hunc exaltat, sicut ille phariseus et ille publicanus in templo: ille qui se iustificabat exiit condemnatus et ille qui se condemnauit exiuit iustificatus. Et iudex humiliat illos qui malam causam habent et eleuat qui bonam id est humiliat superbos et eleuat sanctos.

9. Quia calix in manu domini uini meri plenus est mixto. Sanctus Agustinus dicit: Calix lex Ueteris Testamenti id est: *oculum pro oculo* et rlq. Si mero, quomodo mixtum? et si mixtum, quare mero? Iste calix merus est christianorum. Calix id est uindicta 'in manu dei' in potes-
⁵ tate dei. Plenus erat ille calix ante diluuium, quia usque ad caelum perambulabant peccata humani generis, cui calix fuit uindicta in ignem in Sodoma et Gomorra. Quamuis ista fuissent, tamen adhuc sunt reseruata de igne in diem iudicii. Uerumtamen fex eius non est exinanita, semper litteram obseruant usque in finem, uindicta
¹⁰ Iudaeorum et peccatorum, malorum christianorum seruata est in

Codices: MNSV et Z = S+V
5,3 cornum *N*　**6,1** cornum *N*　nolite²] noli *N*　2 eicit *V*　**8,2** diligatis *MN*
5 et² *om. Z*　dominetur] uiueretur *NZ*　8 qui + a *N*　mala causa *NZ*　8/9 habent
M²: -bentur *cett.*　9 bonam *scripsi*: bona *codd.*　**9,1** est *om. V*　4 dei] domini *Z*
7 sunt *om. NZ*　8 reseruata + est *NZ*　est *om. N*　9 obserua *Z*

6,2 Lc 11,15　3 Mt 11,19　**8,3** Ps 138,8　4/5 Rm 14,9　6 - 8 *cf* Lc 18,10sqq.
9,2 AU 74,12,24-27(p. 1033)　Ex 21,24; Mt 5,38

iudicium. Bibent ex eo omnes peccatores terrae, ex eo calice id est uindicta in diem iudicii.

10. Ego autem gaudebo in saecula: gaudebit id est Christus cum sua ecclesia. Cantabo deo Iacob, praedicabo illum deum qui protexit Iacob.

11. Et omnia cornua peccatorum confringam. Superius dixit: *Nolite exaltare cornu* uestrum id est illorum superbiam; et exaltabuntur cornua iusti, hoc est populi christiani exaltabuntur et peccatores de saeculo conuersi, qui superbi fuerunt et repleti sunt de manu dei diuer-
⁵ sis uirtutibus.

75. In finem psalmus Asaph. ⟨Psalmus Asaph⟩ psalmus congregationis. Propheta ex persona synagogae cantatur. Congregatio quia et bonos et malos habet ecclesia. Congregatio pecorum, conuentus hominum etc. In alio psalmo: *Congrega nos deus de nationibus.*

2. Notus in Iudaea deus: propheta ex persona synagogae dicit. Dicunt Iudaei: apud nos deus notus tantum, et propter hoc se glorificabant. Et sanctus Agustinus de nobis modo dicit: si tu Iudaeus id est confessor et Israhel spiritalis es, apud te ergo notus est deus. Ille qui se confitetur
⁵ peccatorem et de oculis cordis deum conspicit, apud illum notus est deus. Sed Iudaei carnaliter illum uiderunt et non cognouerunt.

3. Et factus est in pace locus eius: Iudaea, id est illi qui confitentur illorum peccata et de oculis cordis deum conspiciunt et pacem in se habent id est nulla bella uitiorum: et ibi est locus Christi; et habitatio eius in Sion. Sion speculatio, de futuro pertinet, ut dictum est: *Uidebi-*
⁵ *mus eum sicuti est;* aliter: *Beati mundo corde, quoniam ipsi deum uide-*

Codices: MNSV et Z = S+V
11 Bibant *N*   uindictam *M*   **10,**1 gaudebo *restitui e Gl.*: adnuntiabo *codd.*
cum] in *S*   2 illo deo *NZ*   **11,**3 populo christiano *N*

Ps 75,1,1 psalmus¹ + Dauid *M*   Asaph¹ + Canticum ad Assirios *S²*   3 pecorum] peccatorum *NZ*   **2,**2 se *om. NZ*   4 confidit(-tit *S*) *MZ*   **3,**2 et¹ *om. N*   respiciunt *M*
3 id est] ibi *Z*   4 ut] unde *V*

11,1 Superius: *cf* v. 5,3

Ps 75,1,4 Ps 105,47   **2,**3/4 *cf* AU 75,1,7-9(p. 1035)   **3,**4/5 I Io 3,2   5 Mt 5,8

bunt. In illa speculatione uitae aeternae, ibi erit in suis sanctis fidelibus Christus, quia *uidebimus* eum *facie ad faciem.*

4. IBI CONFRINGAM POTENTIAS: ARCUM ET SCUTUM ET GLADIUM ET BELLUM. Uolunt alii dicere quasi de Assyriis id est de illis LXXXV milia, quae in Iudaea per angelum interfecti fuerunt, quod exinde dixisset. Sed sanctus Agustinus aliter dicit, id est quod qui in superbia uel ela-

5 tionem contra sanctos, qui scientiam dei habent in Iudaea et in Israhel et in Sion, confringit dominus, qui se confitentur peccatores.

5. INLUMINANS TU MIRABILITER DE MONTIBUS AETERNIS. Montes aeterni sancti praedicatores intelleguntur. Fecit illos deus inluminare de gratia spiritus sancti, et de illis montibus postea inluminantur colles id est plebs subiecta.

6. TURBATI SUNT OMNES INSIPIENTES CORDE. Quando fuerunt inluminati isti montes, praedicauerunt, tunc turbati sunt insipientes corde. Turbati fuerunt multi, quando praedicabat sanctus Paulus de resurrectione Christi, et dixerunt: *Nouorum deorum uidetur adnuntiare.* DOR-

5 MIERUNT SOMNUM SUUM ET NIHIL INUENERUNT. Somnum mentis duritia cordis. Praedicationem audierunt et obdurauerunt corda illorum, non uoluerunt credere. Dormitauerunt in ignorantia id est duritia cordis. Sicut pauper quando uidet per uisionem se in lecto eburneo dormire et diuitem se esse, expergefactus inuenit se pauperem ‒ si

10 semper dormisset, forsitan semper diues fuisset ‒: sic peccatores in praesenti uita qui non uolunt transire in manu dei et Christi eius, ubi expergescent in morte se inueniunt uacuos sine fructu, sera paenitentia illis erit et dicunt: quid nobis profuit habundantia et diuitiae uel lucra saeculi? *Sol non ortus nobis est,* ac si dicat: Nihil inuenerunt IN

15 MANIBUS SUIS id est in manibus Christi quod aliquid boni exegissent.

7. AB INCREPATIONE TUA DEUS IACOB. Increpauit illos per suos praedicatores. Indurauerunt corda illorum sicut pharao cum suo exercito in

---

Codices: MNSV et Z = S+V

7 uidimus *MN*   4,1 et¹ *om. NZ*   et² *om. Z*   3 quae] quod *NZ*   quod(*om. N*) exinde *eras. M*   4 superbiam *M²*   6,2 tunc *om. V*   conturbati *S*   4 adnuntiator esse *M²*   4/5 Dormitauerunt *M*   5 Somnum²] -nium *Z*   5 Somnum²] -nium *Z*   6 audiunt *S*   obturauerunt *M*   illorum + quia *Z*   8 uidit *N*   12 morte *M²*: -tem *cett.*   fructu + et *Z* 13 illis *om. MN*   14 saeculi + si *V*   7,1 per] super *V*   2 exercitu *Z*

7 I Cor 13,12   4,2/3 *cf* IV Rg 19,35   6,4 Act 17,18   8 ‒ 9 *cf* AU 75,9,16-23(p. 1043) 14 Sap 5,6

mare Rubrum. Dormitauerunt qui ascenderunt equos id est in superbia. Non est peccatum super equum sedere, sed est peccatum cerui-
5 ces superbiae contra deum erigere.

8. Tu terribilis es, et quis resistit tibi? Uox prophetae, ac si dicat: nullus. Uel terribilis est ipse id est peccatoribus et blandus iustis; ex tunc ab ira tua, in die iudicii iusta uindicta. De istis ceruicosis nullus tibi potest resistere.

9. De caelo auditum fecisti iudicium: per tuos praedicatores cognitum hoc fecisti quod uenturus eris ad iudicium. Terra tremuit et quie-
10. uit, | cum exsurgeret in iudicium deus. Terra tremuit in die iudicii id est illi qui terrena dilexerunt et amauerunt tremunt et requiescunt a malis operibus; ut saluos faciat omnes quietos terrae. Ad quid resurrexit? ut humiles et mansuetos quos supra dixit saluaret.

11. Quia cogitatio hominis confitebitur tibi, per iustitiam cogitatio confessio ex ore peccatoris, ut Paulus dixit, quando increpatus fuit: *Domine, quid me oportet facere?* et Dauid: *Peccatum meum contra me est semper;* et reliquiae cogitationum diem festum agent tibi. Reli-
5 quiae cogitationum, quando recordatur homo de suis peccatis quae fecit et gratias agit deo, quod illum ille indulget. Sicut quando sacrificium homo offert et missas cantat, passionem Christi recordatur, sic et homo, quando sua peccata rememorat et deo gratias agit, quod illa ei dimittit, diem festum agit. Hoc acceptabile est apud deum.

12. Uouete et reddite domino deo uestro. Multi non uolunt uouere pro eo quod in mendacio non appareant, quod non reddant; sed non possunt se exinde excusare, quia mandatum est dei uouere, quia nisi deus indulgeat, per te non potes persoluere. Omnes qui in circuitu eius
5 sunt offerent munera terribili. In circuitu hoc est in gyro. Numquid homo potest circumdare deum? Credo quia deus ubique est; for-

Codices: MNSV et Z = S+V
3 in *om.* Z   **8,**1 es *om.* M   qui NS   resistat N: -tet Z   3 ab *om.* V   **10,**1 resurgeret S   3 faciet N   Ad] ut M: at Z   4 quos] quod Z   **11,**1 per - 2 peccatoris *om.* S   1 per iustitiam MN: iusta V   cogitatio + est V   4 reliqua MN   5 cogitationum + sunt Z   6 illum ille] illi ea M² *in ras.*   indulgit Z   7 offeret V   cantet NZ + post V   passionum M   et² *om.* NZ   9 dimittet Z   Hoc *om.* M   **12,**1 Uouite M*NS   uestro] nostro NV   2 mendacio M²: -cium *cett.*   reddunt M: recordant V   3 dei] deo M²   quia²] *praem.* sed Z   4 indulget N   5 offeretis NZ   terribili *om.* S   6 deum] deo NZ

11,3 Act 9,6   Ps 50,5

sitan de Iudaeis uel de angelis, non de hominibus dicit. In circuitu id
est ueritas, quia ueritas communis est omnibus.

13. ET EI QUI AUFERT SPIRITUM PRINCIPUM TERRIBILI APUD REGES TERRAE.
Aufert spiritum superbiae et inmittit spiritum humilitatis id est spiritum sanctum, ut ait in alio psalmo: *Emitte spiritum tuum et creabuntur et*
renouabis faciem terrae; aufer spiritum eorum et deficient et rlq., ac si
⁵ aperte dicat: tolle spiritum superbiae et da spiritum humilitatis.

76. IN FINEM PRO IDITHUN PSALMUS ASAPH. Idithun transiliens eos interpretatur. Omne quodcumque uidetur in praesenti transiit et peruenit
usque ad Christum. Psalmus Asaph psalmus congregationis. Ipse Idithun id est corpus Christi loquitur.

2. UOCE MEA AD DOMINUM CLAMAUI. Multi clamant ad dominum, sed non
est uox illorum. Ille repetit diuitias, mortem inimicorum, dies prolon-
gatos, sanitatem corporis et reliqua: uox est ad illam rem quam desiderant. Sed ista uox Idithun, qui non clamat propter terrena, sed pro
⁵ caelestia. UOCE MEA AD DOMINUM, ET INTENDIT MIHI: repetitio est,
tamen in hoc intendit quia exaudit.

3. IN DIE TRIBULATIONIS MEAE DEUM EXQUISIUI. Ista praesens uita tota in
tribulatione intellegitur, ut Iob dixit: *Omnis uita hominum super terram*
temptatio est. MANIBUS MEIS ⟨NOCTE⟩ CORAM EO, ET NON SUM DECEPTUS.
Multi exquirunt uoce sed non manibus, sed Idithun id est corpus Chri-
⁵ sti et uocibus et manibus hoc est operibus. 'Nocte coram eo et non sum
deceptus' in ista praesente tribulatione uitae. Uita nostra tribulatio est
aduersus uitam angelorum, et nostra uita id est christianorum iterum
dies est aduersus uitam infidelium. Non sum deceptus id est impetraui

---

Codices: MNSV et Z = S+V
7 hominibus] omnibus *Z*   8 ueritas¹] -tatis *Z*   **13**,1 auferet(-it *N*) *NV*: offeret *S*
principum *om. S*   2 inmittet *N*   4 aufert *NV*

Ps 76,1,1 Asaph] Dauid *S*   2 transit *M*: -iet *Z*   **2,**1 Multi – dominum *post* 2 inimicorum
trsp. MN   2 illorum + pro ecclesia(caelestia *V*) *Z*   3 ad illam rem *om. S*   5 domi-
num] deum *NZ*   **3,**4 uoce *M²*: -cem *cett.*   6 praesentis *M²*   8 uitam] dies *S*

13,3 – 4 Ps 103,30.29

Ps 76,3,2 Iob 7,1

quod petiui. Renuit consolari anima mea. Idithun id est corpus
10 Christi dicit: non uolui consolationem uitae praesentis, unde et propheta dicit: *Uae uobis diuitibus, quia habetis consolationem uestram.*
4. Memor fui dei et delectatus sum et exercitatus sum et defecit
spiritus meus. Memor fui dei: hic in praesenti non uolui consolari,
recordatus sum de deo et ibi consolatus sum. Et exercitatus sum et defecit spiritus meus: feci iudicium in memet ipso quasi ante tribunal
5 fuissem, condemnaui me ipsum, et defecit spiritus superbiae et uenit
spiritus sanctus id est spiritus humilitatis. Si non defecisset spiritus
meus, non uenisset spiritus sanctus, ut ait propheta: *Emitte spiritum*
tuum et creabuntur.
5. Anticipauerunt uigilias oculi mei id est antequam ego euigilarem,
daemones qui numquam dormiunt, dum modo nos sumus in obligatione in dormire aut manducare aut bibere, quod ad necessitatem carnis pertinet, illi qui non habent necessitatem carnis tendiculas praepa-
5 rant, quomodo nobis noceant ubicumque possunt. Alio sensu 'oculi
mei' sancti dei sunt, hic in praesenti diuitias pro somno habent, quia
non illos – ac si dicat: sensus mei – anticipauerunt hoc est de caelestibus cogitauerunt, unde dictum est: *Ego dormio et cor meum uigilat.*
Turbatus sum et non sum locutus: uox prophetae in persona eccle-
10 siae dicit. Uidit quod nihil erat ista praesens uita et nemo uolebat
meam praedicationem audire, disposui apud me, ut non praedicarem,
ne in ipsa praedicatione offenderem. Sed tamen non fui otiosus.
6. Cogitaui dies antiquos et annos aeternos in mente habui. Non dixit de illis anterioribus annis qui fuerunt, sed de futuris, ut ait propheta: *Et anni tui non deficient.*
7. Et meditatus sum nocte cum corde meo. Recordatus sum de meis
peccatis, iudex conscientiae meae fui, ut Paulus: *Si nosmet ipsos diiudi-*

Codices: MNSV et Z = S+V
9 Rennuit M^2Z consolare M^*N animam meam M^* 10 et *om.* MZ   11 diuitibus *om.* Z   qui NZ   4,1 et³ *om.* N   2 consolari M^2: -re *cett.*   3 sum¹ *om.* Z
4 ipso M^2: ipsum *cett.*   ante *om.* N   5 fuissem + et Z   spiritus *om.* MV   superbia M   6 Si] et Z   7 meus + si Z   5,2/3 obligatione M^2: -onem *cett.*   4/5 praepa-
rarent N   6 somnium N   7 non + est Z   8 dormiui N   10 Uidet Z   praesens
uita] *trsp.* Z   12 in *om.* N   otiosus + sed iterum praedicaui Z

11 Lc 6,24   4,7/8 Ps 103,30   5,8 Ct 5,2   6,3 Ps 101,28   7,2/3 I Cor 11,31

camus, non autem diiudicaremur. EXERCITAUI ET EXCOLEBAM SPIRITUM
MEUM: quicquid sordidae in me cogitationes habebam, mundabam,

8. ET DICAM: NUMQUID IN AETERNUM PROICIET DEUS? Numquid irascatur
per singulos dies? Non proiciet nos semper, ut non misereatur nobis
hic in praesenti; AUT NON ADPONET, UT CONPLACITIOR SIT ADHUC? ut
non addat ille quod nos ei misericordia adceleremus.

9. AUT IN FINEM MISERICORDIAM SUAM ABSCIDIT A GENERATIONE ET GENE-
RATIONEM? Non abscondit in finem quod nobis non misereatur.

10. AUT OBLIUISCETUR MISERERI DEUS AUT CONTINEBIT IN IRA SUAM MISERI-
CORDIAM? ac si dicat: non facit, quia misericordia dei de natura dei est,
non potest obliuisci. 'Aut continebit in ira misericordiam suam' ac si
dicat: non, quia non plus habet iram quam misericordia abscisit.

11. ET DIXI NUNC COEPI HOC EST MUTATIO DEXTERAE EXCELSI. Forsitan
modo incipit quod plus habeat iram quam misericordiam? Non, ac si
dicat: ego usque modo non cognoui sic. Altero sensu 'nunc coepi' hoc
est intellegere quod mutauit me pietas dei de malo in bonum, ut plus
⁵ desiderarem caelestia quam terrena.

12. MEMOR FUI OPERUM DOMINI QUIA MEMOR ERO AB INITIO MIRABILIUM
TUORUM, ut Paulus: *Per ea quae facta sunt intellecta conspiciuntur, sempiterna quoque uirtus eius et diuinitas;*

13. ET MEDITATUS SUM IN OMNIBUS OPERIBUS TUIS, ET IN FACTIS MANUUM
TUARUM ME EXERCEBOR: per ista quae superius diximus per hoc omnia
tractabo.

14. DEUS IN SANCTO UIA TUA in Christo mandata tua. QUIS DEUS MAGNUS
SICUT DEUS NOSTER? ac si dicat: nullus.

15. TU ES DEUS QUI FACIS MIRABILIA SOLUS. Numquid non fecit per alios
mirabilia? Ipse facit in illis, sed ille solus sine illis. NOTAM FECISTI IN

Codices: MNSV et Z = S+V
7,3 Excitaui *N*   excolebam *scripsi*: excogebam *N*: excogitabam *M*: scobebam *Z*
4 cogitationis *M*   8,1 proicit *NZ*   irascitur *MZ*   2 proicit *MZ*   3 adponit *N*
4 eius *Z*   adceleramus *S*: -celebramus *V*   9,1 misericordias suas *V²*   abscidit]
abscondet *Z*   a – 2 abscondit om. *Z*   10,1 miserere *N*   ira] iram *N*: + sua *MZ*
1/2 suam misericordiam] misericordias suas *Z*: *om. M*   2 dei² *om. MZ*   3 iram *NZ*
misericordiam suam] *trsp. Z*   4 non¹ *om. N*   non² *eras. M*: *om. V*   misericordiam *Z*
abscisit *M**] -cessit *NSV**: absit *M²V²*   11,1 coepit *N*   hoc est] haec *V*   3 cepit *N*
4 est + coepi *Z*   13,2 exercebam *Z*   3 tractabam *Z*

12,2 – 3 Rm 1,20

POPULIS UIRTUTEM TUAM id est Christum tuum, ut Paulus: *Christum dei uirtutem et dei sapientiam.* Uel sancti notam faciunt uirtutem tuam id
⁵ est tuam praedicationem.

16. LIBERASTI IN BRACHIO TUO POPULUM TUUM: ipsud est uirtus quod et brachium pro unitate. Secundum historiam per mare Rubrum liberauit populum suum, et populus christianus liberatur per Christum. FILIOS IACOB ET IOSEPH. Pro qua causa isti duo hic ponuntur 'filios
⁵ Iacob et Ioseph'? quare alias tribus non dixit nisi istas duas? id est pro figura. Quando benedixit Iacob illos filios Ioseph misit manum dexteram super iuniorem et sinistram super seniorem, Ioseph dixit: Non sic, pater; et dixit Iacob: Scio fili, scio. Illi oculi caligabant, sed per oculos interiores uidebat. Ille iunior figuram gentium tenet, ille senior figu-
¹⁰ ram populi Iudaeorum. Ioseph in persona filiorum suorum hic positus est; liberauit populum Iudaicum. Iacob populum Iudaicum figurat, Ioseph populum gentium. Ioseph fuit uenditus a fratribus suis, ita et Christus a populo Iudaico. Gentes illum ipsum conparauerunt, quia per fidem ipsum crediderunt.

17. UIDERUNT TE AQUAE DEUS, UIDERUNT TE AQUAE ET TIMUERUNT. Uiderunt te populi, sicut in Apocalypsi *aquae* multae *populi* multi intelleguntur. Uiderunt te id est crediderunt te per tuos praedicatores bonos, de Iudaeis et gentibus qui fuerunt timuerunt per tua miracula, TURBATI
⁵ SUNT ABYSSI,

18. MULTITUDO SONITUS AQUARUM. Abyssus conscientias singulorum, ut in Salomone: *Cor hominis uelut aqua profunda;* UOCEM DEDERUNT NUBES, propter hoc turbauerunt nos praedicatores sancti. ETENIM SAGITTAE TUAE PERTRANSIERUNT, pertransierunt aures carnales et uenerunt
⁵ usque ad aures spiritales.

19. UOX TONITRUI TUI IN ROTA, uox praedicationis tuae in toto mundo, quia totus mundus sicut circulum in gyro uadit, ut illud: *In omnem*

Codices: MNSV et Z = S+V
15,4 faciant *S* 5 tuam] totam *Z* **16,5** istos duos *NZ* 6 Quando] quod *MN*
7 seniorem + et *Z* 8 Iacob *om. MN* per oculos] de oculis *Z* 11 Iudaicum¹ + illos
bonos *codd.* Iacob + in *Z* populo Iudaico *NZ* figurant *N* **17,4** mirabilia *Z*
18,2 profunda + alii in fide et alii in infidelitate *codd.* (*cf. infra* 19,6) **19,1** tuae] suae *Z*
2 ut illud *om. MN* 2/3 omni terra *NZ*

15,3/4 I Cor 1,24 **16,6** sqq. Gn 48,14sqq. **17,2** Apc 17,15 **18,2** Prv 20,5
19,2/3 Ps 18,5

terram exiuit sonus eorum. INLUXERUNT CORUSCATIONES TUAE ORBI TER-
RAE: gratia spiritus sancti inluminat sanctos, conburit peccatores. UI-
⁵ DIT ET CONMOTA EST TERRA: illi terreni qui terrena amant et desiderant
conmoti sunt, alii in fide, alii in infidelitate.

20. IN MARI UIAE TUAE id est in gentilitate Christus tuus, ET SEMITAE TUAE
IN AQUIS MULTIS, mandata tua in populis multis, ET UESTIGIA TUA NON
COGNOSCENTUR: 'non cognoscentur' Iudaei non cognouerunt sua mi-
racula: carnaliter illa uiderunt, sed non cognouerunt.

21. DEDUXISTI SICUT OUES POPULUM TUUM IN MANU MOYSI ET AARON. Secundum historiam in Aegypto illas decem plagas fecerunt. Sed isti duo
propter figuram hic ponuntur. Ambo figuram Christi tenent. Moyses
adsumptus ex aqua sic interpretatur, Aaron mons fortitudinis. Et do-
⁵ minus Christus adsumptus ex aqua a deo patre, ut dixit: *Hic est filius*
meus in quo mihi bene conplacui, et spiritus super eum uenit. Postea
ambulauit in deserto, ieiunauit quadraginta diebus et quadraginta noctibus, uenit mons magnus diabolus, qui apud se uidebatur magnus, uicit illum monticulus id est Christus. Postea uenit in Iudaeam, adsump-
¹⁰ sit discipulos dicens de Iohanne quod ipse mons magnus esset hoc est
Christus, ille dixit: *Non sum ego Christus.* Postea uenit iste monticulus,
eleuatus est in cruce, adprehendit illum diabolum, ligauit illum et duxit illos quos uoluit de inferno, resurrexit a mortuis, ascendit ad caelos,
creuit ille mons super omnes angelos et omnes creaturas spiritales per
¹⁵ illum qui adsumptus est ex aqua et mons fortis est, et liberauit populum christianum.

Codices: MNSV et Z = S+V
3 exiit *Z*   corusc.]circumcissionis *Z*   orbis *Z*   4 conburet *NS²V*   5 est + et
contremuit *Z*   6 commutati *Z*   **20,**1 mari *M²*: -re *cett.*   uia tua *Z*   4 sed + spiritaliter *Z*   **21,**2 Aegyptum *Z*   6 meus + dilectus *Z*   mihi *om. M*   conplacuit *N*
8 magnus² *om. MN*   9 id est Christus *om. MN*   12 illum¹ *eras. M*   12/13 eduxit *V*

21,5/6 Mt 3,17   11 Io 1,20

77. IN FINEM INTELLECTUS ASAPH, intellectus congregationis. In Exodo
tres plagas dicit quae hic non sunt, et hic tres dicit quae illic non sunt.
Iste psalmus secundum historiam intellegitur de populo Israhelitico
quod operatus est deus in illis. Sed non necesse erat iterum memorare
⁵ Ueteris Testamenti, dum iam scriptum erat, si aliquid ad nos in Nouo
Testamento non pertineret. Quantum hic in isto psalmo dicitur, secundum historiam pertinet ad populum Israheliticum, secundum sensum
pertinet ad nos in Nouo Testamento.

ADTENDITE POPULUS MEUS LEGEM MEAM. Uox dei patris ad populum
¹⁰ Iudaicum, ut adtendant legem suam, et ad nos pertinet in Nouo Testamento, ut adtendamus legem Noui Testamenti. INCLINATE AUREM
UESTRAM IN UERBA ORIS MEI id est aurem cordis in humilitatem, unde
dixit: *Si quis habet aurem* et rlq., quia quod humile est ipse recipit, ut
dictum est: *Super quem requiescam nisi super humilem* etc.? Et quod
¹⁵ altum et superbum ille respuit, ut illud: *Quia quod altum est hominibus*
abhominabile est ante deum.

2. APERIAM IN PARABOLIS OS MEUM. Quando dicit aperire, rem nouam significat, quae antea non fuit aperta uel audita. 'In parabolis' in similitu-
dinibus, ut in euangelio: *Aperiens os suum docebat eos,* ut intellegerent.
'Os meum' os dei prophetae et apostoli uel modo praedicatores, quia
⁵ Christus loquitur per illos. ET LOQUAR PROPOSITIONES AB INITIO SAE-
CULI. Propositio quod proponit homo in quaestionibus; 'ab initio' hoc
est exitus filiorum Israhel uel de quo Moyses incipit illis dominari. Usque huc sententia dei est.

3. QUANTA AUDIUIMUS ET COGNOUIMUS EA ET PATRES NOSTRI NARRAUE-
RUNT NOBIS: uox synagogae. Cognouerunt illi qui in deserto nati fuerunt per patres eorum qui in Aegypto fuerunt; et postea per illos qui in
deserto nati fuerunt cognouerunt illi qui in terra repromissionis fue-
⁵ runt. 'Et patres nostri' Moyses et Aaron uel reliqui sacerdotes qui boni
fuerunt.

Codices: MNSV et Z = S+V
Ps 77,1,2 illuc *NV*   5 Uetere Testamento(-tum *N*) *NZ*   aliquia *MV*   ad nos] a
nobis *N*   6 non - isto *om. M*   pertinet *V*   psalmus *M*   14 Et + quia *Z*
15 superbum + est *Z*   illud + Et *NZ, eras. M²*   **2,**5 Et loquar] Eloquar(-quatur *S*) *Z*
7 illos *NZ*   dominari *M²*: -re *cett.*   8 hic *NZ*   **3,**1 eam *N*

Ps 77,1,13 Mc 4,23; 7,16 *al.*   14 Is 66,2   15/16 Lc 16,15   **2,**3 Mt 5,2

4. Non sunt occultata a filiis eorum in generatione altera. Propheta de illo populo narrat. 'Non sunt occultata' id est non sunt occulta nec a filiis Israhel, quod non adnuntient filiis eorum, ⟨et⟩ in ecclesia a sanctis apostolis uel a successoribus, quod non adnuntiant nobis in
5 Nouo Testamento. Narrantes laudes domini et uirtutes eius et mirabilia eius quae fecit hoc est quod fecit in Ueteri, quod dominus operatus est per suam potentiam, et in Nouo Testamento sua miracula.

5. Et suscitauit testimonium in Iacob. *Peccatum non putabatur, cum lex non esset,* id est nullus erat qui contradiceret, quare homicidium aut adulterium faceret et reliqua. Sed quando lex uenit *peccatum reuixit.* Et legem posuit in Israhel. Legem posuit peccatoribus, quia *lex non*
5 *est posita iustis, sed iniustis.* Quanta mandauit patribus nostris, ut notam facerent ea filiis suis. Illi patres qui de Aegypto uenerunt narrant ad illos filios eorum qui in deserto fuerunt, uel illi aliis in terra repromissionis. Uel aliter 'patres nostri' id est sancti apostoli narrant in Nouo Testamento ad successores eorum uel ⟨illi⟩ nobis narrant hodie
10 et nos narramus aliis. Et quid narrant?

7. Ut ponant in deo spem suam. Ad hoc adnuntiant, ut non in homine, non in semet ipsis, non in diuitiis, sed in deo spem habeant, et non obliuiscantur operum dei sui et mandata eius exquirant. 'Non obliuiscantur' hoc est illa miracula quae deus operatus est in Aegypto
5 uel in mari, 'et mandata eius exquirant' hoc est adimpleant.

8. Ne fiant sicut patres eorum. Quomodo dicit 'ne fiant sicut patres eorum'? quia illi ad illorum filios narrauerunt, quomodo mandata dei obseruarent. 'Ne fiant' dicit, hoc est sicut illi mali qui in deserto peccauerunt et *perierunt ab exterminatore,* ne fiant isti filii sic: generatio
5 praua et exasperans, praua in idolatria, et exasperans hoc est deum ad iracundiam prouocans, generatio quae non direxit cor suum hoc est non est unitum cor eorum cum deo. Ipse unitum cor habet, cui om-

---

Codices: MNSV et Z = S + V
4,3 adnuntiant *N* 5 laudem *M* 5,1 Et *om. MN* in *om. MS* 3 quando] quomodo *NZ* 6 nota *M* 7 ad illos filios] illis filiis *M* aliis + qui *Z* 8 repromissionis + uenerunt *Z* 9 ad] et *MN* 10 Et – narrant *om. MN* 7,1 deum *N* adnuntient *N* 2 deo] domino *V* 3 opera *MZ* exquirunt *S* 5 et – eius *om. MN* 8,2 ad *om. M* filiis *M* 4 et perierunt *om. Z* 5 asperans *N(bis)* in *om. M* et² *om. M* 7 unitum cor²] cor unum *Z*

5,1/2 Rm 5,13 3 Rm 7,9 4/5 I Tim 1,9 8,4 I Cor 10,10

nia iudicia dei placent, quia *qui adheret deo unus spiritus est.* ET NON EST
CREDITUS CUM DEO SPIRITUS EIUS: 'non est creditus' non erat rectus.
9. FILII EFFREM INTENDENTES ARCUM ET MITTENTES SAGITTAS SUAS CON-
UERSI SUNT IN DIE BELLI. Effrem et Manasses filii Ioseph fuerunt. Benedixit illos Iacob super istum Effrem iuniorem qui fructifer interpretatur, super istum mutauit manum suam dexteram, super nullum al-
⁵ terum sic fuerunt; putauerunt quod melior aliis debuisset esse, quod
non fuit, quia exinde exierunt mali reges sicut Hieroboam, qui peccare
fecit Israhel, et reliqui aut alii mali. 'Intendentes arcum' illi qui de tribu
Effrem erant intendebant uerba quae a deo et Moysen dicebantur, 'sagittas' hoc est uerba illorum, dicentes: quaecumque praeceperit nobis
¹⁰ dominus faciemus. 'Conuersi sunt in die belli' in die idolatriae ipsi
primitus adorauerunt caput uituli. Effraim fructificatio. Secundum
historiam multi ex ipsa tribu fructificantes, secundum sensum figuram
tenent gentium, quia multi de ipsis fructificauerunt, 'in die belli' id est
persecutionis, quia mali sunt ad ecclesiam persequendo plus quam alii.
10. NON CUSTODIERUNT TESTAMENTUM DEI: ipsi filii Effraim uel heretici,
ET IN LEGE EIUS NOLUERUNT AMBULARE: de ipso dicit.
11. OBLITI SUNT BENEFACTORUM EIUS QUAE OSTENDIT EIS
12. CORAM PATRIBUS EORUM. 'Obliti sunt' id est illa miracula quae deus in
illis fecisset per mare et eduxit illos in deserto; uel heretici in Nouo Testamento obliti sunt quod promiserunt in baptismo uel reliquas uirtutes dei quas uiderunt patres eorum Moyses et Aaron et reliqui alii boni
⁵ sacerdotes. QUAE FECIT MIRABILIA IN TERRA AEGYPTI IN CAMPO TA-
NEOS. Aegyptus figuram istius mundi tenet, qui tenebrae interpretatur.
Hic in mundo fecit deus miracula: per suam incarnationem liberauit
genus humanum. 'Campo Taneos' mandatum humile interpretatur,

Codices: MNSV et Z = S+V
8 quia - est¹ *om. MN*   **9,**1 et *om. MZ*   2 diebus *N*   Effraim *Z*   3 illis *S*
5 sic fuerunt *om. M*   putauerunt *om. NZ*   melior + de *NZ*   7 aut] quia *NZ*
11 Effrem *Z*   12 fructiferantes *Z*   13 tenet *Z*   gentium *M*   fructificauerunt +
uel heretici (+ obliti sunt *Z*) quae(qui *MNV*) promittunt in baptismo(-mum *NZ*) *codd., cf infra* v. 12   14 quia *N:* qui *cett.*   ad *om. M*   **10,**1 Effrem *Z*   2 ipsis *V²*   **12,**2 et
om. MN   uel] ut *Z*   5 Quae] qui *N*   Aegypti + et *M*   6 qui] quia *M*   7 Hoc *Z*
fecit *M²:* facit *cett.*   miracula + qui(quia *V*) *Z*   8 Campos *Z*

8 I Cor 6,17   **9,**3 - 4 *cf* Gn 48,14   9/10 *cf* Ex 19,8

quia in illis ibi habitat deus et per illos humiles facit sua mirabilia. Ta-
¹⁰ nis illa ciuitas, Taneos campus eorum.

13. INTERRUPIT MARE ET PERDUXIT EOS. Secundum historiam sic fuit factum, sed per mare baptismum intellegitur, ut Paulus dicit: *Patres nostri
sub nube fuerunt et per mare transierunt et omnes in Moyse baptizati sunt
in nube et in mari*. ET STATUIT AQUAS QUASI IN UTREM: persecutio intel-
⁵ legitur, quia sicut aquam tenet homo 'in utrem' et colligat, sic tenet
deus persecutiones malorum, ut non ueniant super ecclesiam nisi
quantum ipse permittit.

14. ET EDUXIT EOS IN NUBE DIEI ET NOCTE IN INLUMINATIONE IGNIS. Secundum historiam per diem columna nubis propter calorem solis et per
noctem columna ignis propter lumen. Nubs corpus Christi intellegitur,
dies diuinitas, unde dictum est: *Ascendit dominus super nubem leuem* id
⁵ est corpus de sancta Maria, ut in Cantico: *Ubi pascis, ubi cubas in meridie?* Aliter: columna ignis gratia spiritus sancti qui inluminat sanctos et
urit peccatores. Nox ista praesens uita intellegitur.

15. INTERRUPIT PETRAM IN HEREMO ET ADAQUAUIT EOS UELUT ABYSSUS
MULTA. Petra Christus, ut Paulus ait: *Petra autem erat Christus*. Percussit petram Moyses, percussus est Christus in passione et exierunt quattuor flumina id est quattuor euangelia. Abyssus doctrina.

16. EDUXIT AQUAM DE PETRA, doctrinam de Christo, ET EDUXIT TAMQUAM
FLUMINA AQUAS.

17. ET ADPOSUERUNT ADHUC PECCARE EI, IN IRA CONCITAUERUNT EXCEL-
SUM IN INAQUOSO. Propter incredulitatem illorum fecit iustam uindictam super illos. Ad aquas contradictionis ibi peccauit Moyses et ideo in
terram repromissionis non intrauit. Dubitauit quasi deus non potuis-
⁵ set aquas producere, ideo in prima percussione non exiuit aqua nisi in
secunda.

Codices: MNSV et Z = S+V
9/10 Tanes Z   10 eorum + quos modo nos dicimus campos cynnomanicos Z   **13**,1 sic
om. MN   2 per *om. N*   5 in utrem *om. MN*   **14**,3 propter lumen *om. MN*   5 Cantica NZ   **15**,1 uelut + in V   **16**,1 Eduxit¹] Et duxit M   doctrinam *scripsi*: -na *codd.*
17,3 ibi] ubi N   5 ideo] *praem.* et Z   percuss.] persecutione Z

13,2 – 4 I Cor 10,1.2   **14**,4 Is 19,1   5 Ct 1,6   **15**,2 I Cor 10,4   **17**,2 – 5 *cf* Nm
20,10-13

18. ET INRITAUERUNT DEUM IN CORDIBUS SUIS, UT PETERENT ESCAS ANIMA-
BUS SUIS. Inritauerunt, si potuisset hoc deus facere an non.

19. ET MALE LOCUTI SUNT DE DEO ET DIXERUNT: NUMQUID POTERIT DEUS
PARARE MENSAM IN DESERTO? Forsitan ad tantam multitudinem poterit
deus cibum multiplicare? ac si dixissent: non poterit.

20. QUONIAM PERCUSSIT PETRAM ET FLUXERUNT AQUAE ET TORRENTES
INUNDAUERUNT, NUMQUID ET PANEM POTERIT DARE AUT PARARE MEN-
SAM POPULO SUO?

21. IDEO AUDIUIT DOMINUS ET DISTULIT. Dupliciter hic intellegitur
'audiuit' id est illorum murmurationem 'et distulit', quia statim non
uoluit uindicare super illos nisi antea ostenderet illis potentiam suam,
ut non putarent quod non potuerit dare; postea sic uindicauit. Aliter
5 'distulit' id est quod potuerant in XL diebus ambulare ambulauerunt
per XL annos, ut antea morerentur propter illorum incredulitatem et
in terram repromissionis non intrarent. ET IGNIS ACCENSUS EST IN IA-
COB ET IRA ASCENDIT IN ISRAHEL, hoc est illa uindicta. *Adhuc esca eorum
erat in ore ipsorum, et ira dei ascendit super eos.* Propter quid?

22. QUIA NON CREDIDERUNT IN DEUM SUUM NEC SPERAUERUNT IN SALUTARE
EIUS, 'in salutare eius' hoc est in Christo eius.

23. ET MANDAUIT NUBIBUS DESUPER, nubes praedicatores, ET IANUAS CAELI
APERUIT: ianuae prophetae intelleguntur et apostoli, illorum ora aperuit ad praedicandum.

24. ET PLUIT ILLIS MANNA AD MANDUCANDUM ET PANEM CAELI DEDIT EIS.

25. PANEM ANGELORUM MANDUCAUIT HOMO. Secundum historiam de
caelo pluit illis manna ad manducandum: per manna corpus dominicum intellegitur, ut illud: *Uerbum caro factum est* et rlq. 'Panem angelorum' est pater et filius et spiritus sanctus. Uidebunt angeli et uident et
5 uidere desiderant, audiunt et audire desiderant, satiantur et sine fastidio sunt, et exinde satiamur et nos. Illa diuinitas induit carnem: *Uerbum caro factum est,* hoc est suum corpus quod super altare accipimus,

Codices: MNSV et Z = S+V

18,1 deum] dominum *M*: + et *N*   escam *M*   **21**,3 ante *NZ*   illis *om. Z*   4 potuerat *N*   5 in *om. MN*   diebus] dies *MV*   6 eorum *V*   **22**,1(*et* 2) salutari *Z*
2 in¹ - eius³ *om. N*   **23**,2 ianuae *M*²: -as *cett.*   3 praedicando *NZ*   **24**,1 illis *om. V*
25,6 carnem + et *Z*   7 accepimus *NV**

21,5 - 7 *cf* Nm 14,34.35   8/9 Ps 77,30.31   **25**,3 *et* 6/7 Io 1,14

credimus hoc corpus suum uerum, unde illi angeli satiantur et nos satiamur, ut ipse ait: *Ego sum panis uiuus qui de caelo descendi*. CIBARIA
¹⁰ MISIT EIS IN HABUNDANTIA, hoc est illa manna et illas coturnices.

26. TRANSTULIT AUSTRUM DE CAELO. Secundum historiam de partibus aus-
tri hoc est de Africa contra meridiem de deserto exinde uenerunt illas
coturnices; ET INDUXIT IN UIRTUTE SUA AFRICUM. Africus intellegitur
lux ueritatis et calor fidei, ipse est Christus. Adtulit nobis ipsam lucem
⁵ ueritatis et calorem fidei per incarnationem quam credimus, quia et
ipse est calor fidei et lux ueritatis.

27. ET PLUIT SUPER EOS SICUT PULUEREM CARNES ET SICUT ARENA MARIS UO-
LATILIA PINNATA,

28. ET CECIDERUNT IN MEDIO CASTRORUM EORUM CIRCA TABERNACULA EO-
RUM,

29. ET MANDUCAUERUNT ET SATURATI SUNT NIMIS ET DESIDERIUM EORUM
ADTULIT EIS, et nobis adtulit desiderium suum corpus Christi.

30. NON SUNT FRAUDATI A DESIDERIO SUO. ADHUC ESCA EORUM ERAT IN ORE
EORUM,

31. ET IRA DEI ASCENDIT SUPER EOS ET OCCIDIT PINGUES EORUM, pingues in
malitia, ET ELECTOS ISRAHEL IMPEDIUIT id est Moysen et Aaron et Mariam sororem eorum.

32. IN OMNIBUS HIS PECCAUERUNT ADHUC, in istis supradictis, quia non crediderunt in deo, ET NON CREDIDERUNT IN MIRABILIBUS EIUS, quae deus
faciebat coram illis.

33. DEFECERUNT IN UANITATE DIES EORUM hoc est in defectionem, ET ANNI
EORUM CUM FESTINATIONE. Numquid citius ambularent illi dies aut illi
anni? Non, sed illi citius defecerunt in mortem.

34. CUM OCCIDERET EOS, TUNC INQUIREBANT EUM ET CONUERTEBANTUR ET
ANTE LUCEM UENIEBANT AD EUM, dicentes: peccauimus, et statim in initio uindictae promittebant emendare.

Codices: MNSV et Z = S+V
10 et *om. NZ*   **26**,2 meridiem *M*²: -die *cett.*   de² *om. NZ*   **27**,1 carnis *NZ*   2 pen-
nata *MZ*   **29**,2 adtulit] adducit *S*: -dicit *V*   desiderium + id est *Z*   Christi *om. MZ*
30,1 escae ... erant *M*   2 ipsorum *V*   **31**,2 impetiuit *MV*   **32**,1 adhuc] *praem.* et *MZ*
2 in¹ - crediderunt *om. M*   in deo *om. N*   **33**,1 uanitatem *N*   **34**,1 eum] deum *S*

9 Io 6,41.51

35. Et rememorati sunt quia deus adiutor eorum est et deus excelsus redemptor eorum est,

36. et dilexerunt eum in ore suo et lingua sua mentiti sunt ei.

37. Cor autem ipsorum non erat rectum cum eo nec fideles habiti
sunt in testamento eius.

38. Ipse autem est misericors et propitius fit peccatis eorum. Quantum illi peccabant, non tantum deus uindicabat super illos, et non
disperdit eos, et habundauit ut auerteret iram suam ab eis:
habundans erat in misericordia plus quam in ultione, et non accendit
⁵ omnem iram suam id est non quantum illi peccabant.

39. Et rememoratus est quia caro sunt. Quomodo dicit rememorare:
numquid obliuio in deo cadat? Absit. Quia obliuio non cadit in deo,
semper deus rememoratus est. Sed in hoc dicit, quia illos fecit recordari quod caro sunt, spiritus uadens et non rediens. Uadit in peccatis
⁵ et non potest per se reuerti nisi deus ipsum faciat reuerti, quia *corpus
quod corrumpitur adgrauat animam et habitatio terrena deprimit sensum
multa cogitantem.* Aliter: uadit ad infernum, non reuertitur ad deum
qui illum ei dedit, quia a deo datur anima, ut Salomon dicit: *Quis scit, si
spiritus filiorum Adam ascendat sursum aut spiritus iumentorum descen-*
¹⁰ *dat deorsum?*

40. Quotiens exacerbauerunt eum in deserto, in ira concitauerunt
eum in inaquoso id est ad aquas contradictionis,

41. et conuersi sunt et temptauerunt deum et sanctum Israhel exacerbauerunt id est illum qui sanctificat Israhel.

42. Non sunt recordati manus eius id est potestatem eius die qua redemit eos de manu tribulantis id est de Aegypto.

43. Sicut posuit in Aegypto signa et prodigia sua in campo Taneos:
hoc non sunt rememorati:

44. conuertit in sanguine flumina eorum, causas omnium eorum

Codices: MNSV et Z = S + V
35,1 est eorum S   37,1 ipsorum] eorum N   38,1 fiet S*V   3 disperdet Z   4 in ul-
tione] ultionem Z   accendet Z   39,2 cadat] -det N   Absit – cadit *om.* N   cadit]
-dat S: -det V   3 illis(*praem.* in S) NZ   3/4 recordari M²: -re *cett.*   4 redigens N
5 reuertere(*bis*) NZ   faciet N   7 reuertit NZ   42,2 tribulantes NV   43,1 signa +
sua S   campos V

39,5 – 7 Sap 9,15   8 – 10 Ecl 3,21

carnaliter intellegere, ET IMBRES EORUM, NE BIBERENT hoc est ipsas pluuias;

45. MISIT IN EOS CYNOMIAM ET COMEDIT EOS RANA ET EXTERMINABIT EOS. Cynomia, alio loco dicitur musca canina, genus muscarum est. Per cynomiam mores caninos demonstrat: sicut catuli qui orbi nascuntur et non cognoscunt parentes illorum, sic mali heretici uel peccatores non
⁵ cognoscunt hoc est non honorant parentes illorum. 'Et comedit eos rana' id est uana doctrina hereticorum, quia uanas uoces emittunt sicut et ranae.

46. ET DEDIT ERUGINI FRUCTUS EORUM. Eruginem alii dicunt canilia, alii dicunt conbustio auri id est rudicula. Erugo secundum sensum occulta superbia in moribus, ET LABORES EORUM LOCUSTAE id est malitia in ore.

47. OCCIDIT IN GRANDINE UINEAS EORUM ET MOROS EORUM IN PRUINA. Grando est iniquitas quae res alienas aufert. Pruina significatur uitium, quo caritas proximi stultitiae tenebris uel nocturno frigore congelescat, quia in tempore nouissimo *habundauit iniquitas et refrigescit cari-*
⁵ *tas multorum,* quia semet ipsos amant.

48. ET TRADIDIT IN GRANDINE IUMENTA EORUM ET POSSESSIONES EORUM IGNI. Hic nominat pruinam et ignem et erugines, in Exodo non nominat nisi alias tres quas hic non nominat. 'Possessionem eorum igni': ignis iracundiam significat, quia et habitaculum per ignem amitti potest.

49. INMISIT IN EOS IRAM INDIGNATIONIS SUAE, INDIGNATIONEM, IRAM ET TRIBULATIONEM INMISSIONEM PER ANGELOS MALOS. Hic quaestio oritur, si illi magi per diabolum faciebant et dominus per angelos malos fecit: ergo domus diuisa est aduersum se? ergo diabolus contra se diuisus
⁵ est? Sanctus Agustinus non adfirmat quod per angelos malos fecisset deus illas plagas. Sed illi magi per angelos malos faciebant, et illos ma-

Codices: MNSV et Z = S+V
45,1 cynomia *NZ* rana] -nas *M*: -nam *Z* exterminauit *M* 4 cognoscent *MN* eorum *S* 5 honorent *N* comedet *V* 7 et *om. MN* **47,**1 grandini *Z* 2 quae *om. NZ* auferre(off. *S*) *NZ* 3 proxime *M*NS* tenebris *M*²: -brae *cett.* 4 refrigescet *Z* **48,**1 possessionem *S* 2 igni] igne *NZ* pruina *NZ* eruginem *Z* 2/3 non ... nisi *om. M* 3 quas *M*²: quod *cett.* Possessiones *N* **49,**1/2 tribulationem + et *MZ* 2 si] sic *N* 4 contra] aduersum *M* 6 illi *om. Z*

45,2sqq. *cf* AU 77,27,4-5(p. 1087) **46** *cf* AU ib. 5-11 **47,**1-4 *cf* AU ib. 12-16 4/5 Mt 24,12 **48,**2 - 3 *cf* AU ib. 35-37(p. 1088) **49,**5/6 *cf* AU 77,28,12-17(p. 1088)

gos diabolus habebat in potestatem et super illos faciebat diabolus per se uindictam. Sicut homo suam uaccam habet in potestatem occidere, alterius non habeat nisi commeatum accipiat, sic ille alias creaturas in
10 mutando non habet potestatem nisi permissu dei. Deus per angelos malos facit uindictam super bonos sicut super Iob, sed super bonos non facit uindictam per bonos angelos, quia angeli boni ipsam uoluntatem habent in uindicandum iuste sicut et deus; amplius non uolunt opprimere. Sed daemones nullum uolebant uiuum dimittere.

50. Uiam fecit semitae irae suae. Semita fuit per illas plagas, quod non crediderunt. Postea deuenit uia, quando illos demersit in mari Rubro. Et istis quattuor creaturis usi sunt sancti patres id est terra, aqua, aere et igne, sicut Helias per ignem super illos quinquaginta fecit uindic-
5 tam, uel aqua ipse usus est, quando non pluit tribus annis et mensibus sex. Uel Moyses terra usus est, ut illud: Aperta est terra et deglutiuit plures. Sed et aere usus est ipse Moyses in Aegypto, quia de aere faciebat illas poenas. Non pepercit a morte animabus eorum et iumenta eorum in morte conclusit. Mors pecorum monstrata est, quantum
10 arbitror, damnum pudicitiae significatur.

51. Et percussit omne primogenitum in terra Aegypti. Mors primogenitorum amissio ipsius iustitiae est. Tunc percutiuntur tua primogenita, quando tuam iustitiam perdis, quia mandatum dei non adimples. Primitias omnis laboris eorum in tabernaculis Cham. Illi Aegyptii
5 de Noe filio, id est Cham, medio nato exinde fuerunt. Quod dicit 'percussit omne primogenitum' 'primitias laboris eorum', dominus noster, ut Paulus dicit, *abstraxit nos de potestate tenebrarum et perduxit nos in regnum dilectionis filii sui.*

52. Et abstulit sicut oues populum suum: *Ego sum pastor bonus* qui

Codices: MNSV et Z = S+V
7 habeat *M*   potestate *M²Z*   9 habet *MZ*   comitatum *N*   sic] sed *V*   10 permissu *scripsi*: -sum *M²Z*: -sio *N*   12 faciat *N*   13 uindicandum *M*N*: -do *cett.*
iuste *scripsi*: iusta *codd.*   deus + et *S*   50,2 aduenit *S*   3 istis ... creaturis *M²*: istas
... -ras *cett.*   7 et *om.* Z   7/8 faciebant *Z*   9 pecorum *scripsi*: pecuniarum *codd.*
monstrata *M²*: -tum *cett.*   51,1 omnem *V*   1/2 primogenitarum *MN*   2 ipsius
om. N   3 quia] quod *NZ*   6 omnem *S*   *post* eorum *aliquid excidisse et* 6 dominus –
8 sui *potius ad* v. 52 *pertinere videtur*

8 – 10 AU ib. 54-57(p. 1089)   **50,6/7** *cf* Nm 16,30-32   **51,7/8** Col 1,13   **52,1 – 2** Io
10,11.14.16

pasco oues meas, *et alias oues habeo quae non sunt ex hoc ouili.* ET PER-
DUXIT EOS TAMQUAM GREGEM IN DESERTO,

53. ET EDUXIT EOS IN SPE, ET NON TIMUERUNT illi in spe terrena et propter
illa promissa, et nos in spem caelestem; ET INIMICOS EORUM OPERUIT
MARE hoc est pharaonem cum suo exercitu. Aliter per mare baptismi
gratia submersus est diabolus, et qui antea fuerunt inimici domini
5 postea amici deuenerunt per baptismum.

54. ET INDUXIT EOS IN MONTEM SANCTIFICATIONIS SUAE id est illos in Hierusalem et nos in ecclesiam, quia sanctificata est per gratiam spiritus
sancti. MONTEM QUEM ADQUISIUIT DEXTERA EIUS id est potentia eius, ET
EIECIT A FACIE EORUM GENTES id est illas septem gentes, et de nobis
5 eiecit septem uitia principalia. ET SORTEM DIUISIT EIS TERRAM IN FUNI-
CULO DISTRIBUTIONIS. Iesu Naue in funiculo rogauit illam terram
partire in XII tribus, et sortem miserunt, qualem partem acciperet
unusquisque. Uel ad nos in Nouo Testamento quod pertinet: diuisit
illas gratias id est septem dona spiritus sancti, ⟨ut⟩ unusquisque quod
10 meruerit acciperet.

55. ET HABITARE FECIT IN TABERNACULIS EORUM TRIBUS ISRAHEL. Illi sic fecerunt in tabernaculis gentilium, et nos unde expulsi sunt daemones
credimus inhabitare.

56. ET TEMPTAUERUNT ET EXACERBAUERUNT DEUM EXCELSUM ET TESTIMO-
NIA EIUS non intellexerunt hoc est NON OBSERUAUERUNT.

57. AUERTERUNT SE ET NON OBSERUAUERUNT PACTUM QUEMADMODUM PA-
TRES EORUM. Sicut illi in deserto non obseruauerunt, sic et postea illi
qui in terra repromissionis fuerunt peccauerunt, ET CONUERSI SUNT IN
ARCUM PERUERSUM. Si illi obseruassent pactum dei, rectae fuissent eo-
5 rum sagittae; non obseruauerunt, reuersa fuit illa sagitta super illos.

58. IN IRA CONCITAUERUNT EXCELSUM IN COLLIBUS SUIS, ubi sacrificia dae-

---

Codices: MNSV et Z = S+V
53,3 baptismi *M*: -mum *cett.*   5 per] post *N*   **54**,3 id est *om. N*   potentia eius *om. NS*
5 sorte *M²*   5/6 funiculo *M²*: -lum *cett.*   6 funiculum *Z*   illa terra *Z*   10 acciperet *scripsi*: accipere *codd.*   **55**,1 Illic *Z*   3 inhab.] ibi habitare *NZ*   **56**,1 deum *om. S*
57,1 seruauerunt *NZ*   4 recta *NV*   fuisset *Z*   4/5 illorum *MN*   5 sagittae] -ta
NZ: + quia *M²*   **58**,1 excelsum] eum *NZ* + excelsum *N*

54,4 Dt 7,1; Ios 3,10

moniorum offerebant, ET IN SCULPTILIBUS SUIS AD AEMULATIONEM EUM PROUOCAUERUNT: ad aemulationem culturae dei idola fabricauerunt.

59. AUDIUIT DOMINUS ET SPREUIT, audiuit et uidit illam idolatriam, ET AD NIHILUM REDIGIT UALDE ISRAHEL id est in captiuitate et uindicta.

60. ET REPPULIT TABERNACULUM SELO. In Sylo ibi fuit arca domini usque quo Dauid adduxit illam in Sion. Reppulit id est Heli sacerdotem cum filiis suis. TABERNACULUM SANCTUM UBI HABITAUIT INTER HOMINES in illa arca unde responsum dabat hominibus.

61. ET TRADIDIT IN CAPTIUITATEM UIRTUTEM EORUM id est de illa arca inde habebant pulchritudinem et uirtutem; ET PULCHRITUDINEM EORUM IN MANUS INIMICI, quod dixit superius: illa arca in manus Allophilorum.

62. CONCLUSIT IN GLADIO POPULUM SUUM Israhel, ET HEREDITATEM SUAM SPREUIT id est tribum Leui uel reliquos Iudaeos, quorum figuram tenet tribus Leui.

63. IUUENES EORUM COMEDIT IGNIS, ignis idolatriae hoc est iusta uindicta dei uel captiuitas; UIRGINES EORUM NON SUNT LAMENTATAE, quia non licebat illis lamentare quia in captiuitatem ambulauerunt.

64. SACERDOTES EORUM IN GLADIO CECIDERUNT id est Ofni et Finees, ET UIDUAE EORUM NON PLORAUERUNT. Illa mulier Ofni grauida erat, quando nuntiatum fuit ei de uiro suo quod perierat. Inclinauit se et peperit et mortua est.

65. EXCITATUS EST TAMQUAM DORMIENS DOMINUS ET TAMQUAM POTENS CRAPULATUS A UINO. Sanctus Agustinus dixit quod numquam hoc ausus fuisset dicere de deo nisi spiritus sanctus hoc dixisset. Ex opinione illorum populorum loquitur spiritus sanctus, qui dicebant: non curat
⁵ deus de nobis, crapulatus est a uino, dormit et dereliquit nos.

66. ET PERCUSSIT INIMICOS SUOS IN POSTERIORA, OBPROBRIUM SEMPITERNUM DEDIT EIS. Percussit inimicos id est illos Philisteos propter arcam

Codices: MNSV et Z = S+V

3 ad aemulationem *scripsi*: Immolatio *codd.*   cultura *NZ*   **59**,1 dominus] deus *Z*
2 rediget *N*: -egit *S*   captiuitatem *Z*   **60**,1 Selo] Sylo *Z*   ibi] ubi *S*   2 quo *M²*:
quod *cett.*   **61**,2 pulchritudinem et *om. Z*   et² *om. Z*   3 illam arcam *M(²?)*
62,1 gladium *V*   Israhel et] *trsp. codd.*   **63**,1 Iuuenis *N*   3 captiuitate *NV* + esse *V*
64,2 plorabuntur *S*   quando] quomodo *NZ*   **65**,1 Excitatus] *praem.* Et *V*   potans *S*
2 quod numquam] quis(qui *N*) umquam *NZ*   5 dormiuit et relinquit *V*   **66**,1 posteriora + eius *N*   2 eis] illis *Z*   inimicos + suos *S*

64 *cf* I Rg 4,11.19   **65**,2 – 3 AU 77,39,5-6(p. 1093)

domini, sed non habuerunt illi obprobrium sempiternum, quia munera dederunt et sanati sunt. Sed ad Iudaeos hoc pertinet, quia illos
5 deus percussit in posteriora et obprobrium sempiternum habent, qui
reuertantur in hoc malum in quo antea fuerunt id est in legis custodiam, unde Paulus dicit: *Quae mihi antea lucra fuerunt reputaui uelut
stercora.*

67. ET REPPULIT TABERNACULUM IOSEPH. Ioseph ille pauit illos, propter
hoc in illorum persona mittitur. Ille bonus fuit. Sed 'reppulit' de
Iudaeis dicit. TRIBUM EPHRAIM NON ELEGIT,

68. SED ELEGIT TRIBUM IUDA, MONTEM SION QUEM DILEXIT. De tribu
Effrem sperauerunt exinde bene de illo, eo quod maiorem benedictionem de aliis a patre suo accepisset, sed non nisi de illo exierunt qui
idola coluerunt. Ideo repellere dicitur, nec Iudas propter suum meri-
5 tum fuit electus, nec Ioseph propter suum meritum fuit reprobatus.
Inde dicit: *Iacob dilexi, Esau odio habui,* nec Iacob propter suum meritum fuit electus, nec Esau propter suum meritum fuit reprobatus; sed
in figura Christi erat, quia de tribu Iuda inde dominus ortus est. 'Montem Sion' sancta ecclesia.

69. ET AEDIFICAUIT SICUT UNICORNIS SANCTUARIUM SUUM. Secundum historiam unicornis bestia est, sed 'unicornis' dicitur populus Iudaicus
propter unam legem. Et quamdiu bene ipsam legem obseruabant, per
hoc uentilabant omnes gentes. Uel ecclesia dicitur unicornis propter
5 unitatem spei regni caelestis. IN TERRA FUNDAUIT EAM IN SAECULA, fundauit illam in fide sine fine.

70. ET ELEGIT DAUID SERUUM SUUM hoc est Christum. 'Seruum' ut illud:
Magnum est tibi uocare seruum meum. Pro parte carnis dicit. ET AD-
SUMPSIT EUM DE GREGIBUS OUIUM. Dauid pauit oues, et Christus pastor
est, ut ait: *Ego sum pastor bonus.* ET DE POST FETANTES ACCEPIT EUM:

Codices: MNSV et Z = S+V
6 reuertuntur *NV*   in quo] quod *NZ*   6/7 custodia *N*   7/8 uelut stercora reputaui *Z*
67,1 illos] eos *S*   2 illorum] -lius *V*: -lis *S*   3 Effrem *Z*   **68**,1 montem] *praem.* in *N*
2 illo] eo *Z*   4 idola *scripsi*: idolatria *codd.*   5 electus – fuit[2] *om. M*   Ioseph] Esau *V*
6 Inde – 7 reprobatus *om. V*   7 electus – reprobatus] probatus *M*   **69**,4 ecclesiae *N*
5 spei *M*²*N*: spe *M**: spem *cett.*   eam] ea *NZ*   6 illa *NZ*   **70**,3 oues] eos *N*

66,7 Phil 3,7.8   **68**,6 Rm 9,13(Mal 1,2.3)   **70**,2 Is 49,6   4 Io 10,11.14

⁵ ⟨fetantes⟩ sancti prophetae uel apostoli qui filios procreabant, ut in Canticis canticorum dicitur: *Quae est ista quae ascendit de lauacro geminis fetibus et non est in ea sterilis?*

71. PASCERE IACOB POPULUM SUUM id est populum christianum qui subplantauit uitia et in deo sperat; ET ISRAHEL HEREDITATEM SUAM, animas uidentium deum qui sunt in unitate ecclesiae, hoc erit sua hereditas in futurum.

72. ET PAUIT EOS SINE MALITIA CORDIS SUI ET IN SENSU MANUUM SUARUM DEDUXIT EOS. Quasi uidetur quod Christus dixisset, quia 'innocentia' ad manus pertinet, ut ait propheta: *Innocens manibus et mundo corde,* sensus ad cor. Sed spiritus sanctus bene locutus est, quia dominus nec
⁵ in cogitatione nec in opere non peccauit. 'Deduxit eos' hoc est populum Israheliticum de terra Aegypti et nos in aeternam beatitudinem.

78. PSALMUS ASAPH id est psalmus congregationis. De synagoga et de ecclesia inde cantatur iste psalmus.

DEUS, UENERUNT GENTES IN HEREDITATEM TUAM. Propheta dicit, quasi de praeterito narrat quod futurum erit, quia apud deum omnia in prae-
⁵ senti sunt. 'In hereditatem tuam': inquirendum est de quali hereditate dicit. Nam in passione nullus bonus nisi ille solus, etiam ipsi apostoli negauerunt. Et in illis tribus captiuitatibus quae ante aduentum domini fuerunt de populo Iudaico, nec ibi aliquid boni fuit, eo quod nondum sanguine Christi mundati erant. Similiter nouem persecutiones
¹⁰ fuerunt super christianos, sicut in Historiarum libro legitur, nec ipsi toti boni. Prima persecutio sub Nerone, in qua Petrus et Paulus gloriose occubuerunt. Secunda persecutio a Domitiano, in qua Iohannes apostolus in Pathmum insulam relegatus apocalypsin uidit, quam

---

Codices: MNSV et Z = S+V
5 procreabant + in spiritu sancto in praedicatione *Z*   6 Canticis *M²*: -ca *cett.*   descendit *M*   71,2 sperauit *Z*   3 unitate *M²*: -tem *cett.*   4 futuro *M*   72,3 mundus *N*
4 ad cor] a corde N: corde *Z*   5 non *om. M*

Ps 78,1,1/2 et de eccl.] ecclesiae *N*   4 narret *M²*   9 erant] sunt *M*: *om. N*   11/12 gloriose *scripsi*: -si *codd.*   13 Patmos *Z*   religatus *codd.*

6 - 7 Ct 3,6; 4,2; 6,5   72,3 Ps 23,4

Ps 78,1,10 - 30 *vide* EUS-Caes. Chron. ed. R. Helm (²1956) p. 185sqq.(- p. 228)

Hireneus interpretatur. Tertia persecutio a Traiano, in qua Simon fi-
15 lius Cleopae qui in Hierosolymis episcopatum tenebat crucifigitur, cui
successit Iustus. Quarta persecutio sub Antonino in qua Policarpus
Smyrniorum ecclesiae episcopus et Pionius fuerunt martyrio coronati,
quorum scriptae quoque feruntur passiones; plurimi in Gallia ob nomen dei interfecti sunt, quorum usque in praesentem diem condita li-
20 bris certamina perseuerant. Quinta persecutio in christianis facta, in
qua Leonides Origenis pater gloriosa martyrii morte translatus
Alexandriam, qui ob confessionem dominici nominis clarus habetur;
Clemens eius uitam conscripsit. Sexta persecutio: Maximinus aduersus ecclesiarum sacerdotes persecutionem fecit. Septima persecutio:
25 Decius, cum Philippum patrem et filium interfecisset, ob odium
eorum in christianos persecutionem mouit; Antonius monachus eo
tempore in Aegypto nascitur. Octaua persecutio sub Ualeriano in
christianis facta statim a Sapore Persarum rege capitur ibique seruitute
mi⟨se⟩rabili consenescit; Gallienus nostris pacem reddidit. Nona
30 persecutio: sub Diocletiano mense Martio in diebus paschae ⟨eccle-
siae⟩ subuersae sunt. Et decima persecutio restat sub antichristo. Nam
hic populus Iudaicus hereditas Christi exinde ita dicitur hereditas dei
antiquo uocabulo. Sicut dicit in euangelio: *Uenerunt in sanctam ciuita-*
tem – quomodo dicit sanctam? quia sanguis sanctorum ibi effusus est
35 multorum etiam et ipsum dominum Iesum Christum crucifixerunt ibi:
tunc non erat sancta nec erant ibi aliqui boni. Nisi antea fuerunt ibi
boni, et propter ipsos patriarchas et prophetas qui ibidem habitauerunt
dicitur ciuitas sancta –: ita et hic dicitur hereditas dei, quia antea
ibidem fuerunt boni patres. Coinquinauerunt id est polluerunt
40 templum sanctum tuum. Gentes quae ducebant illos in captiuitatem,
secundum legem inlicitum erat ipsis intrare in templum. Sed non
solum quod ibi intrarent, sed et sacrificia in ipso templo more gentilium offerebant. Aliter 'coinquinauerunt templum sanctum tuum'

Codices: MNSV et Z = S+V
14 Traiano] Gratiano NZ   16 Antonio S   17 fuerunt] fieri NZ   coronati om. NZ
22 qui M²: quem cett.   23 eius om. Z   Maximianus V   28 christianos Z
ibique MV: ubique S: ille qui N   31 subuersae scripsi: -si codd.   34 dicitur MZ
36 erant] erat M*Z   aliquid NZ   40 quae] qui N   42 ibi + non Z

33 Mt 27,53

quando cogebant illos christianos, unde in Historiarum ⟨libris⟩
45 legimus, Christum negare. Illi antea templum dei fuerunt, sicut Paulus
dicit: *Uos estis templum dei uiui;* postea templum diaboli efficiebantur.
Posuerunt Hierusalem uelut pomorum custodiam. Per similitudinem: sicut teguriolum facit homo ad poma custodire, postea quam
exeunt illa poma remanet uacuus ille teguriolus, sic et de Hierusalem
50 factum est: postea quam exierunt illi boni uel reliqui habitatores, remansit uacua. Sic et ad nos quod pertinet: illa poma exeunt de pomario
et uadunt ad mensam imperatoris. Poma hoc sunt illae animae sanctorum quae uadunt ad deum et mittuntur in mansiones caelestes, et
illa corpora remanent hic in terra quasi teguriolus.

2. Posuerunt morticina seruorum tuorum. Ille qui dicit 'mortalia'
non bene dicit, quia membra nostra dum in corpore uiuo sunt mortalia
dicuntur, sed postquam exiit illa anima, morticina uocatur hoc est ille
cadauer, escas uolatilibus caeli, carnes sanctorum tuorum bes-
5 tiis terrae. Pro tribus causis non sepeliebantur, sicut in Historiarum
legitur, una: non dimittebant illi persecutores, ut maiorem metum haberent christiani et timerent quasi illorum corpora bestiae deuorarent
et negarent. Altera: pauci erant christiani boni qui illos sepelirent. Tertia: etiam si liceret ut esset, quia tanta multitudo erat interfectorum, ut
10 non ualebant tanta sepelire. Sed tamen in Historiarum sic legitur quod
tanta impietas erat, quod non solum illa corpora non dabantur ad sepe-
liendum, sed etiam illa puluera quae de igne exusta remanebant, proi-
ciebantur in mare, ut nec reliquias exinde potuissent accipere christiani.

3. Effuderunt sanguinem eorum sicut aqua in circuitu Hierusalem
et non erat qui sepeliret, sicut superius diximus, uel ad historiam de

---

Codices: MNSV et Z = S+V
44 cogebant M^2: cogitabant *cett.*   47 custodia *NZ*   48 poma M^2: -mas *cett.*   quam]
cum *N*   49 exeunt] deficiunt *M*   Hierusalem + ille teguriolus *Z*   50 postea quam]
postquam *M*: + inde *Z*   52 et *om. MN*   54 teguriolos *Z*   2,2 dicit] -cet *N*
3 dicuntur] sunt *S*   exit *MS*: -iet *N*   5 Pro] Propter *Z*   6 unam *Z*   illa *N*
6/7 habebant *V*   8 Altera *scripsi*: Aliter *codd.*   9 essent *N*   10 ualerent *M*
tanta] -tum *NZ*   12 illum puluerem quod *M*   exustum remanebat *M*   12/13 proi-
ciebant *M*   13 poterint *N*: poterent *Z*   3,1 Effunderunt *N*

46 II Cor 6,16   2,1 - 3 *cf* AU 78,5,7-9(p. 1102)

Iudaeis sic non inuenies, quia metus erat nec permittebant illos illi gentiles illorum mortuos commendare terris, quia uelociter abduce-
⁵ bant eos captiuos.

4. FACTI SUMUS IN OBPROBRIUM UICINIS NOSTRIS, INLUSIONEM ET DERISUM HIS QUI IN CIRCUITU NOSTRO SUNT, hoc est quod diximus, non solum quod non dimittebant tunc, sed et subsannabant et deridebant – in utrisque partibus potest intelligi –. Modo non sunt ausi pro illa multi-
⁵ tudine christianorum, sed et a deo reddita est pax ecclesiae. Sed illi fu- gierunt in speluncis et locis uel foueis ubi latebant, quia ecclesia in toto mundo propagatur a deo, tamen – ut superius diximus – in illa decima hoc est tempore antichristi persecutione quae restat, unde plenius in- tellegitur iste psalmus, tunc prodiendi sunt, ut illud: *Soluitur satanas*
¹⁰ *de carcere suo,* et dominus dicit: *Tunc erit tribulatio qualis non fuit ab initio neque* postea *fiet* et rlq.

5. USQUEQUO DOMINE IRASCERIS IN FINEM? Interrogando dicit propheta. Nam ira in deo non cadit; absit. Sed ira iusta uindicta intellegitur. 'Us- quequo' ac si dicat: quamdiu? id est Iudaei usque in finem in captiuita- tem id est tempore Heliae et Enoch liberandi erunt. Usquequo do-
⁵ mine? ac si dicant christiani: non usque in finem nos dimittas tribulare. EXARDESCIT UELUT IGNIS ZELUS TUUS. Ignis et ira hic correptio dei, quia zelum habet deus de illis animabus quae reuertuntur ad idola.

6. EFFUNDE IRAM TUAM IN GENTES QUAE TE NON NOUERUNT. Propheta ali- quotiens optando dicit aut pronuntiando aut praedicando; sed modo non optando nec praedicando sed pronuntiando, quia sancti dum in corpore sunt hic orant pro inimicis suis, quia praeceptum habent pro
⁵ inimicis orare, ut ueniant ad emendationem. Nam illae animae, post- quam de corpore exeunt, talem uoluntatem habent uindicandi sicut et deus. ET IN REGNA QUAE NON INUOCAUERUNT NOMEN TUUM. Similitudo dicitur: est seruus qui seruit et non habet uoluntatem seruiendi, et est

---

Codices: MNSV et Z = S+V
4/5 adducebant Z   4,1 inlusionem *scripsi*: -onibus *codd.*   4 utriusque partes Z
5 deo + iam Z   5/6 fuerunt M   6 et + in Z   ecclesia + iam Z   8 tempora NZ
9 prodigendi N   desoluitur N   11 fiat MZ   5,4 erunt *om.* NZ   5 dimittat V
6 Exardiscet N   6,3 non] nec Z   4 praeceptum + domini V   5 uenient N
6 habent + sancti M

4,9/10 Apc 20,7   10/11 Mt 24,21

alter qui ex uoluntate seruit; et est tertius qui nec per uoluntatem ne-
10 que non ex uoluntate id est inuitus ⟨seruit⟩, sed adhuc non solum quod
praesentiam domini non uult uidere nec nomen audire non uult: iste
peior est ceteris, sed adhuc, quod est grauius, si quos inuenit qui uelint
seruire uel uidere aut audire, interficit. Seruus qui non solum quod
seruire non uult aut faciem domini sui uidere non desiderat, si nec
15 nomen domini sui uult audire et seruos domini sui quos inuenit interficit: ille talis qui hoc facit ut inuitus seruiat, malus est. Iste qui non
solum quod ipse non seruit et seruire uolentes occidit, peior est id est
paganus. Qui uoluntarius seruit bonus christianus est, et qui inuitus
hoc sunt alii qui nomen quidem dei sui inuocant et non sunt recti hoc
20 est qui non ex amore sed per timorem seruiunt. Nam paganus non
solum non seruit aut uidere uelit Christum, sed nec nominare eum
non uult audire et adhuc seruos eius id est christianum bonum ubi
inuenit, si praeualet, occidit.

7. QUIA COMEDERUNT IACOB id est populum christianum comederunt,
quia quod comeditur non uidetur. Ita et illi uolebant, tam illi gentiles
illum populum quam et illi mali ecclesiam, sed maxime tempore antichristi sic uolunt, ut unum corpus diaboli efficiatur quomodo illi erunt.
5 ET LOCUM EIUS DESOLAUERUNT, locum Iacob id est populum christianum qui locus dei erat antea, efficiuntur postea locus diaboli, quia
negauerunt Christum in tempora antichristi.

8. NE MEMINERIS INIQUITATUM NOSTRARUM ANTIQUARUM, non dixit prae-
teritarum aut praesentiarum, sed antiquarum, ac si dicat propheta in
persona illius populi: non recorderis iniquitates patrum nostrorum super nos. CITO NOS ANTICIPENT MISERICORDIAE TUAE, id est ante ueniat
5 misericordia tua super nos, ut nos emendare debeas ante diem mortis
uel in diem iudicii. QUIA PAUPERES FACTI SUMUS NIMIS hoc est de salute
animae, licet modo intellegatur, tamen in illa decima quae restat tunc
multi erunt pauperes de salute animae. Fuit et in illis ista paupertas qui
negauerunt.

Codices: MNSV et Z = S+V
9 per uoluntatem] desiderio M   10 non[1] om. M   quod om. V   11 uidere + sed M
non[2] om. M   12 uelint] -lit NZ   13 interfecit N   14 non[2] om. MN   15/16 interfecit N   17 id est om. M   18 paganis M   22 seruum N   christianos bonos Z
7,3 ecclesiae NZ   4 sic] sicut MN   6 erat] erant NZ   quia] qui MV   7 in] uel MN
8,1 iniquitatem nostram N   2 antiquas N   4 anticipient (-piant N) MN   ueniet M:
ueniant Z   5 misericordiae tuae Z   7 in om. MS

9. Adiuua nos deus salutaris noster. Dum dicit 'adiuua', sentit se aliqua habere bonam uoluntatem. Habent bonam uoluntatem ipsum paruum quod remansit de libertate arbitrii, sed tamen rogant perseueran-
tiam, quia per se non possunt aliquid boni, nisi a deo perficiantur.
⁵ 'Adiuua nos deus salutaris noster' propter honorem nominis tui domine libera nos, id est non propter merita nostra, et propitius esto
peccatis nostris propter nomen tuum, hoc est dicere, ut nomen
tuum ex hoc glorificetur et non nos.

10. Ne umquam dicant gentes: ubi est deus eorum? hoc est ut non dicant quod tu non ualeas plebem tuam liberare uel tuos sanctos in Nouo
Testamento, modo uel tempore antichristi. Et innotescant in nationibus coram oculis nostris. Quomodo dicit 'coram oculis tuis?' se-
⁵ cundum historiam, ut illas gentes coram ipsis se exinde non extolle-
rent, si illos deus non liberaret, uel persecutores contra ecclesiam. Sed
'coram oculis' quomodo? quia deus aliquotiens in praesente hic uindicat super peccatores, aliquotiens in futuro iudicaturus erit. Nam hic de
futuro intellegitur, quia uisuri sunt omnes sancti ad diem iudicii
¹⁰ illorum id est malorum poenas, quando dicturus erit: *Discedite a me
maledicti in ignem aeternum.* Uindica domine sanguinem seruorum
tuorum qui effusus est. Inquirendum est quomodo rogant sancti hic
in praesenti uindictam id est ut efficiantur martyres, quia hic martyres
interficiuntur et illi qui cum deo sunt rogant uindictam, quia
¹⁵ una uoluntas dei et illorum est in uindicando. Propheta quomodo
rogat, ut uindicet deus? tribus modis: aut pronuntiando aut praedicando aut optando. Numquam loquuntur sancti prophetae contra
persecutores, ut optando dicant, nisi pro emendatione illorum, uel
loquuntur contra illos pronuntiando quid illis eueniat, si non emen-
²⁰ dant, aut praedicando, ut se caueant.

11. Intret in conspectu tuo gemitus conpeditorum. Per conpedes infirmitas et corruptibilitas corporis intellegitur. Conpedes animae duo-

---

Codices: MNSV et Z = S+V
10,3/4 nationibus + eorum *M*   5 se *om. Z*   8 aliquotiens + in anima intus, aliquotiens *Z*
12 tuorum *om. N*   13 quia] qui *NZ*   14 interficiunt *NZ*   illic *M*   15 dei *om. M*: +
fuit *N*   18 pro] per *Z*   emendatione *scripsi*: -nem *codd.*   19 euenit *NZ*

10,10/11 Mt 25,41

bus modis: conpeditae animae, quia *terrena habitatio deprimit sensum multa cogitantem,* ita et *corpus quod corrumpitur adgrauat animam.* Ali-
⁵ ter conpediti dicuntur quos sapientia diuina ligat id est dilectio dei et proximi; unde et Paulus dicit: *Fructus autem spiritus est caritas, pax, patientia, longanimitas, bonitas, benignitas, fides* et reliquae quas enumerat. Unde in Salomone dicit: *Fili mi, mitte pedem tuum* hoc est sensum *in conpedem* sapientiae. Illi qui sic sunt alligati in praeceptis diuinis illo-
¹⁰ rum gemitus intrat in conspectu dei. SECUNDUM MAGNITUDINEM BRACHII TUI POSSIDE FILIOS MORTIFICATORUM. Brachii tui filii tui id est Christi. Posside filios mortificatorum hoc est apostolorum, prophetarum et martyrum, ut quomodo parentes possedisti possideas illorum filios, quos generauerunt per uerbum praedicationis secundum apo-
¹⁵ stoli dictum: *Per euangelium ego uos genui.*

12. REDDE UICINIS NOSTRIS SEPTUPLUM. Non secundum malitiam optat propheta, sed iustam uindictam pronuntiat et uera quod futura est. 'Septuplum': septenarius numerus perfectio numeri est, scientia intellegitur sicut per septem dona spiritus sancti bona opera intellegitur;
⁵ uel qui per septem dies peccauerunt, quia sic uoluitur uita praesens, uel contra septem uitia principalia ponant septem dona spiritus sancti. IN SINU EORUM INPROPERIUM IPSORUM: In sinu hoc est in secreto animae ubi peccauerunt, ibi illis redditurus eris id est aut hic per paenitentiam aut in futuro in uindicta.

13. NOS AUTEM POPULUS TUUS ET OUES PASCUAE TUAE CONFITEBIMUR TIBI IN SAECULA, IN GENERATIONE ET GENERATIONEM ADNUNTIABIMUS LAUDEM TUAM: in generatione et generationem hoc est semper sine fine praedicabimus laudem tuam.

Codices: MNSV et Z = S+V
11,3 conpeditae] -tes *M*: -ti *Z*   5 conpedites *M*   7 reliquae quas] reliquas *NS*: -qua + quae sunt *V*   8 in Salomone] et Salomon *Z*   13 possideas *scripsi*: posside *codd.*
12,2 iusta uindicta *NZ*   3 est scientia *om. Z*   6 ponunt *V*   7 sinu¹] sinos *Z*
8 erit *Z*   **13**,4 praedicabimus *scripsi*: -uimus *codd.*

11,3 – 4 Sap 9,15   6 – 7 Gal 5,22.23   8/9 Sir 6,25   15 I Cor 4,15

79. IN FINEM PRO HIS QUI COMMUTABUNTUR TESTIMONIA IPSI ASAPH PRO AS-
SYRIIS. Iste psalmus cantatur de rege et plebe, de pastore et ouibus, de
cultore et uinea, ecclesia congregata ex gentibus et Iudaeis. 'Pro his qui
commutabuntur' hoc est de malo in bonum, de tenebris ad lucem etc.
⁵ Per quid commutabuntur? per testimonia Asaph. Asaph congregatio
id est ecclesia. Quale testimonia Asaph? hoc est testimonia congregationis ecclesiae. Quale testimonia? id est Noui Testamenti, quia per
hoc commutabuntur. Assyrii interpretantur directiones. Ipsi Assyrii id
sunt gentes qui prius tortuosi erant ligna et lapides adorando, postea
¹⁰ commutati fuerunt per testimonia Asaph hoc est Noui Testamenti.
2. QUI REGIS ISRAHEL INTENDE, QUI DEDUCIS UELUT OUEM IOSEPH. Propheta dicit ex persona Asaph id est congregationis ecclesiae de Iudaeis
et gentibus insimul congregata, ac si dicat: Tu qui regis Israhel intende
et uide et audi. Israhel anima uidens deum, ut illud: *Uidi deum facie ad*
⁵ *faciem et salua facta est anima mea.* Quid intende et uide et audi? subauditur quod sustineo propter te et uide illorum iniquitatem qui nos
tribulant; unde Paulus dicit: *Iustum est apud deum reddere retributio-*
nem his qui uos tribulant, et uobis qui tribulamini requiem nobiscum et
rlq. Oues Ioseph: Ioseph in persona populi Iudaeorum ponitur hic, eo
¹⁰ quod ipse pauit illos in Aegypto. Ita et Christus pascit oues suas, sicut
ipse ait: *Ego sum pastor bonus* qui pasco oues meas et rlq. QUI SEDES SU-
PER CHERUBIN.Cherubin plenitudo scientiae interpretatur. 'Sedes' dicit, ut alibi: *Anima iusti sedes sapientiae.* Dicit simplex homo: uolebam
esse cherubin, sed non possum plenitudinem scientiae habere, non
¹⁵ possum scriptura legere, et propterea non possum esse cherubin. Dicit
sanctus Agustinus: Ego tibi do consilium quid facias, ut plenitudinem scientiae habeas, id est dimitte ramos quia sacra scriptura multiplex est sicut rami, tene te ad radicem. *Plenitudo enim legis est caritas.*
Habe dilectionem dei et proximi et habebis plenitudinem scientiae et
²⁰ es cherubin id est sedes dei. APPARE

Codices: MNSV et Z = S+V
Ps 79,1,1 pro his *om. M*   4 lumen *N*   **2,**1 educis *N*   oues *Z*   2 Asaph] Ioseph *V*
3 congregati *V*   6 quod] quid *NZ*   7 est *om. N*   10 pascet *NZ*   11 qui¹] quia *N*
sedis *M*N*: sedet *Z*   15 et *M²*: sed *cett.*   17/18 ramos ... rami] rama(*bis*) *M*NZ*
18 tene] *praem.* et *V*   te *om. V*   20 es] eris *Z*

Ps 79,2,4/5 Gn 32,30   7 - 8 II Th 1,6.7   11 Io 10,11.14   13 Prv 12,32 sec.LXX
16 - 18 AU 79,2,21-26(p. 1112)   18 Rm 13,10

3. CORAM EFFREM ET BENIAMIN ET MANASSE. 'Appare' manifestare id est
ueni. Rogauerunt illi qui ante aduentum fuerunt, ut ueniret Christus et
liberaret genus humanum et illos de inferno; et ecclesia rogat, ut
ueniat Christus ad iudicium et liberet sua membra hinc. Effrem fructi-
⁵ ficatio interpretatur, Beniamin alio nomine Ben Non id est filius dexterae, Manasses obliuiosus, ac si dicat: coram istis appare id est qui fructificantes sunt in operibus bonis et filii dexterae id est filii Christi sunt
et quos tu in obliuione habuisti et illi qui propter illorum peccata reuertuntur ad te, ut obliuiscantur illorum peccata, quia ad te uolunt adpro-
¹⁰ pinquare: coram illis appare. EXCITA POTENTIAM TUAM ET UENI, UT
SALUOS FACIAS NOS. Quando se permisit flagellare, crucifigere, quasi
dormisset tunc sua potentia, ut ait propheta in alio psalmo: *Traditus
sum et non egrediebar*. 'Ueni' dicit propheta in persona ecclesiae, quia
tu fuisti iudicatus iniuste ab iniustis, ut tu iudices illos iuste. In primi-
¹⁵ tus uenisti in humilitate, modo ueni cum potentia. Gregorius: In
primo aduentu humilis, in secundo cum maiestate fulgebit etc.
4. DOMINE DEUS UIRTUTUM. Sicut alibi: Deus Sabaoth, deus exercituum,
ita hic: Deus uirtutum id est angelorum et hominum. CONUERTE NOS id
est fac nos conuerti, ET OSTENDE FACIEM TUAM, ET SALUI ERIMUS, ac si
dicat: usque modo abscondita fuit tua facies, sed modo ostende illam,
⁵ ut Moyses rogabat: *Ostende mihi temet ipsum;* et Iohannes in epistola:
Uidebimus eum sicuti est hoc est ad iudicium. Rogat et ecclesia, ut
ueniat ad iudicium et ipsam saluare debeat, quia in resurrectione tunc
erit integra salus.
5. DOMINE DEUS UIRTUTUM, QUOUSQUE IRASCERIS IN ORATIONEM SERUI
TUI? Duo genera seruorum sunt: unus seruit per timorem, alter per
amorem. Ad illos irasceris tu qui tibi seruiunt per timorem. 'Quousque
irasceris', ac si dicat propheta: usque tunc irasceris tu, usquequo illi qui
⁵ tibi seruiunt per timorem faciant, hoc est postea, per amorem.
6. CIBABIS NOS PANEM LACRIMARUM ET POTUM DABIS NOBIS IN LACRIMIS ET

Codices: MNSV et Z = S+V
3,1 Effraim *M²Z*   3 liberet *V*   et² *om. NS*   4 liberaret *S*   6 obliuiosus + id est
qui obliuiscit peccare *Z*   7 est + qui *Z*   8 qui] te *NZ*   8/9 reuertentur *Z*   9 ut]
et *NZ*   11 facies *N*   flagellari, crucifigi *M²*   14/15 In primis *M*   15 Gregorius +
dicit *V*   4,3 conuerti] -tere *NZ*   6 Uidimus *V*   et *om. NZ*   8 integra] in terra *Z*
5,1 in] super *Z*   3 tu *eras. M*   6,1 pane *M²S*

3,12/13 Ps 87,9   15/16 GR-M: *ubi?*   4,5 Ex 33,13   6 I Io 3,2

IN MENSURA, alibi dicit: *Fuerunt lacrimae meae panis die ac nocte,* quia panis lacrimarum et potus quod dicit hoc habent sancti et hoc amant, hoc diligunt et hoc est cibus animae, inde reficiuntur. Sicut corpus
5 pascitur de pane uel reliquis escis, ita anima alitur uerbo dei et lacrimis tribulationum quod sustinet hic propter deum. Inde se sperant requiem inuenire et laetitiam sempiternam, id est praemia percepturos dicit; 'et in mensura' ut ait Paulus: *Fidelis deus qui non patietur uos temptari super id quod potestis portare* et rlq.

7. POSUISTI NOS IN CONTRADICTIONE UICINIS NOSTRIS. Illum populum Iudaicum, quando tribulat illum dominus propter sua peccata, postea inridebant illos gentes; similiter et modo sanctam ecclesiam persecutores mali faciunt, ⟨ET INIMICI NOSTRI SUBSANNAUERUNT NOS⟩, dicunt
5 enim: rogate ut ueniat deus uester et liberet uos. Ecce nos qui hoc facimus quod et patres nostri et anteriores fecerunt, nos habemus sanitates et uos infirmitates, nos habemus habundantiam et uos egestatem habetis, et reliquas illorum inrisiones.

8. DOMINE DEUS UIRTUTUM CONUERTE NOS ET OSTENDE FACIEM TUAM, ET SALUI ERIMUS. 'Faciem tuam': facies dei patris Christus est; ⟨ostende⟩ faciem tuam id est praesentiam tuam. Ad iudicium, tunc pleniter uidebunt eum sancti, sicut Paulus dicit: *Uidemus* eum *nunc per speculum in*
5 *aenigmate, tunc autem facie ad faciem.*

9. UINEAM EX AEGYPTO TRANSTULISTI, plebem Israheliticam, unde Esaias dicit: *Uinea enim domini Sabaoth domus Israhel est.* Ista uinea debuerat facere uuas, *fecit* autem *labruscas* quod est uinea siluatica uel agrestis. Unde ipse propheta ex persona dei dicit: *Iudicate inter me et uineam*
5 *meam* ex quo anno uenio et non inuenio fructum in ea. Secundum sensum uinea est sancta ecclesia. Transtulisti eam de Aegypto hoc est de mundo isto tenebroso (Aegyptus interpretatur angustia siue tene-

Codices: MNSV et Z = S+V
2 mensuram Z   meae] me N   panes S   4 reficientur N: reficitur Z   5 lacrimis +
et NZ   6 quod] quas M²   7 percepturus MN   8 patitur NZ   9 temptare NZ
supra V   7,1/2 In(om. N) illo populo Iudaico NZ   3 sancta ecclesia NZ
4 dicant MZ   5/6 faciemus Z   8,4 Uidimus S: Uidebimus V   9,1 plebe(-bi Z)
Israhelitica NZ   3 autem om. Z   quod – agrestis om. MN   6 est¹ om. NZ   eam]
illam NV

6,2 Ps 41,4   8/9 I Cor 10,13   8,4/5 I Cor 13,12   9,2.3.4/5 Is 5,7.2-3

brae). ⟨Eiecisti gentes et plantasti eam⟩: eiecit illam id est uitia et
peccata et plantauit ibi uirtutes et transduxit in caelestem Hierusalem.

10. Dux itineris fuisti in conspectu eius: nisi tu fuisses uia, non potuissent illi per se ambulare, et plantasti radices eius. Illi patres mortui
fuerunt in deserto, uirgultae id est filii eorum: plantauit illos deus in
terra repromissionis qui de illis processerunt.

11. Operuit montes umbra eius et arbusta eius cedros dei. Montes hic
patriarchae et prophetae intelleguntur. Illi montes intellexerunt spiritaliter, sed illa umbra id est plebs subiecta supercooperuit illos montes,
quia carnaliter intellexit illa plebs scripturas et non obseruauerunt nec
⁵ secundum litteram. Arbusta lignum est; ipsud intellegitur per arbusta
quod et per umbram et hoc per cedros quod et per montes.

12. Extendisti palmites eius usque ad mare et usque ad flumen pro-
pagines eius. Palmites extenderunt, per similitudinem: sicut homo
amplificat uineam plantando propaginando, sic et illa plebs creuit in
terra repromissionis, extendit palmites suos id est filii Israhel tribus
⁵ illorum a mari terreno usque ad Iordanem; sed tamen non tantum ad
illos pertinet, quia ultra Iordanem duae tribus et dimidia remansit. Sed
secundum sensum sancti praedicatores intelleguntur; 'ad mare' id est
usque in finem saeculi et 'ad flumen' hoc est baptismum, quia per
fluuium Iordanis hic, ut diximus, baptismum intellegitur exinde id est
¹⁰ baptismum initiata fides ecclesiae uel ipsa ecclesia.

13. Ut quid destruxisti maceriam eius et uindemiant eam ⟨omnes⟩
transeuntes uiam. Uox prophetae ad deum, et dominus aperta uoce
respondit, ac si dicat: non uolebant bonum fructum facere, non uolui
ibi meam sepem perdere. Maceria intellegitur custodia angelorum.
⁵ 'Uindemiant eam' omnes gentes quae posuerunt illos in captiuitatem
et direptionem. Uel secundum sensum: dominus quando dimittit
suam ecclesiam tribulare, pro hoc facit, *ut qui probati sunt manifesti
fiant in uobis.*

Codices: M(N)SV et Z = S+V
8 eicit *M*   10,2 per – Illi *om. M*   patres + ire quia *M*   3 eorum] illorum *NV*
4 terram *M**   11,3 super quos operuit *M*   4 intellexerunt *S*   5 est] et *N*
12,1 eius] suos *N*   3 sic – 17,8 continentur *deest N*   7 ad mare] a mari *M*   10 uel –
ecclesia *om. M*   13,3 uolebat *M²*   4 sepe *Z*   5 quae *scripsi:* qui *M*Z:* quia *M²*
6 dominus] deus *S*   7 tribulare *om. M*   facit *om. M*   8 in uobis *eras. M*

13,7/8 I Cor 11,19

14. EXTERMINAUIT EAM APER DE SILUA ET SINGULARIS FERUS DEPASTUS EST
EAM. 'Aper de silua' Titus, a silua id est de gentibus, ac si dicatur rex
gentilium, ⟨aper⟩ quia Iudaei omnem abhominationem in porcum
ponebant, quia singularis erat: nullus talis tunc quomodo ille. Uel
⁵ 'singularis' hic diabolus intellegitur propter singularem superbiam,
quia putabat nullum meliorem esse, ut dixit: *Ponam thronum meum
contra thronum ipsius* et rlq.
15. DOMINE DEUS UIRTUTUM, CONUERTE NOS ET OSTENDE FACIEM TUAM, ET
SALUI ERIMUS: repetitio est, ut superius diximus. RESPICE DE CAELO ET
UIDE ET UISITA UINEAM ISTAM
16. ET DIRIGE EAM QUAM PLANTAUIT DEXTERA TUA. Rogauit propheta et
synagoga uel primitiua ecclesia; pro successoribus rogat. 'Et dirige
eam' hoc est dirige illos qui tortuosi sunt in temet ipsum. 'Quam plantauit dextera tua' potestas tua; ET SUPER FILIUM HOMINIS QUEM CONFIR-
⁵ MASTI TIBI: Christus rogauit pro nobis in passione, et rogat ecclesia pro
capite ad deum patrem propter illam personam adsumptam in diuinitatem.
17. INCENSA IGNI ET SUBFOSSA MANU AB INCREPATIONE UULTUS TUI PERI-
BUNT. Ignis id est ignis idolatriae perfossa cupiditas intellegitur, quia
nullum bonum remansit in illis. Propterea ab increpatione tua peribunt id est in uindicta. Aliter 'incensa igni' id est gratia spiritus sancti,
⁵ 'subfossa manu' humilitas hic in bonam partem. Aliter 'incensa igni':
per ignem hic intellegitur timor, per subfossam manum cupiditas intellegitur ut superius. Maxime omnia bona et mala in istis duabus rebus
continentur. Uenit homo diues, habet causam malam, dicit inferiori
sibi: iura mihi; ille respondit: non iuro. Quare? Dominus praecepit, ut
¹⁰ non debeam mentire. Si forsitan iurem et non custodiam, et mendax et
periuriosus sum. Quomodo facio postea de hoc quod sequitur: *Os
quod mentitur occidit animam?* Et aliter: *Non iurare omnino;* et: *Multum
iurans non effugiet peccatum;* sed et lex tales puniendos dixit. Diues

Codices: M(N)SV et Z = S+V
14,2 rex] non *M*   4 illi *Z*   6 putabat + se *Z, eras. M*   esse] sibi *Z*   **16,**1 dirige
restitui e Gl.: perfice *codd.*   **17,**2 perfossa] in(*om. S*) persona *Z*   6 per² – manum] subfossa manu *Z*   8 *a* Uenit *denuo adest N*   diues + qui *V*   malam dicit] maledicit *Z*
inferiore *NZ*   9 sibi + et(*om. S*) dicit *Z*   10 Si] sin *N*   12 quod] qui *NS*
13 puniendum *NZ*

14,6/7 Is 14,13   **17,**11/12 Sap 1,11   12 Mt 5,34   12/13 Sir 23,12

dicit: Do tibi pecuniam, iura. Ille respondit: Quomodo? quia dixit do-
15 minus: *Quid proderit homini, si totum mundum lucretur et animae suae
detrimentum patiatur?* Dicit ille: occidere te habeo, si non feceris; ille
respondit: Si corpus occides, animam non potes. Istum nec timor nec
cupiditas uincit. Alius iterum timorem habet et cupiditatem et uincitur
ab his duobus. In bonam partem iterum intellegitur: timet homo
20 poenas perpetuas et incipit bona facere, postea habet cupiditatem de
caelesti uita et perseuerat in bonis. 'Ab increpatione tua peribunt' id
est peccatores ab illa ultima increpatione uindictae.

18. FIAT MANUS TUA SUPER UIRUM DEXTERAE TUAE: ecclesia dicit ad deum
patrem: fiat tua potestas, SUPER FILIUM TUUM: pro parte carnis adsumptae dicit, QUEM CONFIRMASTI TIBI, quando dixit in euangelio: *Hic est
filius meus dilectus* et rlq.

19. ET NON DISCEDIMUS A TE, id est membra a capite non discedunt, ET UI-
UIFICABIS NOS hoc est in resurrectione, ET NOMEN TUUM INUOCABIMUS:
inuocamus hoc est et praedicamus et opere implemus.

20. DOMINE DEUS UIRTUTUM, CONUERTE NOS ET OSTENDE FACIEM TUAM, ET
SALUI ERIMUS: repetitio est, ut superius diximus.

80. IN FINEM PRO TORCULARIBUS PSALMUS ASAPH QUINTA SABBATI. Quomodo dicit 'pro torcularibus', dum tituli pro clauibus ponuntur ad hoc,
ut intellegamus in capite quod textus psalmi debeat continere in sensu
et in historia? In isto psalmo nihil dicit de torcularibus sicut in octauo
5 psalmo. Non potest intellegi ad historiam nisi ad sensum: pro torcularibus id est pro martyribus. Tria sunt in torculari id est prelum, uua et
amurca. ⟨Prelum⟩ pro illis persecutoribus; uinum aut oleum quod inde
decurrit et in apothecas mittitur animae sanctorum intelleguntur quae
currunt de ista uita praesenti et in apothecas mittuntur hoc est in man-

---

Codices: MNSV et Z = S + V
15 homini *om. M*N*   et animae] animae uero Z   17 occidis Z   18 Alius *scripsi*:
-um *codd.*   **18,2/3** adsumptae *scripsi*: -ta *M*: -tam *NZ*   3 quando – est] Hic est quod
dicit in euangelio Z   **19,2** resurrectionem Z   2/3 inuocauimus(*bis*) N

80,1,1 quinta sabbati *om. M*   6 prelum *suppleui* (prelo *add. corr. M mg.*): *om. cett.*   uua
+ oleum Z   7 pro] per Z   illos persecutores M*NZ   8 mittitur + apothecas uascula
sunt Z   quae M²: qui NZ + inde Z

15 – 16 Mt 16,26; Mc 8,36   17 *cf* Mt 10,28   **18,3/4** Mt 3,17

¹⁰ siones caelestes, unde dominus dicit: *Quia uado uobiscum;* et: *In domo patris mei mansiones multae sunt.* Illa amurca quae restat corpora sanctorum intelleguntur quae hic restant in terra et proiciuntur sicut illi racemi id est uua postquam premitur iactatur in plateis, ut illud: *Et corpora eorum non sinunt reponi;* capulantur gladiis, conculcantur pedi-
¹⁵ bus, dantur canibus. Aliter torcularia uita praesens, prelum persecutio; et notandum quod plus est amurca id est quod foras proicitur quam id quod reconditur, hoc est plus sunt peccatores quam sancti, ut ait Paulus, quia *qui uolunt pie uiuere in Christo persecutionem patiuntur.* 'Psalmus Asaph' psalmus congregationis. 'Quinta sabbati' rememoratur hic
²⁰ spiritus sanctus de creaturis: quinta sabbati sic fecit deus uolatilia caeli, reptilia terrae et pisces maris. Uel quinta sabbati id est quinta feria sic exierunt filii Israhel de Aegypto quando transierunt per mare Rubrum, et sicut illi exierunt et uiderunt illorum inimicos mortuos, exultauerunt in deo. Mare Rubrum figurabat baptismum, rubrum sanguinem
²⁵ Christi, eo quod passione eius roboratur baptismum, ubi omnia peccata nostra et inimici nostri id est daemones moriuntur. Illi postea ambulauerunt in deserto, et nobis necesse est, ut ueniamus in deserto praesentis uitae, sustineamus tribulationem propter laudem Christi. Iste psalmus cantatur de synagoga secundum historiam et de ecclesia
³⁰ congregata ex gentibus.

2. EXULTATE DEO ADIUTORI NOSTRO. Hic apparet, quia per titulum demonstratur in cuius persona cantatur iste psalmus. Postquam liberati fuerunt per mare Rubrum, postea exultauerunt et laudauerunt deum, et nos similiter in Nouo Testamento liberati sumus per baptismum,
⁵ satis habemus quid laudare deum. Alii exultant in theatro, alii in circo uel *quorum deus uenter est;* nos autem in deo. IUBILATE DEO IACOB. Iubilus dicitur quod uerbis non potest conprehendere tantam magnitudinem laetitiae nec in uocem erumpere feruoris quantum homo debet laudare deum.

Codices: MNSV et Z = S+V
12 quae *M²*: qui *M**: quia *NZ*		13 iactatur] ita *MN*		15 dantur] damnantur *MN* prelum *scripsi*: -lus *codd.*		23 mortuos + et *M*		24 in *om. NZ*		sanguine *N* 2,2 iste] ille *NZ*		3(*et* 5) deo *NZ*		5 exultent *Z*		7 quod *M²*: quae *cett.*		conprehendi *M*		7/8 tanta magnitudo *M²*		8 feruores *NZ*

Ps 80,1,10 – 11 Io 14,2		13/14 Apc 11,9		18 II Tim 3,12		2,6 Phil 3,19

3. SUMITE PSALMUM ET DATE TYMPANUM. Illorum tempus tunc sic erat, ut in diuersa genera musicorum deum laudarent. Iterum ad nos quod pertinet 'sumite psalmum' id est accipite praedicationem, ut Paulus ait: Non *est magnum, si uobis spiritalia seminamus, ut uestra carnalia*
5 *metamus?* Et ad Corinthios scribens dicit: *Nulla ecclesia mihi sic communicauit in ratione dati et accepti nisi uos soli.* 'Date tympanum' id est implete in operationem; uel per tympanum mortificatio carnis intellegitur. PSALTERIUM IUCUNDUM CUM CITHARA: per psalterium contemplatio caelestis, per citharam persecutio uel tribulatio.

4. CANITE IN NEOMENIA TUBA IN SIGNUM DIEI SOLLEMNITATIS UESTRAE. Neomenia in Graeco quod nos dicimus noua luna, quia illi cantabant tuba in nouitate lunae in signum diei sollemnitatis et offerebant hostias illo die, quando exierunt filii Israhel de Aegypto et transierunt
5 per mare Rubrum, ut offerret unusquisque agnum per domos suas, quia praeceptum erat a deo; et hoc in figura erat. Luna figurabat ecclesia, canit tuba id est praedicatio uel doctrina euangelii, dies sollemnitatis hoc est resurrectio Christi in sancta ecclesia; et sicut illi obtulerunt agnum, et nos celebramus resurrectionem dominicam, ut Paulus
10 dixit: *Etenim pascha nostrum immolatus est Christus.*

5. QUIA PRAECEPTUM IN ISRAHEL EST. Israhel interpretatur anima uidens deum id est sancti praedicatores, ET IUDICIUM DEO IACOB. Per Iacob subplantatores uitiorum, id est ut praedicatores in se uel in aliis debeant subplantare uitia. Aliter 'iudicium' ut dominus dixit: *In iudicium*
5 *ueni in hunc mundum, ut qui non uident uideant et qui uident caeci fiant.*

6. TESTIMONIUM IN IOSEPH POSUIT. Ioseph in persona populi Israhelitici hic ponitur, quia ille illos pauit in Aegypto, et testimonium hoc est Nouum Testamentum in populo christiano. Ioseph interpretatur auctus, figuram Christi tenet, qui auxit populum suum christianum. CUM
5 EXIRET DE TERRA AEGYPTI, LINGUAM QUAM NON NOUERAT AUDIUIT. Quomodo dicit 'linguam quam non nouerat audiuit'? Quia Iacob de terra Canaan uenit et uicinitas exinde prope erat, forsitan obliti in Ae-

---

Codices: MNSV et Z = S+V
3,2 deo *N*   6 soli] sollicite *M*NZ*   7 per *om. Z*   carnalis *N*   4,1 dies *Z*   uestrae *om. Z*   5 domus *N*   7 canet *Z*   5,1 in *om. S*   6,1 populo Israhelitico *NZ*
3 populum christianum *Z*   4 qui] quia *M*   5 exierit *N*   7 et] quia *M*
exinde + et *Z*: + est *M*   oblitus *Z*

3,4 I Cor 9,11   5/6 Phil 4,15   4,10 I Cor 5,7   5,4/5 Io 9,39

gypto illa lingua fuerant? Sed non pertinet hoc ad historiam ad illos, sed ad nos in Nouo Testamento, id est postquam egressi fuerimus nos
10 de Aegypto id est de tribulatione et de angustia peccatorum nostrorum et transiuimus per baptismum, audiuimus quod antea non audiuimus hoc est fidem trinitatis credere et relinquere omnia propter dominum et inuisibilia credere, quod antea non audiuimus id est non credebamus.

7. DIUERTIT AB ONERIBUS DORSUM EIUS, hoc est liberauit filios Israhel de illorum graui seruitio id est de luto et latere et stercora et paleis, in quo seruiebant Aegyptiis. Similiter liberauit et nos dominus Iesus Christus postquam uenit in carnem de paleis id est de uitiis et peccatis. MANUS
5 EIUS IN COPHINO SERUIERUNT. Sic fecerunt illi et liberati exinde fuerunt; et hoc recordatur dominus in euangelio in duodecim cophinos unde plures satiauit, ita et duodecim apostoli quos isti figurabant de doctrina Christi repleti fuerunt, nos per illos liberauit et satiauit secundum illud sapientis cuiusdam eloquium: duodecim uiros adprobauit
10 per quos uita discitur.

8. IN TRIBULATIONE INUOCASTI ME, ET LIBERAUI TE. Uox dei, ut illud: *Et dixit ad Moysen: Quid clamas ad me? extende manum tuam super mare* et rlq. 'Liberaui te': liberauit illos de illa tribulatione, quando uenerunt super mare et *uiderunt* illorum inimicos *post se et clamauerunt ad domi-*
5 *num et dixerunt ad Moysen* etc. EXAUDIUI TE IN ABSCONDITO TEMPESTATIS hoc est intus in corde, ubi nullus uidet nisi deus solus, quia nec Moysen legitur uoce clamasse, sed *labia tantummodo mouebantur,* sed in corde ubi deus audit et respicit, quia cogitatio sanctorum clamor est ante deum. Unde et dominus dixit: *Intra in cubiculum tuum et*
10 *clauso ostio tuo ora patrem tuum* et rlq. 'Et liberaui te': liberauit tunc Moysen et qui cum eo erant et modo suos sanctos. PROBAUI TE AD AQUAS CONTRADICTIONIS, id est Moysen et populum Israheliticum probauit deus. Putabant quod non potuisset deus de petra aquam effun-

---

Codices: MNSV et Z = S+V
8 fuerunt *M*: fuerat *Z*   11 transimus *M*   12 relinquere] reliqua *MS**   dominum] deum *N*   13 est + quando *S²*   7,3 Iesus *om. MZ*   6 recordatus(+ est *S*) *MNS*   8 sanauit *V*   9 adprobabit *MN*   8,4 super] per *S*   7 mouebatur *V*   10 patri tuo *Z*

7,6/7 *cf* Mt 14,20   9/10 *hoc eloquium eruere non potui*   8,1/2 Ex 14,15.16   4/5 Ex 14,10.11   7 *cf* I Rg 1,13   9/10 Mt 6,6

dere. Propter hoc non intrauit Moyses in terram repromissionis, sicut
15 dominus dixit ad eum: Uidebis terram repromissionis, aspice et uide
eam oculis tuis, et non intrabis in eam, eo quod non sanctificasti
nomen meum coram filiis Israhel ad aquas contradictionis. Et ad ecclesiam quod pertinet: probauit deus primitiuam ecclesiam quando Herodes et Pilatus et principes clamauerunt in unum contra Christum et
20 postea apostoli ceciderunt in negationem. Aliter: probat nos deus ad
aquam contradictionis id est quando uenimus in baptismo, ut abre-
nuntiemus diabolo et operibus eius et inpugnationi eius, ut sanctus
Agustinus dixit: multi hic sunt in isto balneo qui uos uoluerunt
trahere ad theatrum et in circo et reliquas actiones, ut non audieritis
25 uerbum dei.

9. Audi populus meus, et loquar tibi Israhel et testificabor tibi.
'Audi' uox dei est ad populum Israheliticum id est ut legem meam debeas adimplere, quod a me audisti uel accepisti. Similiter ad nos intellegitur in Nouo Testamento, id est ut populus christianus legem ipsam
5 debeat adimplere. Israhel si me audieris,

10. non erit in te deus recens neque adorabis deum alienum. Si praecepta mea seruaberis, non erit in te deus recens id est nouus, sed deus
ante saecula. Sed illi miserunt in ignem aurum et argentum et fecerunt
deos recentes, qui non sunt dii, sed opera manuum hominum, et dixe-
5 runt: ecce dii tui Israhel, qui eduxerunt te de terra Aegypti. Dii plurali
numero dicit, quia diuersae res sunt; uel heretici deos nouos in corde
illorum figunt, quando cogitant et tractant mala de fide trinitatis; uel
unusquisque deum recentem in se facit, quando plus adorat sua uitia
quam deum. Sanctus Agustinus contra Iudaeos dicit. Dicit Iudaeus
10 ad christianos: ego deum adoro, sed non recentem quomodo tu christi-
ane adoras Christum qui prope est natus. Tu respondis ad illum: quomodo? credo illum qui filius dei est ante saecula, ipse est filius hominis

Codices: MNSV et Z = S + V
15 Uidebis] -des NZ   16 eam om. NS   20 probauit V   21 in(ad S) baptismum Z
22 diabolum NS   inpugnationi M²: -nes(-nis N) cett.   23 Agustinus] Paulus N
24 actiones scripsi: arbores codd.   audiatis M   9,1 tibi¹ + et N   tibi² om. N
10,1 neque] nec S   2 seruaueris MS*V   5 ecce] hii sunt M   qui] quia N
plurale NV   6 res] errores S   9 deo NZ   10 ad christianos] christianus sum MN
11/12 quomodo om. S   12 credo om. MNV

15 - 17 cf Nm 27,12   23 - 25 cf AU 80,11,12-13(p. 1125)

in saecula qui adsumptus est. Per similitudinem: Samson qui interpretatur sol eorum, qui adduxit mulierem de alienigenis, quia ipse figu-
15 ram Christi tenebat, et adprehendit CCC uulpes et ligauit illarum cau-
das ⟨et ibi ignem alligauit⟩ et dimisit illas per segetes, et arsas fuerunt.
Illae uulpes heretici intelleguntur; capita uulpium quae per diuersas
partes ambulauerunt ipsi sunt heretici, qui diuersos errores faciunt,
caudae ligatae iniquitates illorum, ille ignis figurat ignem futurum.
20 Primum per diuersos errores uadunt, sed in fine id est in die iudicii in
unum conueniunt in infernum, in uno igne congregati erunt.

11. EGO ENIM SUM DOMINUS DEUS TUUS QUI EDUXI TE DE TERRA AEGYPTI, ac
si dicat: non isti quos tu fabricasti et dicis quod dii tui sint, non illi te
eduxerunt de Aegypto, sed ego, et me debueras adorare et colere, non
illos. DILATA OS TUUM, ET EGO ADIMPLEBO ILLUD, id est amplifica os
5 tuum, habe fidem, crede me recte, et non erit in te deus recens, sed
deus inuisibilis qui ubique totus et infra omnia et super omnia. Uel
'dilata os tuum', ut Paulus ad Corinthios scribens dicit: *O Corinthii, os
nostrum patet ad uos,* id est amplificate uos in caritate, unde et sequitur: *Dilatamini et uos.*

12. ET NON AUDIUIT POPULUS MEUS UOCEM MEAM. Uox dei dicit 'non
audiuit populus meus uocem meam'. Quomodo dicit: non audiuit populus meus uocem meam, dum in ipso libro dicit: *Omnia quaecumque
dixerit* nobis *dominus deus noster audiemus et faciemus* uniuersa prae-
5 cepta quae dederit nobis? Sed 'non audiuit' hoc est non impleuit iuxta
Pauli dictum: *Sed non profuit illis sermo auditus non admixtus fidei;* nec
enim portabant quod dicebatur: et si bestia tetigerit montem, lapidabitur.
Non audiuit populus meus uocem meam, id est tam Iudaei quam et
mali christiani. Sanctus Agustinus dicit: hic dolendum est, dum non
10 audiuit populus meus. 'Populus meus' dicit antiquo uocabulo propter

Codices: MNSV et Z = S+V
15 et¹ *om. M*   ligauit + faces *V*   illorum *MN*: eorum *S*   16 arsas fuerunt] conbussit
eas *M*   17 per *M*²: *om. cett.*   18(*et* 20) diuersas *NV*   19 caudae + faces *V*
11,2 et] quos *Z*   sunt *NS*   4 ego *om. V*   implebo *V*   5 habere *Z*   crede + in
M   6 qui] quia *N*   **12**,4 deus *om. MS*   6 sermo *iter. MN*   auditur *M*   7 lapid.]
laudabitur *N*   9 est + potius quam exponendum *S*   dum + dicit *S*

10,13 - 16 *cf* Idc 15,4.5; AU 80,14,70sqq.(p. 1129)   **11**,7 - 9 II Cor 6,11.13   **12**,3 - 4 Ex
19,8   6 Hbr 4,2   7 Hbr 12,20   9/10 *cf* AU 80,16,6-8(p. 1130)

patres, sed tunc non erant populus dei, quia mala erant opera illorum. ET ISRAHEL NON INTENDIT MIHI id est mandata mea non impleuit.

13. DIMISI EOS SECUNDUM DESIDERIA CORDIS EORUM, ET IBUNT IN UOLUNTA-TIBUS SUIS, ut illud: *Tradidit eos deus in reprobum sensum, ut faciant ea quae non conueniunt,* id est non fuerunt digni, ut castigationem dei acciperent; et modo hic in Nouo Testamento multi sunt qui propter
5 illorum incredulitatem non accipiunt correctionem dei.

14. SI POPULUS MEUS AUDISSET ME ISRAHEL, SI UIAS MEAS AMBULASSET,

15. AD NIHILUM INIMICOS EORUM HUMILIASSEM ET SUPER TRIBULANTES EOS MISISSEM MANUM MEAM, id est super illorum inimicos et nostros id est ecclesiae, ut ait Salomon: *Et inimicos eius conuertam ad pacem.*

16. INIMICI DOMINI MENTITI SUNT EI, Iudaei Christo, quando dixerunt: *Omnia quaecumque* praeceperit nobis *dominus deus faciemus,* et mentiti fuerunt, quia non custodierunt hoc sicut promiserant. Et mali christiani quod promittunt in baptismo non custodiunt, similiter et paeniten-
5 tes qui promittunt emendationem et non adimplent. ET ERIT TEMPUS EORUM IN AETERNUM. Uoluerunt alii exponere quasi de Iudaeis tantummodo dictum fuisset id est ut in finem saeculorum debeant conuertere. Sed sanctus Agustinus non ita dicit, sed 'erit tempus eorum' hoc est sine fine erit ignis perpetuus super peccatores.

17. ET CIBAUIT EOS EX ADIPE FRUMENTI ET DE PETRA MELLIS SATURAUIT EOS. Illos satiauit in terra repromissionis frumento et uino et oleo et melle, eo quod terram habundantem dedit eis; et nos satiat cotidie de doctrina euangelii. Adeps frumenti sensus spiritalis de littera diuisus a pa-
5 leis. 'De petra mellis': non legimus secundum historiam de petra mel fluxisse, sed petra Christus intellegitur, ut Paulus ait: *Petra autem erat Christus.* Satiauit nos Christus id est sapientia sua. Sicut primatum tenet mel super omnes sapores in dulcedine, sic sapientia Christi primatum tenet super omnes uirtutes.

Codices: MNSV et Z = S+V
11 erant¹] erat *V*   populi *MNS*   13,1 Demisi *N*   2 eos] illos *V*   deus *om. V*
faciunt *N*: -ent *S*   5 correptionem *V*   14,1 si² + in *MV*   uiis meis *M*   15,1 et *om. S*
16,7 fine *M*²   saeculorum + per Heliam et Enoch *S*   8 conuerti *S*²   Sed. *om. V*
17,1 melli *N*   saturabit *S*   3 satiauit *N*   de *om. S*   4 Adipe *Z*   diuisus *scripsi*:
deuiso *MNS*: diuisio *V*   5 mel *om. MNS*

13,2–3 Rm 1,28   15,3 Prv 16,7   16,1/2 Ex 19,8   8/9 *cf* AU 80,20,20sqq. (p. 1132)?
17,6/7 I Cor 10,4

81. PSALMUS IPSI ASAPH id est psalmus congregationis. Iste psalmus secundum historiam intellegitur ad synagogam, secundum sensum ad ecclesiam id est insimul ex Iudaeis et gentilibus congregata.
   DEUS STETIT IN SYNAGOGA DEORUM. Hic quaestio oritur: dum dicit 'ste-
5 tit', inquirendum est ubi aut quando, aut de quali persona dicit. Dum scimus tres personas perfectas et integras: aut pater aut filius aut spiritus sanctus stetit? aut unus deus in deitate quasi in medio et illi alii in gyro, aut quis in gyro et quis in medio? Aut quomodo dicit 'stetit'? Numquid localis sit deus? Non, quia deus ubique est et supra et infra et
10 totus ubique. Ergo Christus stetit, quia neque pater neque spiritus sanctus carnem adsumpsit nisi filius? Quia iuxta Gregorium »transire humanitatis est, stare diuinitatis«, eo quod ille quamuis per humanitatem in carne apparuit, in diuinitate tamen semper ei stare est. Aliter: stetit Christus id est in synagoga, quando accepit librum Esaiae
15 prophetae et legit: *Spiritus domini super me* etc., et dixit: *Hodie impleta est prophetia haec in auribus uestris.* Synagoga deorum dixit hoc est Iudaeorum qui dii nuncupati sunt, non natura sed nuncupatiue, ut ad Moysen dictum est: *Constitui te in deum pharaonis.* IN MEDIO AUTEM DEUS DISCERNIT, hoc est ad diem iudicii discernit id est diiudicat ipsa
20 certe persona filii, de quo dictum est: *Omne iudicium dedit filio.* Uel discernit, quia segregat malos a bonis, sanctos a peccatoribus, iustos ab impiis.

2. QUOUSQUE IUDICATIS INIQUITATEM ET FACIES PECCANTIUM SUMITIS? Uox interrogantis: quousque? ac si dicat: quamdiu iudicatis iniquitatem? quia Iudaei secundum personam et secundum faciem et secundum mores iudicabant. Iniquitatem dicit, quia illi contemnebant
5 Christum creatorem et eleuabant creaturam, dispiciebant Christum, uenerabantur Moysen, dum dicerent: *Nos scimus quia Moysi locutus est deus, et nos discipuli eius sumus; hic autem unde sit nescimus.* Et ideo dixit: iniquitatem iudicatis et faciem peccantium sumitis. Sed et modo fit, quod peius est, a quam plurimis qui non recto iudicio, sed secun-

---

Codices: MNSV et Z = S+V
Ps 81,1,1 ipsi + Dauid *M*   4 dicit + deus *S*   9 deus² *om. M*   15 impletum *V*
18 in¹ *eras. M²*   19 deiudicat *N*   2,1 faciem *V*   6 quia + cum *V*   8 dicit *NZ*
9 a *om. N*

Ps 81,1,11/12 GR-M Ev 2,6(ed. 1084 B 1-2)   15 Lc 4,17.18; Is 61,1   15/16 Lc 4,21
18 Ex 7,1   20 Io 5,22   2,6 - 7 Io 9,28.29

¹⁰ dum personam et secundum faciem et secundum munera iudicant, de quibus dictum est: *Si personas accipitis, peccatum operamini* etc.

3. IUDICATE PUPILLO, HUMILEM ET PAUPEREM IUSTIFICATE. Secundum historiam sic debent facere quibus commissum est rectum iudicium, sicut Esaias dicit: *Iudicate pupillum, defendite uiduam* etc. 'Humilem et pauperem' id est Christus, quia ipse et humilis et pauper, unde dicit: ⁵ *Discite a me, quia mitis sum et humilis corde.* Unde Paulus: *Scitis gratiam domini nostri Iesu Christi, quia cum diues esset, egenus factus est, ut illius inopia nos diuites essemus.* Aliter: pupillus quia reliquit patrem in caelo, orfanus quia reliquit matrem in terra id est synagogam. Aliter 'humilem et pauperem iustificate', superius dixit: *Quousque iudicatis* ¹⁰ *iniquitatem.* Iniquitas erat hoc, quando uolebant eleuare seruum et dominum quasi in ima demergere, ac si dicat: istum Christum discernite, hoc est credite illum recte id est uerum deum secundum deitatem et uerum hominem secundum humanitatem.

4. ERIPITE PAUPEREM, ET EGENUM DE MANU PECCATORIS LIBERATE. Uox prophetae. Ad illos loquitur qui tunc inciperunt credere Christum, ac si dicat: eripite illum de manibus Iudaeorum. Si illi firmiter credidissent et deum timerent plus quam hominem, liberassent fortasse illum ⁵ illi credentes. Nam illi propter munera et propter timorem hominum plus consentiebant illis, unde alibi: *Omnes declinauerunt simul.* Aliter 'eripite pauperem' ad sensum moralem: debet modo unusquisque in quantum praeualet eripere iniuriam accipientem de manu peccatoris id est tribulantis.

5. NESCIERUNT NEQUE INTELLEXERUNT et ideo non liberauerunt. Cur? quia nescierunt neque intellexerunt. Apostolus inquit: *Si enim cognouissent, numquam dominum gloriae crucifixissent.* IN TENEBRIS AMBULANT hoc est in ignorantia et in peccatis, tam illi qui hoc fecerunt, quia ⁵ uidebant lucem exteriorem, sed non credebant, quia non erant ab intus inluminati. Sol quidem Christus lucebat, sed intrinsecus illis non lucebat, unde Iohannes dicit: *Lux in tenebris lucet, sed tenebrae eam non*

Codices: MNSV et Z = S+V
11 accepistis *V*   3,1 pupillum *MV* + et *M*   2 quibus + id *M*NZ*   4 Christum *M*
8 synagoga *NZ*   9 dicit *Z*   11 demergi *N*   4,5 munera – propter² *om. S*   5,4 tam
om. V   5 lucem *M²*: lumen *cett.*

11 Iac 2,9   3,3 Is 1,17   5 Mt 11,29   5–7 II Cor 8,9   9 superius: *cf* v. 2,1   4,6 Ps
13,3; Rm 3,12   5,2/3 I Cor 2,8   7/8 Io 1,5

conprehenderunt. De talibus dictum est: *Sol non ortus est nobis.* Sed si illis non est ortus, numquid modo ecclesiae suae non oritur? unde
10 dicitur: *Orietur uobis sol iustitiae* hoc est Christus ecclesiae suae. MOUEBUNTUR OMNIA FUNDAMENTA TERRAE. Secundum historiam impletum fuit hoc: in passione domini totus mundus tremuit nec aliud potuit nisi tremescere creatura pendente desuper creatore, euangelista teste qui dicit: *Terra mota est et petrae scissae sunt* et rlq. Aliter 'moue-
15 buntur fundamenta terrae' id sunt daemones: moti fuerunt ab illa potestate humani generis qui erant fundamenta Iudaeorum seu peccatorum omnium. Uel mouebuntur fundamenta terrae id est peccatores ad iudicium uel omne corpus malorum.

6. EGO DIXI: DII ESTIS ET FILII EXCELSI OMNES, deus de deo, lumen de lumine. Sed dii a deo acceperunt nomen deriuatiuum. Adam filius dei nuncupatus est, id est non natiuitate sed creatione, ut ait: *Adam qui fuit dei.* Et omnes filii Adam, si ille non peccasset, tales permanerent quasi
5 dii, id est inmortales fuissent sicut angeli, qui hoc nomine appellantur. Ita et hii filii dei de filio dei Adam nati, quomodo de praedistinatis in ecclesia potest intellegi, qui et ipsi non natura, sed nuncupatiue filii dei uocantur, ut in euangelio: *Quotquot autem receperunt eum, dedit eis potestatem filios dei fieri his qui credunt in nomine eius.*

7. UOS AUTEM SICUT HOMINES MORIEMINI, specialiter de illis creditur dictum ad quos superius dictum est: *Quousque iudicatis iniquitatem?* id est sicut Adam pater uester mortuus fuit, ita et uos. Generaliter pertinet ad unumquemque, maxime ad illos qui peruertunt causas iudiciorum
5 et deflectunt, alieni a ueritate sicut illi qui uolebant seruum eleuare et dominum quasi in ima demergi, ac si dicat: sicut illi peccatores mortui sunt, ita et uos. ET SICUT UNUS DE PRINCIPIBUS CADETIS. Sicut diabolus qui fuit princeps angelorum, iuxta quod dicit: *Omnis lapis pretiosus operimentum tuum* etc., cecidit per superbiam, ita et uos, ac si dicat:
10 nam quod angeli principes appellentur, testatur Zacharias qui dicit: *Et ait angelus ad angelum: curre et loquere ad puerum;* et Daniel ita: *sic et*

Codices: MNSV et Z = S+V
8 est¹ *om. NZ*   12 domini + quia *V*   13 tremescere *M*: -ret *cett.*   pendenti *NZ*
creatore *M²*: -rem *cett.*   14 testante *V*   15 moti] muti *MN*   7,1 illis] diis *M*
7 Et² *om. Z*   9 per superbiam *M²*: superbia *cett.*   10 appellantur *M*   11 Daniel +
et *NV*   sic *om. NZ*

8 Sap 5,6   10 Mal 4,2   14 Mt 27,51   **6,1** deus – lumine e Symbolo   3 Lc 3,38
8 – 9 Io 1,12   7,2 superius: *cf* v. 2   8/9 Ez 28,13   11 Za 2,4   Dn 13,48(?)

uos, id est unusquisque qui hic non emendatur in futuro iudicio cadet
in poena perpetua. Aliter 'sicut unus de principibus cadetis' hoc est
Iudas qui fuit dux eorum qui conprehenderunt Iesum cecidit, similiter
15 et uos; uel princeps dictus popter principatum apostolorum unde
cecidit.
8. EXSURGE DEUS IUDICARE TERRAM. Ecclesia insimul congregata dicit ad
Christum: exsurge a mortuis. Tu fuisti iudicatus a terra id est a peccatoribus et ab iniquis, exsurge tu iudicare terram. Illa persona quae fuit
iudicata, ipsa iudicat alios in die iudicii. QUONIAM TU HEREDITABIS IN
5 OMNIBUS GENTIBUS, ac si dicat: non tibi impediuit neque inferius fuit
tibi ex hoc quod Iudaei te noluerunt, quia omnes ueniunt tibi in hereditatem, ut ait propheta: *Dabo tibi gentes in hereditatem tuam* etc. Et
hereditabis in omnibus hoc est in praedistinatis.

82. CANTICUM PSALMI IPSI ASAPH. Per canticum scientia intellegitur, per
psalmum opus id est fides et opera. Asaph congregatio, id est ex
persona congregationis sanctorum dicit.
2. DEUS QUIS SIMILIS ERIT TIBI? Non dixit fuit aut est, sed 'erit', quia de
futuro pertinet. Ad iudicium tendebat sensus prophetae. Quis similis
tibi? dicit. Nullus de hominibus quos supra diximus: *dii estis,* neque de
angelis, unde alibi dicit: *Quis similis erit deo inter filios dei*? Neque de
5 angelis neque de hominibus ad iudicium faciendum tibi nullus erit
similis. NE TACEAS NEQUE CONPESCARIS DEUS. Ergo dum dicit 'ne taceas', tacuit aliquando? unde et propheta: *Tacui, tacui; numquid semper
tacebo*? ac si dicat: tacui iudicatus, non tacebo iudicaturus. Aliter: tacet
modo et non tacet, tacet iudicium, sed non tacet mandatum, quia
10 clamat quid unusquisque agere debeat, ut ait propheta: *Clama ne*

Codices: MNSV et Z = S+V
12 qui] si *N: om. S*   13 hoc] hic *V*   15 princeps *scripsi*: -cipes(-pis *V*) *codd.*   **8,1** deus]
domine *S*   1(*et* 3) iudica *V*   3 quae *M²*: qui *cett.*   5 impetiuit *MNS*   6 noluerunt
te + credere *S*   6/7 hereditatem + tuam *S*   7 in *om. N*   tuam *om. V*   8 omnibus
+ gentibus *V*

Ps 82,1,1 intellegitur] -lectus *V*   2 id² – 3 dicit *om. MNV*   **2,4** dei + Asaph id est congregatio sanctorum insimul dicit *codd.*

8,7 Ps 2,8

Ps 82,2,3 supra: Ps 81,6   4 Ps 88,7   7/8 Is 42,14   10/11 Is 58,1

cesses etc. Sed postea in futuro tacet mandatum et non tacet iudicium, eo quod reddet unicuique secundum opus suum. 'Neque conpescaris deus' id est neque obmutescas. Obmutuit Christus in passione, ut alibi: *Obmutui et humiliatus sum.* Uel obmutuit, unde et euangelista

15 dicit de Pilato, quando dixit: *Non audis quanta aduersum te dicunt testimonia?* Iesus autem *non respondit ei ullum uerbum, ita ut miraretur praeses. Et ait Pilatus: Mihi non loqueris? Nescis quia potestatem habeo crucifigendi te et potestatem habeo dimittendi te? Iesus* autem dixit ei: *Non haberes potestatem super me, nisi tibi datum fuisset desuper* etc. Uel

20 tacuit iste, alius non tacuit; iste tacuit sine culpa, Adam non tacuit cum culpa, quando iactauit culpam suam super deum et dixit: *Mulier quam dedisti sociam mihi* etc. Sed taciturnitas Christi id est Adae secundi sanauit excusationem primi Adae.

3. QUONIAM ECCE INIMICI TUI SONAUERUNT. Propheta loquitur in persona supradictae congregationis sanctorum, ac si dicat: propterea tu non taceas, multis modis fit sonus, ut est sonus ab aqua, a uento, sonus a silua. Sed hic non sonus aquae aut siluae uel uenti, sed sonus uocis id

5 est populi Iudaeorum, ⟨qui sonum ...⟩ et magnum fecerunt, quando dixerunt: *Crucifigatur, crucifigatur.* ET QUI TE ODERUNT EXTOLLERUNT CAPUT: Iudaei qui te oderunt extollerunt se in superbia. Modo sonant superbi et peccatores, sed in futuro unum caput habebunt antichristum, et pauci christiani erunt, multi eleuati erunt in superbia.

4. SUPER POPULUM TUUM MALIGNAUERUNT CONSILIUM, illae gentes super filios Israhel, et modo contra ecclesiam heretici et persecutores, membra diaboli contra membra Christi, COGITAUERUNT ADUERSUS SANCTOS TUOS

5. ET DIXERUNT: UENITE ET DISPERDAMUS EOS DE GENTE, ET NON MEMORE-TUR NOMEN ISRAHEL ULTRA. Dixerunt illi: persequamus illos Iudaeos in omni gente ubi sunt modo, et numquam sit nominatus postea populus

---

Codices: MNSV et Z = S+V

12 reddit *N*: -dat *S*   opera sua *S*   13 obmutescas] obliuiscas *V*   16 respondit *M*: -dens *cett.*   17 praeses + uehementer *V*   18 crucifigere *V*   dimittere *V*   19 tibi *om. NS*   20 alius + Adam *V*   3,1 sonuerunt *M²*   3 taces *N*   4 uoces *NS* 6 oderunt te *V*   6/7 extulerunt *V(bis)*   7 sonant] cessantur *S*   9 erunt¹ + et *V* 5,2 illi + gentes *S*   persequamus illos *om. MNV*   Iudaei *M*   3 et *om. M*

12 Mt 16,27; Rm 2,6   14 Ps 38,3   15 – 17 Mt 27,13.14   17 – 19 Io 19,10.11 21/22 Gn 3,12   3,6 Mt 27,23

Israheliticus. Similiter et modo heretici et persecutores contra spirita-
⁵ lem Israhel, ut numquam nominaretur nomen christianum uel Christi.

6. QUONIAM COGITAUERUNT UNIANIMITER, SIMUL ADUERSUS TESTAMEN-
TUM TUUM DISPOSUERUNT: illae gentes cogitauerunt disperdere populum Israheliticum, ut non fuisset qui obseruasset legem Ueteris Testamenti. Et modo heretici et persecutores similiter, ut non fuisset qui
⁵ obseruasset Nouum Testamentum.

7. TABERNACULA IDUMEORUM ⟨ET ISMAHELITUM⟩. Hic commemorat, qui
ista cogitauerunt aduersum Israhel. Idumea interpretatur terrena siue
sanguinea, Ismahelitae interpretantur oboedientes, sibi et non deo;
MOAB interpretatur ex patre, ut dominus in euangelio: *Uos ex patre*
⁵ *diabolo estis* etc.; heretici intelleguntur per hoc. Unde et Iohannes in
epistola: *Ex nobis prodierunt, sed non erant ex nobis* et rlq. AGARENI
interpretantur prosiliti uel aduenae.

8. ⟨GEBAL ET AMON ET AMALECH⟩: Gebal interpretatur uallis uana hoc est
falsa humilitas; Amon interpretatur populus turbidus siue maeroris;
illi intelleguntur qui et se conturbant et alios in peccatis. Amalech interpretatur populus lambens id est terrena diligens, ut alibi: *Et inimici*
⁵ *eius terram lingent.* ET ALIENIGENAE id sunt Philistei CUM HABITANTI-
BUS TYRUM. Tyrus interpretatur angustia, ut Paulus: *Tribulatio et angu-*
stia in omnem animam operantis malum.

9. ETENIM ASSUR SIMUL UENIT CUM ILLIS. Assur interpretatur spiritus
malignus; figurat diabolum, quia ipse instigabat istos supradictos, ut
uenirent contra populum dei. Et modo ipse uenit contra ecclesiam
cum his quorum figuram isti tenuerunt. FACTI SUNT IN ADIUTORIUM
⁵ FILIIS LOTH. Isti duo filii Loth, Moab et Amon, illi inuitabant illas
gentes contra illorum parentes. Loth interpretatur declinans, figuram
illorum gessit qui non obseruant Nouum uel Uetus Testamentum,
sicut et sui filii et suae filiae declinauerunt.

10. FAC ILLIS DOMINE SICUT MADIAN. Hoc pronuntiat: quomodo per Iosue
uel Gedeon fecisti super illas alias gentes seu Madianitas, sic fac nos-

---

Codices: MNSV et Z = S+V
5 christianorum S   6,1 unanimiter S²   aduersum V   7,1 Hoc NZ   3(et 7) inter-
pretantur] -tatur NZ   8,1 Zebal NS   4 lambens] ambiens NZ   5 alienigeni NS
6 Tyrum] -ro NV   10,2 Madianitis N

7,4/5 Io 8,44   6 I Io 2,19   8,4/5 Ps 71,9   6/7 Rm 2,9

tris inimicis. Madian interpretatur declinans consilium; illi intelleguntur qui declinantur a bono consilio. ET SISARAE qui interpretatur
5 exclusio gaudii: qui excluduntur a regno dei, illi intelleguntur per Sisarae, ut illud: *Uos autem expelli foras.* ET SICUT IABIN, et ipse interpretatur sapiens in malum, ut illud: *Sapientes sunt, ut faciant mala* etc., IN
TORRENTEM CISON. Torrens Cison interpretatur duritia eorum, propterea ibi perierunt.

11. DISPERIERUNT IN ENDOR. Endor interpretatur potens carnalis generationis; intelleguntur qui non spiritaliter sed carnaliter sapiunt, id est
qui nec sibi boni sunt nec aliis.

12. PONE PRINCIPES EORUM SICUT OREB, ⟨ZEB ET ZEBEE⟩. Oreb interpretatur siccitas; figurat illos qui non habent humorem scientiae gratiae
secretae. Zeb interpretatur lupus, Zebei uictima, lupi et non dei. ET
SALMANA: et ille interpretatur umbra commotionis; illi intelleguntur
5 qui non sunt inluminati, sed in tenebris permanent. OMNES PRINCIPES
EORUM,

13. QUI DIXERUNT: HEREDITATEM POSSIDEAMUS NOBIS SANCTUARIUM DEI. Illae gentes qui uoluerunt Hierusalem adprehendere et sanctuarium
dei, et modo similiter heretici, persecutores, mali et peccatores uolunt,
dicentes: *occidamus* christianos, *et nostra sit hereditas.*

14. DEUS MEUS, PONE ILLOS UT ROTAM ET SICUT STIPULAM ANTE FACIEM
UENTI,

15. ET SICUT IGNIS QUI CONBURIT SILUAM ET UELUT FLAMMA CONBURET
MONTES. Hoc pronuntiat propheta quod facturus est deus in die iudicii
de illis peccatoribus et hereticis seu et persecutoribus. 'Pone illos ut
rotam' dicit, quia rota uolubilis, sic et illi uoluantur de malo ad bonum.
5 'Ante faciem uenti': numquid uentus faciem habeat aut ignis? Non,
sed sic intellegitur ac si dicat praesentiam uenti. 'Et sicut ignis qui conburit siluam': silua hic gentes intellegendae sunt infructuosae et tor-

Codices: MNSV et Z = S+V
5 qui] Hii qui *M*   5/6 Sisaram *M*   6 Gabin *N*: Zabin *S*   8 torrentem] -te *V*
9 pereunt *V*   11,1 potens(*leg.* fons *cum* AU, HI?) *M²*: potentes(-is *M*S*) *cett.*   carnales
M²NV   1/2 generationis *M**: -nes *cett.*   3 aliorum *NZ*   12,3 lupus + id est
diabolus *S*   13,1 hereditate *V*   1/2 Illae gentes] Intellegentes *MN*   15,1 conburit]
-ret *M*   ueluti *V*   conburet] -rit *V*   2 Hic *V*   est] erit *S*   5 habet *M*
6/7 conburet *N*

10,6 Lc 13,28   7 Ier 4,22   **13,**4 *cf* Mt 12,7

tuosae uel aridae, aut hic conburantur per paenitentiam aut in futuro in uindicta. 'Ueluti flamma conburet montes': montes hic superbi intel-
¹⁰ leguntur, ut aut hic ueniant ad humilitatem et emendationem aut in futuro in conbustionem uindictae.

16. ITA PERSEQUERIS EOS IN TEMPESTATE TUA id est in die iudicii qui hic non ⟨se⟩ emendant, quia dictum est: Quos ignis exurit tempestas inuoluit. ET IN IRA TUA CONTURBABIS EOS: numquid ira in deo sit? Absit, sed iusta uindicta intellegitur per iram.

17. IMPLE FACIES EORUM IGNOMINIA. Bene optat propheta de illis, ut erubescant de illo malo quod egerunt, sicut Paulus dicit: *Qualem fructum habuistis tunc in his, in quibus nunc erubescitis?* ET QUAERANT NOMEN TUUM DOMINE, id est ad imitandum, non ad perdendum.

18. ERUBESCANT ET CONTURBENTUR IN SAECULUM SAECULI: maxime repetitio est. Sicut per ignominiam, ita et hic, ut erubescentiam habeant de praeteritis et conturbationem de peccatis et ueniant ad paenitentiam, sin aliter in saeculum saeculi sine fine sustinebunt poenam. ET REUE-
⁵ REANTUR ET PEREANT, et hoc simili modo dupliciter aut hic aut in futuro: si non emendant hic, peribunt sine fine.

19. ET COGNOSCANT QUONIAM NOMEN TIBI DOMINUS: ipse est dominus super omnes dominos, ut Paulus: *Et donauit ei nomen super omne nomen* et rlq. TU SOLUS ALTISSIMUS SUPER OMNES DEOS hoc est super angelos et super omnes gentes et reliquas creaturas.

83. IN FINEM PRO TORCULARIBUS FILIIS CORE PSALMUS ASAPH. Iam pluris uicibus dictum est de torcularibus, tamen dicit aliquis auctor: in uite pendet uua aut in oliuario oliua et quasi libera uidetur, id est quasi melius conseruetur, si in sua natura dimittatur. Non dicit, si ueniunt

---

Codices: MNSV et Z = S+V
9 conburit Z   11 conbustione NS   17,1 eorum] illorum NS   3 quaerunt NV: -rent S
18,4 poenam + qui hic non emendant V   19,1 quoniam] quia S   dominus¹] -ne S

Ps 83,1,1 psalmus filiis Core M   Asaph *om.* M   3 uidentur V: -deatur M*S
4 si² M²: sed *cett.*

16,2 Quos - inuoluit: *alibi* GR-M *asscriptum, cf ad* Ps 10,7,9/10(p. 51)   17,2/3 Rm 6,21
19,2 Phil 2,9

Ps 83,1,2 - 8 *cf* AU 83,1,16sqq.(p. 1146)

⁵ aues et deuorant illas aut etiam putrescit; sed necesse est, ut ueniant in
torcularia. Sic et homines quasi liberi uidentur esse tempore pacis,
tamen necesse est, ut ueniant in torcular hoc est tribulationem uel
persecutionem sustineant. Nam si sic remanserint id est dimittantur in
securitate, periculosum est, ne pereant. Filii Core filii credentes: Core
¹⁰ id est calui hoc est Christus, eo quod in loco Caluariae crucifixus est.
Psalmus Asaph psalmus congregationis.

2. QUAM DILECTA TABERNACULA TUA, DOMINE UIRTUTUM. Admiratur propheta, admiratur et corpus Christi hoc est sancta ecclesia: quam dilecta
sunt tabernacula tua hoc sunt tabernacula caelestia id est mansiones
uitae aeternae, unde dominus ait: *In domo patris mei mansiones multae*
⁵ *sunt.*

3. CONCUPISCIT ET DEFECIT ANIMA MEA AD ATRIA DOMINI. 'Concupiscit et
defecit' id est prae illo gaudio caelesti non solum concupiscit, sed et
defecit hoc est ab amore carnalium, ac si dicat: deficiant hic desideria
carnalia et terrena, et concupiscit caelestia, 'in atriis domini' in caele-
⁵ stibus. COR MEUM ET CARO MEA EXULTAUERUNT IN DEO UIUO. Cor hic
pro anima ponitur. Exultat anima et caro in futuro iudicio.

4. ETENIM PASSER INUENIT SIBI DOMUM ET TURTUR NIDUM, UBI REPONAT
PULLOS SUOS. Passer anima inuenit domum id est caelestem domum.
Per turturem hic caro nostra intellegitur, nidus sancta ecclesia intellegitur. Illi pulli, si exeunt extra nidum, deuorat illos accipiter aut mil-
⁵ uus. Ita et illi qui exeunt foras unitatem ecclesiae deuorantur a diabolo.
Aliter pulli opera bona, quae unusquisque intra sanctam ecclesiam
debet conseruare propter accipitres supradictos. ALTARIA TUA, DOMINE
UIRTUTUM. Dum dixit passer et domum et turtur, ut non putaretur
quod carnaliter exposuisset hoc spiritus sanctus. 'Altaria tua domine':
¹⁰ per altaria fides intellegitur, quia sicut super altare ponitur quod offer-
tur, ita et hic super fidem omnia opera sua misit, quomodo credat de
trinitate et reliqua. REX MEUS qui me regis, ET DEUS MEUS qui me
creasti.

Codices: MNS(V+Z = S+V
8 sustinere S   9 periculum M   3,1 deficit V^2 2(*et* 3) defecit] deficit V
sed *om.* M   4 concupiscant MV   atria NS   5 deum uiuum Z   4,1 reponit S:
ponat N   2 domum² + perpetuam S   4 accipiter] exceptor V   6 pulli] pupilli MZ
quae] quod NZ   8 putatur V   9 exposuit NZ   11 credat M²: -dit *cett.*   12 *ab* et²
deest V(*usque ad* Ps 89,3)

2,4 Io 14,2

5. BEATI QUI HABITANT IN DOMO TUA, DOMINE. Quare beati? quia inmortales erunt. Multae sunt hic necessitates corporis quae operamur, ut est manducare et dormire uel mortuum sepelire, quia mandatum est hoc facere; sed illic non erit necesse, quia inmortales erunt. Quid ergo? IN
5 SAECULA SAECULORUM LAUDABUNT TE. Ergo nec istam supradictam necessitatem corporalem ibi habebunt, et tamen otiosi ibi non erunt, quando in saecula saeculorum laudabunt te; sed non erit in odium illa laus, quia sicut ille amor insatiabilis et tamen sine fastidio est, sic et illa laus insatiabilis, sed tamen sine labore.

6. BEATUS UIR CUIUS EST AUXILIUM ABS TE. Uult ecclesia in domo consistere seu habitare, sed per se non potest, nisi a deo habeat auxilium.

7. ASCENSIONES IN CORDE SUO DISPOSUIT | IN CONUALLE LACRIMARUM IN LOCUM QUEM DISPOSUIT EI DEUS. Dum sine auxilio dei non potest, ascendit in suo corde et disposuit de ista ualle lacrimarum, ubi et sua peccata plangit et aliorum, ut per gradus debeat ascendere, ut Paulus
5 ait primum fides, postea spes, caritas et reliqua. 'In loco quem posuit' id est in deum. Quomodo? quia non est localis deus? Ad se uenientibus localis est.

8. ETENIM BENEDICTIONEM DABIT LEGISLATOR, benedictionem dabit qui legem dedit. Medicus dedit legem ueterem, ut se cognoscerent aegrotos; sed *nihil ad perfectum adduxit lex.* Et ipsam legem gratis dedit, nullis praecedentibus meritis illorum. Benedictionem dedit hoc est
5 gratiam. Qualem gratiam? *gratiam pro gratia.* Propter Uetus Testamentum dedit Nouum, et Uetus dedit gratis et istum Nouum similiter gratis, hoc est indulget nostra peccata: *Lex per Moysen data est* etc., ut Paulus: *Reposita est mihi corona iustitiae, quam reddet mihi dominus in illa die iustus iudex.* IBUNT sancti DE UIRTUTE IN UIRTUTEM, ut Paulus dixit:
10 *Alii datur sermo sapientiae, alii sermo scientiae* etc. Ista communia sunt et peccatoribus et iustis, quia et reprobi faciunt ex permisso dei. Sed

Codices: MNS
5,7 quando] quid *NS*   sed *om. M*   8 et[1] *om. MS*   est *om. NS*   9 insatiabilis] inenarrabilis *S*   6,1 est *om. N*   Uult *M*[2]: Uolit *N*: Uoluit + in sancta *S*   domo + dei *S*
3 ascensionis *MN*   7,2 loco *M*   posuit *M*   potest + ideo *S*   4 planget *M*
5 primus + gradus(gladius *cod.*) est *S*   8,1 dabit[1]] -bis *N*   legis dator *N*   6/7 gratis] gratia *NS*   8 reddit *N*   11 promisso *M*NS*

7,5 cf I Cor 13,13   8,3 Hbr 7,19   5 Io 1,16   7 Io 1,17   8 – 9 II Tim 4,8   10 I Cor 12,8

tamen iusti propria habent aliqua quae isti non habent, ut est fides,
spes, caritas. Per istas uirtutes uadunt sancti ad caelestia uel uidentur
peccatores uirtutes facere sicut in euangelio: *Nonne in nomine tuo uir-*
15 *tutes multas fecimus?* et rlq. Sed non ascendunt, quia non sunt similes
uirtutibus sanctorum, sed per inuocationem nominis Christi faciunt
uirtutes. UIDEBITUR DEUS DEORUM IN SION id est deus angelorum et
hominum, illum uidebunt qui est dei uirtus et dei sapientia, quae caritas est. 'In Sion' in specula uitae aeternae, ut dixit Iohannes: *Uidebimus*
20 *eum sicuti* est.

9. DOMINE DEUS UIRTUTUM, EXAUDI PRECEM MEAM. Uox ecclesiae est.
Iam contemplatur corpus Christi de caelestibus quae adhuc hic in
tribulatione detinetur. Rogant et illi qui apud deum sunt, sed maxime
de hic intellegitur. AURIBUS PERCIPE DEUS IACOB. Aures domini dicun-
5 tur, quando exaudire dignatur deus Iacob.

10. PROTECTOR NOSTER, tu qui protexisti Iacob, sic et nobis protector et
defensor sis. ASPICE DEUS ET RESPICE IN FACIEM CHRISTI TUI. Corpus
Christi loquitur id est sancta ecclesia. 'Aspice' hoc est uide nostras
tribulationes quas hic sustinemus; 'et respice in faciem Christi tui' id
5 est fac nos uidere Christum tuum, ut omnes uideant, omnes credant
omnesque adorent.

11. QUIA MELIOR EST DIES UNA IN ATRIIS TUIS SUPER MILIA, propter hoc te
rogo. Dies una dies aeternus semper sine fine melior erit super milia
annorum praesentis uitae. ELEGI ABIECTUS ESSE IN DOMO DEI MAGIS
QUAM HABITARE IN TABERNACULIS PECCATORUM: ecclesia dicit. Melior
5 est mihi quamuis extremam et uilissimam habere partem in ecclesia
quam habitare in tabernaculis peccatorum id est in consortio malorum, etiam si totum mundum in potestate habeam, sicut dominus
dixit: *Quid prodest homini, si totum mundum lucretur et animae suae*
detrimentum patiatur?

12. QUIA MISERICORDIAM ET UERITATEM DILIGIT DEUS, misericordia est
quia indulget nostra peccata, et ueritas quia *reddet unicuique secundum*

Codices: MNS
12 aliqua M^2: alia *cett.*   16 uirtutibus M^2: -tutes *cett.*   17 Uidetur *N*   19 Uidemus *N*
9,1 est *om. S*   2 quae] quem *NS*   4 de *om. M*   hinc *S*   **10**,2 sis *om. NS*
6 adorant *MN*   **11**,1 est *om. M*   3 annorum + hic *S*   7 potestate M^2: -tem *cett.*
12,1 deus] dominus *M*

14/15 Mt 7,22   18 *cf* I Cor 1,24   19/20 I Io 3,2   **11**,8 – 9 Mt 16,26   **12**,2/3 Mt 16,27;
Rm 2,6

opera sua, hoc est quod promisit adimplet; GRATIAM ET GLORIAM DABIT
DOMINUS, ad hoc pertinet quod antea dixit: misericordia est gratia et
⁵ ueritas gloria.

13. NON PRIUABIT BONIS EOS QUI AMBULANT IN INNOCENTIA: de illa supradicta id est uita aeterna non facit illos inde extraneos qui ambulant in
innocentia. Innocens dicitur qui nec sibi nocet nec aliis. DOMINE DEUS
UIRTUTUM, BEATUS HOMO QUI SPERAT IN TE, non in se, sed in te, quia
⁵ dixit: *Maledictus homo qui posuerit spem suam in hominem,* et: *Benedic-*
tus uir qui confidit in domino. Quia deus quod promittit implet, homo se
non fallat, deus neminem fallit.

84. IN FINEM FILIIS CORE PSALMUS. Filii Core filii calui id est Christi, hoc
sunt credentes in ecclesia.
2. BENEDIXISTI DOMINE TERRAM TUAM. Propheta praeterito pro futuro
utitur, ut illud: *Foderunt manus meas* etc., quia omnia in praesentia
sunt apud deum. 'Benedixisti terram tuam' sanctam ecclesiam,
quando uenit in carne. Quia prius sub maledictione Adae erat, benedi-
⁵ xit illam omni benedictione caelesti, ut in apostolo factum est. Uel
benedixit uterum sanctae Mariae, unde et angelus: *Benedicta tu* et rlq.
Et cum peccanti homini dictum sit: *Terra es,* cur sancta Maria terra, nisi
de primo homine Adam, ut superius? et in Iob legitur: *Utquid superbit*
cinis et terra? AUERTISTI CAPTIUITATEM IACOB. Si per Iacob illum popu-
¹⁰ lum accipimus Iudaicum, quomodo dicit 'auertisti captiuitatem', quia
licet multas habuerunt, tamen et adhuc in captiuitate detinentur? Sed
non pertinet hoc ad illos qui necdum auersi sunt, sed ad ecclesiam.
'Auertisti' hoc est auertit a nobis illam captiuitatem, qua a diabolo captiuati fueramus; seu et modo cotidie auertitur captiuitas ecclesiae,
¹⁵ unde et Paulus: *Infelix ego homo, quis me liberauit de corpore mortis*
huius? gratia dei et rlq.

Codices: MNS
3 promisit] *praem.* re *NS*   4 est] et *NS*   13,6 adimplet + ut ille *S*

Ps 84,1,1 est + filii *S*   **2,**3 Benedixisti + domine *M*   4 carnem *S*   12 aduersi *NS*
13 auertit] -te *N*   qua] quod *NS*   a diabolo] ab illo *S*

13,5 – 6 Ier 17,5.7

Ps 84,2,2 Ps 21,17   6 Lc 1,28   7 Gn 3,19   8/9 Sir 10,9   15 – 16 Rm 7,24.25

3. REMISISTI INIQUITATEM PLEBIS TUAE hoc est in baptismo, 'plebis tuae' plebis fidelium. OPERUISTI OMNIA PECCATA EORUM, quia quod tegitur – dixit aliquis sapiens – non uidetur, et quod non uidetur non inputabitur, et quod non inputabitur nec punietur, eo quod culpas humani
⁵ generis sic deleuerit dominus, ut in suo iudicio non appareant, tantum homo postea per suam neglegentiam non committat. Tamen etiam, sicut habet fragilitas humana, si postea committat, licet non debeat pietas diuina, per paenitentiam dimittit, si tamen puro corde paeniteat, quia dixit: *Caritas,* quod est deus, *operit multitudinem peccatorum.*
¹⁰ Felix est cui non euenit hoc post baptismum.

4. MITIGASTI OMNEM IRAM TUAM. Quomodo dicit iram? numquid ira in deo? Non, sed mitigauit iram hoc est suam iustam uindictam, quae pendebat super genus humanum per culpam primi hominis Adae. Mitigauit illam per suum aduentum, unde ait propheta: *Si iniquitatem*
⁵ *obseruaueris, domine, domine quis sustinebit?* et alibi: *Non secundum peccata nostra fecit nobis* etc. AUERTISTI AB IRA INDIGNATIONIS TUAE: repetitio est, ut illud: *Auerte faciem tuam a peccatis meis.*

5. CONUERTE NOS DEUS SALUTARIS NOSTER. Homo auertere se potest, conuertere non potest nisi per auxilium dei. Propterea dicit ecclesia 'conuerte nos', ac si dicat: fac nos conuertere ad te. Unde et Hieremias: *Conuerte nos ad te, et conuertemur,* ac si dicat: nos per nos non possu-
⁵ mus, tu per temet ipsum conuerte nos ad te. Et postea quid sequitur? ET AUERTE IRAM TUAM A NOBIS.

6. NUMQUID IN AETERNUM IRASCERIS NOBIS? Si in aeternum iratus fuisset, non uenisset in carnem redimere nos; unde et Paulus: *Eramus* et nos *natura filii irae sicut et ceteri* et rlq. NEQUE EXTENDAS IRAM TUAM A GENERATIONE IN GENERATIONEM, 'a generatione' quod dicit id est
⁵ Iudaeorum 'in generationem' hoc est gentilium.

7. DEUS TU CONUERSUS UIUIFICABIS NOS, unde apostolus: *Et cum essemus mortui peccatis* et uitiis, *uiuificauit nos Christus. Mortui* enim eramus

Codices: MNS
3,5 diluerit *S*: deliberauit *N*   7 si *om. NS*   8 dimittat *NS*   puro] ex *NS*   **4,**5 obseruaberis *S*   alibi + dicit *S*   6 Auertisti – 7 meis *om. MN*   **5,**4 conuertemur *scripsi*: -timur *codd.*   **6,**1 Num *N*   fuisses *S*   2 uenisses *S*   carne *S*   4 generationem] -ne *N*   5 generatione *NS*   **7,**1 unde + et *S*

3,2 – 4 *cf supra* Ps 31,2,2-3   9 I Pt 4,8   4,4/5 Ps 129,3   5/6 Ps 102,10   7 Ps 50,11
5,4 Lam 5,21   **6,**2/3 Eph 2,3   **7,**1 – 2 Eph 2,5   2/3 *cf* Eph 2,1

delictis et peccatis nostris, uiuificauit nos per suam passionem, ut ait propheta: *Conuertimini ad me, et ego conuertar ad uos.* ET PLEBS TUA
5 LAETABITUR IN TE, sancta ecclesia.

8. OSTENDE NOBIS DOMINE MISERICORDIAM TUAM. Propheta rogat in persona illorum qui ante aduentum fuerunt, ut ueniret Christus et liberaret genus humanum de potestate diaboli et illos de illa custodia inferni, sub qua detenebantur. Et ecclesia rogat, ut ueniat ad iudicium. ET
5 SALUTARE TUUM DOMINE DA NOBIS: maxime repetitio est; uel 'salutare tuum' id est Christum tuum.

9. AUDIAM QUID LOQUATUR IN ME DOMINUS DEUS. Propheta loquitur in persona ecclesiae, quia non conprehenditur neque per litteras neque per syllabas neque per creaturas neque in uerbis potest explicari, sed intus in anima intellegam uel cognoscam, QUONIAM LOQUITUR PACEM
5 IN PLEBEM SUAM, id est semet ipsum loquitur, semet ipsum ostendit. *Ipse est enim,* secundum Paulum, *pax nostra qui fecit utraque unum* etc. ET SUPER SANCTOS SUOS ET IN EOS QUI CONUERTUNTUR AD COR, hoc est in anima ubi deus uidet.

10. UERUMTAMEN PROPE TIMENTIBUS EUM SALUTARE IPSIUS. Iudaei prope timentibus erant, timebant enim quod auferret ab illis deus diuitias terrenas, dies elongatos et reliqua; unde in euangelio: *Uenient,* inquit, *Romani, tollent nostrum locum et gentem.* Sed non erat perfectus timor.
5 Gentes longe timentes erant a deo, quia timebant daemones, ut auferrent ab illis illorum bona. Aut aliter 'prope timentes eum': illi christiani prope timentes sunt qui per timorem seruiunt. Tunc erunt perfecti et integri, quando per amorem seruiunt, tunc erit deus intus in animabus eorum. Salutaris ipsius ipse Christus in ipsis erit, ut ipsos saluare de-
10 beat aut liberare. UT INHABITET GLORIA IN TERRA NOSTRA. Prophetatus fuit per prophetas, ut cognosceretur quod uenturus erat in carne. Pro quid uenit? ut habitaret in terra Iudaeorum. Uel aliter 'in terra' hoc est in corporibus nostris, uel 'in terra' in sancta ecclesia, unde Paulus: *In interiorem,* inquit, *hominem habitare Christum per fidem.*

Codices: MNS
8,1 nobis *om. M*N*   4 qua] quo *NS*   **9,**3 explicare *NS*   4(*et* 5) loquetur *S*   5 est + per *S*   **10,**1(*et* 2) timentibus] -tis *N*(*bis*)   3 Uenient *scripsi:* -unt *codd.*   4 tollant *S*
7 erunt *scripsi:* erant *codd.*   8 animabus] manibus *S*   10 aut] et *NS*   terram nostram *N*   11 quod + ad nos *S*   14 interiori ... homine *NS*

4 Za 1,3   **9,**6 Eph 2,14   **10,**3/4 Io 11,48   13/14 Eph 3,16.17

11. MISERICORDIA ET UERITAS OBUIAUERUNT SIBI, misericordia quia redemit nos, ueritas ⟨quia⟩ quod promisit reddet, IUSTITIA ET PAX OSCULA-
TAE SUNT SE. Ista iustitia, si senior est, antea debuerat habere iustitiam
et postea pacem. Dicis ad hominem: uis habere pacem? respondit:
⁵ uolo. Dic illi: fac ergo iustitiam, et habebis pacem. Qualem iustitiam
facturus sum? tu responde: quod tibi non uis, alii ne feceris. Ille dicit:
hoc non facio. Uerbi gratia duae sorores sunt, ac si dicat una: si meam
sororem non habes, nec me habebis. Quid facio? *Declina a malo et fac
bonum, inquire pacem et persequere eam.*

12. UERITAS DE TERRA ORTA EST ET IUSTITIA DE CAELO PROSPEXIT. 'Ueritas
de terra' Christus de sancta Maria. Terra est, ut dominus ad Adam:
Terra es et rlq. Aliter Iob: *Quid superbit cinis et puluis?* Sed quid de
sancta Maria, cum peccanti homini dictum sit: *Terra es et in terram ibis?*
⁵ Sed illa terra *spinas ac tribulos germinauit,* ista uero fructum uberri-
mum adtulit id est uterus sanctae Mariae. Aliter 'ueritas de terra orta
est': confessio ex ore peccatoris. 'Iustitia de çaelo prospexit': prospicit
deus quando te condemnas de tuis peccatis. Tu es iudex tibimet ipsi et
deus iudicii: dum tu te condemnas et iudicas, ille te non iudicat.

13. ETENIM DOMINUS DABIT BENIGNITATEM hoc est indulgentiam illi supradicto, ET TERRA NOSTRA DABIT FRUCTUM SUUM: confessionem ex ore
peccatoris, sicut ille publicanus se condemnabat et non erat ausus
leuare oculos ad caelum.

14. IUSTITIA ANTE EUM AMBULAUIT, ante istum talem hominem qui se condemnat de suis peccatis et se confitetur peccatorem, ante istum uadit
iustitia, ut ait Paulus: *Si nosmet ipsos diiudicaremus, non utique iudica-
remur* etc. Aliter 'iustitia ante eum ambulauit' id est deum, sanctus
⁵ utique Iohannes quomodo dicit: *Ego uox clamantis in deserto: parate
uiam domini.* ET POSUIT IN UIA GRESSUS SUOS, quando dixit: *Rectas*

Codices: MNS

11,3 se *om. MN*   4 ad hominem] homini *M*   6 respondes + illi *S*   alio *M*   7 sunt
+ iustitia et pax *S*   una + ad alia *S*   8 faciam *S*   9 sequere *N*   **12,2** terra¹ + orta
est *S*   Adam + dicit *S*   3 quid de *om. S*   4 Maria + terra *S*   5 fructuosa *NS*
6 Aliter] *praem.* Uel *S*   8 temet ipsum *NS*   **13,4** caelos *MN*   **14,4** deus *S*
6 domino *N*   ponet *S*

11,6 *cf* Tb 4,16   8 – 9 Ps 33,15   **12,3**(*et* 4) Gn 3,19   Sir 10,9   5 *cf* Gn 3,18
13,3 *cf* Lc 18,13   **14,3** I Cor 11,31   5 – 7 Io 1,23; Mt 3,3

facite semitas eius. Aliter 'posuit in uia gressus suos': illos tortuosos qui
erant fecit rectos; uel 'posuit in uia gressus' uirtutes suas in Christo,
tam Iohannes quam supradictus quem terram appellauit.

85. Oratio ipsi Dauid. Ubicumque legimus de oratione a tribus personis
potest intellegi. 'Ipsi Dauid' ipsi Christo. Iste psalmus in persona ecclesiae cantatur.
Inclina domine aurem tuam ad me et exaudi me. Inclina aurem:
5 aures domini dicuntur, cum exaudire dignatur. Tu in alto es et ego in
imis, inclina te ad me, habeo quid te debeam rogare. Tu noli te extollere in superbia contra deum, deus inclinat aurem suam ad te; tu humilitatem habeas, et deus inclinat se ad te. Nam qui se extollit, fugit deus
ab eo, sicut ab his, qui turrem aedificare contra deum disposuerant, in
10 imo confusis recessit. Humiles exaudit quod eum rogant. Quoniam
inops et pauper sum ego: uox Christi ad patrem et uox ecclesiae ad
Christum. Inops dicitur Christus id est sine patre carnali in terra. Similiter et sancti non debent habere patrem in terra hoc est diabolum qui
illos denuo regenerat per peccatum, ut dominus ait: *Nolite uobis uocare*
15 *patrem super terram; unus est enim pater uester qui in caelis est.* Et tamen
matrem debemus habere in terra id est sanctam ecclesiam. Et dominus
inops et pauper fuit de diuitiis saeculi, ut Paulus dixit: *Quia cum diues*
esset, inops factus est etc. Et sancti hic pauperes sunt, quia etiam si habeant diuitias, paupertas est cum illis, quia non per amorem cupiditatis
20 possident nisi in usum necessitatis; in reliquo reputant eas cum apostolo *uelut stercora* propter caelestes diuitias quas sperant habere.
2. Custodi animam meam, quoniam sanctus sum. Deus pater custodiuit
animam Christi in passione, et Christus custodit animam ecclesiae in
tribulatione. Christus sanctus natura et nos gratia uel per optionem,
unde dictum est: *Estote sancti sicut et ego sanctus sum;* sicut et Paulus

Codices: MNS
9 quam + et *S*   terra *NS*

Ps 85,1,1 legis *S*: legitur *M²* *in ras.*   2 ipsi²] ipse *S*   Christo *scripsi*: Christi *M*: -tus *NS*
persona + Christi et in persona *S*   5 altum *NS*   6 te²] tibi *NS*   noli] non *NS*
7 superbiam *M*   deus] *praem.* et *S*   9/10 in imo *scripsi*: immo *codd.*   10 rogas *NS*
16 sancta ecclesia *NS*   **2,**2 custodiuit *MN*

Ps 85,1,9/10 *cf* Gn 11,4sqq.   14 – 15 Mt 23,9   17/18 II Cor 8,9   21 Phil 3,8
2,4 Lv 11,44 al.

⁵ dicit: *Fuistis aliquando tenebrae, nunc autem lux in domino;* et iterum: *Iam abluti estis, iam sanctificati estis* et rlq. Non debemus dicere quod non sumus sancti, quia sanctificati sumus per baptismum; non debemus gloriari quasi per nos, sed ab illo: nos per gratiam, ille per naturam sanctus. Si negas te sanctum, negas te esse membrum Christi: caput
¹⁰ sanctum est, et membra sancta debent esse. SALUUM FAC SERUUM TUUM, DOMINE DEUS MEUS, SPERANTEM IN TE: rogat Christus ad patrem, caput cum membris: *Magnum est tibi uocare puerum meum* uel seruum meum. Pro parte carnis dicit. Si ille qui caput est seruus uocatus est, quanto magis membra.

3.   MISERERE MEI DOMINE, QUONIAM AD TE CLAMAUI TOTA DIE. Si putas te miserum esse, deus tibi miserebitur. Misericordia gratia est id est indulget tibi tua peccata, sicut multae sunt tribulationes et multi sunt clamores; 'tota die' toto tempore.

4.   LAETIFICA ANIMAM SERUI TUI: uox Christi ad patrem. Laetificata fuit anima Christi, quando redemit genus humanum; tristis fuit in passione propter sua membra. Uoluerunt dicere heretici quod animam non habuisset Christus nisi uerbum et caro fuisset. Sed nihil est adser-
⁵ tio eorum, nam nos sic credimus quod animam habuit, quia dictum est: *Perit fuga a me, et non est qui requiret animam meam;* et alibi: *Potestatem habeo ponendi animam meam et potestatem habeo sumendi eam.* QUIA AD TE DOMINE ANIMAM MEAM LEUAUI, non solum animam, sed etiam et carnem super omnes caelos et angelos. Et nos leuamus
¹⁰ animam nostram per contemplationem caelestem, unde Paulus: *Conuersatio nostra in caelis est.*

5.   QUONIAM DOMINUS SUAUIS AC MITIS ET MULTAE MISERICORDIAE OMNIBUS INUOCANTIBUS TE. 'Suauis' sustinens est. Quia in oratione quod oramus non possumus, ut semper de illo cogitemus, ueniunt nobis per diabolum cogitationes peruersae; ille sustinet, quia non statim uindi-
⁵ cat. Si cum homini potenti suggeris tuam causam et postea ad illum lo-

---

Codices: MNS
7 sumus¹] simus *S*   sanctificati] sancti *M*   8 gloriari] glorificare *MN*   11 domine *om. S*   ad *om. M*   3,2 miserebitur tui *N*   4,7 habeo² + iterum *S*   8 leuaui animam meam *S*   non] *praem.* leuaui *S*   10 animam nostram *om. MN*   5,1 dominus] tu domine *S*   et] es *S*   multum *N*   2 est] esset *S*   5 Si *om. S*   suggeres *NS* ad illum] ab alio *S*

5 Eph 5,8   6 I Cor 6,11   12 Is 49,6   4,6 Ps 141,5   6 - 7 Io 10,18   11 Phil 3,20

queris, numquid ille non irascetur? sicut Dauid dicit: *Et cor meum dere-*
liquit me. 'Et multum misericordiae omnibus inuocantibus te': misericordia fuit, quando redemit genus humanum, multum quia et de illis
qui illum crucifixerunt fecit exinde sua membra. Omnibus inuocanti-
10 bus te, alibi dicit: *Deum non inuocauerunt.* Non inuocat deum qui rogat
mortem inimicorum, dies elongatos et reliqua. Hoc inuocat quod uolet
habere, non ipsum, sed aliquid per ipsum. Alibi dicit: *Prope est domi-*
nus omnibus inuocantibus se in ueritate. Ille inuocat deum in ueritate,
qui ad hoc inuocat, ut ipsum habeat.

6. Auribus percipe domine orationem meam et intende uoci deprecationis meae.

7. In die tribulationis meae clamaui ad te, quoniam exaudisti me:
Christum in passione et sua membra in tribulatione, quia sancti tribulationem praesentis uitae sustinent, ut Iob dixit: *Omnis uita hominis*
temptatio est.

8. Non est similis tibi in diis, domine. *Omnes dii gentium daemonia,*
neque in angelis neque in hominibus neque in idolis qui nuncupatiue
dii dicuntur, non est similis tibi; et non est secundum opera tua,
quia nec ipsum uermiculum non permisit angelum facere, ut unus
5 creator esset et unum creatorem adorent.

9. Omnes gentes quascumque fecisti uenient, quia uult omnes homines saluos facere. Ille auctor qui hoc exposuit dixit: forsitan aliae gentes sunt quas tu non fecisti? ac si dicat: Non, sed de omnibus gentibus
dicit id est praedistinatis. Ueniunt in fide et opere et adorabunt
5 coram te domine et glorificabunt nomen tuum,

10. ⟨Quoniam magnus es tu⟩. Non est hoc deo magnum quod tu ipsum
glorificas, sed facit te illi magnum, si confiteris illum magnum; et
faciens mirabilia tu es deus solus. Numquid non faciunt sancti
mirabilia? faciunt, sed non per se: ille facit in illis; nam ille sine illis
5 facit.

Codices: MNS
6 irascitur *MN*   13 se] eum *S*   **8**,3 dii *om. NS*   4 angelo *S*   **9**,3 quas] quos *N*:
quod *S*   tu *om. M*   Non + sunt *S*   5 glorificabo *N*   **10**,2 illi *M*²: ille *NS*: -lum *M**
4 non *M*²: *om. cett.*

5,6 Ps 39,11   10 Ps 52,6   12/13 Ps 144,18   7,3/4 Iob 7,1   8,1 Ps 95,5

11. Deduc me domine in uia tua: uox ecclesiae. Ipse est *uia et ueritas et uita:* deduc me domine id est in temet ipsum. Ingrediar in ueritate tua, in Christo tuo uel in mandatis tuis. Laetetur cor meum, ut timeat nomen tuum. Si timor, quomodo laetitia? et si laetitia, quo-
⁵ modo timor? Ipsud potest intellegi, sicut in alio psalmo dicit: *Seruite domino in timore et exultate ei cum tremore.* Laetitia propter amorem spei regni caelestis, timor propter incertitudinem praesentis uitae: ambas insimul debent esse, ut nec per laetitiam dissoluat nec per timo-rem declinet in disperationem, ut pereat.

12. Confitebor tibi domine in toto corde meo: ⟨confessio⟩ hic gratia-rum actio est; et honorificabo nomen tuum in aeternum et in sae-culum saeculi. 'Honorificabo' laudabo.

13. Quia misericordia tua magna est super me. Propheta dicit ex per-sona humani generis: magnam misericordiam fecit deus pater, quando misit filium suum unigenitum, ⟨et⟩ ipse redemit nos. Et eruisti ani-mam meam ex inferno inferiori. Dum dicit 'inferiori', ergo duo in-
⁵ ferni sunt. Infernus dicitur ista uita praesens seu – ut uerum dicatur – ista terra propter habitatores inferni; et paradisus dicitur propter habi-tatores paradisi, unde dominus ad illum latronem dixit: *Amen dico tibi, hodie mecum eris in paradiso,* in illo paradiso, ubi patriarchae et animae iustorum erant. Aliter 'eruisti animam meam ex inferno inferiori': uox
¹⁰ hominis adsumpti in diuinitate loquitur ad deum patrem. Eruit deus pater Christum de ista uita praesenti; et eruit de inferno inferiori, ut dixit: *Non derelinques animam meam in inferno,* quia impossibile erat teneri eum ab illo, liberauit illum solutis doloribus inferni. Non solum illum non tenuit, sed et alias animas exinde liberauit, tamen uera caro
¹⁵ fuit et uera anima. Sed nec caro per se potebat se satire nec anima se de inferno liberare, nisi diuinitas fuisset. Aliter ecclesia dicit: 'Redemisti animam meam ex inferno inferiori'. Inde cognoscimus quod inferior infernus est, unde diues, *cum esset in tormentis, eleuans oculos suos dixit: Pater Abraham* et rlq. Dum eleuare dicitur, in inferno inferiori

Codices: MNS
11,2 domine *om. MS*   5 intellegi] -gere *M*N:* + timor quod et laetitia *S*   6 cum] in *S*
7 spe *NS*   **12,**1 domine + deus meus *S*   **13,**3 et¹ – redemit] ut redimeret *M²* *in ras.*
7 unde] ut *MS*   12 derelinquas *S*   14 exinde *om. S*   15 anima + humana *S*
putabat *M*   satire] facere *M*   18 unde + ille *S*

11,1/2 Io 14,6   5/6 Ps 2,11   **13,**7/8 Lc 23,43   12 Ps 15,10   18 – 19 Lc 16,23.24

²⁰ erat. Tamen ubi animae sanctorum erant, et requies ibi erat, quia non
sustinebant poenas; et infernus dicitur, eo quod inferior caelo sit. Eruit
nos deus de inferno, eo quod dedit nobis mandata quae obseruare
debemus, ut in infernum non debeamus intrare, et ipse nos facit sua
mandata obseruare, ut ibidem non intremus. Similitudinem dicit sanc-
²⁵ tus Agustinus: Homo qui paratus est feriri, uenit alius et redimit
illum hominem; dicit ille homo: si tu me non liberasses, mortuus fuissem. Aliam similitudinem: medicus dicit ad hominem infirmum: hoc
non manducare nec bibere, si uis uiuere; ille obseruat hoc. Postea dicit
ille infirmus: si mihi non dixisses quod me obseruassem, mortuus fuis-
³⁰ sem. Ita deus ostendit nobis sua mandata, quomodo non moriamur,
sed uiuamus.

14. Deus, iniqui insurrexerunt in me. Uox hominis adsumpti loquitur
ad deum patrem et uox ecclesiae ad Christum. Insurrexerunt transgressores contra Christum et mali christiani contra ecclesiam. Et synagoga potentium quaesierunt animam meam: congregatio poten-
⁵ tium in malum tam ad Christum quam et ad ecclesiam intellegitur.
Non proposuerunt te deus ante conspectum suum. Si deum patrem
timuissent, hoc numquam fecissent; uel heretici contra ecclesiam,
quia conloquia mala corrumpunt mores bonos.

15. Et tu, domine deus, miserator et misericors, miserator quia miseris
miseretur, misericors ⟨quia⟩ natura hoc habet, quia eum sua misericordia numquam derelinquit. Patiens et multum misericordiae et uerax: patiens quia sustinet, misericors quia indulget, uerax quia reddit
⁵ unicuique secundum opus quod fecit.

16. Respice in me deus et miserere mei. Et Christus ad patrem pro parte
carnis et ecclesia ad Christum: miserere mei quia miser sum. Da imperium puero tuo et saluum fac filium ancillae tuae. Uox Christi ad
patrem, ut illud: Magnum est tibi uocare puerum meum. Da imperium,
⁵ ut in euangelio ait: Pater non iudicat quemquam, sed omne iudicium

Codices: MNS
20 erat²] -it N   22 deus om. S   dedit] det NS   25 feriri scripsi: -rire codd.
27 Alia similitudine N   28 non] noli M²   29 me om. N   14,2/3 transgressores +
Iudaei S   6 te deus] deum S   15,2 natura] praem. de S   4 quia³] quare codd.
reddet M²S   16,2 sum + istud ad ecclesiam S   4 meum] tuum M   5 ut – ait om. MN

25sqq. cf AU 85,18,19sqq.(p. 1191)   14,8 I Cor 15,33   15,4/5 Mt 16,27; Rm 2,6
16,4 Is 49,6   5/6 Io 5,22

dedit filio. Illa persona quae fuit iudicata, ut illa iudicet filium ancillae
tuae, de ancilla fuit natus; ancilla sancta Maria, ut ipsa dixit: *Ecce*
ancilla domini et rlq. Et nos filii ancillae sumus id est filii ecclesiae.
Dicit sanctus Agustinus: Si non fueris filius ancillae, non eris filius
10 regis.

17. FAC MECUM DEUS SIGNUM IN BONUM. Uox Christi ad patrem; et in alio
loco dicit: *Generatio mala signum quaerit, et signum non dabitur ei nisi*
signum Ionae prophetae. Hic melius 'fac mecum signum in bonum' id
est ut resurgam a mortuis. Uel ecclesia rogat signum resurrectionis, ut
5 quomodo caput resurrexit inmortalis, et illa resurgat similiter. UT
UIDEANT QUI ODERUNT ME ET CONFUNDANTUR. Qui oderunt te, Iudaei,
uiderunt et non uiderunt: uiderunt carnem et non uiderunt diuinitatem. Esaias dicit: *Tollatur impius, ne uideat gloriam dei;* et aliter: *Uide-*
bunt in quem transfixerunt. Uidebunt in iudicio peccatores illam for-
10 mam serui, sed non uidebunt illam maiestatem in corpore; sed sancti
qui a dextris erunt uidebunt illam maiestatem et illam claritatem super
illo corpore: quare? *Beati mundo corde, quoniam ipsi deum uidebunt;* et:
Uidebimus eum sicuti est. 'Et confundantur': bene optat propheta, ut
confusionem habeant de illorum peccatis aut, si non emendant, habe-
15 ant confusionem in infernum. QUONIAM TU DOMINE ADIUUASTI ME ET
CONSOLATUS ES ME. Adiuuauit deus pater filium suum pro parte carnis
adsumptae, et adiuuat Christus sua membra. 'Consolatus es me': in aeterna beatitudine consolantur de aspectu diuinitatis et de laudibus
sanctorum. Agustinus dicit: Quid ibi faciemus? non manducabimus,
20 non dormiemus, non bibemus, forsitan otiosi erimus? Propheta exposuit in breui: *Beati qui habitant in domo tua domine, in saecula saeculo-*
rum laudabunt te, quia uident et uidere desiderant, audiunt et audire
nituntur, satiantur et sine fastidio sunt.

Codices: MNS
7 tuae + quia *S*   8 domini + fiat mihi secundum uerbum tuum *S*   17,1 deus] domine *N*
5 ille *NS*   6 Iudaei + Christum *S*   12 illius corpus *M*   17 Christus + ad *NS*
19 faciamus *NS**   20 dormimus *NS*   bibimus *M*   22 et²] ad *N*   23 sunt + finit *N*

7/8 Lc 1,38   9 AU 85,22(p. 1194) *hac formula non utitur*   17,2 – 3 Lc 11,29   8 Is 26,10
8/9 Za 12,10; Io 19,37   12 Mt 5,8   13 I Io 3,2   19 – 20 AU 85,24,48 sqq.(p. 1197)
21/22 Ps 83,5

86. PSALMUS CANTICI FILIIS CORE. Iam alibi diximus de isto titulo.
FUNDAMENTA EIUS IN MONTIBUS SANCTIS: uox prophetae. 'Fundamenta
eius': apud grammaticos pronomen eius dicit ex persona alicuius.
Nomen non dicit, sed cuius 'eius', nisi quod in antea dicit: Sion? ac si
5 dicat propheta suspensus a deo, unde ego semper cogito, semper
contemplor, ubi semper spem habeo, ac si dicat: in Sion caelestem
congregatam de angelis et omnibus gentibus. 'Fundamenta eius in
montibus sanctis': qui sunt montes nisi prophetae et apostoli? Fundamentum illorum Christus est, ut Paulus ait: *Fundamentum enim aliud*
10 *nemo potest ponere praeter id quod positum est quod est Christus Iesus.*
De ipso fundamentum accipiunt sancti, imitatores apostolorum, quia
ipse est fundamentum fundamentorum, princeps principum, rex
regum, dominus dominorum, deus deorum. Sancti apostoli habent
fundamentum super illum, quia dictum est: Super ipsum angularem
15 lapidem Christum Iesum, et nos super fundamenta apostolorum, quia
dictum est: *Aedificati super fundamentum apostolorum et prophetarum,*
id est super fidem illorum fundati sumus. Ipse Christus est lapis angularis qui continet duas parietes, duos populos et duas leges etc.

2. DILIGIT DOMINUS PORTAS SION SUPER OMNIA TABERNACULA IACOB. Fuit
Sion, sed non dicit de Sion terrena. Nam ipsi sunt portae Sion qui et
fundamenta. Portae Christi sancti apostoli et praedicatores. Ipsi
intrant per Christum in Sion, et nos per ipsos, et Christus per semet
5 ipsum intrat et a semet ipso uadit, quia ipse est in suis sanctis. 'Super
omnia tabernacula Iacob': plus diligit portas Sion quam omnia tabernacula Iacob, id est qui carnaliter legis litteram tenent. Sion carnalis
ciuitas fuit Dauid; figurauit istam praesentem ecclesiam, et ista ecclesia figurat caelestem Sion.

3. GLORIOSA DICTA SUNT DE TE CIUITAS DEI. Uox prophetae, ac si dicat:
multae sunt uirtutes tuae. De illa Sion multa exinde dixerunt Sion
caelestem, congregatam de angelis et hominibus.

Codices: (B)MN(S)
Ps 86,1,4 Nomen *om. S*   non *om. MN*   cui *NS*   9 est] erat *S*   10 quod²] qui *NS*
15 fundamentum *S*   **2,**1 Iacob + In populo Iacob *S*   Fuit + in *S*   4 ipsos] ipsum *MN*
8 figurabat *S*   **3,**3 a de *deest S(usque ad Ps 87,12), pro quo hic adhibetur B*

Ps 86,1,1 *cf* Ps 47,1   9/10 I Cor 3,11   16 Eph 2,20

4. MEMOR ERO RAAB ET BABYLONIS SCIENTIBUS ME. Hic propheta ex persona dei loquitur. Secundum historiam Raab de alienigenis fuit meretrix, suscepit nuntios Israheliticos et per aliam uiam eiecit. Hiericho ubi erat ista Raab figuram mundi tenet, Raab meretrix figuram ec-
5 clesiae ex gentibus tenet. Quare meretrix? pro idolatriae obseruatione. Nuntii quos suscepit figuram habent apostolorum. Quid est quod per aliam uiam eiecit illos, sicut et magi *per aliam uiam reuersi sunt in regionem suam?* Isti magi uel illi nuntii figuram tenent humani generis. Nos uenimus de paradiso dei per transgressionem mandati et reliqua, et
10 redire debemus per adflictionem carnis et dei praecepta obseruando etc. Funiculus coccineus passio Christi intellegitur; et sicut illi saluati sunt qui in illa domo meretricis fuerunt, sic in die iudicii qui unitatem ecclesiae tenent: illi tantum erunt saluati. 'Memor ero Raab', ac si dicat deus: memor ero ecclesiae ex gentibus congregatae; 'et Babylonis'
15 quasi dicat: memor ero et Babylonis id est qui in confusione peccatorum sunt. Babylon ciuitas impiorum, Sion ciuitas piorum. Ex impiis fecit pios, et ex lupo fecit agnum et reliqua huiusmodi. 'Scientibus me': non illos de quibus dicit propheta: *Effunde iram tuam in gentes quae te non nouerunt,* sed illos memor ero qui me cognoscunt et de qui-
20 bus alibi: *Praetende misericordiam tuam scientibus te.* ECCE ENIM ALIENIGENAE ET TYRUS ET POPULUS AETHIOPUM QUI FUERUNT IN EA. Istae supradictae gentes figuram omnium gentium tenent et illa mulier. Praeuidebat hoc propheta per spiritum sanctum quod de omnibus gentibus ibi erunt congregati.
5. MATER SION DICIT HOMO ET HOMO NATUS EST IN EA, ET IPSE FUNDAUIT EAM ALTISSIMUS. 'Mater Sion dicit homo': ille qui homo est et deus est, ille dicit, sua mater est Sion. Sicut sanctam Mariam ipse creauit et matrem illam dignatus est uocare, ita et sanctam ecclesiam ipse creauit
5 et ipse fundauit eam super semet ipsum; et matrem ipsam dignatus est uocare propter adsumptionem carnis, et nascendo in credentium cor-

Codices: BMN
4,3 meretrix + quae M^2 5 tenet *om. N*   6 quos] quem *BN*   figuram - apost.]
figurat apostolos *BN*   15 confessione *N*   17 huius mundi *N*   18 gentibus *B*
19 quae] qui B^2N me + non *MN*   20 alibi + dicit *B*   enim *om. B*   21 in ea]
illic *B*   22 gentes *om. BN*   5,1 et¹ - 2 homo¹ *om. M*   1 ipsi *N*   2 qui *om. M*
4 ita] sic *B*   6/7 corda *BN*

4,2sqq. *cf* Ios c. 2   7/8 *cf* Mt 2,12   18/19 Ps 78,6   20 Ps 35,11

dibus per praedicationem linguarum et fundauit eam super semet
ipsum. Aliter: 'Numquid Sion dicit homo?' Dixerunt Iudaei quod purus homo esset et non deus; sed sancta ecclesia Sion non dicit tantum
10 purum hominem, sed deum et hominem.
6. DOMINUS NARRAUIT IN SCRIPTURIS POPULORUM id est prophetarum et
apostolorum, narrauit de semet ipso: *Ecce uirgo in utero concipiet* et rlq.
ET PRINCIPUM HORUM HII FUERUNT IN EA. Qui sunt principes nisi sancti
apostoli, quia *infirma mundi elegit deus, ut confundat fortia,* quia de pis-
5 catoribus fecit praedicatores, et tamen non uadunt piscatores adorare
ad sepulturam principum, sed principes uadunt ad sepulturam pisca-
torum id est apostolorum qui fuerunt in ea.
7. SICUT LAETANTIUM OMNIUM HABITANTIUM IN TE. Non dixit qui laetantur in theatro aut in choro uel in circo. Quare non dixit conparationem?
quia nullum gaudium est quo conparasset illam laetitiam sempiternam, quia *nec oculus uidit nec auris audiuit nec in cor hominis ascendit,*
5 qualis erit illa laetitia sempiterna.

87. CANTICUM PSALMI FILIIS CORE PRO AMALECH AD RESPONDENDUM.
INTELLECTUS EMAN ISRAHELITAE. Iam dictum est de filiis Core et canticum psalmi. 'Pro Amalech': in Graeca lingua dicitur Amalech, in
nostra interpretatur chorus, chorus de concordia psallentium.
5 Redemptor noster pro nobis passus est, et sicut ille pro nobis passus
est, ad respondendum et chorus, quod intellegitur martyres, pro ipso
debent pati. Ille posuit animam suam pro nobis, et nos debemus pro
ipso animam ponere uel pro fratribus. Intellectus dicitur quod aliud
sonat in historia, aliud est in sensu. Eman intellegitur frater eius, unde
10 dixit: *Nuntiabo nomen tuum fratribus meis.* 'Israhelitae' ut ipse ait: *Ecce
uir Israhelita in quo dolus non est.* Iste psalmus cantatur de passione
Christi et de choro martyrum.

Codices: BMN
7 linguas *BN*   8 dicet *B*   9 tantum *M²*: *om. cett.*   6,1 narrabit *B*   scripturas *N*
7,2 uel *om. BN*   Quare] aut post uictoriam(*om. N*) *BN*   3 nullum – quo] nullam rem
habet ad quem ea (+ id est in *B*) Sion *BN*

Ps 87,1,2 Hismahelite *B*   6/7 debent pro ipso *BN*   8 proponere *B*   10 Israhelita *B*

6,2 Is 7,14; Mt 1,23   4 I Cor 1,27   7,4 I Cor 2,9

Ps 87,1,10 Hbr 2,12(Ps 21,23)   10/11 Io 1,47

2. DOMINE DEUS SALUTIS MEAE, IN DIE CLAMAUI ET NOCTE CORAM TE. UOX Christi ad patrem, pro suis membris rogat, et nos rogamus ipsum. In die et nocte clamat ipse uel nos, id est in prosperis et in aduersis, ille ad patrem secundum adsumptum hominem et ecclesia ad Christum.
   5 'Salutis' dicit: salus nostra Christus est, quia ipse fecit salutem.
3. INTRET IN CONSPECTU TUO ORATIO MEA. Christus pro nobis orat et per nos et in nobis orat, quia ipse nos docet orare. INCLINA AUREM TUAM AD PRECEM MEAM. Ille inclinat aurem suam ad nos, si fuerimus humiles, si nos confitemur peccatores, si nos confitemur aegrotos. Et deus incli-
   5 nat aurem suam de supernis ad nos humiles in infimis.
4. QUIA REPLETA EST MALIS ANIMA MEA. Absit quod anima Christi malis repleta fuisset, quia non habuit peccatum. Sed 'malis' pro tribulatione posuit quod sustinuit in carne, ut ait: *Tristis est anima mea usque ad mortem,* id est flagella uel dolores corporis quod sustinuit; ET UITA MEA
   5 IN INFERNUM ADPROPINQUAUIT. Postea dum dicit 'adpropinquauit', non permansit, ut illud: *Non derelinques animam meam in infernum.*
5. AESTIMATUS SUM CUM DESCENDENTIBUS IN LACUM. Uox Christi: ab illis qui me occiderunt quasi mortuus fuissem quomodo unus de peccatoribus qui descendunt in infernum. FACTUS SUM SICUT HOMO SINE ADIU-TORIO: non erat homo qui ei adiuuaret, unde dictum est: *Considerabam*
   5 *a dextris et non erat qui cognosceret me,* sed dicebant: *Si filius dei es, descende de cruce* et rlq.
6. INTER MORTUOS LIBER, hoc est inter mortuos illos qui in inferno erant uel inter mortuos Iudaeos ille erat sine peccato hoc est liber. SICUT UULNERATI DORMIENTES IN SEPULCHRIS. Dormiunt hic sancti et peccatores similiter, quia utrique resurgere habent. Tamen peccator num-
   5 quam dormit, eo quod numquam requiem habet. Post transitum praesentis uitae ambo dicuntur dormire usque ad diem iudicii, quando et boni et mali resurgent. Nam sicut homo iacet in sepulchro mortuus, sic animae peccatorum iacent mortuae in corpore humano, unde domi-

Codices: BMN
2,2 rogamus + ad *BN*   3,1(*et* 2) orat] rogat *MN*   2 ad] in *N*   4,4 quod] quos *M*²
5 in infernum] inferno *M*²   6 derelinquis *M*   inferno *M*²   5,1 discendentibus *N*
2 occiserunt *BN*   3 discendit *N*   3/4 adiutorium *N*   4 homo] de hominibus *BN*
6,1 infernum *BN*   3 Dormire est sanctis *B*   et + mori *B*   4 simul *B*   6 ad] in *B*
quando] quo *N*: quod *B*

4,3/4 Mt 26,38   6 Ps 15,10   5,4/5 Ps 141,5   5/6 Mt 27,40

nus dixit in euangelio: *Uae uobis scribae et pharisei, quia similes facti*
10 *estis sepulchris dealbatis.* 'Sicut uulnerati', ac si dicat: sic apud eos
aestimatus sum, QUORUM NON EST MEMORIA AMPLIUS, hoc est in uita
aeterna non est memoria illorum, ET QUIDEM IPSI DE MANU TUA EXPULSI
SUNT. Manus dei patris Christus est. Expulsi sunt de manu Christi
propter illorum peccata, quia non sunt digni ut corripiantur. Aliter: illi
15 qui conuersi sunt in bonum expulsi sunt per potestatem dei de malo in
bonum.
7. POSUERUNT ME IN LACUM INFERIOREM, IN TENEBROSIS ET UMBRA
MORTIS. Primus lacus est quando cadit homo in peccatum, secundus in
infernum. Aliter 'posuerunt me': uox Christi, id est interfecerunt.
Fecerunt me descendere in lacum inferiorem id est in infernum. Sic
5 me putauerunt quasi unum ex peccatoribus.
8. IN ME CONFIRMATUS EST FUROR TUUS, in me confirmata est ira tua et
reliqua, ac si dicat Christus: a primo homine Adam usquequo ego ueni
in carnem propter omnia peccata generis humani ego sustinui. ET
OMNES FLUCTUS TUOS SUPER ME INDUXISTI.
9. LONGE FECISTI NOTOS MEOS A ME. Noti erant Iudaei deo propter legem
dei quam obseruabant. Longe effecti sunt propter illorum incredulitatem uel interfectionem Christi, ut illud: *Longe est a peccatoribus salus.*
POSUERUNT ME IN ABOMINATIONEM SIBI, tunc quando dixerunt: *In Beel-*
5 *zebub eicit daemonia;* et item dixerunt: *Tu discipulus illius sis* et rlq.
Apud illos sic abominabilis fui, sed illa abominatio illorum fuit, non
Christi. TRADITUS SUM ET NON EGREDIEBAR. Iudas tradidit et Iudaei
tradiderunt et ipse semet ipsum tradidit et deus pater tradidit: toti isti
tradiderunt, sed traditio illorum dissimilis est. 'Et non egrediebar' id
10 est non demonstrabat suam diuinitatem; uni tantummodo demon-
strauit, quando dixit: *Ego sum,* et toti *ceciderunt retrorsum.*
10. OCULI MEI LANGUERUNT PRAE INOPIA. Inopiam dicit oculi, quando non
bene uidet oculus. Oculi Christi sancti apostoli sunt, per quos inlumi-

Codices: BMN

10 eos] illos *BN*   12 repulsi *M*   7,1(*et* 4) in laco inferiori *B*   et + in *N*   2 locus *B*
peccato *BN*   secundum *BN*   3 inferno *MN*   5 me *om. BN*   putauerunt + illi *B*
unus *B*   8,2 ad primum hominem *M*   3 carne *BN*   9,1 deo] *praem. a BN*   4 tunc
om. B   5 eiecit *BN*   dicent *BN*   6 fui *om. BN*   10 uni *scripsi:* unum *codd.*
10,2 uidetur *BN*

6,9/10 Mt 23,27   **9,**3 Ps 118,155   4/5 Lc 11,15   5 Io 9,28   11 Io 18,6

nantur alii. Sed tunc languerunt, quando negauerunt Christum et
fugierunt. CLAMAUI AD TE DOMINE TOTA DIE, EXPANDI MANUS MEAS AD
5 TE. Quomodo dicit Christus 'tota die clamaui ad te'? Quia die Ueneris
hora sexta leuatus est in crucem et post hora nona exinde exiuit, non
intellegimus tota die clamare. Sed dixerunt aliqui totum pro parte
dixisse; sed sanctus Agustinus dicit: non conuenit sic quomodo dicit
Christus: clamaui tota die. Tota die clamauit Christus id est a primo
10 homine usque in finem saeculorum clamasset: per prophetas clamat,
per apostolos uel successores illorum. 'Expandi manus meas' hoc est
opera sua. Qualia opera? expandit caelum et terram et reliquas creaturas uel reliqua bona quae dedit hominibus.
11. NUMQUID MORTUIS FACIES MIRABILIA? *Non mortui laudabunt te domine.*
Fecit mirabilia de illis mortuis quos suscitauit et *apparuerunt multis in*
sancta ciuitate. Iudaei mortui fuerunt in peccatis et in illorum incredu-
litate permanserunt. Non illis fecit mirabilia, quia illum credere nolue-
5 runt. Uiderunt mirabilia illum facientem, sed non crediderunt. AUT
MEDICI SUSCITABUNT ET CONFITEBUNTUR TIBI? Secundum historiam
medici non suscitant mortuos, sed per adiutorium pigmentorum, quae
habent adiutorium, licet omnia per deum praestant, non a semet ipsis.
Aliter medici id est sancti apostoli suscitabunt et non suscitabunt: sus-
10 citant quia praedicant, et non suscitant, quia quamuis illi praedicent,
nisi interius deus operetur, illi exterius in uanum laborant. Suscitant et
non suscitant id est non per semet ipsos, sed a deo suscitant, quia hoc
non per illorum uirtutem faciunt, sed per deum, ut Petrus et Iohannes
dixerunt: *O uiri, quid intuemini in nos quasi nostra potestate aut uirtute*
15 *hoc fecerimus?* ac si dixissent: non nos hoc fecimus, sed deus. Aliter
Christus suscitat id est a semet ipso suscitat.
12. NUMQUID NARRABIT ALIQUIS IN SEPULCHRO MISERICORDIAM TUAM? Qui
in sepulchro est non narrat mirabilia domini. Similiter et illa anima

---

Codices: BMN

3 languerunt + aliis *BN*   6 cruce *BN*   horam nonam *M*   8 dixisset *BN*
10 prophetae clamant(*om.* per) *M*   11 Expandit *BN*: + ad te *M*   meas] suas *B*
12 Quale *BN*   13 quae] quod *BN*   dedit + in *N*   11,1 facis *N*   7(*et* 8) adiuuamen
BN   quae] quam *BN*: + non *MN*   11 uano *BN*   14 qui *B*   quasi + in *BN*
15 hoc²] haec *N*: *om. B*   16 id est *scripsi*: et *codd.*   suscitat + de semet ipsum
suscitat *BN*   12,1 narrauit *N*   2 narrat] artat *B*

10,5sqq. AU 87,9,6sqq.(p. 1214)   **11,**1 Ps 113,25   2/3 Mt 27,53   14 – 15 Act 3,12

quae mortua est in peccato et quasi in sepulchro in illo corpore peccatoris iacet mortua, non narrat mirabilia dei; ET UERITATEM TUAM IN
⁵ PERDITIONE? hoc est illi qui perditi sunt ad deum non faciunt hoc est
non adimplent mandata dei.

13. NUMQUID COGNOSCENTUR IN TENEBRIS MIRABILIA TUA ET IUSTITIA TUA
IN TERRA OBLIUIONIS? Illi qui in ignorantia sunt peccatores et obliuiscuntur deum, non enarrant iustitiam dei.

14. ET EGO AD TE DOMINE CLAMAUI: ille chorus martyrum clamat, ET MANE
ORATIO MEA PRAEUENIET TE: mane quando credit, quando conuertit et
praeterita peccata relinquit, tunc aduenit oratio sua ad deum; uesperum numquam, quando ignorantia peccatorum est.

15. UT QUID DOMINE REPELLIS ORATIONEM MEAM? Repellit deus orationem
sanctorum, ut plus excitent⟨ur⟩ rogando. Sicut uentus suscitat ignem et
plus postea ardet, sic deus facit de sanctis suis: quantum plus dimittit
tribulari suos sanctos, tantum plus suscitantur in rogando. AUERTISTI
⁵ FACIEM TUAM A ME? quia non uident praesentiam Christi, quia non est
in re, sed in spe, quare non statim liberantur id est ut semper ambulent
ad deum.

16. PAUPER SUM EGO ET IN LABORIBUS A IUUENTUTE MEA. Christus pro
nobis pauper et corpus suum ab initio saeculi pauper et in tribulatione
positus. EXALTATUS AUTEM ET HUMILIATUS SUM ET CONFUSUS: Christus
per humilitatem exaltatus, et omnis *qui se humiliat exaltabitur.*

17. SUPER ME TRANSIERUNT IRAE TUAE: transierunt super me id est super
Christum transierunt et super sanctos, perseuerant in peccatoribus; ET
TERRORES TUI CONTURBAUERUNT ME, id est minas Iudaeorum contur-
bauerunt Christum, plus persecutores ecclesiam.

18. CIRCUMDEDERUNT ME SICUT AQUA, TOTA DIE CIRCUMDEDERUNT ME
SIMUL: Iudaei Christum et persecutores ecclesiam. Aquae populi, ut
illud: *Aquae* multae *populi* multi.

Codices: (B)MN(S)
3/4 peccatore *BN*   5 perditionem *B*   5 *a* faciunt *denuo adest S*   13,1 cognoscitur *N*
2 peccatorum *S*   14,3 reliquit *S*   4 numquam *pro* 3 tunc *ponunt MN*: *om. S*   15,3 dimittet *M*   4 tribulare *MN*   6 ut *om. S*   ambulant *S*   16,3 et¹ *eras. M*²
sum *M*²: *om. cett.*   4 humilitatem + fuit *S*   17,1 Super¹ *restitui e Gl.*: In *codd.*
2 transeunt *MS*   18,1 aqua + id est illas tribulationes uel illa plebs hoc est minas (manus
cod.) Iudaeorum *S*

16,4 Lc 14,11   18,3 Apc 17,15

19. ELONGASTI A ME AMICUM, hoc est Petrum et reliquos apostolos, ET NOTOS MEOS A MISERIA. Numquid aliquam miseriam in Christo fuisse dicamus? Absit, sed hic miseria ipsa passio potest intellegi, quia non ostendebat suam maiestatem. Aliter 'a miseria' id est apostolorum,
5 quia negauerunt et fugerunt, eo quod fidem non habuerunt quod ipse ipsos esset redempturus, ut illud: *Nos autem sperabamus quod ipse esset redempturus Israhel.* Ideo haec dicebant, quia defecerat spes illorum.

88. INTELLECTUS ETHAN ISRAHELITAE. Intellectus dicitur, quia aliud sonat in historia et aliud habet in sensu. Ethan interpretatur robustus, Israhelitae: *Ecce uir Israhelita in quo dolus non est.* Quis est iste robustus nisi populus christianus, non a semet ipso robustus, sed per
5 misericordiam dei, nullis meritis praecedentibus?

2. MISERICORDIAS TUAS DOMINE IN AETERNUM CANTABO. Cantabo in futurum est. Hic cantamus et praedicamus, sed postea in futuro 'cantabo' id est laudamus. 'Misericordias' dicit, quia sicut multa sunt nostra peccata, ita miserationes tuae multae sunt, domine; unde dicit:
5 *Uniuersae uiae domini misericordia et ueritas.* IN GENERATIONE ET GENE-RATIONEM: in generatione hoc est in ista carnali et generationem spiri-talem, hoc est post resurrectionem mortalitate deposita, ADNUNTIABO UERITATEM TUAM IN ORE MEO: dixit deus in ueritate, nostrum est os, quia sua est ueritas.

3. QUONIAM DIXISTI, Ethan loquitur ad deum patrem: IN AETERNUM MISE-RICORDIA AEDIFICABITUR, id est in nos misericordia sua aedificabitur semper sine fine, ut dictum est: *Deus meus misericordia mea.* IN CAELIS PRAEPARABITUR UERITAS TUA IN EIS. 'In caelis' in sanctis apostolis uel in
5 praedicatoribus, qui altiores merito sunt, praeparabitur Christus.

Codices: MNS
19,3 intellegere *NS*　　5 fugierunt *NS*　　ipse *eras. M*[2]　　7 haec *om. M*　　deficuerat *NS*

Ps 88,1,3 uir] uere *S*　　Qui *NS*　　**2,**1 tuas domine] domini *MS*　　Cantabo[2] in *om. S*: in *om. M*　　5 generatione] -nem *S*　　6 in[2] *om. NS*　　6/7 generatione spiritali *NS* 8 ore] ori *NS*[2]　　9 quia *om. NS*　　**3,**2 aedificabitur[2]] -catur *S*　　3 ut] unde *S* 5 quia *S*

19,6/7 Lc 24,21

Ps 88,1,3 Io 1,47　　**2,**5 Ps 24,10　　**3,**3 Ps 58,18

4. DISPOSUI TESTAMENTUM ELECTIS MEIS. Uox Christi: disposui Nouum Testamentum electis meis, quos elegi et praedistinaui ante saecula. IURAUI DAUID SERUO MEO:

5. USQUE IN AETERNUM PRAEPARABITUR SEMEN TUUM. Quomodo dicit 'iuraui', dum alibi dicit: *Non iurare omnino?* Numquid aliud est hic in propheta et aliud in euangelio locutus? an fortasse utrumque simul possumus: et iurare et non iurare? aut iurare licet et periurare non
5 liceat? Sed sic soluitur quod deo liceat iurare, et nobis non liceat qui et mentimur et fallimur. Nam deus nec mentitur nec fallit, quia nec uult mentiri nec potest, ut illud: *Est autem deus uerax.* Sed iurare deus dicitur inmutabiliter firma promittere; uel iurauit id est ad confirmandas promissiones patrum. Nobis qui mendaces sumus non licet iurare,
10 quia scriptum est: *Omnis homo mendax.* Aliter 'iurauit deus pater Dauid' hoc est Christo 'seruo meo': *Magnum est tibi uocare puerum meum* aut seruum. Pro carne adsumpta dicit. Quid iurauit? in aeternum id est semper sine fine praeparabitur semen tuum id est Christi membra. *Si filii,* inquid, *Abrahae estis,* ergo semen Christi estis. ET
15 AEDIFICABITUR IN SAECULUM SAECULI SEDEM TUAM, 'aedificabitur', in Hieremia dixit: *Constitui te hodie super gentes et regna, ut destruas et dissipes et eradices* plantationes, *et aedifices:* eradices uitia et peccata *et plantes* uirtutes. 'Sedem tuam' hoc est ecclesiam tuam sanctam, ubi deus sedit, ut illud: *Anima iusti sedes sapientiae.*

6. *Confitebuntur caeli mirabilia tua:* laudabunt et praedicabunt sancti apostoli uirtutes et mirabilia dei, quod operatus est per se et in sanctis suis; ET UERITATEM TUAM IN ECCLESIIS SANCTORUM id est Christus in congregationem ecclesiae.

7. QUONIAM QUIS IN NUBIBUS AEQUABITUR DOMINO? Nubs fuit Moyses, Helias, Hieremias et reliqui prophetae, et sancti apostoli putabant de Christo quod talis fuisset ut nubs pro adsumpta carne, quando *interrogabat discipulos, quem* me *dicunt homines esse, filium hominis?* et rlq.

Codices: MNS
4,3 seruum meum S   5,2 iuraui *scripsi:* iurare *codd.*   dum – iurare *om. S*   2(*et* 3) aliud] -us *NS*   5 liceat[1]] -cet *MN*   deo] dominum S   7 mentiri *om. S*   12 seruum + meum S   14 Et *om. S*   15 aedificabitur[1]] -catur *N: leg.* -cabo?   aedificabitur[2]] -catur *NS*   6,2 et[2] *eras.* M[2]   7,2 reliqui] alii *M in ras.*   4 me *om. M*

5,2 Mt 5,34   7 Rm 3,4   10 Ps 115,11   11 Is 49,6   14 Io 8,39   16 – 18 Ier 1,10 19 Prv 12,23 sec.LXX   7,3 – 5 Mt 16,13.16

⁵ *Petrus* prae omnibus *respondens dixit: Tu es Christus filius dei,* ac si
dixisset de istis supradictis: nullus aequabitur tibi. Nubs tenebrosa est
et intus non potest uidere, sic in sanctis non possunt carnales uidere
cogitationes illorum, quas in mente spiritaliter concipiunt; ita et in
Christo propter carnem adsumptam non clare uiderunt diuinitatem.

¹⁰ AUT QUIS SIMILIS ERIT DEO INTER FILIOS DEI? hoc est nullus neque de
angelis neque de hominibus qui nuncupatiue dicuntur dii seu deriua-
tiue de deo filio dei nuncupati sunt dii.

8. DEUS QUI GLORIFICATUR IN CONSILIO SANCTORUM, in consilio sanctorum ubi est gloria dei in sanctis, quia ipse deus glorificatur per illos,
quia ipse operatur per illos. MAGNUS ET METUENDUS SUPER OMNES QUI
IN CIRCUITU EIUS SUNT, magnus sicut dictum est: *Et magnitudinis eius*
⁵ *non est finis;* ‹(h)orrendus› rapidus quia terribilis est peccatoribus et
blandus iustis. Super omnes qui in circuitu eius sunt: quomodo dicit
'in circuitu': quasi ipse in medio sit id est Christus? et quomodo, quia
deus ubique credendus est? Sed hoc de persona Christi dicit qui induit
carnem, ad historiam in Hierusalem non natus, tamen ‹ibi› passus,
¹⁰ resurrexit, ascendit. Per similitudinem quasi insula quae ‹aqua› cir-
cumdatur, sic Hierusalem in medio et omnes gentes in gyro, dominus
Christus ibidem quasi in medio et omnes, ut diximus, in gyro.

9. DOMINE DEUS UIRTUTUM, QUIS SIMILIS TIBI? repetitio est. POTENS ES
DOMINE, ET UERITAS TUA IN CIRCUITU TUO. Ueritas illi intelleguntur qui
confitentur se peccatores esse. In circuitu dei sunt per ipsam confessionem peccati.

10. TU DOMINARIS POTESTATIS MARIS, exinde cognoscitur quod magnus est
dominus secundum historiam, ut illud: *Ipsius est mare et ipse fecit illud;*
et per quendam dicit ei id est mari: *Usque hic ueni* et ibi te confringam
et fluctus tuos sedare faciam. Secundum sensum mare gentilitas, quia
⁵ amaricatae erant a deo prius propter idolatriam, sed ille, ut dictum est,
dominatur mari per suam potestatem, conuertit illos, misit praedicatores, ut non transiret fines suos, et firmauit illos per gratiam spiritus
sancti. MOTUM AUTEM FLUCTUUM EIUS TU MITIGAS id est impetus genti-

Codices: MNS
5 prae] pro *NS*   7 uidere¹] -ri *M*   9 clare *om. M*   8,2 ubi] ibi *NS*   dei] domini *S*
9 non] ibi *S*   **10**,3 ibi te] fluctus tuos *S*   4 et – faciam *om. S*   8 impetum *S*

8,4/5 Ps 144,3   **10**,2 Ps 94,5   3/4 *cf* Iob 38,11

lium, tribulationes et persecutiones quod faciebant aduersus eccle-
10 siam uel praedicatores, mitigauit illas.

11. Tu HUMILIASTI SICUT UULNERATUM SUPERBUM. Non dixit uulneratum
superbum, sed 'sicut uulneratum', quia diabolus non carnem uulnerauit, sed cor et cogitationes uulnerauit per illam potestatem quod
habebat super genus humanum, quia ipsam ei tulit dominus Christus.
5 ET IN BRACHIO UIRTUTIS TUAE DISPERSISTI INIMICOS TUOS. Brachium
filius, et per fortitudinem filii sui dispersit inimicos id est Iudaeos,
hereticos siue reliquas aduersarii potestates.

12. Tui SUNT CAELI ET TUA EST TERRA, caeli apostoli, terra ecclesia, ORBIS
TERRARUM ET PLENITUDO EIUS TU FUNDASTI, hoc est omnem integritatem ecclesiae fundasti in fide.

13. AQUILONEM ET MARE TU CREASTI, aquilo diabolus qui gloriabatur, ut
dixit: *Ponam thronum meum contra thronum ipsius* et rlq. Illos qui in
potestate diaboli erant absque fide, creauit illos in meridie id est in
feruore caloreque fidei. Mare gentilitas, quia amaricatae erant a deo,
5 recreauit illos in semet ipso. THABOR ET HERMON IN NOMINE TUO EXUL-
TABUNT.

14. TUUM BRACHIUM CUM POTENTIA. Thabor interpretatur lumen, Hermon
anathema; lumen de lumine, deus de deo id est Christus de deo patre,
sancti apostoli de Christo, successores de apostolis, illi qui inluminati
sunt de gratia spiritus sancti, et se anathematizant de suis peccatis et 'in
5 nomine tuo exultabunt' hoc est non in semet ipsis, sed in deo. FIRME-
TUR MANUS TUA ET EXALTETUR DEXTERA TUA: uox prophetae ad deum
patrem loquitur. Manus et dextera ipse intellegitur Christus: ubi? in
tua ecclesia id est in laudibus.

15. IUSTITIA ET IUDICIUM PRAEPARATIO SEDIS TUAE. In illis qui rectum iudicium iudicant et mandata dei implent, in ipsis est sedes dei et in illis
regnat deus. MISERICORDIA ET UERITAS PRAECEDUNT ANTE FACIEM
TUAM, misericordia in indulgendo, ueritas in reddendo.

Codices: M(N)S
9 quod] quas M^2 **11**,1 uulneratum^2] -rasti *S*   3 cor *eras.M*: *om. N*   4 genere
humano *NS*   6 dispersisti *S*   Iudaeos + uel *M*   **12**,2 plenitudinem *S*   **13**,1 Aqui-
lonem] -ne *NS*   mari *S*   3 recreauit *M*   4 caloreque M^2: calore *N*: -rem *S*
5 creuit *M*   ipsum *NS*   Tabor *MS*   **14**,1 Tabor: *hic finit N*   6/7 a deo patri *S*
15,1/2 recto iudicio *S*   2 illos *S*   3 praecedent *S*

13,2 Is 14,13

16. BEATUS POPULUS QUI SCIT IUBILATIONEM. 'Beatus': inmortales illi qui
sciunt quod nec litteris nec syllabis nec uerbo potest conprehendi, quales erunt illae laudes, nisi in corde exultant de illa magnitudine laetitiae in futuro quod cogitant et praeuident. DOMINE, IN LUMINE UULTUS
⁵ TUI AMBULABUNT, et pater lumen et spiritus sanctus lumen, sed tamen
hic lumen Christus intelegitur, eo quod sancti in Christo ambulabunt
in die iudicii;

17. ET IN NOMINE TUO EXULTABUNT hoc est in ipso Christo, TOTA DIE toto
tempore; uel diem dixit, quia illa uita unus dies erit. ET IN TUA IUSTITIA
EXULTABUNTUR id est in tuis mandatis, non sicut illi qui *iustitiae dei non
sunt subiecti, suam quaerentes statuere iustitiam,* sed isti in te exulta-
⁵ buntur, non a semet ipsis.

18. QUONIAM GLORIA UIRTUTIS EORUM TU ES, ad istos tales et gloria et
uirtus eorum tu es, ET IN BENEPLACITO TUO EXALTABITUR CORNU
NOSTRUM, hoc est in Christo tuo exaltabitur regnum christianorum.

19. QUIA DOMINI EST ADSUMPTIO, id est adsumpsit nostram carnem et nos
adsumet in gloria uel in regnum suum, ET SANCTI ISRAHEL REGIS
NOSTRI: ille qui sanctificauit Israhel rex noster est.

20. TUNC LOCUTUS ES IN UISIONE FILIIS TUIS, 'tunc' ante aduentum Christi
locutus est deus pater in uisione hoc est in uisione spiritali locutus est
filiis id est prophetis qui uidentes appellabantur, ut illud: *Eamus ad
domum uidentis.* Locutus est quod uenturus erat in carnem. ET DIXISTI:
⁵ POSUI ADIUTORIUM IN POTENTEM: uox patris. Adiutorium propter
carnem adsumptam, sed potentem super Christum; ET EXALTAUI
ELECTUM DE PLEBE MEA. Exaltauit Christum electum: *Hic est filius
meus dilectus;* et alibi: *Electus ex multis milibus.* 'De plebe' id est
Iudaeorum.

21. INUENI DAUID SERUUM MEUM. Quod inuenitur antea quaeritur, ut
dicatur postea 'inueni'. Secundum historiam inuentus fuit Dauid inter
fratres suos; secundum sensum inuentus est Dauid hoc est Christus, ac
si dicat deus: de longo tempore uolebam talem hominem inuenire qui

Codices: MS
16,1 iubilationem + domini *S*   inmortalis *S*   2 potest + homo *M*S*   conprehendere *M*S*   17,2 diem] die *S*   4/5 exultabuntur *om. M*   19,1 est¹ *om. S*   2 adsumit *S*
20,1 es] est *M*   4 dixit *M²*   5 uox – Adiutorium² *om. M*   6 et *om. M*

17,3/4 Rm 10,3   20,3/4 I Rg 9,9   7/8 Mt 3,17   8 Ct 5,10

⁵ redimeret genus humanum, quod ita et inuenit Christum. IN OLEO
SANCTO MEO UNXI EUM id est in spiritu sancto.

22. MANUS ENIM MEA AUXILIABITUR EI ET BRACHIUM MEUM CONFORTAUIT
EUM: ipse semet ipsum confortauit.

23. NIHIL PROFICIET INIMICUS IN EUM ET FILIUS INIQUITATIS NON ADPONET
NOCERE EI: *Uenit enim princeps mundi et in me non habet quicquam.*
Dum dicit 'nihil proficiet', ergo proficiebat antea in genus humanum
diabolus, eo quod pater noster Adam cautionem chirografi ei fecerat
⁵ quando consensiuit; sed postea sanauit hoc dominus Iesus Christus
per suum sanguinem, et postea non proficiet diabolus in membris
Christi.

24. CONCIDAM INIMICOS EIUS A FACIE IPSIUS: concidere hoc est capulare.
Tunc conciduntur inimici Christi, quando praedicatur ipse; et tunc
absciduntur membra diaboli et crescunt membra Christi. ET ODIENTES
EUM IN FUGAM CONUERTAM, dum apostolus dicit: Ubi fugiunt aut quo-
⁵ modo dicitur fugere deum, dum alibi dicit: *Et a facie tua quo fugiam? Si*
ascendero in caelum, tu illic es et rlq. Secundum historiam dispersi sunt
Iudaei in omni uento uel heretici de ecclesia seu unusquisque in fuga
uertitur secundum illud: *Adam, ubi es?*

25. UERITAS MEA ET MISERICORDIA MEA CUM IPSO hoc est cum membris
Christi, propter nos utique dicit; ET IN NOMINE MEO EXALTABITUR
CORNU EIUS hoc est regnum Christi.

26. ET PONAM IN MARI MANUM EIUS ET IN FLUMINIBUS DEXTERAM EIUS.
Quantum ad historiam sua potestas id est Christi et in mare et in omnia
flumina, quia ipse fecit illa. Sed per mare gentilitas designatur. In mari
manum eius id est potestatem eius, ut conuertat illam in semet ipso per
⁵ fidem; et in fluminibus id est in peccatoribus qui pertranseunt et qui
currunt in mortem, dexteram eius id est potestatem eius, ut conuertat
illos de malo in bonum.

27. IPSE INUOCAUIT ME: PATER MEUS ES TU: pro parte carnis, ut illud: *Pater,*
in manus tuas commendo spiritum meum. DEUS MEUS, SUSCEPTOR SALU-
TIS MEAE: deus pater pro adsumptione humanitatis suscepit filium in
aeternitatem.

Codices: MS

21,6 spiritum sanctum (*om.* in) *S*　　23,1 inimicus + eius *M*　　eum] eo *M²*　　6 proficit *M²*
membra *S*　　24,3 absceduntur *S*　　5 deo *S*　　26,3 illud *S*　　5 et² + hi *S*

23,2 Io 14,30　　24,5/6 Ps 138,7.8　　8 Gn 3,9　　27,1/2 Lc 23,46 (Ps 30,6)

28. ET EGO PRIMOGENITUM PONAM ILLUM, *primogenitum ex mortuis,* uel primogenitus ante omnes creaturas; EXCELSUM PRAE REGIBUS TERRAE, id est super omnes reges terrae et super omnes apostolos uel praedicatores Christus excelsior.

29. IN AETERNUM SERUABO ILLI MISERICORDIAM MEAM. Propter nos dicit qui membra Christi sumus. Nam illi non opus est misericordia, quia *peccatum non fecit* et rlq. Sed ad nos pertinet illa misericordia; ET TESTAMENTUM MEUM FIDELE IPSI. Nouum Testamentum fidele ipsi id est Christo
⁵ *qui non mentitur,* uel ad illos qui mihi fideles sunt seruabo Nouum Testamentum.

30. ET PONAM IN SAECULUM SAECULI SEMEN EIUS ET THRONUM EIUS SICUT DIES CAELI. Cur non dixit dies terrae? quia dies terrae transeunt, sed dies caeli non transeunt. Uel thronus sedes dicitur, sedes dei sancta ecclesia.

31. SI DERELIQUERINT FILII EIUS LEGEM MEAM. Hic multi male intellegunt, quia dicunt: quodcumque fecerimus, misericordia dei liberauit nos. 'Si dereliquerint filii eius' hoc est de praedistinatis filiis dicit, 'legem meam' hoc est Nouum et Uetus Testamentum; ET IN IUDICIIS MEIS NON
⁵ AMBULAUERINT id est in iustificationibus dei;

32. SI IUSTITIAS MEAS PROFANAUERINT ET MANDATA MEA NON CUSTODIERINT id est in uanum habuerint uel mandata mea non custodierint:

33. UISITABO IN UIRGA INIQUITATES EORUM. Per uirgam disciplina, ut dictum est: *Flagellat deus omnem filium quem recipit;* et alibi: *Septies cadet iustus et* septies *resurget* in die; ET IN UERBERIBUS PECCATA EORUM, hoc est per uerberibus quod et per uirga.

34. MISERICORDIAM UERO MEAM NON AUFERAM AB EO id est Christo, eo quod sua misericordia non discedit ab eis hoc est praedistinatis sanctis; NEQUE NOCEBO IN UERITATE MEA: non erit mendacium quod promisit uel modo promittit sanctis praemium sempiternum.

Codices: MS
29,4 ipsi¹ *om. M*   fidele²] -li *M*   **30,**2 terrae] terreni *S*(*bis*)   sed – 3 transeunt *om. S*
31,1(*et* 3) derelinquerint *S*   intellexerunt *S*   2 faciamus *S*   liberat *S*   **33,**1 uisitabo + illos *M*S, eras. M²*   4 uirgam *M*   **34,**2 discedat *M²*   eis] ipsis uel ab eis *S*
4 praemio sempiterno *S*

28,1.2 Col 1,18.15   **29,**2/3 I Pt 2,22(Is 53,9)   5 Tit 1,2   **33,**2 Hbr 12,6   2/3 Prv 24,16

35. NEQUE PROFANABO TESTAMENTUM MEUM, ac si dicat: non erit uacuum, sed firmum erit quod promisit de Christo uel de Nouo Testamento; ET QUAE PROCEDUNT DE LABIIS MEIS NON FACIAM IRRITA, hoc est non erit inrisio, quod non sit adimpletum.

36. SEMEL IURAUI IN SANCTO MEO: iurauit de Christo quod uenturus esset in carne ad genus humanum redimendum, unde dixit: *Semel locutus est deus.* Ideo deus dicitur iurare propter adfirmationis causam. Si deus sermonem dicit et uerum est, quanto magis iuramentum. Sed illi licet
   5 iurare, qui nec uult nec potest mentiri; nobis non licet, quia mendaces sumus. SI DAUID MENTIAR,

37. SEMEN EIUS IN AETERNUM MANEBIT: hic 'si' pro non ponitur, ac si dicat: non mentiar. Semen Dauid Christus in aeternum manebit, hoc est sine fine manebit Christus uel semen Christi sine fine manebunt sui sancti.

38. ET SEDES EIUS SICUT SOL IN CONSPECTU MEO. Sedes dei omnes sancti dicuntur et sancta ecclesia. 'Sicut sol', quia sol non crescit neque decrescit, sed integer perseuerat, sic et sancti: in uita aeterna illorum gloria neque augetur neque minuitur, sed erunt sicut angeli dei in
   5 caelo; ET SICUT LUNA PERFECTA IN AETERNUM MANEBIT. Luna sancta ecclesia intellegitur, quia luna crescit et decrescit, sic et ecclesia crescit fidelibus, decrescit morientibus. Uel per lunam mortalitas intellegitur. Luna perfecta id est sancta ecclesia in resurrectione, quando deponit mortalitatem et induit inmortalitatem. ET TESTIS IN CAELO FIDELIS:
   10 Christus in caelo hoc est cum carne fidelis, quomodo ipse resurrexit inmortalis et nos credimus inmortalitatem suscipere. Usque huc promissa ad Dauid de Christo.

39. TU UERO REPPULISTI ET DISPEXISTI. Propheta hic loquitur in persona bonorum qui sub lege fuerunt, qui sperabant Christum in carne uenire ante aduentum. 'Reppulisti' quasi repulsi fuissent pro hoc, quod ipsis non fuit adimpletum de Christo quod uenerit in carne. DISTULISTI, non
   5 abstulit quia uenit, sed distulit, ac si diceret: moras fecisti, quia non uenisti nostro tempore.

Codices: MS
35,3 irritam *S*   **36**,2 redimendo *S*   3 deus²] deo *M*S*   4 sermonem] de sermone *S*
5 qui] quia *S*   mentire *S*   nos *S*   **37**,3 manebunt] -bit *M*   cum sanctis *M²*
38,2 dicuntur *M²*: dei *M*: *om. S*   4 minuetur *S*   6 crescit² + in *S*   7 fidelibus + uel
crescit uiuentibus *S*   11 hic *S*   **39**,1 despexisti *S*   4 ueniret *S*   5 quia²] quod *S*

36,2/3 Ps 61,12

40. AUERTISTI TESTAMENTUM SERUI TUI, id est reliquit Uetus et adsumpsit
    Nouum; PROFANASTI IN TERRA SANCTUARIUM EIUS: in uacuum habuisti
    templum, promisisti illum conculcare, quia non uidimus ibidem modo
    non regem, non prophetas, non sacerdotes, non sacrificium quomodo
    ⁵ antea.
41. DISTRUXISTI OMNES MACHERIAS EIUS id est custodiam angelorum,
    POSUISTI FIRMAMENTUM EIUS IN FORMIDINE, hoc est illam fortitudinem
    quam habebant per deum et illam custodiam angelorum, abstulisti
    illam et fecisti illos in timore esse.
42. DIRIPUERUNT EAM OMNES TRANSEUNTES UIAM id est omnes gentes. Illa
    plebs Iudaeorum in direptionem deuenit, postquam Christus illos
    reliquit. FACTUS EST IN OBPROBRIUM UICINIS SUIS, id est inridebant
    illum populum dei gentes multae hoc est Moab et Amon et reliquae.
    ⁵ Uel in Nouo Testamento exprobrant ecclesiae peccatores sicut illi
    tunc, licet propter multitudinem christianorum modo non sunt ausi in
    tantum.
43. EXALTASTI DEXTERAM INIMICORUM EIUS, exaltauit dexteram inimico-
    rum, id est potestatem dedit illis gentibus quae illos persequebantur;
    LAETIFICASTI OMNES INIMICOS EIUS: illos laetificauit, eo quod accepe-
    runt potestatem super illum populum dei.
44. AUERTISTI ADIUTORIUM GLADII EIUS, hoc est non pugnabat deus in
    gladio potentiae suae contra illas gentes quomodo antea faciebat, quia
    antea unus uertebat in fugam multos, quomodo dictum est: *Quomodo
    persequebatur unus mille et duo fugarent decem milia,* ET NON ES AUXI-
    ⁵ LIATUS EI IN BELLO, id est non erat cum eis in pugna.
45. DESTRUXISTI EUM AB EMUNDATIONE, id est non fuerunt meriti, ut mun-
    daret illos deus de illorum peccatis; ET SEDEM EIUS IN TERRA CONLISISTI
    hoc est regnum eius.
46. MINORASTI DIES TEMPORIS EIUS. Numquid dies minorati fuissent in
    numero aut in horis breuiati? Non, sed tantos annos non uixerunt

---

Codices: MS
40,1 tui *scripsi*: eius *codd.*   4 regi *S*   prophetia *S*   **41,**1 Destruxisti *S*   2 in *om. M*
formidinem *M*   3 habebat *S*   **42,**3 in *om. S*   5 sicut + et *S*   **43,**2 ad illas
gentes *S*   3 illos] illas gentes *S*   **44,**5 eis] illis *S*   **45,**1/2 emundaret *S*   2 conclusisti *S*

44,3/4 Dt 32,30

quantos parentes illorum fecerunt. PERFUDISTI EUM CONFUSIONE:
confusi sunt nec possunt oculos leuare illorum contra christianos.

47. USQUEQUO DOMINE IRASCERIS IN FINEM? Interrogando dicit propheta:
quamdiu? ac si dicat: usque in finem erit tua iusta uindicta super illos
qui non credunt. Sed tamen credituri sunt ante diem iudicii, unde et
Paulus: *Donec plenitudo gentium intraret et sic omnis Israhel saluus*
⁵ *fieret,* hoc est ut credant per Heliam et Enoch. EXARDESCIT SICUT IGNIS
IRA TUA, subauditur: tam diu erit ira tua id est iusta uindicta super illos,
usquequo ueniant Helias et Enoch.

48. MEMORARE QUAE SIT MEA SUBSTANTIA, ac si dicat: adimple de Christo
quod promisisti, ut ueniat et suscipiat nostram substantiam, quia nihil
sumus. NUMQUID UANE CONSTITUISTI OMNES FILIOS HOMINUM? id est
non ad hoc constituisti hominem, ut uanitati seruiat hoc est idola et
⁵ creaturas adoret, sed ad hoc constituisti illos, ut te creatorem adorarent.

49. QUIS EST HOMO QUI UIUIT ET NON UIDEBIT MORTEM? id est nullus nisi
solus homo Christus. Et quomodo? quia Christus mortuus est et suscitatus. Fuerunt et alii suscitati multi, sed iterum mortui sunt. Sed Christus resurrexit inmortalis: *mors ei ultra non dominabitur.* AUT QUIS ERU-
⁵ IT ANIMAM SUAM DE MANU INFERI? Ipse Christus, ut dixit: *Potestatem*
habeo ponendi animam meam et potestatem habeo iterum sumendi eam.
Iuxta quod impossibile erat in inferno teneri illum. Sed nullus alius per
semet ipsum nec suscitatus nec ab inferno liberatus nisi solus ille id est
Christus.

50. UBI SUNT MISERICORDIAE TUAE ANTIQUAE, DOMINE, SICUT IURASTI
DAUID IN UERITATE TUA? Ubi sunt misericordiae tuae antiquae:
optando dicit, quod promisisti Dauid quod ex semine ipsius ueniret
misericors id est Christus, qui nos liberaret et redimeret, ac si dicat:

Codices: MS
46,3 quantum *S*   fecerunt] uixerunt *M*   confusionem *S*   **47**,2 iusta] iustitia *S*
3 qui] quod *S*   4 intret *S*   5 fiet *S*   ut] si *S*   Exardescet *S*   6 tam *scripsi*:
tamen *M*: quoniam *S*   diu erit] diuertit *S*   7 ueniat *M*   **48**,3 omnes – 4 constituisti
om. M   4 constituisti + filios *S*   uanitatem *S*   5 adoret *om. S*   te *om. M*
5/6 adorant *S*   **49**,1 uiuet] uiuit *S*   7 in *om. S*   tenere *S*   illum + ab eo *M*S*,
eras. M²

47,4 Rm 11,25.26   **49**,4 Rm 6,9   5/6 Io 10,18

⁵ quare non uidemus eum? Uox illorum qui praeuidebant per spiritum
Christum uenturum in carne, eo quod desiderabant illum uidere.

51. MEMOR ESTO DOMINE OBPROBRII SERUORUM TUORUM: quod et illi boni
ex populo dei ante aduentum rogabant, ut uideret deus illa obprobria
quod exprobrabant illis gentes et in Nouo Testamento exprobrant
christianis. Dicunt enim: uos illum male mortuum hominem adoratis
⁵ Christum. QUOD CONTINUI IN SINU MEO MULTARUM GENTIUM. Quod
obprobrium in sinu fuit hoc est in secreto, ubi deus solus audit et uidet,
ac si dicat: ubi continui obprobrium multarum gentium quod expro-
brauerunt tibi,

52. QUOD EXPROBRAUERUNT INIMICI TUI DOMINE, QUOD EXPROBRAUERUNT
COMMUTATIONEM CHRISTI TUI. Gentes dicebant: Christus uobis
promissus est, cur non uenit? et mali christiani et peccatores similiter
dicunt: quare non uenit Christus ad iudicium, ut uos liberet? 'Commu-
⁵ tatio' dicit: commutatio fuit de Ueteri Testamento, uenit in Nouo.

53. BENEDICTUS DOMINUS DEUS ISRAHEL IN AETERNUM, id est Christus, cui
benedicit omnis creatura. FIAT, FIAT, uere uel fideliter. Optat propheta,
ut firma sit sua prophetia quod praedixit de Christo.

89. ORATIO MOYSI HOMINIS DEI. Iste psalmus in persona Moysi cantatur,
non quod ille illum cantasset, sed in sua persona est cantatus. Moyses
mirabilis fuit in Ueteri Testamento et prophetauit de Nouo uel de
Christo, quia omnia illa in figura contingebant illis. Et ideo de Uetere
⁵ et de Nouo cantatur.
    DOMINE REFUGIUM FACTUS ES NOBIS. In alio psalmo dicit: *Dominus no-*
ster refugium et uirtus, quia in ipso habuimus refugium id est sub protectione diuina uel sub alis suis. Dicit homo similitudinem: sicut gallina protegit pullos suos, ut non rapiantur ab acceptoribus uel miluis,
¹⁰ ita sapientia diuina protegit sanctos sub duo Testamenta, Nouum et
Uetus, ut non rapiat eos accipiter et miluus hoc est diabolus. In sua

Codices: MS
50,5 uidimus *M**   praeuid.] praedicabant *M*   6 carnem *S*   **51,1** obprobrium *M**S
quod *om. M*   3 illos *M*   4 christianos *S*   Dicunt enim *om. M*   7 ubi continui]
tibi constitui *S*   **52,1** exprobrauerunt² + in *S*   4 liberaret *S*   **53,3** quod] quam *M*²

Ps 89,1,6 refugium + tu *S*   7 habemus *S*   11 rapiunt *S*

Ps 89,1,6/7 Ps 45,2

protectione ibi habemus refugium. IN GENERATIONE ET GENERATIO-
NEM, id est in generatione Iudaeorum et generatione gentilium uel a
generatione carnalium in generationem spiritalium hoc est deposita
15 mortalitate et induta inmortalitate post resurrectionem.
2. PRIUSQUAM FIERENT MONTES ET FORMARETUR TERRA. Montes angeli uel
sancti qui sunt altioris meriti, formaretur terra hoc est humilitas
humani generis. A SAECULO ET USQUE IN SAECULUM TU ES DEUS, alibi
dicit: *Deus autem rex noster ante saecula* tu es. Non dixit: qui fuisti aut
5 eris, sed 'es', hoc est qui semper fuit et est sine initio, sine fine erit, quia
semper est; unde alibi: *Ego sum qui sum.*
3. NE AUERTAS HOMINEM IN HUMILITATEM, hoc est ne auertas te ab illo
homine qui positus est in humilitate, ut non respicias et liberes illum.
ET DIXISTI: CONUERTIMINI FILII HOMINUM. Propheta dicit ad deum: tu
ipse dixisti 'conuertimini filii hominum', imple quod dixisti, fac nos ad
5 te conuertere, quia per nos non possumus, nisi tu nos facias conuerti.
4. QUONIAM MILLE ANNI ANTE OCULOS TUOS TAMQUAM DIES UNA ET SICUT
DIES HESTERNA QUAE PRAETERIIT ET CUSTODIA IN NOCTE:
5. QUAE PRO NIHILO HABENTUR, EORUM ANNI ERUNT. 'Mille anni': dixerunt
aliqui quasi apud deum in caelo sic esset longus unus dies quomodo
apud nos sunt mille anni, sed non conuenit, quia finis esset, etiam si
plus dixisset. Sed pro distinctione uitae futurae dicit: sicut nos pro
5 nihilo habemus diem praeteritum qui iam transiit et uigilia in nocte
tres horas ⟨id est⟩ quarta pars noctis pro nihilo est, sic est tota uita
humana aduersus aeternitatem, quia non erit finis annorum eorum
hoc est generi humano.
6. MANE SICUT HERBA TRANSEAT: initium uitae praesentis dicit, unde
propheta: *Omnis caro fenum et omnis gloria eius tamquam flos feni; flos
decidit et decor uultus eius deperiit, uerbum autem domini manet in aeternum.* Sicut herba decidet, quia quomodo capulatur siccatur ⟨et⟩ arescit,

Codices: MS(V et Z = S+V)
14 in] *praem.* usque S   generationem] -ne S   15 et – inmortalitate *om.* S   2,1 firma-
retur M   2 altiores S   5 quia] qui S   3,1 humilitate S   te + tu M*S, *eras.* M²
3 *a* Propheta *denuo adest* V   deum + patrem S   5,2 alii V   4 distinationem V
6,1 transiit S   2 propheta + ait V   3 decidet S   deperiet Z

2,4 Ps 73,12   6 Ex 3,14   6,2 – 3 Is 40,6.8(I Pt 1,24.25) + Iac 1,11

⁵ sic est uita humana: MANE FLORUIT ET TRANSIET, floriet in iuuentute, UESPERE DECIDET in mortem, INDURET in cadauer, ARESCAT in puluerem.

7. QUIA DEFECIMUS IN IRA TUA: numquid ira in deo? Non, sed propter hoc ista contigit iusta uindicta dei, quando dixit: *De ligno illo ne comedas. In quacumque die comederis, morte morieris.* ET IN FURORE TUO CONTURBATI SUMUS: repetitio est.

8. POSUISTI INIQUITATES NOSTRAS IN CONSPECTU TUO, alibi dicit: *Auerte faciem tuam a peccatis meis;* optando dicit, id est non recorderis iniquitates meas. Posuisti iniquitates meas hoc est non tradidisti illas in obliuionem, quod non uindicasses. SAECULUM NOSTRUM IN INLUMINA-
⁵ TIONE UULTUS TUI, ac si dicat: nihil te latet, quia omnia respicis; uel in bonam partem illi qui conuertuntur inluminat illos per gratiam spiritus sancti, ut est illud: *In lumine uultus tui ambulauimus;* et iterum: *Inluminet uultum suum super nos* etc., et: *In lumine tuo uidebimus lumen.*

9. QUONIAM OMNES DIES NOSTRI DEFECERUNT, quia in ipsis diebus nos defecimus. IN IRA TUA DEFECIMUS, in tua iusta uindicta propter praeuaricationem. ANNI NOSTRI SICUT ARANEA MEDITABUNTUR: sicut aranea nihil est, uenit uentus et ipsam corrumpit, ita praesens uita corrumpi-
⁵ tur et uelociter defecit.

10. DIES ANNORUM NOSTRORUM IN IPSIS diebus id est in Nouo uel Ueteri Testamento SEPTUAGINTA ANNIS, SI AUTEM IN POTENTATIBUS OCTUA-GINTA ANNI, ET AMPLIUS EORUM LABOR ET DOLOR. Secundum historiam non intellegitur, quia uides hominem octogenarium robustum et
⁵ sanum, et uides alium septuaginarium infirmum, miserum senem ac debilem; ideo non conuenit. Sed per septem intellegitur Uetus Testamentum propter sabbatum, quia septimum diem obseruabant, per octo Nouum Testamentum, quia octaua die resurrexit dominus. Et nos debemus credere et obseruare Nouum et Uetus, quia de Ueteri

Codices: MSV et Z = S+V
5 floreat et transeat *Z*   floriet] -reat *V*   6 decidat *S*   arescit *M*: -cet *V*   6/7 puluere *MV*   7,2 contingit *S*   dixit + deus Adam *S*   8,1 aliubi *Z*   2 recorderis + tu
M*Z, eras. M²   4 uindicasti *S*   5 latet] licet *V*   respicit *V*   9,1 Quoniam] Quia *V*
4 ipsa *Z*   5 deficit *V*   **10,**1 nostrorum *om. M*   4 non + sic *S*   uidisti *V*
6 conuenit + ad historiam *S*   7 quod(*om. S*) septimo die *Z*   9 conseruare *V*

7,2 – 3 Gn 2,17   **8,**1/2 Ps 50,11   7 Ps 88,16   7/8 Ps 66,2   8 Ps 35,10

¹⁰ exiuit Nouum; unde in Salomone dicit: *Da partem septem necnon et octo,* id est honora Nouum et Uetus. 'Et amplius eorum labor et dolor' et *qui addit sapientiam, addit dolorem,* hoc est qui obseruat Uetus et Nouum et quicquid plus intellegit, plus habet tribulationem et dolorem de suis peccatis et aliorum, eo quod et poenas peccatorum intelle-
¹⁵ git et praemia sanctorum. Sunt qui obseruant Nouum et non recipiunt Uetus, et alii sunt qui uolunt Uetus obseruare et non uolunt Nouum. Heretici non uolunt obseruare Uetus Testamentum, Iudaei iterum non recipiunt Nouum; sed ecclesia, ut diximus, utrumque et credit et recipit, quia et Nouum Uetus habet in auctoritatem et Uetus Nouum in
²⁰ testimonio. Nam qui amplius quaerunt, inueniunt postea laborem et dolorem id est et mortem animi, ut supra dixi, et unusquisque qui amplius quaerit de Nouo et Ueteri inuenit mortem perpetuam. Aliter septuaginta et octoginta faciunt centum quinquaginta. Per centum omnis creatura rationabilis intellegitur id est angeli uel homines, per
²⁵ quinquaginta remissio peccatorum. Item aliter: septem et octo faciunt XV, perfectio numeri ist. Sicut per quindecim gradus ascendebant in templum Salomonis, ita per quindecim cantica graduum psalmi ascenduntur ad caelestia. Uel XV cubitis fuit aqua in diluuio super montes excelsos, et omnes mortui fuerunt exceptis octo animabus, quod figu-
³⁰ rabat omnia peccata nostra in baptismo per gratiam spiritus sancti occiduntur et inluminantur animae nostrae ab ipsa gratia spiritus sancti. QUONIAM SUPERUENIT MANSUETUDO ET CORRIPIEMUR. Mansuetudo dei correptio dei; corripiemur a deo, quia *flagellat deus omnem filium quem recipit.*

11. QUIS NOUIT POTESTATEM IRAE TUAE? Istud 'quis' pro raritate uel difficultate ponitur hic, quia et si intellegatur, pauci sunt qui cognoscant pro qua causa flagellat hic deus suos sanctos et cito de ista praesenti uita tollet, et peccatoribus donat prosperitatem, diuitias et elongatos
⁵ dies; ET PRAE TIMORE IRAM TUAM

Codices: MSV et Z = S+V
10 partes *M*   13 Nouum + recipiat *S*   18 credidit *S*   19 Nouum¹ + et *M*   Uetus²
+ et *M*   22 inueniat *S*   27 cantica *scripsi:* -ci *MV:* -cum *S*   29 exceptis *M*²: -to *cett.*
animae *M**Z   34 recepit *Z*   **11**,1 quis² *om. M*   2 intellegitur *S*   4 ad(*eras.M*²)
peccatores *Z*   5 timore + tuo *Z*

10,10.12 Ecl 11,2; 1,18   33 Hbr 12,6

12. DINUMERARE, id est tua iusta uindicta et tua iudicia absconsa sunt et pauci sunt qui intellegant. DEXTERAM TUAM SIC NOTAM FAC NOBIS, Christum tuum demonstra nobis, ut illum intellegamus, ET CONPEDI-TOS CORDE IN SAPIENTIA, hoc est ad illos qui compediti sunt corde in
⁵ uinculo caritatis dei, unde in Salomone: *Fili mi, mitte pedem tuum in conpedem sapientiae, et ligabit te catenis aureis:* ad istos tales fac cognitum Christum tuum.

13. CONUERTERE DOMINE USQUEQUO. Propheta dicit: quam diu erit quod nos facias ad te conuertere? Non disperantis, sed deprecantis uox est, ac si dicat: fac nos conuertere ad te, quia nos non possumus nisi per te. ET DEPRECABILIS ESTO SUPER SERUOS TUOS, deprecabilis id est audibilis
⁵ super seruos sanctos esto deus.

14. SATIATI SUMUS MANE MISERICORDIA TUA. 'Mane' in resurrectione, satiati de aspectu diuinitatis id est Christi, EXULTAUIMUS id est in futuro, ET DELECTATI SUMUS IN OMNIBUS DIEBUS NOSTRIS, hoc est in illis diebus aeternis, quia nisi dies aut annos dicas, quomodo potes conpre-
⁵ hendere tempora aeterna?

15. DELECTATI SUMUS PRO DIEBUS QUIBUS NOS HUMILIASTI: quantam hic sustinent sancti tribulationem propter deum, tantum honorem laetitiae et consolationem habebunt in sempiternum, ANNIS QUIBUS UIDI-MUS MALA.

16. RESPICE IN SERUOS TUOS ET IN OPERA TUA DOMINE: respice in auxilium hic, et in opera tua: opera dei ipsi sunt sancti, quia ipse illos creauit; ET DIRIGE FILIOS EORUM, opera illorum.

17. ET SIT SPLENDOR DOMINI DEI NOSTRI SUPER NOS hoc est gratia spiritus sancti, ET OPERA MANUUM NOSTRARUM DIRIGE SUPER NOS. Hoc optandum est, ut nostra opera super nos sint et non subter, id est ut non in operibus terrenis implicemur, sed in caelestibus inueniamur, ut plus
⁵ pro caelestibus laboremus quam pro terrenis; et opus manuum nostra-

Codices: MSV et Z = S+V
12,2 intellegant + et dum non possumus totum hic intellegere, propterea oportet nos timere iudicia dei *S*   3 nobis *om. M*   **13,**4 audib.] laudabilis *V*   5 sanctos – deus] tuos *S*
14,1 misericordiam tuam *Z*   2 exultauimus] *praem.* et *S*   4 dicat *V*   potest *V*
15,1 quantum *Z*   2 sustineant *Z*   tantam *M²*   honorem] maiorem *S*
4 mala + Repetitio est *V*   **16,**1 auxilio *Z*   3 illorum] eorum *S*   **17,**3 sit *Z*

12,5/6 Sir 6,25

rum dirige, unde dominus dicit: *Unum opus feci et omnes miramini.* Unum opus quod dicit intellegitur caritas, quia *plenitudo legis est caritas;* unde et Philippus ait: *Ostende nobis patrem* et rlq.

90. LAUS CANTICI DAUID. Iste psalmus, dicit sanctus Agustinus, non habet titulum, eo quod de capite uel membris cantatur, caput in caelo, membra in terra. Et proprie intellegitur de ieiunio et illa temptatione Christi. Praeuidebat propheta quod uenturus erat Christus in carne, ut
5 temptaretur a diabolo.
QUI HABITAT IN ADIUTORIO ALTISSIMI IN PROTECTIONE DEI CAELI COMMORABITUR. Commorabitur in protectione dei caeli: quis commorabitur? hoc est ille qui habitat in adiutorio altissimi. Ille qui perseuerat in protectione diuina et non in semet ipso confidit, sed in protectione
10 diuina: illum conseruat deus.
2. DICIT DOMINO ille qui habitat in adiutorio altissimi: SUSCEPTOR MEUS ES TU. Suscepit illum deus pater secundum suam humanitatem. Aliter: ille suscepit de nostra carne, et nos suscepturi erimus de ipso inmortalitatem; ET REFUGIUM MEUM, alibi dicit: *Deus noster refugium* et rlq.
5 DEUS MEUS, SPERABO IN EUM. Ecclesia dicit: quod in illo fuit factum, hoc sperabo in eum: quomodo ille resurrexit a mortuis inmortalis, et nos credimus ab ipso inmortalitatem suscipere. Antequam Christus resurrexisset a mortuis, unum habuimus cognitum, alterum incognitum, habuimus cognitam mortem per peccatum primi hominis, incog-
10 nitam habuimus uitam post mortem. Hoc nos facit amare resurrectionem et uitam aeternam post mortem.
3. QUONIAM IPSE LIBERAUIT ME DE LAQUEO UENANTIUM. Laqueum sanctus Agustinus muscipulam dicit. Qui sunt isti uenatores nisi daemo-

Codices: MSV et Z = S+V
7 Unum] *praem.* In *M*Z, eras. M²*

Ps 90,1,2 cantatur + id est de Christo ⟨et⟩ ecclesia *Z*   4 Christi] Hieremiae *Z*   6 adiutorium *M*V²*   7 quis] qui *MS*   8 adiutorium *M*V*   9 et + qui *V*   ipsum *Z*
2,1 Dicet *Z*   adiutorium *M*V*   2 illum *om. S*   pater + filium suum *S*   8 resurrexit *Z*   habemus *S*   cognitum + et *S*   9 habemus *S*   cognitum *S*   9/10 incognitum *S*   10 habuimus] -bemus *V**: -beamus *V²*   Haec *M*

17,6 Io 7,21   7 Rm 13,10   8 Io 14,8

Ps 90,2,4 Ps 45,2   3,2 *cf* AU 90,4,4sqq.(p. 1256)

nes qui rapiunt animas? Aliter dixit: *Iuxta iter scandalum posuerunt
mihi.* Si fueris in uia, non times uenatores, non times muscipulam; si
⁵ egressus fueris de uia, cades in laqueum. ET A UERBO ASPERO: uerbum
asperum dixerunt Iudaei contra dominum: *In Beelzebub eicit daemonia.* Uel illi peccatores ad martyres dixerunt: quare uos non liberat
uester deus? uel modo mali christiani ad ecclesiam.

4. IN SCAPULIS SUIS OBUMBRAUIT TIBI. Sanctus Agustinus dicit: sicut gallina pullos suos defendit de miluo, ita et nostra gallina id est sapientia
diuina quod est Christus sub alis suis, Nouum et Uetus Testamentum
uel dilectionem dei et proximi, sub sua protectione diuina id est defen-
⁵ dit nos de diabolo, ut non rapiat nos; ET SUB PENNIS EIUS SPERABIS:
repetitio est, uel 'sub pennis' id est testimonia duorum Testamentorum.

5. SCUTO CIRCUMDABIT TE UERITAS EIUS, ut Paulus ait: *Adprehendite
armaturam dei,* subiunxit: *In omnibus adsumentes scutum fidei et
galeam salutis et gladium spiritus, quod est uerbum dei* et rlq. Contra
sagittas scutum. Si fueris circumdatus de isto scuto, NON TIMEBIS A
⁵ TIMORE NOCTURNO: timor nocturnus id est qui per ignorantiam peccat;

6. A SAGITTA UOLANTE PER DIEM, id est ille qui per cogitationem peccat,
nec ista nec alia non timet, si fuerit circumdatus de scuto dei. Aliter: timor nocturnus occulta persecutio, sagitta per diem aperta persecutio.
Aliter 'sagitta per diem': sicut sagitta subito uenit, sic christiani statim
⁵ ut christianos esse se dicebant, colla eorum trucidabantur. Quomodo
uidit diabolus quod multitudo populi per martyrium ambulabant ad
caelum, cogitauit: si sic fuerit, ut ille locus unde ego eiectus sum im-
pleatur, sed non sic faciam. Postea docuit illos persecutores per sua
membra qui erant, ut illis facerent tormenta, quo facilius negarent
¹⁰ Christum, sicut multi fecerunt. Si fueris de scuto dei circumdatus, nec
longa nec breuia tormenta non timebis. Uel 'non timebis' id est illam

Codices: MSV et Z = S+V
3,5 cadis *S*   laqueum + diaboli *S*   6 dominum] Christum *S*: + quod *V*   eiecit *S*
7 persecutores *S*   8 ad] aduersus *S*   ecclesiam] + dicunt *V*: + exprobrant eam *S*
4,4 dilectio *S*: -tione *V*   4/5 defendet *S*   5 de] a *M*   rapiet *S*   6/7 Testam. +
defendit nos *S*   **5,**1 ait *om. MV*   4 scuto + fidei *S*   **6,**1 a] et *V*   cognitionem *S*
2 times *S*: -mebis *V*   fueris *Z*   de + isto *V*   6 multi *V*   9 illis] illorum *Z*
11 non¹ *eras. M²*

3 Ps 139,6   6 Lc 11,15   4,1 – 4 *cf* AU 90,5,11sqq.(p. 1258)   5,1 – 3 Eph 6,13.16.17

occultam persecutionem diaboli, quam misit in corde ad illos persecutores, ut facerent longa tormenta. A NEGOTIO PERAMBULANTE IN TENEBRIS: repetitio est. AB INCURSU ET DAEMONIO MERIDIANO. Dicunt stulti
15 homines quasi Diana sit id est pars diaboli, qui meridianis horis per loca aliqua discurrat; sed non conuenit, licet diabolus uel daemones omne tempus ad nocendum sint parati, et tamen hic per meridiem intellegitur aestas persecutionum hoc est feruor ab imperatoribus emissus. Remanserunt de illis christianis supradictis qui confitebantur
20 esse illorum uirtutem, qua quomodo alii martyres sustinuerunt tribulationem. Ita dicebant et per se confidebant et non per deum; ideo ceciderunt, quia per illa longa tormenta negauerunt Christum.

7. CADENT A LATERE TUO MILLE de illis christianis qui remanserunt, et maxime hoc fuit per illam sententiam, qua dicit: *Uade, uende quae habes.* Fecerunt hoc multi, postea adprehendit illos elatio, non perseuerauerunt in tribulationibus, de illa aestimatione qua sperauerunt
5 apud deum esse ceciderunt in infernum. Et alii audierunt sententiam Petri: *Ecce nos qui reliquimus omnia et secuti sumus te, quid erit nobis?* et rlq. Etiam et modo dimiserunt omnia et sperauerunt iudices esse apud deum, sicut illi filii Zebedei propter cupiditatem regni uoluerunt, ut unus ad dexteram et alter ad sinistram sederent, sed non ambulabant
10 per uiam humilitatis, ceciderunt eo quod in illorum uirtutem confidebant. Ergo duodecim tantum erunt iudices et Paulus ⟨qui⟩ dixit: *Angelos iudicabimus,* non, quia in locum Iudae Mathias ibi intrauit? ⟨Non⟩, sed perfectionem numeri XII dicit. Sed milia erunt sancti qui iudicant cum domino, sed tamen hi erunt iudices ad illos quos iudicant. DECEM
15 MILIA A DEXTRIS TUIS, ac si dicat: cadent de illis qui se male sperauerunt ad dexteram dei esse – dicit aliquis: ego facio tantas elymosinas; cadet,

Codices: MSV et Z = S+V
13 perambulantium *V*   16 discurrit *V*   17 omni tempore *V*   18 feruor] ferociter + in menti *S*   19 emissus *M²*: -sa *cett.*   20 esse *scripsi*: se *MS* + illi(-le *S*) *Z*   uirtute *Z* qua *scripsi*: quasi *codd.*   21 confitebant *V*   ideo] *praem.* et *V*   7,2 qua] quia *S* 3 multi *om. MV*   4 de] et de *V*   qua] quod *Z*: quam *M²*   5 esse] + securi *S*: + et non sustinuerunt tribulationem *V*   alibi *M*   6 relinquimus *Z*   10 uirtute *MS*   11 – 13 *locus corruptus ordine uerborum turbato, ad rem cf* AU 90 s. I 9,20sqq.(p. 1262)   11 et] ut *V* 13 sed¹] pro *V*   14 deo *V*   erunt] sunt *V*   quod *V*   15 se male] sex opus misericordiae habuerunt *S*   16 faciam tantum *V*   elymosinas + nullus amplius *S* cadet *M²*: -dent *cett.*

7,2 Mt 19,21   6 Mt 19,27   8 – 9 *cf* Mc 10,35-40   11/12 I Cor 6,3   12 *cf* Act 1,26

eo quod per suam iustitiam se confidebat, non per dei, ut phariseus –,
nec perseuerant in tribulatione, ut deo gratias agerent: non uadunt ad
dexteram cum ouibus, sed ad sinistram. TIBI AUTEM NON ADPROPIN-
20 QUABUNT. Loquitur ad caput 'non adpropinquabunt'. Illa flagella
peccatorum, quod in antea dicturus erit, non adpropinquabunt id est
post depositam mortalitatem, nec in corpore Christi, quanto magis ad
caput.

8. UERUMTAMEN OCULIS TUIS CONSIDERABIS ET RETRIBUTIONEM PECCA-
TORUM UIDEBIS. Uidebunt sancti in futurum illam uindictam peccatorum.

9. QUONIAM TU ES DOMINE SPES MEA, hoc est quomodo tu resurrexisti
inmortalis, et ego credo inmortalitatem suscipere. ALTISSIMUM POSUI-
STI REFUGIUM TUUM hoc est corpus tuum super omnes caelos et super
omnes angelos et omnes creaturas.

10. NON ACCEDUNT AD TE MALA, ET FLAGELLA NON ADPROPRIABUNT TABER-
NACULO TUO. Tabernaculum hic corpus domini, in quo plenitudo
diuinitatis inhabitauit, ut in alio psalmo: *In sole posuit tabernaculum
suum* et rlq.; et alibi: *Ecce tabernaculum dei cum hominibus,* id est sancta
5 ecclesia, quae iuxta apostolum corpus Christi intellegitur, ut illud: *Uos
estis corpus Christi* etc.

11. QUONIAM ANGELIS SUIS MANDAUIT DE TE, UT CUSTODIANT TE IN OMNI-
BUS UIIS TUIS. Sanctus Hieronimus dicit: non pertinet hoc ad caput,
sed ad membra, quia deus non indiget auxilio angelorum, sed angeli
indigent dei auxilio. Sanctus Agustinus dicit: propter carnem ad-
5 sumptam angeli in obsequium fuerunt ad illam carnem Christi eleuare
in caelum. Dicunt alii: ergo meliores sunt angeli quam caro dominica?
Dicit sanctus Agustinus: non sunt meliores; uerbi gratia equi nos trahunt in curru, sed non sunt meliores de nobis. Sed quid necessarium
fuit domino, ut illi suam carnem eleuarent, quia sua uirtute ferebatur,

---

Codices: MSV et Z = S+V
17 suam M^2: illorum *cett.*   confidebant M^*Z, + et V 19/20 adpropinquabunt]
-quauit V^* 22 post *om.* S   deposita mortalitate Z Christi + id est (+ in V)
ecclesia Z 22/23 de capite S **10,**1 adpropinquabant(-bit S) Z 3 inhabitat S
11,3 deus *om.* V 3(*et* 4) auxilium V 5 ad *om.* M   9 deo S quia] qui M^2Z

17 *cf* Lc 18,11   18/19 *cf* Mt 25,33.34   **10,**3 Ps 18,6   4 Apc 21,3   5/6 I Cor 12,27
11,2 – 3 HI: *ubi*?   4sqq. *cf* AU 90 s.II,8(p. 1273/74)

[10] nisi ut illorum humilitas probaretur et illi postea maiorem dignitatem haberent de obsequio Christi? Aliter: unusquisque christianus angelum habet ad custodiam, qui suam animam et corpus habet in custodia, ut illud: *Angeli eorum semper uident faciem patris mei qui in caelis est.*

12. IN MANIBUS PORTABUNT TE, NEQUANDO OFFENDAS AD LAPIDEM PEDEM TUUM. 'Portabunt te' illi id est angeli per obsequium corpus Christi; et ad nos quod pertinet. 'Manibus' id est opera angelorum defendunt nos. 'Ad lapidem pedem tuum': isto testimonio diabolus usus est [5] contra dominum. Non necesse erat temptare dominum, quia non habuit peccatum, sed ut nos potestatem habeamus defendere nos contra diabolum. Dixit diabolus: *Dic ut lapides isti panes fiant.* Non erat magnum deo panem exinde facere, quia de quinque panibus quinque milia satiauit, quia ipse erat fons panis. Sed non putabat diabolus [10] sentire quod dominus hoc poterit facere, uerum panem nesciendo quod dominus fecit de lapidibus; tunc dictum fuit: *Potens est deus de lapidibus istis suscitare filios Abrahae.* Sed quid pertinet hic:

13. SUPER ASPIDEM ET BASILISCUM AMBULABIS ET CONCULCABIS LEONEM ET DRACONEM? Agustinus dicit aspidem antiquum serpentem qui decepit genus humanum, ut illud: *Timeo uos, ne sicut Euam serpens seduxit astutia sua, ita corrumpantur sensus uestri et excidant* quidam a fide. [5] Aspidem, ut dixi, diabolum, basiliscus heretici, leo antichristus, draco pseudochristi. Aliter: aspis peccatum, basiliscus mors, leo diabolus, draco antichristus. Aliter draco serpens uolatilis, qui diuersas cauernas tenet, heretici intelleguntur qui diuersas doctrinas suadent: calcauit dominus diabolum cum suis satellitibus id est hereticos uel reliquos [10] potentes saeculi et ad corpus suum id est suis praedicatoribus *dedit potestatem calcandi super serpentes et scorpiones et omnes potestates inimici.*

Codices: MSV et Z = S+V
14 est + Haec sunt testimonia (+ diaboli *S*) contra dominum *codd.*   **12,2** obsequium] se *M*: *om. S*   3 defendet *S*: -dit *V*   5 dominum² + diabolo *S*   qui *S*   8 exinde] ex lapide *V*   9 quia] *praem.* et *V*   10 sentire *om. V*   **13,2** dicit *om. MV*   8 qui + per *Z* diuersam doctrinam *M*   suadunt *Z*

13 Mt 18,10   **12,4** Mt 4,6   7 Mt 4,3   8/9 *cf* Mt 14,16sqq.   11/12 Mt 3,9   **13,2** *cf* AU 39,1,20sqq.(p. 423) *et* 90 s.II,9(p. 1275/76)   3/4 II Cor 11,3   11 Lc 10,19

14. QUONIAM IN ME SPERAUIT, ET LIBERABO EUM. Potest hoc intellegi ad
Christum pro parte carnis, sed maxime ad sua membra id est ecclesia
hoc pertinet. Ideo illum liberaui, quia in me sperauit. PROTEGAM EUM
defendam eum, QUONIAM COGNOUIT NOMEN MEUM, ideo protegam
5 eum. Nomen patris filius.

15. INUOCAUIT ME hoc est in tribulatione, ET EGO EXAUDIAM EUM in auxilio
CUM IPSO SUM IN TRIBULATIONE, ut illud: *Ecce ego uobiscum sum omni-*
bus diebus usque ad consummationem saeculi, quia deus in sanctis suis
patitur usque in finem saeculi. ERIPIAM EUM de istis tribulationibus, ET
5 GLORIFICABO EUM, glorificabo in resurrectionem.

16. LONGITUDINEM DIERUM ADIMPLEBO EUM hoc est in uita aeterna sine
fine, ET OSTENDAM ILLI SALUTAREM MEUM: uox dei patris, Christo meo;
unde et dominus: *Qui diligit me, diligit et patrem meum, et ad eum uenie-*
mus et mansionem apud eum faciemus. Uel ostendam illi praesentiam
5 dei hoc est societatem angelorum, et omnes sancti de aspectu diuinitatis inde satiantur, ut illud: *Uidebimus eum* et rlq.

91. PSALMUS CANTICI id est opus cum scientia, hoc est ut quicquid agit
homo, per scientiam agat, quia quamlibet homo bona agere uideatur,
sine scientia nihil est, ut illud: sine uia tendent, ubi labor est itineris,
non profectus. Restat ergo, ut quicquid agit homo, per scientiam faciat.
5 IN DIE SABBATI. Sabbatum requies interpretatur, eo quod deus requieuit die sabbati ab omnibus operibus suis. Sed et ille qui hic habet
requiem in semet ipso, ut nulla bella uitiorum in semet ipso habeat, ille
habet requiem in futuro.

2. BONUM EST CONFITERI DOMINO, id est debes confiteri te recte peccatorem et illum bonum et iustum et sanctum, ET PSALLERE id est operari,
quia sunt multi qui se confitentur peccatores et laudant, sed non
operantur aliquid bonum; et multi operantur, sed non confitentur se

Codices: MSV et Z = S+V
14,1 intellegere *M*Z*   15,1 auxilium *S*   3 ad] in *S*   5 resurrectione *V*   16,2 salutare *V*   patris + ac si dicat *S*   5 societas *Z*   omnibus sanctis *Z*

Ps 91,1,1 Psalmus] *praem.* Bonum est confiteri domino *codd.*   3 illud + Qui *V*   ibi *V*
5 requieuit dominus *V*   7 ipsum (*bis*) *Z*

15,2/3 Mt 28,20   **16,**3 – 4 Io 14,23   6 I Io 3,2

⁵ peccatores nec laudant nec praedicant. Sed quomodo te confiteris peccatorem et deum sanctum et iustum, debes psallere, debes laudare et opere implere, ut illud: *Uideant uestra bona opera* et reliqua usque *qui in caelis est.* Nomini tuo: nomen patris filius est. Ipsi debes psallere id est laudare et praedicare. Altissime: ipse est altissimus. Ad quid est
¹⁰ bonum confiteri et psallere subsequitur:

3. AD ADNUNTIANDUM MANE MISERICORDIAM TUAM ET UERITATEM TUAM PER NOCTEM. Per mane prosperitas, per noctem aduersitas, id est quando habes prosperitatem, debes confiteri et laudare, quia a deo uenit illa prosperitas; quando uenit aduersitas id est tribulatio, ueritas
⁵ dei est hoc est iusta uindicta, debes dicere: deus iustus et uerax propter mea peccata me flagellat, suam iustitiam suam misericordiam super me facit.

4. IN DECACHORDO PSALTERIO CUM CANTICO ET CITHARA. Ubi nuntiat suam misericordiam et suam ueritatem? in decachordo. Quid est hoc nisi decalogi mandata id est decem uerba legis? Quando imples unum mandatum, unam cordam tangis: *Audi Israhel, dominus deus tuus deus*
⁵ *unus est.* Secundam cordam tangis. quando secundum mandatum intellegis et imples, hoc est: *Non habebis nomen domini dei tui in uanum. Obserua diem sabbati,* tertiam cordam tangis. Istae tres ad deum pertinent. Illae aliae septem in secunda tabula ad hominem per-tinent. Uel 'in decachordo' Uetus et Nouum Testamentum, quia
¹⁰ Nouum de Uetere exiuit. 'Cum cantico' id est cum praedicatione, 'et cithara' cum opere. Uel per psalterium praedicatio quae de caelestibus uenit, per citharam illa sex opera misericordiae.

5. QUIA DELECTASTI ME DOMINE IN FACTURA TUA. Quomodo dicit alius propheta: *Uidimus eum non habentem speciem neque decorem,* id est non fuit plus pulcher homo quam ille in aspectu, et alibi: *Speciosus forma prae filiis hominum?* non dicit hoc secundum carnem, sed de spe-
⁵ cie diuinitatis. ET IN OPERIBUS MANUUM TUARUM EXULTABO, hoc tam de praeterito quod operatus est deus et de uirtutibus quas operatus est seu operatur in hominibus et de futuro quod facturus est ad iudicium.

Codices: MSV et Z = S+V
2,5 quomodo] quando M^2 7 usque – 8 est¹ *om. S*   qui – 8 est¹] in caelos *M*   9 Altis-
sime] -mi *S*: -mum *M*   Ad] Ut *M*   3,5 debes] *praem.* tu *V*   6 flagellat + sed *V*
sua iustitia, sua misericordia *Z*   4,11 per *om. V*   5,3 quam ille] de alio *Z*

Ps 91,2,7 – 8 Mt 5,16   4,4 Dt 6,4   6 Ex 20,7   7 Dt 5,12   5,2 Is 53,2   3/4 Ps 44,3

29*

6. QUAM MAGNIFICATA SUNT OPERA TUA, DOMINE. Hoc admiratur propheta multum, et magna sunt hoc est laudabilia sunt opera tua domine.
   NIMIS PROFUNDAE FACTAE SUNT COGITATIONES TUAE, id est quia neque
   abyssus neque mare neque infernus sic profundus, quia finem habent.
   ⁵ Sed cogitatio dei non habet finem, unde profundum, unde dicturus erit
   de hoc quod prosperitatem habent hic peccatores et sancti aduersitates.

7. UIR INSIPIENS NON COGNOSCET ET STULTUS NON INTELLEGIT EA, id est si
   sapiens non potest conprehendere, quanto magis ille insipiens et
   stultus non potest intellegere, quia iudicia dei occulta sunt.

8. CUM EXORTI FUERINT PECCATORES SICUT FENUM TERRAE ET APPARUE-
   RUNT OMNES QUI OPERANTUR INIQUITATEM. Cum apparuerint id est
   coeperint florere in saeculo uel in diuitiis et in argento et in reliquis,
   sicut fenum terrae erunt: quare? quia *ortus est sol et arescet fenum*. Sic
   ⁵ sunt peccatores, quia subito transeunt, temporales sunt, cito deficiunt.
   Pro quid apparuerunt omnes qui operantur iniquitatem? UT INTERE-
   ANT IN SAECULUM SAECULI hoc est ut pereant sine fine.

9. TU AUTEM ALTISSIMUS IN AETERNUM, DOMINE. Supradicti in illa sententia erunt *omnes caro fenum* etc., *uerbum autem domini* dei *nostri manet
   in aeternum*.

10. QUONIAM ECCE INIMICI TUI DOMINE, QUONIAM ECCE INIMICI TUI PERI-
    BUNT. Quasi interrogasset aliquis homo prophetam: iam dixisti de pec-
    catoribus; de sanctis quid erit? Respondit deus per ipsum prophetam:

11. EXALTABITUR SICUT UNICORNIS, id est exaltabuntur in regnum meum
    omnes sancti. 'Sicut unicornis': hic unicornis bestia est fortissima,
    unum cornu habet, et omnes ferae uix illam uincere possunt. Iudaei in-
    telleguntur qui unicornis erant propter unam legem quam obserua-
    ⁵ bant et unum deum adorabant et per hoc de illo cornu omnes gentes
    uentilabant. Et christiani id est ecclesia unicornis dicuntur, cum unam
    legem Noui Testamenti ⟨obseruant⟩ et cum uno signo crucis qui sunt

---

Codices: MSV et Z = S+V
6,1 Quam *om.* V   2 et magna] magnificata S   3 quia *om.* V   4 profundus + non est S
7,1 non cognoscet *om.* Z   3 sunt *om.* MS   8,3 florire Z   reliquis + bonis V
4 arescit Z   6 Pro] Ad Z   7 pereant] appareant V   9,2 omnis M²   dei *om.* V
10,1/2 peribunt *om.* MV   2 homo + ad Z   11,7 obseruant *supplevi cum* M²

8,4 Iac 1,11   9,2 I Pt 1,24.25(Is 40,6.8)

in unitate. ET SENECTUS MEA IN MISERICORDIA UBERI. Ante aduentum
saluatoris quasi iuuenis fuit ecclesia, quia pauci erant boni; sed postea
10 in senectutem uenit, quia Christus in fine saeculorum uenit. 'In misericordia uberi', Agustinus dicit 'pingui', id est de gratia spiritus sancti
uel pinguis de tribulationibus quas sustinet; uel iuuenis in primitus
quasi sterilis fuit, unde propheta: *Laetare sterilis quae non paris, erumpe*
et clama quae non parturis, quia multi filii desertae etc.; sed postea
15 fecunda in filiis id est multiplicata fuit in habundantia.
12. DISPEXIT OCULUS MEUS INIMICOS MEOS (si 'tuus', dei; si 'meus', ecclesiae) id est oculus ecclesiae despicit inimicos suos, quia cognoscit quod
nihil est ista uita, ut illud: *Omnis caro fenum.* ET INSURGENTES IN ME
MALIGNANTES AUDIUIT AURIS TUA, ac si dicat: et insurgentes et malig-
5 nantes dispexi, quia considerat ecclesia, quia nihil est ista praesens
uita, ut superius commemorat: *Omnis caro fenum* et rlq. Hoc audiet
auris ecclesiae, hoc intellegit et hoc cognoscit.
13. IUSTUS UT PALMA FLOREBIT: et hoc audiuit auris ecclesiae, et ideo
dispexit. Palma genus ligni est, asperas radices habet, figuram ecclesiae
tenet. Asperas radices habet, *quia per multas tribulationes oportet nos*
introire in regnum dei. Palma habundans fructibus est, ita et ecclesia,
5 sed primitus quasi sterilis, folia mollia habet. Per folia sancti intelleguntur, ut illud: *Qui percutit te in dexteram maxillam* et rlq. In primis, ut
diximus, infructuosa ecclesia id est quasi sterilis fuit, quia pauci fuerunt de membris Christi. ET SICUT CEDRUS LIBANI MULTIPLICABITUR.
Libanus mons est, cedrus lignum est imputribile uel odorem suauitatis
10 habet. Sancti intelleguntur, quia Libanus interpretatur dealbatio, et
sancti dealbabuntur per baptismum. Imputribile est ipsum lignum, et
sancti inmortales sunt apud deum. Odorem suauitatis habent, ut
Paulus ait: *Bonus odor sumus deo* et rlq.

Codices: MSV et Z = S+V
8 uberi + Ubi S   10 finem saeculi V   11 pingui *scripsi*: -gue S: -guis M: -guedine V
12 quas M²: quod *cett.*   14 non *om.* V   12,1 si¹ + oculus S   dei] *praem.* oculus S
2 ecclesiae] dei V   cognoscit + ecclesia V   4 malignantibus Z   tua] mea Z
5 dispexit S   quia²] quod V   13,5 sed + in V   quasi] quia fuit V   molle Z
6 te percuterit V   dextera maxilla Z   8 multiplicabuntur S

11,11 AU 91,11,15.31(p. 1287/88)   13 – 14 Is 54,1   12,3(*et* 6) Is 40,6; I Pt 1,24   13,3/4
Act 14,21   6 Mt 5,39   13 II Cor 2,15

14. PLANTATI in fide IN DOMO DOMINI, IN ATRIIS DOMUS DEI NOSTRI FLORE-
BUNT, id est et hic in operibus bonis et in futuro in uita perpetua.
Plantati in domo domini hoc est in sancta ecclesia. Addidit atria, ut
cognoscerent, quia hic non est domus in praesenti, sed in futuro. Hic
⁵ sunt atria, quia atria mutantur de loco in locum; sic et ecclesia mutatur
hic in futura domo perpetua; ut Paulus: *Non habemus hic manentem*
ciuitatem, sed futuram inquirimus.

15. ADHUC MULTIPLICABUNTUR IN SENECTA UBERI, hoc est quando Christus uenit; prius quasi iuuenis quia pauci erant, sed postea multiplicata
est in habundantiam gratiae spiritus sancti uel in finem, *cum plenitudo*
gentium intrauerit et sic omnis Israhel id est per Heliam et Enoch *saluus*
⁵ *fiet.* ET BENE PATIENTES ERUNT,

16. UT ADNUNTIENT. Quid est 'bene patientes'? ut Paulus ait: *Patientia pro-*
bationem, probatio spem: sic fuerunt apostoli in tribulatione patientes.
Pro quid? ut adnuntient hoc est ut praedicent. Quid adnuntient uel
quid praedicent? id est ut soluant ligatum uerbum. *Sed uerbum domini*
⁵ *non est alligatum,* unde et Paulus: *Non alligabis os boui* et rlq. QUONIAM
RECTUS EST DOMINUS DEUS NOSTER,hoc adnuntient, ET NON EST INIQUI-
TAS IN EO. In nobis sunt iniquitates et peccata, sed ipse non habet
peccatum; unde dicitur: *Qui peccatum non fecit* etc.

92. LAUS CANTICI DAUID ANTE DIEM SABBATI QUANDO FUNDATA EST TERRA.
Laus id est laus de laude, ut alibi: deus de deo, lumen de lumine et rlq.
Ante diem sabbati id est sexta feria. Quando fundata est terra: et quomodo dicit 'quando fundata est terra', quia legimus quod caelum et
⁵ terra die primo id est die dominico fuerunt facti? Non intellegitur hic
de initio creaturarum, sed de numero dierum. Nam prima dies ab

Codices: MSV et Z = S+V
14,4 hic¹ *om.* V   5 de - mutatur *om.* M   **15,**2 iuuenes M   erant *om.* Z   3 habundantia Z   finem + ut Paulus V   4 intraret Z   5 erunt + ad quid? Z   **16,**3 Pro]
ad Z   4 id - Sed] Si corpus est ligatum Z   5 alligabis] -gaui SV*   6 est¹ *om.* Z
7 nos Z

Ps 92,1,1 fundarem terram S   5 fuit factum Z

14,6/7 Hbr 13,14   **15,**3/4 Rm 11,25.26   **16,**1/2 Rm 5,4   4/5 II Tim 2,9   5 I Cor
9,9; I Tim 5,18(Dt 25,4)   8 I Pt 2,22(Is 53,9)

Ps 92,1,2 e Symbolo   6 - 11 AU 92,1,54-61(p. 1291)

Adam usque ad Noe, secundus dies a Noe usque ad Abraham, tertius
dies ab Abraham usque ad Dauid, exinde quartus dies usque ad transmigrationem Babylonis; et a transmigratione Babylonis usque ad
10 Iohannem dies quintus, et a Iohanne usque ad finem saeculi sexta dies
habetur, in qua dominus uenit. Ergo in isto sexto tempore hoc est in
ista supradicta die fuit fundata id est firmata 'terra' sancta ecclesia in
fide per aduentum Christi, quia ille super semet ipsum fundauit eam,
ut Paulus ait: *Fundamentum enim aliud nemo potest ponere praeter id*
15 *quod positum est quod est Christus Iesus.* Duas terras fundatas super
unum fundamentum: una terra est firmata homo sicut apostoli uel
praedistinati iuxta Paulum, quia *scit dominus qui sunt eius.* Sed tamen
postquam apostoli infirmati fuerunt, quando fugerunt uel Petrus primus apostolorum ad uocem ancillae negauit; sed post resurrectionem
20 domini firmati fuerunt per gratiam spiritus sancti, qui uenit super illos,
sic fuerunt firmati, ut non timerent mortem nec potestates saeculi.
DOMINUS REGNAUIT, DECOREM INDUIT. Numquid antea non regnasset
aut modo non regnet uel in antea, dum regnaret dicit? ⟨Non⟩, sed
regnauit id est ante saecula etiam et in saecula et sine fine. Sed propter
25 adsumptam carnem dicit, quia antea diabolus regnabat in mundo per
culpam primi hominis. Sed uenit dominus et destruxit eius regnum et
fecit suum regnum. Decorem induit id est laudem, quando dicebant
Iudaei: bonus est, filius dei est etc. INDUIT DOMINUS FORTITUDINEM ET
PRAECINXIT SE UIRTUTEM id est uirtutem humilitatis; uel fortitudinem
30 induit, quando dicebant: *In Beelzebub eicit daemonia,* et: *Hic homo*
uorator et potator uini est et rlq. Sed ille fortitudinem induit, quia nec
prosperitas id est laus illum eleuabat nec aduersitas hoc est illa blasphemia declinabat id est non contristabat. Uel sancti habent decorem
in operibus bonis et in laudibus, habent et fortitudinem in tribulationi-
35 bus et in blasphemia, quia nec laus illos debet eleuare nec aduersitas
perturbare, sicut Paulus dicit: *Per arma iustitiae a dextris et a sinistris,*
per gloriam et ignobilitatem, per infamiam et bonam famam. Aliter:

Codices: MSV et Z = S+V
10 a] de Z   13 supra V   17 deus V   21 potestatem MV   22 decore S   23 regnet M²: -nat *cett.*   27 Decore M   30 eiecit S   32 eleuat V   32/33 blasphemia +
non V

14 – 15 I Cor 3,11   17 II Tim 2,19   18/19 Mt 26,69sqq.   30 Lc 11,15   30/31 Mt 11,19
36 – 37 II Cor 6,7.8

induit dominus fortitudinem hoc est humilitatem, quia petra fortis est
et immobilis est, quia illa sustinet pondus. Sic et sancti qui humiles
40 sunt et per hoc sunt fortes et uadunt ad altiora, et illi superbi qui in
altum ascendunt sicut fumus cito prosternuntur in imo et deiciuntur in
infernum. 'Et praecinxit se uirtute', alibi dicit: *Accingere gladium tuum
circa femur tuum potentissime.* Accingere, ac si dicat: anteponere; et:
Dominus *praecinxit se linteo* id est in tanta humilitate se posuit *et coepit*
45 *lauare pedes discipulorum.* Per humilitatem duobus Testamentis induit
se dominus id est decorem et fortitudinem, decorem de suis miraculis,
fortitudinem: per suam humilitatem uicit omnia regna mundi. ETENIM
FIRMAUIT ORBEM TERRAE QUI NON COMMOUEBITUR. Per fortitudinem et
decorem fundata est ecclesia, et non commouebitur quia *fundata est*
50 *super petram,* id est ecclesia non commouebitur, sed alii commouebuntur, quia non habent decorem et fortitudinem.

2. PARATA SEDES TUA DOMINE EX TUNC, A SAECULO TU ES. Propheta ad
deum loquitur: parata sedes tua id est sancta ecclesia, ex tunc hoc est
ab aeterno sine initio, id est in sua praesentia semper parata fuit ecclesia, sicut dicit apostolus: *Sicut elegit nos in ipso ante mundi constitutio-*
5 *nem* et rlq. Uel semper parata fuit sedes dei 'ex illo' hoc est in re et in
spe futura, ut illud: *Ex ipso uos estis in Christo,* ex illo id est ex tempore
quo initiauit esse uel incipit credere, parata fuit, ut sedes dei esset.

3. ELEUAUERUNT FLUMINA, DOMINE, ELEUAUERUNT FLUMINA UOCEM
SUAM. Iam diximus: *praecinxit se, lauit pedes discipulorum;* fluuius
lauauit pedes fluminum, ut illud: Flumina de flumine, apostoli de
Christo. Eleuauerunt flumina sancti apostoli uoces suas in praedica-
5 tione, uel eleuauerunt uocem Petrus et Iohannes, quando liberati sunt
de carcere et *uenerunt ad suos et narrauerunt, quanta eis fecissent senio-*
res, et ipsi *eleuauerunt uocem ad dominum et dixerunt: Domine, qui*
fecisti caelum et terram et rlq. *Et motus est locus in quo erant* orantes, et
exaudita est oratio eorum; sic meruerunt exaudiri qui sic inuocabant.

Codices: MSV et Z = S+V
39 sustinuit *S*   pondus *om. Z*   42 uirtutem *S*   45 duo testamenta *Z*   46 se *om. Z*
2,3 aeterno + uel *V*   7 quo] quod *MS*   3,4/5 praedicationem *S*   5 uocem *om. MS*
7 deum *S*

42/43 Ps 94,4   44/45 Io 13,4.5   49/50 Mt 7,25   2,4 Eph 1,4   6 I Cor 1,30
3,2 Io 13,4.5   5 – 8 Act 4,23.24.31

¹⁰ ELEUAUERUNT FLUMINA FLUCTUS SUOS, id est reges et potentes saeculi eleuauerunt fluctus hoc est suscitauerunt persecutionem aduersus christianos.

4. A UOCIBUS AQUARUM MULTARUM id est populorum multorum, MIRABI-LES ELATIONES MARIS: mirabilis est ecclesia quae sustinet tribulatio-nem, eleuationem et persecutionem saeculi huius, sicut et dominus calcauit super undas et fluctus maris et mitigauit illos. MIRABILIS IN
⁵ EXCELSIS DOMINUS. Quare sustinuerunt? quia mirabilis est in excelsis dominus hoc est in reddendo praemia futura.

5. TESTIMONIA TUA CREDIBILIA FACTA SUNT NIMIS. Dixit dominus ad apostolos: *In mundo pressuras habetis, in me* autem *pacem.* Impleta fuit, et dicunt: quod nobis dixit ueritas effectum est, quanto magis de futuro quod nobis promisit. DOMUI TUAE DECET SANCTITUDO, DOMINE:
⁵ tua sedes et tua domus decet, ut sanctificata esse debeat a te; IN LONGI-TUDINEM DIERUM: non in breui, sed sine fine semper.

93. PSALMUS IPSI DAUID QUARTA SABBATI. Ipsi Dauid ipsi Christo; quarta sabbati id est quarta feria quod nos dicimus diem Mercurii. Ista sex nomina ebdomadae fuerunt homines mali, latrones qui sic habuerunt nomina. Nam antea isti dies non appellabantur sic, sed dies primus,
⁵ secundus et tertius etc., uel feriae nominabantur. Sed postea isti supra-dicti dicebant ad illorum subiectos quos habebant quando faciebant pugnam et uincebant: etiam iste dies in meo nomine sit, sic uocate illum: aut Lunae aut Martis aut Mercurii uel reliquos. Et adhuc aliud dicebant ad suos subiectos, quando uidebant stellam bene lucere: ista
¹⁰ stella bene lucet in caelum, dicite quod mea stella est, meus deus est,

Codices: MSV et Z = S+V
10 flumina *om. V*   11 aduersus *scripsi:* ad *codd.*   4,3 elationem *M*   5 suscitauerunt *M in ras.*   est *om. V*   5,1 tua] *om. V:* + domine *S*   2 pax *M*   Impletum *Z*   3 dixisti *V*   effecta *Z*   4 tuae + domine *V*   sanctitudo – 5 decet *om. M*   5 te + Decet sanctitudo id est castitas et caritas, ut ait Paulus: et sanctimonia sine qua nemo uidebat deum *S*

Ps 93,1,1 ipsi¹ *om. M*   ipsi².³] ipse *V*   Christo *scripsi:* -ti *MS:* -tus *V*   2(*et* 8) Mercoris *S*   7 etiam] ea *V:* hodie *S*   10 caelo *M*²

5,2 Io 16,33   5 (Hbr 12,14)

Ps 93,1,1 – 11 *cf* AU 93,3(p. 1302-3)

illam adorate post meam mortem. Et per hoc postea increuit error in
populo, ut creaturam pro creatore uenerarentur ac colerent. Nam quod
tunc multis in locis turba latronum esset, si requiras historias, reppe-
ries. Aliter quarta sabbati ideo nominatur, quia quarta die fecit deus
15 luminaria caeli et ipsa sidera lucent super peccatores et iustos et ordinem illorum die noctuque conseruant et expectant renouationem in
melius, ut dictum est: *Ego creo caelos nouos et terram nouam,* in qua
iusti inhabitant. Et alibi propheta dicit: *Et erit lux lunae sicut lux solis et
lux solis sicut lux septem dierum.* Ecclesia intellegitur per hoc, et licet sic
20 creditur quod ista elementa sic sint inmutanda in melius, maxime
tamen a sensu ad ecclesiam pertinet, quia et ipsa renouabitur in melius
secundum domini dictum: *Tunc iusti fulgebunt* et rlq., quia ecclesia
expectat et sustinet hic per patientiam et non induit properitatem peccatorum, quia sciunt sancti quod nihil erit illorum laetitia et illorum
25 sapientia quam sequitur tristitia. Iste psalmus cantatur de patientia
sanctorum et de superbia peccatorum et de felicitate eorum et de poenis eorum, quae expectant illos in antea.
Deus ultionum dominus, deus ultionum libere egit. Hoc quod
repetit 'ultionum' unum dicit pro re, alium pro adfirmatione. Deus
30 ultionum id est deus uindictarum, quia licet multas uindictas facit
deus, fecit unam in primo homine, alteram in diluuio, tertiam super
Sodomam, quartam in mari Rubro, uel hic in praesente facit uindictam, tamen in futuro et in corpus et in animam facturus erit. Uel 'libere
egit' hoc est confidenter siue audenter egit, quando uenit in carne non
35 timuit potestates, sed increpauit illos dicens: *Uae uobis scribae et pharisei, uae diuitibus;* et alibi: *Uae qui potentes estis ad bibendum uinum et
uiri fortes ad miscendam ebrietatem;* et: *Uae qui coniungitis domum ad
domum* et cetera quae sequuntur. Uel 'libere egit' ad futurum pertinet,
quando dicturus erit: *Ite maledicti in ignem aeternum;* quia si hic in

Codices: MSV et Z = S + V
12 uenerarent *M*Z*   13 requiris *V*   23 patient.] paenitentiam *V*   25 sequatur *S*
patientia] sapientia *V*   26 infelicitate *M*   28 liber *M**   30 multam uindictam *M*
31 facit *S*   primum hominem *V*   32 fecit *MS*   35 illas *M²*   37 coniugitis *MV*
39 quia si(*om. M**)] quem *M²*

14/15 *cf* Gn 1,14   17 Is 65,17   18/19 Is 30,26   22 Mt 13,43   35/36 Mt 23,13sqq.
36 – 37 Is 5,22   37/38 Is 5,8   39 Mt 25,41

⁴⁰ humanitatem positus non timuit, quanto magis tunc. Uel libere egit,
quia ipse solus inter mortuos liber, ut illud: *Qui peccatum non fecit,*
quia ipse solus sine peccato.

2. EXALTARE QUI IUDICAS TERRAM. Praedicando et pronuntiando dicit
propheta: mortuus fuisti iudicatus a terra, exsurge a mortuis et iudica
terram id est terrenos qui te iudicauerunt. REDDE RETRIBUTIONEM.
Propheta prophetando dicit, ac si dicat: sic facturus eris: reddes uindic-
⁵ tam SUPERBIS hoc est peccatoribus, et non dixit humilibus, sed 'superbis' id est aduersariis potestatibus qui illum crucifixerunt uel reliquis
malis, nam non illis humilibus, qui ad praedicationem apostolorum
conuersi uenientes ad fidem dixerunt: *Quid faciemus uiri fratres? osten-*
dite nobis. Et illi: *Poenitentiam, inquiunt, agite et baptizetur unusquisque*
¹⁰ *uestrum* et rlq. Numquid super istos uindicet qui se humiliauerunt?
⟨Non⟩, sed illos Iudaeos uel omne corpus malorum dicit, qui perseuerant in malis et qui *suam quaerunt statuere iustitiam,* ut *dei iustitiae non*
sint subiecti.

3. USQUEQUO PECCATORES, DOMINE, USQUEQUO PECCATORES GLORIABUN-
TUR? Non desperando nec festinando, sed interrogando dicit propheta
in persona sanctorum, ac si dicat: quamdiu nos tribulant peccatores, ut
intellegatur: usque in finem saeculi.

4. PRONUNTIABUNT ET LOQUENTUR INIQUITATEM, id est aduersus deum et
sanctos loquentur illi peccatores. Duae sunt iniquitates superborum
contra deum, una quando dicunt: non est cura deo de rebus humanis
nec de hominibus. Si cura exinde esset deo, non dimitteret me tam
⁵ longo tempore uiuere ad tantum malum quod ego feci, nec dimitteret
suos sanctos tantas tribulationes sustinere. Altera: si non placuissent
deo mea mala quae ego facio, numquam me creasset, ut dixit in alio
psalmo: *Existimasti inique quod ero tibi similis.* LOQUENTUR OMNES QUI
OPERANTUR INIUSTITIAM. Illi operantur iniustitiam qui mandata dei
¹⁰ non custodiunt id est non adimplent.

Codices: MSV et Z = S+V
2,2 iudica] -ces *V*   4 erit *S*   reddet *S**   9 inquit *Z*   10 iustos *V*   11 sed +
de *MV*   illis Iudaeis *M*   4,2 sunt] erunt *S*   3 una] unum *Z*   4 me] mihi *Z*
7 quae] quod *Z*   8 tibi] tui *S*   9 Illi + qui *M*V*

41 I Pt 2,22   2,8 – 10 Act 2,37.38   12 Rm 10,3   4,8 Ps 49,21

5. POPULUM TUUM, DOMINE, HUMILIAUERUNT, non solum quod ista dicunt, sed et in opere fecerunt; dicunt: non scit deus hoc et non uidet quanta mala nos fecimus; ET HEREDITATEM TUAM UEXAUERUNT: repetitio est, uel 'uexauerunt' hoc est humiliauerunt.

6. UIDUAM ET ADUENAM INTERFECERUNT. Uidua ecclesia, eo quod uiduata sit a diabolo et iuncta Christo, interfecta a persecutoribus; aduena id est populus aduenticius qui de gentibus ad fidem Christi ueniunt. ET PUPILLUM OCCIDERUNT: pupillus dicitur sine patre id est
  5 diabolo, ut dominus ait: *Et patrem nolite uobis uocare super terram; unus est enim pater uester qui est in caelis.*

7. ET DIXERUNT: NON UIDEBIT DOMINUS NEC INTELLEGET HAEC DEUS IACOB. Iam superius diximus istos tales qui dicunt: nescit deus quid facimus, non curat de hominibus nec de creaturis. Usque hic uox stultorum est. Uox prophetae modo ad istos supradictos respondit:

8. INTELLEGITE NUNC QUI INSIPIENTES ESTIS IN POPULO. Intellegite: quid? pro quid flagellantur sancti et prosperitatem habent peccatores; ET STULTI ALIQUANDO SAPITE id est uel tarde intellegite.

9. QUI PLANTAUIT AUREM NON AUDIET? id est ille qui te ex nihilo creauit et dedit tibi auditum, ille non audiet qui totus auditus est? ac si dicat: audit; QUI FINXIT OCULUM NON CONSIDERAT? id est qui tibi dedit uisum non uidet? quomodo? quia totus uisus est, ut illud: *Et si absconderit se
  5 homo sub terra, numquid non uidebo eum?*

10. QUI CORRIPIT GENTES NON ARGUIT? ac si dicat: arguit, id est qui corripit hic gentes hoc est illos gentiles qui ueniunt ad fidem, ipsos flagellat propter illorum peccata, ut digni sint hereditatem suam possidere; non qualiter in iudicio corripit peccatores propter illorum scelera. QUI
  5 DOCET HOMINEM SCIENTIAM, id est ut sciat deuitare malum et facere bonum: nonne ille plus scit qui omnia scit?

11. DOMINUS SCIT COGITATIONES HOMINUM QUONIAM UANAE SUNT. Quamdiu homo es, uanae sunt cogitationes tuae. Uana cogitas, quando ista terrena desideras, et quando caelestia cogitas, angelus es. Si uis cogita-

Codices: MSV et Z = S+V
5,2 non¹] quasi *V*   nescit *Z*   uidit *Z*   3 et *om. S*   6,4 pupillum] -los *S*
7,1 intellegit *Z*   9,2 audiat *S*   3 consideret *V*   4 abscondit *V*   10,1 arguet(*bis*) *Z*
5 deuitare] dimittere *M*   11,3 quando + de *S*

6,5/6 Mt 23,9   9,4/5 Ier 23,24

tiones dei scire et intellegere, non sis stultus et insipiens, quia *uir*
5 *insipiens et stultus non intellegit ea.*

12. BEATUS HOMO QUEM TU ERUDIERIS, DOMINE, ET DE LEGE TUA DOCUERIS
EUM. Dicit propheta: hoc cognoui quod inmortalis est ille homo quem
tu eruditum feceris; 'et de lege tua docueris eum' hoc est de lege Noui
et Ueteris Testamenti, ut intellegat prosperitatem peccatorum et tribu-
5 lationem sanctorum.

13. UT MITIGES EUM A DIEBUS MALIS id est a diebus peccatorum quibus hic
prosperantur, ut cognoscat illorum paruam hic esse laetitiam et in
futuro sempiterna tormenta. Dicunt homines: semper uidimus istum
hominem tantas diuitias habere et tantam prosperitatem, et tanta mala
5 fecit: quare hoc est? Et alium hominem scimus, quia nos semper illum
uidimus bonum: nulli nocet, et ubicumque se uertit, semper inuenit
tribulationem. 'Ut mitiges eum' hoc est ut non habeat in se rem amaram id est amaritudinem in corde, sed intellegat pro quid hoc facit
deus. Uides hominem peccatorem malefacere, dicis: domine, quare
10 non tollis talem hominem qui tanta mala facit? Non debes hoc cogitare: subito illum facit deus conuertere quando uult; forsitan et tu fuisti antea peccator. DONEC FODEATUR PECCATORI FOUEA. Dixit sanctus
Agustinus: 'Donec' id est interim quod fodeatur peccatori fouea.
Dum dicit interim, forsitan angeli faciunt fossam peccatoribus? aut qui
15 sunt qui fodiunt istam fossam? Non est ita, sed unusquisque peccator
suam foueam fodit manibus pedibusque et operibus, quia quantum se
in superbia eleuat, tantum sibi profundiorem fossam praeparat.

14. QUIA NON REPELLIT DOMINUS PLEBEM SUAM. Superius dixit: *Beatus
homo quem tu erudieris* et rlq.; et si tribulat hic dominus suos sanctos
propter probationem, tamen non repellit illos in futuro, quia remunerat; ET HEREDITATEM SUAM NON DERELINQUET. Ipsa est hereditas quae
5 et plebs. 'Non derelinquet' id est in tribulatione, ut illud: *Cum ipso sum*

Codices: MSV et Z = S+V
12,2 quod] quoniam *S*   **13,**1 eum] ei *S*   a²] in *V*   2 prauam *V*   3 uidemus *S*: est *V*
3/4 isto homine *Z*   5 alio homine *Z*   scimus] uidimus *V*   quia nos] sano *Z*
6 uidemus *Z*   7 ei *Z*   8 id est] uel *S*   10 tolles *V*   quia *V*   11 facit deus]
potest *V*   15 fodeunt *S*   17 superbiam *M*   **14,**1 repellet *Z*   2 si *om. S*   hic *om. S*
deus *V*   3 repellit + dominus *S*   3/4 remuneret *S*   4(*et* 5 *et* 6) derelinquit *M*

11,4/5 Ps 91,7   **13,**13sqq. *cf* AU 93,16(p. 1316)   **14,**1 superius: *cf* v. 12   5/6 Ps 90,15

in tribulatione. Uel 'non derelinquet' id est uacuos a mercede. Hereditas namque dei non infirmatur, sed castigatur.

15. QUOADUSQUE IUSTITIA CONUERTATUR IN IUDICIUM. Propheta ex
persona sanctorum loquitur. 'Quoadusque' quasi dicat: quamdiu nos
tribulant peccatores et quamdiu erit prosperitas peccatorum et tribulationes sanctorum, ac si intellegatur: usque in finem saeculi apud deum
5 iustum est quod tribulantur hic sui sancti, sed apud insipientes inius-
tum uidetur. 'Quoadusque iustitia conuertatur in iudicium', ac si intellegatur: usque in finem saeculi, quia sic erit iustum iudicium dei et reddet praemia sanctorum et uindictam impiorum. ET QUI IUXTA ILLAM
OMNES QUI RECTO SUNT CORDE. 'Qui iuxta illam' id est illam scientiam
10 unde superius dixit hoc intellegant, 'omnes qui recto sunt corde' ipsi
hoc merentur intellegere pro quid flagellantur hic sancti et prosperantur peccatores. Et qui sunt recto corde nisi illi quibus omnia iudicia dei
placent et non declinant a recto iudicio dei et in prosperis laudant et in
aduersis?

16. QUIS CONSURGET MIHI ADUERSUS MALIGNANTES? Corpus Christi loquitur, unde alibi: *Uerba iniquorum praeualuerunt super nos.* 'Quis' hic pro
raritate ponitur, quia nisi deus tantummodo qui adiuuat ecclesiam
suam, ac si dicatur: quis consurget mihi? alius nullus est qui pugnet pro
5 me contra illos nisi tu deus qui fortis proeliator es. Unde et Paulus: *Si
deus pro nobis, quis contra nos?* AUT QUIS STABIT MECUM ADUERSUS
OPERANTES INIQUITATEM? Ecclesia dicit de Christo, ac si dicat: nec stare
nec pugnare sine tuo adiutorio non possum, ut Paulus dicit: *Infelix ego
homo: quis me liberauit de corpore mortis huius? gratia dei* et rlq.

17. NISI QUIA DOMINUS ADIUUASSET ME, PAULO MINUS HABITARET IN
INFERNO ANIMA MEA. Uox ecclesiae, ac si dicat: nisi dominus adiuuasset me, prope fui ut ruerem in infernum, quia non potui discernere, ut
dominus calcauit undas maris et Petrus qui figuram ecclesiae tenebat

Codices: MSV et Z = S+V
15,1 iniustitia *S*   in *om. V*   4 si + dicat *M*   7 iustum + in *S*   et] ut *V*
7/8 reddit *M*   12 ille *S*   quibus *M*²: cui *cett.*   13 declinat *S*   laudat *S*
16,1 consurgit *M*   2 unde + et *V*   3/4 ecclesiae suae *Z*   4 consurgat *M*   5 et
om. M   8 repugnare *M*   non *eras. M*²   possumus *V*   9 et rlq.] per Iesum Christum dominum nostrum *V*   **17,**1 quia *om. S**   adiuuit *S*: -uauit *V*   3 infernum +
unde ... – mei = v. 18,1-3 *codd.*   potebam *Z*

16,2 Ps 64,4   5/6 Rm 8,31   8/9 Rm 7,24.25

⁵ calcauit et ipsa hoc est ecclesia calcat, sed non potest per se, sicut et Petrus coepit mergere descendens in fluctibus maris ut coaequaretur deo et cognouit, quia non poterat per se fluctus maris calcare sine adiutorio dei.

18. Si DICEBAM: MOTUS EST PES MEUS. ⟨'Motus est pes meus'⟩, unde in alio psalmo dicit propheta: *Mei autem paene moti sunt pedes* id est prope moti sunt sensus mei, id est si sic perseuerassem in cogitatione mea quomodo prosperantur peccatores et tribulantur sancti et deus me non ⁵ docuisset quomodo intellexissem, mortuus fuisset sensus meus hoc est per disperationem aut negationem. MISERICORDIA TUA DOMINE ADIUUAUIT ME, adiuuauit Petrum, adiuuat et ecclesiam suam. Dicit: confusus fui mea infirmitate, et deus adiuuauit me, sicut et Petrus: Domine, adiuua me, et dominus extendit manum suam et liberauit ¹⁰ illum, quia confessus fuit suam infirmitatem.

19. SECUNDUM MULTITUDINEM DOLORUM MEORUM IN CORDE MEO. Multae sunt dolores et tribulationes sanctorum, unde et Paulus: *Per multas*, inquit, *tribulationes oportet nos intrare in regnum dei.* CONSOLATIONES TUAE LAETIFICAUERUNT ANIMAM MEAM. Laetificantur animae sanc- ⁵ torum de spe regni caelestis, ut illud: *Non sunt condignae passiones huius temporis ad futuram gloriam quae reuelabitur in nobis.*

20. NUMQUID ADHERET TIBI SEDES INIQUITATIS? Ecclesia dicit ad Christum. 'Sedes iniquitatis' id est diabolus, super quem sedent peccatores et diabolus super ipsos sedet. Isti non adherent tibi, QUI FINGIS DOLOREM IN PRAECEPTO. Praeceptum Christus est. Deus pater finxit dolorem in ⁵ praecepto id est in Christo, quia ipse doluit in passione popter nostra peccata. Aliter 'qui fingis dolorem in praecepto' id est in Nouo et Uetus Testamentum finxit dolorem, quia ipse facit suos sanctos hoc praeceptum intellegere, et qui intellegit maiorem dolorem habet de suis uel de aliorum peccatis, quia praeuidet illas poenas peccatorum et illam

Codices: MSV et Z = S+V
5 ipse *Z*   6 ut] et *S*: + non *Z*   7 deo *om. Z*   potebat *Z*   **18,**1 unde – 3 mei *post* 17,3 infernum *in codd.*   7 adiuuauit¹] -uabat *V*   Petro *Z*   8 confessus *Z*   dominus *V* **20,**1 sedis *V*   5(*et* 6) praeceptum *V*   in Chr.] Christum *V*   6 dolorem] laborem *Z*

17,6sqq. *cf* Mt 14,25sqq.   **18,**2 Ps 72,2   9 *cf* Mt 14,30.31   **19,**2/3 Act 14,21 5/6 Rm 8,18

¹⁰ gloriam sanctorum. Unde ait Salomon: *Qui addit sapientiam addit dolorem.*

21. CAPTABUNT IN ANIMAM IUSTI. Propheta dicit, id est uoluerunt Iudaei animam Christi qui sine peccato erat quomodo et illius latronis ad infernum descendit, sic et anima Christi ambulasset, secundum illud: *Et deglutiamus eum tamquam inferus uiuum.* ET SANGUINEM INNOCEN-
⁵ TEM CONDEMNABUNT hoc est sanguinem Christi, ut illud: *Innocens, inpollutus, segregatus est* etc. 'Condemnabunt' quando dicebant: *Reus est mortis.* Sed ipsum sanguinem quem condemnauerunt biberunt postea hoc est crediderunt sicut ille qui latus eius aperuit etc.

22. ET FACTUS EST MIHI DOMINUS IN REFUGIUM ET DEUS MEUS IN AUXILIUM SPEI MEAE. Et refugium et spes sanctorum ipse est Christus: *Spes quae defertur adfligit animam.*

23. REDDET ILLIS DOMINUS INIQUITATES IPSORUM. Iniquitatem reddet Iudaeis. *Iniquitas numquid in deum? Absit,* quia ipse iustus et rectus et absque ulla iniquitate. Sed hic iniquitas est merces id est illorum retributio. Ergo deus pater tradidit filium suum, ut illud: *Qui filio suo non*
⁵ *pepercit, sed pro nobis omnibus tradidit illum.* Et Christus semet ipsum tradidit, sicut ipse dixit: *Filius quidem hominis uadit sicut scriptum est de eo.* Et Iudas tradidit, sicut dixit: *Quem osculatus fuero ipse est, tenete eum.* Et Iudaei tradiderunt, sicut dixerunt ad Pilatum: *Hic si non esset malefactor, non tibi tradidissemus eum.* Quaestio oritur: ergo si et deus
¹⁰ pater illum tradidit et ipse semet ipsum tradidit: quid peccauit Iudas et reliqui? ac si dicat: peccauerunt et Iudas et Iudaei, quia unus tradidit per cupiditatem et alii tradiderunt propter inuidiam. ET IN MALITIA EORUM DISPERDET ILLOS, DISPERDET EOS DOMINUS DEUS NOSTER. Prophetando dicit propheta, non optando: disperdet illos peccatores in die
¹⁵ iudicii illa tempestas unde dicit: *Et in circuitu eius tempestas ualida.* In die iudicii illi leues et illi infructuosi id est illae paleae ambulabunt in

---

Codices: MSV et Z = S+V
21,1 Captabant *V*   2 illum latronem *Z*   3 descendere *Z*   4 deglutiemus *Z*
23,1 Reddit(*bis*) *M*   11 reliqui + Iudaei *V*   13 illos] eos *S*   disperdet²] -dit *M*
eos] illos *S*   16 leui *V*

20,10/11 Ecl 1,18   **21,**4 Prv 1,12   5/6 Hbr 7,26   6/7 Mt 26,66   **22,**2/3 Prv 13,12
23,2 Rm 13,12   4/5 Rm 8,32   6 Mt 26,24   7 Mt 26,48   8/9 Io 18,30   15 Ps
49,3   16 – 18 *cf* Mt 3,12; Lc 3,17

infernum et triticum nitidum reseruatur in horreum; in uitam aeternam animas sanctas, *paleas autem conburet igni inextinguibili,* et dicet: *Uenite benedicti patris mei;* et: *Ite maledicti.*

94. Laus cantici ipsi Dauid. Hic laus pro psalmo ponitur, ac si dicatur psalmus cantici. 'Ipsi Dauid' ipsi Christo. Illum hominem quem amas ipsum laudas. Et multi laudant sed non amant, multi amant sed non laudant. Laudant Iudaei et christiani mali peccatores, sed non ex
5 affectu animae, hoc est non adimplent mandata dei, quia ipse dixit: *Qui diligit me mandata mea seruabit;* et alibi dicit: *Si quis dicit nosse se deum et mandata eius non custodit, mendax est.* Et alii sunt boni qui et amant et laudant et praedicant et opere implent. Sunt alii iterum simplices qui amant deum et in corde laudant et non cantant in uoce hoc est non
10 praedicant, quia simplices sunt. Iste psalmus de laude cantatur.
Uenite exultemus domino. Propheta loquitur in persona praedicatorum ad omnes homines dicens: Uenite. Dum dicit 'uenite', ergo longe erant antea, non prope? Longe erant non loco, sed fide et opere, ut ait propheta: *Longe est a peccatoribus salus;* et iterum dicit: *Accedite*
15 *ad dominum et inluminamini et uultus uester non erubescet.* Et sanctus Paulus dicit: *Uos qui aliquando fuistis longe* id est *tenebrae eratis, nunc autem facti estis prope in sanguine Christi;* et alibi dicit: *Adpropinquans ego sum et non deus de longe;* et iterum: *Adpropiate domino, et adpropinquabit uobis.* Adpropiate domino id est non gressu corporis, sed gressu
20 animae hoc est affectu animae. Postquam adpropinquatis, quid facietis? 'exultemus domino': non in uosmet ipsos, non in uestra iustitia, quia qui in illorum iustitia uoluerunt exultare, offenderunt non in

Codices: MSV et Z = S+V
17 seruatur *M*   horrea *Z,* + id est *V*   18 dicit *Z* + iustis *V*   19 et + impiis *V* maledicti + in ignem aeternum *V*

Ps 94,1,2 ipse(*bis*) *V*   Christi *M*S*: -tus *V*   6 seruabit *M²*: -uit *cett.*   se *om. M*
11 domino] *praem.* in *S²V*   12 dicens] -cit *V*: *om. S*   15 dominum] eum *S*   erubescit *M*
17 Adpropinquans – 18 iterum *om. MS*   18 dominum *Z*   19 uos *S*

19 Mt 25,34.41

Ps 94,1,5/6 Io 14,21   6/7 I Io 2,4   14 Ps 118,155   14/15 Ps 33,6   16 – 17 Eph 2,13 +
5,8   17/18 Ier 23,23   18/19 Iac 4,8

amore saeculi, sed in domino, quia dictum est: *Qui gloriatur, in domino glorietur.* IUBILEMUS DEO SALUTARI NOSTRO. Propheta coniungit secum
25 istos ad fidem uenientes. Praeuidebat propheta per spiritum sanctum illam laetitiam sempiternam quae erit, et exinde dicit 'iubilemus'. Magnitudo enim laetitiae nec in uoce erumpere nec in uerbis nec in syllabis potest conprehendere, quanta laetitia erit sanctorum esse cum deo et angelis.

2. PRAEOCCUPEMUS FACIEM EIUS IN CONFESSIONE, hoc est praeueniamus faciem eius antequam ueniat ad iudicium, hoc est confiteamur nos peccatores, quia quando te confiteris peccatorem esse, gratias agis deo, quia dimittit tua peccata, et ⟨confessio⟩ hic gratiarum actio intellegitur,
5 ut dominus dixit: *Confiteor tibi pater, domine caeli et terrae.* ET IN PSAL-MIS IUBILEMUS EI, hoc est in operibus bonis laudemus illum.

3. QUONIAM DEUS MAGNUS DOMINUS. Quare laudamus? hoc est quia magnus est. Numquid merito aut gratia sit ille magnus quomodo nos? Non, sed natura. ET REX MAGNUS SUPER OMNES DEOS. Sanctus Paulus dixit: *Sicut sunt dii multi, ita et domini multi,* et sic dicantur *dii non*
5 *natura* sed gratia sicut dicimus de daemoniis, ut in psalmo dictum est: *Omnes dii gentium daemonia.* Numquid hoc magnum sit deo esse super daemones? Non, sed 'super omnes deos'. De illis dicit unde dixit: *Ego dixi: dii estis et filii excelsi omnes.* QUONIAM NON REPELLET DOMINUS PLEBEM SUAM id est Iudaeos, quia reliquiae inde remanserunt hoc est
10 apostoli et illa octomilia qui crediderunt per apostolos, unde Paulus dicit: *Non reppulit deus plebem suam quam praesciuit,* sicut ipse dixit: *Nam et ego Israhelita sum de tribu Beniamin.*

4. QUIA IN MANU EIUS SUNT OMNES FINES TERRAE id est omnes gentes ad fidem uenientes, ⟨in manu eius⟩ in potestate eius. Lapis angularis qui continet duos populos in semet ipsum id est Christus. ET ALTITUDINES MONTIUM IPSE CONSPICIT id est sublimes saeculi, reges et potentes
5 'conspicit' hoc est elegit ex ipsis quos uoluit.

Codices: MSV et Z = S+V
27 Magnitudo *M²*(?): -dinem *cett.*   in²·³ *om. Z*   28 conprehendi *M²*   2,5 dixit
dominus *M*   3,2 quomodo nos *eras. M²*   5 ut in psalmo] unde *Z*   6 deo] deus *V*
9 est² + ut *M*Z, eras. M²*   10 illi *V*   quia *S*   11 repellit *Z*   dominus *S*
praescit *Z*   4,2 potestate] parte *MS*   3 ipso *V*

23/24 I Cor 1,31   2,5 Mt 11,25   3,4 I Cor 8,5   4/5 Gal 4,8   6 Ps 95,5   7/8 P
81,6; Io 10,34   10 octomilia: *cf* Act 2,41 + 4,4   11 Rm 11,2   12 Rm 11,1

5. QUONIAM IPSIUS EST MARE ET IPSE FECIT ILLUD. Hic spiritus sanctus rememoratur quod ipse creauit omnia, et quia initio creaturae non fecit rememorationem de mare quod adheret terrae, sed dixit: *Spiritus dei ferebatur super aquas.* Quod dixit montes ipsum est et mare id est
5 potentes saeculi qui amaricati fuerunt in peccatis. Fecit illos dulces hoc est caelat spiritus sanctus christianos, ut non timerent hoc est potentes saeculi. ET ARIDA MANUS EIUS FUNDAUERUNT. Sua potestas fecit illos peccatores infructuosos qui erant, fecit illos aridos, ut desiderarent imbrem id est pluuiam hoc est caelestem doctrinam Christi.
6. UENITE ADOREMUS. Longe fueramus, fecit nos adpropinquare ad semet ipsum, ut cognoscat imaginem suam, sicut dictum est: *Faciamus hominem ad imaginem et similitudinem nostram.* Per similitudinem recognoscit imperator suam imaginem in nummo, et dominus cognoscit
5 suam imaginem id est animam mundam quam nobis dedit, si ipsam inuenit mundam et cognoscit suam imaginem et nos adpropinquamus ad ipsum. ET PROCIDAMUS ANTE DOMINUM id est in orationibus, ET PLOREMUS CORAM DEO QUI FECIT NOS id est ⟨ploremus⟩ praeterita peccata,
7. QUIA IPSE EST DOMINUS DEUS NOSTER,quia ipse fecit nos, NOS POPULUS EIUS ET OUES PASCUAE EIUS. 'Populus eius' Iudaei populus dei, et nos modo populus dei, ut dixit: *Populus quem non cognoui seruiet mihi,* ⟨et oues manus eius⟩ unde et ipse dixit: *Non sum missus nisi ad oues quae*
5 *perierunt domus Israhel.* Et ad nos pertinet, ut dixit: *Et alias oues habeo quae non sunt ex hoc ouili.* Quod sunt oues hoc est populus et quod pascuae hoc est manus.
8. HODIE SI UOCEM EIUS AUDIERITIS, NOLITE OBDURARE CORDA UESTRA. Uox prophetae. 'Hodie' ista uita praesens intellegitur. Ad omnes homines pertinet, id est ut nullam duritiam cordis uel infidelitatem quis contra deum habeat, sed in omnibus sua mandata adimpleat.

Codices: MSV et Z = S+V
5,2 quod] quoniam *S*   3 quod] quia *S*: qui *V*   4 domini *V*   6 caelat] consolat *S*
7 aridam *S*   fund. manus eius *S*   6,2 ut] et *S*   cognoscat] crescit *S*: cresceret *V*
imaginem] in magnitudinem *S*   5 anima munda quod *Z*   ipse *M*   6 inuenit] mihi
dedit *M*   7 id – orationibus *om. MS*   8 domino *V*   7,1 quia – nos *om. MS*
2 Iudaei + et *codd.*   4 unde et ipse] ille *MS*   6 quod(*bis*): quid *codd.*   8,1 obdurari *V*
4 sed] ut *S*: + ut *V*

5,3/4 Gn 1,2   6,2/3 Gn 1,26   7,3 Ps 17,45   4/5 Mt 15,24   5/6 Io 10,16

9. Sᴛᴄᴜᴛ ɪɴ ᴇxᴀᴄᴇʀʙᴀᴛɪᴏɴᴇ ѕᴇᴄᴜɴᴅᴜᴍ ᴅɪᴇᴍ ᴛᴇᴍᴘᴛᴀᴛɪᴏɴɪѕ ɪɴ ᴅᴇѕᴇʀᴛᴏ. Hoc ad Iudaeos pertinet, quando exaceruabant dominum propter illorum incredulitatem uel illorum idolatriam. 'Secundum diem temptationis in deserto' id est per illos XL annos intellegitur uel ad aquam
5 contradictionis, ᴜʙɪ ᴛᴇᴍᴘᴛᴀᴜᴇʀᴜɴᴛ ᴍᴇ ᴘᴀᴛʀᴇѕ ᴜᴇѕᴛʀɪ: ergo ad Iudaeos pertinet secundum historiam. Sed ad sensum spiritalem non solum Iudaeos malos dicit, sed omnes homines qui ab initio mundi usque in finem saeculi sunt: una generatio est mala et infidelis de omnibus hominibus. Sicut omnes fideles filii Abrahae nuncupantur,
10 sic omnes infideles et mali, qui fuerunt post illos malos uel ueniunt, filii eorum reputantur. Pʀᴏʙᴀᴜᴇʀᴜɴᴛ ᴇᴛ ᴜɪᴅᴇʀᴜɴᴛ ᴏᴘᴇʀᴀ ᴍᴇᴀ. Uox dei per prophetam loquitur. 'Uiderunt' id est illa miracula quae deus fecit inter illos et illas uindictas similiter.

10. Qᴜᴀᴅʀᴀɢɪɴᴛᴀ ᴀɴɴɪѕ ᴘʀᴏxɪᴍᴜѕ ꜰᴜɪ ɢᴇɴᴇʀᴀᴛɪᴏɴɪ ɪʟʟɪ. Quare non plus aut minus dixit? quia ista uita praesens intellegitur per hoc. Ex quattuor creaturis homo creatur per tres decies id est fidem trinitatis, per decem decalogi mandata quae homo transgressus fuit. Uenit ueritas id
5 est Christus, unde dictum est: *Si uos ueritas liberauerit, uere liberi eritis.* Ieiunauit Christus quadraginta diebus et noctibus et liberauit nos de potestate diaboli et docuit nos abstinere propter transgressionem nostram. Et post passionem suam per quadraginta dies apparuit discipulis et praedicauit illis, ut integre in opere et scientia permanerent.
10 'Proximus fui' hoc est in potestate et miraculis, 'offensus' quia et illi me offenderunt et ego illos, quia uindicaui super illos. Eᴛ ᴅɪxɪ: ѕᴇᴍᴘᴇʀ ᴇʀʀᴀɴᴛ ᴄᴏʀᴅᴇ, id est illi qui mortui fuerunt in deserto. Quomodo illi errantes fuerunt? Illos infideles dicit, qui perseuerauerunt in duritia illorum uel omnes malas generationes infideles quae fuerunt ab initio:
15 de illis dicitur.

Codices: MSV et Z = S+V
9,1 exacerbatione *restitui e Gl.*: inritationem(-ne *M²*) *codd.* 6 spiritaliter *Z* 7 solum + de *M*Z, eras. M² (idem ad* sed) 8 sunt *om. Z* 12 quae *scripsi*: quod *Z*: ut *M* 13 inter *M²*: in *cett.* **10,**1 annos *M* 3 fidem *om. M* 5 liberauit *S* 8 suam] eius *Z* 9 integri *S* 11 uindicaui] iudicaui *MS* 13 fuissent *Z* Illos] *praem.* De *Z* 14 malos *Z* generatione infideli(-le *V*) qui est *Z*

9,9 *cf* Gal 3,7 **10,**5 Io 8,36

11. Et ipsi non cognouerunt uias meas. 'Uias meas' praecepta mea. Ille qui non cognoscit uiam errat, sicut et illi qui non cognouerunt praecepta dei errauerunt et quod debuerant ambulare XL diebus quadraginta annos ambulauerunt. Sicut iuraui in ira mea, si introibunt
5 in requiem meam. In ira hoc est in iusta uindicta. 'Si introibunt in requiem meam': quia si pro non ponitur hic, si introibunt id est non introibunt, 'in requiem' id est in terram repromissionis. Si de illa terra repromissionis dicit: quomodo non intrauerunt, quia multi illuc intrauerunt cum Iesu Naue filii eorum? ad illos qui mortui fuerunt in
10 deserto pertinet. Sanctus Paulus hoc exposuit. Si illa uera requies fuisset, numquam commemorasset, postea dabit aliam requiem. Illa requies figura fuit ad illam futuram requiem. Ergo multi sunt, qui in illam requiem adhuc non intrauerunt. *Festinemus nos ad illam requiem intrare,* ubi nec Iudaei infideles nec peccatores intrant.

95. Quando domus aedificabatur post captiuitatem. Si dicimus de templo, non est quia prope quando dominus in carne uenit aedificatum erat, unde et discipuli dicebant: *Magister, aspice quales lapides et quales structurae* templi, et dominus dixit: *Amen, dico uobis, non relin-*
5 *quetur hic lapis super lapidem qui non destruatur.* Sed 'quando domus aedificabatur' hoc est sancta ecclesia, quando Christus uenit in carnem, aedificata fuit super ipsum Christum, ut Paulus ait: *Fundamentum enim aliud nemo potest ponere praeter id quod positum est quod est Christus Iesus.* Destructa fuit ista domus per peccatum primi hominis
10 Adae, reaedificata fuit postea per secundum Adam filium dei hoc est Christum, sicut in euangelio dicit: *Si ueritas uos liberauerit, uere liberi eritis.* Et super ipsam petram quod est Christus aedificati fuerunt XII lapides hoc est XII apostoli, et super fidem apostolorum fuit aedificata ecclesia; uel *lapides uiui,* ut Petrus dixit, omnes sancti intelleguntur, et

---

Codices: MSV et Z = S+V
11,2 qui² *om. MS*   4 annis *V*   5 Si *om. M*: Non *V*   6 quia – 7 repromissionis *om. MS*
9 eorum] illorum *MS*   11 dabit] Dauid *Z*

Ps 95,1,2 quando] quomodo *Z*   8 quod²] qui *S*   12 estis *V*

11,10 exposuit: Hbr 4,1sqq.   13/14 Hbr 4,11

Ps 95,1,3 – 5 Mc 13,1 + Mt 24,2   7 – 9 I Cor 3,11   11 Io 8,36   14/15 I Pt 2,5

¹⁵ *superaedificamini* lapides uiui, quia sancta ecclesia de lapidibus uiuis aedificatur.

CANTATE DOMINO CANTICUM NOUUM. Uox prophetae ad praedicatores dicit. 'Canticum nouum': quid est canticum nouum, nisi quia nouus homo uenit in mundum, nouum mandatum adtulit? ac si dicat ad prae-
²⁰ dicatores: uos renouati facti per baptismum nouum mandatum praedicate, id est relinquite ueterem hominem *et induite nouum, qui secundum deum creatus est.* CANTATE DOMINO OMNIS TERRA, hoc est non solum Iudaei, sed omnis terra id est omnis ecclesia diffusa in totum mundum.

2. CANTATE DOMINO, BENEDICITE NOMEN EIUS, id est non nomen uestrum nec nomina deorum uestrorum, sed nomen eius id est dei. ADNUNTIATE DE DIE IN DIEM SALUTARE EIUS. De die in diem id est *gratiam pro gratia* hoc est de Ueteri in Nouum uel de mortalitate ad inmortalita-
⁵ tem. Salutare eius id est Christum, ut illud Symeon dixit: *Nunc dimitte seruum tuum domine secundum uerbum tuum in pace, quia uiderunt oculi mei salutare tuum* hoc est Christum, quando *accepit illum in ulnis suis.*

3. ADNUNTIATE INTER GENTES GLORIAM EIUS. Propheta ad praedicatores dicit. 'Gloriam eius' id est resurrectionem. IN OMNIBUS POPULIS MIRABILIA EIUS, tam ⟨quae⟩ ipse fecit uel quae per suos sanctos facit cotidie.

4. QUONIAM MAGNUS DOMINUS: non potuit propheta nec plus dicere uerbis, sed insimul et in breui conprehendit; ET LAUDABILIS UALDE, TERRIBILIS SUPER OMNES DEOS: terribilis est daemonibus et peccatoribus, blandus et suauis angelis et iustis.

5. QUONIAM OMNES DII GENTIUM DAEMONIA. Laudabilis ualde deus, quod et ego uidi; sed non possum loqui, qualiter sunt omnes dii gentium daemonia et ipse - ut dixi - super daemonia terribilis. DOMINUS UERO CAELOS FECIT, id est sanctos apostolos et praedicatores, ut illud: *Caeli*
⁵ *enarrant gloriam dei.* Quando de supernis contemplantur caeli sunt,

Codices: MSV et Z = S+V
21 nouum + eum *V*   23/24 toto mundo *Z*   2,1 domino + et *S*   nomen¹] nomini *Z*
2 id est dei *om. Z*   3 salutari *Z*   De² - diem²] die de die *Z*   5 Symonis *V*
dicitur *MV*   3,1/2 Prophetae ... dicunt *M*   4,2 ualde + Laudatio eius manet in saeculum saeculi *V*   5,1 laudabilis + Dauid *S*   deus *om. S*   2 sed *om. Z*   perloquere *Z*
sunt] deus laudetur(*om. S*) *Z*

21 *cf* Col 3,9   21/22 Eph 4,24   2,3/4 Io 1,16   5 - 7 Lc 2,29.30.28   4,2 (Ps 110,10)
5,4/5 Ps 18,2

quando ad homines praedicant nubes sunt, ut illud: *Qui sunt isti qui ut nubes uolant?* etc.

6. CONFESSIO ET PULCHRITUDO IN CONSPECTU EIUS. Ante dicit confessionem quam pulchritudinem, quia si te non fueris confessus peccatorem, non eris pulcher; si te confessus fueris peccatorem, eris postea pulcher. Si te iustificaueris sicut ille phariseus, non eris pulcher; si te
5 condemnaueris sicut ille publicanus, eris iustificatus. SANCTITAS ET MAGNIFICENTIA IN SANCTIFICATIONE EIUS. Si non habueris sanctitatem, non habebis magnificentiam. Exinde te sanctificat deus, si tu te humilias et condemnas.

7. ADFERTE DOMINO PATRIAE GENTIUM. Propheta dicit ad illos exstirpatores: postquam exstirpatis illa feralia et adulterina gentium, ueniant ad dominum. ADFERTE DOMINO GLORIAM ET HONOREM, id est si adfertis illas gentes per uestram praedicationem, hoc est gloria et honor dei.

8. ADFERTE DOMINO GLORIAM NOMINI EIUS, non nomini praedicatorum nec nomini eorum qui ueniunt ad fidem, sed domini. TOLLITE HOSTIAS, ac si dicat: non uacui uenite, offerte hostias, non hostias Ueteris Testamenti, sed confessionem id est sanctitatem, castitatem, pacem, sacrifi-
5 cia laudis id est fructum labiorum confitentium nomini eius; ET INTROITE IN ATRIA EIUS hoc est in sanctam ecclesiam.

9. ADORATE DOMINUM IN AULA SANCTA EIUS, in catholica ecclesia in unitate, quia si foris unitatem ecclesiae fueris, non eris amabilis, sed blasphemus. COMMOUEATUR A FACIE EIUS UNIUERSA TERRA, hoc est quando uenit dominus in carne, commota fuit uniuersa terra id est
5 gentilitas per praedicationem apostolorum, ut illud: *Ite, praedicate hoc euangelium* et rlq.

10. DICITE IN NATIONIBUS QUIA DOMINUS REGNAUIT A LIGNO. Propheta ad illos stirpatores dicit. Reges et potestates regnant per ferrum, dominus per lignum. De illo ligno ubi fuit crucifixus, exinde donauit mundo ipsum signum crucis regibus et imperatoribus, quod in frontibus illo-

---

Codices: MSV et Z = S+V

6 isti *om. MS*   **6,1** Ante – 2 quam] Antecedit confessio *Z*   7 sanctificet *Z*   **7,2** gentium + ut *S*   ueniunt *V*   **8,2** domino *Z*   3 uacue *Z*   5 nomen *S*   **9,1** domino *V* 2 foras *S*   3 blasphemator *S*   **10,1** nationes *S*   3 mundo(-dum *S*) + et *Z*   4 reges et imperatores *Z*   quod *om. Z*

6/7 Is 60,8   **6,4 – 5** *cf* Lc 18,11sqq.   9,5/6 Mc 16,15

⁵ rum portant. Ille est qui natus est de uirgine, ille qui fuit crucifixus, ille
qui fuit mortuus: ipse regnat. ETENIM CORREXIT ORBEM TERRAE QUI
NON COMMOUEBITUR. Dominus de ipso ligno ⟨orbem terrae⟩ id est illos
qui tortuosi erant correxit. Non commouebuntur, quia super petram
habent fundamentum, ut illud: *Et non cecidit, fundata enim erat super*
¹⁰ *firmam petram.* IUDICAUIT POPULOS IN AEQUITATE ET GENTES IN IRA SUA,
hoc est illi iudicauerunt illum iniuste, sed ille iudicauit illos iuste,
reddet unicuique secundum opera sua, quando dicturus erit: *Uenite*
benedicti patris mei et reliqua usque: quia hoc *fecistis mihi;* et: *Discedite*
uos qui non suscepistis me.

11. LAETENTUR CAELI, sancti praedicatores, ET EXULTET TERRA, successores illorum, COMMOUEATUR MARE ET PLENITUDO EIUS. Per illos stirpatores commota fuit gentilitas id est illi qui amaricati erant in peccatis.
'Plenitudo eius' integritas gentilitatis: commoti sunt de infidelitate,
⁵ uenerunt ad fidem.

12. GAUDEBUNT CAMPI ET OMNIA QUAE IN EIS SUNT. Gaudebunt illi qui fideles sunt, qui mites sunt, qui humiles sunt. TUNC EXULTABUNT OMNIA
LIGNA SILUARUM, exultabunt non per se, sed per Christum

13. A FACIE DOMINI. 'Tunc' hoc est in futuro iudicio illi qui infructuosi fuerunt et in primo aduentu Christi crediderunt, tunc exultabunt id est
sancta ecclesia, QUONIAM UENIT IUDICARE TERRAM, hoc est ille qui fuit a
terra iudicatus et ille iudicaturus erit terram. IUDICABIT ORBEM TERRAE
⁵ IN AEQUITATE ET POPULOS IN UERITATE SUA. Aequitas iudicii est, quia
reddit unicuique secundum quod gessit, et ueritas ipsud est maxime,
quando dicturus erit.

Codices: MSV et Z = S+V
7 Dominus *om. MS*   8 commouebitur *Z*   supra *V*   10 Iudicabit *Z*   11 iudicabit *S*
13 usque *om. MS*   quia] qui *M*   **11**,1 et *om. Z*   2 illorum] eorum *V*   2/3 stirp.]
praedicatores *S*   **13**,2 Christo *Z*   est + in *V*   4 erit *om. Z*   5 est] dei *V*   6 reddet *Z*

10,9/10 Mt 7,25   12 Mt 16,27; Rm 2,6   12/13 Mt 25,34-40   13/14 Mt 25,41sqq.

96. Psalmus ipsi Dauid cum terra eius restituta est. Iste psalmus totus de resurrectione Christi cantatur. Psalmus ipsi Dauid id est laus ipsi Christo, cum terra eius restituta est, hoc est plebs Iudaeorum destructa fuit quando Christum crucifixerunt, restituta fuit quando *conpuncti*
5 *sunt corde et dixerunt* ad apostolos: *Quid faciemus uiri fratres?* illi responderunt: *Paenitentiam, inquit, agite* et rlq.
Dominus regnauit, exultet terra. Numquid antea non regnauit? Sed propter carnem adsumptam dicit, quia mortuus fuit. Exultet terra, sancti apostoli, quia tristes fuerunt quando negauerunt; uel sicut illi
10 duo in uia ambulantes, quando dicebant: *Nos autem sperabamus* et rlq., quia defecta fuit spes illorum; exultauerunt postea quando *eum* in fractione panis *cognouerunt.* Uel exultauerunt quando resurrexit inmortalis. Laetentur insulae multae hoc est ecclesia congregata de gentibus id est illi qui firmitatem fidei habebant super Christum contra
15 actiones saeculi.
2. Nubes et caligo in circuitu eius, hoc est illi tenebrosi et ignorantes, 'in circuitu' non intus hoc est non per fidem in unitate fidei in unitate ecclesiae, sed in circuitu dei; unde dixit: *Foras canes* etc. Iustitia et iudicium correctio sedis eius, id est illi qui iustitiam et iudicium dei
5 supplicant, ut illum intellegant, illi correctionem dei habebunt et illi sunt digni, ut sedes dei nuncupentur, et deus in illis sedit, ut illud: *Anima iusti sedes sapientiae.*
3. Ignis ante eum ardebit et inflammauit in circuitu inimicos eius. Ignis id est ignis cupiditatis uel irae ardebit ante eum, antequam ueniat dies iudicii, ut illud: *Ignem ueni mittere in terram* id est gratiam spiritus sancti *et quid uolo nisi ut ardeat.* Et dicit postea non solum ignem, sed et
5 gladium, ac si dicat: *Non ueni pacem mittere sed gladium,* quia gladius separationem facit, - unde Paulus: *Et gladium spiritus quod est uerbum dei,* - quia separat filium a patre, filiam a matre et nurum a socro uel cetera. Gladius, ut diximus, separationem facit, ignis inluminationem,

Codices: MSV et Z = S+V
Ps 96,1,1 eius *om. MS**   3 Christo *scripsi*: -ti *codd.*   9 quia] qui *V*   14 habebunt *Z*
2,2 unitatem(*bis*) *M*Z*   fidei] + et *V*: + nec *M*²   5 illum] illo *Z*   intellegunt *MS*
6 sedit] sit *V*   **3,**1 inflammabit *S*   eius] suos *V*   2 ira *Z*   3 gratia *Z*   8 separationes *V*

Ps 96,1,4 - 6 Act 2,37.38   10 Lc 24,21   11/12 Lc 24,30   **2,**3 Apc 22,15   7 Prv 12,23
sec. LXX   **3,**3 - 4 Lc 12,49   5 Mt 10,34   6 Eph 6,17   7 *cf* Mt 10,35

hoc est inluminauit illos inimicos gratia spiritus sancti, et de inimicis
¹⁰ effecti sunt amici.

4. INLUXERUNT FULGORA EIUS ORBI TERRAE, hoc est sancti apostoli inluxe-
    runt, quia primitus tenebrosi fuerunt quasi infirmi homines, postea
    inluxerunt id est inluminatione gratiae spiritus sancti. Uel 'inluxerunt'
    hoc est in miraculis per ipsam gratiam spiritus sancti. Dicunt auctores
    ⁵ quod fulgora ab igne procedant hoc est de gratia spiritus sancti uirtutes
    eorum. UIDIT ET COMMOTA EST TERRA. Uiderunt id est crediderunt et
    commoti sunt de infidelitate ad fidem.
5. MONTES SICUT CERA FLUXERUNT A FACIE DOMINI. Montes hic superbi
    uel sublimes intelleguntur, quia sicut cera dura est, ita et illi duritiam
    habuerunt; sed fluxerunt sicut cera, quia non potuerunt resistere faciei
    dei hoc est praesentiae apostolorum, quia deus in illis erat, quomodo
    ⁵ in Actibus apostolorum: *Et non potuerunt resistere gratiae spiritus sancti*
    qui loquebatur in Stephano. Uel sicut cera liquescit a facie ignis, sic illi
    uenerunt de superbia ad humilitatem. A FACIE DOMINI OMNIS TERRA:
    repetitio est.
6. ADNUNTIAUERUNT CAELI IUSTITIAM EIUS. Caeli sancti apostoli. Qualem
    iustitiam adnuntiant nisi unde dominus dixit: *In iudicium ego ueni in*
    hunc mundum, ut qui non uident uideant et qui uident caeci fiant, hoc est
    ut qui se aestimabant uidere et propterea per illorum opera uel super-
    ⁵ biam se iustificauerunt, illi excaecantur, ut Paulus dixit: *Quia caecitas*
    ex parte in Israhel facta est. Isti deponantur; et illi qui fuerunt humiles,
    illi gentiles qui se confessi sunt non uidere, inluminentur et eleuentur.
    ET UIDERUNT OMNES POPULI GLORIAM EIUS, gloriam Christi, gloriam
    resurrectionis.
7. CONFUNDANTUR OMNES QUI ADORANT SCULPTILIA ET QUI GLORIANTUR
    IN SIMULACRIS SUIS. Propheta optando seu pronuntiando dicit, quia sic
    fuerunt illi gentiles confusi, quando uidebant illorum idola a praesen-
    tia unius apostoli cadere et daemones, quos illi ut deos adorabant,

---

Codices: MSV et Z = S+V

4,1 orbis *S*   3 inluminati a(*om. V*) gratia *Z*   5 procedat *V*: procidant *S*   **5**,3 faciei]
a(*om. V*) facie *Z*   4 praesentia *Z*   5 Actus *Z*   apostolorum + dicit *V*   gratia *S*:
praesentia *V*   7 ad] in *V*   8 repetitio est *om. MS*   **6**,4 ut *om. M*   5 excitentur *V*
6 ex parte *om. S*   illi + gentiles *V*   7 et] uel *V*   **7**,1 et *om. S**   3/4 ad praesentiam *Z*

5,5/6 Act 6,10   6 Ps 67,3   **6**,2 – 3 Io 9,39   5/6 Rm 11,25

⁵ eicere: confusionem tunc habebant. ADORATE EUM OMNES ANGELI EIUS
id est et angeli et sancti, unde et Paulus dicit: *Et cum iterum introducit*
primogenitum in orbem terrae dicit: et adorent eum omnes angeli dei. Et
aliter: *Et angelo ecclesiae scribe.*

8. AUDIUIT ET LAETATA EST SION id est primitiua ecclesia. Tunc audiuit
quando dicebant: *Ergo et gentibus deus* ad *paenitentiam dedit;* ET EXUL-
TAUERUNT FILII IUDAE id est successores. Uel filii Iudae filii confessionis id est qui confidunt Christum. PROPTER IUDICIA TUA DOMINE, quia
⁵ reprobati sunt superbi Iudaei, qui se uoluerunt in illorum lege iustifi-
care, et gentiles qui fuerunt humiles electi sunt et eleuati: iudicium dei
fuit hoc. Quia non potest hoc homo conprehendere pro quid fuit
factum, hoc apud homines occultum est.

9. QUONIAM TU DOMINE ALTISSIMUS SUPER OMNES DEOS. Non erit hoc
magnum deo, si super daemones aut deos gentilium esset deus, sed
super omnes deos hoc est angelos uel sanctos.

10. QUI DILIGITIS DOMINUM ODITE MALUM hoc est auaritiam uel cupiditatem, ut illud: *Et auaritiam malam quae est idolorum seruitus.* Ergo si
fueris amicus auaritiae, non eris amicus dei, quia dicit: *Qui uoluerit*
amicus esse saeculi huius, inimicus dei constituitur. Dicit aliquis: si non
⁵ sum amicus ad illum malum hominem et auarum, interficit me.
Respondit illi deus: *si occidunt corpus, animam non possunt.* Conparationem dicit sanctus Agustinus: homo diues habet filium et habet
inimicum et uult illum interficere; et ille filius ligat amicitiam apud
illum inimicum patris sui. Postea dicit pater iste filio suo, qui amici-
¹⁰ tiam habet cum ipso inimico: non es bonus, non habebis hereditatem
meam. Sic et deus exhereditat te id est illum hominem de sua hereditate, qui habuerit amicitiam cum suo inimico. CUSTODIT DOMINUS
ANIMAS SERUORUM SUORUM, DE MANU PECCATORIS LIBERAUIT EOS. Hic
spiritus sanctus confortauit suos sanctos, ut non timeant persecutio-

---

Codices: MSV et Z = S+V
5 eum] dominum *S*   eius *om. Z*   **8,**2 gentilibus *MS*   et² *om. Z*   3 filii¹] filiae *Z*
successores + ecclesiae primitiuae *S*   4 Christo *V*   **9,**1 dominus *V*   erat *Z*
2 deos] deus *V*   deus *om. V*   sed *om. M*   **10,**1 deum *M*   4 constituetur *MS*
9 pater + suus *Z*   10 es ... habebis] erit ... habet *Z*   11 Sic et *om. M*   exheredet *M*
12 suo] eo *M*   13 manibus peccatoribus *S*   14 confortat *Z*

7,6–7 Hbr 1,6   8 Apc 2,1.8.12 etc.   **8,**2 Act 11,18   **10,**2 Col 3,5 + Eph 5,5   3/4 Iac
4,4   6 *cf* Mt 10,28   7–11 *cf* AU 96,15,5sqq.(p. 1367)

¹⁵ nem secundum illud: *Nolite timere eos qui occidunt corpus, animam autem non possunt occidere.*

11. Lux orta est iusto et rectis corde laetitia. Non de ista luce dicit quae communis est peccatoribus et iustis, pecoribus et bestiis et muscis, sed de illa luce fidei spiritus sancti, ut cognoscat homo flagella sanctorum et prosperitatem peccatorum, quia pauci sunt qui hoc intel-
⁵ legunt. 'Et rectis corde laetitia': recti corde dicuntur cui omnia iudicia dei placent.

12. Laetamini iusti in domino. Admonet spiritus sanctus per prophetam omnem hominem, ut non in semet ipso unusquisque nec in suis diis, sed in domino habeat spem et in illo laetetur secundum illud: *Qui gloriatur, in domino glorietur.* Et confitemini memoriae sanctitatis
⁵ eius, id est illi gratias agite et hoc memorate, quia non per uosmet ipsos facitis neque per uosmet ipsos estis sancti aut a uobis ipsis hoc, sed a deo.

97. Psalmus ipsi Dauid: iam superius dictum est.
Cantate domino canticum nouum. Quid est canticum nouum nisi quod nouus homo uenit in mundum, nouum mandatum adtulit mundo, nouam creaturam hoc est nouam ecclesiam renouatam per
⁵ baptismum? Uel nouum fuit mundo, ut homo nasceretur de uirgine uel resurgeret inmortalis, ascenderet caro humana in caelum. Quoniam mirabilia fecit dominus, id est unicum filium uiduae suscitauit et reddidit uiuentem matri. Uel maior mirabilia fuit, quando ex nihilo mundum creauit et iterum recreauit per semet ipsum, quia per-
¹⁰ ditus fuerat per peccatum primi hominis. Saluauit sibi dextera eius. Dextera patris Christus est, et ipse semet ipsum saluauit uel saluat id

Codices: MSV et Z = S+V
16 autem *om. M*   11,2 pecoribus] peccatoribus *MS*   et bestiis *om. S*   4/5 intellegant *Z*
12,2 ipsum *Z*   suos deos *Z*   5 illum *Z*   6 facietis *V*   7 domino *V*

Ps 97,1,1 iam superius] super omnes *MV*   dictum est] diximus *S*   4 renouata *Z*
6 caelo *M*Z*   10 Saluabit *V*   dexteram *M²*   11 Christus] filius *V*   saluabit *Z*

15 – 16 Mt 10,28   12,3/4 I Cor 1,31

Ps 97,1,7/8 *cf* Lc 7,12–15

est illos praedistinatos, non illos qui uolunt sanitatem corporis, dies elongatos, diuitias, uel saluationem illorum uolunt non dei. ET BRACHIUM SANCTUM EIUS id est Christus. Brachium dicitur propter uni-
15 tatem patris: *et brachium domini cui reuelatum est?* quia pauci sunt qui illum intellegant hoc est illam diuinitatem.

2. NOTUM FECIT DOMINUS SALUTARE SUUM. Deus pater notum fecit Christum suum Iudaeis et gentibus, et ipse Christus notum fecit semet ipsum. Unde Symeon qui figuram tenuit Iudaeorum dixit: *Nunc dimitte seruum tuum* et rlq. Sed illa prophetia non solum ad Iudaeos,
5 sed etiam ad gentes pertinebat, ut dixit: *Lumen ad reuelationem gentium et gloriam plebis tuae Israhel.* IN CONSPECTU GENTIUM REUELAUIT IUSTITIAM SUAM, ut Paulus dixit: *Qui factus est nobis iustitia et sapientia et redemptio a deo.*

3. RECORDATUS EST MISERICORDIAE SUAE. Numquid in obliuione deo traditum sit aliquid? Non, sed quando implet opere quod promittit, tunc dicitur recordare; ET UERITATEM SUAM DOMUI ISRAHEL, non Iudaeorum tantum, sed etiam domui Israhel, hoc est animas uidentium deum
5 liberauit dominus. UIDERUNT OMNES TERMINI TERRAE SALUTARE DEI NOSTRI, non solum Iudaei, sed etiam omnes gentes uiderunt id est per fidem crediderunt, ut illud: *Beati qui non uiderunt et crediderunt.*

4. IUBILATE DEO OMNIS TERRA, non solum Africam ut dicebant: apud nos tantum Christus, uel alios qui similiter dicebant, sed etiam omnem terram redemit, et omnis terra laudet. CANTATE praedicate, EXULTATE laudate, PSALLITE opere implete.

5. PSALLITE DOMINO IN CYTHARA, laudate deum nostrum, IN CYTHARA hoc est in opere ET UOCE PSALMI uoce praedicationis cum opere,

6. IN TUBIS DUCTILIBUS, id est per tribulationes laudent sancti deum. Ductilis tuba fit de lamina producta qui super incudine de malleo producitur. Quid est iste malleus nisi diabolus? unde propheta dicit: *Confrac-*

Codices: MSV et Z = S+V
12 corporis + et *V*   13 elongatos + aut *V*   15 quia + non *S*   16 diuin.] unitatem *Z*
2,4 tuum + domine *S*   6 plebi *M*   reuelabit *V*   7 Quia *S*   3,1/2 traditus sum *V*
4 domus *M²*   animarum *M*Z*   dominum *M*   5 liberauit] reuelauit *S*
4,1 Africa *M²Z*   2 alios *M²*: alii *cett.*   3 redimit *MS*   5,1 deo nostro *Z*   2 in
opere] implere *V*   6,1 tribulationem *V*   laudant *Z*

15 Is 53,1; Io 12,38   2,3/4 Lc 2,29sqq.   5/6 Lc 2,32   7/8 I Cor 1,30   3,7 Io 20,29
6,3/4 Ier 50,23

tus est malleus totius mundi, hoc est quando dominus in carne uenit,
5 diabolus regnabat; sed confregit illum dominus per suam passionem et
ligauit illum in infernum. Bonus faber est deus de illo malleo, hoc est
per temptamenta et per tribulationes facit super suos sanctos, ut clare
cantent et laudent illum in tribulationibus. Per malleum intelleguntur
temptamenta diaboli, per tubam ductilem sancti. Bene cantauit illa
10 tuba in Ueteri Testamento, quando percussa de malleo est hoc est
sanctus Iob quando percussus est *a planta pedis usque ad uerticem,* ille
clare cantabat et dicebat: *Dominus dedit, dominus abstulit; sicut domino
placuit, ita factum est. Sit nomen domini benedictum in saecula.* Et dicebat: *Si bona suscepimus de manu domini, quare mala non sustineamus?*
15 Et in Nouo Testamento fuit alia tuba ductilis sanctus Paulus; et licet
fuissent aliae multae, et tamen istas duas commemorat. Nam et ista
bene cantabat, sicut dixit: *Datus est mihi stimulus carnis meae angelus
satanae, pro quo ter dominum rogaui, et dixit mihi: Sufficit tibi gratia
mea; nam uirtus in infirmitate perficitur.* Et ipsa tuba hoc est sanctus
20 apostolus ipsum malleum imperauit super illos hereticos: *tradidit illos*
angelo *satanae, ut discant non blasphemare* deum. Et uoce tubae cor-
neae. Tuba cornea sancti intelleguntur. Cornu de carne nascitur et fortius est quam caro, sic et sancti in carne sunt, ut ait Paulus: *In carne
enim ambulantes non secundum carnem militant.* Iubilate in con-
25 spectu regis domini, ut ei placeatis uos qui habetis tubas corneas.
7. Moueatur mare et plenitudo eius, id est per illas tubas fuit mota
mare hoc est gentilitas per illas praedicationes; plenitudo hoc est integritas gentilitatis; orbis terrarum et uniuersi qui habitant in ea:
repetitio est.
8. Flumina plaudent manu simul. 'Flumina' ipsi praedicatores, ut illud: *Qui sitit ueniat et bibat;* 'plaudent manu' cantare, opere implere,
'simul' in unitate. Montes exultauerunt, id est ipsi praedicatores,

Codices: MSV et Z = S+V
5 regnauit *S*   7 super *om. V*   10 percussa + sunt *V*   est[1] *om. Z*   12/13 placuit
deo *S*   16 commemorant *S*   18 mihi *om. Z*   Sufficiat *S*   21 ut + non *V*
uocem *M*   22 sancti] spiritus *V*   22/23 fortior *M*Z*   23 In – 24 ambulantes(-latis)
S) om. MV   24 militamus *S*   25 domini + Propheta ammonet sanctos *S*   7,2 mare]
maris *codd.*   8,1 manus *M*S*   1/2 ut illud *om. MS*   2 implete *S*

11 Iob 2,7   12 – 14 Iob 1,21; 2,10   16 commemorat: *scil.* Augustinus   17 – 19 II Cor
12,7-9   21 I Tim 1,20   23/24 II Cor 10,3   8,2 Io 7,37

9. A CONSPECTU DOMINI: non in conspectu ipsorum uel deorum aliorum,
sed in conspectu domini, QUONIAM UENIT, uenit et redemit nos, uel uenit ad iudicium, IUDICARE TERRAM. Ille primitus humilis uenit et iudicatus fuit a terra; sed uenturus est, ut iudicet terram, id est illos terre-
5 nos qui illum iudicauerunt iniuste, iudicaturus erit illos iuste, sicut dicturus erit in antea: IUDICABIT ORBEM TERRARUM IN IUSTITIA, totum
mundum, 'in iustitia' in semet ipso, quia ipse iustus erit in suo iudicio,
ET POPULOS IN AEQUITATE. Aequus erit hoc est *reddet unicuique secun-*
dum opera sua.

98. PSALMUS IPSI DAUID. Iste psalmus cantatur de diuinitate et de incarnatione Christi.
DOMINUS REGNAUIT, IRASCANTUR POPULI. Aut irascantur aut non,
dominus regnauit. Numquid antea non regnaret? Regnauit secundum
5 diuinitatem. Sed hic de illa persona quae fuit adsumpta in diuinitate
inde dicit, quia illa persona quae fuit flagellata, quae fuit mortua et
resurrexit, ipsa regnat. 'Irascantur populi': irati fuerunt Iudaei secundum illud, quod in alio psalmo dicit: *Et principes conuenerunt in unum*
aduersus dominum et aduersus Christum eius. Iratae fuerunt et gentes,
10 quando defectum fuit illorum regnum et eleuatum est regnum Christi.
QUI SEDES SUPER CHERUBIN, hoc est illa caro dominica sedet super cherubin, super omnes sanctos et super sanctos angelos et super omnes
creaturas spiritales. Cherubin plenitudo scientiae intelleguntur, ut
illud: *Anima iusti sedes sapientiae,* hoc est super illam animam quae
15 habet plenitudinem scientiae, ibi sedet deus. Dicit homo: non possum
legere scripturas, non possum habere plenitudinem scientiae. Dicit illi
sanctus Agustinus: habe nouum mandatum, imple illum et habes

Codices: MSV et Z = S+V
9,1 a] in *V*   deorum] Iudaeorum *S*   alienorum *V*   6 terrae *V*

Ps 98,1,4 dominus] deus *S*   regnauit²] -nabat *SV²*   5 quae] qui *codd.*   6 quae
(*bis*) *M*: qui *Z*   9 Iratae] Istae *Z*   10 est *om. M*   13 intellegitur *Z*   16 habere]
audire *MV*   17 nouum] unum *S*   habebis *Z*

9,8/9 Mt 16,27; Rm 2,6

Ps 98,1,8/9 Ps 2,2   14 Prv 12,23 sec.LXX   17 – 19 *cf* AU 98,3,38–47(p. 1380)

plenitudinem scientiae, id est habe caritatem, quia *plenitudo legis est caritas* hoc est dilectio dei et proximi. Moueatur terra id est moti
20 fuerunt homines terreni, quando Christus uenit in carne, de infidelitate uenerunt ad fidem.

2. Dominus in Sion magnus et excelsus super omnes populos. In Sion id est in sancta ecclesia, in specula uitae, ibi est; magnus propter magnitudinem potentiae suae, 'super omnes populos' super omnes gentes.

3. Confiteantur nomini tuo magno, quoniam terribile et sanctum est. 'Confiteantur nomini tuo' hoc est laudent omnes christiani magnum nomen dei. Paruum fuit suum nomen in primitus, quando erat sua praedicatio, ut granum sinapis solum praedicabat; magnum
5 fuit et est secundum apostoli dictum: *Omne genu ⟨flectatur⟩ caelestium, terrestrium et infernorum et omnis lingua confitebitur, quia dominus Iesus Christus in gloria est dei patris.* Terribile est nomen suum daemonibus et peccatoribus, blandus est iustis et sanctis et angelis.

4. Et honor regis iudicium diligit. Ibi est honor Christi et illum diligit deus, qui rectum iudicium in semet ipso habet. Tu parasti directionem (alibi dicit: Tu parasti aequitatem) id est aequitatem iudicii, ut te confitearis peccatorem et illum sanctum et iustum, te condemnes et
5 illum iustifices, te creaturam, illum creatorem confitearis. Iudicium et iustitiam in Iacob tu fecisti. Hoc dedit deus populo christiano, ut habeant rectum iudicium inter proximum et proximum, inter corpus et animam; et iustitiam hoc est mandata implere.

5. Exaltate dominum deum nostrum. Uox prophetae ad subiectos. Deus excelsus est, sed si nos ipsum exaltamus et laudamus, ille facit nos exaltatos esse. Et adorate scabellum pedum eius. Non dixit hic propheta quid est scabellum, sed interposuit quod alio loco dixit: *Cae-*
5 *lum mihi sedes est, terra autem scabellum pedum meorum.* Dicit aliquis ad illum prophetam: ergo creaturam adoramus? Si nos creaturas ado-

Codices: MSV et Z = S+V
3,1 terribili S   2 est *om.* V   3 nomine suo V   4 solus Z   6 confiteatur S
quia] quoniam M   7 Terribili S   8 et³ *om.* M   4,2 ipsum S   5 confiteas V: *om.* S
6 deus + in MS   8 mandatum MS   5,4 scabellum *om.* MS

18/19 Rm 13,10   3,4 *cf* Mt 13,31   5 - 7 Phil 2,10.11   4,3 aequitatem = Ps(Ro) AU
5,4/5 Is 66,1

ramus, facimus nos similes illis, qui faciunt illas manibus et confidunt
in eis. Similitudinem Agustinus dicit: uenis tu, adoras ad sepulchrum
alicuius sancti. Non mittis tu tuam spem ad cadauer illius sancti, ut illa
10 ossa aut illum puluerem qui ibi iacet adores, sed tuam fidem et tuam
spem illuc diriges, ubi est anima sancti illius, ut intercedat pro te. Sic et
nos non mittimus spem ad purum hominem, sed in illum qui homo et
deus adsumptus est in diuinitate. Ut dixit dominus ad apostolos: *Nisi
manducaueritis carnem filii hominis et biberitis eius sanguinem, non*
15 *habebitis uitam in uobis,* illi responderunt: *Durus est hic sermo, et quis
potest eum audire? et abierunt retrorsum.* Exposuit dominus postea hoc
illis duodecim dicens: *Spiritus est qui uiuificat, caro autem non prodest
quicquam.*

6. MOYSES ET AARON IN SACERDOTIBUS EIUS. Quid pertinent hic Moyses et
Aaron? Quasi interrogasset aliquis prophetam: quare adoramus creaturas? ille respondit: Moyses et Aaron sic fecerunt in similitudinem,
quia sublimes sacerdotes erant, quomodo dominus loquebatur in
5 nube ad Moysen; unde dicit propheta: *Ascendit dominus super nubem
leuem, ut ingrederetur Aegyptum.* Illa nubs corpus Christi, ille qui loquebatur in nube ipsa diuinitas, quae induit carnem. Illi sacerdotes summi
adorauerunt et nos adoramus illam personam, quae adsumpta est in
diuinitate. Moyses mediator erat inter populum et deum, figuram
10 Christi tenebat; et dominus Christus ipse est mediator dei et hominum
id est inter deum patrem et homines. Aaron mons fortitudinis, ipse
figuram Christi tenebat, unde in propheta: *Et erit in nouissimis diebus
praeparatus mons domus domini.* ET SAMUEL INTER EOS QUI INUOCANT
NOMEN EIUS. Samuel interpretatur auditio ideo, quia exaudita fuit
15 mater sua, quando rogabat in templo, ut haberet filium masculum et
daret illum domino, ut seruiret in templo; et ex promissione natus est
Nazareus dei de matre sterili. Quanto magis Christus et Nazareus et ex
promissione de matre uirgine hoc est de sancta ecclesia natus, unde

Codices: MSV et Z = S+V
7 illis] ad illos Z   8 eis] eorum M   Agust. dicit] Agustini Z   9 ut] aut M   11 dirigis Z   12 mittemus Z   13 deus + et V   15 et om. MS   17 ad illos Z   6,2 aliquis
+ ad Z   4 qui Z   6 qui om. M   9 erat om. S   18 uirgine] sterili Z

8 - 11 AU: *ubi*?   13 - 15 Io 6,54   15/16 Io 6,61.67   17 Io 6,64   6,5/6 Is 19,1
12/13 Is 2,2   15 - 17 *cf* I Rg 1,11sqq.

propheta: *Laetare sterilis quae non paris, erumpe et clama quae non*
20 *parturis, quia multi filii desertae magis quam eius quae habet uirum.*
INUOCABANT DOMINUM, ET IPSE EXAUDIEBAT EOS. Exaudiuit Moysen,
quando ueniebat uindicta super populum propter idolum quod fece-
rant, et ille dixit: *Peccauit hic populus peccatum magnum; dimitte eis*
hanc noxam, sin autem dele me de libro quem scripsisti; et exauditus fuit.
25 Exaudiuit Aaron, quando ignis conburebat illos et accepit turabulum
in manu, ambulabat *inter mortuos et uiuos,* et cessauit ignis. Exauditus
fuit Samuel: quando rogabat populus regem, dixit Samuel: Peccatum
graue facitis. Unum deum regem habetis, et regem terrenum quaeritis
quomodo gentiles? Uenit super illos grauitudo ignis, et rogauerunt
30 illum ut oraret; et orauit pro eis, et cessauit uindicta.

7. ET IN COLUMNA NUBIS LOQUEBATUR AD EOS, CUSTODIEBANT TESTAMEN-
TUM EIUS ET PRAECEPTA QUAE DEDIT EIS.

8. DOMINE DEUS NOSTER, TU EXAUDIEBAS EOS, DEUS TU PROPITIUS FUISTI
ILLIS. Propitiatio semper de peccato dicitur. Propitius illis fuit et uindicauit: quando flagellabat, tunc propitiabat, quia qui hic in praesenti flagellatur, in futuro non condemnatur. Dum dicit 'propitius fuisti illis',
5 ergo et illi peccatores fuerunt; habebat quod illis propitiaret uel in illis
uindicaret. Moyses quando illum Aegyptium occidit et fugit in terram
Madian per annos quadraginta, dixit illi dominus in monte: *Solue corri-*
giam calciamenti pedum tuorum et rlq., ac si dicatur: dimitte illa peccata
quae commisisti uel illas ligaturas artis magicae, quas in Aegypto didi-
10 cisti, et obersua mea mandata. Et Aaron, quando consentiuit ad illum
populum ad illud, ⟨ut⟩ caput uituli faceret. Samuelem non legimus ubi
deliquisset, tamen et ipsum non dicimus esse sine peccato. Quod non
cognoscit homo deus intuetur, quia plerumque hii, quos iam perfectos
homines aestimant, adhuc in oculis summi opificis aliquid imperfec-
15 tionis habent. Sicut saepe inperiti homines necdum perfecte sculpta

Codices: MSV et Z = S+V
24 libro + in *M*Z*   scripsisti + mihi *M*Z, eras. M²*   7,1/2 testimonia *V*   2 quae]
quod *Z*   eis] illis *V*   **8**,2/3 uindicta *V*   3 propitiabatur *M*   hic qui *MS*
4 damnatur *V*   fuit *S*   5 propitiaretur *M*   6 fugiuit *Z*   7 monte + Syna *S*
9 quae] quod *Z*   magicas *Z*   10 ad *om. V*   11 facere *Z*   15 sculpta] sepelita *Z*

19 – 20 Is 54,1   23 – 24 Ex 32,31.32   25 – 26 *cf* Nm 16,47.48   **8**,7/8 Ex 3,5
13 – 18 GR-M dial. IV 16,3(ed. p. 64); *cf* AU 98,12,17sqq.(p. 1388)

sigilla conspicimus et iam quasi perfecta laudamus, quae tamen adhuc
artifex considerat et limat, laudari iam audit et tamen ea tundere
meliorando non desinet; et sicut faber, quando facit artificium suum
de auro uel de argento, dicunt homines: melius numquam uidimus,
20 ille semper limat et quod illi alii non cognoscent emendat, ut pulchrior
illa res efficiatur: sic et deus facit: temptat per tribulationem suos sanctos, ut plus animas illorum pulchriores faciat.

9. EXALTATE DOMINUM DEUM NOSTRUM: exaltate id est ut uos exaltati sitis
ab ipso et eleuati sermones in praedicatione uel laude ipsius; ET ADO-
RATE IN MONTE SANCTO EIUS hoc est in sancta ecclesia, quia ibi perfecte
et adoratur et colitur et ipsa est mons sanctus, non a semet ipsa.
5 QUONIAM SANCTUS EST DOMINUS DEUS NOSTER, ille sanctus natura, nos
gratia, ille sanctus qui nos sanctificat.

99. PSALMUS IPSI DAUID, iam dictum est. Iste psalmus totus de confessione
sonat hoc est de laude uel gratiarum actione, ut dominus dixit: *Confiteor tibi pater, domine caeli et terrae* et rlq. Non semper confessio de
confessione peccatorum intellegitur, sed etiam de laudibus.

2. IUBILATE DEO OMNIS TERRA. Propheta dicit ad omnes homines: iubilate; sed non sic quomodo illi qui exultant post fructus reconditos
quando habundantia est, nec sicut nautae in tranquillo mari, nec sicut
homines exultant post uictoriam in bello et iubilant uel reliqua. Sed
5 iubilate sicut ego, quia praeuidebat propheta per spiritum sanctum a
longe illam laetitiam sempiternam quae erit futura. Non potuit in uoce
tantum aut uerbis exprimere nec litteris nec syllabis conprehendere,
quantum praeuidebat in mente, et ideo dixit: prae tanta laetitia cordis
iubilate, ac si dicat: si uos uidissetis et intellexissetis sicut ego cognoui,
10 omnis terra iubilaret. SERUITE DOMINO IN LAETITIA (alibi dicit: SERUITE
DOMINO IN TIMORE). 'In timore': timor hic propter incertitudinem uitae

---

Codices: MSV et Z = S+V
16 quasi] qua *S*   17 considerat] curat *Z*   laudare … audet *Z*   tundere] habundare *Z*
18 melior.] maledicendo *Z*   facit] fit *V*   21 tribulationes *V*   9,2 sermone *M*
4 mons sanctus] in omnibus sanctis *M*

Ps 99,2,1 deo] domino *V*   2 fructa recondita *Z*   3 habundanter *Z*   5 sicut + et *S*
6 futura *om. Z*   potebat *V: om. S*   9 uidistis *S²V*: -detis *S**   intellexistis *V*

Ps 99,1,2/3 Mt 11,25

praesentis, ut illud: *Nescit homo finem suum.* Amor id est laetitia propter spem regni caelestis. Ergo hic seruite deo; et in futuro quid seruie-
mus nisi ⟨in⟩ laudare et gratias agere semper sine fine? INTRATE IN CON-
15 SPECTU EIUS hoc est unusquisque in suam conscientiam et ipse se inter-
roget, pro qua causa seruiat deo: aut per timorem aut per amorem aut
propter unicum deum ut ipsum habeat, aut propter saeculum aut pro
hominibus hoc est laude humana. IN EXULTATIONE in laudatione hoc
est quod superius dixi, ut quod melius et utilius pensat et perfectius
20 inuenit hoc teneat et in hoc seruiat deo et laudet.
3. SCITOTE QUONIAM DOMINUS IPSE EST DEUS. Propheta dicit ad Iudaeos: si
sciatis ipsum quem uos crucifixistis, quem uos purum hominem aesti-
mastis et exprobrastis: ipse est et dominus, deus noster qui dominatur
omnia. Uel scitote uos gentes quem exprobrastis in praedicatoribus,
5 dicentes: cultores crucifixi, adoratores male mortui: ipse est dominus
id est ipse dominatur omnia hoc est et ipse est deus omnium. IPSE
FECIT NOS, ET NON IPSI NOS. Primitus fecit nos in Adam, refecit nos postea per baptismum; uel 'fecit nos' hoc est et carnaliter et spiritaliter.
Aliter 'ipse fecit nos' et non sic quomodo heretici uel peccatores dice-
10 bant, quod quantos filios uelit homo, tantos póssit habere. Sed non est
sic. Nam si sic erat, non deus esset praesciens. Sed illi qui haec ausi
sunt proferre non retractant istum uersiculum, quod propheta per spiritum sanctum dicit: Ipse fecit nos, et non ipsi nos; aut inmemores
⟨sunt⟩ sicut ille qui fugiendum putabat a facie dei in Tharsis illius uersi-
15 culi: *Si ascendero in caelum* et rlq. Sed isti – quod peius ⟨est⟩ – ad suam
ipsorum perniciem peruertentes scripturas nec intellegentes, quia
potest homo, licet permittente deo, mortificare se uel alios, et hoc contra praeceptum dei, sicut Adam semet ipsum et nos mortificauit, sed
nec semet ipsum uiuificare potuit, quanto magis nec alios. Ita et here-
20 tici per doctrinam malam. Nam homo mortificare se potest, uiuificare
non potest et uoluntatem libidinis potest explere, filios procreare non

---

Codices: MSV et Z = S+V
13 seruire *M*   15 ipse] ibi *Z*   16 seruit *M*Z*   18 in²] et *V*   19 utilis *V*   20 inueniat *M²*   **3**,2/3 aestimatis *S*: credidistis *V*   3 deus] *om. V: praem.* et *S*   4 probastis *V*
praedicationibus *M*   7 Prius *V*   10 uellet *MV*   tantos *om. V*   posset *V*
11 erat] esset *M*   14 fugiendo *M*   dei *om. Z*   19 potuit *om. Z*   20 se *om. V*

2,12 Ecl 9,12   3,14 *cf* Ion 1,3   15 Ps 138,8

potest, nisi a deo, quia anima a deo datur et uiuificatur. Nos AUTEM
POPULUS EIUS ET OUES PASCUAE EIUS: Iudaei et populus et oues, et nos
oues, sicut dominus dixit: *Et alias oues habeo quae non sunt ex hoc*
25 *ouili;* et sub uno domino sumus et unum pastorem habemus, sicut ipse
dixit: *Et illas oportet me adducere, et uocem meam audient et fiet unus
grex et unus pastor.*

4. INTRATE PORTAS EIUS IN CONFESSIONE. Portae sancti praedicatores, per
quos intramus hic in praesentem ecclesiam, ut illud: *Aperite mihi portas iustitiae* per uirtutes, hoc est intramus in domo 'in confessione' id
est in laudatione, ATRIA EIUS ut supra praesens ecclesia, IN HYMNIS in
5 laudibus, ut Paulus dicit: *In psalmis et hymnis et canticis spiritalibus
cantantes* et psallentes *in cordibus uestris domino* etc. CONFITEMINI ILLI:
in his supradictis laudate illum. LAUDATE NOMEN EIUS,

5. QUONIAM SUAUIS EST DOMINUS, suauis est sanctis et angelis secundum
illud: *Discite a me, quia mitis sum et humilis corde;* uel 'suauis' quia
expectat nos emendare per confessionem, non statim nos punit id est
non statim uindicat; tamen sic est suauis ut uerax appareat, quia *reddet*
5 *unicuique secundum opera sua.* IN AETERNUM MISERICORDIA EIUS, in
aeternum misericordia eius id est non solum hic misericordia, sed
etiam in futuro, quia natura est illi, non potest ei tollere. Unde in alio
psalmo dicit: *Deus meus misericordia mea.* ET USQUE IN SAECULUM
SAECULI UERITAS EIUS. Misericordia semper cum ueritate, quia ipse est
10 misericors: *deus meus misericordia mea,* ipse est ueritas, ut dixit:
Ueritas de terra orta est. Dicunt aliqui: *Ueritas tua usque ad nubes.* 'In
saeculum saeculi' semper sine fine.

Codices: MSV et Z = S+V
22 autem *om. MV*   26 audiant *S*: -unt *V*   fiat *MS*   4,5 et¹ + in *M*   5,1 est¹ *om. M*
2 quia] qui *MS*   4 statim + nos *V*   7 futurum *M*V*   ei] illi *V*: ille *S*

24 *et* 26/27 Io 10,16   4,2/3 Ps 117,19   5–6 Col 3,16   5,2 Mt 11,29   4/5 Mt 16,27;
Rm 2,6   8 *et* 10 Ps 58,18   11 Ps 84,12   Ps 56,11

100. Psalmus ipsi Dauid laus cantici. Iste psalmus cantatur de Christo et de ecclesia.

Misericordia et iudicium. Uox prophetae. Bene dicit, quia praecedit misericordia iudicium, quia hic in praesenti est misericordia et in
⁵ futuro iudicium. Cantabo tibi domine id est praedicabo. Psallam
2. et intellegam in uia inmaculata. 'Psallam' laudabo: multi laudant misericordiam, sed non intellegunt iudicium. Nam deus sic est misericors, ut non deseret iudicium, hoc est ut reddat unicuique secundum quod fecit. 'In uia inmaculata' id est illi qui ante aduentum fuerunt
⁵ praeuidebant quod Christus uenturus erat in carne. In uia inreprehensibili uenit, quia non habuit peccatum. Uel ecclesia modo quae in Christo est hoc est in uia inreprehensibilis erit. Quando uenies ad me id est uenturus erit ad iudicium, perambulabam in innocentia cordis mei: et Dauid innocens fuit contra Saul, et Christus innocens, unde
¹⁰ Paulus dicit: *Innocens inpollutus* etc. Uel ecclesia innocens dicitur, quae etsi minora non potest uitare, maiora tamen peccata non committit, innocens dicitur ecclesia, quia nec sibi nec alteri nocet. Nam qui sibi nocet, etiam si alteri non noceat, innocens non est. In medio domus meae. Domus nostra cor nostrum est, quia sicut in domo sic in
¹⁵ ipso habitamus per cogitationem, ut illud: *Omni custodia serua cor tuum* et rlq.
3. Non proponebam ante oculos meos rem malam, hoc est quod mihi non licebat non concupiscebam, ut illud: *Non concupisces rem proximi tui.* Uel 'non proponebam ante oculos meos' oculos cordis, ac si dicat: non adcommodabam illos ad rem supradictam id est inlicitam concu-
⁵ piscentiam, unde et Paulus dicit: *Et auaritiam malam* et rlq. ⟨Facientes⟩ praeuaricationes odiui, hoc est non solum quod non feci, sed qui faciebant odiui. Non quod animam debeam odire quae creatura dei est, sed uitia, ac si dicat: odiui illorum uitia qui praeuaricant manda-

---

Codices: MSV et Z = S+V

Ps 100,1,1 Psalmus¹ – cantici *om.* V   ipsi *om.* S   Christi *M*   2 et de *om. M*: de *om.* S
2,1 laudabo] -dem *Z*   3 deserat *M*: desiderat *S*   ut²] quod *V*   reddet *Z*   4 est +
quia *S*   5/6 inreprehensibilis *V*   11 potest + in *M*   12 nocuit *MS*   14 sic + ut *S*
15 inhabitamus *V*   **3,**4 adcommodabam *scripsi*: -mutabam *codd.*   4/5 concupiscentia *V*
7 debeam *scripsi*: -ant *M*: -at *Z*   quae] quia *S*

Ps 100,2,10 Hbr 7,26   15 Prv 4,23   **3,**2 Ex 20,17   5 Col 3,5

tum dei, secundum prophetae dictum: *Uidi praeuaricantes pactum et*
¹⁰ *tabescebam.* NON ADHESIT MIHI

4. COR PRAUUM, cor malum. Nec ad Christum adheret qui cor prauum habet nec ad ecclesiam, quia *bonum est mihi adherere deo.* DECLINANTE A
ME MALIGNO NON COGNOSCEBAM, hoc est non cognoscebam illos in rectitudine esse, quia dixit: *Nescio uos.*

5. DETRAHENTEM SECRETO ADUERSUS PROXIMUM SUUM HUNC PERSEQUE-
BAR. Et Iudaei et Iudas contra Christum secreto detrahebant, quia
aliud loquebantur in uerbis, aliud cogitabant in corde: in uerbis paci-
fica loquebantur, sed in corde cogitabant dolum. Persequitur illos id
⁵ est ad iudicium uel similes illorum in uindictam. SUPERBO OCULO:
superbi hic scribae et pharisei, qui se eleuabant et putabant se meliores
de aliis hominibus; ⟨ET⟩ INSATIABILI CORDE ipsi in cupiditate, CUM HOC
SIMUL NON EDEBAM, et si uidentur in participatione corporis domini aut
in Missa ad pacem, sed in fide, spe et caritate nec apud deum nec apud
¹⁰ saeculum participantur.

6. OCULI MEI AD FIDELES TERRAE, UT SEDEANT MECUM. Oculi mei ad fideles terrae hoc est inspectio Christi super apostolos, uel omnes sancti
qui corpore illorum reguntur, ut sedeant mecum hoc est ad iudicium.
AMBULANS IN UIA INREPREHENSIBILI HIC MIHI SERUIEBAT, id est ille qui
⁵ ambulat in uia rectitudinis id est in Christo, ille seruit et ministrat deo.

7. NON HABITAUIT IN MEDIO DOMUS MEAE QUI FACIT SUPERBIAM neque hic
in praesenti ecclesia neque in futuro, tamen etsi uidetur ambulare corporaliter, sed non spiritaliter, qui facit superbiam id est qui ⟨se⟩ exaltat;
QUI LOQUITUR INIQUA NON DIREXI, id est non dirigitur IN CONSPECTU
⁵ OCULORUM MEORUM, id est qui iniqua loquitur non est rectus in conspectu dei hoc est in aspectu diuinitatis.

Codices: (M)SV (et Z = S+V)
9 prophetam dicentem *V*   pactum + id est non seruantes *V*   4,2 deo + Qui adheret
deo unus spiritus est *V*   2/3 Declinantem ... malignum *S*   5,2 Iudas: *hic finit M*
4/5 id est] iam *V*   8 uidentur *scripsi:* -detur *codd.*   9 spe et caritate] domini *S*
deum – apud² *om. S*   6,4 seruiebat] ministrabat *S*   7,1 superbia *S*   3 id – exaltat
om. S   4 direxit *S*   dirigetur *S*   6 aspectu] conspectu *S*

9/10 Ps 118,158   4,2 Ps 72,28   (I Cor 6,17)   4 Mt 25,12

8. In matutinis interficiebam omnes peccatores terrae id est in
futuro iudicio, ut dominus in euangelio: *Colligite primum zizania et
alligate ea ⟨in⟩ fasciculos ad conburendum.* Uel 'in matutinis' in initium
suggestionis mali unusquisque sanctus interficit sua uitia uel pec-
⁵ cata, ut disperdat de ciuitate domini omnes operantes iniquitatem hoc est de sancta ecclesia praesenti uel futura.

Codices: SV
8,1 matutinis *scripsi*(*cf* lin.3): -no *SV*   id] ita *S*   4 malae *V*

8,2/3 Mt 13,30

INDEX LOCORUM SACRAE SCRIPTURAE*

* Die angeführten Zahlen verweisen auf die entsprechenden Seiten der Textausgabe. In Klammern gesetzt sind die Angaben, die sich auf Zitate innerhalb des Variantenapparates beziehen.

DATE DUE

HIGHSMITH 45-220

VETUS LATINA

AUS DER GESCHICHTE
DER LATEINISCHEN BIBEL

ISSN 0571 - 9070

Begründet von Bonifatius Fischer
Herausgegeben von Hermann Josef Frede

DATE DUE
